METHODEN DER
ORGANISCHEN CHEMIE

METHODEN DER ORGANISCHEN CHEMIE

(HOUBEN-WEYL)

VIERTE, VÖLLIG NEU GESTALTETE AUFLAGE

BEGRÜNDET VON

EUGEN MÜLLER †

UND

OTTO BAYER

LEVERKUSEN

BAND VII/3c

ANTHRACHINONE, ANTHRONE

19 GTV 79

GEORG THIEME VERLAG STUTTGART

CHINONE

TEIL III

9,10-ANTHRACHINONE, 10-ANTHRONE
UND 1,9-CYCLO-ANTHRONE-(10)

BEARBEITET VON

OTTO BAYER

LEVERKUSEN

MIT 5 TABELLEN

GEORG THIEME VERLAG STUTTGART

In diesem Handbuch sind zahlreiche Gebrauchs- und Handelsnamen, Warenzeichen u. dgl. (auch ohne besondere Kennzeichnung), Patente, Herstellungs- und Anwendungsverfahren aufgeführt. Herausgeber und Verlag machen ausdrücklich darauf aufmerksam, daß vor deren gewerblicher Nutzung in jedem Falle die Rechtslage sorgfältig geprüft werden muß. Industriell hergestellte Apparaturen und Geräte sind nur in Auswahl angeführt. Ein Werturteil über Fabrikate, die in diesem Band nicht erwähnt sind, ist damit nicht verbunden.

CIP-Kurztitelaufnahme der Deutschen Bibliothek

Methoden der organischen Chemie / (Houben-Weyl). Begr. von Eugen Müller u. Otto Bayer. Unter bes. Mitw. von H. Meerwein ; K. Ziegler. – Stuttgart : Thieme.
NE: Müller, Eugen [Begr.]; Houben, Josef [Begr.]; Houben-Weyl, . . .
Bd. 7.
3c. → Chinone

Chinone. – Stuttgart : Thieme.
Teil 3. Antrachinone, Anthrone / bearb. von O. Bayer. – 4., völlig neu gestaltete Aufl. – 1979.
(Methoden der organischen Chemie ; Bd. 7, 3c)
ISBN 3-13-206504-8
NE: Bayer, Otto [Mitarb.]

Erscheinungstermin 19.7.1979

© 1979, Georg Thieme Verlag, Herdweg 63, Postfach 732, D -7000 Stuttgart 1 – Printed in Germany

Satz und Druck: W. Tutte Druckerei GmbH, D-8391 Salzweg-Passau

ISBN 3-13-**206**504-8

Allgemeines Vorwort

Den bis 1978 erschienenen Bänden des „Houben-Weyl, Methoden der organischen Chemie" – 4. Auflage – ist ein allgemeines Vorwort vorangestellt, das seit dem Erscheinen des ersten Bandes im Jahre 1952 vor allem aus historischen Gründen in den folgenden Bänden unverändert übernommen wurde.

Seit 1952 haben sich jedoch die Verhältnisse sehr stark geändert. So sind die Publikationen über neue Syntheseverfahren zahlenmäßig derart angestiegen, daß mehr als die Hälfte der zitierten Literatur neueren Datums ist. Dies hatte notwendigerweise ein Anschwellen der Zahl und des Inhaltes der Houben-Weyl-Bände zur Folge. Dadurch sind auch die Anforderungen an die Autoren sowohl hinsichtlich der Literaturbeschaffung als auch der kritischen Durchsicht und Auswahl des Stoffes erheblich gewachsen. Die Autoren, die meistens ausgezeichnete Fachkenner ihres Gebietes sind, verdienen für ihre aufopfernde Tätigkeit und ihren Idealismus den Dank der gesamten Fachwelt.

Eine weitere Folge der wachsenden Literaturflut und der damit verbundenen Erschwernisse der Stoffbewältigung war, daß das Herausgebergremium sehr bald schon erweitert werden mußte. Wenn auch die Planung und Herausgabe der Bände vorwiegend durch die Herren Professor Dr. Eugen Müller, Tübingen, und Professor Dr. Otto Bayer, Leverkusen – unter starker Förderung durch die chemische Industrie, besonders durch die Bayer AG – durchgeführt wurden, so konnte diese umfangreiche Arbeit nur durch das Hinzuziehen weiterer Mitherausgeber bewältigt werden. Besonders Herrn Dr. H.-G. Padeken vom Georg Thieme Verlag sei für seine wertvolle Arbeit als Lektor und Redakteur gedankt. Nach dem Tode von Herrn Professor Eugen Müller (1976), dessen große Verdienste um den „Houben-Weyl" besonders gewürdigt werden müssen, fungierte der Unterzeichnete als Hauptherausgeber.

In wenigen Jahren wird dieses Werk mit einem Generalregister abgeschlossen vorliegen.

Bemerkenswert ist, daß der „Houben-Weyl" mit seinen 60 Einzelbänden nicht durch ein besonders dafür geschaffenes Institut zustande gekommen ist, sondern durch eine freie unternehmerische Zusammenarbeit zwischen Verlag und einer großen Zahl von nur nebenberuflich literarisch tätigen Wissenschaftlern.

Für alle, die am Zustandekommen dieses bedeutenden Werkes mitgewirkt haben, mag es eine große Befriedigung sein, ein internationales Standardwerk geschaffen zu haben, das aus der Laboratoriumspraxis nicht mehr wegzudenken ist.

OTTO BAYER

Vorwort zu Band VII/3c

Über die Chemie des Anthrachinons existieren keine umfassenden Monographien.

In der ausgezeichneten Abhandlung von F. BAUMANN und H. VOLLMANN: *Anthrachinon-Farbstoffe und Vorprodukte* in: „Ullmanns Encyclopädie der technischen Chemie", Bd. 3, S. 662–732, 3. Aufl. 1953, wird hauptsächlich die Herstellung von Farbstoffen beschrieben.

Auch in deren Neufassung durch H. S. BIEN und K. WUNDERLICH in „Ullmann", Bd. 7, S. 585–646, 4. Aufl. 1974, sind nur die wichtigsten Zwischenprodukte für Anthrachinonfarbstoffe aufgeführt.

Das ausführliche Werk von J. HOUBEN: *Das Anthracen und die Anthrachinone* wurde von einem Nichtfachmann verfaßt und ist außerdem bereits 50 Jahre alt. Es enthält ebenso wie der Abschnitt „Anthrachinon-Farbstoffe" in H. E. FIERZ-DAVID: „Künstliche Organische Farbstoffe" (1928) eine Reihe von Unrichtigkeiten, die z. T. darauf zurückzuführen sind, daß die Industrie, in deren Laboratorien praktisch die gesamte Anthrachinonforschung durchgeführt wurde, damals ihre Erkenntnisse nur sehr spärlich publizierte.

Ich habe mich daher der nicht immer einfachen Aufgabe unterzogen, die Literatur kritisch zu bewerten und meine Kenntnisse und Erfahrungen auf dem Anthrachinongebiet in diesem Band niederzulegen. Diese beruhen auf den persönlichen Kontakten zu den Pionieren der Anthrachinonchemie, dem Zugang zu den exakten Aufzeichnungen des bedeutendsten Anthrachinonforschers ROBERT EMANUEL SCHMIDT (Farbenfabriken vorm. Friedrich Bayer & Co., Elberfeld), meiner fast 40jährigen Zusammenarbeit mit einem Team von Anthrachinonchemikern, der 12jährigen Zugehörigkeit zur „Wissenschaftlichen Anthrachinonkommission" der ehemaligen I.G. Farbenindustrie AG, der Offenlegung der Verfahren der deutschen Farbenindustrie in den sogenannten BIOS- und FIAT-Berichten (1948) und nicht zuletzt auf den zahlreichen Diskussionen mit Fachkollegen.

Zahlreiche Angaben, vor allem in älteren Patenten und wissenschaftlichen Veröffentlichungen, mußten revidiert werden, ohne daß immer auf diese „Widersprüche" mit der Literatur besonders hingewiesen wurde. Insofern hat die vorliegende Aufzählung der Verfahren zur Herstellung von Anthrachinonderivaten teilweise den Charakter einer Originalveröffentlichung. Ob die Ausmerzung aller unrichtigen Angaben, besonders der älteren gelungen ist, bleibt dahingestellt.

Beschrieben wird im vorliegenden Band die Herstellung von einfachen Derivaten des Anthrachinons, nicht aber die von Anthrachinonen mit ankondensierten Ringsystemen. Miterfaßt wurden jedoch die technisch wichtigen 1,9-Cyclo-anthrone-(10).

Wie stets durfte ich mich der Hilfe der Literarisch-Wissenschaftlichen Abteilung der Bayer AG und der verständnisvollen Mitarbeit von Frau Dr. HANNA SÖLL, Leverkusen, erfreuen. Allen, die mir geholfen haben, sei herzlichst gedankt.

Leverkusen, im Mai 1979   OTTO BAYER

Chinone
Teil III

Zeitschriftenliste

Die Abkürzungen entsprechen der Sigelliste des „Beilstein", nur die mit * bezeichneten Abkürzungen sind der 2. Auflage der Periodica Chimica entnommen, die mit ○ bezeichneten den Chemical Abstracts.

A.

	Liebigs Annalen der Chemie
Abh. dtsch. Akad. Wiss. Berlin, Kl. Chem., Geol. Biol.	Abhandlungen der Deutschen Akademie der Wissenschaften zu Berlin. Klasse für Chemie, Geologie und Biologie, Berlin
Abh. dtsch. Akad. Wiss. Berlin, Kl. Math. allg. Naturwiss.	Abhandlungen der Deutschen Akademie der Wissenschaften zu Berlin. Klasse für Mathematik und Allgemeine Naturwissenschaften (seit 1950)
Abstr. Kagaku-Kenkyū-Jo Hōkoku	Abstracts from Kagaku-Kenkyū-Jo Hōkoku (Reports of the Scientific Research Institute, seit 1950)
Abstr. Rom. Tech. Lit.	Abstracts of Roumanian Technical Literature, Bukarest
Accounts Chem. Res.	Accounts of Chemical Research, Washington
A. ch.	Annales de Chimie, Paris
Acta Acad. Åbo	Acta Academiae Åboensis, Finnland Turku
Acta Biochim. Pol.	Acta Biochimica Polonica, Warszawa
Acta chem. scand.	Acta Chemica Scandinavica, Kopenhagen, Dänemark
Acta chim. Acad. Sci. hung.	Acta Chimica Akademiae Scientiarum Hungaricae, Budapest
Acta Chim. Sinica	Acta Chimica Sinica (Ha Hsüeh Hsüeh Pao; seit 1957), Peking
Acta Cient. Venez.	Acta Cientifica Venezolana, Caracas
Acta crystallogr.	Acta Crystallographica [Copenhagen] (bis 1951: [London])
Acta crystallogr., Sect. A	Acta Crystallographica, Section A, London
Acta crystallogr., Sect. B	Acta Crystallographica, Section B, London
Acta Histochem.	Acta Histochemica, Jena
Acta Histochem., Suppl.	Acta Histochemica (Jena), Supplementum
Acta Hydrochimica et Hydrobiologica	Acta Hydrochimica et Hydrobiologica, Berlin
Acta latviens. Chem.	Acta Universitatis Latviensis, Chemicorum Ordinis Series, Riga
Acta pharmac. int. [Copenhagen]	Acta Pharmaceutica Internationalia [Copenhagen]
Acta pharmacol. toxicol.	Acta Pharmacologica et Toxicologica, Kopenhagen
Acta Pharm. Hung.	Acta Pharmaceutica Hungarica, Budapest (seit 1949)
Acta Pharm. Suecica	Acta Pharmaceutica Suecica, Stockholm
Acta Pharm. Yugoslav.	Acta Pharmaceutica Yugoslavica, Zagreb
Acta physicoch. URSS	Acta Physicochimica URSS
Acta physiol. scand.	Acta Physiologica Scandinavica
Acta physiol. scand. Suppl.	Acta Physiologica Scandinavica, Supplementum
Acta phytoch.	Acta Phytochimica, Tokyo
Acta polon. pharmac.	Acta Poloniae Pharmaceutica (bis 1939 und seit 1947)
Advan. Alicyclic Chem.	Advances in Alicyclic Chemistry, New York
Advan. Appl. Microbiol.	Advances in Applied Microbiological, New York
Advan. Biochem. Engng.	Advances in Biochemical Engineering, Berlin
Advan. Carbohydr. Chem. and Biochem.	Advances in Carbohydrate Chemistry and Biochemistry, New York
Advan. Catal.	Advances in Catalysis and Related Subjects, New York
Advan. Chem. Ser.	Advances in Chemistry Series, Washington
Advan. Food Res.	Advances in Food Research, New York
Adv. Biol. Med. Phys.	Advances in Biological and Medical Physics, New York
Adv. Carbohydrate Chem.	Advances in Carbohydrate Chemistry
Adv. Chromatogr.	Advances in Chromatography, New York
Adv. Colloid Int. Sci.	Advance in Colloid and Interface Science, Amsterdam
Adv. Drug Res.	Advance in Drug Research, New York
Adv. Enzymol.	Advances in Enzymology and Related Subjects of Biochemistry, New York
Adv. Fluorine Chem.	Advances in Fluorine Chemistry, London

Adv. Free Radical Chem.	Advances in Free Radical Chemistry, London
Adv. Heterocyclic Chem.	Advances in Heterocyclic Chemistry, New York
Adv. Macromol. Chem.	Advances in Macromólecular Chemistry, New York
Adv. Magn. Res.	Advances in Magnetic Resonance, England
Adv. Microbiol. Phys.	Advances in Microbiological Physiology, New York
Adv. Organometallic Chem.	Advances in Organometallic Chemistry, New York
Adv. Org. Chem.	Advances in Organic Chemistry: Methods and Results, New York
Adv. Photochem.	Advances in Photochemistry, New York, London
Adv. Protein Chem.	Advances in Protein Chemistry, New York
Adv. Ser.	Advances in Chemistry Series, Washington
Adv. Steroid Biochem. Pharm.	Advances in Steroid Biochemistry and Pharmacology, London/New York
Adv. Urethane Sci. Techn.	Advances in Urethane Science and Technology, Westport, Conn.
Afinidad	Afinidad [Barcelona]
Agents in Actions	Agents in Actions, Basel
Agr. and Food Chem.	Journal of Agricultural and Food Chemistry, Washington
Agr. Biol.-Chem. (Tokyo)	Agricultural and Biological Chemistry, Tokyo
Agr. Chem.	Agricultural Chemicals Baltimore
Agrochimica	Agrochimica, Pisa
Agrokem. Talajtan	Agrokémia és Talajtan (Agrochemie und Bodenkunde), Budapest
Agrokhimiya	Agrokhimiya i Gruntoznavslvo (Agricultural Chemistry and Soil Science), Kiew
Agron. J.	Agronomy Journal, United States (seit 1949)
Aiche J. (A.I.Ch.E.)	American Institute of Chemical Engineers Journal, New York
Allg. Öl- u. Fett-Ztg.	Allgemeine Öl- und Fett-Zeitung, Berlin (1943 vereinigt mit Seifensieder-Ztg., Abkürzung nach Periodica Chimica)
Am.	American Chemical Journal, Washington
A.M.A. Arch. Ind. Health	A.M.A. Archives of Industrial Health (seit 1955)
Am. Dyest. Rep.	American Dyestuff Reporter, New York
Amer. ind. Hyg. Assoc. Quart.	American Industrial Hygiene Association Quarterly, Chicago
Amer. J. Physics	American Journal of Physics, New York
Amer. Petroleum Inst. Quart.	American Petroleum Institute Quarterly, New York
Amer. Soc. Testing Mater.	American Society for Testing Materials, Philadelphia, Pa.
Amino-acid, Peptide Prot. Abstr.	Amino-acid, Peptide and Protein Abstracts, London
Am. Inst. Chem. Engrs.	American Institute of Chemical Engineers, New York
Am. J. Pharm.	American Journal of Pharmacy (bis 1936) Philadelphia
Am. J. Physiol.	American Journal of Physiology, Washington
Am. J. Sci.	American Journal of Science, New Haven, Conn.
Am. Perfumer	Americ. Perfumer and Essential Oil Reviews (1936–1939: American Perfumer, Cosmetics, Toilet Preparations)
Am Soc.	Journal of the American Chemical Society, Washington
Anal. Abstr.	Analytical Abstracts, Cambridge (seit 1954)
Anal. Biochem.	Analytical Biochemistry, New York
Anal. Chem.	Analytical Chemistry (seit 1947), Washington
Anal. chim. Acta	Analytica Chimica Acta, Amsterdam
Anales Real Soc. Espan. Fis. Quim. (Madrid)	Anales de la Real Sociedad Española de Fisica y Química, Madrid (seit 1936)
Analyst	The Analyst, Cambridge
An. Asoc. quím. arg.	Anales de la Asociación Química Argentina, Buenos Aires
An. Farm. Bioquím. Buenos Aires	Anales de Farmacia y Bioquímica, Buenos Aires
An. Fis.	Anales de la Real Sociedad Española de Fisica y Química, Serie A, Madrid
Ang. Ch.	Angewandte Chemie (bis 1931: Zeitschrift für angewandte Chemie); engl.: Angew. Chem. Intern. Ed. Engl. Angewandte Chemie Internationale Edition in Englisch (seit 1962), Weinheim, New York, London
Angew. Makromol. Chem.	Angewandte Makromolekulare Chemie, Basel
Anilinfarben-Ind.	Анилинокрасочная Промышленность (Anilinfarben-Industrie), Moskau
Ann. Acad. Sci. fenn.	Annales Academiae Scientiarum Fennicae, Helsinki
Ann. Chim. anal.	Annales de Chimie Analytique (1942–1946), Paris
Ann. Chim. anal. appl.	Annales de Chimie Analytique et de Chimie Appliquée (bis 1941), Paris

Ann. Chim. applic.	Annali di Chimica Applicata (bis 1950), Rom
Ann. chim. et phys.	Annales de chimie et de physique (bis 1941), Paris
Ann. chim. farm.	Annali di chimica farmaceutica (1938–1940), Rom
Ann. Chimica	Annali di Chimica (seit 1950), Rom
Ann. Fermentat.	Annales des Fermentations, Paris
Ann. Inst. Pasteur	Annales de l'Institut Pasteur, Paris
Ann. Med. Exp. Biol. Fennicae (Helsinki)	Annales Medicinae Experimentalis et Biologiae Fennicae, Helsinki (seit 1947)
Ann. N. Y. Acad. Sci.	Annals of the New York Academy of Sciences, New York
Ann. pharm. Franç.	Annales Pharmaceutiques Françaises (seit 1943), Paris
Ann. Phys. (New York)	Annals of Physics, New York
Ann. Physik	Annalen der Physik (bis 1943 und seit 1947), Leipzig
Ann. Physique	Annales de Physique, Paris
Ann. Rep. Med. Chem.	Annual Reports in Medicinal Chemistry, New York
Ann. Rep. NMR Spectr.	Annual Reports of NMR Spectroscopy, London
Ann. Rep. Org. Synth.	Annual Reports on Organic Synthesis, New York
Ann. Rep. Progr. Chem.	Annual Reports on the Progress of Chemistry, London
Ann. Rev. Biochem.	Annual Review of Biochemistry, Stanford, Calif.
Ann. Rev. Inf. Sci. Techn.	Annual Review of Information Science and Technology, Chicago
Ann. Rev. phys. Chem.	Annual Review of Physical Chemistry, Palo Alto, Calif.
Ann. Soc. scient. Bruxelles	Annales de la Société Scientifique des Bruxelles, Brüssel
Annu. Rep. Progr. Rubber	Annual Report on the Progress of Rubber Technology, London
Annu. Rep. Shionogi Res. Lab. [Osaka]	Annual Reports of Shionogi Research Laboratory [Osaka]
An. Quím.	Anales de la Real Española de Física y Química, Serie B, Madrid
An. Soc. españ. [A] bzw. [B]	Anales de la Real Española de Fisica y Química (1940–1947 Anales de Física y Química). Seit 1948 geteilt in: Serie A-Física. Serie B-Química, Madrid
An. Soc. cient. arg.	Anales de la Sociedad Cientifica Argentina, Santa Fé (Argentinien)
Antibiot. Chemother.	Antibiotics and Chemotherapy, New York
Antibiotiki (Moscow)	Антибиотики, Antibiotiki (Antibiotika), Moskau
Antimicrob. Agents Chemoth.	Antimicrobial Agents and Chemotherapy, Bethesda, Md.
Appl. Microbiol.	Applied Microbiology, Baltimore, Md.
Appl. Physics	Applied Physics, Berlin
Appl. Polymer Symp.	Applied Polymer Symposia, New York
Appl. scient. Res.	Applied Scientific Research, Den Haag
Appl. Sci. Res. Sect. A u. B	Applied Scientific Research, Den Haag A. Mechanics, Heat, Chemical Engineering, Mathematical Methods B. Electrophysics, Acoustics, Optics, Mathematical Methods
Appl. Spectrosc.	Applied Spectroscopy, Chestnut Hill, Mass.
Ar.	Archiv der Pharmazie (und Berichte der Deutschen Pharmazeutischen Gesellschaft), Weinheim/Bergstr.
Arch. Biochem.	Archives of Biochemistry and Biophysics (bis 1951: Archives of Biochemistry), New York
Arch. des Sci.	Archives des Sciences (seit 1948), Genf
Arch. Environ. Health	Archives of Environmental Health, Chicago (seit 1960)
Arch. Intern. Physiol. Biochim.	Archives Internationales de Physiologie et de Biochimie (seit 1955), Liège
Arch. Math. Naturvid.	Archiv for Mathematik og Naturvidenskab, Oslo
Arch. Mikrobiol.	Archiv für Mikrobiologie (bis 1943 und seit 1948), Berlin
Arch. Pharm. Chemi	Archiv for Pharmaci og Chemi, Kopenhagen
Arch. Phytopath. Pflanzensch.	Archiv für Phytopathologie und Pflanzenschutz, Berlin
Arch. Sci. phys. nat.	Archives des Sciences Physiques et Naturelles, Genf (bis 1947)
Arch. techn. Messen	Archiv für Technisches Messen (bis 1943 und seit 1947), München
Arch. Toxicol.	Archiv für Toxikologie, Berlin, Göttingen, Heidelberg (seit 1954)
Arh. Kemiju	Arhiv za Kemiju, Zagreb (Archives de Chimie) (seit 1946)
Ark. Kemi	Arkiv för Kemi, Mineralogie och Geologi, seit 1949 Arkiv för Kemi (Stockholm)
Arm. Khim. Zh.	Армлнский Химический Журнал Armyanskii Khimicheskii Zhurnal (Armenian Chemical Journal) Erewan, UdSSR
Ar. Pth.	(NUUNYN-SCHMIEDEBERGS) Archiv für Experimentelle Pathologie und Pharmakologie, Berlin-W.
Arzneimittel-Forsch.	Arzneimittel-Forschung, Aulendorf/Württ.

ASTM Bull.	ASTM (American Society for Testing Materials) Bulletin, Philadelphia
ASTM Spec. Techn. Publ.	ASTM (American Society for Testing Materials), Technical Publications, New York
Atti Accad. naz. Lincei, Mem., Cl. Sci. fisiche, mat. natur., Sez. I, II bzw. III	Atti della Accademia Nazionale dei Lincei. Memorie. Classe di Scienze Fisiche, Matematiche e Naturali. Sezione I (Matematica, Meccanica, Astronomia, Geodesia e Geofisica). Sezione II (Fisica, Chimica, Geologia, Paleontologia e Mineralogia). Sezione III (Scienze Biologiche) (seit 1946), Turin
Atti Accad. naz. Lincei, Rend., Cl. Sci. fisiche, mat. natur.	Atti della Accademia Nazionale dei Lincei. Rendiconti. Classe di Scienze Fisiche, Matematiche e Naturali (seit 1946), Rom
Aust. J. Biol. Sci.	Australian Journal of Biological Sciences (seit 1953), Melbourne
Austral. J. Chem.	Australian Journal of Chemistry (seit 1952), Melbourne
Austral. J. Sci.	Australian Journal of Science, Sydney
Austral. J. scient. Res., [A] bzw. [B]	Australien Journal of Scientific Research. Series A. Physical Sciences. Series B. Biological Sciences, Melbourne
Austral. P.	Australisches Patent, Canberra
Azerb. Khim. Zh.	Азербайджанский Химический Журнал Azerbaidschanisches Chemisches Journal
B.	Berichte der Deutschen Chemischen Gesellschaft; seit 1947: Chemische Berichte, Weinheim/Bergstr.
Belg. P.	Belgisches Patent, Brüssel
Ber. Bunsenges. Phys. Chem.	Berichte der Bunsengesellschaft, Physikalische Chemie, Heidelberg (bis 1952).
Ber. chem. Ges. Belgrad	Berichte der Chemischen Gesellschaft Belgrad (Glassnik Chemisskog Druschtwa Beograd, seit 1940), Belgrad
Ber. Ges. Kohlentechn.	Berichte der Gesellschaft für Kohlentechnik (Dortmund-Eving)
Biochem.	Biochemistry, Washington
Biochem. biophys. Acta	Biochimica et biophysica Acta, Amsterdam
Biochem. Biophys. Research Commun.	Biochemical and Biophysical Research Communications, New York
Biochem. J. (London)	The Biochemical Journal, London
Biochem. J. (Kiew)	Biochemical Journal, Kiew, Ukraine
Biochem. Med.	Biochemical Medicine, New York
Biochem. Pharmacol.	Biochemical Pharmacology, London
Biochem. Prepar.	Biochemical Preparations, New York
Biochem. Soc. Trans.	Biochemical Society Transactions, London
Biochimiya	Биохимия(Biochimia)
Biodynamica	Biodynamica, Normandy, Mo., USA
Biofizika	Биофизика (Biophysik), Moskau
Biopolymers	Biopolymers, New York
Bios Final Rep.	British Intelligence Objectives Subcommittee, Final Report
Bio. Z.	Biochemische Zeitschrift (bis 1944 und seit 1947)
Bitumen, Teere, Asphalte, Peche	Bitumen, Teere, Asphalte, Peche und verwandte Stoffe, Heidelberg
Bl.	Bulletin de la Société Chimique de France, Paris
Bl. Acad. Belgique	Académie Royale de Belgique: Bulletins de la Classe des Sciences, Brüssel
Bl. Acad. Polon.	Bulletin International de l'Académie Polonaise des Sciences et des Lettres, Classe des Sciences Mathématiques et Naturelles, Krakau
Bl. agric. chem. Soc. Japan	Bulletin of the Agricultural Chemical Society of Japan, Tokio
Bl. am. phys. Soc.	Bulletin of the American Physical Society, Lancaster, Pa.
Bl. chem. Soc. Japan	Bulletin of the Chemical Society of Japan, Tokio
Bl. Soc. chim. Belg.	Bulletin de la Société Chimique de Belgique (bis 1944), Brüssel
Bl. Soc. Chim. biol.	Bulletin de la Société de Chimie Biologique, Paris
Bl. Soc. Chim. ind.	Bulletin de la Société de Chimie Industrielle (bis 1934), Paris
Bl. Trav. Pharm. Bordeaux	Bulletin des Travaux de la Société de Pharmacie de Bordeaux
Bol. inst. quím. univ. nal. auton. Mé.	Boletin del instituto de química de la universidad nacional autonoma de México
Boll. chim. farm.	Bolletino chimico farmaceutico, Mailand
Boll. Lab. Chim. Prov. Bologna	Bolletino dei Laboratori Chimici, Provinciali, Bologna
Bol. Soc. quím. Perú	Boletin de la Sociedad Química del Perú, Lima (Peru)
Botyu Kagaku	Bulletin of the Institute of Insect Control (Kyoto), (Scientific Insect Control)

B. Ph. P.	Beiträge zur Chemischen Physiologie und Pathologie
Brennstoffch.	Brennstoff-Chemie (bis 1943 und seit 1949), Essen
Brit. Chem. Eng.	British Chemical Engineering, London
Brit. J. appl. Physics	British Journal of Applied Physics, London
Brit. J. Cancer	British Journal of Cancer, London
Brit. J. Industr. Med.	British Journal of Industrial Medicine, London
Brit. J. Pharmacol.	British Journal of Pharmacology and Chemotherapy, London
Brit. P.	British Patent, London
Brit. Plastics	British Plastics (seit 1945), London
Brit. Polym. J.	British Polymer Journal, London
Bul. inst. politeh. Jasi	Buletinul institutuluí politehnic din Jasi (ab 1955 mit Zusatz [NF])
Bul. Laboratorarelor	Buletinul Laboratorarelor, Bukarest
Bull. Acad. Polon. Sci., Ser. Sci. Chim. Geol. Geograph. bzw. Ser. Sci. Chim.	Bulletin de l'Académie Polonaise des Sciences, Serie des Sciences, Chimiques, Geologiques et Géographiques (seit 1960 geteilt in … Serie des Sciences Chimiques und … Serie des Sciences Geologiques et Géographiques), Warschau
Bull. Acad. Sci. URSS, Div. Chem. Sci.	Izwestija Akademii Nauk. SSSR (Bulletin de l'Académie des Sciences de URSS), Moskau, Leningrad (bis 1936)
Bull. Environ. Contamin. Toxicol.	Bulletin of Environmental Contamination and Toxicology, Berlin/ New York
Bull. Inst. Chem. Research, Kyoto Univ.	Bulletin of the Institute for Chemical Research, Kyoto University (Kyoto Daigaku Kagaku Kenkyûsho Hôkoku), Takatsoki, Osaka
Bull. Research Council Israel	Bulletin of the Research Council of Israel, Jerusalem
Bull. Research Inst. Food Sci., Kyoto Univ.	Bulletin of the Research Institute for Food Science, Kyoto University (Kyoto Daigaku Shokuryô-Kagaku Kenkyujo Hôkoku), Fukuoka, Japan
Bull. Soc. roy. Sci. Liège	Bulletin de la Société Royale des Sciences de Liège, Brüssel
C.	Chemisches Zentralblatt, Weinheim/Bergstr.
C. A.	Chemical Abstracts, Washington
Canad. chem. Processing	Canadian Chemical Processing, Toronto, Canada
Canad. J. Chem.	Canadian Journal of Chemistry, Ottawa, Canada
Canad. J. Physics	Canadian Journal of Physics, Ottawa, Canada
Canad. J. Res.	Canadian Journal of Research (bis 1950), Ottawa, Canada
Canad. J. Technol.	Canadian Journal of Technology, Ottawa, Canada
Canad. P.	Canadisches Patent
Cancer (Philadelphia)	Cancer (Philadelphia), Philadelphia
Cancer Res.	Cancer Research, Chicago
Can. Chem. Process.	Canadian Chemical Processing, Toronto (seit 1951)
Can. J. Biochem.	Canadian Journal of Biochemistry, Ottawa
Can. J. Biochem. Physiol.	Canadian Journal of Biochemistry and Physiology, Ottawa (seit 1954)
Can. J. Chem. Eng.	Canadian Journal of Chemical Engineering, Ottawa (seit 1957)
Can. J. Microbiol.	Canadian Journal of Microbiology, Ottawa
Can. J. Pharm. Sci.	Canadian Journal of Pharmaceutical Sciences, Toronto
Can. J. Plant. Sci.	Canadian Journal of Plant Science, Ottawa (seit 1957)
Can. J. Soil Sci.	Canadian Journal of Soil Science, Ottawa (seit 1957).
Carbohyd. Chem.	Carbohydrate Chemistry, London
Carbohyd. Chem. Metab. Abstr.	Carbohydrate Chemistry and Metabolism Abstracts, London
Carbohyd. Res.	Carbohydrate Research, Amsterdam
Catalysis Rev.	Catalysis Review, New York
Cereal Chem.	Cereal Chemistry, St. Paul, Minnesota
Česk. Farm.	Čechoslovenska Farmacie, Prag
Ch. Apparatur	Chemische Apparatur (bis 1943), Berlin
Chem. Age India	Chemical Age of India
Chem. Age London	Chemical Age, London
Chem. Age N. Y.	Chemical Age, New York
Chem. Anal.	Organ Komisjii Analitycznej Komitetu Nauk Chemicznych PAN, Warschau
Chem. Brit.	Chemistry in Britain, London
Chem. Commun.	Chemical Communications, London
Chem. Econ. & Eng. Rev.	Chemical Economy and Engineering Review, Tokyo

Chem. Eng.	Chemical Engineering with Chemical and Metallurgical Engineering (seit 1946), New York
Chem. Eng. (London)	Chemical Engineering Journal, London
Chem. eng. News	Chemical and Engineering News (seit 1943) Washington
Chem. Eng. Progr.	Chemical Engineering Progress, Philadelphia, Pa.
Chem. Eng. Progr., Monograph Ser.	Chemical Engineering Progress. Monograph Series, New York
Chem. Eng. Progr., Symposium Ser.	Chemical Engineering Progress. Symposium Series, New York
Chem. eng. Sci.	Chemical Engineering Science, London
Chem. High Polymers (Tokyo)	Chemistry of High Polymers (Tokyo) (Kobunshi Kagaku), Tokio
Chemical Ind. (China)	Chemical Industry [China], Peking
Chemie-Ing.-Techn.	Chemie-Ingenieur-Technik (seit 1949), Weinheim/Bergstr.
Chemie in unserer Zeit	Chemie in unserer Zeit, Weinheim/Bergstr.
Chemie Lab. Betr.	Chemie für Labor und Betrieb, Frankfurt/Main
Chemie Prag	Chemie (Praha), Prag
Chemie und Fortschritt	Chemie und Fortschritt, Frankfurt/Main
Chem. & Ind.	Chemistry & Industry, London
Chem. Industrie	Chemische Industrie, Düsseldorf
Chem. Industries	Chemical Industries, New York
Chem. Inform.	Chemischer Informationsdienst, Leverkusen
Chemist-Analyst	Chemist-Analyst, Philipsburg, New York, New Jersey
Chem. Letters	Chemistry Letters, Tokyo
Chem. Listy	Chemické Listy pro Vědu a Průmysl. Prag (Chemische Blätter für Wissenschaft und Industrie); seit 1951 Chemické Listy, Prag
Chem. met. Eng.	Chemical and Metallurgical Engineering (bis 1946), New York
Chem. N.	Chemical News and Journal of Industrial Science (1921–1932), London
Chemorec. Abstr.	Chemoreception Abstracts, London
Chemosphere	Chemosphere, London
Chem. pharmac. Techniek	Chemische en Pharmaceutische Techniek, Dordrecht
Chem. Pharm. Bull. (Tokyo)	Chemical & Pharmaceutical Bulletin (Toyko)
Chem. Process Engng.	Chemical and Process Engineering, London
Chem. Processing	Chemical Processing, London
Chem. Products chem. News	Chemical Products and the Chemical News, London
Chem. Průmysl	Chemický Průmysl, Prag (Chemische Industrie, seit 1951), Prag
Chem. Rdsch. [Solothurn]	Chemische Rundschau [Solothurn]
Chem. Reviews	Chemical Reviews, Baltimore
Chem. Scripta	Chemical Scripta, Stockholm
Chem. Senses & Flavor	Chemical Senses and Flavor, Dordrecht/Boston
Chem. Soc. Rev.	Chemical Society Reviews, London (formerly Quarterly Reviews)
Chem. Tech. (Leipzig)	Chemische Technik, Leipzig (seit 1949)
Chem. Techn.	Chemische Technik, Berlin
Chem. Technol.	Chemical Technology, Easton/Pa.
Chem. Trade J.	Chemical Trade Journal and Chemical Engineer, London
Chem. Umschau, Gebiete, Fette, Öle, Wachse, Harze (ab 1933: Fettchemische Umschau)	Chemische Umschau auf dem Gebiete der Fette, Öle, Wachse und Harze (bis 1933)
Chem. Week	Chemical Week, New York
Chem. Weekb.	Chemisch Weekblad, Amsterdam
Chem. Zvesti	Chemické Zvesti (tschech.). Chemische Nachrichten, Bratislawa
Chim. anal.	Chimie analytique (seit 1947), Paris
Chim. Anal. (Bukarest)	Chimie Analitica, Bukarest
Chim. Chronika	Chimika Chronika, Athen
Chim. et Ind.	Chimie et Industrie, Paris
Chim. farm. Ž.	Chimiko-farmazevtičeskij Žurnal, Moskau
Chim. geterocikl. Soed.	Химия гетеродиклиьнских соединий (Die Chemie der hetero-cyclischen Verbindungen), Riga
Chimia	Chimia, Zürich
Chimica e Ind.	Chimica e L'Industria, Mailand (seit 1935)
Chim. Therap.	Chimica Therapeutica, Arcueil
Ch. Z.	Chemiker-Zeitung, Heidelberg
CIOS Rep.	Combinde Intelligence Objectives Sub-Committee Report
Clin. Chem.	Clinical Chemistry, New York

Clin. Chim. Acta	Clinica Chimica Acta, Amsterdam
Clin. Sci.	Clinical Science, London
Collect. czech. chem. Commun.	Collection of Czechoslovak Chemikal Communications (seit 1951), Prag
Collect. Pap. Fac. Sci., Osaka Univ. [C]	Collect Papers from the Faculty of Science, Osaka University, Osaka, Series C, Chemistry (seit 1943)
Collect. pharmac. suecica	Collectanea Pharmaceutica, Suecica, Stockholm
Collect. Trav. chim. Tchécosl.	Collection des Travaux Chimiques de Tchécoslovaquie (bis 1939) und 1947–1951; 1939: … Tschèques), Prag
Colloid Chem.	Colloid Chemistry, New York
Comp. Biochem. Physiol.	Comparative Biochemistry and Physiology, London
Coord. Chem. Rev.	Coordination Chemistry Reviews, Amsterdam
C. r.	Comptes Rendus Hebdomadaires des Séances de l'Académie des Sciences, Paris
C. r. Acad. Bulg. Sci.	Доклады Болгарской Академии Наук (Comptes rendus de l'académie bulgare des sciences)
Crit. Rev. Tox.	Critical Reviews in Toxicology, Cleveland/Ohio
Croat. Chem. Acta	Croatica Chemica Acta, Zagreb
Curr. Sci.	Current Science, Bangalore
Dän. P.	Dänisches Patent
Dansk Tidsskr. Farm.	Dansk Tidsskrift for Farmaci, Kopenhagen
DAS.	Deutsche Auslegeschrift = noch nicht erteiltes DBP. (seit 1. 1. 1957). Die Nummer der DAS. und des später darauf erteilten DBP. sind identisch
DBP.	Deutsches Bundespatent (München, nach 1945, ab Nr. 800000)
DDRP.	Patent der Deutschen Demokratischen Republik (vom Ostberliner Patentamt erteilt)
Dechema Monogr.	Dechema Monographien, Weinheim/Bergstr.
Delft Progr. Rep.	Delft Progress Report (A: Chemistry and Physics, Chemical and Physical Engineering), Groningen
Die Nahrung	Die Nahrung (Chemie, Physiologie, Technologie), Berlin
Discuss. Faraday Soc.	Discussions of the Faraday Society, London
Dissertation Abstr.	Dissertation Abstracts Ann Arbor, Michigan
Doklady Akad. SSSR	Доклады Академии Наук СССР (Comptes Rendus de l'Académie des Sciences de l'URSS), Moskau
Dokl. Akad. Nauk Arm. SSR	Доклады Академии Наук Армянской ССР / Doklady Akademii Nauk Armjanskoi SSR (Berichte der Akademie der Wissenschaften der Armenischen SSR), Erewan
Dokl. Akad. Nauk Azerb. SSR	Доклады Академии Наук Азербайджанской ССР/ Doklady Akademii Nauk Azerbaidshanskoi SSR (Berichte der Akademie der Wissenschaften der Azerbaidschanischen SSR), Baku
Dokl. Akad. Nauk Beloruss. SSR	Д. А. Н. Белорусской ССР/ Doklady Akademii Nauk Belorusskoi SSR (Berichte der Akademie der Wissenschaften der Belorussischen SSR), Minsk
Dokl. Akad. Nauk SSSR	Д. А. Н. Советской ССR / Doklady Akademii Nauk Sowjetskoi SSR (Berichte der Akademie der Wissenschaften der Vereinigten SSR), Moskau
Dokl. Akad. Nauk Tadzh. SSR	Д. А. Н. Таджикской ССР / Doklady Akademii Nauk Tadshikskoi SSR (Berichte der Akademie der Wissenschaften der Tadshikischen SSR)
Dokl. Akad. Nauk Uzb. SSR	Д. А. Н. Узбекской ССР / Doklady Akademii Nauk Uzbekskoi SSR (Berichte der Akademie der Wissenschaften der Uzbekischen SSR), Taschkent
Dokl. Bolg. Akad. Nauk	Доклады Болгарской Академии Наук / Doklady Bolgarskoi Akademii Nauk (Berichte der Bulgarischen Akademie der Wissenschaften), Sofia
Dopov. Akad. Nauk Ukr. RSR, Ser. A u. B	Доповиди Академии Наук Украинской РСР / Dopowidi Akademii Nauk Ukrainskoi RSR (Berichte der Akademie der Wissenschaften der Ukrainischen SSR), Kiew Serie A und B
DOS	Deutsche Offenlegungsschrift (ungeprüft)
DRP.	Deutsches Reichspatent (bis 1945)
Drug Cosmet. Ind.	Drug and Cosmetic Industry, New York

Dtsch. Apoth. Ztg.	Deutsche Apotheker-Zeitung (1934–1945), seit 1950: vereinigt mit Süddeutsche Apotheker-Zeitung, Stuttgart
Dtsch. Farben-Z.	Deutsche Farben-Zeitschrift (seit 1951), Stuttgart
Dtsch. Lebensmittel-Rdsch.	Deutsche Lebensmittel-Rundschau, Stuttgart
Dyer Textile Printer	Dyer, Textile Printer, Bleacher and Finisher (seit 1934; bis 1934: Dyer and Calico Printer, Bleacher, Finisher and Textile Review), London
Electroanal. Chemistry	Electroanalytical Chemistry, New York
Endeavour	Endeavour, London
Endocrinology	Endocrinology, Boston, Mass.
Endokrinologie	Endokrinologie, Leipzig (1943–1949 unterbrochen)
Environ. Sci. Technol.	Environmental Science and Technology, England
Enzymol.	Enzymologia (Holland), Den Haag
Erdöl, Kohle	Erdöl und Kohle (seit 1948), Hamburg
Erdöl, Kohle, Erdgas, Petrochem.	Erdöl und Kohle – Erdgas – Petrochemie, Hamburg, (seit 1960)
Ergebn. Enzymf.	Ergebnisse der Enzymforschung, Leipzig
Ergebn. exakt. Naturwiss.	Ergebnisse der exakten Naturwissenschaften, Berlin
Ergebn. Physiol.	Ergebnisse der Physiologie, Biologischen Chemie und Experimentellen Pharmakologie, Berlin
Europ. J. Biochem.	European Journal of Biochemistry, Berlin, New York
Eur. Polym. J.	European Polymer Journal, Amsterdam
Experientia	Experientia (Basel)
Experientia, Suppl.	Experientia, Supplementum, Basel
Farbe Lack	Farbe und Lack (bis 1943 und seit 1947), Hannover
Farmac. Glasnik	Farmaceutski Glasnik, Zagreb (Pharmazeutische Berichte)
Farmacia (Bucharest)	Farmacia (Bucuresti), Bukarest
Farmaco. Ed. Prat.	Farmaco Edizione Pratica, Pavia
Farmaco (Pavia), Ed. sci.	Il Farmaco (Pavia), Edizione scientifica
Farmac. Revy	Farmacevtisk Revy, Stockholm
Farmakol. Toksikol. (Moscow)	Фармакология и Токсикология (Farmakologija i Tokssikologija) Pharmakologie und Toxikologie, Moskau
Farmatsiya (Moscow)	Farmatsiya (Фармация), Moskau
Farm. sci. e tec. (Pavia)	Il Farmaco, scienza e tecnica (bis 1952), Pavia
Farm. Zh. (Kiev)	Фармацевтичний Журнал (Киёв), Farmazewtischni Žurnal (Kiew) (Pharmazeutisches Journal, Kiew)
Faserforsch. u. Textiltechn.	Faserforschung und Textiltechnik, Berlin
FEBS Letters	Federation od European Biochemical Societies, Amsterdam
Federation Proc.	Federation Proceedings, Washington, D.C.
Fette, Seifen, Anstrichmittel	Fette, Seifen, Anstrichmittel (verbunden mit „Die Ernährungsindustrie") (früher häufige Änderung des Titels), Hamburg
FIAT Final Rep.	Field Information Agency, Technical, United States, Group Control Council for Germany, Final Report
Fibre Chem.	Fibre Chemistry, London
Fibre Sci. Techn.	Fibre Science and Technology, Barking/Essex
Finn. P.	Finnisches Patent
Finska Kemistsamf. Medd.	Finska Kemistsamfundets Meddelanden (Suomen Kemistiseuran Tiedonantoja), Helsingfors
Fiziol. Zh. (Kiev)	Физиологичний Журнал (Киёв) Fisiologitschnii Žurnal (Kiew) (Physiologisches Journal (Kiew)
Fiziol. Zh. SSSR im. I. M. Sechenova	Физиологический Журнал СССР имени И. М. Сеченова, (Fisiologitschesskii Žurnal SSSR imeni I. M. Setschenowa, Setschenow Journal für Physiologie der UdSSR, Moskau
Fluorine Chem. Rev.	Fluorine Chemistry Reviews, New York
Food	Food, London
Food Engng.	Food Engineering (seit 1951), New York
Food Manuf.	Food Manufacture (seit 1939 Food Manufacture, Incorporating Food Industries Weekly), London
Food Packer	Food Packer (seit 1944), Chicago
Food Res.	Food Research, Champaign, Ill.
Formosan Sci.	Formosan Science, Taipeh
Fortschr. chem. Forsch.	Fortschritte der Chemischen Forschung, New York, Berlin

Fortschr. Ch. org. Naturst.	Fortschritte der Chemie Organischer Naturstoffe, Wien
Fortschr. Hochpolymeren-Forsch.	Fortschritte der Hochpolymeren-Forschung, Berlin
Frdl.	Fortschritte der Teerfarbenfabrikation und verwandter Industriezweige. Begonnen von P. FRIEDLÄNDER, fortgeführt von H. E. FIERZ-DAVID, Berlin
Fres.	Zeitschrift für Analytische Chemie (von C. R. FRESENIUS), Berlin
Fr. P.	Französisches Patent
Fr. Pharm.	France-Pharmacie, Paris
Fuel	Fuel in Science and Practice; ab 1948: Fuel, London
G.	Gazzetta Chimica Italiana, Rom
Gas Chromat.-Mass.-Spectr. Abstr.	Gas Chromatography – Mass-Spectrometry Abstracts, London
Gazow. Prom.	Газовая Промышленность, Gasowaja Promyschlenost (Gas-Industrie), Moskau
Génie chim.	Génie chimique, Paris
Gidroliz. Lesokhim. Prom.	Гидролизная и Лесохимическая Промышленность / Gidrolisnaja i Lessochimitscheskaja Promyschlennost (Hydrolysen- und Holzchemische Industrie), Moskau
Gmelin	GMELIN Handbuch der anorganischen Chemie, Verlag Chemie, Weinheim
Helv.	Helvetica Chimica Acta, Basel
Helv. phys. Acta	Helvetica Physica Acta, Basel
Helv. Phys. Acta Suppl.	Helvetica Physica Acta, Supplementum, Basel
Helv. physiol. pharmacol. Acta	Helvetica Physiologica et Pharmacologica Acta, Basel
Henkel-Ref.	Henkel-Referate, Düsseldorf
Heteroc. Sendai	Heterocycles Sendai
Histochemie	Histochemie, Berlin, Göttingen, Heidelberg
Holl. P.	Holländisches Patent
Hoppe-Seyler	HOPPE-SEYLERs Zeitschrift für Physiologische Chemie, Berlin
Hormone Metabolic Res.	Hormone and Metabolic Research, Stuttgart
Hua Hsueh	Hua Hsueh, Peking
Hung. P.	Ungarisches Patent
Hydrocarbon. Proc.	Hydrocarbon Processing, England
Immunochemistry	Immunochemistry, London
Ind. Chemist	Industrial Chemist and Chemical Manufactorer, London
Ind. chim. belge	Industrie Chimique Belge, Brüssel
Ind. chimique	L'Industrie Chimique, Paris
Ind. Corps gras	Industries des Corps Gras, Paris
Ind. eng. Chem.	Industrial and Engineering Chemistry, Industrial Edition, seit 1948: Industrial and Engineering Chemistry, Washington
Ind. eng. Chem. Anal.	Industrial and Engineering Chemistry, Analytical Edition (bis 1946), Washington
Ind. eng. Chem. News	Industrial and Engineering Chemistry. News Ediion (bis 1939), Washington
Indian Forest Rec., Chem.	Indian Forest Records. Chemistry, Delhi
Indian J. Appl Chem.	Indian Journal of Applied Chemistry (seit 1958), Calcutta
Indian J. Biochem.	Indian Journal of Biochemistry, Neu Delhi
Indian J. Chem.	Indian Journal of Chemistry
Indian J. Physics	Indian Journal of Physics and Proceedings of the Indian Association for the Cultivation of Science, Calcutta
Ind. P.	Indisches Patent
Ind. Plast. mod.	Industrie des Plastiques Modernes (seit 1949; bis 1948: Industrie des Plastiques), Paris
Inform. Quim. Anal.	Informacion de Quimica Analitica, Madrid
Inorg. Chem.	Inorganic Chemistry
Inorg. Synth.	Inorganic Syntheses, New York
Insect Biochem.	Insect Biochemistry, Bristol
Interchem. Rev.	Interchemical Reviews, New York

Intern. J. Appl. Radiation Isotopes	International Journal of Applied Radiation and Isotopes, New York
Int. J. Cancer	International Journal of Cancer, Helsinki
Int. J. Chem. Kinetics	International Journal of Chemical Kinetics, New York
Int. J. Peptide, Prot. Res.	International Journal of Peptide and Protein Research, Copenhagen
Int. J. Polymeric Mat.	International Journal of Polymeric Materials, New York/London
Int. J. Sulfur Chem.	International Journal of Sulfur Chemistry, London/New York
Int. Petr. Abstr.	International Petroleum Abstracts, London
Int. Pharm. Abstr.	International Pharmaceutical Abstracts, Washington
Int. Polymer Sci. & Techn.	International Polymer Science and Technology, Boston Spa, Wetherby, Yorks.
Intra-Sci. Chem. Rep.	Intra-Science Chemistry Reports, Santa Monica/Calif.
Int. Sugar J.	International Sugar Journal, London
Int. Z. Vitaminforsch.	Internationale Zeitschrift für Vitaminforschung, Bern
Inzyn. Chem.	Inzynioria Chemíczina, Warschau
Ion	Ion (Madrid)
Iowa Coll. J.	Iowa State College Journal of Science, Ames, Iowa
Iowa State J. Sci.	Iowa State Journal of Science, Ames, Iowa (seit 1959)
Israel J. Chem.	Israel Journal of Chemistry, Tel Aviv
Ital. P.	Italienisches Patent
Izv. Akad. Azerb. SSR, Ser. Fiz.-Tekh. Mat. Nauk	Известия Академии Наук Азербайджанской ССР, Серия Физико-Технических и Химических Наук Izvestija Akademii Nauk Azerbaidschanskoi SSR, Sserija Fisiko-Technitscheskichi Chimitscheskich Nauk (Nachrichten der Akademie der Wissenschaften der Azerbaidschanischen SSR, Serie Physikalisch-Technische und Chemische Wissenschaften), Baku
Izv. Akad. SSR	Известия Академии Наук Армянской ССР, Химические Науки (Bulletin of the Academy of Science of the Armenian SSR), Erevan
Izv. Akad. SSSR	Известия Академии Наук СССР, Серия Химическая (Bulletin de l'Académie des Sciences de l'URSS, Classe des Sciences Chimiques, Moskau, Leningrad
Izv. Sibirsk. Otd. Akad. Nauk SSSR	Известия Сибирского Отделения Академии Наук СССР, Серия химических Наук, Izvesstija Ssibirskowo Otdelenija Akademii Nauk SSSR, Sserija Chimetscheskich Nauk (Bulletin of the Sibirian Branch of the Academy of Sciences of the USSR), Nowosibirsk
Izv. Vyssh. Ucheb, Zaved., Neft. Gaz	Известия Высших Учебных Заведений (Баку), Нефть и Газ /Izvestija Wysschych Utschebnych Sawedjeni (Baku), Neft i Gas (Hochschulnachrichten [Baku], Erdöl und Gas), Baku
Izv. Vyss. Uch. Zav., Chim. i chim. Techn.	Известия Высших Учебных заведений [Иваново], Химия и химическая технология (Bulletin of the Institution of Higher Education, Chemistry and Chemical Technology), Swerdlowsk
J. Agr. Food Chem.	Journal of Agricultural and Food Chemistry, Washington
J. agric. chem. Soc. Japan	Journal of the agricultural Chemical Society of Japan. Abstracts (seit 1935) (Nippon Nogeikagaku Kaishi), Tokyo
J. agric. Sci.	Journal of Agricultural Science, Cambridge
J. Am. Leather Chemist's Assoc.	Journal of the American Leather Chemist's Association, Cincinnati (Ohio)
J. Am. Oil Chemist's Soc.	Journal of the American Oil Chemist's Society, Chicago
J. Am. Pharm. Assoc.	Journal of the American Pharmaceutical Association, seit 1940 Practical Edition und Scientific Edition; Practical Edition seit 1961 J. Am. Pharm. Assoc.; Scientific Edition seit 1961 J. Pharm. Sci., Easton, Pa.
J. Anal. Chem. USSR	Журнал Аналитической химии / Shurnal Analititscheskoi Chimii (Journal für Analytische Chemie), Moskau
J. Antibiotics (Japan)	Journal of Antibiotics (Japan)
Japan Analyst	Japan Analyst (Bunseki Kagaku)
Jap. A. S.	Japanische Patent-Auslegeschrift
Jap. Chem. Quart.	Japan Chemical Quarterly, Tokyo
Jap. J. Appl. Phys.	Japanese Journal of Applied Physics, Tokyo
Jap. P.	Japanisches Patent
Jap. Pest. Inform.	Japan Pesticide Information, Tokyo
Jap. Plast. Age	Japan Plastic Age, Tokyo

J. appl. Chem.	Journal of Applied Chemistry, London
J. appl. Elektroch.	Journal of Applied Elektrochemistry, London
J. appl. Physics	Journal of Applied Physics, New York
J. Appl. Physiol.	Journal of Applied Physiology, Washington, D. C.
J. Appl. Polymer Sci.	Journal of Applied Polymer Science, New York
- Jap. Text. News	Japan Textile News, Osaka
J. Assoc. Agric. Chemists	Journal of the Association of Official Agricultural Chemists, Washinton, D. C.
J. Bacteriol.	Journal of Bacteriology, Baltimore, Md.
J. Biochem. (Tokyo)	Journal of Biochemistry, Japan, Tokyo
J. Biol. Chem.	Journal of Biological Chemistry, Baltimore
J. Catalysis	Journal of Catalysis, London, New York
J. Cellular compar. Physiol.	Journal of Cellular and Comparative Physiology, Philadelphia, Pa.
J. Chem. Educ.	Journal of Chemical Education, Easton, Pa.
J. chem. Eng. China	Journal of Chemical Engineering, China, Omei/Szechuan
J. Chem. Eng. Data	Journal of Chemical and Engineering Data, Washington
J. Chem. Eng. Japan	Journal of Chemical Engineering of Japan, Tokyo
J. Chem. Physics	Journal of Chemical Physics, New York
J. chem. Soc. Japan	Journal of the Chemical Society of Japan (bis 1948; Nippon Kwagaku Kwaishi), Tokyo
J. chem. Soc. Japan, ind.	Journal of the Chemical Society of Japan, Industrial Chemistry Section (seit 1948; Kogyo Kagaku Zasshi), Tokyo
J. chem. Soc. Japan, pure Chem. Sect.	Journal of the Chemical Society of Japan, Pure Chemistry Section (seit 1948; Nippon Kagaku Zasshi)
J. Chem. U. A. R.	Journal of Chemistry of the U. A. R., Kairo
J. Chim. physique Physico-Chim. biol.	Journal de Chimie Physique et de Physico-Chimie Biologique (seit 1939)
J. chin. chem. Soc.	Journal of the Chinese Chemical Society
J. Chromatog.	Journal of Chromatography, Amsterdam
J. Clin. Endocrinol. Metab.	Journal of Clinical Endocrinology and Metabolism, Springfield, Ill. (seit 1952)
J. Colloid Sci.	Journal of Colloid Science, New York
J. Colloid Interface Sci.	Journal of Colloid and Interface Science
J. Color Appear.	Journal of Color and Appearance, New York
J. Dairy Sci.	Journal of Dairy Science, Columbus, Ohio
J. Elast. & Plast.	Journal of Elastomers and Plastics, Westport, Conn.
J. electroch. Assoc. Japan	Journal of the Electrochemical Association of Japan (Denkikwagaku Kyookwai-shi), Tokio
J. Electrochem. Soc.	Journal of the Electrochemical Society (seit 1948), New York
J. Endocrinol.	Journal of Endocrinology, London
J. Fac. Sci. Univ. Tokyo	Journal of the Faculty of Science, Imperial University of Tokyo
J. Fluorine Chem.	Journal of Fluorine Chemistry, Lausanne
J. Food Sci.	Journal of Food Science, Champaign, Ill.
J. Gen. Appl. Microbiol.	Journal of General and Applied Microbiology, Tokio
J. Gen. Appl. Microbiol., Suppl.	Journal of General and Applied Microbiology, Supplement, Tokio
J. Gen. Microbiol.	Journal of General Microbiology, London
J. Gen. Physiol.	Journal of General Physiology, Baltimore, Md.
J. Heterocyclic Chem.	Journal of Heterocyclic Chemistry, Albuquerque (New Mexico)
J. Histochem. Cytochem.	Journal of Histochemistry and Cytochemistry, Baltimore, Md.
J. Imp. Coll. Chem. Eng. Soc.	Journal of the Imperial Chemical College, Engineering Society
J. Ind. Eng. Chem.	The Journal of Industrial and Engineering Chemistry (bis 1923)
J. Ind. Hyg.	Journal of Industrial Hygiene and Toxicology (1936–1949), Baltimore, Md.
J. indian chem. Soc.	Journal of the Indian Chemical Society (seit 1928), Calcutta
J. indian chem. Soc. News	Journal of the Indian Chemical Society; Industrial and News Edition (1940–1947), Calcutta
J. indian Inst. Sci.	Journal of the Indian Institute of Science, bis 1951 Section A und Section B, Bangalore
J. Inorg. & Nuclear Chem.	Journal of Inorganic & Nuclear Chemistry, Oxford
J. Inst. Fuel	Journal of the Institute of Fuel, London
J. Inst. Petr.	Journal of the Institute of Petroleum, London
J. Inst. Polytech. Osaka City Univ.	Journal of the Institute of Polytechnics, Osaka City University

J. Jap. Chem.	Journal of Japanese Chemistry (Kagaku-no Ryoihi), Tokio
J. Label. Compounds	Journal of Labelled Compounds, Brüssel
J. Lipid Res.	Journal of Lipid Research, Memphis, Tenn.
J. Macromol. Sci.	Journal of Macromolecular Science, New York
J. makromol. Ch.	Journal für makromolekulare Chemie (1943–1945)
J. Math. Physics	Journal of Mathematics and Physics
J. Med. Chem.	Journal of Medicinal Chemistry, New York
J. Med. Pharm. Chem.	Journal of Medicinal and Pharmaceutical Chemistry, New York
J. Mol. Biol.	Journal of Molecular Biology, New York
J. Mol. Spectr.	Journal of Molecular Spectroscopy, New York
J. Mol. Structure	Journal of Molecular Structure, Amsterdam
J. Nat. Cancer Inst.	Journal of the National Cancer Institute, Washington, D.C.
J. New Zealand Inst. Chem.	Journal of the New Zealand Institute of Chemistry, Wellington
J. Nippon Oil Technologists Soc.	Journal of the Nippon Oil Technologists Society (Nippon Yushi Gijitsu Kyo Laishi), Tokio
J. Oil Colour Chemist's Assoc.	Journal of the Oil and Colour Chemist's Association, London
J. Org. Chem.	Journal of Organic Chemistry, Baltimore, Md.
J. Organometal. Chem.	Journal of Organometallic Chemistry, Amsterdam
J. Petr. Technol.	Journal of Petroleum Technology (seit 1949), New York
J. Pharmacok. & Biopharmac.	Journal of Pharmacokinetics and Biopharmaceutics, New York
J. Pharmacol.	Journal of Pharmacologie, Paris
J. Pharmacol. exp. Therap.	Journal of Pharmacology and Experimental Therapeutics, Baltimore, Md.
J. Pharm. Belg.	Journal de Pharmacie de Belgique, Brüssel
J. Pharm. Chim.	Journal de Pharmacie et de Chemie, Paris (bis 1943)
J. Pharm. Pharmacol.	Journal of Pharmacy and Pharmacology, London
J. Pharm. Sci.	Journal of Pharmaceutical Sciences, Washington
J. pharm. Soc. Japan	Journal of the Pharmaceutical Society of Japan (Yakugakuzasshi), Tokio
J. phys. Chem.	Journal of Physical Chemistry, Baltimore
J. Phys. Chem. Data	Journal of Physical and Chemical Data, Washington
J. Phys. Colloid Chem.	Journal of Physical and Colloid Chemistry, Baltimore, Md.
J. Phys. (Paris), Colloq.	Journal de Physique (Paris), Colloque, Paris
J. Physiol. (London)	Journal of Physiology, London
J. phys. Soc. Japan	Journal of the Physical Society of Japan, Tokio
J. Phys. Soc. Japan, Suppl.	Journal of the Physical Society of Japan, Supplement, Tokio
J. Polymer Sci.	Journal of Polymer Science, New York
J. pr.	Journal für Praktische Chemie, Leipzig
J. Pr. Inst. Chemists India	Journal and Proceedings of the Institution of Chemists, India, Calcutta
J. Pr. Roy. Soc. N.S. Wales	Journal and Proceedings of the Royal Society of New South Wales, Sidney
J. Radioakt. Elektronik	Jahrbuch der Radioaktivität und Elektronik, 1924–1945 vereinigt mit Physikalische Zeitschrift
J. Rech. Centre nat. Rech. sci.	Journal des Recherches du Centre de la Recherche Scientifique, Paris
J. Res. Bur. Stand.	Journal of Research of the National Bureau of Standards, Washington, D.C.
J.S. African Chem. Inst.	Journal of the South African Chemical Institute, Johannesburg
J. Scient. Instruments	Journal of Scientific Instruments (bis 1947 und seit 1950), London
J. scient. Res. Inst. Tokyo	Journal of the Scientific Research Institute, Tokyo
J. Sci. Food Agric.	Journal of the Science of Food and Agriculture, London
J. sci. Ind. Research (India)	Journal of Scientific and Industrial Research (India), New Delhi
J. Soc. chem. Ind.	Journal of the Society of Chemical Industry (bis 1922 und seit 1947), London
J. Soc. chem. Ind., Chem. and Ind.	Journal of the Society of Chemical Industry, Chemistry and Industry (1923–1936), London
J. Soc. chem. Ind. Japan Spl.	Journal of the Society of Chemical Industry, Japan. Supplemental Binding (Kogyo Kwagaku Zasshi, bis 1943), Tokio
J. Soc. Cosmetic Chemists	Journal of the Society of Cosmetic Chemists, London
J. Soc. Dyers Col.	Journal of the Society of Dyers and Colourists, Bradford/Yorkshire, England
J. Soc. Leather Trades' Chemists	Journal of the Society of Leather Trades' Chemists, Croydon, Surrey, England
J. Soc. West. Australia	Journal of the Royal Society of Western Australia, Perth

J. Soil Sci.   Journal of Soil Science, London
J. Taiwan Pharm. Assoc.   Journal of the Taiwan Pharmaceutical Association, Taiwan
J. Univ. Bombay   Journal of the University of Bombay, Bombay
J. Virol.   Journal of Virology (Kyoto), Kyoto
J. Vitaminol.   Journal of Vitaminology (Kyoto)
J. Washington Acad.   Journal of the Washington Academy of Sciences, Washington

Kauch. Rezina   Каучук и Резина / Kautschuk i Rezina (Kautschuk und Gummi), Moskau
Kaut. Gummi, Kunstst.   Kautschuk, Gummi und Kunststoffe, Berlin
Kautschuk u. Gummi   Kautschuk und Gummi, Berlin (Zusatz WT für den Teil: Wissenschaft und Technik)
Kgl. norske Vidensk Selsk., Skr. Kgl. Norske Videnskabers Selskab. Skrifter
Khim. Ind. (Sofia)   Химия и Индустрия (София), Chimija i Industrija (Sofia), (Chemie und Industrie (Sofia))
Khim. Nauka i Prom.   Химическая Наука и Промышленность, Chimitscheskaja Nauka i Promyschlennost (Chemical Science and Industry)
Khim. Prom. (Moscow)   Химическая Промышленность, Chimitscheskaja Promyschlennost (Chemische Industrie), Moskau (seit 1944)
Khim. Volokna   Химические Волокна, Chimitscheskije Wolokna (Chemiefasern), Moskau
Kinetika i Kataliz   Кинетика и Катализ(Kinetik und Katalyse), Moskau
Kirk-Othmer   Kirk-Othmer, Encyclopedia of Chemical Technology, Interscience Publ. Co., New York, London, Sidney
Klin. Wochenschr.   Klinische Wochenschrift, Berlin, Göttingen, Heidelberg
Koks. Khim.   Кокс и Химия, Koks i Chimija (Koks und Chemie), Moskau
Koll. Beih.   Kolloid-Beihefte (Ergänzungshefte zur Kolloid-Zeitschrift, 1931–1943), Dresden, Leipzig
Kolloidchem. Beih.   Kolloidchemische Beihefte (bis 1931), Dresden u. Leipzig
Kolloid-Z.   Kolloid-Zeitschrift, seit 1943 vereinigt mit Kolloid-Beiheften
Koll. Žurnal   Коллоидный Журнал, Kolloidnyi Žurnal (Colloid-Journal), Moscow
Koninkl. Nederl. Akad. Wetensch. Koninklijke Nederlandse Akademie van Wetenschappen
Kontakte   Kontakte, Firmenschrift Merck AG, Darmstadt
Kungl. svenska Vetenskaps- akad. Handl.   Kungliga Svenska Vetenskasakademiens Handlingar, Stockholm
Kunststoffe   Kunststoffe, München
Kunststoffe, Plastics   Kunststoffe, Plastics, Solothurn

Labo   Labo, Darmstadt
Labor. Delo   Лабораторное Дело, Laboratornoje Djelo (Laboratoriumswesen), Moskau
Lab. Invest.   Laboratory Investigation, New York
Lab. Practice   Laboratory Practice
Lack- u. Farben-Chem.   Lack- und Farben-Chemie (Däniken)/Schweiz
Lancet   Lancet, London
Landolt-Börnst.   LANDOLT-BÖRNSTEIN-ROTH-SCHEEL: Physikalisch-Chemische Tabellen, 6. Auflage
Lebensm.-Wiss. Techn.   Lebensmittel-Wissenschaften und Technologie, Zürich
Life Sci.   Life Sciences, Oxford
Lipids   Lipids, Chicago
Listy Cukrov.   Listy Cukrovarnické (Blätter für Zuckerraffinerie), Prag

M.   Monatshefte für Chemie, Wien
Macromolecules   Macromolecules, Easton
Macromol. Rev.   Macromolecular Reviews, Amsterdam
Magyar chem. Folyóirat   Magyar Chemiai Folyóirat, seit 1949: Magyar Kemiai Folyóirat (Ungarische Zeitschrift für Chemie), Budapest
Magyar kem. Lapja   Magyar kemikusok Lapja (Zeitschrift des Vereins Ungarischer Chemiker), Budapest

Makromol. Ch.	Makromolekulare Chemie, Heidelberg
Manuf. Chemist	Manufacturing Chemist and Pharmaceutical and Fine Chemical Trade Journal, London
Materie plast.	Materie Plastiche, Milano
Mat. grasses	Les Matières Grasses. – Le Pétrole et ses Dérivés ,Paris
Med. Ch. I. G.	Medizin und Chemie. Abhandlungen aus den Medizinisch-chemischen Forschungsstätten der I.G. Farbenindustrie AG. (bis 1942), Leverkusen
Meded. vlaamse chem. Veren.	Mededelingen van de Vlaamse Chemische Vereniging, Antwerpen
Melliand Textilber.	Melliand Textilberichte, Heidelberg
Mém. Acad. Inst. France	Mémoires de l'Académie des Sciences de France, Paris
Mem. Coll. Sci. Kyoto	Memoirs of the College of Science, Kyoto Imperial University, Tokio
Mem. Inst. Sci. and Ind. Research, Osaka Univ.	Memoirs of the Institute of Scientific and Industrial Research, Osaka University, Osaka
Mém. Poudre	Mémorial des Poudres (bis 1939 und seit 1948), Paris
Mém. Services chim.	Mémorial des Services Chimiques de l'État, Paris
Mercks Jber.	E. MERCKS Jahresbericht über Neuerungen auf den Gebieten der Pharmakotherapie und Pharmazie, Weinheim
Metab., Clin. Exp.	Metabolism. Clinical and Experimental, New York
Methods Biochem. Anal.	Methods of Biochemical Analysis, New York
Microchem. J.	Microchemical Journal, New York
Microfilm Abst.	Microfilm Abstracts, Ann Arbor (Michigan)
Mikrobiol. Ž. (Kiev)	Микробиологичний Журнал (Киёв) /Mikrobiologitschnii Shurnal (Kiew) (Mikrobiologisches Journal), Kiew
Mikrobiologiya	Микробиология / Mikrobiologija (Mikrobiologie), Moskau
Mikrochemie	Mikrochemie, Wien (bis 1938)
Mikrochem. verein. Mikrochim. Acta	Mikrochemie vereinigt mit Mikrochimica Acta (seit 1938), Wien
Mikrochim. Acta (bis 1938)	Mikrochimica Acta (Wien)
Mikrochim. Acta, Suppl.	Mikrochimica Acta, Supplement, Wien
Mitt. Gebiete, Lebensm. Hyg.	Mitteilungen aus dem Gebiete der Lebensmitteluntersuchung und Hygiene, Bern
Mod. Plastics	Modern Plastics (seit 1934), New York
Mod. Trends Toxic.	Modern Trends in Toxicology, London
Mol. Biol.	Молекулярная Биология Molekulyarnaja Biologija, (Molekular-Biologie), Moskau
Mol. Cryst.	Molecular Crystals, England
Mol. Pharmacol.	Molecular Pharmacology, New York, London
Mol. Photochem.	Molecular Photochemistry, New York
Mol. Phys.	Molecular Physics, London
Monatsh. Chem.	Monatshefte Chemie und verwandte Teile anderer Wissenschaften, Leipzig
Nahrung	Nahrung (Chemie, Physiologie, Technologie), Berlin
Nat. Bur. Standards (U.S.), Ann. Rept. Circ.	National Bureau of Standards (U.S.), Annual Report, Circular, Washington
Nat. Bur. Standards (U.S.), Techn. News Bull.	National Bureau of Standards (U.S.), Technical News Bulletin, Washington
Nation. Petr. News	National Petroleum News, Cleveland/Ohio
Natl. Nuclear Energy Ser., Div. I–IX	National Nuclear Energy Series, Division I–IX, New York
Nature	Nature, London
Naturf. Med. Dtschl. 1939–1946	Naturforschung und Medizin in Deutschland 1939–1946 (für Deutschland bestimmte des FIAT-Review of German Science), Wiesbaden
Naturwiss.	Naturwissenschaften, Berlin, Göttingen
Natuurw. Tijdschr.	Natuurwetenschappelijk Tijdschrift, Vennoofschap
Neftechimiya	Нефтехимия(Petroleum Chemistry)
Neftepererab. Neftekhim. (Moscow)	Нефтепереработка и Нефтехимия (Москва) / Neftepererabotka i Neftechimija, Moskau (Erdölverarbeitung und Erdölchemie)
New Zealand J. Agr. Res.	New Zealand Journal of Agricultural Research, Wellington, N.Z.
Niederl. P.	Niederländisches Patent
Nippon Gomu Kyokaishi	Journal of the Society of Rubber Industry of Japan, Tokio
Nippon Nogei Kagaku Kaishi	Journal of the Agricultural Chemical Society of Japan, Tokio

Nitrocell.	Nitrocellulose (bis 1943 und seit 1952), Berlin
Norske Vid. Selsk. Forh.	Kongelige Norske Videnskabers Selskab. Forhandlinger, Trondheim
Norw. P.	Norwegisches Patent
Nuclear Magn. Res. Spectr. Abstr.	Nuclear Magnetic Resonance Spectroscopy Abstracts, London
Nuclear Sci. Abstr. Oak Ridge	U.S. Atomic Energy Commission, Nuclear Science Abstracts, Oak Ridge
Nucleic Acids Abstr.	Nucleic Acids Abstracts, London
Nuovo Cimento	Nuovo Cimento, Bologna
Öl, Kohle	Öl und Kohle (bis 1934 und 1941–1945): in Gemeinschaft mit Brennstoff-Chemie von 1943–1945, Hamburg
Öst. Chemiker-Ztg.	Österreichische Chemiker-Zeitung (bis 1942 und seit 1947), Wien
Österr. Kunst. Z.	Österreichische Kunststoff-Zeitschrift, Wien
Österr. P.	Österreichisches Patent (Wien)
Offic. Gaz., U.S. Pat. Office	Official Gazette, United States Patent Office
Ohio J. Sci.	Ohio Journal of Science, Columbus/Ohio
Oil Gas J.	Oil and Gas Journal, Tulsa/Oklahoma
Organic Mass Spectr.	Organic Mass Spectrometry, London
Organometal. Chem.	Organometallic Chemistry
Organometal. Chem. Rev.	Organometallic Chemistry Reviews, Amsterdam
Organometal. i. Chem. Synth.	Organometallics in Chemical Synthesis, Lausanne
Organometal. Reactions	Organometallic Reactions, New York
Org. Chem. Bull.	Organic Chemical Bulletin (Eastman Kodak), Rochester
Org. Prep. & Proced.	Organic Preparations and Procedures, New York
Org. Reactions	Organic Reactions, New York
Org. Synth.	Organic Syntheses, New York
Org. Synth., Coll. Vol.	Organic Syntheses, Collective Volume, New York
Paint Manuf.	Paint incorporating Paint Manufacture (seit 1939), London
Paint Oil chem. Rev.	Paint, Oil and Chemical Review, Chicago
Paint, Oil Colour J.	Paint, Oil and Colour Journal (seit 1950), London
Paint Varnish Product.	Paint and Varnish Production (seit 1949; bis 1949: Paint and Varnish Production Manager), Washington
Pak. J. Sci. Ind. Res.	Pakistan Journal of Science and Industrial Research, Karachi
Paper Ind.	Paper Industry (1938–1949: … and Paper World), Chicago
Papier (Darmstadt)	Das Papier, Darmstadt
Pap. Puu	Paperi ja Puu – Papper och Trä (Paper and Timbre), Helsinki
P. C. H.	Pharmazeutische Zentralhalle für Deutschland, Dresden
Perfum. essent. Oil Rec.	Perfumery and Essential Oil Record, London
Periodica Polytechn.	Periodica Polytechnica, Budapest
Pest. Abstr.	Pesticides Abstracts, Washington
Pest. Biochem. Phys.	Pesticide Biochemistry and Physiology, New York
Pest. Monit. J.	Pesticides Monitoring Journal, Atlanta
Petr. Eng.	Petroleum Engineer, Dallas/Texas
Petr. Hydrocarbons	Petroleum and Hydrocarbons, Bombay
Petr. Processing	Petroleum Processing, New York
Petr. Refiner	Petroleum Refiner, Houston/Texas
Pharma. Acta Helv.	Pharmaceutica Acta Helvetica, Zürich
Pharmacol.	Pharmacology, Basel
Pharmacol. Rev.	Pharmacological Reviews, Baltimore
Pharmazie	Pharmazie, Berlin
Pharmaz. Ztg. – Nachr.	Pharmazeutische Zeitung – Nachrichten, Hamburg
Pharm. Bull. (Tokyo)	Pharmaceutical Bulletin (Tokyo) (bis 1958)
Pharm. Ind.	Die Pharmazeutische Industrie, Berlin
Pharm. J.	Pharmaceutical Journal, London
Pharm. Weekb.	Pharmaceutisch Weekblad, Amsterdam
Philips Res. Rep.	Philips Research Reports, Eindhoven/Holland
Phil. Trans.	Philosophical Transactions of the Royal Society of London
Photochem. and Photobiol.	Photochemistry and Photobiology, New York
Phosphorus	Phosphorus
Physica	Physica. Nederlandsch Tijdschrift voor Natuurkunde, Utrecht
Physik. Bl.	Physikalische Blätter, Mosbach/Baden

Phys. Rev.	Physical Reviews, New York
Phys. Rev. Letters	Physical Reviews Letters, New York
Phys. Z.	Physikalische Zeitschrift (Leipzig)
Plant Physiol.	Plant Physiology, Lancaster, Pa.
Plaste u. Kautschuk	Plaste und Kautschuk (seit 1957), Leipzig
Plasticheskie Massy	Пластический масы (Soviet Plastics), Moskau
Plastics	Plastics (London)
Plastics Inst., Trans. and J.	The (London) Plastics Institute, Transactions Journal
Plastics Technol.	Plastics Technology
Poln. P.	Polnisches Patent
Polymer Age	Polymer Age, Tenderden/Kent
Polymer Ind. News	Polymer Industry News, New York
Polymer J.	Polymer Journal, Tokyo
Polytechn. Tijdschr. (A)	Polytechnisch Tijdschrift, Uitgave A (seit 1946), Haarlem
Postepy Biochem.	Postepy Biochemii (Fortschrift der Biochemie), Warschau
Pr. Acad. Tokyo	Proceedings of the Imperial Academy, Tokyo
Pr. Akad. Amsterdam	Proceedings, Koninklijke Nederlandse Akademie von Wetenschappen (1938–1940 und seit 1943), Amsterdam
Pr. chem. Soc.	Proceedings of the Chemical Society, London
Prep. Biochem.	Preparative Biochemistry, New York
Pr. Indiana Acad.	Proceedings of the Indiana Academy of Science, Indianapolis/Indiana
Pr. indian Acad.	Proceedings of the Indian Academy of Sciences, Bangalore/Indien
Pr. Iowa Acad.	Proceedings of the Iowa Academy of Sciences, Des Moines/Iowa (USA)
Pr. irish Acad.	Proceedings of the Royal Irish Academy, Dublin
Pr. Nation. Acad. India	Proceedings of the National Academy of Sciences, India (seit 1936), Allahabad/Indien
Pr. Nation. Acad. USA	Proceedings of the National Academy of Sciences of the United States of America, Washington
Proc. Amer. Soc. Testing Mater.	Proceedings of the American Society for Testing Materials Philadelphia, Pa.
Proc. Analyt. Chem.	Proceeding of the Society for Analytical Chemistry, London
Proc. Biochem.	Process Biochemistry, London
Proc. Egypt. Acad. Sci.	Proceedings of the Egyptian Academy of Sciences, Kairo
Proc. Indian Acad. Sci., Sect. A	Proceedings of the Indian Academy of Science, Section A, Bangalore
Proc. Japan Acad.	Proceedings of the Japan Academy (seit 1945), Tokio
Proc. Kon. Ned. Acad. Wetensh.	Proceedings, Koninklijke Nederlandse Akademie van Wetenschappen, Amsterdam
Proc. Roy. Austral. chem. Inst.	Proceedings of the Royal Australian Chemical Institute, Melbourne
Produits pharmac.	Produits Pharmaceutiques, Paris
Progress Biochem. Pharm.	Progress Biochemical Pharmacology, Basel
Progr. Boron Chem.	Progress in Boron Chemistry, Oxford
Progr. Org. Chem.	Progress in Organic Chemistry, London
Progr. Physical Org. Chem.	Progress in Physical Organic Chemistry, New York, London
Progr. Solid State Chem.	Progress in Solid State Chemistry, New York
Promysl. org. Chim.	Промышленность Органической Химии Promyschlennost Organitscheskoi Chimii (bis 1941: Shurnal Chimitscheskoi Promyschlennosti), (Industrie der Organischen Chemie, Organic Chemical Industry, bis 1940), Moskau
Prostaglandines	Prostaglandines, Los Altos/Calif.
Pr. phys. Soc. London	Proceedings of the Physical Society, London
Pr. roy. Soc.	Proceedings of the Royal Society, London
Pr. roy. Soc. Edinburgh	Proceedings of the Royal Society of Edinburgh, Edinburgh
Przem. chem.	Przemysl Chemiczny (Chemische Industrie), Warschau
Psychopharmacologia	Psychopharmacologia (Berlin), Berlin, Göttingen, Heidelberg
Publ. Am. Assoc. Advan. Sci.	Publication of the American Association for the Advancement of Science
Pure Appl. Chem.	Pure and Applied Chemistry (The Official Journal of the International Union of Pure and Applied Chemistry), London
Quart. J. indian Inst. Sci.	Quarterly Journal of the Indian Institute of Science, Bangalore
Quart. J. Pharm. Pharmacol.	Quarterly Journal of Pharmacy and Pharmacology (bis 1948), London
Quart. J. Studies Alc.	Quarterly Journal of Studies on Alcohol, New Haven, Conn.

Quart. Rev.	Quarterly Reviews, London (seit 1970 Chemical Society Reviews)
Quím. e Ind.	Química e Industria, Sao Paulo (bis 1938 Chimica e Industria)
R.	Recueil des Travaux Chimiques des Pays-Bas, Amsterdam
Radiokhimiya	Радиохимия/Radiochimija (Radiochemie), Leningrad
R. A. L.	Atti della Reale Academia Nazionale dei Lincei, Classe di Scienze Fisiche, Mathematiche e Naturali: Rendiconti (bis 1940)
Rasayanam	Journal for the Progress of Chemical Science, Poona, India
Rend. Ist. lomb.	Rendiconti dell'Istituto Lombardo di Scienze e Lettere. Classe di Scienze Matematiche e Naturali (seit 1944), Mailand
Rep. Government chem. ind. Res. Inst., Tokyo	Reports of the Government Chemical Industrial Research Institute, Tokyo
Rep. Progr. appl. Chem.	Reports on the Progress of Applied Chemistry (seit 1949), London
Rep. sci. Res. Inst.	Reports of Scientific Research Institute (Japan), Kagaku-Kenkyujo-Hokoku, Tokio
Research	Research, London
Rev. Asoc. bioquím. arg.	Reviste de la Asociación Bioquímica Argentina, Buenos Aires
Rev. Chim. (Bucarest)	Revista de Chimie (Bucuresti), Bukarest
Rev. Fac. Cienc. quím.	Revista de la Facultad de Ciencias Químicas, Universidad Nacional de La Plata, La Plata
Rev. Fac. Sci. Istanbul	Revue de la Faculté des Sciences de l'Université d'Istanbul, Istanbul
Rev. Franc. Études Clin. Biol.	Revue Française d'Études Cliniques et Biologiques, Paris
Rev. gén. Matières plast.	Revue Générale des Matières Plastiques, Paris
Rev. gén. Sci.	Revue Générale des Sciences pures et appliquées, Paris
Rev. Inst. franç. Pétr.	Revue de l'Institut Français du Pétrole et Annales des Combustibles Liquides, Paris
Rev. Macromol. Chem.	Reviews in Macromolecular Chemistry, New York
Rev. Mod. Physics	Reviews of Modern Physics
Rev. Phys. Chem. Jap.	Review of Physical Chemistry of Japan, Tokyo
Rev. Plant Prot. Res.	Review of Plant Protection Research, Tokyo
Rev. Prod. chim.	Revue des Produits Chimiques, Paris
Rev. Pure Appl. Chem.	Reviews of Pure and Applied Chemistry, Melbourne
Rev. Quím. Farm.	Revista de Química e Farmácia, Rio de Janeiro
Rev. Roumaine-Biochim.	Revue Roumaine de Biochimie, Bukarest
Rev. Roumaine Chim.	Revue Roumaine de Chimie (bis 1963: Revue de Chimie, Académie de la République Populaire Roumaine), Bukarest
Rev. Roumaine-Phys.	Revue Roumaine de Physique, Bukarest
Rev. sci.	Revue Scientifique, Paris
Rev. scient. Instruments	Review of Scientific Instruments, New York
Ricerca sci.	Ricerca Scientifica, Rom
Roczniki Chem.	Roczniki Chemii (Annales Societatis Chimicae Polonorum), Warschau
Rodd	Rodd's Chemistry of Carbon Compounds, Elsevier Publ. Co., Amsterdam
Rubber Age N.Y.	The Rubber Age, New York
Rubber Chem. Technol.	Rubber Chemistry and Technology, Easton, Pa.
Rubber J.	Rubber Journal (seit 1955), London
Rubber & Plastics Age	The Rubber & Plastics Age, London
Rubber World	Rubber World (seit 1945), New York
Russian Chem. Reviews	Chemical Reviews (UdSSR)
Sbornik Statei obšč. Chim.	Сборник Статей по Общей Химии
	Sbornik Statei po Obschtschei Chimii (Sammlung von Aufsätzen über die allgemeine Chemie), Moskau u. Leningrad
Schwed. P.	Schwedisches Patent
Schweiz. P.	Schweizerisches Patent
Sci.	Science, New York, seit 1951, Washington
Sci. American	Scientific American, New York
Sci. Culture	Science and Culture, Calcutta
Scientia Pharm.	Scientia Pharmaceutica, Wien
Scient. Pap. Bur. Stand.	Scientific Papers of the Bureau of Standards (Washington)
Scient. Pr. roy. Dublin Soc.	Scientific Proceedings of the Royal Dublin Society, Dublin
Sci. Ind.	Science et Industrie, Paris (bis 1934)

Sci. Ind. phot.	Science et Industries photographiques, Paris
Sci. Pap. Inst. Phys. Chem. Res. Tokyo	Scientific Papers of the Institute of Physical and Chemical Research, Tokio (bis 1948)
Sci. Publ., Eastman Kodak	Scientific Publications, Eastman Kodak Co., Rochester/N. Y.
Sci. Progr.	Science Progress, London
Sci. Rep. Tohoku Univ.	Science Reports of the Tohoku Imperial University, Tokio
Sci. Repts. Research Insts. Tohoku Univ., (A), (B), (C) bzw. (D)	The Science Reports of the Research Institutes, Tohoku University, Series A, B, C bzw. D, Sendai/Japan
Seifen-Oele-Fette-Wachse	Seifen-Oele-Fette-Wachse. Neue Folge der Seifensieder-Zeitung, Augsburg
Seikagaku	Seikagaku (Biochemie), Tokio
Sen-i Gakkaishi	Journal of the Society of Textile and Cellulose Industry, Japan (seit 1945)
Separation Sci.	Separation Science, New York
Soc.	Journal of the Chemical Society, London
Soil Biol. Biochem.	Soil Biology and Biochemistry, Oxford
Soil Sci.	Soil Science, Baltimore
Soobshch. Akad. Nauk Gruz. SSR	Сообщения Академии Наук Грузинской ССР / Soobschtschenija Akademii Nauk Grusinskoi SSR (Mitteilungen der Akademie der Wissenschaften der Grusinischen SSR, Tbilissi
South African Ind. Chemist	South African Industrial Chemist, Johannesburg
Spectrochim. Acta	Spectrochimica Acta, Berlin, ab 1947 Rom
Spectrochim. Acta (London)	Spectrochimica Acta, London (seit 1950)
Staerke	Stärke, Stuttgart
Steroids	Steroids an International Journal, San Francisco
Steroids, Suppl.	Steroids an International Journal, Supplements, San Francisco
Stud. Cercetari Biochim.	Studii si Cercetari de Biochemie, (Bucuresti)
Stud. Cercetari Chim.	Studii si Cercetari de Chimie (Bucuresti)
Suomen Kem.	Suomen Kemistilehti (Acta Chemica Fennica), Helsinki
Suomen Kemistilehti B	Suomen Kemistilehti B (Finnische Chemiker-Zeitung)
Suppl. nuovo Cimento	Supplemento del Nuovo Cimento (seit 1949), Bologna
Svensk farm. Tidskr.	Svensk Farmaceutisk Tidskrift, Stockholm
Svensk kem. Tidskr.	Svensk Kemisk Tidskrift, Stockholm
Synthesis	Synthesis, International Journal of Methods in Synthetic Organic Chemistry, Stuttgart, New York
Synth. React. Inorg. Metal-org. Chem.	Synthesis and Reactivity in Inorganic and Metal-organic Chemistry, New York
Talanta	Talanta, International Journal of Analytical Chemistry, London
Tappi	Tappi (Technical Association of the Pulp and Paper Industry), New York
Techn. & Meth. Org., Organometal. Chem.	Techniques and Methods of Organic and Organometallic Chemistry, New York
Tekst. Prom. (Moscow)	Текстил Промышленност Tekstil Promyschlennost (Textil Industrie)
Tenside	Tenside Detergents, München
Teor. Khim. Techn.	Theoretitscheskie Osnovy Chimitscheskoj, Technologie, Moskau
Terpenoids and Steroids	Terpenoids and Steroids, London
Tetrahedron	Tetrahedron, Oxford
Tetrahedron Letters	Tetrahedron Letters, Oxford
Tetrahedron, Suppl.	Tetrahedron, Supplements, London
Textile Chem. Color.	Textile Chemist and Colorist, New York
Textile Prog.	Textile Progress, Manchester
Textile Res. J.	Textile Research Journal (seit 1945), New York
Theor. Chim. Acta	Theoretika Chimica Acta (Zürich)
Tiba	Revue Générale de Teinture, Impression, Blanchiment, Apprêt et de Chimie Textile et Tinctoriale (bis 1940 und seit 1948), Paris
Tidskr. Kjemi, Bergv. Met.	Tidskrift för Kjemi, Bergvesen og Metallurgi (seit 1941), Oslo
Topics Med. Chem.	Topics in Medicinal Chemistry, New York
Topics Pharm. Sci.	Topics in Pharmaceutical Science, New York
Topics Phosph. Chem.	Topics in Phosphorous Chemistry, New York
Topics Stereochem.	Topics in Stereochemistry, New York
Toxicol.	Toxicologie, Amsterdam

Toxicol. Appl. Pharmacol.	Toxicology and Applied Pharmacology, New York
Toxicol. Appl. Pharmacol., Suppl.	Toxicology and Applied Pharmacology, Supplements, New York
Toxicol. Env. Chem. Rev.	Toxicological and Environmental Chemistry Reviews, New York
Trans. Amer. Inst. Chem. Eng.	Transactions of the American Institute of Chemical Engineers, New York
Trans. electroch. Soc.	Transactions of the Electrochemical Society, New York (bis 1949)
Trans. Faraday Soc.	Transactions of the Faraday Society, Aberdeen
Trans. Inst. chem. Eng.	Transactions of the Institution of Chemical Engineers, London
Trans. Inst. Rubber Ind.	Transactions of the Institution of the Rubber Industry, London
Trans. Kirov's Inst. chem. Technol. Kazan	Труды Казанского Химико-Технологического Института им. Кирова / Trudy Kasanskovo Chimiko-Technologitscheskovo Instituta im. Kirova (Transactions of the Kirov's Institute for Chemical Technology of Kazan), Moskau
Trans. Pr. roy. Soc. New Zealand	Transactions and Proceedings of the Royal Society of New Zealand (seit 1952 Transactions of the Royal Society of New Zealand), Wellington
Trans roy. Soc. Canada	Transactions of the Royal Society of Canada, Ottawa
Trans. Roy. Soc. Edinburgh	Transactions of the Royal Society of Edinburgh, Edinburgh
Trav. Soc. Pharm. Montpellier	Travaux de la Société de Pharmacie de Montpellier, Montpellier (seit 1942)
Trudy Mosk. Chim. Techn. Inst.	Труды Московского Химико-Технологического Института им. Д-И. Менделеева/Trudy Moskowskowo Chimiko-Technologitscheskowo Instituta im. D.I. Mendelejewa (Transactions of the Moscow Chemical-Technological Institute named for D.I. Mendeleev), Moskau
Tschechosl. P.	Tschechoslowakisches Patent
Uchenye Zapiski Kazan.	Ученые Записки Казанского Государственного Университета Utschenye Sapiski Kasanskowo Gossudarstwennowo Universiteta (Wissenschaftliche Berichte der Kasaner staatlichen Universität), Kasan
Ukr. Biokhim. Ž.	Украинский Биохимичний Журнал / Ukrainski Biochimitschni Shurnal (Ukrainisches Biochemisches Journal, Kiew
Ukr. chim. Ž.	Украинский Химический Журнал (bis 1938: Украïнський, Charkau bis 1938, Хемiчний Журнал)Ukrainisches Chemisches Journal), Kiew
Ukr. Fiz. Ž. (Ukr. Ed.)	Украинский Физичний Журнал / Ukrainski Fisitschni Shurnal (Ukrainisches Physikalisches Journal), Kiew
Ullmann	Ullmann's Enzyclopädie der technischen Chemie, Verlag Urban und Schwarzenberg, München seit 1971 Verlag Chemie, Weinheim
Umschau Wiss. Techn.	Umschau in Wissenschaft und Technik, Frankfurt
U.S. Govt. Res. Rept.	U.S. Government Research Reports
US. P.	Patent der USA
Uspechi Chim.	Успехи Химии / Uspetschi Chimii (Fortschritte der Chemie), Moskau, Leningrad
USSR. P.	Sowjetisches Patent
Uzb. Khim. Zh.	Узбекский Химический Журнал / Usbekski Chimitscheski Shurnal (Usbekisches Chemisches Journal), Taschkent
Vakuum-Tech.	Vakuum-Technik (seit 1954), Berlin
Vestn. Akad. Nauk Kaz. SSR	Вестник Академии Наук Казахской ССР/ Westnik Akademii Nauk Kasachskoi SSR (Nachrichten der Akademie der Wissenschaften der Kasachischen SSR), Alma Ata
Vestn. Akad. Nauk SSSR	Вестник Академии Наук СССР/ Westnik Akademii Nauk SSSR (Mitteilungen der Akademie der Wissenschaften der UdSSR), Moskau
Vestn. Leningrad. Univ., Fiz., Khim.	Вестник Ленинградского Университета, Серия Физики и Химии / Westnik Leningradskowo Universsiteta, Serija Fisiki i Chimii (Nachrichten der Leningrader Universität, Serie Physik und Chemie), Leningrad
Vestn. Mosk. Univ., Ser. II Chim.	Вестник Московского Университета, Серия II Химия / Westnik Moskowslowo Universsiteta, Serija II Chimija (Nachrichten der Moskauer Universität, Serie II Chemie), Moskau

Virology	Virology, New York
Vitamins. Hormones	Vitamins and Hormones, New York
Vysokomolek. Soed.	Высокомолекулярные Соединения / Wyssokomolekuljarnye Sojedinenija (High Molecular Weight Compounds)
Werkstoffe u. Korrosion	Werkstoffe und Korrosion (seit 1950), Weinheim/Bergstr.
Yuki Gosei Kagaku Kyokai Shi	Journal of the Society of Organic Synthetic Chemistry, Japan, Tokio
Z.	Zeitschrift für Chemie, Leipzig
Ž. anal. Chim.	Журнал Аналитической Химии / Shurnal Analititscheskoi Chimii (Journal of Analytical Chemistry), Moskau
Z. ang. Physik	Zeitschrift für angewandte Physik
Z. anorg. Ch.	Zeitschrift für Anorganische und Allgemeine Chemie (1943–1950 Zeitschrift für Anorganische Chemie), Berlin
Zavod. Labor.	Заводская Лаборатория / Sawodskaja Laboratorija (Industrial Laboratory), Moskau
Zbl. Arbeitsmed. Arbeitsschutz	Zentralblatt für Arbeitsmedizin und Arbeitsschutz (seit 1951), Darmstadt
Ž. eksp. teor. Fiz.	Журнал экспериментальной и теоретической физики / Shurnal Experimentalnoi i Theoretitscheskoi Fisiki (Physikalisches Journal, Serie A Journal für experimentelle und theoretische Physik), Moskau, Leningrad
Z. El. Ch.	Zeitschrift für Elektrochemie und Angewandte Physikalische Chemie (seit 1952 Zeitschrift für Elektrochemie, Berichte der Bunsengesellschaft für Physikalische Chemie), Weinheim/Bergstr.
Z. Elektrochemie	Zeitschrift für Elektrochemie
Z. fiz. Chim.	Журнал физической Химии /Shurnal Fisitscheskoi Chimii (eng. Ausgabe: Journal of Physical Chemistry)
Z. Kristallogr.	Zeitschrift für Kristallographie
Z. Lebensm.-Unters.	Zeitschrift für Lebensmittel-Untersuchung und -Forschung (seit 1943), München, Berlin
Z. Naturf.	Zeitschrift für Naturforschung, Tübingen
Ž. neorg. Chim.	Журнал Неорганической Химии / Shurnal Neorganitscheskoi Chimii (engl. Ausgabe: Journal of Inorganic Chemistry)
Ž. obšč. Chim.	Журнал Общей Химии /Shurnal Obschtschei Chimii (engl. Ausgabe: Journal of General Chemistry, London)
Ž. org. Chim.	Журнал Органической Химии / Shurnal Organitscheskoi Chimii (engl. Ausgabe: Journal of Organic Chemistry), Baltimore
Z. Pflanzenernähr. Düng., Bodenkunde	Zeitschrift für Pflanzenernährung, Düngung, Bodenkunde (bis 1936 und seit 1946), Weinheim/Bergstr., Berlin
Z. Phys.	Zeitschrift für Physik, Berlin, Göttingen
Z. physik. Chem.	Zeitschrift für Physikalische Chemie, Frankfurt (seit 1945 mit Zusatz N. F.)
Z. physik. Chem. (Leipzig)	Zeitschrift für Physikalische Chemie, Leipzig
Ž. prikl. Chim.	Журнал Прикладной Химии / Shurnal Prikladnoi Chimii (Journal of Applied Chemistry)
Ž. prikl. Spektr.	Журнал Прикладной Спектроскопии / Shurnal Prikladnoi Spektroskopii (Journal of Applied Spectroscopy), Moskau, Leningrad
Ž. strukt. Chim.	Журнал Структурной Химии / Shurnal Strukturnoi Chimii (Journal of Structural Chemistry), Moskau
Ž. tech. Fiz.	Журнал Технической Физики / Shurnal Technitscheskoi Fisiki (Physikalisches Journal, Serie B, Journal für technische Physik), Moskau, Leningrad
Z. Vitamin-, Hormon- u. Fermentforsch. [Wien]	Zeitschrift für Vitamin-, Hormon- und Fermentforschung [Wien] (seit 1947)
Ž. vses. Chim. obšč.	Журнал Всесоюзного Химического Общества им. Д. И. Менделеева Shurnal Wsjesojusnowo Chimitscheskowo Obschtschestwa im. D. I. Mendelejewa (Journal of the All-Union Chemical Society named for D. I. Mendeleev), Moskau
Z. wiss. Phot.	Zeitschrift für Wissenschaftliche Photographie, Photophysik und Photochemie, Leipzig
Z. Zuckerind.	Zeitschrift für die Zuckerindustrie, Berlin

Ж.

Журнал Русского Физикого-Химического Общества
Shurnal Russkowo Fisikowo-Chimitscheskowo Obschtschestwa
(Journal der Russischen Physikalisch-Chemischen Gesellschaft,
Chemischer Teil; bis 1930)

Abkürzungen
für den Text der präparativen Vorschriften und der Fußnoten[1]

Abb. .... Abbildung
abs. .... absolut
äthanol .... äthanolisch
äther. .... ätherische
Amp. .... Ampere
Anm. .... Anmerkung
Anm. .... Anmeldung (nur in Verbindung mit der Patentzugehörigkeit)
API .... American Petroleum Institute
ASTM .... American Society for Testing Materials
asymm. .... asymmetrisch
at .... technische Atmosphäre
At.-Gew. .... Atomgewicht
atm .... physikalische Atmosphäre
BASF .... Badische Anilin- & Sodafabrik AG, Ludwigshafen/Rhein (bis 1925 und
                           wieder ab 1953), BASF AG (seit 1974)
Bataafsche (Shell)⎫ .... N. V. Bataafsche Petroleum Mij., s'Gravenhage (Holland)
  Shell Develop. ⎬   Shell Development Co., San Francisco, Corporation of Delaware
Bayer AG .... Bayer AG, Leverkusen (seit 1974)
ber. .... berechnet
bez. .... bezogen
bzw. .... beziehungsweise
cal .... Calorien
CIBA .... Chemische Industrie Basel, AG (bis 1973)
Ciba-Geigy .... Fusionierte Firmen ab 1973
cycl. .... cyclisch
D, bzw. D^{20} .... Dichte, bzw. Dichte bei 20° bezogen auf Wasser von 4°
DAB .... Deutsches Arznei-Buch
Degussa .... Deutsche Gold- und Silber-Scheideanstalt, Frankfurt a. M.
d. h. .... das heißt
Diglyme .... 2-(2-Methoxy-äthoxy)-äthanol
DIN .... Norm
DK .... Dielektrizitäts-Konstante
DMF .... Dimethylformamid
DMSO .... Dimethylsulfoxid
d. Th. .... der Theorie
Du Pont .... E. I. du Pont de Nemours & Co., Inc., Wilmington 98 (USA)
E .... Erstarrungspunkt
EMK .... Elektromotorische Kraft
F .... Schmelzpunkt

---

[1] Alle Temperaturangaben beziehen sich auf Grad Celsius, falls nicht anders vermerkt.

Farbf. Bayer . . . . Farbenfabriken Bayer AG, vormals Friedrich Bayer & Co., Lever-
kusen-Elberfeld (bis 1925), Farbenfabriken Bayer AG, Leverkusen,
Elberfeld, Dormagen und Uerdingen (1953–1974)

Farbw. Hoechst . . . . Farbwerke Hoechst AG, vormals Meister Lucius & Brüning, Frank-
furt/M.-Höchst (bis 1925 und wieder ab 1953 bis 1974)

g . . . . Gramm

gem. . . . . geminal

ges. . . . . gesättigt

Gew., Gew.-%, Gew.-Tl. . . . . Gewicht, Gewichtsprozent, Gewichtsteil

HMPT . . . . Phosphorsäure-tris-[trimethylamid]

Hoechst AG . . . . Hoechst AG, Frankfurt/M.-Höchst (seit 1974)

I. C. I. . . . . Imperial Chemicals Industries Ltd., Manchester

I. G. Farb. I. G. Farbenindustrie AG, Frankfurt a. M. (1925–1945)

IUPAC . . . . International Union of Pure and Applied Chemistry

i. Vak. . . . . im Vakuum

k (k_s, k_b) . . . . elektrolytische Dissoziationskonstanten, bei Ampholyten, Dissoziationskonstanten nach der klassischen Theorie

K (K_s, K_b) . . . . elektrolytische Dissoziationskonstanten von Ampholyten nach der
Zwitterionentheorie

kcal . . . . Kilocalorie

kg . . . . Kilogramm

konz. . . . . konzentriert

korr. . . . . korrigiert

Kp, bzw. Kp_{750} . . . . Siedepunkt, bzw. Siedepunkt unter 750 Torr Druck

kW, kWh . . . . Kilowatt, Kilowattstunde

l . . . . Liter

m (als Konzentrationsangabe) . . . molar

M . . . . Metall (in Formeln)

$[M]^t_\lambda$ . . . . molekulares Drehungsvermögen oder Molekularrotation

mg . . . . Milligramm

Min. . . . . Minute

mm . . . . Millimeter

ml . . . . Milliliter

Mol.-Gew., Mol.-%, Mol.-Refr. . Molekulargewicht, Molprozent, Molekularrefraktion

n^t_λ . . . . Brechungsindex

n (als Konzentrationsangabe) . . . normal

nm . . . . Nanometer

pd · sq. · inch . . . . 0,070307 at = 0,068046 Atm

p_H . . . . negativer, dekadischer Logarithmus der Wasserstoffionen-Aktivität

prim. . . . . primär

Py. . . . . Pyridin

quart. . . . . quartär

racem. . . . . racemisch

s. . . . . siehe

S. . . . . Seite

s. a. . . . . siehe auch

sek. . . . . sekundär

Sek. . . . . Sekunde

s. o. . . . . siehe oben

spez. . . . . spezifisch

sq. · inch . . . . $6,451589 \cdot 10^{-4}$ m^2

Stde., Stdn., stdg. . . . . Stunde, Stunden, stündig

s. u. . . . . siehe unten

Subl. p. . . . . Sublimationspunkt

symm. . . . . symmetrisch

Tab. . . . . Tabelle

techn. . . . . technisch

Temp. . . . . Temperatur

tert. . . . . tertiär

theor. . . . . theoretisch

THF . . . . Tetrahydrofuran

Tl., Tle., Tln. . . . . Teil, Teile, Teilen

u. a. . . . . und andere

usw.	und so weiter
u. U.	unter Umständen
V	Volt
VDE	Verein Deutscher Elektroingenieure
VDI	Verein Deutscher Ingenieure
verd.	verdünnt
vgl.	vergleiche
vic.	vicinal
Vol., Vol.-%, Vol.-Tl.	Volumen, Volumenprozent, Volumenanteil
W	Watt
Zers.	Zersetzung
∇	Erhitzung
$[a]_\lambda^t$	spezifische Drehung
$\varnothing$	Durchmesser
$\sim$	etwa, ungefähr
μ	Mikron

Methoden zur Herstellung und Umwandlung von 9,10-Anthrachinonen, 10-Anthronen und 1,9-Cyclo-anthronen-(10)

bearbeitet von

Prof. Dr. Dr. h.c. mult. OTTO BAYER

Bayer AG, Leverkusen

Zum Gedenken an

ROBERT EMANUEL SCHMIDT

den erfolgreichsten Anthrachinonforscher

Mit 5 Tabellen

Literatur berücksichtigt bis Anfang 1978

Inhalt

B. Umwandlung der Anthrachinone an den 9,10-Carbonyl-Gruppen bzw. Herstellung funktioneller Anthrachinon-Derivate 270

I. Umwandlung durch Reduktion 270

Methoden zur Herstellung und Umwandlung von 9,10-Anthrachinonen

A. Herstellung

I. Allgemeine Hinweise

a) Hinweise zur Thematik

In diesem Abschnitt werden nur die Verfahren beschrieben, die zu 9,10-Anthrachinonen, Anthronen-(10) und zu 1,9-Cyclo-anthronen-(10) führen. Außerdem sind die 1,4;9,10-Anthradichinone und deren Chinonimine miterfaßt, da diese in engen Beziehungen zu den Hydroxy- bzw. Amino-hydroxy-anthrachinonen stehen.

1,2- und 1,4-Anthrachinone, die sich weitgehend wie Naphthochinone verhalten, sind bei diesen abgehandelt.

Auch 1,4-Naphthochinone mit einem in 2,3-Stellung und 1,4-Benzochinon mit zwei in 2,3- bzw. 5,6-Stellung angegliederten heteroaromatischen Ringen werden nicht berücksichtigt, da sie bereits im Bd. VII/3a besprochen worden sind. Ferner werden die 9,10-Anthrachinone mit anellierten aromatischen bzw. heteroaromatischen Ringen und die Chinone polycyclischer Aromaten nicht behandelt.

Die Methoden zur Herstellung von 9,10-Anthrachinonen sind in allgemeine und spezielle Verfahren gegliedert. Dadurch lassen sich Wiederholungen weitgehend vermeiden, da bei der Herstellung spezieller Anthrachinone häufig auf die allgemeinen Herstellungsverfahren hingewiesen werden muß. Außerdem ist die Anwendungsbreite einer allgemeiner anwendbaren Reaktion für den Leser besser zu erkennen, wenn sie zusammenhängend dargestellt ist.

Dazu einige Erläuterungen: Typische Reaktionen wurden geschlossen abgehandelt, vor allem, um deren Anwendungsbreite erkennen zu lassen und um – wie bereits gesagt – Wiederholungen zu vermeiden. So wäre es beispielsweise wenig sinnvoll gewesen, die durch Diensynthesen herstellbaren Alkyl-, Aryl- und Vinyl-anthrachinone in jedem Unterabschnitt einzeln zu beschreiben.

In der Regel sind die Anthrachinon-Derivate mit mindestens zwei verschiedenen Substituenten in denjenigen Abschnitten zu finden, in denen die letzte Verfahrensstufe beschrieben ist. So findet man die Herstellung von Chloranthrachinonsulfonsäuren durch Chlorieren der Anthrachinon-sulfonsäuren bei den Chlor-anthrachinonen, die Herstellung durch Sulfieren von Chlor-anthrachinonen bei den Anthrachinon-sulfonsäuren.

Die Nitrierung von Alkyl-, Halogen- und Sulfo-anthrachinonen ist im Abschnitt „Nitrierung von Anthrachinonen" beschrieben, die Einführung von Nitro-Gruppen in Hydroxy- oder Amino-anthrachinone hingegen bei den Hydroxy- bzw. Amino-anthrachinonen, zumal dort die Nitro-Derivate meist nicht isoliert, sondern direkt zu den Aminen weiterreduziert werden.

Da sich die 1,4-Dihydroxy-, 4-Amino-1-hydroxy- und 1,4-Diamino-anthrachinone in ihren ungewöhnlichen Reaktionen konform verhalten und auch leicht ineinander überführbar sind, wurden sie im Abschnitt „Chinizarin-Komplexe" zusammenhängend beschrieben.

Sind in den gesuchten Anthrachinon-Derivaten mehrere Substituenten enthalten, so empfiehlt es sich, unter jeder Gruppierung zu recherchieren, da vielfach völlig verschiedene Wege zu der gleichen Verbindung führen. Durch zahlreiche Hinweise ist jedoch dafür gesorgt, daß alle Reaktionen gut aufzufinden sind.

Da das Anthrachinon-Gebiet weitestgehend in den Laboratorien der Farbenindustrie erschlossen worden ist, liegen die meisten Veröffentlichungen als Patentschriften vor. Die älteren finden sich in der Friedländer'schen Sammlung *Fortschritte der Teerfarbenfabrikation,* Bd. 1–25 (1877–1938). Sowohl die älteren Patente als auch die ältere wissenschaftliche Literatur mußten sehr kritisch ausgewertet werden, da diese z.T. ungenaue bzw. falsche Angaben enthalten. Das gilt auch für das Standardwerk von J. Houben: *Das Anthracen und die Anthrachinone*[1].

Zahlreiche der hier zitierten Herstellungsvorschriften basieren auf den BIOS- und FIAT-Berichten (1948) über technische Herstellungsverfahren der ehemaligen I.G. Farbenindustrie AG.

Vielfach sind in diesem Kapitel keine Literaturhinweise angegeben. In solchen Fällen handelt es sich meistens um Forschungsergebnisse aus der Bayer AG, deren Autor nicht mehr feststellbar ist, z.T. auch um Erfahrungen des Verfassers.

Hervorragende Forscher auf dem Anthrachinon-Gebiet, denen viele originelle und spezifische Reaktionen zu verdanken sind, waren vor allem ROBERT EMANUEL SCHMIDT[2] (Farbenfabriken Bayer AG, vorm. Fr. Bayer & Co.) und RENÉ BOHN[3] (Badische Anilin- & Sodafabrik AG).

Grundlegend neue Methoden sind in der Anthrachinonchemie in den letzten vier Jahrzehnten nur noch spärlich aufgefunden worden. Die heutige Arbeitsrichtung hat hauptsächlich Verfahrensverbesserungen und die Herstellung neuer Farbstoffe für synthetische Fasern zum Ziel.

b) Reaktivität der 9,10-Anthrachinone

Das 9,10-Anthrachinon[1] (F: 286°; Kp_{760}: 377°; schwach gelbliche Kristalle)

zählt zu den stabilsten Verbindungen der organischen Chemie. Es zeigt weder die typischen Eigenschaften der Chinone, noch die der Ketone. Über die Austauschbarkeit der Carbonyl-Sauerstoffatome s.S. 276ff.

9,10-Anthrachinon läßt sich nicht einheitlich substituieren. Stets entstehen bei der Herstellung von Mono-Derivaten kleine oder größere Mengen an Disubstitutionsprodukten, wobei ein Teil des Ausgangsmaterials unangegriffen bleibt. Eine Monohalogenierung ist praktisch nicht zu erreichen. Die Mononitrierung läßt sich optimieren und der Eintritt von Sulfo-Gruppen bevorzugt in die 1- oder 2-Stellung dirigieren. Da hier sowohl die Abtrennung vom Anthrachinon als auch die Trennung der Sulfonsäuren voneinander leicht in wäßriger Phase durchführbar sind, führt der Weg zu den reinen Anthrachinon-1-Derivaten, ausgehend vom 9,10-Anthrachinon, in der Technik noch über die Sulfonsäuren.

[1] J. HOUBEN, *Das Anthracen und die Anthrachinone,* G. Thieme Verlag, Leipzig 1929.
    Die neueren physikalischen Parameter finden sich im *Beilstein*, 3. Erg. Werk, 4. Aufl., Bd. VII, S. 4060 (1969).
[2] 1864–1938, B. **71** A, 121 (1938).
[3] 1862–1922, B. **56** A, 13–30 (1923).

Von den synthetisch hergestellten 9,10-Anthrachinon-Derivaten spielen vor allem das 1,4-Dihydroxy-(Chinizarin), das 2-Chlor- und das 2-Methyl-9,10-anthrachinon eine Rolle.

Aus der Elektronenverteilung im 9,10-Anthrachinon geht hervor, daß die Benzolkerne schwer angreifbar sind und daß das protonierte Anthrachinon nicht mit starken Kationen, wie sie z.B. bei der Friedel-Crafts-Reaktion auftreten, reagieren kann[1].

Die Sulfierung des Anthrachinons erfolgt nur mit Oleum und erst bei höherer Temperatur. Dabei dürfte das neutrale Schwefeltrioxid mit dem protonierten Anthrachinon reagieren.

Das (schwache) NO_2-Kation lagert sich – da es ein guter Elektronenüberträger ist – an das neutrale Anthrachinon-semichinon-Radikal zu einem Komplex an, der sich leicht als *Nitro-9,10-anthrachinon* stabilisiert.

Nur so wird verständlich, daß die Nitrierungen mit 99%-iger Salpetersäure bereits bei −30° erfolgen. Bei den Nitrierungen in konz. Schwefelsäure sind höhere Aktivierungsenergien erforderlich, was natürlich auch stärker zu Nebenreaktionen führt.

Die Substitutionsreaktionen am Anthrachinon vollziehen sich an dessen Zwischenzuständen, die sich leicht durch Reduktion bzw. Protonierung bilden und auch über radikalische Zwischenstufen verlaufen können[2]. Aus den berechneten Energien für deren Übergangskomplexe kann man für die verschiedenen Substituenten Produktverteilungen errechnen, die sehr gut mit den tatsächlichen Werten übereinstimmen. Die partiellen Elektronendichten in den Grenzorbitalen an einzelnen Positionen bzw. in den Ringen erlauben eine qualitative Deutung der Reaktivität in den verschiedenen Formen des Anthrachinons:

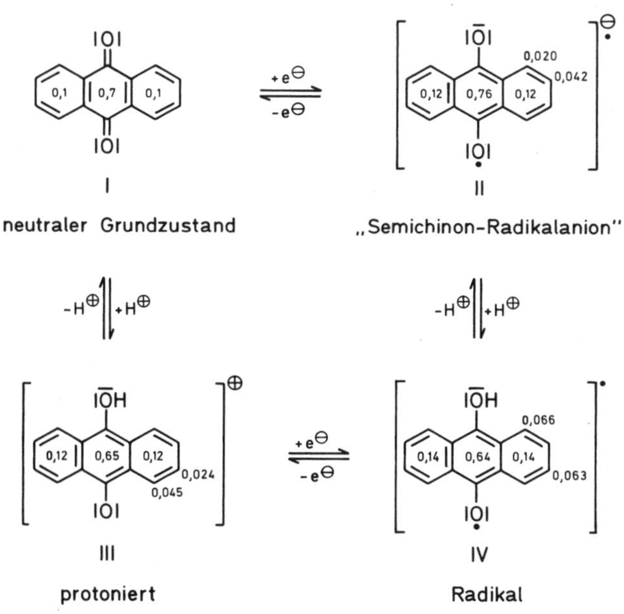

I
neutraler Grundzustand

II
„Semichinon-Radikalanion"

III
protoniert

IV
Radikal

Infolge der starken Polarisierung des Anthrachinon-Moleküls wird bereits durch die Anwesenheit einer Hydroxy- oder Amino-Gruppe Farbigkeit hervorgerufen. Dieser Effekt tritt besonders in Erscheinung, wenn sich diese Substituenten in den α-Stellungen be-

[1] Die angegebenen Reaktionsabläufe wurden von U. CLAUSSEN u. W. DONNER, Bayer AG, 1974, aufgrund eigener Messungen postuliert.

[2] Berechnungen nach der INDO-Methode erfolgten durch U. CLAUSSEN u. W. DONNER, Bayer AG, 1974.

finden. Dadurch entstehen starke Wasserstoffbrückenbindungen, die auch für die Echtheitseigenschaften von Anthrachinonfarbstoffen von großer Bedeutung sind.

Der interessanteste Farbkörper der Anthrachinon-Reihe ist zweifellos das sog. Diamino-anthrarufin[1] (*1,5-Diamino-4,8-dihydroxy-9,10-anthrachinon*),

eine intensiv blauviolette Verbindung von großer Farbstärke und hoher Lichtechtheit. Für
dessen ungewöhnliche Eigenschaften sind vor allem die zahlreichen Mesomeriemöglich-
keiten und idealen Möglichkeiten zur Bildung von Wasserstoffbrücken sowie die
leichten Protonenübergänge mit den sich daraus ergebenden Chinonimin-Strukturen verantwortlich zu machen. Durch das Zusammenspiel bzw. die Überlagerung dieser Effekte
kommt ein polycyclisches Gebilde zustande, in welchem bereits durch die Zuführung geringer Energiemengen ein freier Elektronenumlauf in mehreren in sich geschlossenen
Bahnen ausgelöst wird (s. a. S. 151).

Eine wichtige Rolle in der Anthrachinonchemie spielen auch die Redoxpotentiale,
die je nach Substitution sehr verschieden sein können. Diese bestimmen vielfach das Verhalten der Anthrachinon-Derivate bei Substitutionsvorgängen und sind auch verantwortlich für die zahlreichen Disproportionierungen, wie sie sich z. B. leicht zwischen den Polyhydroxy-anthrachinonen oder den 1,4-Diamino-anthrachinonen vollziehen.

Das 9,10-Anthrachinon ist geradezu ein Idealfall für ein reversibles Redoxsystem[2-4],
da hier die Elektronen- bzw. Protonen-Übergänge nur an den Carbonyl-Sauerstoffatomen
eines äußerst stabilen Grundmoleküls stattfinden.

Die 1. Reduktionsstufe, das radikalische Semichinon I (intensiv grün gefärbte alkalische
Lösung), ist verhältnismäßig beständig, da es als Ion vorliegt[5].

An den Beispielen der *1-Hydroxy-9,10-anthrachinon-4-sulfonsäure* (A) und der *2-Hy-*

[1] Der Entdecker, R. E. SCHMIDT, zweifelte lange, trotz eindeutiger Synthesen, an dessen „einfacher" Konstitution.
[2] L. MICHAELIS u. P. SCHUBERT, Chem. Reviews **22**, 437 (1938).
L. MICHAELIS, *Oxydations-Reduktions-Potentiale*, 2. Aufl., Springer Verlag, Berlin 1933.
[3] R. GILL u. H. I. STONEHILL, Soc. **1952**, 1845–1857.
H. W. MEYER u. W. D. TREADWELL, Helv. **35**, 1444 (1952).
[4] Redox-Titrationen von Anthrachinonen und Küpenfarbstoffen: A. GEAKE et al., Trans. Faraday Soc. **34**, 1409
(1938); **37**, 45 (1941).
[5] Elektronenspektren der Anthrasemichinon-(9,10)-Radikalanionen s. R. MITZNER, H. DORST u. D. FROSCH,
Z. **15**, 400 (1975).

droxy-9,10-anthrachinon-7-sulfonsäure[1] (B) wurde aufgrund potentiometrischer (Redoxpotentiale) und polarographischer Messungen[2] nachgewiesen, daß B bei p_H: 12 zu ~60% als Radikalion (Semichinon) vorliegt, was durch eine günstige Mesomeriestabilisierung bedingt ist. Die Stabilität des Semichinons von A ist sowohl elektrostatisch als auch wegen der Wasserstoffbrückenbindung stark beeinträchtigt.

Starke Reduktionsmittel, wie Zinkstaub, Natriumdithionit oder Natriumboranat führen die 9,10-Anthrachinone in Gegenwart von Alkalimetallhydroxiden in die alkalilöslichen 9,10-Dihydroxy-anthracene über, die durch Luftsauerstoff sofort wieder zu den Anthrachinonen zurückoxidiert werden (s. S. 270)..

c) Handhabung der 9,10-Anthrachinone

Die große Stabilität der Anthrachinone erlaubt es, in den meisten Fällen recht robuste Laboratoriumsmethoden anzuwenden. So werden als Lösungsmittel oder zum Umkristallisieren außer Essigsäure, Nitrobenzol, Di- und Trichlor-benzol, Dimethylformamid, Sulfolan (Cyclotetramethylensulfon) und Phenol auch konz. Salpetersäure (wenn keine Hydroxy- oder Amino-Gruppen vorhanden sind) benutzt.

Bei Umsetzungen, die in wäßriger Suspension durchgeführt werden, empfiehlt es sich, zuvor das Anthrachinon-Derivat zu verpasten, d.h. in konz. Schwefelsäure zu lösen, durch Einrühren in Wasser auszufällen und säurefrei zu waschen.

Eine besondere Bedeutung als Lösungsmittel bzw. als Reaktionsmedium kommt der Schwefelsäure zu. In kalter konz. Schwefelsäure oder in Oleum sind alle Anthrachinon-Derivate leicht löslich.

Ein Standardverfahren zur Reinigung bzw. Trennung von Anthrachinon-Derivaten besteht darin, diese aus ihren Lösungen in konz. Schwefelsäure durch dosierte Zugabe von Wasser oder Essigsäure fraktioniert zum Auskristallisieren zu bringen. Die Löslichkeit von Polyhydroxy-anthrachinonen nimmt mit steigender Zahl von Hydroxy-Gruppen in konz. Schwefelsäure stark ab. Amino-anthrachinone scheiden sich bei der Fraktionierung als Sulfate ab, die mit Wasser leicht hydrolysieren. In manchen Fällen können Anthrachinone auch durch Verküpen von unlöslichen Begleitstoffen abgetrennt werden. Natürlich spielt auch die Chromatographie bei der Analytik und als Trennverfahren eine bedeutende Rolle.

Anthrachinone lassen sich durch Vakuumsublimation nicht nur reinigen, sondern vielfach auch fraktioniert trennen.

d) Hinweise zur Analytik[3]

In der Anthrachinonchemie sind einheitliches Aussehen von Kristallen und der Schmelzpunkt keine Kriterien für die Reinheit der Substanzen. (So zeigen z.B. Gemische aus Anthrachinon und Chinizarin kaum Schmelzpunktsdepressionen.)

In einfacher Weise sind Anthrachinon-Derivate durch spektroskopische Methoden zu identifizieren; auch Verunreinigungen lassen sich so erkennen. Als Lösungsmittel sind

[1] A. D. BROADBENT u. H. ZOLLINGER, Helv. **47**, 2140 (1964); **49**, 1729 (1966).
[2] Polarographie von Anthrachinonen in Essigsäure/Schwefelsäure: L. STÁRKA et al., Chem. Listy **51**, 1440, 1449 (1957).
[3] Die Analytik und die Trennverfahren für spezielle Anthrachinon-Derivate und deren Spektren sind in den entsprechenden Abschnitten beschrieben.

hierfür besonders Schwefelsäure, Oleum oder Borsäure-Schwefelsäure-Gemische[1,2] geeignet. Auch die Fluoreszenz unter der Quarzlampe, das fraktionierte Umkristallisieren aus verschiedenen Lösungsmitteln, die vergleichende Prüfung der Lösungsfarben der Bestandteile z.B. in Pyridin können als Reinheitskriterien herangezogen werden.

Der Verlauf von Umsetzungen in der Anthrachinon-Reihe kann vielfach auch unter dem Mikroskop verfolgt werden.

Mit großem Erfolg kann die Chromatographie zur analytischen Erfassung von Anthrachinon-Gemischen und präparativ zur Reinherstellung von Anthrachinon-Derivaten und zur Isolierung vor allem von Hydroxy-anthrachinonen aus Naturstoffen herangezogen werden (s.S. 86).

Neben den üblichen Ausführungsformen haben sich auch die Hochdruck-Flüssigkeits-Chromatographie[3], die Gaschromatographie[4] – besonders der Trimethylsilyläther von Hydroxy-anthrachinonen[5] – als sehr brauchbar erwiesen.

Eine sehr originelle chromatographische Methode hat R. E. SCHMIDT bereits um 1895 entwickelt: Nach dem Aufstäuben feingepulverter Anthrachinon-Gemische auf die Oberfläche von Schwefelsäure bilden sich Farbringe aus. Diese wurden herauspipettiert und spektroskopisch untersucht!

Die Dünnschichtchromatographie ist für Anthrachinon-Derivate, die in Wasser oder in organischen Solventien löslich sind, sehr brauchbar und unterscheidet sich im Prinzip nicht von der anderer Substanzklassen[6,7]. Sie dient sowohl qualitativen Zwecken (Identifizierung) als auch zur sog. halbquantitativen Bestimmung von Nebensubstanzen, falls deren Anteil nicht mehr als 10% beträgt. Dies geschieht durch vergleichendes Chromatographieren von Testsubstanzen in Konzentrationsreihen. Der Gehalt wird ohne Messung durch visuellen Vergleich bestimmt. Der Fehler kann deshalb bis zu 20% vom gefundenen Wert betragen; es läßt sich also z.B. noch zwischen $0,4$ und $0,5\%$ oder zwischen 8 und 10% Nebensubstanz zuverlässig unterscheiden.

Als Sorbentien dienen meist Kieselgel- oder Cellulose-Pulver verschiedener Fabrikate, die mit handelsüblichen Beschichtungsgeräten auf Glasplatten vergossen werden. Derartig beschichtete Platten werden auch als sogenannte Fertigplatten von zahlreichen Firmen angeboten; als Unterlage werden dabei neben Glas auch Aluminium- sowie Kunststoff-Folien verwendet. Gelegentlich bewähren sich auch Polyamid- sowie Acetylcellulose-Schichten.

---

[1] R.E. SCHMIDT (~1890).

[2] Absorptionsspektren substituierter Anthrachinone s. R.H. PETERS u. H.H. SUMNER, Soc. **1953**, 2101.
  Infrarotspektren von 59 Anthrachinon-Derivaten s. H. BLOOM, L.H. BRIGGE u. B. CLEVERLEY, Soc. **1959**, 178.
  Die gemessenen Absorptionswellenlängen zahlreicher Anthrachinon-Derivate mit maximal zwei Substituenten stimmen mit den berechneten Werten überein; H. LABHART, Helv. **40**, 1410 (1957).
  Spektren von Anthrachinonen mit entsprechenden Literaturhinweisen finden sich auch in folgenden Sammelwerken:
  The Sadtler Standard Spectra, Sadtler Research Laboratories, Philadelphia 1972.
  H.M. HERSHENSON, *Infrared Absorption Spectra* (1959 u. 1964); *Ultraviolet and Visible Absorption Spectra* (1956, 1961, 1966); *Nuclear Magnetic Resonance and Electron Spin Resonance Spectra* (1965); Academic Press, New York · London.
  L. LÁNG, *Absorption Spectra in the Ultraviolet and Visible Region*, Akadémiai Kiadó, Budapest, bisher 13 Bände (1966–1969).
  Organic Electronic Spectral Data, Interscience Publishers, New York · London · Sydney · Toronto, bisher 8 Bände (1960–1966).
  UV-Atlas organischer Verbindungen, Verlag Chemie, Weinheim – Butterworths, London, bisher 5 Bände (1966–1971).

[3] R.I. PASSARELLI u. E.S. JACOBS, J. Chromatogr. Sci. **13**, 153 (1975).

[4] I.B. TERRILL u. E.S. JACOBS, J. Chromatogr. Sci. **8**, 604 (1970).

[5] G.W. EIJK u. H.J. ROEMANS, J. Chromatogr. **1976**, 66–68.

[6] Mitteilung von K.v. OERTZEN, unveröffentlicht, Bayer AG, Leverkusen.

[7] s. E. STAHL, *Dünnschichtchromatographie*, Springer-Verlag, Heidelberg 1962.

Eine größere Genauigkeit, besonders bei höheren Gehalten an Nebensubstanzen, läßt sich durch zusätzliche optische Meßmethoden erzielen, und zwar durch direkte Remissions-Messungen oder durch Messungen nach Elution der Flecken.

Diese Methoden erfordern jedoch einen großen Zeit- und Geräte-Aufwand. Für Schnellbestimmungen, wie die Ermittlung des Endpunktes einer laufenden Reaktion, ist daher das oben beschriebene „halbquantitative" Verfahren vorzuziehen.

Folgende Modellbeispiele sollen die üblichen Durchführungen des Chromatographierens aufzeigen[1].

Beispiel 1:
Trennung von Hydroxy-anthrachinonen:
65% *1,2-Dihydroxy-9,10-anthrachinon*
15% *2,6-Dihydroxy-9,10-anthrachinon*
15% *1,2,4-Trihydroxy-9,10-anthrachinon*
5% *2-Hydroxy-9,10-anthrachinon*

Die β-Hydroxy-anthrachinone werden an Kieselgel z. T. sehr stark adsorbiert[2]. Unter sauren Chromatographie-Bedingungen erhält man oft gute Flecken, allerdings ist in dem vorliegenden Gemisch eine vollständige Trennung der β-Hydroxy-anthrachinone so nicht zu erreichen.

Die Trennung gelingt jedoch, wenn man Polyamide als Sorbens verwendet. Die Flecken zeigen hier jedoch eine langgestreckte, kuppige Form mit einem Substanzmaximum im obersten Bereich. Die halbquantitative Bestimmung ist deshalb etwas schwierig. Doch eignet sich die Methode zum Vergleich mengenmäßig verschieden zusammengesetzter Gemische.

Arbeitsweise:
Lösung: 20 mg der vier Verbindungen im angegebenen Verhältnis (13 mg + 3 mg + 3 mg + 1 mg) in 5 ml einer Mischung von Chloroform + Methanol + Aceton 9 : 1 : 0,25 (V/V/V).
Sorbens: DC Alufolie Polyamid 11F254 Merck (fluoresziert im UV-Licht von 254 nm)
Auftragen: 5 µl
Fließmittel: n-Butanol/Methanol 3 : 1 (V/V)
Methode: aufsteigend
Dauer } 2mal 8–10 cm, je ~ 2 Stdn.,
Laufhöhe } 30 Min. Zwischentrocknen bei Raumtemp.
Ergebnis:

		Farbe		
...-9,10-anthrachinon	$R_F \cdot 100$	Tageslicht	360 nm (Untergrund dunkel)	254 nm (Untergrund gelbgrün)
2-Hydroxy-...	68	blaßgelb	stumpf gelb	violett
1,2-Dihydroxy-...	64	hellbraun	dunkel rotbraun	violett
2,6-Dihydroxy-...	41	blaßgelb	leuchtend gelb	blaß orange
1,2,4-Trihydroxy-...	18	rosa	scharlach	stumpf rosa

Beispiel 2:
Trennung des durch Bromierung von 1-Amino-anthrachinon erhaltenen Gemisches:
Hauptsubstanz: *2,4-Dibrom-1-amino-9,10-anthrachinon*
Nebensubstanzen: *1-Amino-, 2-Brom-1-amino-* und *4-Brom-1-amino-9,10-anthrachinon*

Sorbens: Kieselgel G
Lösung: in Chloroform 0,25%-ig für Hauptsubstanz
0,0025%-ig bis 0,025%-ig für Nebensubstanzen
Auftragen: 2 µl
Fließmittel: Hexan/THF 5 : 1 (V/V)
Methode: aufsteigend
Dauer: 25 Min.
Laufhöhe: Front über Start 12 cm

---

[1] Diese wurden dankenswerterweise von K. V. OERTZEN, Bayer AG, ausgearbeitet.
[2] s. a. S. 83.

Ergebnis:	anthrachinon	cm	$R_F \cdot 100$
Fleck über Start: 1-Amino-...		1,9	16
2-Brom-1-amino-...		5,0	42
4-Brom-1-amino-...		1,3	11
2,4-Dibrom-1-amino-...		4,2	35

Farben: Die Originalfarben sind orange. Zur besseren Auswertung kann man diazotieren und mit methanolischer Lösung von N-Naphthyl-(1)-äthylendiamin-Lösung besprühen: Die Flecken werden dann tief rotviolett.

Beispiel 3:

Trennung von Amino-anthrachinonen:

Amino-anthrachinone lassen sich sehr gut chromatographieren und auch halb-quantitativ unter den üblichen Voraussetzungen bestimmen. Die Flecken sind rund und klein. Zur Methode s. Beispiel 2.

Substanzen: 1-Amino-9,10-anthrachinon
2-Amino-9,10-anthrachinon
1,5-Diamino-9,10-anthrachinon
1,6-Diamino-9,10-anthrachinon
1,7-Diamino-9,10-anthrachinon
1,8-Diamino-9,10-anthrachinon

Sorbens: DC-Fertigplatte Kieselgel 60 F 254 (Merck)
Lösung: in Chloroform/Methanol 19 : 1 (V/V) 0,2%-ig für Hauptsubstanz
0,02 – 0,002%-ig für Nebensubstanzen
Auftragen: 4 µl
Fließmittel: Essigsäure-äthylester/Pyridin/Toluol = 2 : 1 : 20 (V/V/V)
Methode: aufsteigend
Dauer: 75 Min.
Laufhöhe: 18 cm
Ergebnis:

...-9,10-anthrachinon	$R_F \cdot 100$	Originalfarbe	Farbe nach Diazotieren und Kuppeln auf N-Naphthyl-(1)-äthylendiamin
1-Amino-...	37	orange	rotviolett
2-Amino-...	17	gelb	rosa
1,5-Diamino-...	28	orange	graublau
1,6-Diamino-...	13	rosa	violett
1,7-Diamino-...	9	orangegelb	violettbraun
1,8-Diamino-...	25	rosa	korinth

Spezielle Trennverfahren, besonders für Hydroxy-anthrachinone aus Naturstoffen, finden sich auf S. 86. Die chromatographische Trennung von Hydroxy- und Amino-anthrachinonen ist z.B. in Lit.[1,2] beschrieben.

II. Allgemeine Verfahren zur Herstellung von 9,10-Anthrachinonen

a) Durch Oxidation

1. von Anthracenen

Die Oxidation von Anthracen- zu Anthrachinon-Derivaten hat nur geringe präparative Bedeutung, da umgekehrt die Anthracen-Derivate am einfachsten durch Reduktion der entsprechenden Anthrachinone gewonnen werden. Als Sauerstoffüberträger sind prak-

[1] L. Stárka u. A. Vystroil, Chem. Listy **51**, 378 (1957).
[2] M. Matrka u. F. Navrátil, Chem. Průmysl **8** (33), 188 (1958).

tisch alle stark wirkenden sauren Oxidationsmittel brauchbar, so vor allem Chrom(VI)-oxid in Essigsäure bzw. Schwefelsäure oder Mangandioxid in Schwefelsäure. Die Ausbeuten sind in den meisten Fällen fast quantitativ. Man muß energisch oxidieren, da sonst die Anthrachinone durch Dianthron verunreinigt sind. Im übrigen ist dieser Weg problemlos, da das 9,10-Anthrachinon und viele seiner Derivate völlig resistent gegen eine Überoxidation sind[1].

Die Anthracen-Oxidation spielt in der Technik eine wichtige Rolle, wo sogenanntes Reinanthracen aus dem Steinkohlenteer mit Chromsäure in Schwefelsäure oxidiert wird. Konkurrierend dazu ist die Luftoxidation von Anthracen-Dampf an vanadinhaltigen Kontakten nach A. Wohl[2], deren verschiedene Ausführungsarten in zahlreichen Patenten beschrieben sind.

In der Bayer AG wird das folgende Verfahren ausgeübt[3].

9,10-Anthrachinon aus Anthracen[3]: Die sog. Anthracen-Fraktion des Steinkohlenteers, die zu ~40% aus Anthracen, 22% aus Carbazol und zu 38% aus Phenanthren, Alkylanthracenen und phenolischen Verbindungen besteht, wird 2mal aus Pyridinhomologen umgelöst. Dabei fallen ~80% des Anthracen-Gehaltes als 95%-iges Produkt an, das zur Oxidation eingesetzt wird (durch Umkristallisation des aus der Pyridinmutterlauge erhaltenen Rückstandes aus Chlorbenzol wird reines Carbazol gewonnen).

Das durch Umlösen gereinigte Anthracen wird in feinster Verteilung unter Zusatz eines Netzmittels in ~25%-iger Schwefelsäure mit überschüssigem Natriumdichromat bei 60–100° oxidiert. Die Ausbeute ist praktisch quantitativ. Zur letzten Reinigung wird das Anthrachinon aus Nitrobenzol umkristallisiert oder i. Vak. sublimiert bzw. mit überhitztem Wasserdampf überdestilliert. Man erhält so ein 9,10-Anthrachinon von 99%-iger Reinheit.

Die anfallenden Chrom(III)-salze sind als Gerbstoffe besonders wertvoll, da sie aboxidierte organische Substanzen komplexgebunden enthalten.

Direkt zum 9,10-Anthrachinon gelangt man auch mittels Cer(IV)-ammoniumnitrat in wasserhaltigem Tetrahydrofuran bei 25°[4] oder in Acetonitril[5].

Je nach den Versuchsbedingungen lassen sich aus Anthracen und Salpetersäure verschiedene Reaktionsprodukte gewinnen: Tropft man in eine Lösung von Anthracen in Nitrobenzol bei ~180° 98%-ige Salpetersäure ein, so fällt ein sehr reines 9,10-Anthrachinon an[6]. Arbeitet man unter milderen Bedingungen in Essigsäure, so lassen sich die Zwischenprodukte mit guten Ausbeuten fassen. Über die Herstellung von 9-Nitro-anthracen s. S. 289.

Bei der Oxidation des Anthracens mit Blei(IV)-oxid in Essigsäure lassen sich successive die Acetate von Anthranol und von 9-Hydroxy-anthron-(10) fassen. Das Endprodukt ist 9,10-Anthrachinon[7].

9,9′-Bi-anthronyl aus Anthracen[8]: Zu einer Suspension von 100 g fein pulverisiertem Anthracen in 400 ml Essigsäure werden 35 g 63%-ige Salpetersäure zugegeben, wodurch Lösung unter Temperaturanstieg auf ~30° eintritt. Nach ~1 Stde. wird vom unveränderten Anthracen abfiltriert und noch 90 Min. auf 95° erwärmt. Dabei

---

[1] Die zahlreichen zur Oxidation von Anthracen vorgeschlagenen Oxidationsmittel und -verfahren sind aufgeführt in J. Houben, *Das Anthracen und die Anthrachinone*, S. 209–213, Georg Thieme Verlag, Leipzig 1929.

[2] DRP. 347610, 349089 (1916), A. Wohl; Frdl. **14**, 836–838.
DRP. 408184 (1920), BASF, Erf.: O. Schmidt, K. Seydel u. H. Ufer; Frdl. **14**, 185.
S.a. BIOS Miscellaneous Rep. Nr. **104**; Ullmann, Bd. 3, S. 661 (1953).
FIAT Final Rep. Nr. **1313 I**, 332 (1948), (Fe₂O₃ + Ammoniumvanadat).

[3] FIAT Final Rp. Nr. **1313 II**, 18 (1948), I. G. Farb., Leverkusen.

[4] Tse-Lok Ho et al., Synthesis **1973**, 206.

[5] B. Rindone u. C. Scolastico, Soc. **1971** B, 2238.

[6] Brit. P. 796395 (1956), Koppers Co.; C.A. **52**, 20108ᵈ (1958).

[7] K.E. Schulze, B. **18**, 3036 (1885).
K.H. Meyer, A. **379**, 73 (1911).
L.F. Fieser u. S.T. Putnam, Am. Soc. **69**, 1038 (1947).

[8] E. de Barry Barnett u. M.A. Matthews, Soc. **123**, 387 (1923). Zur Herstellung von *9,9′-Bi-anthronyl* aus Anthron mit Eisen(III)-chlorid s. S. 298.

kristallisieren ~ 60 g Bi-anthronyl aus. Nach dem Absaugen können aus der Mutterlauge durch nochmaliges kurzes Erhitzen weitere 25 g gewonnen werden.

Unter sehr ähnlichen Bedingungen, nur mit 1 Mol 63%-iger Salpetersäure, entsteht mit guter Ausbeute das 10-Nitro-9-acetoxy-9,10-dihydro-anthracen[1] (s. S. 288).

Ebenso glatt wie Anthracen selbst lassen sich auch viele seiner Derivate, wie z. B. Alkyl-, Halogen- und Carboxy-anthracene, zu den entsprechenden 9,10-Anthrachinonen oxidieren.

Anthracen-sulfonsäuren werden mit einem Gemisch aus 40 Tln. Schwefelsäure, 40 Tln. konz. Salpetersäure und 30 Tln. Wasser durch 4stdg. Erhitzen auf 100° zu den entsprechenden 9,10-Anthrachinon-sulfonsäuren oxidiert[2].

Über die Oxidation von in 9- und/oder 10-Stellung substituierten Anthracenen zu 9,10-Anthrachinonen finden sich nur spärliche Angaben. Beim 9-Phenyl-anthracen ist das 9-Hydroxy-9-phenyl-anthron-(10) die Endstufe der Oxidation[3]. 9,10-Dibenzyl-anthracen wird mit Chromsäure quantitativ in *9,10-Anthrachinon* und Benzoesäure gespalten[4]. Durch Oxidation von 9,10-Diphenyl-anthracen mit Chrom(VI)-oxid in Essigsäure wird ein Bz-Kern aboxidiert; u. a. wurde 1,2-Dibenzoyl-benzol (F: 148°) isoliert[5].

9-Chlor-anthracen läßt sich gut, 9,10-Dichlor-anthracen jedoch erheblich schwieriger in 9,10-Anthrachinon überführen. Auch aus dem leicht zugänglichen 9-Chlor-1-aza-anthracen (I) entsteht glatt das *1-Aza-anthrachinon-(9,10)* (II)[6]:

9,10-Dihydro-anthracene sind ebenso leicht wie die Anthracene in die 9,10-Anthrachinone überführbar. So lassen sich z. B. durch längeres Erhitzen der 1- bzw. 2-Benzyl-9,10-dihydro-anthracene in Benzol mit einer 15–20%-igen Salpetersäure die 1- bzw. 2-Benzyl-9,10-anthrachinone herstellen (s. S. 48).

9,10-Dimethyl-9,10-dihydro-anthracen läßt sich durch Chrom(VI)-oxid in Essigsäure zu *9,10-Anthrachinon* oxidieren[7].

Aus 1,2,3,4-Tetrahydro-anthracen entsteht mit Chrom(VI)-oxid in Essigsäure *1,2,3,4-Tetrahydro-9,10-anthrachinon*[8]. Octahydro-anthracen hingegen liefert *1-Oxo-1,2,3,4,5,6,7,8-octahydro-anthracen*[8].

Octahydro-9,10-anthrachinon ist nur durch Oxidation von 9-Hydroxy-octahydro-anthracen zugänglich[9].

Die Oxidation von Anthronen zu 9,10-Anthrachinonen ist im Abschnitt „Anthrachinone aus Diphenylmethan-carbonsäuren" (s. S. 43) und die Dehydrierung der Addukte aus Dienen und Chinonen im Abschnitt „Anthrachinone durch Diensynthesen" (s. S. 22ff.) beschrieben.

[1] O. DIMROTH, B. **34**, 221 (1901).
[2] S. z. B. DOS. 2460243 (1974), I.C.I., Erf.: R.T. CLARKE; C.A. **83**, 195240ˣ (1975).
   S. a. S. 72.
[3] A. BAEYER, A. **202**, 62 (1880).
[4] E. LIPPMANN u. I. POLLAK, M. **23**, 673 (1902).
[5] H. SIMONIS u. P. REMMERT, B. **48**, 208 (1915).
[6] DRP. 613628 (1933), I. G. Farb., Erf.: K. KÖBERLE u. E. PLÖTZ; Frdl. **22**, 1123.
   Zu weiteren Herstellungsmethoden s. ds. Handb., Bd. VII/3a, S. 571, 576, 578f., 585.
[7] R. ANSCHÜTZ, A. **235**, 307 (1886).
[8] G. SCHROETER, B. **57**, 2014 (1924).
[9] J. v. BRAUN u. O. BAYER, B. **58**, 2678 (1925).

2. Anthrachinone durch oxidative Cyclisierungen von aromatischen Kohlenwasserstoffen

Es gibt eine Reihe von Kohlenwasserstoffen, die sich direkt zu Anthrachinonen oxidieren lassen.

So kann *9,10-Anthrachinon* auf Basis von Styrol hergestellt werden. Man dimerisiert Styrol zum 1-Methyl-3-phenyl-indan (I)[1]

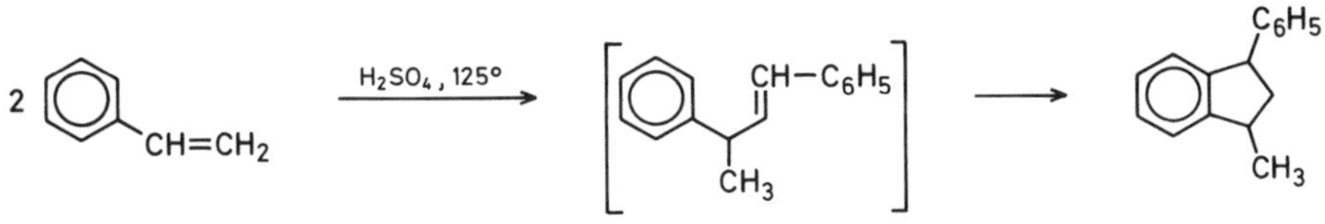

und unterwirft dieses der Oxidation[2]. Dabei entstehen neben Benzophenon-2-carbonsäure 2-Acetyl-benzophenon und 9,10-Anthrachinon. Durch 1stdg. Einwirken von 25%-iger Salpetersäure bei $170°$ im Autoklaven werden bis zu 80% d. Th. Benzophenon-2-carbonsäure erhalten[3]. Durch Oxidation an Vanadin-Kontakten in der Gasphase mit einem großen Luftüberschuß bei $\sim 400°$ entsteht aus dem 1-Methyl-3-phenyl-indan direkt *9,10-Anthrachinon*[4] ($\sim 50\%$ d. Th.).

Auf Basis von o-Xylol läßt sich ein – sogar technisch brauchbares – Anthrachinon-Verfahren aufbauen[5]. Das durch Monochlorierung von o-Xylol erhältliche 2-Methyl-benzylchlorid wird in 88%-iger Schwefelsäure mit Benzol kondensiert und anschließend mit Luft in Essigsäure unter Zusatz von Kobalt- und Mangan-Salzen bei $100°$ zur 2-Benzoyl-benzoesäure oxidiert:

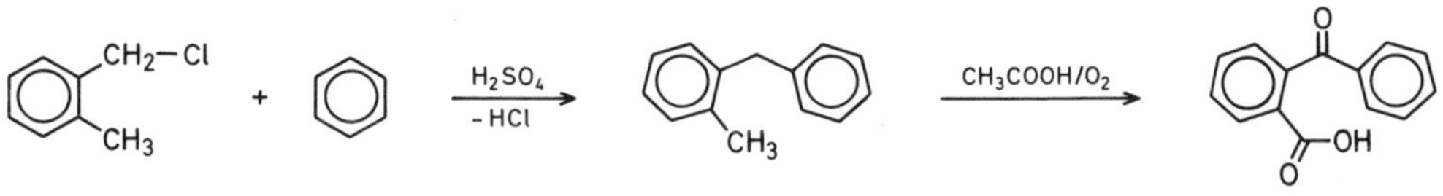

Leitet man ein Gemisch aus neun Molen 2-Methyl-5-tert.-butyl-diphenylmethan und einem Mol 2-Methyl-4-tert.-butyl-diphenylmethan mit Luft in einer Konzentration von $0,2$ Mol.-$\%$ über einen Vanadin-Kontakt bei $385°$, so fällt das *2-tert.-Butyl-9,10-anthrachinon* in $\sim 50\%$-iger Ausbeute an[6].

3. Anthrachinone durch oxidative Cyclisierungen von 2-Methyl-benzophenonen

Zu substituierten 9,10-Anthrachinonen kann man in einigen Fällen ausgehend von 2-Methyl-benzophenonen gelangen. Diese sind nicht nur durch Friedel-Crafts-Kondensationen, sondern auch durch Grignard-Reaktionen gut zugänglich[7]; z.B.:

[1] M.J. ROSEN, Org. Synth., Coll. Vol. **IV**, 665 (1963).
  R.N. VOLKOV et al. (Voronezskij-Universität).
[2] P.E. SPOERRI u. M.J. ROSEN, Am. Soc. **72**, 4918 (1950).
[3] DBP. 1915385 (1969), BASF, Erf.: H.-J. STURM, H. ARMBRUST, M. EISERT u. H.G. SCHECKER; C.A. **73**, 120346ʷ (1970).
[4] DBP. 1934063 (1969), BASF, Erf.: H. ARMBRUST, H.-J. STURM, H. ENGELBACH, H. WISTUBA, A. STÖSSEL u. R. KRABETZ; C.A. **74**, 87699ʲ (1971) und zahlreiche Folgepatente.
[5] Jap. Anm. 74/75563 (1974), Toyama Chemical Co., Erf.: T. KODAMA, H. TAMURA u. S. HAYASHI; C.A. **82**, 43096ʷ (1975).
[6] DOS. 2628725 (1975), Mitsubishi Gas Chemical Co. Inc., Erf.: S. TOGO, M. ITO, C. NISHIZAWA u. M. OHBA; C.A. **86**, 139605ʷ (1977).
[7] E.D. BERGMANN u. E. LOEWENTHAL, Bl. [5] **1952**, 69.

Zur oxidativen Cyclisierung bieten sich mehrere Verfahren an, z. B. die Chlorierung der 2-ständigen Methyl-Gruppe bei ~170° in Trichlorbenzol unter Belichten zur Trichlormethyl-Verbindung (s. a. den Abschnitt Anthrachinoncarbonsäuren S. 255 ff.), die dann mit Schwefelsäure zur entsprechenden Carbonsäure hydrolysiert und gleichzeitig ringgeschlossen wird[1]. So erhält man aus dem 5,2',4'-Trichlor-2-trichlormethyl-benzophenon beim Erhitzen mit konz. Schwefelsäure das *1,3,7-Trichlor-9,10-anthrachinon* in 47%-iger Ausbeute[2].

Folgendes Beispiel ist recht instruktiv, da hier alle Schwierigkeiten einer Anthrachinon-Synthese zusammentreffen[3]:

Weniger empfehlenswert ist die Elbs-Reaktion[4, 5], wonach man die 2-Methyl-benzophenone durch Erhitzen unter Wasserabspaltung zu Anthracenen cyclisiert und diese anschließend oxidiert; z. B.[6]:

Etwas bessere Ausbeuten erhält man durch Arbeiten in der Gasphase bei ~400° über Aktivkohle[7].

Auf diese Weise wurden mit ~30%-igen Ausbeuten hergestellt:

[1] DRP. 267271 (1912), Agfa; Frdl. **11**, 201.
   DRP. 583562 (1931), I.G. Farb., Erf.: G. Kränzlein, M. Corell u. E. Diefenbach; Frdl. **20**, 1297.
[2] B. Bienert, I.G. Farb., Leverkusen (1934).
[3] O. Scherer, FIAT Final Rep. Nr. **1313 I**, 319 (1948), I.G. Farb. Hoechst.
[4] L.F. Fieser, *The Elbs Reaction*, Org. Reactions **1**, 129 (1942).
[5] Reaktionsmechanismus: C.D. Hurd u. J. Azorlosa, Am. Soc. **73**, 37 (1951).
[6] C. Seer, M. **32**, 154 (1911).
[7] DRP. 481819 (1925), I.G. Farb., Erf.: O. Nicodemus; Frdl. **16**, 717.

2,6- und 2,7-Dimethyl-anthracen
1,3,6- und 1,4,7-Trimethyl-anthracen
7-Chlor-2-methyl-anthracen

und zahlreiche höherkondensierte Anthracen-Derivate.

b) Anthrachinone durch Diensynthesen

Mittels der Diensynthese ist es auf einfachste Weise möglich, zum 9,10-Anthrachinon und einigen seiner sonst nur schwer zugänglichen Derivate zu gelangen. Man kann dabei entweder von 1 Mol Benzochinon[1] und 2 Mol Dien oder von 1 Mol 1,4-Naphthochinon und 1 Mol Dien ausgehen[1]. Diese Dienaddukte sind eingehend in Bd. VII/2 b, S. 1765 ff. u. 1781 ff. beschrieben.

[1] H. v. EULER u. K. O. JOSEPHSON, B. **53**, 822 (1920).
O. DIELS u. K. ALDER, A. **460**, 110 (1928); B. **62**, 2366 (1929).
K. F. FINLEY, *The Addition and Substitution Chemistry of Quinones*, in S. PATAI, *The Chemistry of the Quinoid Compounds*, Bd. II, S. 877, 986, Wiley & Sons, London · New York 1974.

Die Dehydrierung der Dienaddukte kann technisch bereits in der Schmelze durch Zugabe von Kupferpulver, mit Luft in Gegenwart von Alkalimetallhydroxiden, mit Kaliumhexacyanoferrat(III) und im Labormaßstab mit Chloranil erfolgen[1]. Durch Oxidation mit Eisen(III)-chlorid in Äthanol entsteht z. B. aus dem Dion V als isolierbare Zwischenstufe das *1,4-Dihydro-9,10-anthrachinon*(VI)[1, 2] (vgl. S. 20).

Das Dion V lagert sich beim Schütteln mit konz. Salzsäure (unter Luftausschluß) in 9,10-Dihydroxy-1,4-dihydro-anthracen (VIII) um[1]. Das gleiche tritt beim Erhitzen von V mit Essigsäureanhydrid ein, wobei gleichzeitig eine Acetylierung erfolgt[3].

Durch Einwirkung von Luft in Gegenwart von Alkalimetallhydroxiden werden die Anthracen-Derivate V, VIII bzw. VI leicht zum *9,10-Anthrachinon* oxidiert[1, 3].

Die Dehydrierung des Octahydro-9,10-anthrachinons (II) läßt sich durch 3stdg. Erhitzen mit der 10fachen Menge 3%-iger Kalilauge im Rührautoklaven auf 180° unter Sauerstoffdruck glatt durchführen[4].

Ab 1981 wird *9,10-Anthrachinon* nach dem Verfahren der Bayer AG wie folgt technisch hergestellt: Man führt die katalytische Luftoxidation von Naphthalin nicht zu Ende, sondern arbeitet auf ein Gemisch von Naphthalin, Phthalsäureanhydrid und Naphthochinon-(1,4) hin. Dieses Gemisch wird unter Druck bei ~120° mit 1,3-Butadien umgesetzt. Nach dem Abdestillieren des Naphthalins wird der im wesentlichen aus Phthalsäureanhydrid und Tetrahydro-anthrachinon (V, S. 23) bestehende Rückstand bei ~220° mit Sauerstoff zum Anthrachinon dehydriert[5].

Dieses ursprünglich von der American Cyanamid Comp. konzipierte Verfahren[6] konnte erst ~20 Jahre später nach Überwindung großer Schwierigkeiten zu einem kontinuierlichen großtechnischen Verfahren gestaltet werden. U. a. mußten die Reduktion des Naphthochinons-(1,4) durch das Tetrahydro-anthrachinon und die nachfolgende Veresterung des 1,4-Dihydroxy-naphthalins mit dem Phthalsäureanhydrid weitgehend zurückgedrängt werden.

Man kann auch in zwei Stufen arbeiten, indem man an das 1,4-Benzochinon zwei verschiedene Diene anlagert. Auf diese Weise gelangt man z. B. zum *2,6,7-Trimethyl-9,10-anthrachinon*[1].

Statt von Naphthochinonen-(1,4) auszugehen, wurde vorgeschlagen, an die aus Aromaten und Maleinsäureanhydrid leicht erhältlichen β-Aroyl-acrylsäuren Diene zu addieren[7]. Dieses Verfahren dürfte jedoch nicht praktikabel sein, da bei der Friedel-Crafts-Synthese eine Umlagerung in die *trans*-Konfiguration eintrat und Ringschlüsse der 5-Benzoyl-cyclohexen-4-carbonsäuren nur schwer durchführbar sind.

Falls sich eine Diensynthese zu langsam und bei zu hoher Temperatur vollzieht, tritt die dehydrierende Wirkung des 1,4-Naphthochinons auf das Addukt stark in Erscheinung. So entsteht aus 1,4-Naphthochinon und 1-Phenyl-butadien-(1,3) bei 5stdg. Erhitzen auf 170°[8] direkt das *1-Phenyl-9,10-anthrachinon* (F: 179,9 – 180,5°), jedoch nur in einer Ausbeute von 27%, neben beträchtlichen Mengen 1,4-Dihydroxy-naphthalin. In solchen Fällen empfiehlt es sich, das Dien an Maleinsäureanhydrid zu addieren. Beim Erhitzen der Komponenten in Nitrobenzol auf 200° erfolgt gleichzeitig die Dehydrierung zum substitu-

[1] DRP. 494433, 496393 (1928), I. G. Farb.; Frdl. **16**, 1201–1203.
   DRP. 498360, 500159, 500160, 502043, 504646; Frdl. **17**, 1138–1149. Alle Patente wurden am 8.5. 1928 durch die I.G. Farb. angemeldet; Erf.: A. Lüttringhaus, H. Neresheimer, W. Schneider, G. Böhner u. W. Eichholz.
[2] s. a. DBP. 1101384 (1959; US.Prior. 1958), American Cyanamid Co., Erf.: W. B. Hardy, F. H. Megson, J. H. Thelin u. M. Scalera; C. A. **56**, 1411[b] (1962).
[3] O. Diels u. K. Alder, A. **460**, 98 (1928); B. **62**, 2337 (1929).
[4] DOS. 2206864 (1972), BASF, Erf.: W. Fliege u. O. Wörz; C.A. **79**, 136904[m] (1973).
[5] z. B.:
   DOS. 2218316 (1972), Farbf. Bayer, Erf.: J. Grolig u. G. Scharfe; C.A. **80**, 27028[d] (1974).
   DOS. 2436368 (1974), Bayer AG, Erf.: M. Martin u. G. Scharfe; C.A. **86**, 33690[d] (1977).
[6] US.P. 2652408 (1951), American Cyanamid Co., Erf.: H. Z. Lecher u. K. C. Whitehouse; C. A. **48**, 12177[b] (1954).
[7] L. F. Fieser u. M. Fieser, Am. Soc. **57**, 1679 (1935).
[8] H. O. House, D. G. Koepsell u. W.J. Campbell, J. Org. Chem. **37**, 1009 (1972).

ierten Phthalsäureanhydrid[1], das nach bekannten Methoden in das Anthrachinon-Derivat überführt werden kann, z. B.:

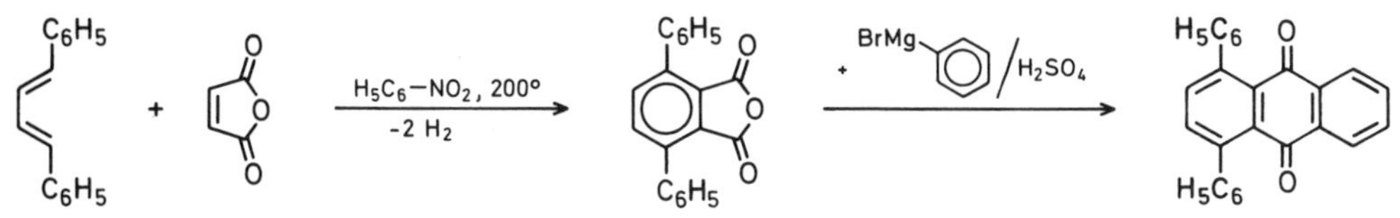

Durch Diensynthese und anschließende Dehydrierung wurden u.a. folgende 9,10-Anthrachinone erhalten:

aus **1,4-Benzochinon**

...-9,10-anthrachinon

+ 2 Mol Isopren	→	*2,6-Dimethyl-*... (F: 174–178°) + *2,7-Dimethyl-*... (F: 132–135°) (2:1)[2]
+ 2 Mol 2,3-Dimethyl-butadien	→	*2,3,6,7-Tetramethyl-*... (F: 330°)[2]
+ 2 Mol 3,4-Dimethyl-hexadien-(2,4)	→	*1,2,3,4,5,6,7,8-Octamethyl-*... (F: 303°)[3]
+ 2 Mol Bi-cyclopenten-(1)-yl	→	*1,2;3,4;5,6;7,8-Tetrakis-cyclopenteno-*... (F: 362°)[3]

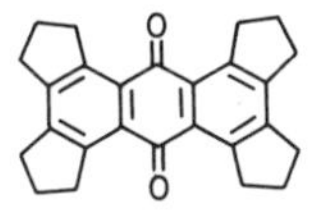

+ 2 Mol Bi-cyclohexen-(1)-yl	→	*1,2;3,4;5,6;7,8-Tetrakis-cyclohexeno-*...[2] (F: 362°)

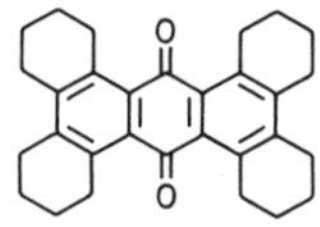

aus **1,4-Naphthochinon**

+ Pentadien-(1,3)	→	*1-Methyl-*... (F: 171–172°) (reagiert erst bei 130°)[2]
+ Isopren	→	*2-Methyl-*...[2]
+ 2,3-Dimethyl-butadien	→	*2,3-Dimethyl-*... (F: 212°)[2]
+ 2-Methyl-pentadien-(1,3)	→	*1,3-Dimethyl-*... (F: 162°)[4]
+ 2-Butyl-butadien-(1,3)	→	*2-Butyl-*... (F: 89°)[5]
+ 2-Heptyl-butadien-(1,3)	→	*2-Heptyl-*... (F: 87°)[5]
+ 1-Phenyl-butadien-(1,3)	→	*1-Phenyl-*... (F: 177–178°)[6]
+ 2-Phenyl-butadien-(1,3)	→	*2-Phenyl-*... (F: 163–164°)[5]
+ 1,2-Diphenyl-butadien-(1,3)	→	*1,2-Diphenyl-*...[7]

[1] Fr. P. 855 643 (1939) ≡ US.P. 2 264 429 (1941), Alais, Froges u. Camargue, Erf.: E. BERGMANN; C. A. **36**, 1620² (1942).

[2] DRP. 494 433, 496 393; Frdl. **16**, 1201–1203; DRP. 498 360, 500 159, 500 160, 502 043, 504 646; Frdl. **17**, 1138–1149. Alle Patente wurden am 8. 5. 1928 durch die I. G. Farb. angemeldet; Erf.: A. LÜTTRINGHAUS, H. NERESHEIMER, W. SCHNEIDER, G. BÖHNER u. W. EICHHOLZ.

[3] H. J. BACKER, J. STRATING u. L. H. H. HUISMAN, R. **58**, 761 (1939).

[4] O. DIELS u. K. ALDER, B. **62**, 2337, 2358 (1929).

[5] US.P. 2 072 867 (1931), DuPont, Erf.: W. H. CAROTHERS; C. A. **31**, 3335² (1937).

[6] O. DIELS u. K. ALDER, B. **62**, 2361 (1929).

[7] A. ÉTIENNE u. J. WEILL-RAGNAL, C. r. **236**, 389 (1953).

aus **1,4-Naphthochinon**   *...-9,10-anthrachinon*
+ 1,4-Diphenyl-butadien-(1,3)   →   *1,4-Diphenyl-...* (~ 50% d. Th.; F: 245°)[1]
+ Bi-cyclopenten-(1)-yl   →   *1,2;3,4-Bis-cyclopenteno-...* (F: 253°)[2]

+ 2-Cyan-butadien-(1,3)   →   *2-Cyan-...*[3]

2,6- und 2,7-Dimethyl-9,10-anthrachinon[4]: 1 Mol 1,4-Benzochinon wird mit ~ 2 Mol Isopren in Äthanol unter Zusatz von etwas Hydrochinon kurze Zeit im Autoklaven auf 70–90° erhitzt. Das so erhaltene Addukt wird mit etwa der 100fachen Menge 5%-iger Natronlauge unter Luftdurchleiten solange zum Sieden erhitzt, bis eine Probe vollständig verküpbar ist. Das so erhaltene Gemisch aus 2,6- und 2,7-Dimethyl-anthrachinon (2:1) wird abgesaugt und mit Methanol ausgekocht, wobei das 2,7-Isomere (F: 132–135°) leicht in Lösung geht.

Durch Umkristallisieren des Rückstandes aus Chlorbenzol erhält man das reine 2,6-Dimethyl-9,10-anthrachinon (F: 174–176°).

2,3-Dimethyl-9,10-anthrachinon[5]: 60 g 1,4-Naphthochinon, 50 g 2,3-Dimethyl-butadien, 120 *ml* Äthanol und 0,5 g Hydrochinon werden ~ 30 Min. im Autoklaven auf 70° erhitzt. Nach dem Abkühlen und Verdampfen des Diens erhält man einen gelblichen Kristallbrei des einheitlichen Adduktes. Dieses wird abgesaugt und ausgewaschen. 60 g davon werden mit einer Lösung von 350 g Kalium-hexacyanoferrat(III) in 2 *l* 5%-iger Natronlauge solange zum Sieden erhitzt, bis sich eine Probe klar mit roter Farbe verküpen läßt (die Dehydrierung kann man auch mit Luft vornehmen, wie im vorangehenden Beispiel beschrieben).

Das praktisch reine 2,3-Dimethyl-9,10-anthrachinon wird abgesaugt, ausgewaschen und getrocknet. Ausbeute: über 95% d. Th.; F: 212° (aus Essigsäure).

Nach einer Vorschrift in Org. Synthesis[6] wird *2,3-Dimethyl-9,10-anthrachinon* durch Erhitzen von 1,4-Naphthochinon mit 2,3-Dimethyl-butadien in Äthanol und Dehydrieren in 5%-iger äthanolischer Kaliumhydroxid-Lösung mit Luft bei 20° in einer Gesamtausbeute von 90% d. Th. erhalten.

Herstellungsvorschriften für 1,4-Chinon-Dien-Addukte und für die Addition von 1,4-Benzochinon an 1,3-Butadien zum *cis*-2,5-Dioxo-bicyclo[4.4.0]decadien-(3,8) finden sich in Bd. VII/2b, S. 1768.

Aus 1,4-Naphthochinon und Hexadien-(3,5)-säure-methylester läßt sich (nach der Dehydrierung) der *9,10-Anthrachinonyl-(1)-essigsäure-methylester* (F: 88°) herstellen[7] (s. a. S. 50 u. 348).

Die Addition von 1,4-Naphthochinon an 1-Acetoxy-1,3-butadien (in 2-Acetoxy-propen bei 20°) zum 1-*cis*-Acetoxy-1,4,4a,9a-tetrahydro-9,10-anthrachinon (72% d. Th.) ist in Bd. VII/2b, S. 1781, beschrieben[8] (dort auch die Addition an Crotonaldehyd). Jedoch kann das Addukt nur mit mäßiger Ausbeute zum *1-Hydroxy-9,10-anthrachinon* dehydriert werden, da unter Abspaltung von Essigsäure bzw. Wasser *9,10-Anthrachinon* entsteht (vgl. Lit.[9]). Auch das entsprechende Addukt aus 2-Acetoxy-1,3-butadien führt anscheinend nur mit geringer Ausbeute zu einem unreinen *2-Hydroxy-9,10-anthrachinon*[10].

[1] L. Chardonnens u. F. Schorderet, Helv. **55**, 1623 (1972).
[2] R. R. Hill u. G. H. Mitchell, Soc. **1969** B, 61.
    H. J. Backer, J. Strating u. L. H. H. Huisman, R. **58**, 767 (1939).
    E. de Barry-Barnett u. C. A. Lawrence, Soc. **1935**, 1104.
[3] M. Tanaka, J. chem. Soc. Japan, ind. **60**, 1512 (1957).
[4] DRP. 494433 (1928), I.G. Farb., Erf.: A. Lüttringhaus et al.; Frdl. **16 I**, 1201.
[5] DRP. 496393 (1928), I.G. Farb., Erf.: A. Lüttringhaus et al.; Frdl. **16 I**, 1203.
[6] C.F.H. Allen u. A. Bell, Org. Synth., Coll. Vol. **III**, 310 (1955).
[7] DOS. 2010665 (1970; Ital. Prior. 1969), Montecatini Edison S.p.A., Erf.: G. Boffa u. G. P. Chiusoli; C. A. **74**, 99877[d] (1971).
[8] DRP. 715201, 739438 (1938), I.G. Farb., Erf.: O. Nicodemus, H. Vollmann u. F. Schloffer bzw. H. Vollmann, F. Schloffer u. W. Ostrowski.
    W. Flaig, A. **568**, 9, 28 (1950).
[9] H. H. Inhoffen et al., B. **90**, 1448 (1957).
[10] W. H. Carothers u. G. J. Berchet, Am. Soc. **55**, 2816 (1933).

1-Chlor-butadien-(1,3) reagiert praktisch nicht mit 1,4-Naphthochinon[1], 2-Chlor-butadien-(1,3) hingegen leicht, doch bilden sich dabei auch Polymerisate[1]. Bei der Dehydrierung dieses Adduktes zum *2-Chlor-9,10-anthrachinon* entsteht stets auch Anthrachinon. W. H. CAROTHERS beschreibt die Herstellung einiger Chlor-alkyl-9,10-anthrachinone, weist jedoch nicht auf eine Dehydrohalogenierung hin[1]. So erhält man aus

1,4-Naphthochinon		
+ 2-Chlor-butadien-(1,3)	→	*2-Chlor-9,10-anthrachinon*[2]
+ 3-Chlor-2-methyl-butadien-(1,3)	→	*3-Chlor-2-methyl-9,10-anthrachinon*[1] (F: 219°)
+ 2-Chlor-3-methyl-pentadien-(1,3)	→	*3-Chlor-1,2-dimethyl-9,10-anthrachinon* (F: 171,5°)[1, 2]
+ 3-Chlor-alkadiene-(1,3)	→	*2-Chlor-1-alkyl-9,10-anthrachinone*[4] z. B. . . . *-1-äthyl-*. . . (F: 151–152°) . . .*-1-butyl-*. . . (F: 129–130°) . . .*-1-heptyl-*. . . (F: 113°)

Die Halogenierung des 1,4-Naphthochinon-1,3-Butadien-Adduktes wurde eingehend untersucht[3]. Neben dem erwünschten 2-Chlor-9,10-anthrachinon entstanden jedoch auch noch andere Chlorierungsprodukte. Auch die Nitrierung führte nicht zu einheitlichen Produkten.

Das Dienaddukt I aus 1,4-Naphthochinon und Cyclohexadien-(1,3) wird mit Essigsäureanhydrid zum Diacetoxy-Derivat II umgelagert, das nach der Oxidation in das Chinon III übergeht. Dieses zerfällt beim Schmelzen quantitativ in *9,10-Anthrachinon* und Äthylen[4].

Das durch Erhitzen molarer Mengen von 1,4-Naphthochinon und 1,2,3,4-Tetrachlor-5,5-dimethoxy-cyclopentadien[5] in Trichlorbenzol auf 180° mit 88%-iger Ausbeute entstehende Addukt IV

R = OCH₃

wird durch Kochen mit Essigsäureanhydrid zum Derivat V umgelagert und acetyliert. Durch Oxidation mit Chrom(VI)-oxid in verdünnter Essigsäure entsteht daraus mit 72%-iger Ausbeute der *2,3,4-Trichlor-9,10-anthrachinon-1-carbonsäuremethylester*(VI).

[1] W. H. CAROTHERS u. D. D. COFFMAN, Am. Soc. **54**, 4071 (1932).
[2] US.P. 1967862 (1931), DuPont, Erf.: W. H. CAROTHERS u. A. M. COLLINS; C. **1936 I**, 2209.
[3] G. EIGENMANN, H. R. RICKENBACHER u. H. ZOLLINGER, Helv. **44**, 1211 (1961).
[4] O. DIELS u. K. ALDER, B. **62**, 2359 (1929).
    W. ALBRECHT, A. **348**, 31 (1906).
    R. A. JACOBSEN u. W. H. CAROTHERS, Am. Soc. **55**, 1624 (1933).
[5] P. KNIEL, Helv. **46**, 492 (1963); **48**, 837 (1965).

1,4-Naphthochinon und 5-Amino-2,3-dimethyl-4-cyan-furan lassen sich durch 18stdg. Kochen in Essigsäure-äthylester zum *4-Amino-1,2-dimethyl-3-cyan-9,10-anthrachinon* in 51%iger Ausbeute kondensieren[1]:

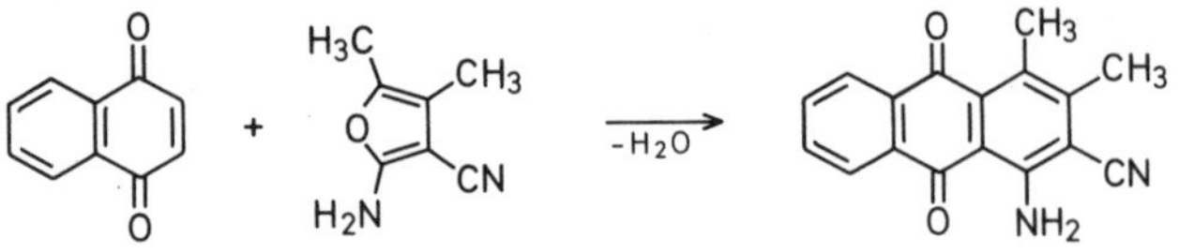

Aus der Vielzahl der weiteren 1,4-Chinone bzw. Chinonimine, die zur Herstellung von 9,10-Anthrachinon geeignet sind, seien genannt: 1,4-Naphthochinone, die im Bz-Kern durch Alkyl-, Hydroxy-, Alkoxy- oder Nitro-Gruppen bzw. durch Halogen-Atome substituiert sind; z. B.:

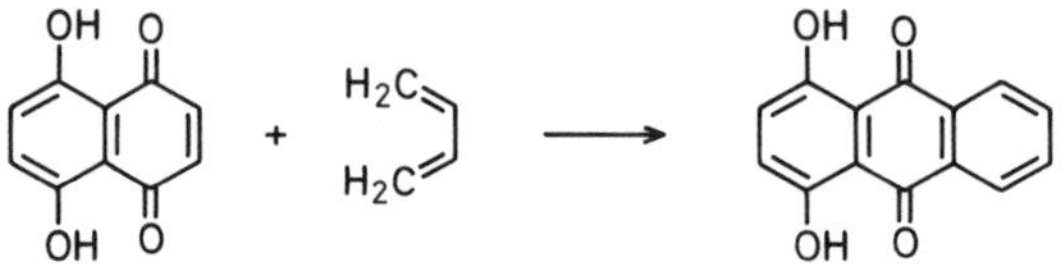

1,4-Dihydroxy-9,10-anthrachinon[2]

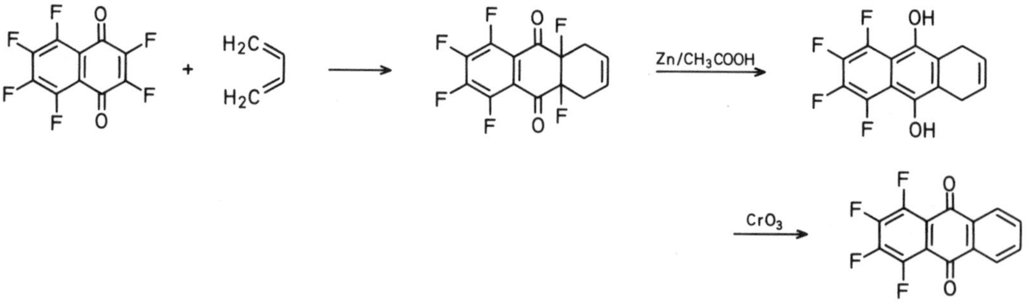

1,2,3,4-Tetrafluor-9,10-anthrachinon[3]; 89% d. Th.; F: 193°

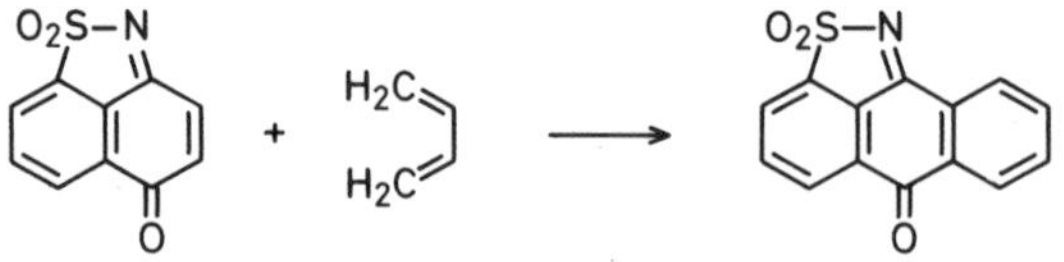

1,9-Sultamanthron[4]

Aus 5-Nitro-1,4-naphthochinon und Crotonaldehyd wird unter Zusatz von Piperidin in Butanol bei 25° und anschließender Wasserdampfdestillation das *1-Nitro-9,10-anthrachinon* in schlechter Ausbeute erhalten[5].

[1] Brit. P. 1502276 (1974), I.C.I.
[2] DRP. 544523 (1929), I. G. Farb., Erf.: O. Diels u. K. Alder; Frdl. **18**, 1231.
[3] G. G. Yakobson et al., Ž. obšč. Chim. **36**, 142 (1966); engl.: 147.
   R. E. Winkler, Chimia **21**, 575 (1967).
[4] H. Neresheimer, I. G. Farb. Ludwigshafen, 1928.
[5] Belg. P. 822754 (1974; Schweiz. Prior. 1973), Ciba-Geigy; C. A. **84**, 75714[d] (1976).

Auch das 1-Monoxim des 8-Nitro-1,4-naphthochinon läßt sich mit 1,3-Butadien kondensieren. Erhitzt man das Addukt mit einer Natriumhypochlorit-Lösung in Butanol, so entsteht durch Hydrolyse und Dehydrierung ebenfalls das *1-Nitro-9,10-anthrachinon*[1].

Aus Trienen lassen sich mit mäßigen Ausbeuten Vinyl-9,10-anthrachinone herstellen; z.B.:

1,5-   1,8-
-Divinyl-9,10-anthrachinon[2]

1-Vinyl-9,10-anthrachinon[3]; F: 163–164°

*3-Methyl-1-[3-methyl-buten-(3)-
yl]-9,10-anthrachinon*[4]; F: 87–89°

Auch potentielle 1,3-Diene können zum Aufbau von Anthrachinon-Derivaten herangezogen werden. So wird das 1,2-Bis-[dibrommethyl]-benzol (I) in DMF bei 60° in Gegenwart von Natriumjodid intermediär zum 1,3-Dien II dehydrohalogeniert, das sich sofort mit 1,4-Naphthochinon zum *5,12-Naphthacenchinon* (III; F: 290–292°) zusammenlagert[5]:

I   II   III

Besonders bei leicht polymerisierenden 1,3-Dienen kann es von Vorteil sein, deren Addukte an Schwefeldioxid (z.B. IV) einzusetzen[6], die bereits oberhalb 110° merklich zurückspalten:

[1] DOS. 2 412 171 (1974; Schweiz. Prior. 1973), Ciba-Geigy AG, Erf.: T. SOMLO u. J. MURPHY; C. A. **83**, 133 390ⁿ (1975).
[2] G. MANECKE u. H.-J. KRETZSCHMAR, Makromol. Ch. **169**, 15 (1973).
[3] L. W. BUTZ et al., J. Org. Chem. **5**, 171 (1940).
[4] DOS. 2 150 337 (1971; US.Prior. 1970), DuPont, Erf.: A. D. JOSEY u. J. R. KIRCHNER; C. A. **77**, 88 165ᶠ (1972).
[5] M. P. CAVA et al., Am. Soc. **81**, 6458 (1959).
[6] H. J. BACKER u. T. A. H. BLAAS, R. **61**, 785 (1942).

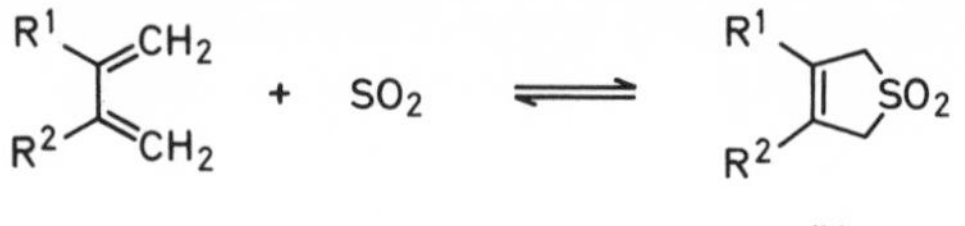

IV

Allerdings kann das abgespaltene Schwefeldioxid reduzierend auf das eingesetzte Chinon wirken.

Bei der Kondensation von 1 Mol Hydrochinon mit 2 Mol Hexandion-(2,5) in Essigsäure unter Zusatz von 1 Mol 70%-iger Schwefelsäure soll *1,4,5,8-Tetramethyl-9,10-anthrachinon* entstehen[1] (Diensynthese?).

Eine Variante der Diensynthese vollzieht sich folgendermaßen: Durch mehrstündiges Erhitzen von 2-Brom-1,4-naphthochinon (I) mit überschüssigem Ketendiäthylacetal auf 125° bildet sich unter Abspaltung von Bromwasserstoff die Verbindung II. Diese reagiert mit einem weiteren Molekül Ketendiäthylacetal unter Eliminierung von 2 Mol Äthanol zum *1,3-Diäthoxy-9,10-anthrachinon*[2] (III):

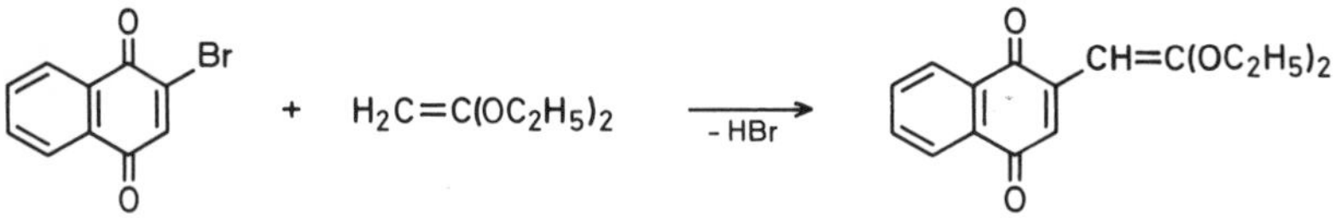

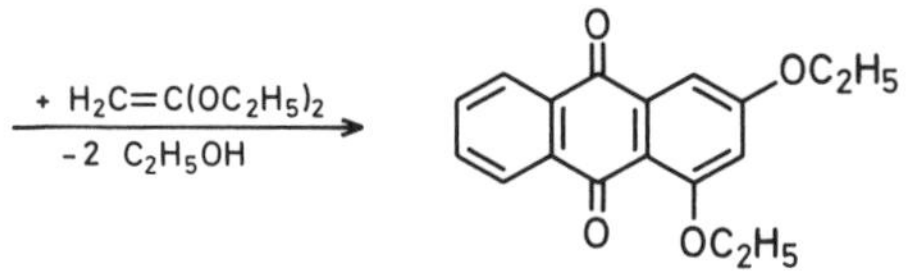

Aus 2-Brom-5,8-dihydroxy-1,4-naphthochinon entsteht entsprechend das *1,4-Dihydroxy-5,7-diäthoxy-9,10-anthrachinon*[3]. Dieses Verfahren ist ausführlich in einem Patent beschrieben[4] (dort wird allerdings ein etwas anderer Reaktionsmechanismus angenommen); eine Herstellungsvorschrift ist für das *1,4,5,7-Tetrahydroxy-2-methyl-9,10-anthrachinon* angegeben[4].

Wenngleich auch bei derartigen Umsetzungen die Ausbeuten nur ~20–30% d. Th. betragen, so bieten sie doch eine Möglichkeit zur Synthese einiger natürlich vorkommender Polyhydroxy-9,10-anthrachinone. So wurde in ähnlicher Weise das *4,5,7-Trimethoxy-2-methyl-3-methoxycarbonyl-9,10-anthrachinon* synthetisiert[5]:

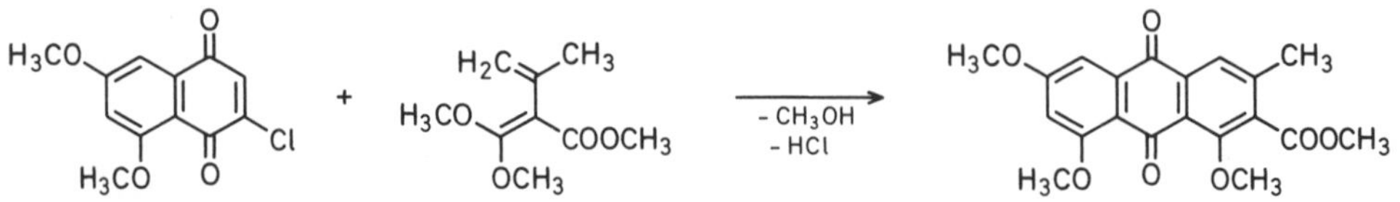

Auch Chlormaleinsäureanhydrid läßt sich mit Ketenacetalen zu den 3,5-Dialkoxyphthalsäureanhydriden kondensieren[5].

[1] J. B. NIEDERL u. R. H. NAGEL, Am. Soc. **63**, 307 (1941).
[2] S. M. MCELVAIN u. E. L. ENGELHARDT, Am. Soc. **66**, 1077 (1944).
[3] J. BANVILLE et al., Canad. J. Chem. **52**, 80 (1974).
[4] DOS. 2144771 (1970), L'Oreal, Erf.: G. LANG; C. A. **77**, 76672ᶠ (1972).
[5] J. BANVILLE u. P. BRASSARD, J. Org. Chem. **41**, 3018 (1976).

3,5-Dimethoxy-phthalsäureanhydrid[1]**:** In einen eisgekühlten Rundkolben, der mit Tropftrichter, Rührer und Rückflußkühler versehen ist, werden 0,02 Mol Chlormaleinsäureanhydrid in 30 *ml* wasserfreiem Diäthyläther eingebracht und unter Rühren 0,1 Mol 1,1-Dimethoxy-äthylen zugetropft. Die Reaktion ist stark exotherm, wobei sich die Mischung dunkelrot färbt. Nach ~ 1 Stde. wird der gebildete Niederschlag abgesaugt und aus Benzol umkristallisiert; Ausbeute: 55% d. Th.; F: 146° (gelbe Kristalle).

Das 3,5-Diäthoxy-phthalsäureanhydrid (37% d. Th.; F: 137°) wird in analoger Weise erhalten[1].

c) 9,10-Anthrachinon-Synthesen mit Phthalsäureanhydriden

1. 2-Aroyl-benzoesäuren und deren Cyclisierung zu 9,10-Anthrachinonen

Zur Herstellung von 9,10-Anthrachinon und seinen Derivaten ist die Kondensation von Phthalsäureanhydrid mit Aromaten nach Friedel-Crafts und anschließendem Ringschluß der so erhaltenen 2-Benzoyl-benzoesäuren zu den Anthrachinonen von großer Bedeutung.

α) Herstellung von 2-Aroyl-benzoesäuren

α₁) *durch Kondensation von Phthalsäureanhydriden mit Aromaten*

Dieser Syntheseweg ist nicht so problemlos, wie vielfach angenommen wird. So lassen sich Benzol-Derivate mit Nitro-, Alkoxycarbonyl-, Trifluormethyl- und Sulfo-Gruppen nicht kondensieren. Bei Phenolen liegen die Verhältnisse und Ausbeuten von Fall zu Fall verschieden (s. S. 94). So kann man z. B. Phthalsäureanhydrid und 4-Chlor-phenol mit Schwefelsäure/Borsäure direkt zu *Chinizarin* kondensieren (s. S. 97).

Aus Resorcin erhält man bereits ohne Kondensationsmittel durch Erhitzen auf ~ 130° die 2-(2,4-Dihydroxy-benzoyl)-benzoesäure und in Gegenwart von Zinkchlorid entsteht Fluorescein.

Enthält das Benzol Substituenten, so können nicht nur bei der Kondensation Isomere auftreten, sondern auch beim Ringschluß, wenn dieser nach unterschiedlichen o-Stellungen hin möglich ist (s. z. B. unter Polyhalogen-anthrachinonen S. 55).

Benzol-Derivate mit höheren Alkyl-Substituenten oder mit mehreren Substituenten werden im Aluminiumchlorid-Komplex leicht isomerisiert, wie dies z. B. bei der Verwendung von 3-Brom-toluol (s. S. 57) oder den Diäthyl-benzolen der Fall ist. Auch beim Erhitzen von isolierten 2-(Dimethyl- und Trimethyl-benzoyl)-benzoesäuren mit Aluminiumchlorid auf 120–160° wurden Isomerisierungen festgestellt. Keine Schwierigkeiten macht die 2-(2,3,4,5-Tetramethyl-benzoyl)-benzoesäure, die sowohl durch Aluminiumchlorid als auch Schwefelsäure glatt zum *1,2,3,4-Tetramethyl-9,10-anthrachinon* (F: 234–235°) kondensiert wird[2].

Beim Versuch, Jodbenzol mit Phthalsäureanhydrid zu kondensieren, werden jodfreie Produkte erhalten[3].

3-Nitro-phthalsäureanhydrid läßt sich praktisch nicht mit Aromaten kondensieren. Die übrigen substituierten Phthalsäureanhydride verhalten sich meist wie Phthalsäureanhydrid.

---

[1] DOS. 2 144 774 (1970), L'Oreal, Erf.: G. Lang; C. A. **76**, 153 362ᵖ (1972).
  Zur Überführung in die entsprechenden Anthrachinone s. H. Brockmann, B. **90**, 2302 (1957).
[2] G. Baddeley, G. Holt u. S. M. Makar, Soc. **1952**, 2415.
[3] F. C. Hahn u. E. E. Reid, Am. Soc. **46**, 1649 (1924).

Die Kondensationen von Phthalsäureanhydrid mit Benzol, Toluol, den Xylolen, 1,2-
und 1,3-Dichlor-benzol, Naphthalin, Tetralin und ähnlichen Verbindungen werden entweder im überschüssigen Kohlenwasserstoff oder in Nitrobenzol, Tetrachloräthylen,
Schwefelkohlenstoff oder in einem Aromaten, der schwerer als der zu kondensierende
reagiert, durchgeführt.

Zur Kondensation von 1 Mol Phthalsäureanhydrid müssen mindestens 2 Mol Aluminiumchlorid eingesetzt werden[1], da die Reaktion wie folgt abläuft:

Das feingepulverte Phthalsäureanhydrid wird entweder in dem Aromaten – evtl. unter Zusatz eines Verdün-
nungsmittels – vorgelegt und dazu das Aluminiumchlorid eingerührt, wobei zu beachten ist, daß die Chlorwasserstoff-Entwicklung praktisch erst ab Zugabe des zweiten Mols Aluminiumchlorid einsetzt und dann meist stürmisch verläuft, oder man trägt in das Gemisch aus Aluminiumchlorid, Kohlenwasserstoff und Verdünnungsmittel
portionsweise das Phthalsäureanhydrid ein, so daß die Chlorwasserstoff-Entwicklung stetig verläuft. Diese Variante ist besonders für größere Ansätze zu empfehlen.

Beide Verfahren sind eingehend in Bd. VII/2a, S. 323–374 beschrieben.

Als repräsentativ kann die auf S. 56 angegebene Vorschrift zur Kondensation von
Phthalsäureanhydrid mit 1,2-Dichlor-benzol gelten.

In der Technik wird auch ohne Lösungsmittel gearbeitet, indem man die Komponenten
in Kugelmühlen reagieren läßt[2].

Die Aluminiumchlorid-Komplexe werden in der üblichen Weise mit angesäuertem
Wasser zersetzt und die rohen, meist in vorzüglicher Ausbeute anfallenden 2-Benzoyl-
benzoesäuren durch Umlösen aus Natriumcarbonat-Lösung gereinigt, worin evtl. als Nebenprodukte gebildete Phthalide unlöslich sind. Diese entstehen durch Weiterkondensation der 2-Benzoyl-benzoesäuren mit dem gleichen oder einem anderen Aromaten:

Da die Aluminiumchlorid-Komplexe der 2-Benzoyl-benzoesäuren nur wenig reaktionsfähig sind, entstehen bei deren Herstellung nur dann nennenswerte Mengen an
Phthaliden, wenn weniger als 2 Mol Aluminiumchlorid eingesetzt werden oder wenn bei zu
hohen Temperaturen gearbeitet wird.

Begünstigt wird die Phthalid-Bildung, wenn der Ringschluß zum Anthrachinon-Derivat
erschwert und der Aromat besonders reaktionsfähig ist. Da diese Voraussetzungen sowohl
für die 2-(Hydroxy-benzoyl)-benzoesäuren als auch für die Phenole zutreffen, ist es verständlich, daß sich die sogenannten Phenolphthaleine besonders leicht bilden (s.S. 94).

[1] G. Heller, Ang. Ch. 19, 669 (1906).
[2] US.P. 1656575 (1923), Klipstein & Sons Co.; C. 1926 II, 1336.
   DRP. 495447 (1927), I.G. Farb., Erf.: W. Müller; Frdl. 16, 375.
   S.a. P.H. Groggins, Ind. eng. Chem. 22, 626 (1930).

Die Kondensationen von isolierten 2-Aroyl-benzoesäuren mit Aromaten werden mit Zinn(IV)-, Titan(IV)-chlorid oder Schwefelsäure bei 30° durchgeführt[1].

In einigen wenigen Fällen erzielt man bessere Ausbeuten an 2-Benzoyl-benzoesäuren, wenn man nicht vom Phthalsäureanhydrid, sondern vom 2-Methoxycarbonyl-benzoyl-chlorid ausgeht, z.B. bei der Kondensation mit Hydrochinon-dimethyläther[2].

α₂) *Herstellung von 2-Aroyl-benzoesäuren durch Umsetzung von Phthalsäureanhydriden mit Aryl-Grignard-Verbindungen*

Ein weiteres Verfahren zur Herstellung von 2-Benzoyl-benzoesäuren ist die Umsetzung von Aryl-magnesiumhalogeniden mit Phthalsäureanhydrid. Auf diese Weise können 2-Benzoyl-benzoesäuren hergestellt werden, die mittels der Friedel-Crafts-Synthese nicht zugänglich sind[3], z.B.:

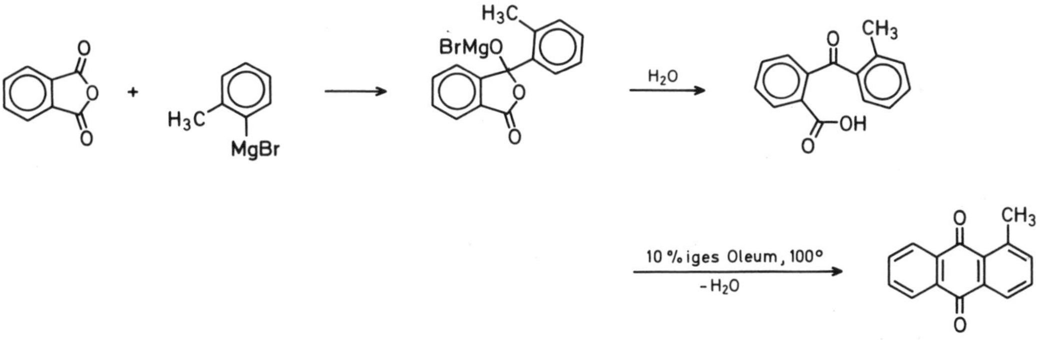

1-Methyl-9,10-anthrachinon

Aus der großen Zahl der analog durchgeführten Synthesen seien genannt:

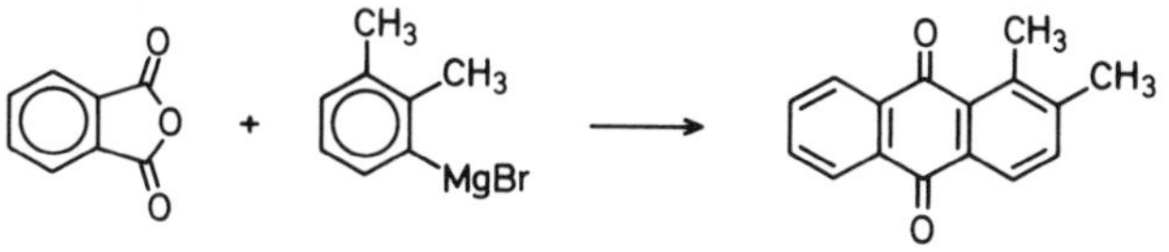

1,2-Dimethyl-9,10-anthrachinon[4]

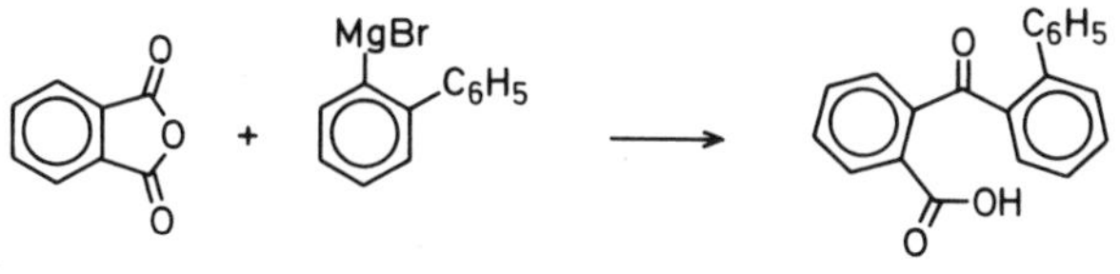

Lit.[5]

---

[1] DRP. 692956 (1936), I.G. Farb., Erf.: H. BECKER; C. **1940 II**, 1509.
[2] C. DUFRAISSE u. A. ALLAIS, Bl. [5] **11**, 531 (1944).
[3] R. SCHOLL u. J. DONAT, B. **64**, 319 (1931).
[4] L.F. FIESER u. T.G. WEBBER, Am. Soc. **62**, 1361 (1940).
[5] S.C. DICKERMAN, D. DE SOUZA u. P. WOLF, J. Org. Chem. **30**, 1984 (1965).

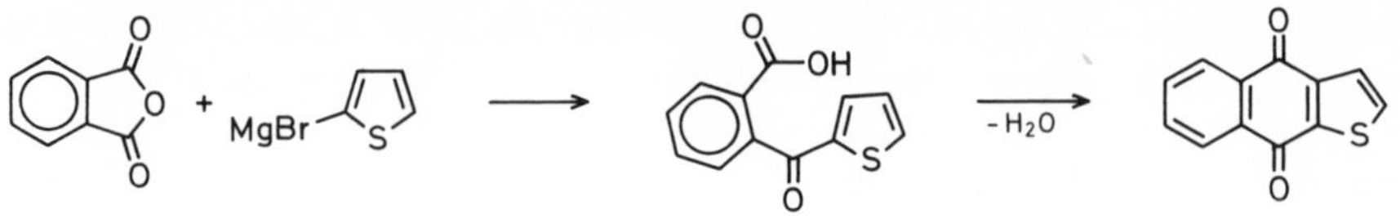

Naphtho-[2,3-b]-thiophen-4,9-chinon (Thiophanthrenchinon)[1,2];
F: 229–230°

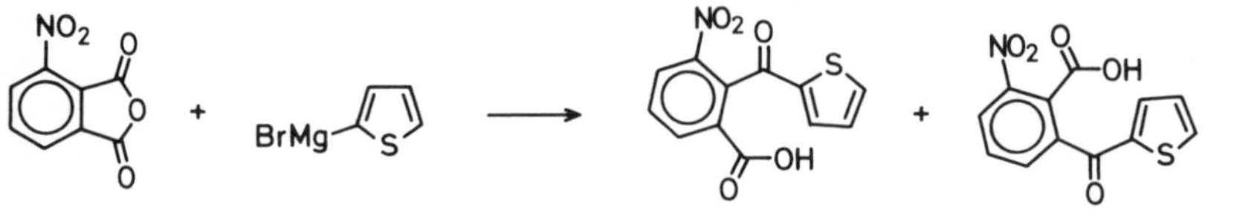

Lit.[1,3]

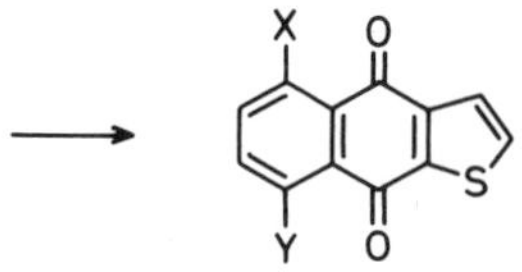

a) X = NO₂, Y = H ; *5-Nitro-*⎫
b) X = H, Y = NO₂ ; *8-Nitro-*⎭ -⟨*naphtho-[2,3-b]-thiophen*⟩*-4,9-chinon*[3]

Auch zahlreiche Grignard-Verbindungen von Naphthalinen und höherkondensierten Aromaten wurden mit Phthalsäureanhydrid umgesetzt[4].

Die in der 3- bzw. 4-Stellung durch Methyl-[5] oder Methoxy-Gruppen[6], Chlor bzw. Fluor[7] substituierten Phthalsäureanhydride führen zu Gemischen der beiden isomeren 2-Benzoyl-benzoesäuren (s. z.B. die Umsetzung von 4-Fluor-phthalsäureanhydrid mit 1-Brom-naphthalin[4]). Das Isomerenverhältnis unterscheidet sich oft beträchtlich von dem, das man durch Friedel-Crafts-Reaktion erhält[5].

Während bei der Kondensation von tert.-Pentyl-benzol mit Phthalsäureanhydrid nach Friedel-Crafts eine teilweise Isomerisierung eintritt, ist durch Umsetzung der entsprechenden Grignard-Verbindung mit Phthalsäureanhydrid das einheitliche *2-tert.-Pentyl-9,10-anthrachinon* zugänglich[8].

2-tert.-Pentyl-9,10-anthrachinon[8]:

4-tert.-Pentyl-phenyl-magnesiumbromid: Unter Stickstoff fließt zu 27,5 g (1,1 Mol) Magnesium-spänen innerhalb von 2 Stdn. ein Gemisch aus 226 g (1,0 Mol) 4-Brom-1-tert.-pentyl-benzol und 500 *ml* THF (über Natrium getrocknet). Man achte darauf, daß die Reaktion frühzeitig in Gang kommt (dann evtl. schwach kühlen). Zum Schluß läßt man ~2 Stdn. unter Rückfluß sieden, bis das Magnesium praktisch aufgelöst ist.

2-(4-tert.-Pentyl-benzoyl)-benzoesäure: Die Grignard-Lösung wird bei 40° innerhalb 1 Stde. in eine Lösung von 148 g (1 Mol) Phthalsäureanhydrid in 500 *ml* THF eingerührt. Zum Schluß erhitzt man ~2 Stdn. zum Sieden, destilliert das THF mit Wasserdampf über und säuert den Rückstand mit Salzsäure an. Man extrahiert diesen 3mal mit je 300 *ml* Äther, wäscht die vereinigten Extrakte mit einer konz. Natriumchlo-rid-Lösung und entzieht der Äther-Lösung die 2-(4-tert.-Pentyl-benzoyl)-benzoesäure durch 5maliges Aus-

[1] V. WEINMAYR, Am. Soc. **74**, 4353 (1952).
   vgl. a. ds. Handb. Bd. VII/3a, S. 626ff.
[2] E. GONCALVES u. E.V. BROWN, J. Org. Chem. **17**, 698 (1952).
[3] H. E. SCHRÖDER u. V. WEINMAYR, Am. Soc. **74**, 4357 (1952).
   vgl. a. ds. Handb., Bd. VII/3a, S. 626f.
[4] M.S. NEWMAN et al., Am. Soc. **59**, 1003 (1937); **60**, 586, 1368 (1938); **61**, 244 (1939); **63**, 1542, 2109 (1941); **72**, 5191 (1950).
[5] M.S. NEWMAN u. P.G. SCHEURER, Am. Soc. **78**, 5004 (1956).
[6] R. MELBY et al., Am. Soc. **78**, 3816 (1956).
[7] M.S. NEWMAN u. S. BLUM, J. Org. Chem. **29**, 1416 (1964).
[8] DOS. 2013299 (1969), Solvay u. Cie. S. A., Erf.: J.L. DENAEYER u. P. GODFRINE; C.A. **74**, 143941ʷ (1971).

schütteln mit je 500 *ml* einer 5%-igen Natriumcarbonat-Lösung. Durch Ansäuern mit konz. Salzsäure wird die Säure ausgefällt, die langsam erstarrt; Ausbeute 220 g; F: 144°.

2-tert.-Pentyl-9,10-anthrachinon: 54 g der Säure werden in 432 g Schwefelsäure-Monohydrat bei 50° eingerührt und dann auf 85° erwärmt. Diese Temp. wird 4 Stdn. beibehalten. Anschließend trägt man in Eiswasser aus und verrührt 2mal mit je 400 *ml* Benzol. Der benzolischen Lösung wird unverändertes Ausgangsmaterial mit verd. Natronlauge entzogen.

Nach dem Abdestillieren des Benzols erhält man 42 g; F: 75° [vgl. das Ringschlußverfahren mit Phosphor(V)-oxid, S. 48, und mit Oleum in Trichlorbenzol s.S. 36].

α_3) *Herstellung von 2-Aroyl-benzoesäuren durch Austausch bzw. Einführung von Substituenten in 2-Aroyl-benzoesäuren*

Durch Einführung bzw. Austausch von Substituenten in 2-Benzoyl-benzoesäuren ist es möglich, zu einer Reihe von Derivaten zu gelangen, die zum Teil durch direkte Phthalsäureanhydrid-Kondensationen nicht oder nur schwer zugänglich sind.

So kann man in der 2-(4-Chlor-benzoyl)-benzoesäure das Chlor-Atom leicht gegen Hydroxy-, Äther-, Amino-, Toluolsulfamido-, Mercapto-, Thioäther-, Sulfo-Gruppen in bekannter Weise austauschen.

Die Nitrierung der 2-(4-Chlor-benzoyl)-benzoesäure führt einheitlich zur 2-(4-Chlor-3-nitro-benzoyl)-benzoesäure, in welcher das Halogen-Atom besonders reaktionsfähig ist (s.S. 155). Durch Reduktion entsteht daraus die 2-(4-Chlor-3-amino-benzoyl)-benzoesäure.

Aus der 2-(4-Methyl-benzoyl)-benzoesäure läßt sich durch Nitrierung die 2-(3-Nitro-4-methyl-benzoyl)-benzoesäure und durch Oxidation die 2-(4-Carboxy-benzoyl)-benzoesäure (Benzophenon-2′,4-dicarbonsäure) herstellen.

Die Amino-Gruppen erleichtern vielfach die Einführung weiterer Substituenten und können natürlich auch in andere Substituenten umgewandelt werden (s.S. 156).

Weitere Beispiele finden sich bei den speziellen Herstellungsverfahren.

Bei den nachfolgend beschriebenen Ringschlüssen zu den Anthrachinon-Derivaten, die in den meisten Fällen gelingen, entstehen vorwiegend die 9,10-Anthrachinon-2,3- neben den -1,2-Derivaten. Diese Gemische sind meist ohne Schwierigkeiten trennbar, da in der Regel die 2,3-Isomeren schwerer löslich sind.

Wahrscheinlich ist auch folgender Weg zur Herstellung mehrfach substituierter Anthrachinone gangbar:

β) Cyclisierung der 2-Aroyl-benzoesäuren zu 9,10-Anthrachinonen[1]

Der Ringschluß der 2-Benzoyl-benzoesäuren zu den entsprechenden 9,10-Anthrachinonen ist durch Erhitzen des Aluminiumchlorid-Komplexes praktisch nicht durchführbar, da dabei Isomerisierungen und Kohlendioxid-Abspaltung eintreten.

---

[1] Über spezielle Ringschluß-Verfahren substituierter 2-Benzoyl-benzoesäuren s. unter: Herstellungsverfahren der entsprechenden Anthrachinone.

3*

Das spezifische Kondensationsmittel ist Schwefelsäure 96%-ig, 100%-ig oder Oleum bis max. 10% Schwefeltrioxid-Gehalt bei Temperaturen bis max. ~ 150°. Die optimalen Cyclisierungsbedingungen müssen von Fall zu Fall ermittelt werden, da zu hohe Temperaturen bzw. zu lange Reaktionszeiten oft zu Sulfierungen führen. Meist dürfte ein 1 stdg. Erwärmen mit Schwefelsäure-Monohydrat auf dem Wasserbad genügen.

Sulfierungen erfolgen besonders leicht bei den Ringschlüssen von 2-Benzoyl-benzoesäuren, die eine Alkyl-Gruppe mit mehr als zwei C-Atomen enthalten. Das folgende Beispiel zeigt, wie die Nebenreaktionen weitgehend zurückgedrängt werden können.

2-tert.-Pentyl-9,10-anthrachinon[1]: In 400 g 10,5%-iges Oleum wird eine Lösung von 100 g 2-(4-tert.-Pentyl-benzoyl)-benzoesäure in 600 g Trichlorbenzol innerhalb 30 Min. bei 80–90° eingerührt und dann noch 4 Stdn. auf 90° erwärmt. Anschließend trägt man in 2 l Eiswasser aus, trennt die wäßr. Phase ab, wäscht die organische mit einer Natriumcarbonat-Lösung und destilliert das Lösungsmittel mit Wasserdampf über. Zurück bleibt mit einer Ausbeute von 86% ein Rohprodukt, das aus Benzin umkristallisiert werden kann (s. a. S. 34).

Sogar durch 30 min. Erhitzen von 2-Benzoyl-benzoesäure mit 2% Schwefelsäure auf 250° unter Zusatz von Trichlorbenzol und unter Abdestillieren des Reaktionswassers wird *9,10-Anthrachinon* mit 97% Ausbeute erhalten[2]. Die Ringschlußtendenz substituierter o-Benzoyl-benzoesäuren ist stark von den Substituenten in beiden Ringen abhängig.

Verständlich ist, daß eine Nitro-Gruppe im Benzoyl-Rest einer Cyclisierung entgegenwirkt. Amino-Gruppen verhalten sich sehr unterschiedlich. So ist 2-(3-Amino-benzoyl)-benzoesäure nur äußerst schwierig, 2-(4-Chlor-3-amino-benzoyl)-benzoesäure hingegen sehr leicht zu kondensieren (Näheres s. bei Amino-anthrachinon-Synthesen, S. 154).

Verhältnismäßig glatt gelingt der Ringschluß zur *9,10-Anthrachinon-2-carbonsäure*. Die 2-(3,4,5,6-Tetrachlor-benzoyl)-benzoesäure ist jedoch nur schwer und mit schlechten Ausbeuten ringzuschließen.

Schwer verständlich ist, daß die aus Phthalsäureanhydrid und Resorcin so außerordentlich leicht herstellbare 2-(2,4-Dihydroxy-benzoyl)-benzoesäure nicht zum 1,3-Dihydroxy-9,10-anthrachinon kondensierbar ist.

Am Beispiel der 2-(1-Naphthoyl)-benzoesäure[3] wurden die Ringschlußbedingungen eingehend studiert. Durch 24 stdg. Einwirkung von 95%-iger Schwefelsäure bei 40–45° erhält man *1,2-Benzanthrachinon* (F: 168°) in 81%-iger Ausbeute. Oberhalb 50° tritt bereits eine teilweise und durch eine 4 stdg. Behandlung bei 135° eine vollständige Sulfierung ein. 2-(4-Phenyl-benzoyl)-benzoesäure konnte überhaupt nicht zu einem sulfo-gruppenfreien 2-Phenyl-9,10-anthrachinon cyclisiert werden[4].

Nach M. S. Newman liegen 2-Benzoyl-benzoesäuren (I) in konz. Schwefelsäure vollständig als Ionen (II, III, IV) vor[5], von denen sich das Ion IV unter Abspaltung eines Protons entweder zu dem 9,10-Anthrachinon V stabilisiert oder durch Wasseranlagerung wieder zu Benzophenon I oder – falls entsprechend substituiert – nachträglich zu einem Gleichgewicht zwischen I und der isomeren 2-Benzoyl-benzoesäure VI führen kann:

[1] US.P. 4035396 (1976), DuPont, Erf.: J. MILANO; C.A. **87**, 184280s (1977).
[2] DAS. 1004599 (1955) ≡ US.P. 2842562 (1958), General Aniline and Film Corp., Erf.: A. BLOOM, R. K. LEHNE u. M. R. STEVINSON; C. A. **52**, 17223g (1958).
[3] P. H. GROGGINS u. H. P. NEWTON, Ind. eng. Chem. **22**, 157 (1930).
[4] P. H. GROGGINS u. H. P. NEWTON, Ind. eng. Chem. **22**, 626 (1930).
[5] M. S. NEWMAN, Am. Soc. **64**, 2324 (1942).
    M. S. NEWMAN u. K. G. IHRMAN, Am. Soc. **80**, 3652 (1958).

Die Hayashi-Umlagerung deutet darauf hin, daß sich die Ringschlüsse über die Spiro-Verbindung IV vollziehen.

Die gravierendste Komplikation, die bei den Ringschlüssen auftreten kann, ist die sog. Hayashi-Umlagerung[1].

Bei einigen entsprechend substituierten 2-Benzoyl-benzoesäuren stellt sich nämlich durch Einwirkung von Schwefelsäure (bei 20–70°) ein Gleichgewicht mit den Isomeren ein, so daß bei Ringschlüssen statt der erwarteten einheitlichen Anthrachinon-Derivate auch die Isomeren entstehen können.

Am folgenden Beispiel tritt die Hayashi-Umlagerung besonders deutlich in Erscheinung:

[1] M. Hayashi et al., Soc. **1927**, 2516; **1930**, 1513; Bl. chem. Soc. Japan **11**, 184 (1936).
R. B. Sandin et al., Am. Soc. **78**, 3817 (1956); dort auch vollständige Literaturzusammenstellung.

Beim Ringschluß der 2-Benzoyl-benzoesäuren VII oder X entsteht das gleiche Isomerengemisch aus 80% *1,5-Dimethyl-* (VIII) und 20% *1,8-Dimethyl-9,10-anthrachinon* (IX)[1].

Auch beim Ringschluß von 4-(4-Halogen-benzoyl)-isophthalsäuren stellen sich Umlagerungsgleichgewichte ein (s.S. 252); z.B.:

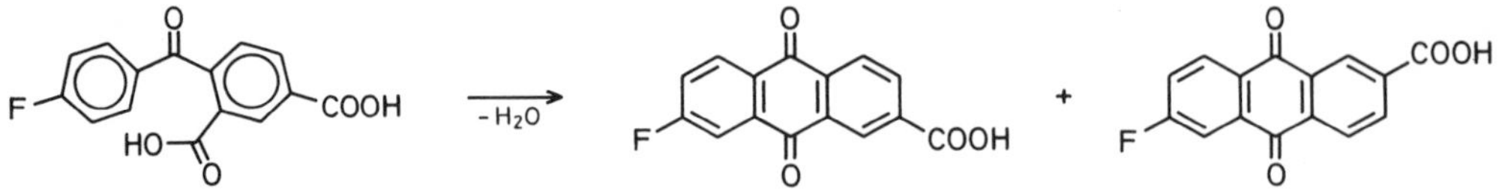

6-Fluor-3-carboxy-   *6-Fluor-2-carboxy-*
9,10-anthrachinon

Die Umlagerungen treten in konz. Schwefelsäure meist schon bei Raumtemperaturen ein. Trifluoressigsäure, Methansulfonsäure oder Polyphosphorsäure sind dagegen noch bei ~ 100° ohne Einwirkung.

Von den zahlreichen bekannt gewordenen Fällen sei ferner der folgende erwähnt:

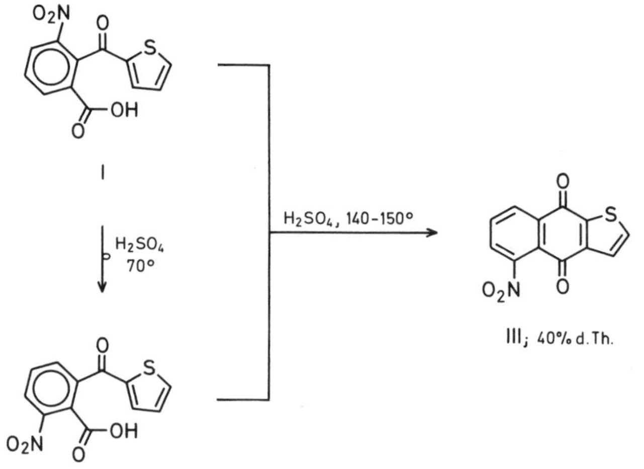

3-Nitro-2-(2-thienoyl)-benzoesäure (I) lagert sich vollständig in das 6-Nitro-Derivat II um. Beim Erhitzen der Benzoesäuren I und II mit konz. Schwefelsäure auf 140−150° entsteht in 40%-iger Ausbeute das *5-Nitro-thiophanthrenchinon* (III)[2].

Ähnlich wie das Schwefelsäure-Monohydrat wirkt wasserfreier Fluorwasserstoff als Kondensationsmittel. Mit diesem sind zwar Sulfierungen ausgeschaltet, aber man muß dafür die unangenehme Handhabung des Fluorwasserstoffs unter Druck in Kauf nehmen. Selbst 2-(4-Sulfo-benzoyl)-benzoesäure läßt sich durch 2stdg. Erhitzen mit Fluorwasserstoff auf 130° glatt zur *9,10-Anthrachinon-2-sulfonsäure* ringschließen[3].

Phosphor(V)-oxid und konz. Phosphorsäure haben sich zur Cyclisierung von 2-[4-Isopropyl-(bzw. 4-tert.-Butyl)-benzoyl]-benzoesäuren als brauchbar erwiesen (Beispiel s. S. 48). (Schwefelsäure führt in diesen Fällen − infolge Teilsulfierung − zu Ausbeuteminderungen).

[1] S.J. Cristol u. M.L. Caspar, J. Org. Chem. **33**, 2020 (1968).
[2] M.S. Newman u. K.G. Ihrman, Am. Soc. **80**, 3652 (1958).
[3] US.P. 2 174 118 (1936), DuPont, Erf.: W. S. Calcott, J. M. Tinker u. A. L. Linch; C.A. **34**, 451[7] (1940). vgl. a. ds. Handb., Bd. VII/3a, S. 626f.

Als ringschließende Agenzien für solche 2-Benzoyl-benzoesäuren, die vor oder nach der Kondensation mit Schwefelsäure leicht sulfiert werden, sind Carbonsäurechloride bzw. -anhydride besonders geeignet (man sollte dieses Verfahren z.B. auch zur Herstellung von 2-Phenyl- und 1,2,3,4-Tetrachlor-9,10-anthrachinon erproben).

Man erhitzt die 2-Aroyl-benzoesäure mit überschüssigem Benzoylchlorid, dem etwas Eisen(III)-chlorid oder einige Tropfen Schwefelsäure zugesetzt sind, in Trichlorbenzol ~ 1 Stde. zum Sieden[1,2]. Mit Phthalsäureanhydrid, dem eine katalytische Menge Schwefelsäure zugesetzt ist, erzielt man das gleiche Ergebnis[2]. Unter anderen wurden so hergestellt:

1,2-Benzanthrachinon[1]   *Phthaloylfluoren*[2,3]
Phthaloylpyren (F: 250°)[1]   *Phthaloylfluoranthen*[4]

Da die Cyclisierungen mit Benzoylchlorid wahrscheinlich über die 2-Aroyl-benzoylchloride verlaufen, kann man notfalls auch mit diesen durch Erhitzen in siedendem Trichlorbenzol[3,4] oder mit Aluminiumchlorid[3] die Ringschlüsse durchführen.

Am Beispiel der 2-(4-Phenyl-benzoyl)-benzoesäure wurde gezeigt, daß sich unter den gebräuchlichen Metallhalogeniden mit Eisen(III)-chlorid noch die optimalsten Ausbeuten erzielen lassen. Durch 2stdg. Erhitzen der 2-(4-Phenyl-benzoyl)-benzoesäure auf 190° entsteht in ~ 60%-iger Rohausbeute das *2-Phenyl-9,10-anthrachinon*[5] (s.a.S. 51).

2. 9,10-Anthrachinone durch Direktkondensationen von Phthalsäureanhydriden mit Aromaten

In einigen speziellen Fällen gelingt es, Phthalsäureanhydrid direkt mit einem sehr reaktionsfähigen Aromaten zu 9,10-Anthrachinon-Derivaten zu kondensieren. Als Beispiel ist vor allem die technisch wichtige *Chinizarin*-Synthese durch Kondensation von Phthalsäureanhydrid mit 4-Chlor-phenol und Schwefelsäure/Borsäure bei ~ 190° zu nennen (s.S. 97).

Weiterhin gelingt die Kondensation von Phthalsäureanhydrid mit Brenzkatechin, Hydrochinon und Pyrogallol zu *Di-* bzw. *Trihydroxy-9,10-anthrachinonen* in der Natriumchlorid-Aluminiumchlorid-Schmelze bei 120–200° (s.S. 97).

Auch das *Thiophanthrenchinon* kann direkt aus Thiophen und Phthalsäureanhydrid gewonnen werden (s. Bd. VII/3a, S. 629, Vorschrift).

3. Herstellung von 2-Benzyl-benzoesäuren, deren Ringschlüsse zu Anthronen und Oxidation zu 9,10-Anthrachinonen[6]

Es gibt zahlreiche 2-Benzoyl-benzoesäuren, die sich nicht oder nur sehr schwer zu 9,10-Anthrachinonen ringschließen lassen. Dies sind hauptsächlich solche, die in der Benzoyl-Gruppe stark elektronenanziehende Gruppen enthalten (als solche verhalten sich auch die Amino-Derivate in konz. Schwefelsäure). Außerdem gibt es 2-Benzoyl-benzoesäuren, die beim Ringschluß mit Schwefelsäure leicht sulfiert werden. In den genannten Fällen empfiehlt es sich, die 2-Benzoyl-benzoesäuren zu den 2-Benzyl-benzoesäuren zu

[1] DRP. 590 579 (1932), I.G. Farb., Erf.: E. Kramer; Frdl. **20**, 1293.
[2] H. Waldmann, J. pr. [2] **150**, 121 (1938).
[3] DRP. 624 885 (1934), I.G. Farb., Erf.: P. Nawiasky u. R. Robl; Frdl. **22**, 1173.
[4] DRP. 624 918 (1932), I.G. Farb., Erf.: J. v. Braun, W. Schultheis u. E. Kramer; Frdl. **21**, 1189.
[5] P.H. Groggins, Ind. eng. Chem. **22**, 626 (1930).
[6] Die Herstellung von Anthronen durch Reduktion von Anthrachinonen ist auf S. 276 ff. beschrieben.
  Die Herstellung von Hydroxy-, Amino- und anderen substituierten Anthrachinonen, die praktisch nur über den Anthron-Weg zugänglich sind, ist in den entsprechenden Abschnitten von Kapitel III abgehandelt.

reduzieren, die sich erheblich leichter als die Keto-carbonsäuren cyclisieren lassen, und die entstehenden Anthrone anschließend zu den 9,10-Anthrachinonen zu oxidieren.

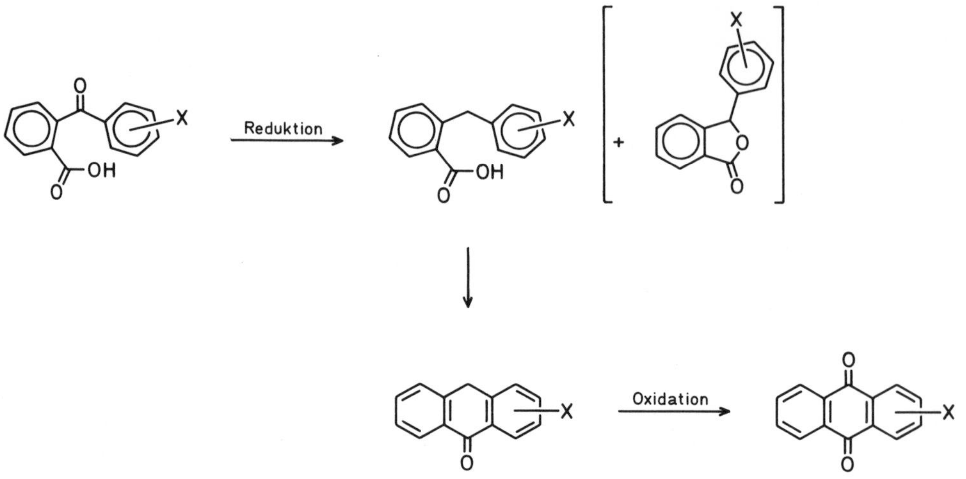

α) Herstellung von 2-Benzyl-benzoesäuren

Die 2-Benzyl-benzoesäuren sind leicht und mit vorzüglichen Ausbeuten nach dem von Gresly[1] angegebenen Verfahren durch Reduktion der 2-Benzoyl-benzoesäuren mit Zinkstaub und Ammoniak zugänglich. Man muß dabei eine starke Alkalität aufrechterhalten, damit sich die Zwischenstufe (das Hydrol) nicht durch Lacton-Ringschluß der weiteren Reduktion entzieht. Arbeitet man unter Druck bei ~ 150°, dann ist die Reduktion in kurzer Zeit beendet[2].

Die Reduktion kann auch auf katalytischem Wege durchgeführt werden[3], wobei evtl. andere reduzierbare Gruppen mithydriert werden.

So erhält man aus der durch Nitrieren leicht zugänglichen 2-(3-Nitro-4-methyl-benzoyl)-benzoesäure[4] (als Natriumsalz in wäßr. Lösung) mittels Wasserstoff und einem Nickel-Katalysator glatt die 2-(3-Amino-4-methyl-benzyl)-benzoesäure (F: 127–130°)[4].

Ein weiterer Syntheseweg für 2-Benzyl-benzoesäuren geht von 2-Brom-diphenylmethanen aus, die in Grignardverbindungen überführt und dann mit Kohlendioxid umgesetzt werden[5]:

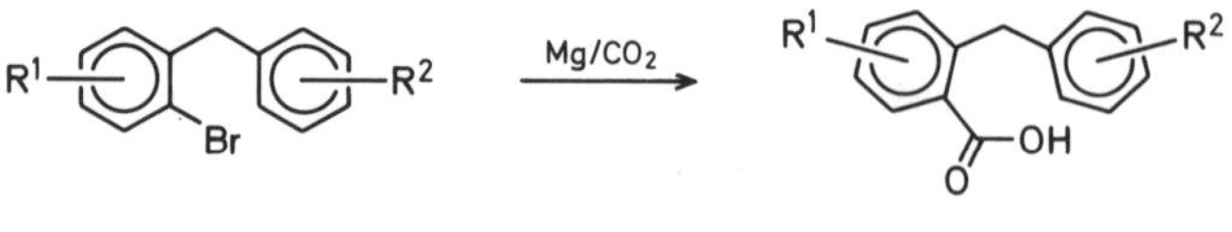

Vorteilhaft ist, daß sich die reaktionsfähigen Benzyl-Gruppen leichter und in anderen Stellungen substituieren lassen als die Benzoyl-Gruppen. Auf diese Weise kann z.B. die *1,4-Dichlor-9,10-anthrachinon-2-carbonsäure* hergestellt werden (Einzelheiten s.S. 254):

[1] L. GRESLY A. **234**, 235 (1886).
   S.a. R. SCHOLL et al., M. **32**, 692 (1911).
[2] DRP. 723675 (1935), I.G. Farb.; C.A. **37**, 5419⁵ (1943).
[3] US.P. 2053430 (1935), DuPont, Erf.: G.D. GRAVES; C. **1937 I**, 1278.
[4] FIAT Final Rep. Nr. **1313 II**, 228, 229 (1948), I.G. Farb. Hoechst.
[5] F.A. VINGIELLO et al., J. Org. Chem. **23**, 1786 (1958).

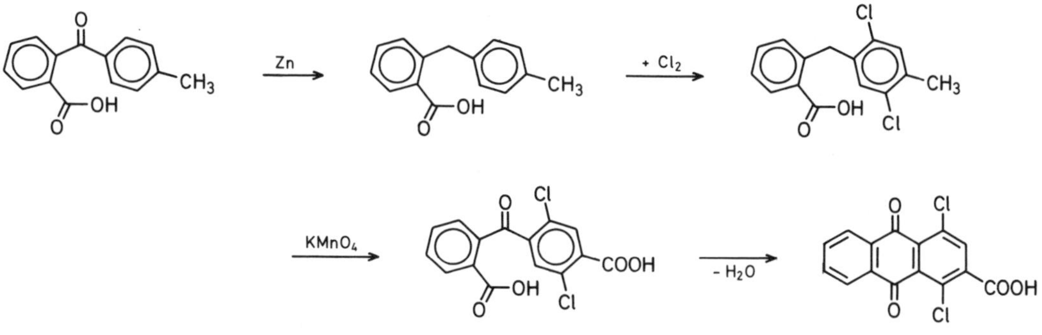

β) Ringschlüsse der 2-Benzyl-benzoesäuren zu Anthronen

Die Ringschlüsse der 2-Benzyl-benzoesäuren zu den Anthronen gelingen in der Regel bereits mit konz. Schwefelsäure bei 20°. Man muß dabei die Luft ausschließen; gibt zweckmäßig etwas Kupferbronze zu, um eine Oxidation zu verhindern.

Als Kondensationsmittel sind auch Essigsäure in Gegenwart von Zinkchlorid (evtl. unter Zusatz von Essigsäureanhydrid) und Phosphor(V)-oxid benutzt worden. Auch mit 98%-iger Flußsäure ist in wenigen Min. bei 20–60° ein Ringschluß zu erzielen[1] (sicherlich auch mit Benzoylchlorid; s.S. 39).

Durch Ringschluß substituierter 2-Benzyl-benzoesäuren lassen sich oft die Isomeren der durch Reduktion entsprechender Anthrachinone resultierenden Anthrone (s.S. 276) herstellen. So ist das *1-Amino-anthron-(10)* (F: 172–173°) nur auf folgende Weise zugänglich[2]:

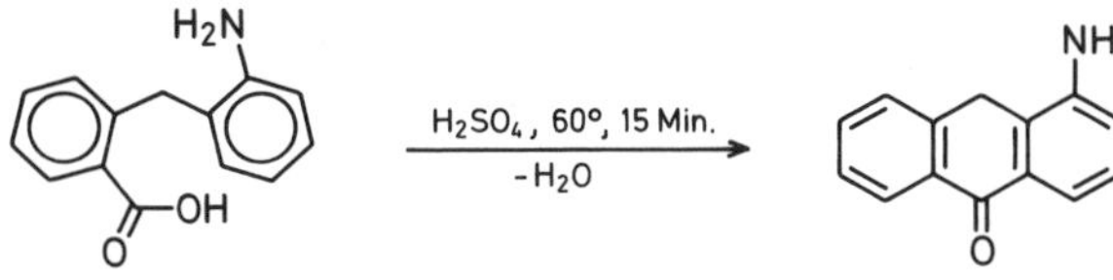

Günstiger ist es wegen der Aufarbeitung, die Acetylamino-Verbindung mit Schwefelsäure-Monohydrat bei 40° (3 Stdn.) zum *1-Acetylamino-anthron-(10)* (F: 268–271°) zu kondensieren[3].

Eine Reihe von 1-Hydroxy-anthronen-(10) wurde aus den 2-(2-Hydroxy-benzyl)-benzoesäuren durch Ringschluß mit konzentrierter Schwefelsäure bei 20° hergestellt[4]; z.B.:

1-Hydroxy-anthron-(10)	F: 241–242°	*1-Hydroxy-3-methyl-anthron-(10)*	F: 258–259°
1-Hydroxy-2-methyl-anthron-(10)	F: 207,5°	*1-Hydroxy-4-methyl-anthron-(10)*	F: 226,5°

4-Brom-1-amino-2-methoxy-anthron-(10) und -9,10-anthrachinon[5]: 10 g 2-(6-Brom-3-amino-4-methoxy-benzyl)-benzoesäure werden mit 75 g Essigsäure und 25 g Essigsäureanhydrid kurz unter Rückfluß zum Sieden erhitzt. Nach vollzogener Acetylierung trägt man bei 50° 10 g Phosphor(V)-oxid ein und läßt erneut kurz aufkochen. Nach dem Abkühlen auf 60° werden 200 ml Wasser eingerührt, wobei das Acetylamino-anthron bereits auszukristallisieren beginnt. Es wird nach dem Erkalten abgesaugt und mit heißem Wasser ausgewaschen; F: 170° (Zers.).

Durch Oxidation mit Chrom(VI)-oxid in Essigsäure erhält man das *4-Brom-1-acetylamino-2-methoxy-9,10-anthrachinon* (F: 154°), das leicht durch Erwärmen mit Schwefelsäure zum *4-Brom-1-amino-2-methoxy-9,10-anthrachinon* (F: 198°) verseift werden kann.

---

[1] US.P. 2174118 (1936), DuPont, Erf.: W.S. Calcott, J.M. Tinker u. A.L. Linch; C.A. **34**, 451[7] (1940).
[2] DRP. 593417 (1931), I.G. Farb., Erf.: G. Kränzlein, A. Wolfram u. W. Broeker; Frdl. **19**, 1929.
[3] DOS. 2510260 (1975), Bayer AG, Erf.: H. Jäger u. E. Klauke; C.A. **85**, 177134[c] (1976).
[4] A. Steyermark u. J.H. Gardner, Am. Soc. **52**, 4887 (1930).
[6] DRP. 612958 (1929), DuPont; Frdl. **20**, 1304.

2-(4-Chlor-benzyl)-benzoesäure[1] und 3-Chlor-anthron-(10): In eine Lösung von 210 g 2-(4-Chlor-ben-zoyl)-benzoesäure in 1,2 kg 25%-igem Ammoniak werden bei 25–30° 350 g Zinkstaub langsam eingerührt. Gleichzeitig tropft eine Lösung von 87,5 g Kupfer(II)-sulfat in 340 ml Wasser zu. Nach 12 Stdn. rührt man bei 30° 202 g 33%-ige Natronlauge ein, steigert die Temp. innerhalb 14 Stdn. auf 85° (Vorsicht, schäumt!) und hält diese Temp. weitere 12 Stdn. konstant. Die Reduktion ist beendet, wenn eine ausgefällte Probe in kaltem verd. Ammoniak löslich ist.

Nach dem Abkühlen auf 10° wird vom Zinkschlamm abfiltriert und dieser mit verd. Ammoniakwasser ausgewaschen. Beim Ansäuern des Filtrats fällt die 2-(4-Chlor-benzyl)-benzoesäure aus; sie wird abgesaugt und säure-frei gewaschen; Ausbeute: über 90% d. Th.; F: 128°.

Der Ringschluß zum 3-Chlor-anthron-(10) (F: 144°) gelingt glatt mit konz. Schwefelsäure bei 20°.

2-[7-Acetylamino-tetralyl-(6)-methyl]-benzoesäure und 1-Amino-3,4-cyclohexeno-9,10-anthrachinon[2]:

Die durch Kondensation von Phthalsäureanhydrid und 6-Acetylamino-tetralin und überschüssigem Aluminiumchlorid mit 46% Ausbeute zugängliche 2-[7-Acetylamino-tetralyloyl-(6)]-benzoesäure wird in schwach alkalischer Lösung mit einem Nickel-Katalysator bei 170° und 40 Atü Wasserstoff quantitativ zur 2-[7-*Acetyl-amino-tetralyl-(6)-methyl]-benzoesäure* reduziert (F: 220°).

Der Ringschluß zum *1-Acetylamino-3,4-cyclohexeno-anthron-(10)* vollzieht sich glatt durch 1stdg. Erwärmen mit konz. Schwefelsäure auf 40° (98% d. Th.).

3 g des Anthrons werden in einem Gemisch aus 50 ml Methanol und 20 ml einer 15%-igen Natronlauge heiß gelöst und mit 10 ml 6%-igem Dihydrogenperoxid versetzt. Nach kurzer Zeit scheiden sich 2,6 g (~81% d. Th.) *1-Acetylamino-3,4-cyclohexeno-9,10-anthrachinon* in gelben Nadeln ab (F: 192,5°).

Die Verseifung zum *1-Amino-3,4-cyclohexeno-9,10-anthrachinon* (F: 189°) erfolgt durch 2stdg. Erhitzen mit Natriumhydroxid in Methanol (95% d. Th.).

Das *2-Dimethylamino-9,10-anthrachinon*, das sich durch Ringschluß der 2-(4-Dime-thylamino-benzoyl)-benzoesäure nicht herstellen läßt, ist ebenfalls über die 2-(4-Dime-thylamino-benzyl-benzoesäure durch Ringschluß mit konz. Schwefelsäure (1 Stde. bei 65°) zu dem anscheinend leicht autoxidablen 2-Dimethylamino-anthron-(10) (F: 119°) und dessen Oxidation herstellbar[3,4].

In diesem Zusammenhang sei auf eine interessante Synthese von *1-Hydroxy-anthron-(10)* (III) hingewiesen, die von Chlorameisensäure-2-chlormethyl-phenylester (I) ausgeht und folgenden Verlauf[5] nimmt:

1-Hydroxy-anthron-(10)[5]: 20,5 g (0,1 Mol) Chlorameisensäure-2-chlormethyl-phenylester werden unter Rückflußsieden in eine Suspension von 26,7 g (0,2 Mol) Aluminiumchlorid in 156 g (2 Mol) Benzol eingerührt. Dann läßt man noch ~1 Stde. bei 80° nachreagieren, setzt 100 ml 1,2-Dichlor-benzol zu und destilliert das über-schüssige Benzol ab. Bei ~80° setzt eine stark exotherme Reaktion unter Temperaturanstieg auf 162° ein, wobei sich das Lacton II in das Chinon III umlagert. Nach dem Erkalten wird die Reaktionsmasse mit 5%-iger Salzsäure hydrolysiert, abgesaugt, mit Wasser neutral gewaschen, mit Petroläther abgedeckt und i.Vak. getrocknet; Ausbeute: 19 g (~90° d. Th.); F: 220–225° (F des reinen Produktes: 239–240°, vgl. S. 280).

Das Ausgangsmaterial ist durch Einwirkung von Sulfurylchlorid auf Chlorameisensäure-2-methyl-phenyl-ester unter Belichten und Zusatz von Dibenzoylperoxid bei 120° zugänglich[6].

---

[1] FIAT Final Rep. Nr. **1313 II**, 149–150 (1948), I. G. Farb. Mainkur.

[2] P. KRÄNZLEIN, B. **70**, 1959 (1937).

[3] E. WEITZ, A. **418**, 29 (1919).

[4] Vgl. a. DRP. 112297 (1898), Soc. Anonyme des Matières Colorantes de St. Denis; Frdl. **6**, 306.

[5] DOS. 2655824 (1976), Bayer AG, Erf.: G.-M. PETRUCK, E. KLAUKE u. H. JÄGER.

[6] US.P. 3420868 (1963), Hooker Chemical Corp., Erf.: E. D. WEIL.

γ) Kondensation von Phthaliden mit Aromaten zu Anthronen

2-Benzyl-benzoesäuren entstehen auch bei der leicht verlaufenden Kondensation von Phthalid mit Aromaten, allerdings meist in schlechten Ausbeuten, da sich Gemische aus 2-Benzyl- und 2-Benzoyl-benzoesäuren bilden[1]. Für die Herstellung von *1,4-Dichlor-9,10-anthrachinon* ist diese Reaktion jedoch von Interesse, da sich 1,4-Dichlor-benzol nicht mit Phthalsäureanhydrid kondensieren läßt. Aus Phthalid und 1,4-Dichlor-benzol entsteht dagegen in der Natriumchlorid-Aluminiumchlorid-Schmelze direkt das *1,4-Di-chlor-anthron-(10)*[2].

1,4-Dichlor-anthron-(10) und 1,4-Dichlor-9,10-anthrachinon[2]: Das feingepulverte Gemisch aus 134 g Phthalid und 146 g 1,4-Dichlor-benzol wird bei 110° in eine Schmelze aus 1,1 kg Aluminiumchlorid und 275 g Natriumchlorid eingerührt. Nach 1stdg. Reaktionsdauer bei 135° wird die erkaltete Schmelze mit Eis und Salzsäure zersetzt, das überschüssige 1,4-Dichlor-benzol mit Wasserdampf übergetrieben, der Rückstand abgesaugt und ausgewaschen. Man erhält so fast quantitativ das 1,4-Dichlor-anthron-(10) (F: 148°). Dieses läßt sich leicht in konz. Schwefelsäure mit Mangandioxid oder in Essigsäure mit Chromsäure zum 1,4-Dichlor-9,10-anthrachinon (F: 187°) mit einer Gesamtausbeute von 85% d.Th. oxidieren.

Dem Phthalid entspricht in seiner Oxidationsstufe das 2-Brommethyl-benzoylbromid, das sich mit substituierten Aromaten direkt zu Anthronen kondensieren läßt[3]. Ob diese aufwendige Methode jedoch zu einheitlichen Produkten führt, ist fraglich.

δ) Oxidation der Anthrone zu 9,10-Anthrachinonen

Die Oxidation von Anthronen zu 9,10-Anthrachinonen vollzieht sich erheblich leichter als die der Anthracene. Als Oxidationsmittel haben sich besonders bewährt: Chromsäure in Essigsäure, Mangandioxid in Schwefelsäure bei 20°, Blei(IV)-acetat in Essigsäure, Cer(IV)-ammoniumnitrat in wasserhaltigem Tetrahydrofuran, Dihydrogenperoxid in methanolisch/wäßriger Natronlauge (s.S. 42) und 1–2stdg. Rückflußkochen mit ~9 Tln. einer 60%-igen Salpetersäure[4]. Sogenannte Einelektronenoxidationsmittel, wie z.B. Eisen(III)-chlorid, sind weniger geeignet, da diese bevorzugt zu Dianthron-Derivaten führen (s.S. 298), die schwieriger zu 9,10-Anthrachinonen weiterzuoxidieren sind.

Auch die Dibromierung der Anthrone in Essigsäure und anschließende Hydrolyse zu den 9,10-Anthrachinonen ist ein brauchbares Verfahren.

Das 2-Butyl-anthron-(10) läßt sich mit guter Ausbeute durch Kondensation mit 4-Nitroso-*N,N*-dimethyl-anilin und anschließende Hydrolyse mit konz. Salzsäure bei 50° in das *2-Butyl-9,10-anthrachinon* (F: 87,5°) überführen[5].

9-Alkyl- bzw. 9,9-Dialkyl-anthrone-(10) lassen sich ebenfalls – wenn auch erheblich schwerer als die mit unsubstituierter 9-Stellung – zu 9,10-Anthrachinonen oxidieren. So wird 9,9-Diäthyl-anthron-(10) erst durch längeres Sieden mit Chromsäure in Essigsäure zu *9,10-Anthrachinon* oxidiert[6].

2-Äthyl-9,10-anthrachinon aus 3-Äthyl-anthron-(10)[7]: 65 g 3-Äthyl-anthron-(10) – erhalten durch Ringschluß von 2-(4-Äthyl-benzyl)-benzoesäure mit konz. Schwefelsäure in 10 Min. bei 20° – werden mit 600 *ml* Es-

[1] A. STEYERMARK u. J.H. GARDNER, Am. Soc. **52**, 4884 (1930).
[2] DRP. 677327 (1935), I.G. Farb., Erf.: W. ECKERT u. K. SCHILLING.
[3] F. MAYER u. W. FISCHBACH, B. **58**, 1251 (1925).
[4] DBP. 1263737 (1966), BASF, Erf.: E. SCHEFCZIK; C.A. **68**, 115710f (1968).
[5] R.M. HARRIS, G.J. MARRIOTT u. J.C. SMITH, Soc. **1936**, 1841.
[6] F. GOLDMANN, B. **21**, 1181 (1888).
[7] R. SCHOLL, J. POTSCHIWAUSCHEG u. J. LENKO, M. **32**, 694 (1911).
    analog nach F. GOLDMANN, B. **20**, 2436 (1887).

sigsäure verrührt. Zu dieser Suspension läßt man 90 g Brom in 450 *ml* Essigsäure zutropfen, wobei sich das 9,9-Dibrom-3-äthyl-anthron-(10) bildet. Nach 12stdg. Stehen bei 20° wird 30 Min. zum Sieden erhitzt, dann mit Wasser versetzt, das ausgefällte und abfiltrierte Reaktionsprodukt mit verd. Natronlauge extrahiert und getrocknet. Durch Umkristallisieren aus Äthanol erhält man reines 2-Äthyl-9,10-anthrachinon; F: 108°.

Analog kann das *2-Propyl-9,10-anthrachinon* (F: 98–99°) hergestellt werden.

d) 9,10-Anthrachinone durch Kondensation von zwei Molekülen substituierter Benzoesäuren

Aus 2,5-Dimethyl-benzoylchlorid entsteht in der Natriumchlorid/Aluminiumchlorid-Schmelze (30 Stdn. bei 125°) unter Umlagerung das *1,3,5,7-Tetramethyl-9,10-anthrachinon* (~ 30% d. Th.; F: 239°; nicht verküpbar!)[1]:

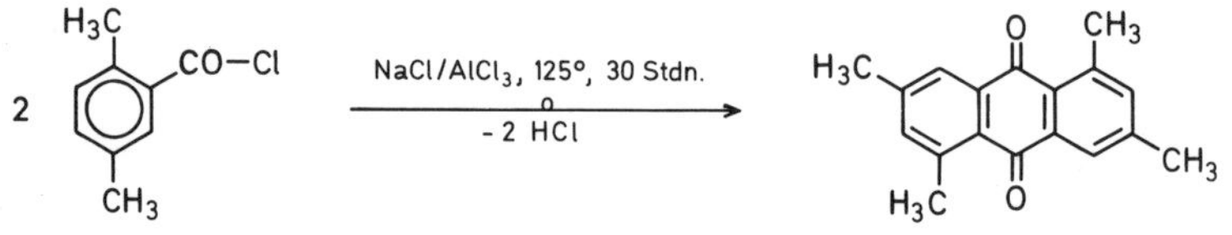

Besser vollziehen sich jedoch die intermolekularen Kondensationen zwischen einigen 3-Hydroxy-benzoesäuren, in denen die 4-Stellung blockiert ist (s. S. 98).

Es ist bemerkenswert, daß auf diese Weise das erste Anthrachinon-Derivat, die sog. *Rufigallussäure*, aus zwei Mol Gallussäure synthetisiert[2] und später auch technisch hergestellt worden ist. Die Kondensation erfolgt einfach durch Erhitzen mit konzentrierter Schwefelsäure auf dem Wasserbad mit Ausbeuten bis zu 70% d. Th.:

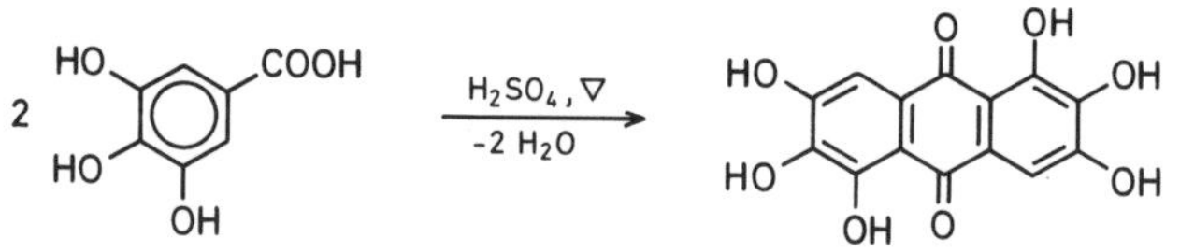

e) Spezielle Herstellungsverfahren für 9,10-Anthrachinone

Nach einer Patentschrift[3] soll Benzophenon mit Kohlenoxid in Gegenwart von 1–1,5 Mol Kupfer(II)-chlorid oder eines Gemisches aus Palladiumchlorid/Eisen(III)-chlorid unter einem Druck von ~ 100 Atm. bei 220° zu *9,10-Anthrachinon* cyclocarbonylieren.

Auch cyclisierende Aldolkondensationen können über die Anthron-Stufe zu 9,10-Anthrachinonen führen; z. B.[4]:

[1] R. Scholl, K. Meyer u. A. Keller, A. **513**, 297 (1934).
[2] Robiquet, A. **19**, 204 (1836).
    B. Jaffé, B. **3**, 694 (1870).
[3] US.P. 3932474 (1974), American Cyanamid Co., Erf.: G.G. Arzoumanidis u. F.C. Rauch; C.A. **84**, 121559g (1976).
[4] H. Mühlemann, Pharma. Acta Helv. **24**, 356 (1949).

Zur Totalsynthese von *1-Hydroxy-9,10-anthrachinon* wurde folgender Weg vorgeschlagen (ohne experimentelle Angaben)[1]:

Durch 1stdg. Erhitzen von Octantetraon-(2,4,5,7) in 30%-iger Kalilauge entsteht in
~ 5%-iger Reinausbeute das *4,8-Dihydroxy-2,6-dimethyl-9,10-anthrachinon*[2]:

Auf folgende Weise erhält man das *2,3-Benz-anthrachinon-(9,10) (Naphthacen-5,12-
chinon)*[3]:

[1] M. Lamant, Bl. **1961**, 1489.
[2] K. Balenović u. M. Poje, Tetrahedron Letters **1975**, 3427.
[3] R. H. Martin, Helv. **30**, 620 (1947).

1,2-Bis-[propinoyl]-benzole lassen sich als Rhodium- oder Kobalt-Komplexe mit disubstituierten Acetylenen zu 9,10-Anthrachinon-Derivaten cotrimerisieren (s. Bd. V/2a, S. 879); z. B.:

*1,2,3,4-Tetraphenyl-9,10-
anthrachinon*[1]; 90% d. Th.

*2,3-Bis-[trimethylsilyl]-9,10-
anthrachinon*[2]

III. Herstellung von 9,10-Anthrachinonen mit bestimmten Substituenten

a) von Alkyl-, Alkenyl- und Aryl-9,10-anthrachinonen

1. von Alkyl-9,10-anthrachinonen

Für die Herstellung von Alkyl-9,10-anthrachinonen kommen hauptsächlich der Weg über die 2-Aroyl-benzoesäuren und die Diensynthese in Betracht. Die aus Chinonen und Dienen zugänglichen Alkyl-9,10-anthrachinone sind bereits auf S. 23 ff. beschrieben. Die verschiedenen Verfahren zur Herstellung der 2-(Alkyl-aroyl)-benzoesäuren finden sich auf S. 31 ff., in Bd. VII/2a, S. 341 ff., und der Syntheseweg über die Alkyl-anthrone ist auf S. 43 ff. beschrieben.

Es wurde bereits darauf hingewiesen, daß bei der Herstellung der 2-(Alkyl-benzoyl)-benzoesäure mittels Aluminiumchlorid oft isomere Carbonsäuren entstehen – falls dazu die Möglichkeit besteht – und daß innerhalb der Aluminium-Komplexe (s. S. 47) und bei den Ringschlüssen mit Schwefelsäure Umlagerungen (s. S. 37), Abspaltungen (s. S. 47) und Sulfierungen (s. S. 36) eintreten können. In vielen Fällen kann man Isomerisierungen vermeiden, indem man die 2-(Alkyl-benzoyl)-benzoesäuren mittels Grig-

---

[1] E. Müller et al., A. **754**, 77 (1971).
[2] s. a. K. P. C. Vollhardt, Chem. eng. News **54**, Nr. 37, 23 (1976).

nardverbindungen (s. S. 33 ff.) herstellt. Sulfierungen bei den Ringschlüssen treten vielfach nicht ein, wenn man den Umweg über die Anthrone einschlägt (s. S. 39 ff.).

Aus den 2-Benzoyl-benzoesäuren, die aus o-disubstituierten Benzol-Derivaten erhalten werden, entstehen zu 70–85% die schwerer löslichen 2,3- neben den leichter löslichen 1,2-disubstituierten 9,10-Anthrachinonen.

Durch Cyclisierung der 2-(Methyl-benzoyl)-benzoesäuren sind leicht zugänglich:

2-Methyl-9,10-anthrachinon[1]	F: 175° (s. Bd. VII/2a, S. 341)
2,3-Dimethyl-9,10-anthrachinon[2,3]	F: 208°
1,3-Dimethyl-9,10-anthrachinon[4]	F: 161–162°
1,4-Dimethyl-9,10-anthrachinon[3,4]	F: 141°

Bei der Kondensation von Phthalsäureanhydrid mit p-Xylol durch Aluminiumchlorid unter den üblichen Bedingungen scheint eine teilweise Isomerisierung einzutreten, denn das mit Schwefelsäure cyclisierte Produkt enthält neben dem erwarteten *1,4-Dimethyl-* (F: 140–141°) auch das *1,3-Dimethyl-9,10-anthrachinon* (F: 161–162°)[4].

Bei der Verwendung von m-Xylol und 1,2,3,4-Tetramethyl-benzol wurden keine Isomerisierungen festgestellt (*1,2,3,4-Tetramethyl-9,10-anthrachinon*; F: 234–235°)[4].

Ausgehend von substituierten Phthalsäuren wurde z.B. *2,3,6-Trimethyl-9,10-anthrachinon* (F: 240°)[5] erhalten.

Diejenigen Alkyl-9,10-anthrachinone, die – wie z. B. das *1,2-Dimethyl-9,10-anthrachinon* – praktisch nur durch Umsetzung von Phthalsäureanhydrid mit Alkylphenyl-magnesiumhalogeniden zugänglich sind, sind auf S. 33 beschrieben.

Bei der Selbstkondensation von 2 Molekülen 2,5-Dimethyl-benzoylchlorid durch Aluminiumchlorid entsteht unter Umlagerung das *1,3,5,7-Tetramethyl-9,10-anthrachinon* (s. S. 44).

1-Methyl-9,10-anthrachinon wird am einfachsten durch Enthalogenierung des 4-Chlor-1-methyl-9,10-anthrachinons gewonnen (s. S. 48).

Die leicht sulfierbare 2-(4-Äthyl-benzoyl)-benzoesäure kann mit der 10fachen Menge Schwefelsäure-Monohydrat bei 85–90° mit max. ~70% d. Th. zum *2-Äthyl-9,10-anthrachinon* (F: 108°) cyclisiert werden.

Einheitliche Diäthyl-9,10-anthrachinone sind aus Diäthyl-benzolen nicht erhältlich[6].

Durch ~2stdg. Erwärmen der im Benzol-Rest entsprechend substituierten 2-Benzoyl-benzoesäuren mit etwa 8%-igem Oleum auf 95° sollen die Ringschlüsse zu folgenden Alkyl-9,10-anthrachinonen mit Ausbeuten von 60–70% erfolgen:

2-Isopropyl-9,10-anthrachinon[7,8]	F: 45°
2-Butyl-9,10-anthrachinon[7]	F: 90°
2-tert.-Butyl-9,10-anthrachinon[7]	F: 104°

Bei der Kondensation von 4-tert.-Butyl-phthalsäureanhydrid mit tert.-Butyl-benzol konnte keine Hayashi-Umlagerung (s. S. 37) festgestellt werden. Durch 4stdg. Einwirkung von 20%-igem Oleum auf 5-tert.-Butyl-2-(4-tert.-butyl-benzoyl)-benzoesäure bei 95° soll einheitliches *2,7-Di-tert.-butyl-9,10-anthrachinon* (F: 119–121°) entstehen[9].

[1] G. Heller u. K. Schülke, B. **41**, 3632 (1908).
   BIOS Final Rep. Nr. **987**, 10 (1948), I. G. Farb., Ludwigshafen.
[2] E. Philippi u. R. Seka, M. **43**, 624 (1922).
   F. Ullmann, B. **45**, 688 (1912).
[3] G. Heller, B. **43**, 2890 (1910).
[4] G. Baddeley, G. Holt u. S. M. Makar, Soc. **1952**, 2415.
[5] G. T. Morgan u. E. A. Coulson, Soc. **1929**, 2551.
[6] G. F. Lewenz u. K. T. Serijan, Am. Soc. **75**, 4087, 5753 (1953).
[7] A. T. Peters u. F. M. Rowe, Soc. **1945**, 181.
[8] A. A. Balandin et. al., Ž. prikl. Chim. **33**, 1893 (1960); C. **1963**, 1265.
[9] B. W. Larner u. A. T. Peters, Soc. **1952**, 680.

Einheitliche Alkyl-9,10-anthrachinone mit höheren Alkyl-Gruppen sind nach Frie-del-Crafts nicht herstellbar, da hierbei Isomerisierungen – und bei der Cyclisierung mittels Schwefelsäure außerdem Sulfierungen – eintreten[1]. So fällt ausgehend von Phthalsäure-anhydrid, tert. Pentyl-benzol und Aluminiumchlorid ein Gemisch aus *2-tert.-Pentyl-* und *2-[3-Methyl-butyl-(2)]-9,10-anthrachinon* an[2]. Reines *2-tert.-Pentyl-9,10-anthrachinon* wird nur über den Grignard-Weg erhalten (s. S. 34).

Als Kondensationsmittel für 2-Benzoyl-benzoesäuren mit höheren Alkyl-Gruppen hat sich anscheinend Phosphor(V)-oxid gut bewährt. Über den in Trichlorbenzol mit 10%-igem Oleum durchgeführten Ringschluß der 2-(2-tert.-Pentyl-benzoyl)-benzoesäure zum *2-tert.-Pentyl-9,10-anthrachinon* s. S. 36.

Die praktisch quantitativ entstehende 2-(4-Cyclohexyl-benzoyl)-benzoesäure (F: 191°) läßt sich durch einstündiges Erhitzen mit Schwefelsäure-Monohydrat auf 90° nur in 50%-iger Rohausbeute zum *2-Cyclohexyl-9,10-anthrachinon* (F: 117–118°) kondensieren, das durch Umküpen und Umkristallisieren gereinigt werden muß[3].

1-Benzyl- (F: 153–154°) und *2-Benzyl-9,10-anthrachinon* (F: 133–136°) lassen sich aus den entsprechenden Benzyl-9,10-dihydro-anthracenen durch vielstündiges Erhitzen in Benzol-Lösung mit 15–20%-iger Salpetersäure herstellen. Die Benzyl-9,10-dihydro-anthracene wurden durch Kondensation von 9,10-Dihydro-anthracen mit Benzylalkohol und Polyphosphorsäure bei ~ 130° erhalten[4]. 2-Benzyl-9,10-anthrachinone dürften sich am besten aus 2-Chlormethyl-9,10-anthrachinon, einem Aromaten und Zinn(IV)-chlorid herstellen lassen (vgl. S. 134).

Diphenylmethan läßt sich anscheinend leicht mit zwei Molekülen Phthalsäureanhydrid kondensieren[5]. Der Ringschluß bereitet jedoch Schwierigkeiten.

2-tert.-Butyl-9,10-anthrachinon[6]: In ein Gemisch aus 500 ml Chlorbenzol, 280 g (2,09 Mol) tert.-Butyl-benzol und 300 g (2,02 Mol) Phthalsäureanhydrid werden bei 50° innerhalb von $2^1/_2$ Stdn. 500 g (3,75 Mol) Aluminiumchlorid eingerührt.

Nach weiterer 10stdg. Reaktionsdauer bei 50° trägt man in ein Eis-Wasser-Gemisch, das mit Salzsäure ver-setzt ist, aus, trennt die Schichten und verrührt die org. Phase 2mal mit je 2 l kochendem Wasser, um die unverän-derte Phthalsäure zu entfernen.

Dann werden 500 ml 20%-ige Natronlauge zugegeben, mit Wasserdampf destilliert, die verd. alkalische Lö-sung filtriert und angesäuert. Dabei fällt die *2-(4-tert.-Butyl-benzoyl)-benzoesäure* zunächst teigig an. Nach dem Digerieren mit heißem Wasser wird sie kristallin. Man filtriert ab und erhält nach dem Trocknen i. Vak. 512 g Carbonsäure. Aus dem Waschwasser kristallisieren weitere 16 g aus; Rohausbeute: ~93% d. Th.; F: 145–148°, nach dem Umkristallisieren aus Toluol F: 153–154°.

25 g der reinen Carbonsäure werden mit 2 g Phosphor(V)-oxid verrieben und im Ölbad (180°) erhitzt. An-schließend wird die Temp. erhöht und bei 10^{-2} Torr destilliert. Zwischen 165–175° gehen 23,5 g *2-tert.-Butyl-9,10-anthrachinon* über. Zur Reinigung wird das Destillat in Äther aufgenommen und mit 2n Natronlauge ausge-schüttelt, wodurch 3 g Ausgangsmaterial zurückgewonnen werden. Auf den Umsatz ber. ist die Ausbeute annä-hernd quantitativ (F: 105°).

1-Methyl-9,10-anthrachinon[7]: 26 g 4-Chlor-1-methyl-9,10-anthrachinon, 12 g Kaliumacetat und 1 g Kup-ferbronze werden in 100 ml Nitrobenzol ~ 1 Stde. zum Sieden erhitzt. Nach einer Wasserdampfdestillation wird der Rückstand in Essigsäure gelöst, mit 5 g Chrom(VI)-oxid versetzt und auf 400 ml eingeengt. Durch Fällen mit Wasser werden 17,5 g (78% d. Th.) weitgehend reines 1-Methyl-9,10-anthrachinon erhalten (F: 171–172°, aus Essigsäure/Äthanol).

---

[1] A. T. PETERS u. F. M. ROWE, Soc. **1945**, 181.
[2] DOS. 2013299 (1970; Fr. Prior. 1969), Solvay u. Cie. S.A., Erf.: J.L. DENAEYER u. P. GODFRINE; C. A. **74**, 143941[w] (1971).
[3] B. BIENERT u. C. WEINAND, I.G. Farb. Leverkusen (1934).
[4] DOS. 2400821 (1974; US. Prior. 1973), General Electric Co., Erf.: D.A. ORSER; C. A. **81**, 120341[f] (1974).
[5] US.P. 2225088 (1939), DuPont, Erf.: J.M. TINKER u. V.M. WEINMAYR; C.A. **35**, 2157[7] (1941).
[6] DOS. 2031430 (1970), Degussa, Erf.: G. KÄBISCH u. H. WITTMANN; C.A. **76**, 112978[a] (1972).
[7] F. ULLMANN u. W. MINAJEFF, B. **45**, 687 (1912).

Aus Tetralin und Phthalsäureanhydrid entsteht glatt die 2-Tetraloyl-benzoesäure, die in ein Gemisch der *1,2-* und *2,3-Cyclohexeno-9,10-anthrachinone* übergeführt werden kann[1].

Analog entsteht aus Indan (Ringschluß: konz. Schwefelsäure, 15 Min., 70°)[2] ein Gemisch, aus dem das *2,3-Cyclopenteno-9,10-anthrachinon*[3] (~55% d. Th.; F: 181–183°, aus 90%-iger Essigsäure) kristallin abgeschieden werden kann. Das erheblich leichter lösliche *1,2-Cyclopenteno-9,10-anthrachinon* schmilzt bei 115–117°[2].

1,2- und 2,3-Cyclohexeno-9,10-anthrachinon[1]: In 250 g Phthalsäureanhydrid, 350 g Tetralin und 1200 *ml* Benzol wird portionsweise 400 g Aluminiumchlorid eingerührt, so daß die Chlorwasserstoff-Entwicklung nicht zu stürmisch verläuft. Zum Schluß wird noch ~ 3 Stdn. rückfließend erhitzt. Nach dem Abkühlen wird die org. Phase dekantiert, der Rückstand durch Eis und 400 *ml* konz. Salzsäure zersetzt und das restliche Lösungsmittel mit Wasserdampf abdestilliert. Die wäßr. Schicht wird abgegossen, der zähe Rückstand mit Wasser digeriert und eine Lösung von 150 g Natriumcarbonat in ~ 2 *l* Wasser zugefügt. Nachdem sich alles bis auf geringe Harzanteile gelöst hat, wird nach dem Filtrieren die 2-Tetraloyl-benzoesäure sauer gefällt; Ausbeute: 459 g (97% d. Th.); F: 153–155°. Eine weitere Reinigung kann über das schwerlösliche Ammoniumsalz erfolgen.

Der Ringschluß erfolgt mit der ~ 5fachen Gew.-Menge 25%-igen Oleums durch kurzes Erwärmen (~ 7 Min.) auf dem Wasserbad, bis in einer gefällten Probe kein Ausgangsmaterial mehr nachweisbar ist. Hierauf wird in Eiswasser ausgetragen, abgesaugt, ausgewaschen und der Nutschkuchen mit verd. Natriumcarbonat-Lösung ausgekocht; Ausbeute: ~70% d. Th.

Aus dem Isomerengemisch können durch Umkristallisieren aus Benzol oder Essigsäure ~ 40% des schwerer löslichen *2,3-Cyclohexeno-9,10-anthrachinons* (F: 211°) und ~33% des leichter löslichen *1,2-Cyclohexeno-9,10-anthrachinons* (F: 135°) isoliert werden.

Ein anderer, etwas umständlicher Weg zur Herstellung von 9,10-Anthrachinonen mit höheren Alkyl-Resten geht z. B. von den 1- und 2-Acetyl- bzw. -Propionyl-anthracenen aus, die durch Kondensation von Anthracen mit Carbonsäure-chloriden gut zugänglich sind[4].

9,10-Anthrachinone mit beliebigen Alkyl-Gruppen können aus den Anthracen-mono- und -dicarbonsäuren nach folgendem Reaktionsschema hergestellt werden[5]:

Die Acyl-anthracene – bzw. in der α-Reihe deren Semicarbazone – werden durch Hydrazin zu den Alkyl-anthracenen reduziert und anschließend wie üblich oxidiert[6,7].

---

[1] G. SCHRÖTER, B. **54**, 2242 (1921).
   DRP. 346 673 (1918), Tetralin GmbH; Frdl. **13**, 387.
   L. F. FIESER, Am. Soc. **53**, 2335 (1931).
[2] R. ROBL, I. G. Farb. Ludwigshafen (1934).
[3] J. v. BRAUN, G. KIRSCHBAUM u. H. SCHUHMANN, B. **53**, 1165 (1920).
[4] DRP. 492 247, 493 688, 499 051 (1926), I. G. Farb., Erf.: A. LÜTTRINGHAUS u. F. KAČER; Frdl. **16**, 1195; **17**, 1135, 1152.
[5] H. WALDMANN u. A. OBLATH, B. **71**, 366 (1938).
[6] H. WALDMANN u. E. MARMORSTEIN, B. **70**, 106 (1937).
[7] G. MANECKE u. W. STORCK, B. **94**, 3243 (1961).

Läßt man Anthrachinon-1-diazoniumsulfat auf 1,1-Dichlor-äthylen in Methanol in Gegenwart von Kupfer(I)-chlorid einwirken, so entsteht in guter Ausbeute der *9,10-Anthrachinonyl-(1)-essigsäure-methylester*[1]:

(s. a. S. 348)

9,10-Anthrachinonyl-(1)-essigsäure-methylester[1]: 15 g (0,043 Mol) trockenes 9,10-Anthrachinon-1-diazoniumsulfat (97%-ig), 48,4 g (0,5 Mol) 1,1-Dichlor-äthylen und 100 *ml* wasserfreies Methanol werden auf 30° erwärmt. Beim Einrühren von 0,2 g Kupfer(I)-chlorid setzt sofort die Stickstoff-Entwicklung ein, so daß man schwach kühlen muß. Nach ~ 30 Min. bei 30–35° ist die Gasentwicklung beendet und der Ester beginnt auszukristallisieren.

Nach weiteren 30 Min. wird solange destilliert, bis ein Siedepunkt von 65° erreicht ist; dann wird weitere 30 Min. unter Rückfluß erhitzt. Nach dem Erkalten wird der Ester abgesaugt, zunächst mit Methanol, dann mit verd. Ammoniak und schließlich mit Wasser ausgewaschen. Der Ester entsteht in vorzüglicher Ausbeute (11,2 g an 98%-igem Produkt); F: 190,5–191,5° (aus Butanol).

2. Herstellung von Alkenyl-9,10-anthrachinonen

1-Vinyl-9,10-anthrachinon und ein Gemisch von *1,5-* und *1,8-Divinyl-9,10-anthrachinon* sind durch Diensynthesen zugänglich (s. S. 29).

1- und vor allem *2-Vinyl-9,10-anthrachinon* (F: 171–172°)[2, 3] sowie *2-Propenyl-9,10-anthrachinon* (F: 129–130°)[3, 4] werden aus den (α-Brom-alkyl)- bzw. (α-Hydroxy-alkyl)-9,10-anthrachinonen durch Eliminierungs-Reaktionen erhalten. Auch der Weg: Umsetzung von 9,10-Anthrachinon-2-aldehyd mit Malonsäure-diester und anschließende Decarboxylierung wurde eingeschlagen[5]. In allen Fällen sind die Ausbeuten unbefriedigend (in der älteren Literatur sind sie meist zu hoch angegeben; s. dazu Lit.[6]).

Das beste Herstellungsverfahren für *2-Vinyl-9,10-anthrachinon* dürfte die Wittig-Synthese aus 9,10-Anthrachinon-2-aldehyd und dem Ylid aus Methyl-triphenyl-phosphoniumbromid sein[6].

Die Alkenyl-9,10-anthrachinone sind homo- und heteropolymerisierbar. Derartige Polymere können als Elektronenaustauscher Verwendung finden.

[1] DOS. 2 323 543 (1972), Montedison S.p.A., Erf.: G. G. RIBALDONE u. G. BORSOTTI; C. A. **80**, 61 068[b] (1974).
[2] G. MANECKE u. W. STORCK, B. **94**, 3239 (1961).
[3] A. ÉTIENNE et al., C. r. **256**, 2429 (1963); Bl. **1966**, 2913.
  Fr.P. 1 336 713 (1962), L'Air Liquide S. A., Erf.: A. ÉTIENNE, G. ARDITTI u. A. CHMELEVSKY; C. A. **60**, 2874[d] (1964).
  S. a. A. ÉTIENNE, G. IZORET u. F. MORITZ, C. r. **249**, 708 (1959).
[4] G. MANECKE, K. CREUTZBURG u. J. KLAWITTER, B. **99**, 2440 (1966).
[5] M. FERNANDEZ-REFOJO et al., J. Org. Chem. **25**, 416 (1960).
[6] A. J. GRADWELL u. J. T. GUTHRIE, Polymer **17**, 643 (1976).

3. Herstellung von Aryl-9,10-anthrachinonen

Die Möglichkeiten, Aryl-9,10-anthrachinone durch Phthalsäureanhydrid-Kondensationen herzustellen, sind begrenzt (die meist glatt verlaufenden Kondensationen mit polycyclischen Aromaten, wie Naphthalin, Pyren usw. werden hier nicht berücksichtigt, da sie zu höher kondensierten Anthrachinonen führen).

Biphenyl läßt sich zwar glatt mit Phthalsäureanhydrid (1:1) nach Friedel-Crafts kondensieren[1]. Durch Einwirkung von Schwefelsäure wird jedoch zunächst die 2-Biphenyl-oyl-benzoesäure sulfiert, und dann erst tritt eine Cyclisierung zum *2-(4-Sulfo-phenyl)-9,10-anthrachinon* ein. Nach dem Verdünnen des Ansatzes mit Wasser und Erhitzen im Autoklaven bei 40 atü läßt sich die Sulfo-Gruppe abspalten (Ausbeute: ~50% d.Th.)[2]. Das *2-(4-Chlor-phenyl)-9,10-anthrachinon* (F: 208–209°) hingegen entsteht ohne Komplikationen[1].

Recht gut läßt sich auch Phthalsäureanhydrid mit 4-Acetylamino-biphenyl in Gegenwart von ~5 Mol Aluminiumchlorid kondensieren. Der Ringschluß zum *2-(4-Amino-phenyl)-9,10-anthrachinon* (F: 221,5°) erfolgt durch 3stdg. Erhitzen mit Schwefelsäure-Monohydrat unter Borsäure-Zusatz auf 125°[3].

Über die Kondensation von Phthalsäureanhydrid mit 2,2'- und 4,4'-Dimethyl-biphenyl s. Lit.[4].

Das *2,2'-Bi-(9,10-anthrachinonyl)* läßt sich gut aus dem Biphenyl-3,4,3',4'-tetracarbonsäure-bis-anhydrid und Benzol herstellen[5].

1-Phenyl-9,10-anthrachinon (F: 179,9–180,5°) läßt sich auch durch Umsetzung von 1-Jod-9,10-anthrachinon mit Lithium-diphenylkuprat(I) [Li(C$_6$H$_5$)$_2$Cu] in THF[6,7] und ähnlich das *1,8-Diphenyl-9,10-anthrachinon*[7,8] mittels Lithium-triphenylkuprat(I) [Li$_2$(C$_6$H$_5$)$_3$Cu] herstellen.

Durch Grignard-Reaktionen (s.S. 33), Diensynthesen (s.S. 23) und über die Anthrone (s. S. 41) ist ebenfalls eine Reihe von Aryl-9,10-anthrachinonen zugänglich.

Besonders einfach können sie nach der Gomberg-Reaktion durch Umsetzung von 9,10-Anthrachinon-diazoniumsalzen mit Aromaten hergestellt werden. Hierbei ist es nicht erforderlich, die trockenen Diazoniumsalze mit Aromaten und Aluminiumchlorid umzusetzen[9], sondern es genügt bereits, zu einer Suspension des Amino-9,10-anthrachinons mit überschüssigem Natriumnitrit in dem Aromaten langsam Essigsäure einzutropfen[10].

1-Phenyl-9,10-anthrachinon[10]: Zu einer Suspension von 22,3 g feingepulvertem 1-Amino-9,10-anthrachinon und 12–15 g Natriumnitrit in 1 *l* trockenem Benzol werden bei 50° 15 *ml* Essigsäure unter Rühren zugetropft, bis das Amino-9,10-anthrachinon verschwunden ist. Dann wird filtriert, mit verd. Natronlauge ausgeschüttelt und eingedampft. Aus dem Rückstand werden nach dem Umkristallisieren aus Essigsäure-äthylester 70% d.Th. 1-Phenyl-9,10-anthrachinon (F: 177–178°) gewonnen.

In analoger Weise wurden hergestellt[10]:

6-Chlor-1-phenyl-9,10-anthrachinon	F: 251°
7-Chlor-1-phenyl-9,10-anthrachinon	F: 150–151°

---

[1] P. H. Groggins, Ind. eng. Chem. **22**, 620, 626 (1930).
[2] US.P. 2 499 702 (1947), Buffalo Electro-Chemical Co., Erf.: R. R. Umhoefer; C. A. **44**, 7883[f] (1950).
[3] US.P. 1 814 148 (1929), Government and People of the USA, Erf.: P. H. Groggins; C. **1931 II**, 3158.
[4] R. Scholl u. W. Neovius, B. **44**, 1075 (1911).
R. Scholl u. C. Seer, B. **44**, 1091 (1911).
[5] DRP. 562 009 (1929), I. G. Farb., Erf.: G. Rösch; Frdl. **19**, 1975.
[6] H. O. House, D. G. Koepsell u. W. J. Campbell, J. Org. Chem. **37**, 1003 (1972).
[7] Die reaktionsfähigeren Fluor-anthrachinone hätten wahrscheinlich bessere Ausbeuten ergeben.
[8] H. O. House, D. G. Koepsell u. W. Jaeger, J. Org. Chem. **38**, 1169 (1973).
[9] FIAT Final Rep. Nr. **1313 III**, 84 (1948), I. G. Farb. Mainkur.
[10] DRP. 748 375 (1939), I. G. Farb., Erf.: W. Zerweck u. K. Schütz; C. **1945 I**, 1421.

2-Brom-1-phenyl-9,10-anthrachinon	F: 271–272°
4-Benzoylamino-1-phenyl-9,10-anthrachinon	F: 260–261°
5-Benzoylamino-1-phenyl-9,10-anthrachinon	F: 252–253° (80% d.Th.)
1,5-Diphenyl-9,10-anthrachinon	F: 338°
2-Phenyl-9,10-anthrachinon	F: 162°
3-Chlor-2-phenyl-9,10-anthrachinon	F: 174–175°

Führt man die Diazotierung von 1-Amino-9,10-anthrachinon in Nitrobenzol durch, so entsteht in ~ 70%-iger Ausbeute ein Gemisch aus *1-(2-* und *4-Nitro-phenyl)-9,10-anthrachinon.*

1,1'-Bi-(9,10-anthrachinonyl) wird mit guter Ausbeute aus 1-Chlor-9,10-anthrachinon durch Erhitzen mit Kupferpulver erhalten; analog das *2,2'-Dimethyl-1,1'-bi-(9,10-anthrachinonyl)*[1] (→ *Pyranthron*) und das *2,2'-Di-phthalimido-1,1'-bi-(9,10-anthrachinonyl)*[2] (→ *Flavanthron*). Eine Ausnahme macht das 4-Chlor-1-methyl-9,10-anthrachinon, das auf diese Weise in das *1-Methyl-9,10-anthrachinon* übergeführt wird (s.S. 48).

2,2'-Dimethyl-1,1'-bi-(9,10-anthrachinonyl)[1]: 41,6 g 1-Chlor-2-methyl-9,10-anthrachinon, 4 g 1,2-Di-chlor-benzol, 14 g Pyridinhomologe und 22,5 g Kupferbronze werden 3 Stdn. auf 150–160° erhitzt. Anschließend werden weitere 115 g 1,2-Dichlor-benzol und während des Siedens 20 g Natriumcarbonat zugegeben. Dann wird heiß abgesaugt, mit 1,2-Dichlor-benzol nachgewaschen und der Filterrückstand mit Wasserdampf destilliert. Das überschüssige Kupfer wird durch 3stdg. Erhitzen mit verd. Salzsäure unter Zugabe von Natrium-chlorat bei 50° entfernt; Ausbeute: 31,6 g (88% d.Th.).

Aus Bromaminsäure läßt sich in sehr guter Ausbeute das *4,4'-Diamino-1,1'-bi-(9,10-anthrachinonyl)* herstellen[3]:

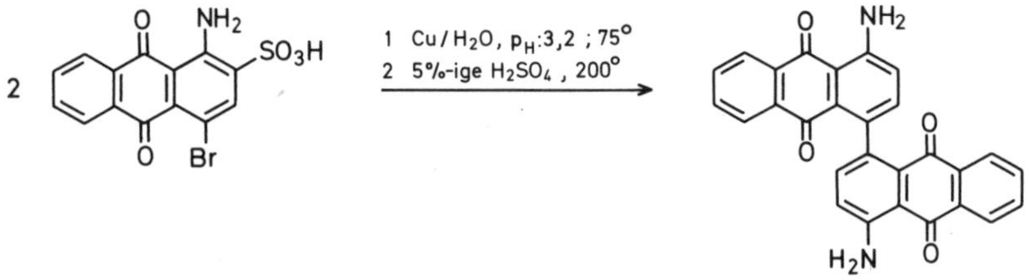

b) Herstellung von Halogen-9,10-anthrachinonen

1. von Fluor-9,10-anthrachinonen

α) durch Ringschluß-Reaktionen

Durch Kondensation von Phthalsäureanhydriden mit Aromaten, von denen mindestens eine Komponente ein Fluor-Atom enthalten muß, zu 2-Aroyl-benzoesäuren (s.S. 35 ff.) und deren Cyclisierung mit Schwefelsäure-Monohydrat bei ~ 100–120° lassen sich eine Reihe von Fluor-9,10-anthrachinonen gut herstellen; z.B.:

aus Phthalsäureanhydrid + Fluor-aromaten:

2-Fluor-9,10-anthrachinon[4]	F: 203–204°
3-Fluor-1-methyl-9,10-anthrachinon[5]	F: 129°
4-Fluor-1-methyl-9,10-anthrachinon[4]	F: 155–156°
3-Fluor-2-methyl-9,10-anthrachinon[4]	F: 172°

[1] BIOS Final Rep. Nr. **987**, 60 (1948), I.G. Farb. Ludwigshafen.
[2] FIAT Final Rep. Nr. **1313 II**, 175 (1948), I.G. Farb. Ludwigshafen.
[3] DAS. 1205215 (1960/1961), CIBA, Erf.: M. Jost, W. Kern u. M. Grélat; C.A. **60**, 698ᵉ (1964).
   Fr. P. 1546120 (1966/67), CIBA; C.A. **71**, 40216ˣ (1969).
[4] F.C. Hahn u. E.E. Reid, Am. Soc. **46**, 1645 (1924).
[5] O.R. Quayle u. E.E. Reid, Am. Soc. **47**, 2357 (1925).

4-Fluor-2-methyl-9,10-anthrachinon[1]	F: 135,5°
4-Fluor-1,3-dimethyl-9,10-anthrachinon[2]	F: 178°
4-Fluor-1-äthyl-9,10-anthrachinon[1]	F: 80–82°
3-Fluor-2-äthyl-9,10-anthrachinon[1]	F: 110°

aus Fluor-phthalsäureanhydriden + Aromaten:

1-Fluor-9,10-anthrachinon[3]	F: 234°
1,4-Difluor-9,10-anthrachinon[4]	F: 225° (44% d. Th.)
1,2,3,4-Tetrafluor-9,10-anthrachinon[5]	F: 189–191°;
	F: 193°[6]

Eine Verbindung von der Bruttoformel des *Octafluor-9,10-anthrachinons*[7] (F: 342–343°) entsteht in 72%-iger Ausbeute durch 30 min. Verschmelzen von Tetrafluor-phthalsäureanhydrid mit Kaliumfluorid im Autoklaven bei 310°. Geht man von Tetra-chlor-phthalsäureanhydrid aus und erhitzt dieses mit 3 Tln. Kaliumfluorid 2 Stdn. auf 300°, so beträgt die Ausbeute 42% d. Th.

β) Fluor-9,10-anthrachinone durch Austausch von Chlor- und Brom-Atomen gegen Fluor-Atome

Die Umsetzungen von Halogen-9,10-anthrachinonen mit trockenem Kaliumfluorid vollziehen sich meist mit guten Ausbeuten durch 24–35 stdg. Erhitzen auf 220–270°[8]. So wurden erhalten[8]:

1-Fluor-9,10-anthrachinon	F: 226° (234°)
2-Fluor-9,10-anthrachinon	F: 196°
1,8-Difluor-9,10-anthrachinon	F: 222°

1,2,3,4-Tetrachlor-9,10-anthrachinon liefert nach 43 stdg. Erhitzen mit Kaliumfluorid – von 200 langsam auf 250° ansteigend – das *1,2,3,4-Tetrafluor-9,10-anthrachinon* (F: 192,5–193,5°) in 92%-iger Ausbeute[6].

Vorteilhaft arbeitet man jedoch in Diphenylsulfon. Selbst aus dem wenig reaktionsfähi-gen 2,3-Dichlor-9,10-anthrachinon (1 Tl.) wird durch 7 stdg. Erhitzen mit Kaliumfluorid (1 Tl.) in Diphenylsulfon (10 Tle.) auf 300° das *2,3-Difluor-9,10-anthrachinon* (F: 195,5°) in 52%-iger Ausbeute erhalten[9].

---

[1] O. R. QUAYLE u. E. E. REID, Am. Soc. **47**, 2357 (1925).

[2] F. C. HAHN u. E. E. REID, Am. Soc. **46**, 1645 (1924).

[3] Infolge der widersprüchlichen Angaben über die Eigenschaften des 1-Fluor-9,10-anthrachinons [s. Am. Soc. **46**, 1645 (1924)] wurden die nach verschiedenen Verfahren hergestellten 1-Fluor-9,10-anthrachinone mit-tels der ^{19}F-Kernresonanz, ^{13}C-Kernresonanz und der Protonen-220 MHz-Spektroskopie untersucht (D. WENDISCH, Bayer AG 1974), die alle dessen Konstitution sicherstellten.

Der Schmelzpunkt des besonders gereinigten 1-Fluor-9,10-anthrachinons liegt bei 234°; R. NEEFF, Bayer AG 1974.

Über die NMR- und UV-Spektren und die Dipolmomente einiger Fluor-9,10-anthrachinone s. A. Y. MEYER u. A. GOLDBLUM, Israel J. Chem. **11**, 791–804 (1973).

[4] M. BENTOV et al., Bl. **1970**, 1550.

[5] D. L. COE, B. T. CROLL u. C. R. PATRICK, Tetrahedron **23**, 503 (1967).

[6] G. G. YAKOBSON et al., Ž. obšč. Chim. **36**, 142 (1966), engl.: 147.

[7] G. G. YAKOBSON et al., Tetrahedron Letters **1965**, 4473.

V. N. ODINOKOV, G. G. YAKOBSON u. N. N. VOROZHTSOV jr., Ž. obšč. Chim. **37**, 176 (1967); engl.: 161.

[8] DAS. 1018042 (1953), Farbw. Hoechst, Erf.: O. SCHERER u. H. HAHN; C. A. **53**, 17054^f (1959).

[9] N. S. DOKUNIKHIN u. B. V. SALOV, Ž. obšč. Chim. **36**, 1313 (1966); engl.: 1328.

γ) Fluor-9,10-anthrachinone aus entsprechenden Diazonium-tetrafluoroboraten

Das einfachste Verfahren zur Gewinnung von Fluor-9,10-anthrachinonen ist die thermische Zersetzung von Anthrachinon-diazoniumtetrafluoroboraten in 1,2-Dichlor-benzol[1].

Bei einigen 4-substituierten 9,10-Anthrachinon-1-diazoniumtetrafluoroboraten entstehen statt der Fluor- die Aryl-9,10-anthrachinone[2].

Fluor-9,10-anthrachinone aus 9,10-Anthrachinon-diazoniumtetrafluoroboraten; allgemeine Arbeitsweise[1]: Die in Schwefelsäure in üblicher Weise diazotierten Amino-9,10-anthrachinone werden auf Eis gegossen, die abgeschiedenen Diazoniumsulfate scharf abgesaugt und in einer Anschlämmung mit Wasser durch Zugabe von Tetrafluoroborsäure zu den äußerst schwer löslichen Diazoniumtetrafluoroboraten umgesetzt. Diese werden vorsichtig, jedoch vollständig getrocknet und dann durch langsames Erhitzen und 1stdg. Rückflußsieden in Dichlorbenzol bis zur Beendigung der Stickstoff-Entwicklung zersetzt.

Die Ausbeuten an Diazoniumtetrafluoroboraten sind praktisch quantitativ und die der daraus hergestellten Fluor-9,10-anthrachinone betragen 30−70% d. Th.

Auf diese Weise wurden erhalten:

1-Fluor-9,10-anthrachinon	F: 226−227° (reinst F: 234°)
2-Fluor-9,10-anthrachinon	F: 203−204°
1,5-Difluor-9,10-anthrachinon	F: 230−231°
2,6-Difluor-9,10-anthrachinon	F: 228−229°
1-Fluor-5-chlor-9,10-anthrachinon	F: 201−203°[3]
2-Fluor-1-chlor-9,10-anthrachinon	F: 183−184°
1-Fluor-2-methyl-9,10-anthrachinon	F: 177−178°

1-Fluor-9,10-anthrachinon:

15 g Anthrachinon-1-diazoniumtetrafluoroborat werden in 75 *ml* 1,2-Dichlor-benzol innerhalb 15 Min. auf 130° erwärmt und noch ~ 2 Stdn. bei dieser Temp. bis zur Beendigung der Gasentwicklung gerührt. Nach dem Abkühlen saugt man die gelben Kristalle ab und wäscht sie mit Methanol aus. Nach dem Trocknen werden 8,9 g 1-Fluor-9,10-anthrachinon (84,4% d. Th.) (F: 228°) erhalten. Zur Reinigung löst man diese in 50 *ml* konz. Schwefelsäure und tropft bei 15−20° langsam 30 *ml* Wasser ein. Das in gelben Prismen auskristallisierte Produkt wird abgesaugt und mit Wasser ausgewaschen; Ausbeute: 7,6 g (71% d. Th.); F: 231−232°. Unterwirft man diese der Sublimation, so erhält man das reine, in gelben Nadeln kristallisierende 1-Fluor-9,10-anthrachinon (F: 234°).

2. Herstellung von Chlor- und Brom-9,10-anthrachinonen[4,5]

α) durch Synthesen mit Phthalsäureanhydriden

Durch Kondensation von Phthalsäureanhydrid mit Chlor-aromaten bzw. von Chlor-phthalsäureanhydriden mit Aromaten oder Chlor-aromaten und anschließendem Ringschluß (s. a. Bd. VII/2a, S. 342ff., 355, 360 u. 369) lassen sich einige Chlor-9,10-anthrachinone problemlos herstellen (s. dazu die allgemeinen Ausführungen auf S. 35ff.).

[1] G. VALKANAS u. H. HOPFF, J. Org. Chem. **27**, 3680 (1962).
[2] DBP. 1167808 (1961/62), Degussa, Erf.: G. VALKANAS; C. A. **61**, 7148[b] (1964).
   G. VALKANAS u. H. HOPFF, J. Org. Chem. **29**, 489 (1964).
[3] W. E. SOLODAR u. M. S. SIMON, J. Org. Chem. **27**, 689 (1962).
[4] Absorptionsspektren von Di- und Poly-halogen-9,10-anthrachinonen: L. S. TUSHISHVILI et al., Ž. fiz. Chim. **45**, 3081 (1971); engl.: 1746.
[5] IR-Spektren von Chlor-9,10-anthrachinonen: H. BLOOM et al., Soc. **1959**, 178.

So wird aus Phthalsäureanhydrid und Chlorbenzol (s. Bd. VII/2a, S. 356) glatt das *2-Chlor-9,10-anthrachinon*[1] erhalten.

Aus 1,2-Dichlor-benzol entsteht ein Gemisch aus ~85% *2,3-Dichlor-* und ~15% *1,2-Dichlor-9,10-anthrachinonen*, deren Trennung auf verschiedene Weise durchgeführt werden kann (z.B. durch Umkristallisieren des schwerer löslichen 2,3-Dichlor-9,10-anthrachinons oder durch Überführung des 1,2-Dichlor-9,10-anthrachinons in die 1-Sulfonsäure s. Vorschrift auf S. 56).

Phthalsäureanhydrid und 1,3-Dichlor-benzol führen nur mit ~45% zur 2-(2,4-Dichlor-benzoyl)-benzoesäure. Der Rest besteht größtenteils aus phthalidartigen Kondensationsprodukten. Zweckmäßig wird das Rohprodukt direkt dem Ringschluß unterworfen, wodurch das *1,3-Dichlor-9,10-anthrachinon* (F: 209°) in 40% Ausbeute anfällt[2]. Ebenso verhält sich das 2,4-Dichlor-toluol, das zum *2,4-Dichlor-1-methyl-9,10-anthrachinon* führt.

1,4-Dichlor-benzol läßt sich mit Phthalsäureanhydrid praktisch nicht zur 2-(2,5-Dichlor-benzoyl)-benzoesäure kondensieren[3].

Über die Herstellung des *1,4-Dichlor-9,10-anthrachinons* aus Phthalid und 1,4-Dichlor-benzol s. S. 43.

Aus 2-Chlor-toluol entsteht ein Gemisch aus *3-Chlor-2-methyl-* und *1-Chlor-2-methyl-9,10-anthrachinon* (~80:20), das durch fraktionierte Kristallisation aus Schwefelsäure in die Komponenten getrennt werden kann (s. Vorschrift S. 56)[4].

Einheitlich läßt sich das *4-Chlor-1-methyl-9,10-anthrachinon* (F: 164°) gewinnen[5], ebenso das *1,3-Dichlor-2-methyl-9,10-anthrachinon* (F: 176–178°) (mit 20%-igem Oleum bei 95°).

Aus 4-Chlor-phthalsäureanhydrid und 2-Chlor-toluol entstehen alle vier isomeren *Dichlor-methyl-9,10-anthrachinone*. Chlor-phthalsäuren lassen sich um so leichter mit Aromaten kondensieren, je mehr Chlor-Atome im Phthalsäure-Rest enthalten sind.

So soll es gelingen, Tetrachlor-phthalsäure nicht nur mit 1,4-Dichlor-benzol, sondern sogar mit 1,2,4-Trichlor-benzol zu kondensieren[6]. Jedoch erfolgen die Ringschlüsse der chlorierten Benzoyl-benzoesäuren mit steigender Zahl von Chlor-Atomen – gleich, wie diese verteilt sind – immer schwerer, da dabei auffallenderweise leicht Sulfierungen eintreten[7, 8]. Die Cyclisierungen werden in der Regel mit Schwefelsäure-Monohydrat bei 150° innerhalb von 5–7 Min. durchgeführt, wobei die Ausbeuten meist zwischen 40–60% d.Th. liegen.

Andere Ringschlußverfahren sind entweder noch nicht erprobt worden oder liefern keine höheren Ausbeuten. Bemerkenswert ist ferner, daß beim Erhitzen der 3,4,5,6-Tetrachlor-2-(2,5-dichlor-benzoyl)-benzoesäure auf 180° eine Rückspaltung in Tetrachlor-phthalsäureanhydrid und 1,4-Dichlor-benzol eintritt[8].

[1] BIOS Final Rep. Nr. **987**, 11 (1948), I.G. Farb. Ludwigshafen.
   F. ULLMANN u. M. SONE, A. **380**, 337 (1911).
[2] vgl. E. DE BARRY BARNETT, N.F. GOODWAY u. J.W. WATSON, B. **66**, 1876 (1933).
   A. GOLDBERG, Soc. **1931**, 1789, 2830.
   DRP. 565041 (1927), Newport Co.; Frdl. **18**, 1240.
[3] Feststellung mehrerer Autoren.
[4] US.P. 2033363 (1934), DuPont, Erf.: J.M. TINKER u. V.M. WEINMAYR; C. **1936 II**, 3196.
[5] G. HELLER u. K. SCHÜLKE, B.**41**, 3635 (1908).
[6] A. ECKERT u. K. STEINER, M. **36**, 269 (1915).
[7] G. KIRCHER, A. **238**, 338 (1887).
[8] A. HOFMANN, M. **36**, 805 (1915).

3,6-Dichlor-phthalsäureanhydrid

+ Benzol	→ *1,4-Dichlor-9,10-anthrachinon*[1]; F: 187,5°
Toluol	→ *5,8-Dichlor-2-methyl-9,10-anthrachinon*[2]; F: 242–244°
+ 1,2-Dichlor-benzol	→ *1,4,6,7-Tetrachlor-9,10-anthrachinon*[3]; F: 259°

4,5-Dichlor-phthalsäureanhydrid

+ Benzol	→ *2,3-Dichlor-9,10-anthrachinon*[1]; F: 267°
+ Chlorbenzol	→ *3,6,7-Trichlor-9,10-anthrachinon*[4]; F: 244–246°
+ 1,3-Dichlor-benzol	→ *1,3,6,7-Tetrachlor-9,10-anthrachinon*[4]; F: 209–211°
+ 1,2-Dichlor-benzol	→ *2,3,6,7-Tetrachlor-9,10-anthrachinon*[5];

Bei der Cyclisierung der 3,4,5,6-Tetrachlor-2-benzoyl-benzoesäure fallen nur ∼ 40% *1,2,3,4-Tetrachlor-9,10-anthrachinon* an[6].

Aus **Tetrachlor-phthalsäureanhydrid** [mit Phosphor(V)-chlorid in Nitrobenzol] wurden u. a. erhalten:

+ Chlorbenzol	→ *1,2,3,4,6-Pentachlor-9,10-anthrachinon*; F: 212–213°
+ 1,2-Dichlor-benzol	→ *1,2,3,4,6,7-Hexachlor-9,10-anthrachinon*[5]; F: 249–250°
+ 1,4-Dichlor-benzol	→ *1,2,3,4,5,8-Hexachlor-9,10-anthrachinon*[7]; F: 298°
+ Toluol	→ *5,6,7,8-Tetrachlor-2-methyl-9,10-anthrachinon*[8]; F: 195–196°
+ 4-Chlor-biphenyl	→ *5,6,7,8-Tetrachlor-2-(4-chlor-phenyl)-9,10-anthrachinon*[9]; F: 245–247°

2,3-Dichlor-9,10-anthrachinon[10]:

a) Kondensation: 1,2 kg 1,2-Dichlor-benzol werden mit 645 g gepulvertem Aluminiumchlorid verrührt. Dann trägt man langsam 300 g Phthalsäureanhydrid so ein, daß die Chlorwasserstoff-Entwicklung nicht zu stürmisch erfolgt. Zum Schluß läßt man die Temp. auf 95° ansteigen und hält diese noch ∼ 1 Stde.

Die dicke Masse wird hierauf durch Austragen in salzsäurehaltiges Eiswasser zersetzt und das überschüssige 1,2-Dichlor-benzol mit Wasserdampf überdestilliert. Nach dem Erkalten trennt man die wäßr. Phase ab und dekantiert mehrmals mit Wasser. Das Reaktionsprodukt wird in verd. Natronlauge gelöst, die Lösung filtriert und in verd. Schwefelsäure eingegossen. Die *2-(3,4-Dichlor-benzoyl)-benzoesäure* wird abgesaugt, ausgewaschen und getrocknet; Ausbeute: 540 g (90% d. Th.); F: 178–182°.

b) Ringschluß: 150 g dieser Carbonsäure werden langsam in ein Gemisch aus 160 g 96%-iger Schwefelsäure und 290 g 24%-igem Oleum eingetragen und 90 Min. auf 115° erhitzt. Hierauf rührt man das Gemisch von *2,3-* und *1,2-Dichlor-9,10-anthrachinon* in Eiswasser ein, saugt ab und wäscht säurefrei. Man erhält (auf Trockensubstanz ber.) 140 g (97% d. Th.).

Zur Abtrennung des *1,2-Dichlor-9,10-anthrachinons* (13%) wird der feuchte Nutschkuchen mit einer Lösung aus 35 g krist. Natriumsulfit und 3,5 g Natriumcarbonat in 700 *ml* Wasser 10 Stdn. unter Druck (5 Atü) auf 130° erhitzt, wodurch aus dem 1,2-Isomeren die *2-Chlor-9,10-anthrachinon-1-sulfonsäure* entsteht, die durch mehrfaches Auskochen mit Wasser abgetrennt wird. Zurück bleiben 119 g (85% d. Th.) isomerenfreies *2,3-Dichlor-9,10-anthrachinon* (F: 267°).

3-Chlor-2-methyl-9,10-anthrachinon[11]: 275 g der aus Phthalsäureanhydrid und 2-Chlor-toluol erhaltenen isomeren 2-(Chlor-methyl-benzoyl)-benzoesäuren werden in 2,22 kg 25%-igem Oleum gelöst und 3 Std. auf 100–105° erhitzt. Dann rührt man so viel 20%-ige Schwefelsäure ein, bis eine Konzentration von 83% erreicht ist. Während des Verdünnungsvorgangs soll die Temp. 80–100° betragen. Dabei scheidet sich das gesamte *3-Chlor-2-methyl-9,10-anthrachinon* kristallin ab, das kalt abgesaugt, mit 83%-iger Schwefelsäure nachgewaschen und wie üblich aufbereitet wird; Ausbeute 210 g (82% d. Th.); F: 212–216°.

Das Schwefelsäure-Filtrat wird dann auf eine Schwefelsäure-Konzentration von 20% verdünnt, die kristalline Abscheidung abfiltriert, mit Wasser ausgewaschen und mit verd. Natronlauge digeriert. Man erhält 27 g (10,5% d. Th.) weitgehend reines *2-Chlor-1-methyl-9,10-anthrachinon* (F: 170–173°).

Die Kondensation von Phthalsäureanhydrid mit Brombenzol und der nachfolgende Ringschluß mit Schwefelsäure zum *2-Brom-9,10-anthrachinon* (F: 209°) vollziehen sich

[1] F. ULLMANN u. G. BILLIG, A. **381**, 15 (1911).

[2] A. ECKERT u. G. ENDLER, J. pr. **102**, 334 (1921).

[3] C.F.H. ALLEN et al., J. Org. Chem. **7**, 65 (1942).

[4] J. MÜLLER, I.G. Farb. Ludwigshafen (1941).

[5] N.S. DOKUNIKHIN, Z.Z. MOISEEVA u. V.A. MAYATNIKOVA, Ž. org. Chim. **2**, 516 (1966); engl.: 518.

[6] G. KIRCHER, A. **238**, 338 (1887).

[7] A. HOFMANN, M. **36**, 815 (1915).

[8] A. ECKERT u. G. ENDLER, J. pr. **102**, 336 (1921).

[9] US.P. 2233502 (1938), DuPont, Erf.: A.J. WUERTZ u. W.L. RINTELMAN; C.A. **35**, 3830[9] (1941).

[10] BIOS Final Rep. Nr. **987**, 10 (1948), I.G. Farb. Ludwigshafen.

[11] US.P. 2033363 (1934), DuPont, Erf.: J.M. TINKER u. V.M. WEINMAYR; C. **1936 II**, 3196.

S. a. F. ULLMANN u. I.C. DASGUPTA, B. **47**, 557 (1914).

ohne Schwierigkeiten[1]. Jedoch bereits mit den Brom-toluolen treten Isomerisierungen ein[2].

β) Chlor-9,10-anthrachinone aus 9,10-Anthrachinon-sulfonsäuren durch Einwirkung von Chlorat und Salzsäure

Für die präparative und technische Herstellung einer großen Zahl von Mono- und Polychlor-9,10-anthrachinonen ist die von A. Fischer[3,4] 1907 aufgefundene Überführung von 9,10-Anthrachinon-sulfonsäuren in Chlor-9,10-anthrachinone durch Einwirkung von Chlorat und Salzsäure wohl die wichtigste Methode. Diese verläuft praktisch quantitativ und ist auf 9,10-Anthrachinon-1- und -2-sulfonsäuren anwendbar, die außerdem durch Halogen-Atome, Methyl-, Nitro-, Cyan- oder Carboxy-Gruppen substituiert sein können. 2-ständige Sulfo-Gruppen reagieren mit gleich guten Ausbeuten wie 1-ständige, jedoch langsamer. Infolgedessen ist es sogar möglich, Di- und Polychlor-9,10-anthrachinon-sulfonsäuren analytisch zu erfassen (s. S. 73).

Bei der Durchführung der Reaktion ist darauf zu achten, daß stets nahe beim Siedepunkt und in genügender Verdünnung gearbeitet wird, da sonst bei Disulfonsäuren die schwer löslichen Chlor-sulfonsäuren auskristallisieren, die nur schwierig wieder in Lösung zu bringen sind. Bei niederen Temperaturen entstehen zu hohe Konzentrationen an dem **explosiven** Chlordioxid.

Auf diese Weise wurden hergestellt:

1-Chlor-9,10-anthrachinon[3]	F: 162°
1-Chlor-5-nitro-9,10-anthrachinon[4]	F: 315°
1-Chlor-6-nitro-9,10-anthrachinon[5]	F: 275°
1-Chlor-7-nitro-9,10-anthrachinon[5]	F: 257°
1,5-Dichlor-9,10-anthrachinon[3,5]	F: 245°
1,6-Dichlor-9,10-anthrachinon[5]	F: 203°
1,7-Dichlor-9,10-anthrachinon[5]	F: 213–214°
1,8-Dichlor-9,10-anthrachinon[5]	F: 204°
2,6-Dichlor-9,10-anthrachinon[5]	F: 292°
2-Fluor-5-chlor-9,10-anthrachinon[6]	F: 191–192°
5,6-Difluor-1-chlor-9,10-anthrachinon[7]	F: 237°
5-Chlor-1,4-dimethyl-9,10-anthrachinon[8]	
2-Chlor-3-nitro-9,10-anthrachinon[9]	F: 236–239°
1-Nitroso-9,10-anthrachinon-2-sulfonsäure	
→*2-Chlor-1-nitro-9,10-anthrachinon*[9]	F: 267–268,5°

Die 9,10-Anthrachinon-disulfonsäuren lassen sich meist gut in die Chlor-9,10-anthrachinon-sulfonsäuren überführen, wenn man geringere Chlorat-Mengen einsetzt und die Reaktion unterbricht, sobald sich Dichlor-9,10-anthrachinon abzuscheiden beginnt. Bei der Herstellung des *2,6-Dichlor-9,10-anthrachinons* muß man sogar in zwei Stufen arbeiten, da sich die schwerlösliche 2-Chlor-9,10-anthrachinon-6-sulfonsäure leicht der Weiterchlorierung entzieht.

---

[1] P. H. GROGGINS et al., Ind. eng. Chem. **23**, 893 (1931).
[2] G. HELLER, B. **45**, 792 (1912).
   G. HELLER u. K. MÜLLER-BARDORFF, B. **58**, 497 (1925).
   O. R. QUAYLE u. E. E. REID, Am. Soc. **47**, 2357 (1925).
[3] DRP. 205 195, 205 913 (1907), Farbf. Bayer, Erf.: A. FISCHER; Frdl. **9**, 673.
[4] DRP. 214 150 (1908), Farbf. Bayer, Erf.: A. FISCHER; Frdl. **9**, 674.
[5] H. E. FIERZ-DAVID, Helv. **10**, 209–227 (1927).
[6] DBP. 889 750 (1951; Schweiz. Prior. 1950), CIBA, Erf.: W. JENNY u. W. KERN; C. **1954**, 4954.
[7] G. VALKANAS u. H. HOPFF, Soc. **1963**, 1923.
[8] Tschechosl. P. 146 912 (1971), J. ARIENT; C. A. **79**, 6795ʳ (1973).
[9] DRP. 571 651 (1929; Brit. Prior. 1928), Scottish Dyes Ltd.; Frdl. **19**, 1943.

Polychlor-9,10-anthrachinone lassen sich ebenfalls mit vorzüglichen Ausbeuten und in großer Reinheit herstellen, z.B.:

1,4-Dichlor-9,10-anthrachinon-6-sulfonsäure	→ *1,4,6-Trichlor-9,10-anthrachinon*[1]; F: 237°
1,8-Dichlor-9,10-anthrachinon-6-sulfonsäure	→ *1,4,8-Trichlor-9,10-anthrachinon*; F: 254°
1,8-Dichlor-9,10-anthrachinon-4,5-disulfonsäure	→ *1,4,5,8-Tetrachlor-9,10-anthrachinon*[2]; F: 254°

Aus den entsprechenden 9,10-Anthrachinon-tetrasulfonsäuren (s. S. 69) wurden hergestellt[3]:

1,3,5,7-Tetrachlor-9,10-anthrachinon	F: 263°
1,3,6,8-Tetrachlor-9,10-anthrachinon	F: 232°

1-Chlor-9,10-anthrachinon[4]: 660 g 9,10-Anthrachinon-1-sulfonsaures Kalium werden als ~ 35%-ige Paste mit 5 l Wasser angeschlämmt, 850 g 30%-ige Salzsäure zugegeben und auf 98° erhitzt. Dazu fließt innerhalb von 16 Stdn. eine Lösung von 250 g Natriumchlorat in 2,5 l Wasser. Die Umsetzung ist nach etwa 24 Stdn. beendet. Hierauf wird Wasser zugegeben und bei 80° abfiltriert; Ausbeute: 473 g (94% d.Th.); F: 160°.

1,8-Dichlor-9,10-anthrachinon[5]: 450 g 9,10-Anthrachinon-1,8-disulfonsaures Kalium werden als ~ 35%-ige Paste in 3,5 l Wasser mit 700 ml 30%-iger Salzsäure und 200 g 78%-iger Schwefelsäure auf 98° erhitzt und innerhalb von 60 Stdn. mit einer 20%-igen Lösung von 170 g Natriumchlorat versetzt (bis die Disulfonsäure verbraucht ist). Hierauf wird das reine 1,8-Dichlor-9,10-anthrachinon (F: 203°) abgesaugt und mit heißem Wasser ausgewaschen.

In gleicher Weise kann das *1,5-Dichlor-9,10-anthrachinon* hergestellt werden.

2,6-Dichlor-9,10-anthrachinon[5]: 168 g (100%-ig) 9,10-Anthrachinon-2,6-disulfonsaures Natrium werden als wasserhaltige Paste mit 3 l Wasser, 200 ml konz. Salzsäure und 200 g 78%-iger Schwefelsäure auf 98° erhitzt. Dann rührt man langsam eine Lösung von 150 g Natriumchlorat in 700 ml Wasser ein.

Nach 4tägiger Reaktionsdauer wird die entstandene 2-Chlor-9,10-anthrachinon-6-sulfonsäure kalt abgesaugt und nochmals der gleichen Prozedur unterworfen. Nach dem Absaugen und Auskochen mit Wasser resultieren 101 g (89% d.Th.) reines 2,6-Dichlor-9,10-anthrachinon (F: 292°).

1-Chlor-5-nitro-9,10-anthrachinon[6]: 400 g 9,10-Anthrachinon-1-sulfonsaures Kalium werden in 2,4 kg 96%-iger Schwefelsäure mit 116 g 80%-iger Salpetersäure innerhalb von 5 Stdn. bei 95° nitriert[7]. Bei 40° wird die auskristallisierte 1-Nitro-9,10-anthrachinon-5-sulfonsäure abgesaugt, zunächst mit 400 g 96%-iger und dann mit 200 g 78%-iger Schwefelsäure nachgewaschen. Die 1-Nitro-9,10-anthrachinon-8-sulfonsäure bleibt in Lösung. Nach dem Verdünnen mit Wasser kann diese als Kaliumsalz ausgesalzen werden.

Der Nutschkuchen wird mit 4 l Wasser und 400 g 30%-iger Salzsäure angeschlämmt und mit weiteren 5 l Wasser verdünnt. Bei 85° tropft dann eine 20%-ige Lösung von 22,5 g Natriumchlorat innerhalb von 6 Stdn. zu. Hierauf wird auf 95° erhitzt und nochmals eine 20%-ige Lösung von 22,5 g Natriumchlorat langsam eingerührt. Nach ~ 4stdg. Erhitzen auf 98° ist die Umsetzung beendet. Man erhält so 170 g (48,5% d.Th.) 1-Chlor-5-nitro-9,10-anthrachinon (F: 315°).

1-Chlor-8-nitro-9,10-anthrachinon[7]: Von einer Lösung aus 30 g Natriumchlorat, 85 g Natriumchlorid und 1,15 g Ammoniumchlorid in 400 ml Wasser wird zunächst ~ 1/6 mit einem Gemisch aus 38,4 g 1-Nitro-9,10-anthrachinon-8-sulfonsäure[8] und 1550 ml einer 25%-igen Schwefelsäure vermischt und 30 Min. zum Sieden erhitzt.

Dann wird der Rest der Chlorat-Lösung innerhalb von 4 Stdn. bei Siedetemp. eingerührt, anschließend der entstandene Kristallbrei bei 85° abgesaugt und säurefrei gewaschen. Das 1-Chlor-8-nitro-9,10-anthrachinon fällt so nahezu quantitativ an.

---

[1] DRP. 214714 (1908), BASF; Frdl. **9**, 678.
[2] H. Schilling, B. **46**, 1066 (1913).
[3] K. Kuppe, I.G. Farb. Leverkusen (1933).
[4] FIAT Final Rep. Nr. **1313 II**, 37 (1948), I.G. Farb. Leverkusen.
[5] BIOS Final Rep. Nr. **1484**, 15 (1948), I.G. Farb. Leverkusen.
[6] BIOS Final Rep. Nr. **1493**, 15 (1948), I. G. Farb. Leverkusen.
  DRP. 214150 (1908), Farbf. Bayer; Frdl. **9**, 674.
[7] US.P. 3378572 (1964), DuPont, Erf.: R.S. Wilder u. P. Grove; C.A. **69**, 11411[k] (1968).
[8] Herstellung s. DRP. 164293 (1903), Farbf. Bayer; Frdl. **8**, 235.

Die gut zugänglichen Cyan-9,10-anthrachinon-sulfonsäuren (s. S. 241) bzw. Carboxy-9,10-anthrachinon-sulfonsäuren lassen sich ebenfalls glatt in die Chlor-cyan-9,10-anthrachinone bzw. Chlor-9,10-anthrachinon-carbonsäuren überführen.

Es ist bemerkenswert, daß man sogar aus 1-Azido-9,10-anthrachinon-2-sulfonsäure das *2-Chlor-1-azido-9,10-anthrachinon* (Zers.P.: 179°) und analog das *2,6-Dichlor-1,5-diazido-9,10-anthrachinon* (Zers.P.: 141°) herstellen kann[1].

Hydroxy-9,10-anthrachinon-sulfonsäuren werden durch Chlorat und Salzsäure abgebaut. Eine Ausnahme macht die Alizarin-3-sulfonsäure, die sich mit guten Ausbeuten in das *3-Chlor-1,2-dihydroxy-9,10-anthrachinon* überführen läßt[2].

Wie vielfältig die Möglichkeiten sind, in Kombination mit der Sandmeyer-Reaktion Di- und Polyhalogen-9,10-anthrachinone herzustellen, sei an folgenden Beispielen veranschaulicht:

Der einfachste Weg zum *1,2-Dichlor-9,10-anthrachinon* (F: 188°) geht von der 1-Amino-9,10-anthrachinon-2-sulfonsäure aus, die über die Diazonium-Verbindung in die 1-Chlor-9,10-anthrachinon-2-sulfonsäure übergeführt und anschließend mit nascierendem Chlor behandelt wird.

In analoger Weise ist aus 4-Brom-1-amino-9,10-anthrachinon-2-sulfonsäure das *1,2-Dichlor-4-brom-9,10-anthrachinon* und durch Dibromieren der 1-Amino-9,10-anthrachinon-5-sulfonsäure mit anschließendem Ersatz der Amino-Gruppe durch Wasserstoff das *1-Chlor-6,8-dibrom-9,10-anthrachinon* zugänglich.

γ) Brom-9,10-anthrachinone aus 9,10-Anthrachinon-sulfonsäuren und Brom

Sulfo-Gruppen können auch gegen Brom in wäßriger Lösung ausgetauscht werden. Bei nicht-aktivierten Sulfonsäuren muß man die Umsetzung zwischen 200–240° unter Druck durchführen[3]. So wurden z. B. *1-Brom-, 1,5-Dibrom-* (F: 292°) und *1,8-Dibrom-9,10-anthrachinon* (F: 232°)[4] hergestellt. Aus der 1-Brom-9,10-anthrachinon-6(bzw. 7)-sulfonsäure entstehen bei 240° die *1,6-* bzw. *1,7-Dibrom-9,10-anthrachinone* (F: 210°)[5]. Die 9,10-Anthrachinon-1,5-disulfonsäure wurde durch 5-stündiges Erhitzen mit Brom in Wasser auf 180° in die *1-Brom-9,10-anthrachinon-5-sulfonsäure* überführt[3].

Auffallend leicht vollzieht sich der Austausch, wenn die Sulfo-Gruppe in o- oder p-Stellung zu einer Hydroxy- oder Amino-Gruppe steht. So setzen sich 1-Hydroxy-9,10-anthrachinon-2,4-disulfonsäure, 2-Hydroxy-9,10-anthrachinon-3-sulfonsäure und 4-Brom-1-amino-9,10-anthrachinon-2-sulfonsäure bereits zwischen 40–80° mit Chlor oder Brom um. Aus 2-Amino-9,10-anthrachinon-3-sulfonsäure entsteht *1,3-Dibrom-2-amino-9,10-anthrachinon*. Diese Verfahren sind bei den Halogen-hydroxy- bzw. Halogen-amino-9,10-anthrachinonen beschrieben.

1-Chlor-5-brom-9,10-anthrachinon[6]: 5 g 1-Chlor-9,10-anthrachinon-5-sulfonsäure werden mit 5 g Brom und 40 *ml* Wasser 30 Stdn. auf 230° erhitzt; Ausbeute: 2,5 g (63% d. Th.); F: 263° (gelbe Nadeln).

1,3-Dibrom-2-amino-9,10-anthrachinon[7]: Versetzt man eine wäßr. Lösung von 2-Amino-9,10-anthrachinon-3-sulfonsäure zwischen 20–40° mit Bromwasser, so entsteht mit 88%-iger Ausbeute 1,3-Dibrom-2-amino-9,10-anthrachinon (F: 249,5°; gelbbraune Nadeln).

[1] DRP. 580647 (1931), I. G. Farb., Erf.: P. Nawiasky u. B. Stein; Frdl. **20**, 1307.
[2] R. E. Schmidt, Farbf. Bayer.
[3] DRP. 205195, 205913 (1913), Farbf. Bayer; Frdl. **9**, 673.
[4] H. E. Fierz-David, Helv. **10**, 209 (1927).
[5] M. Battegay u. J. Claudin; Bl. [4] **29**, 1023 (1921).
[6] H. E. Fierz-David, Helv. **10**, 211 (1927).
[7] F. Ullmann u. R. Medenwald, B. **46**, 1803 (1913).

δ) Chlor- und Brom-9,10-anthrachinone durch Sandmeyer-Reaktionen[1]

Das Sandmeyer-Verfahren bietet derart viele Variationsmöglichkeiten, daß auf diese Weise sonst nicht zugängliche Di- und Poly-halogen-9,10-anthrachinone hergestellt werden können.

Der Austausch der Diazonium-Gruppe kann sowohl gegen Halogen-Atome als auch gegen Wasserstoff erfolgen, falls man von Halogen-amino-9,10-anthrachinonen ausgeht. Ohne Schwierigkeiten lassen sich so erhalten:

2-Brom-1-amino-9,10-anthrachinon	→ *1,2-Dibrom-9,10-anthrachinon*[2]
1-Amino-4-nitro-9,10-anthrachinon	→ *1-Brom-4-nitro-9,10-anthrachinon*[2]
2,4-Dibrom-1-amino-9,10-anthrachinon	→ *2,4-Dibrom-1-halogen-9,10-anthrachinone*[3]
4,5-Dichlor-1-amino-9,10-anthrachinon	→ *4,5-Dichlor-1-halogen-9,10-anthrachinone*[3]
1,3-Dibrom-2-amino-9,10-anthrachinon	→ *1,3-Dibrom-2-halogen-9,10-anthrachinone*[3]
1-Amino-5-benzoylamino-9,10-anthrachinon	→ *1-Chlor-5-benzoylamino-9,10-anthrachinon*

Auch tetraazotierte Diamino-9,10-anthrachinone lassen sich in die entsprechenden Dihalogen-9,10-anthrachinone überführen. Diese Darstellungsweise dürfte für die Herstellung des *1,4-Dibrom-9,10-anthrachinons* (F: 195–198°) und für die Überführung der 2,4,6,8-Tetrahalogen-1,5-diamino-9,10-anthrachinone in die 1,2,4,5,6,8-Hexahalogen-9,10-anthrachinone von Interesse sein[4].

Reines *1,8-Dichlor-2,7-dimethyl-9,10-anthrachinon* (F: 196–197°) ist nur aus dem entsprechenden Diamin zugänglich[5].

Für die Herstellung von Di- und Poly-halogen-9,10-anthrachinonen mit verschiedenen Halogen-Atomen kommt nur das Sandmeyer-Verfahren in Betracht. Die Möglichkeiten, Polyhalogen-anthrachinone herzustellen, werden noch erweitert, wenn man von den Amino-9,10-anthrachinon-sulfonsäuren ausgeht, diese zunächst der Sandmeyer-Reaktion unterwirft und anschließend mit Chlorat und Salzsäure behandelt (s. S. 67); z. B.:

1-Amino-9,10-anthrachinon-2-sulfonsäure	→ *1,2-Dichlor-9,10-anthrachinon*
1-Amino-9,10-anthrachinon-6-sulfonsäure	→ *1,6-Dichlor-9,10-anthrachinon*
5-Chlor-1-amino-9,10-anthrachinon-2-sulfonsäure	→ *1,2,5-Trichlor-9,10-anthrachinon*

Durch Reduktion der Diazonium-Verbindungen mit Äthanol im stark sauren Milieu, die meist sehr glatt verläuft, wurden z. B. folgende Verbindungen hergestellt:

4-Chlor-1-amino-2-methyl-9,10-anthrachinon	→ *4-Chlor-2-methyl-9,10-anthrachinon*
2,4(bzw. 1,3)-Dihalogen-1(bzw. 2)-amino-9,10-anthrachinone	→ *1,3-Dihalogen-9,10-anthrachinone*[3]
2,4,6,8(bzw. 1,3,5,7)-Tetrahalogen-1,5(bzw. 2,6)-diamino-9,10-anthrachinone	→ *1,3,5,7-Tetrahalogen-9,10-anthrachinone*[6, 7]
2,4,5,7(bzw. 1,3,6,8)-Tetrahalogen-1,8(bzw. 2,6)-diamino-9,10-anthrachinone	→ *1,3,6,8-Tetrahalogen-9,10-anthrachinone*[6, 7]

1,3-Dibrom-9,10-anthrachinon[3]: 7,7 g 1,3-Dibrom-2-amino-9,10-anthrachinon werden durch Erwärmen in 40 *ml* konz. Schwefelsäure gelöst. Nach dem Erkalten rührt man bei 20° 5 g Natriumnitrit ein und danach 20 g

[1] Die Diazotierung von Amino-anthrachinonen ist auf S. 220 beschrieben.
[2] M. BATTEGAY u. J.C. CLAUDIN, Bl. [4] **29**, 1021 (1921).
[3] F. ULLMANN u. O. EISER, B. **49**, 2154 (1916).
   DRP. 137074 (1901), BASF; Frdl. **7**, 165.
[4] K. KUPPE, Farbf. Bayer.
[5] R. SCHOLL u. K. ZIEGS, B. **67**, 1746 (1934).
[6] US.P. 2063420 (1935), DuPont, Erf.: W. DETTWYLER; C.A. **31**, 884[4] (1937).
[7] H. HOPFF, J. FUCHS u. K.H. EISENMANN, A. **585**, 178 (1954).

Eis. Nach beendeter Diazotierung wird das Diazoniumsulfat durch weitere Eiszugabe abgeschieden, abgesaugt und langsam mit 50 ml Äthanol und 5 g Kupfer(I)-hydroxid verrührt.

Sobald die Stickstoff-Entwicklung beendet ist, erwärmt man auf dem Wasserbad, filtriert und kocht den Rückstand mit verd. Salpetersäure aus. Rohausbeute: 97% d. Th.

Zur völligen Reinigung wird das Rohprodukt mit Essigsäure, dem etwas Chrom(VI)-oxid zugesetzt ist, rückfließend gekocht. Nach dem Erkalten kristallisieren gelbe Nadeln aus (F: 210°).

ε) Chlor-9,10-anthrachinone durch direkte Chlorierung von 9,10-Anthrachinonen

Die direkte Chlorierung von 9,10-Anthrachinon führt zu praktisch nicht trennbaren Gemischen. Selbst beim Molverhältnis 1:1 entstehen auch höherchlorierte Produkte.

Erst durch eine erschöpfende Chlorierung in Schwefelsäure-Monohydrat in Gegenwart von Jod bei 145–150° entsteht nach 7stdg. Reaktionsdauer einheitliches *1,2,3,4,5,6,8-Heptachlor-9,10-anthrachinon* in ~62%-iger Ausbeute[1].

Durch Chlorieren von 2-Methyl-9,10-anthrachinon wird das *1-Chlor-2-methyl-9,10-anthrachinon* technisch hergestellt[2].

1-Chlor-2-methyl-9,10-anthrachinon[3]: Man löst 400 g 2-Methyl-9,10-anthrachinon in 4 kg 5%-igem Oleum, gibt 1 g Jod zu und leitet bei 5–8° solange Chlor ein (Dauer: ~ 10 Stdn.), bis die Gewichtszunahme 131 g beträgt. Hierauf wird in Wasser eingerührt, abgesaugt und gut ausgewaschen. Das Rohprodukt ist durch 3-Chlor-2-methyl-9,10-anthrachinon verunreinigt. Dieses wird in die Sulfonsäure überführt, indem man das feuchte Nutschgut mit 1,78 kg Natriumsulfit (50%-ig), 90 g Natriumcarbonat und 44 g Kupfer(II)-sulfat in 10 l Wasser 15 Stdn. im Autoklaven auf 120° erhitzt (überraschenderweise reagiert hier das β-ständige Chlor-Atom bevorzugt!).

Ausbeute an 1-Chlor-2-methyl-9,10-anthrachinon: 276 g (59% d. Th.); F: 144–150°.

Das 2,3-Dimethyl-9,10-anthrachinon wird durch 5stdg. Erhitzen mit Sulfurylchlorid und Jod in Nitro-benzol auf 100° in reines *1,4-Dichlor-2,3-dimethyl-9,10-anthrachinon* (F: 235°) überführt[4].

Durch Chlorierung der 2-(4-Methyl-benzoyl)-benzoesäure sind z.B. das *3-Chlor-2-methyl-9,10-anthrachinon* (s.S. 35) und durch Chlorieren der 2-(4-Methyl-benzyl)-benzoesäure das *1,4-Dichlor-2-methyl-9,10-anthrachinon* (s.S. 41) zugänglich.

Alle Anthrachinone mit einem elektronenanziehenden Substituenten werden durch Chlor in ~5%-igem Oleum im unsubstituierten Kern – weitgehend zu 5,8-Dichlor-Verbindungen – chloriert; u.a. auch das 1,5-Dichlor-9,10-anthrachinon zu *1,4,5,8-Tetrachlor-9,10-anthrachinon* durch Chlorieren in 20%-igem Oleum bei 33–38°.

So wird aus 1-Nitro-9,10-anthrachinon in guter Ausbeute *1,4-Dichlor-5-nitro-9,10-anthrachinon* erhalten.

1,4-Dichlor-5-nitro-9,10-anthrachinon[5]: 300 g 1-Nitro-9,10-anthrachinon werden in einem Gemisch aus 3,15 l Schwefelsäure-Monohydrat und 400 ml 20%-igem Oleum unter Zusatz von 7 g Jod bei 30–40° innerhalb 2–3 Stdn. chloriert, bis eine Probe einen Chlor-Gehalt von 22% aufweist. Dann wird mit einer 50%-igen Schwefelsäure langsam auf eine Schwefelsäure-Konzentration von 93% verdünnt (Temp. < 80°), wobei sich das reine 1,4-Dichlor-5-nitro-9,10-anthrachinon (F: 252–256°) grobkristallin abscheidet; Ausbeute: ~85% d. Th.

Die Herstellung von Chlor-nitro-9,10-anthrachinonen durch Nitrieren von Chlor-9,10-anthrachinonen ist auf S. 77 beschrieben.

Durch Einleiten von Chlor in eine Lösung von 9,10-Anthrachinon-2-sulfonsäure in

---

[1] Fr.P. 1557169 (1967/68), BASF; C.A. **72**, 91489ˢ (1970).

[2] DRP. 597242 (1929), Scottish Dyes Ltd.; Frdl. **19**, 1915.

[3] BIOS Final Rep. Nr. **987**, 60 (1948), I.G. Farb. Ludwigshafen.

[4] U.S.P. 2533193 (1947), General Aniline and Film Corp., Erf.: F. Max u. D.I. Randall; C.A. **45**, 3163ᵍ (1951).

[5] DAS. 1161252 (1962), Farbf. Bayer, Erf.: W. Hohmann, H. Vollmann u. F. Baumann; C.A. **60**, 10622ᶜ (1964).

konz. Schwefelsäure bei 160° entsteht vorwiegend die *1,4-Dichlor-9,10-anthrachinon-6-sulfonsäure*[1] und analog die *1,4-Dichlor-9,10-anthrachinon-6-carbonsäure* (s. S. 261).

Zweckmäßig führt man die Chlorierung in 10%-igem Oleum bei 25° mit der ber. Menge Chlor in Gegenwart von Jod unter Druck durch[2]. Das durch Aussalzen in der Hitze abgeschiedene Salz ist praktisch reines 1,4-Dichlor-9,10-anthrachinon-6-sulfonsaures Natrium (Ausbeute: ~ 65% d. Th.).

In der Mutterlauge verbleiben die isomeren Dichlor-9,10-anthrachinon-sulfonsäuren.

Die Herstellung von Chlor-9,10-anthrachinon-sulfonsäuren durch Sulfieren von Chlor-9,10-anthrachinonen ist auf S. 59ff. und durch Sandmeyer-Reaktion auf S. 70ff. beschrieben.

ζ) Chlor-9,10-anthrachinone aus Nitro-9,10-anthrachinonen

Nitro-Gruppen lassen sich gegen Chlor austauschen, indem man auf 1-Nitro-9,10-anthrachinone in Trichlorbenzol ab ~ 170° Chlor einwirken läßt. Jedoch können dabei leicht auch andere Gruppen in Mitleidenschaft gezogen werden. So entsteht aus 1-Nitro-2-methyl-9,10-anthrachinon das *1-Chlor-2-dichlormethyl-9,10-anthrachinon*[3].

Aus einem 1,6/1,7-Dinitro-9,10-anthrachinon-Gemisch entsteht durch Chlorieren in Trichlorbenzol unter schwachem Sieden *1,6/1,7-Dichlor-9,10-anthrachinon* in guter Ausbeute.

Bei der technischen Überführung von 1-Nitro-9,10-anthrachinon in *1-Chlor-9,10-anthrachinon* arbeitet man ohne Lösungsmittel allerdings mit 1-Chlor-9,10-anthrachinon als Verdünnungsmittel; in die Schmelze beider Komponenten wird bei 240° Chlor eingeleitet. Dabei fällt mit ~95% ein 1-Chlor-9,10-anthrachinon von 93%-iger Reinheit an[4]. Analog läßt sich aus 1,5-Dinitro-9,10-anthrachinon das *1,5-Dichlor-9,10-anthrachinon* herstellen.

Man kann aber auch in eine Schmelze von 1-Nitro-9,10-anthrachinon ohne Verdünnungsmittel in einer Blasensäule bei 240° Chlor einleiten[5].

η) Chlor-9,10-anthrachinone aus Hydroxy-9,10-anthrachinonen

Der Ersatz von Hydroxy-Gruppen durch Halogen-Atome gelingt nur in Ausnahmefällen. So läßt sich Chinizarin durch Einwirkung von Thionylchlorid (s. S. 88ff.) mit guter Ausbeute in *1,4-Dichlor-9,10-anthrachinon* überführen.

Aus dem stark sauren 2,4-Dinitro-1-hydroxy-9,10-anthrachinon entsteht durch Erhitzen mit überschüssigem Toluol-sulfochlorid in 1,2-Dichlor-benzol je nach dem verwendeten säurebindenden Mittel *1-Chlor-2,4-dinitro-* oder *1,2-Dichlor-4-nitro-9,10-anthrachinon*[6].

ϑ) Chlor- und Brom-9,10-anthrachinone durch Halogen-Austausch

Brom-9,10-anthrachinone können mit guten Ausbeuten auch aus reaktionsfähigen Chlor-9,10-anthrachinonen erhalten werden, indem man auf diese in siedendem Nitro-

[1] Fr. P. 384471 (1907), BASF.
[2] analog DRP. 626410 (1933), I. G. Farb., Erf.: J. MÜLLER; Frdl. **22**, 1026.
[3] DRP. 252578, 254450 (1911), BASF; Frdl. **11**, 545, 546.
[4] DOS. 2455587 (1974), Bayer AG, Erf.: N. MAJER, H. S. BIEN, H. JUDAT u. A. LIEBERAM; C. A. **85**, 48286ᵉ (1976).
[5] DOS. 2654650 (1976), Bayer AG, Erf.: H. SEIDLER, N. MAJER u. H. JUDAT.
[6] DRP. 332853 (1916), F. ULLMANN; Frdl. **13**, 389.

benzol in Gegenwart von Kupfer(I)-chlorid Bromwasserstoff einwirken läßt[1]. So wurden hergestellt:

1-Brom-9,10-anthrachinon   F: 191–192°
1-Chlor-5-brom-9,10-anthrachinon   F: 283°

Erhitzt man 1,5-Dichlor-9,10-anthrachinon in Nitrobenzol mit der doppelten Gew.-Menge Kaliumbromid und Kupfer(I)-chlorid unter Zusatz von Phosphorsäure 24 Stdn. zum Sieden, so entsteht mit ~90% Ausbeute das *1,5-Dibrom-9,10-anthrachinon* (F: 293°).

1-Chlor-5-brom-9,10-anthrachinon[1]**:** Man erhitzt 277 g 1,5-Dichlor-9,10-anthrachinon, 1,2 *l* Nitrobenzol und 1 g Kupfer(I)-chlorid zum gelinden Sieden und leitet unter Rühren durch eine Glasfritte ~2¹/₂ Stdn. lang Bromwasserstoff ein. Nach dem Erkalten wird das auskristallisierte Reaktionsprodukt abgesaugt, mit Benzol, Methanol und zum Schluß mit heißem Wasser ausgewaschen; Ausbeute: 283 g; F: 275–277°.
Nach dem Umkristallisieren aus Nitrobenzol fällt reines 1-Chlor-5-brom-9,10-anthrachinon (F: 283°) an.

Auch umgekehrt ist es in einigen Fällen möglich, reaktionsfähige Brom-9,10-anthrachinone in Chlor-9,10-anthrachinone umzuwandeln. Durch Erhitzen von 3-Brom-2-acetylamino-9,10-anthrachinon mit einem Überschuß an Kupfer(I)-chlorid in Pyridin-homologen auf ~100° wird das *3-Chlor-2-acetylamino-9,10-anthrachinon*[2] erhalten. Dieser Weg hat jedoch keinen präparativen Wert.

Über die Herstellung von Fluor- oder Jod-9,10-anthrachinonen durch entsprechende Austauschreaktionen s.S. 53 und unten.

3. Herstellung von Jod-9,10-anthrachinonen

Jod-9,10-anthrachinone sind aus Phthalsäureanhydrid und Jodaromaten nicht herstell-bar, da die entstehenden 2-Aroyl-benzoesäuren praktisch jodfrei sind[3].

Monojod- und Dijod-phthalsäureanhydride lassen sich zwar mit Benzol kondensieren, die Ringschlüsse mit Schwefelsäure-Monohydrat bei 140° gelingen jedoch nicht einwand-frei. Beschrieben ist die Herstellung von

2-Jod-9,10-anthrachinon[4]   F: 175–176°
2,3-Dijod-9,10-anthrachinon[5]   F: 291–292°
1,2-Dijod-9,10-anthrachinon[5]   F: 236–237°
1,4-Dijod-9,10-anthrachinon[5]   F: 218–219° (Ringschluß bei 100°)

Die aus Tetrajod-phthalsäureanhydrid und Benzol erhältliche 3,4,5,6-Tetrajod-2-ben-zoyl-benzoesäure[6] ließ sich auf keine Weise cyclisieren. Beim Erhitzen mit Schwefelsäuren aller Konzentrationen tritt bereits bei 100° Jod-Abspaltung ein[7].

Auch durch Jodieren von 9,10-Anthrachinon in Oleum werden keine einheitlichen Jod-9,10-anthrachinone erhalten[7].

Gut lassen sich anscheinend reaktionsfähige Halogen-Atome mit Natriumjodid durch Jod ersetzen[8].

1,5-Dijod-9,10-anthrachinon[8]**:** 11,58 g 1,5-Dichlor-9,10-anthrachinon, 31,4 g krist. Natriumjodid (NaJ · 2 H₂O) und 40 *ml* Nitrobenzol werden unter Rühren zum Sieden erhitzt, bis ~18 *ml* wasserhaltiges Destillat übergegangen sind.

---

[1] DRP. 597 259 (1931), I. G. Farb., Erf.: W. BRUCK; Frdl. **21**, 1112.
[2] US.P. 2 769 815 (1953), American Cyanamid Co., Erf.: W. B. HARDY u. R. B. FORTENBAUGH; C.A. **51**, 6699ᵈ(1957).
[3] F. C. HAHN u. E. E. REID, Am. Soc. **46**, 1645 (1924).
[4] R. W. HIGGINS et al., J. Org. Chem. **16**, 243, 1275 (1951).
[5] R. W. HIGGINS u. C. M. SUTER, Am. Soc. **61**, 2662 (1939).
[6] A. HOFMANN, M. **36**, 822 (1910).
[7] A. ECKERT u. M. KLINGER, J. pr. **121**, 281 (1929).
[8] USSR.P. 143 789 (1960), Erf.: V. A. TITKOV, I. D. PLETNEV u. V. L. SADOVSKAYA; C.A. **62**, 16 165ᶠ (1965).

Nach dem Abkühlen auf 150° gibt man 0,8 g Kupferbronze zu, rührt die Schmelze noch ~ 16 Stdn. unter Rückflußsieden und destilliert anschließend das Nitrobenzol mit Wasserdampf ab. Der Rückstand (18,47 g) besteht aus ~ 95%-igem 1,5-Dijod-9,10-anthrachinon, das aus Chlorbenzol umkristallisiert wird. Gelbe Kristalle; F: 306–308°.

In gleicher Weise werden das *1-Jod-9,10-anthrachinon* (F: 203–204°) und das *1,8-Dijod-9,10-anthrachinon* (orangefarbige Kristalle, F: 276–277°) erhalten.

Die allgemein anwendbare Methode zur Herstellung von Jod-9,10-anthrachinonen ist das Sandmeyer-Verfahren[1].

1-Jod-9,10-anthrachinon[1]**:** 20 g des in üblicher Weise mit Natriumnitrit in konz. Schwefelsäure diazotierten 1-Amino-9,10-anthrachinons werden in Eiswasser eingerührt und mit 20 g Kaliumjodid versetzt. Nach 3stdg. Rühren bei Raumtemp. wird noch ~ 1 Stde. auf 90° erhitzt und zum Schluß etwas Natriumhydrogensulfit zugesetzt. Man erhält ein unreines 1-Jod-9,10-anthrachinon (F: 195–197°) in ca. 90%-iger Ausb., das nach dem Umkristallisieren aus Nitrobenzol rein anfällt. Gelbbraune Kristalle; F: 204–205°.

Durch Tetraazotieren von 1,8-Diamino-9,10-anthrachinon in konz. Schwefelsäure und Zugabe einer konz. wäßrigen Kaliumjodid-Lösung wird das *1,8-Dijod-9,10-anthrachinon* (Rohausbeute: 74% d. Th.; F: 270–276°) erhalten. Die Reinigung erfolgt durch Chromatographieren[2].

Im übrigen haben Jod-9,10-anthrachinone keine Bedeutung für Kondensationsreaktionen, denn – entgegen der vielfach anzutreffenden Auffassung – besitzen sie im Vergleich zu den entsprechenden anderen Halogen-9,10-anthrachinonen keine erhöhte Reaktionsfähigkeit.

4. Reaktivität der Halogen-9,10-anthrachinone

In neuerer Zeit wurden Untersuchungen über die Reaktivitäten vergleichbarer Halogen-9,10-anthrachinone angestellt. Dabei stellte sich sowohl in der α- als auch in der β-Reihe heraus, daß die Fluor-9,10-anthrachinone weitaus die reaktivsten sind und daß die Reaktivität in der Reihenfolge

$$F \gg Br > Cl > J$$

abnimmt[3]. Es ist daher wenig sinnvoll, für Umsetzungen mit Halogen-9,10-anthrachinonen die Jod-9,10-anthrachinone zu wählen, da die Annahme, diese seien die reaktionsfähigsten, sich als ein Irrtum erwiesen hat.

Alle Fluor-9,10-anthrachinone zeichnen sich durch eine außergewöhnliche Reaktivität aus. So setzt sich 1-Fluor-9,10-anthrachinon mit Piperidin bereits bei 30° innerhalb weniger Minuten zum *1-Piperidino-9,10-anthrachinon* (F: 117°) um[4]. Diese hohe Reaktionsfähigkeit ermöglicht sogar die Herstellung des *1-Aziridino-9,10-anthrachinons*[5] (s. S. 172).

Wie reaktionsfähig 2-ständige Fluor-Atome sind, zeigt sich bei der Einwirkung von Ammoniak auf 2-Fluor-9,10-anthrachinon-5-sulfonsäure, die sich nicht partiell zum 6-Fluor-1-amino-9,10-anthrachinon umsetzen läßt, sondern stets das *1,6-Diamino-9,10-anthrachinon* liefert[6].

Eingehende Untersuchungen über die Reaktionsfähigkeit des 1,2,3,4-Tetrafluor-9,10-anthrachinons sind von russischen Forschern durchgeführt worden. In apolaren Lö-

---

[1] A. E. GOLDSTEIN, Am. Soc. **61**, 1600 (1939).

[2] H. O. HOUSE, D. G. KOEPSELL u. W. J. CAMPBELL, J. Org. Chem. **37**, 1010 (1972).

[3] W. E. SOLODAR u. M. S. SIMON, J. Org. Chem. **27**, 689 (1962).
    T. N. KURDYUMOVA u. L. I. GORENSHTEIN, Ž. obšč. Chim. **33**, 2347 (1963); engl.: 2286.
    S. M. SHEIN u. M. V. SHTERNSHIS, Ž. org. Chim. **7**, 1240 (1971); engl.: 1278.
    s.a. N. S. DOKUNIKHIN· u. B. N. KOLOKOLOV, Ž. obšč. Chim. **36**, 361 (1966); engl.: 374.

[4] J. MINDL, J. SLOSAR u. M. VEČERA, Collect. czech. chem. Commun. **33**, 2895 (1968).

[5] USSR.P. 172837 (1964), V. V. u. S. A. RUSSKIKH; C. A. **64**, 671ᶠ (1966).

[6] DBP. 889750 (1951; Schweiz. Prior. 1950), CIBA, Erf.: W. JENNY u. W. KERN; C. **1954**, 4954.

sungsmitteln reagiert vorwiegend das 1-ständige Fluor-Atom mit Aminen. So entstehen z.B.:

mit Piperidin:	in Benzol	→ *2,3,4-Trifluor-1-piperidino-9,10-anthrachinon*[1]
	in Wasser	→ *1,3,4-Trifluor-2-piperidino-9,10-anthrachinon*[1] (vorwiegend)
mit Ammoniak:	in Toluol (100°)	→ *2,3,4-Trifluor-1-amino-9,10-anthrachinon*[2] (80% d.Th.)
	in Dimethyl-formamid (−35°)	→ *1,3,4-Trifluor-2-amino-9,10-anthrachinon*[2] (87% d.Th.)
mit Dimethylamin:	in Wasser	→ *1,3,4-Trifluor-2-dimethylamino-9,10-anthrachinon*[3]

Auch gegenüber Natriummethanolat verhält sich das 1,2,3,4-Tetrafluor-9,10-anthrachinon je nach Reaktionsmedium sehr unterschiedlich[1,4,5]. Man kann den Austausch bis zum *1,2,3,4-Tetramethoxy-9,10-anthrachinon* (F: 130−131°) durchführen.

Über die Umsetzungen zu Trifluor-nitro-9,10-anthrachinonen und deren Umsetzungen mit Aminen s. Lit.[6].

5. Dehalogenierung von Halogen-9,10-anthrachinonen

α-Ständige Halogen-Atome lassen sich vielfach leicht durch Einwirkung von Metallen eliminieren. Dieses Verfahren kann in manchen Fällen von Wert sein, um sonst nur schwer zugängliche 9,10-Anthrachinon-Derivate herzustellen. So wird aus 2,4-Dibrom-1-amino-9,10-anthrachinon durch Erhitzen mit Eisen in Essigsäure reines *2-Brom-1-amino-9,10-anthrachinon* erhalten[7]; analog entsteht das *2-Brom-1-methylamino-9,10-anthrachinon* (F: 172°).

Der einzig präparativ brauchbare Weg zum *1-Methyl-9,10-anthrachinon* geht vom *4-Chlor-1-methyl-9,10-anthrachinon* aus, das beim Erhitzen mit Kupferpulver und Natriumacetat in Nitro-benzol glatt enthalogeniert wird[8]. In analoger Weise entsteht aus 1,2,3,4-Tetrachlor-9,10-anthrachinon das *2,3-Dichlor-9,10-anthrachinon* und aus 4-Chlor-1-hydroxy-3-methyl-9,10-anthrachinon in mittlerer Ausbeute das *1-Hydroxy-3-methyl-9,10-anthrachinon*[9].

Auch andere Reduktionsmittel sind brauchbar, soweit sie nicht zu einer Verküpung führen. So wird das 1,3-Dichlor-2-amino-9,10-anthrachinon durch Erhitzen mit Glucose und Natronlauge auf 130° zum *3-Chlor-2-amino-9,10-anthrachinon* dechloriert[10].

Es sei an dieser Stelle vermerkt, daß das Bz1,6-Dibrom-benzanthron durch Hydrazin in Gegenwart von Palladium/Kohle in siedendem Äthanol oder 2-Methoxy-äthanol mit 81% Ausbeute in das *6-Brom-benzanthron* überführt wird[11] (s.a. S. 328).

[1] E.P. Fokin u. V.A. Loskutov, Ž. obšč. Chim. **38**, 1884 (1968); engl.: 1831.
[2] S.a. G.G. Yakobson u. V.M. Vlasov, Synthesis **1976**, 658.
[3] E.P. Fokin, V.A. Loskutov u. A.V. Konstantinova, Ž. obšč. Chim. **37**, 391 (1967); engl.: 365.
[4] E.P. Fokin, V.A. Loskutov u. L.N. Vol'skii, Ž. org. Chim. **6**, 1277 (1970); engl.: 1284.
[5] D.L. Coe, B.T. Croll u. C.R. Patrick, Tetrahedron **23**, 503 (1967).
[6] V.A. Loskutov et al., Izv. Sibirsk. Otd. Akad. Nauk. SSSR, Ser. Khim Nauk **1973**, 108; C.A. **80**, 3301ᵐ (1974).
[7] DRP. 261270, 261271 (1911), BASF; Frdl. **11**, 558/59.
  DRP. 236604 (1909), Farbf. Bayer; Frdl. **10**, 581.
[8] F. Ullmann u. W. Minajeff, B. **45**, 687 (1912).
  Beispiel s.S. 48.
[9] F. Ullmann u. W. Schmidt, B. **52**, 2113 (1919).
[10] DRP. 553039 (1928), Scottish Dyes Ltd.; Frdl. **17**, 1156.
[11] W.L. Mosby, Chem. and Ind. **43**, 1348 (1959).

c) Herstellung von 9,10-Anthrachinon-sulfonsäuren bzw. deren Derivaten[1]

1. von 9,10-Anthrachinon-sulfonsäuren

α) durch Ringschluß-Reaktionen

Phthalsäureanhydrid-sulfonsaure Salze lassen sich zwar mit Aromaten durch Aluminiumchlorid kondensieren und anschließend ringschließen[2], doch ist dieses Verfahren wegen der Inhomogenität der Schmelze und der Wasserlöslichkeit des Reaktionsproduktes nicht zu empfehlen.

Der andere Weg, reaktive Halogen-Atome in 2-Benzoyl-benzoesäuren mit Natriumsulfit umzusetzen, kann zur Herstellung von sonst nur schwer zugänglichen 9,10-Anthrachinon-sulfonsäuren von Nutzen sein[3].

2-Chlor-9,10-anthrachinon-3-sulfonsäure[3,4]: 2-(3,4-Dichlor-benzoyl)-benzoesäure wird mit 150% d.Th. einer 20%-igen Natriumsulfit-Lösung ~ 12 Stdn. auf 170° erhitzt und das filtrierte Reaktionsprodukt mit Natriumsulfat ausgesalzen. Die Ausbeute beträgt ~ 87% d.Th. Der Ringschluß erfolgt durch 6stdgs. Erhitzen mit ~ 8%-igem Oleum auf 110°.
Nach dem Austragen in Wasser und Aussalzen mit Kaliumchlorid scheidet sich das gut kristallisierte 2-chlor-9,10-anthrachinon-3-sulfonsaure Kalium ab, das abgesaugt, mit einer 10%-igen Kaliumchlorid-Lösung ausgewaschen und getrocknet wird; Ausbeute: ~ 80% d.Th.
Dieses Produkt enthält nur noch sehr geringe Mengen der mitentstandenen 1-Chlor-9,10-anthrachinon-2-sulfonsäure (aus 2,3-Dichlor-9,10-anthrachinon und Natriumsulfit ist die 2-Chlor-9,10-anthrachinon-3-sulfonsäure praktisch nicht herstellbar).

In analoger Weise wird aus 2-(4-Chlor-benzoyl)-benzoesäure eine sehr reine *9,10-Anthrachinon-2-sulfonsäure* (85% d.Th.) erhalten[3].

β) 9,10-Anthrachinon-sulfonsäuren durch Sulfieren von 9,10-Anthrachinonen

9,10-Anthrachinon wird durch konz. Schwefelsäure erst oberhalb 250° in ein Gemisch von Mono- und Disulfonsäuren überführt[5]. Daneben entstehen aber bereits Oxidationsprodukte.

Mit Oleum hingegen findet bereits bei ~ 100° eine Sulfierung statt. Diese erfolgt jedoch nicht einheitlich; stets entstehen Mono- und Disulfonsäuren nebeneinander.

Es ist ein glücklicher Umstand, daß es gelingt, die Sulfo-Gruppen ausschließlich in die 1- oder 2-Stellungen zu dirigieren und die entstandenen Sulfierungsprodukte in wäßriger Phase leicht trennen zu können[6]. Diese Verfahren sind von großer technischer Bedeutung, da sich vor allem auf den 9,10-Anthrachinon-1-sulfonsäuren der überwiegende Teil der Anthrachinon-Chemie aufbaut.

R.E. Schmidt[7,8] u. M. Iljinsky[9] haben unabhängig voneinander gefunden, daß bei der

[1] Die Herstellung der Hydroxy- und Amino-9,10-anthrachinon-sulfonsäuren ist bei den Hydroxy- und Amino-9,10-anthrachinonen beschrieben.
[2] E. Schwenk u. H. Waldmann, Ang. Ch. **45**, 17 (1932). DRP. 576444 (1930), I.G. Farb.; Frdl. **19**, 1913.
[3] DRP. 516674 (1925), Scottish Dyes Ltd.; Frdl. **17**, 513.
[4] B. Bienert, I.G. Farb. Leverkusen, 1934.
[5] C. Graebe u. C. Liebermann, A. **160**, 130 (1871).
[6] Die Angaben von K. Lauer, J. pr. **130**, 185 (1931), über die Sulfierung des Anthrachinons sind – soweit sie den in diesem Abschnitt gemachten Angaben widersprechen – wegen der ungenauen analytischen Bestimmungsmethoden nicht zutreffend.
[7] DRP. 149801 (1902), Farbf. Bayer, Erf.: R.E. Schmidt; Frdl. **7**, 294. R.E. Schmidt, B. **37**, 66 (1904).
[8] DRP. 157123 (1903), Farbf. Bayer, Erf.: R.E. Schmidt; Frdl. **8**, 230.
[9] M. Iljinsky, B. **36**, 4194 (1903).

Einwirkung von Oleum auf 9,10-Anthrachinon in Gegenwart katalytischer Mengen Quecksilber die Sulfo-Gruppen praktisch nur in die 1-Stellungen eintreten.

Um eine Disulfierung weitgehend zu vermeiden, werden in der Technik nur etwa 40% des eingesetzten 9,10-Anthrachinons sulfiert. In der Literatur[1] wird die Ausbeute eines Sulfieransatzes angegeben mit:

29% Retour-Anthrachinon
63% 9,10-Anthrachinon-1-sulfonsäure (diese enthält ~3% 2-Sulfonsäure)
 8% 9,10-Anthrachinon-disulfonsäure.

Die Disulfierung unter Quecksilber-Zusatz führt zu einem Gemisch[1,2] etwa der Zusammensetzung:

45% *9,10-Anthrachinon-1,5-disulfonsäure*
28% *9,10-Anthrachinon-1,8-disulfonsäure*
12% *9,10-Anthrachinon-1,7-disulfonsäure*
~ 5% *9,10-Anthrachinon-1,6-disulfonsäure.*
 Der Rest besteht aus anderen Isomeren.

Aus diesem Gemisch kann man die 1,5- und 1,8-Isomeren leicht abtrennen.

Die katalytische Wirkung des Quecksilber(II)-sulfats ist wahrscheinlich so zu deuten, daß die aus 9,10-Anthrachinon und Quecksilber(II)-sulfat zunächst entstehende Organo-quecksilber-Verbindung I mit Schwefeltrioxid zum Chinon II reagiert:

Dieser Reaktionsmechanismus stellt eine gewisse Analogie zum Verhalten von IV[3] dar, das durch Einwirkung von Oleum bei 20° glatt in die 2-Sulfo-benzoesäure (V) überführt wird[3]:

Auf folgende Weise ist es gelungen, eine 9,10-Anthrachinonyl-quecksilber-Verbindung zu fassen[4]: Erhitzt man das Quecksilber(II)-Salz der 9,10-Anthrachinon-1-sulfonsäure in 50%-iger Schwefelsäure zum Sieden, dann scheidet sich aus der Lösung ein gelber Niederschlag ab, dem die Konstitution III zukommen dürfte.

Die 9,10-Anthrachinonyl-(1)-quecksilberchloride werden mit guten Ausbeuten aus den Diazoniumsalzen durch Umsetzen mit Quecksilber(II)-chlorid und Kupferbronze in Aceton erhalten[5].

Das einzige Metall, welches Quecksilber in seiner katalytischen Wirkung vollwertig ersetzen kann, dürfte Palladium sein[6].

---

[1] H. E. FIERZ-DAVID u. W. ANDERAU, Helv. **10**, 198 (1927).
[2] DRP. 157123 (1903), Farb. Bayer, Erf.: R. E. SCHMIDT; Frdl. **8**, 230.
[3] Leicht herstellbar durch Erhitzen einer wäßrigen Lösung von Natriumphthalat mit Quecksilber(II)-oxid; O. DIMROTH u. W. v. SCHMAEDEL, B. **40**, 2411 (1907).
[4] K. KUPPE, I. G. Farb. Leverkusen (1934).
[5] V. V. KOZLOV, B. I. BELLOV u. A. A. EGOROVA, Ž. obšč. Chim. **25**, 410, 565, 809, 997, 1206 (1955); engl.: 387, 535, 775, 963, 1153.
[6] DOS. 2041547 (1970), Farbf. Bayer, Erf.: R. SCHMITZ u. K. ALBERTI; C. A. **76**, 112967[w] (1972).

Die Sulfierung von 9,10-Anthrachinon mit reinem Oleum führt praktisch nur in die β-Reihe[1]. Zur rationellen Gewinnung der *9,10-Anthrachinon-2-sulfonsäure* müssen auch hier $\sim 60\%$ des 9,10-Anthrachinons zurückgewonnen werden. Die dann anfallende 9,10-Anthrachinon-2-sulfonsäure ist durch $\sim 3\%$ 1-Sulfonsäure verunreinigt[2]. Bei der vollständigen Sulfierung entstehen vorwiegend die *9,10-Anthrachinon-2,6- und -2,7-disulfonsäuren*, etwa im Verhältnis 3:1.

9,10-Anthrachinon-1-sulfonsäure[3]: 210 g 9,10-Anthrachinon werden bei 50–60° in 210 g 20%-iges Oleum, in dem 1,5 g Quecksilber(II)-sulfat gelöst sind, eingetragen und innerhalb 90 Min. auf 120° erhitzt. Man hält die Schmelze ~ 3 Stdn. bei dieser Temp., wonach $\sim 40\%$ des 9,10-Anthrachinons sulfiert sind.

Die Masse wird hierauf in 1,5 l Wasser unter Erwärmen auf 80° eingerührt. Wird der Kristallbrei zu dick, wird weiter Wasser zugegeben. Das ausgeschiedene 9,10-Anthrachinon wird bei 80° abgesaugt. Das Filtrat versetzt man mit 180 *ml* einer konz. Kaliumchlorid-Lösung, hält die Temp. auf 85°, saugt das 9,10-Anthrachinon-1-kaliumsulfonat heiß ab und wäscht mit einer 5%-igen Kaliumchlorid-Lösung nach. Der Filterkuchen ist etwa 35%-ig und wird als solcher weiterverarbeitet.

Die Ausbeute, auf 100% ber., beträgt 96,4 g. Wiedergewonnen werden 122,5 g 9,10-Anthrachinon. Der Anthrachinon-Umsatz beträgt 41% und die Ausbeute $\sim 72\%$ d.Th. (9,10-Anthrachinon-1-sulfochlorid; F: 214°).

9,10-Anthrachinon-1,5- und -1,8-disulfonsäure[4]: 965 g 5%-iges Oleum und 8 g Quecksilber werden auf 90° erhitzt. Wenn das Quecksilber völlig gelöst ist, werden 800 g 9,10-Anthrachinon eingetragen. Anschließend fließen innerhalb von 15 Min. 900 g 65%-iges Oleum zu. Hierauf wird die Temp. auf 120–125° erhöht und 4 Stdn. gehalten (bis eine Probe in Wasser keine Trübung mehr erzeugt). Dann werden 480 g 96%-ige Schwefelsäure und nach einiger Zeit 970 g 78%-ige Schwefelsäure eingerührt. Man kühlt langsam auf 45–50° ab, wobei sich die 1,5-Disulfonsäure weitgehend abscheidet.

Nach einigen Stdn. wird der Kristallbrei scharf abgesaugt und mit 800 g 78%-iger Schwefelsäure ausgewaschen. Man löst ihn in 1,5 l heißem Wasser, klärt mit Aktivkohle und gibt bei 75° 2 l einer ges. Natriumchlorid-Lösung zu, nutscht ab und wäscht mit einer 10%-igen Natriumchlorid-Lösung nach. Die Ausbeute an *9,10-Anthrachinon-1,5-dinatriumsulfonat* beträgt 610 g (auf 100% ber.) (38,5% d.Th.) (9,10-Anthrachinon-1,5-disulfochlorid; F: $\sim 270°$).

Das ursprüngliche, stark saure Filtrat wird in 4 l Wasser eingegossen; dann gibt man weitere 6 l kaltes Wasser zu und erwärmt schließlich auf 80–85°. Durch Zugabe von 1,1 l ges. Kaliumchlorid-Lösung wird das 9,10-Anthrachinon-1,8-dikaliumsulfonat ausgesalzen, bei 50° abgesaugt und mit einer 1%-igen Kaliumchlorid-Lösung säurefrei gewaschen.

Die Ausbeute an *9,10-Anthrachinon-1,8-disulfonsäure* (auf 100% ber.) beträgt 430 g (25% d.Th.). Der Rest besteht aus den nicht isolierbaren 1,6- und 1,7-Disulfonsäuren. (9,10-Anthrachinon-1,8-disulfochlorid; F: 223°).

9,10-Anthrachinon-2-sulfonsäure[5]: 3 kg 9,10-Anthrachinon werden mit 3 kg 20–22%-igem Oleum 3 Stdn. auf 100°, dann 6 Stdn. auf 145° erhitzt, nach dem Abkühlen in 12 l Wasser eingerührt und bei 90° von unveränderten Anthrachinon ($\sim 60\%$) abfiltriert.

Nach Zugabe von 1,5 l ges. Kochsalz-Lösung wird das 9,10-Anthrachinon-2-natriumsulfonat ausgesalzen, abgesaugt und mit einer 10%-igen Kochsalz-Lösung nachgewaschen. Durch nochmaliges Umfällen wird die Säure frei von Disulfonsäuren erhalten.

Die Ausbeute beträgt 1,56 kg (94% d.Th.) 2-Sulfonat (auf 100% ber.). An 9,10-Anthrachinon werden 1,8 kg zurückgewonnen (9,10-Anthrachinon-2-sulfochlorid; F: 197°).

Aus den ursprünglichen Mutterlaugen können durch weitere Kochsalz-Zugabe bei 90° noch ~ 340 g Monosulfonsäure, verunreinigt durch die 2,6-Disulfonsäure, abgeschieden werden.

9,10-Anthrachinon-2,6- und -2,7-disulfonsäure[6, 7]: 1,625 kg 9,10-Anthrachinon werden mit 3,81 kg 48%-igem Oleum verrührt, bis alles gelöst ist. Hierauf trägt man 465 g wasserfreies Natriumsulfat ein, steigert die Temp. während 6 Stdn. auf 150° und hält 5 Stdn. bei 150° (bis sich eine Probe klar in Wasser löst). Sodann verdünnt man mit 375 g 96%-iger Schwefelsäure, gibt vorsichtig 3,75 l Wasser zu und salzt bei 30° mit 1,875 l ges. Kochsalz-Lösung aus. Nach dem Absaugen wird der Preßkuchen mit $\sim 7,5$ l einer 10%-igen Kochsalz-Lösung angeschlämmt und erneut abgesaugt.

---

[1] Lit. s. J. Houben, *Das Anthracen und die Anthrachinone*, S. 289 ff., G. Thieme Verlag, Leipzig 1929.

[2] H.E. Fierz-David u. W. Anderau, Helv. **10**, 216 (1927).

[3] In Anlehnung an die Betriebsvorschrift des FIAT Final Rep. Nr. **1313 II**, 52 (1948); Farbf. Bayer.

[4] FIAT Final Rep. Nr. **1313 II**, 54 (1948), I.G. Farb., Leverkusen.
Vgl. auch H.E. Fierz-David, Helv. **10**, 197, 429 (1927).

[5] BIOS Final Rep. Nr. **1484**, 9; FIAT Final Rep. Nr. **1313 II**, 56 (1948), I.G. Farb., Ludwigshafen.

[6] BIOS Final Rep. Nr. **1484**, 11 (1948), I.G. Farb. Ludwigshafen.

[7] Ein Trennverfahren ist auch in US.P. 2 074 307, 2 074 309 (1936), DuPont, Erf.: M.S. Whelen bzw. A.J. Wuertz; C.A. **31**, 3508$^{3-4}$ (1937), beschrieben.

Das Nutschgut enthält 1,38 kg (auf 100% ber.) *9,10-anthrachinon-2,6-disulfonsaures Natrium* (9,10-Anthrachinon-2,6-disulfochlorid; F: 186°).

Aus der sauren Mutterlauge kann nach der Entfernung der Schwefelsäure mittels Kalk die *9,10-Anthrachinon-2,7-disulfonsäure* als Natriumsalz isoliert werden. Nach mehrmaligem Umsalzen fällt diese dann rein an[1] (9,10-Anthrachinon-2,7-disulfochlorid; F: 250°).

Die 2,6- und 2,7-Disulfonsäuren entstehen etwa im Mengenverhältnis 3:1.

Aus den 9,10-Anthrachinon-1-sulfonsäuren lassen sich die Sulfo-Gruppen durch Erhitzen mit ~90%-iger Schwefelsäure auf 180–190° in Gegenwart von Quecksilber(I)-salzen leicht wieder abspalten[2]. Dieses gelingt nicht mit den 2-Sulfonsäuren[3]. Infolgedessen kann man das technisch wertlose 9,10-Anthrachinon-1,6- und -1,7-disulfonsäure-Gemisch in die *9,10-Anthrachinon-2-sulfonsäure* überführen[4].

Die Weitersulfierung von 9,10-Anthrachinon-sulfonsäuren wurde eingehend von K. Kuppe[5] untersucht und durch exakte Analysenmethoden belegt (s. S. 58), die älteren Literaturangaben sind alle unzutreffend.

Ohne Schwierigkeiten läßt sich die 9,10-Anthrachinon-2-sulfonsäure mit 25%-igem Oleum bei ~130° zu einem Gemisch aus *2,6-* und *2,7-Disulfonsäure* weitersulfieren.

Unter den gleichen Bedingungen entstehen aus der 1-Sulfonsäure bereits zur Hälfte Hydroxy-9,10-anthrachinon-sulfonsäuren neben einem 9,10-Anthrachinon-1,6-/-1,7-disulfonsäure-Gemisch.

Eine Weitersulfierung der 2,6- und 2,7-Disulfonsäuren mit Oleum gelingt nicht, da hierbei ebenfalls Hydroxylierungen und außerdem ein oxidativer Abbau stattfinden. Anders liegen jedoch die Verhältnisse, wenn unter Zusatz größerer Mengen Quecksilber gearbeitet wird[6].

So kann man die 1,5-Disulfonsäure mit 10%-igem Oleum bei 150° in Gegenwart von ~15%(!) Quecksilber(II)-Salzen bis zu 80% in ein Gemisch von Trisulfonsäuren überführen, in dem die dritte Sulfo-Gruppe teils in 4-, und teils in 2-Stellung eingetreten ist.

Recht glatt lassen sich die 2,6- bzw. 2,7-Disulfonsäuren (25%-iges Oleum, ~8% Quecksilber, 5 Stdn. bei 150°) weitersulfieren. So wurden mit ~80%-igen Ausbeuten überführt:

9,10-Anthrachinon-2,6- bzw. -2,7-   → *9,10-Anthrachinon-1,3,5,7-* bzw. *-1,3,6,8-*
disulfonsäuren   *tetrasulfonsäure*
2-Chlor-9,10-anthrachinon-3,6-   → *2-Chlor-9,10-anthrachinon-3,6,8-trisulfonsäure*
disulfonsäure

Es gelingt jedoch praktisch nicht, in die 2,6- oder 2,7-Disulfonsäuren nur eine weitere Sulfo-Gruppe einzuführen, da die Abtrennung der Trisulfonsäuren vom Ausgangsmaterial und den mitentstandenen Tetrasulfonsäuren sehr schwierig ist.

2-Methyl-9,10-anthrachinon läßt sich nicht in 1-Stellung sulfieren, da aus der 2-Methyl-9,10-anthrachinon-1-sulfonsäure in Gegenwart von schwachem Oleum und Quecksilber(I)-sulfat bereits bei 120° die Sulfo-Gruppe wieder abgespalten wird[7].

Zu der *2-Methyl-9,10-anthrachinon-1-sulfonsäure* gelangt man durch Oxidation des 2,2'-Dimethyl-1,1'-bi-anthrachinonyl-disulfans, z.B. mit konz. Salpetersäure[8]. Die Sulfierung der 1-Chlor-9,10-anthrachinone muß behutsamer vorgenommen werden, da sonst

[1] H.E. Fierz-David, Helv. **10**, 219 (1927).
[2] DRP. 160104 (1903), Farbf. Bayer; Frdl. **8**, 236.
[3] H.E. Fierz-David u. W. Anderau, Helv. **10**, 225 (1927).
[4] Brit. P. 200851 (1922), Scottish Dyes Ltd., Erf.: J. Thomas; C. **1926 I**, 500.
 Brit. P. 273043 (1926), British Dyestuffs Corp. Ltd.; Erf.: A.J. Hailwood; C. **1928 II**, 2286.
[5] K. Kuppe, Farbf. Bayer (1933–1952).
[6] DBP. 913771 (1952), Farbf. Bayer, Erf.: K. Kuppe; C.A. **49**, 7002ʰ (1955).
[7] A. Locher u. H.E. Fierz-David, Helv. **10**, 654 (1927).
[8] F. Ullmann u. H. Bincer, B. **49**, 739 (1916).

ein teilweiser Austausch der Chlor-Atome gegen Hydroxy-Gruppen erfolgt[1]. Einwandfrei lassen sich unter Quecksilber-Zusatz herstellen[2]:

1,4-Dichlor-9,10-anthrachinon-5-sulfonsäure
1,5-Dichlor-9,10-anthrachinon-4-sulfonsäure
1,8-Dichlor-9,10-anthrachinon-4-sulfonsäure
1,8-Dichlor-9,10-anthrachinon-4,5-disulfonsäure

Aus 1-Chlor-9,10-anthrachinon entsteht ein Gemisch der *1-Chlor-9,10-anthrachinon-4-/-5-* und *-8-sulfonsäure*.

Sehr uneinheitlich verläuft die β-Sulfierung von 1-Chlor-anthrachinonen.

Die Sulfierung von 2-Mono- bzw. 2,6/2,7-Dichlor-9,10-anthrachinonen gelingt meist ohne Schwierigkeiten. So läßt sich aus dem Sulfiergemisch des 2-Chlor-9,10-anthrachinons mit 40%-igem Oleum die *2-Chlor-9,10-anthrachinon-7-sulfonsäure*[3] gut abtrennen. Führt man die Sulfierung mit 30%-igem Oleum unter Quecksilber-Zusatz zum Schluß bei 125° durch, bis eine Probe völlig wasserlöslich geworden ist, so läßt sich durch fraktioniertes Aussalzen reines 2-chlor-9,10-anthrachinon-5-sulfonsaures Natrium isolieren[4].

Unter Anwendung entsprechender Sulfierbedingungen können die *2,3-Dichlor-9,10-anthrachinon-6* (bzw.*5*)-*sulfonsäuren*, die *2-Fluor-9,10-anthrachinon-5-sulfonsäure*[5], das *2-Fluor-9,10-anthrachinon-6(7)-sulfonsäure*-Gemisch[6] und die *2,6-Difluor-9,10-anthrachinon-1-sulfonsäure*[6] hergestellt werden.

γ) 9,10-Anthrachinon-sulfonsäuren aus Halogen-9,10-anthrachinonen

Der Austausch von Halogen-Atomen in Halogen-9,10-anthrachinonen mittels Natriumsulfit gegen Sulfo-Gruppen gelingt meist nur mit mäßigen Ausbeuten und auch nur dann, wenn Lösungsvermittler oder Emulgatoren zugegen sind.

Aus 1- und 2-Halogen-9,10-anthrachinonen entstehen praktisch keine Sulfonsäuren, da die Halogen-Atome teils eliminiert, teils hydrolysiert werden.

Aus 1,4-Dichlor-9,10-anthrachinon soll durch 8stdg. Erhitzen mit einer 5%-igen Natriumsulfit-Lösung auf 190–200° die *9,10-Anthrachinon-1,4-disulfonsäure*[7] in 60%-iger Ausbeute erhalten werden.

Erheblich leichter lassen sich die Halogen-Atome in den wasserlöslichen Halogen-9,10-anthrachinon-sulfonsäuren bzw. -carbonsäuren gegen Sulfo-Gruppen austauschen. So wird z.B. 5,8-Dichlor-1-amino-9,10-anthrachinon-2-sulfonsäure bei 102° mit einer ∼8%-igen Natriumsulfit-Lösung glatt in die *1-Amino-9,10-anthrachinon-2,5,8-trisulfonsäure* überführt (s.S. 193).

δ) 9,10-Anthrachinon-sulfonsäuren aus Nitro-9,10-anthrachinonen[8]

1-Nitro- bzw. 1,4/1,5/1,8-Dinitro-9,10-anthrachinone lassen sich durch mehrstündiges Erhitzen mit einer wäßrigen Natriumsulfit-Lösung auf 80–110° in die entsprechenden Mono- bzw. Disulfonsäuren[9] umwandeln. 1-Nitro-2-methyl-9,10-anthrachinon setzt sich

---

[1] Dies wurde nicht beachtet in: A. A. Goldberg, Soc. **1931**, 1771; **1932**, 73.
  Brit.P. 386997 (1931), J. F. Thorpe u. A. A. Goldberg; C. **1933** I, 3631.
[2] Farbf. Bayer.
[3] A. Locher u. H. E. Fierz-David, Helv. **10**, 654 (1927).
[4] US.P. 2074306 (1936), DuPont, Erf.: M.S. Whelen; C.A. **31**, 3508[3] (1937).
[5] DBP. 889750 (1950), CIBA, Erf.: W. Jenny u. W. Kern; C. **1954**, 4954.
[6] G. Valcanas u. H. Hopff, Soc. **1963**, 1923.
[7] V. V. Kozlov, Ž. obšč. Chim. **17**, 289 (1947); C.A. **42**, 550[f] (1948).
[8] Die Umsetzungen von Nitro-hydroxy- bzw. Nitro-amino-9,10-anthrachinonen mit Natriumsulfit sind bei der Herstellung von Hydroxy- bzw. Amino-9,10-anthrachinon-sulfonsäuren beschrieben.
[9] DRP. 164292, 167169 (1903), Farbf. Bayer; Frdl. **8**, 231, 232.
  R. E. Schmidt, B. **37**, 68 (1904).
  H. E. Fierz-David, Helv. **10**, 206 (1927).

erst bei ~ 140° um. Dadurch ist dessen Abtrennung von seinen Isomeren möglich (s. S. 76).

Das Vorhandensein von wasserlöslich-machenden Gruppen erleichtert den Austausch. Daher wird aus 1-Nitro-9,10-anthrachinon-6-sulfonsäure in 10%-iger wäßriger Natrium-hydrogensulfit-Lösung bereits bei 80° glatt die *9,10-Anthrachinon-1,6-disulfonsäure* erhalten[1]. In gleicher Weise läßt sich das 4-Nitro-alizarin in die *1,2-Dihydroxy-9,10-anthrachinon-4-sulfonsäure* überführen (s. S. 125).

Der Austausch von Nitro-Gruppen mittels Sulfit verläuft anscheinend über die Hydroxylamin-Stufe (Auftreten der grünen Farbe):

9,10-Anthrachinon-1-sulfonsäure

ε) Weitere Herstellungsverfahren für 9,10-Anthrachinon-di- und -poly-sulfonsäuren

Eine große Zahl von 9,10-Anthrachinon-poly-sulfonsäuren ist aus zugänglichen Ausgangsmaterialien durch Kombination bekannter Methoden herstellbar.

So wird durch Kochen des 9,10-Anthrachinons I mit Natriumsulfit in wäßrigem 1,4-Dioxan ein Gemisch von Sulfonsäuren erhalten, aus dem die *9,10-Anthrachinon-1,2,3-tri-sulfonsäure* (II) als Tri-kaliumsalz abgetrennt werden kann[2]:

Der Konstitutionsbeweis von II wurde durch Überführung in das 1,2,3-Trichlor-9,10-anthrachinon erbracht[2].

Russische Autoren[3] haben durch Umsetzung geeigneter Halogen- bzw. Nitro-9,10-anthrachinone mit Natriumsulfit eine Reihe von *9,10-Anthrachinon-tri-* und *-tetrasulfonsäuren* hergestellt.

Wahrscheinlich verlaufen diese Umsetzungen nicht einheitlich, da bei der Häufung der Substituenten auch mit teilweisen Eliminierungen zu rechnen ist. Die Autoren haben auch nicht ihre Polysulfonsäuren durch Umwandlung in die entsprechenden Chlor-9,10-anthrachinone charakterisiert. U.a. sind folgende Umsetzungen beschrieben:

1-Chlor-4,5- und -4,8-dinitro- 9,10-anthrachinon-Gemisch	7,5%-ige Na$_2$SO$_3$-Lösung ————————→ 10 Stdn. Sieden	*9,10-Anthrachinon-1,4,5- trisulfonsäure* (69% d.Th.)
1,8-Dichlor-4-nitro-9,10-anthrachinon	→	*1-Chlor-9,10-anthrachinon-5,8- disulfonsäure* (84% d.Th.)
1-Chlor-4-nitro-9,10-anthrachinon	→	*9,10-Anthrachinon-1,4,6- trisulfonsäure* (81,6% d.Th.)

---

[1] Die Umsetzungen von Nitro-hydroxy- bzw. Nitro-amino-9,10-anthrachinonen mit Natriumsulfit sind bei der Herstellung von Hydroxy- bzw. Amino-9,10-anthrachinon-sulfonsäuren beschrieben.

[2] L. A. GAEVA, N. S. DOKUNIKHIN u. I. I. ZEMSKOVA, Ž. org. Chim. **4**, 181 (1968); engl.: 174.

[3] Brit. P. 1 229 532 (1969), Scientific Research Institute of Organic Intermediates and Dyes, Erf.: N. S. DOKUNIKHIN, G. S. LISENKOVA, T. N. KURDYUMOVA, N. A. RODINA u. R. A. SALOVA; C. A. **76**, 4902^n (1972).

| 1,8-Dichlor-4,5-dinitro-9,10-anthrachinon | → | *9,10-Anthrachinon-1,4,5,8-tetra-sulfonsäure* (71,6% d.Th.) |
| 2,6-Dichlor-1,5-dinitro-9,10-anthrachinon | → | *9,10-Anthrachinon-1,2,5,6-tetrasulfonsäure* |

9,10-Anthrachinon-1,4,5,8-tetrasulfonsäure[1]: 36,7 g 1,8-Dichlor-4,5-dinitro-9,10-anthrachinon (100%-ig) werden als wäßr. Paste mit 150 g wasserfreiem Natriumsulfit und 1,5 l Wasser 15 Stdn. rückfließend gekocht, filtriert und mit Kaliumchlorid ausgesalzen. Nach dem Absaugen wird mit 35 ml einer 15%-igen Kaliumchlorid-Lösung nachgewaschen, abgepreßt und getrocknet; Ausbeute: 51 g (71,6% d.Th.) (als 95%-iges Tetrakalium-salz).

In den Fällen, bei denen die Umsetzung von Halogen-Atomen mit Natriumsulfit auf Schwierigkeiten stößt, sollte man den Austausch mit Natriumsulfid versuchen und die so erhaltenen Mercaptane oder Disulfane mit alkalischer Chlorlauge (s. S. 194) oder mit 30%-igem Dihydrogenperoxid[2] in konz. Schwefelsäure zu den Sulfonsäuren oxidieren (s. S. 127).

Auch Amino-9,10-anthrachinon-sulfonsäuren können über die Diazoniumsalze → Rhodanide → Mercaptane in 9,10-Anthrachinon-poly-sulfonsäuren überführt werden.

Durch Sulfieren von Anthracen mit Chlorsulfonsäure in Essigsäure oder mit Schwefelsäure-Monohydrat in einer Mischung aus Essigsäure und Acetylchlorid bei 40–100° werden Anthracen-mono- und -disulfonsäuren-Gemische erhalten[3]. Je nach der Menge des angewandten Sulfierungsmittels (0,5–8 Mol) lassen sich die Ausbeuten an Mono- oder Di-sulfonsäuren optimieren.

Diese werden als solche oder erst nach der Oxidation mit Salpetersäure in wasserhaltiger Schwefelsäure bei 100° getrennt.

2. Herstellung von 9,10-Anthrachinon-sulfochloriden

Die Sulfochloride der 9,10-Anthrachinon-Reihe werden zweckmäßig aus den Sulfonsäuren oder deren Salzen mittels Phosphor(V)-chlorid hergestellt[4,5]. Auch *1-Amino-9,10-anthrachinon-2-sulfochloride* sind so zugänglich. Dabei ist zu beachten, daß besonders die 1-Sulfochloride dazu neigen, unter Schwefeldioxid-Abspaltung in 1-Chlor-9,10-anthrachinone überzugehen.

Durch Erhitzen mit Chlorsulfonsäure sollen sich nur die Salze der 9,10-Anthrachinon-2-sulfonsäuren in die Sulfochloride überführen lassen[6].

9,10-Anthrachinon-sulfochloride sind auch auf folgendem Weg zugänglich[7]:

[1] Brit. P. 1229532 (1969), Scientific Research Institute of Organic Intermediates and Dyes, Erf.: N. S. DOKU-NIKHIN, G. S. LISENKOVA, T. N. KURDYUMOVA, N. A. RODINA u. R. A. SALOVA; C. A. **76**, 4902ⁿ (1972).
[2] K. FRIES u. G. SCHÜRMANN, B. **52**, 2182 (1919).
[3] Brit.P. 1383652 (1971), I.C.I., Erf.: J. O. MORLEY; C.A. **83**, 133391ᵖ (1975).
   DOS. 2460243 (1974), 2553620 (1975; Brit. Prior. 1974), I.C.I., Erf.: R.T. CLARKE; C.A. **83**, 195240ˣ (1975); **85**, 62863ˣ (1976).
   DOS. 2600332 (1976; Brit. Prior. 1975), 2600363 (1976; Brit. Prior. 1975), I.C.I., Erf.: J.O. MORLEY; C.A. **85**, 94145ᶠ, 94146ᵍ (1976).
[4] S. z.B. H.E. FIERZ-DAVID, Helv. **10**, 195 (1927).
[5] C.A. BUEHLER u. W.J. WILLIAMS, Am. Soc. **63**, 2852 (1941).
[6] DRP. 266521 (1912), Farbw. Hoechst; Frdl. **11**, 542.
   A. COPPENS, R. **44**, 907 (1925).
[7] K. FRIES u. G. SCHÜRMANN, B. **52**, 2189 (1919).

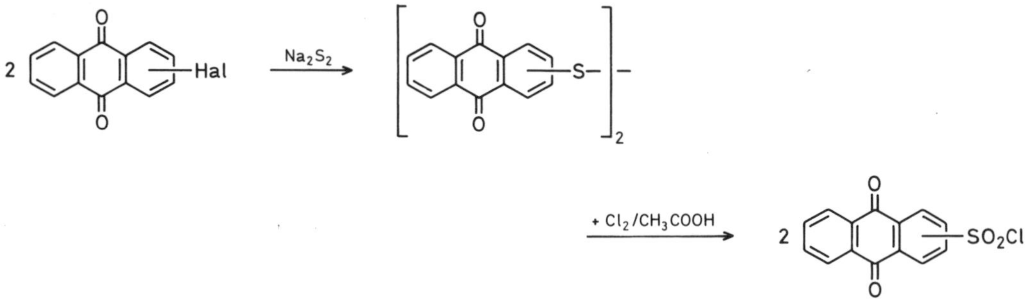

So läßt sich sogar das *1-Hydroxy-9,10-anthrachinon-4-sulfochlorid* (F: 246°) leicht durch Einleiten von Chlor in eine Suspension des Bis-[4-chlor-9,10-anthrachinonyl-(1)]-disulfans in Essigsäure oder Chloroform herstellen[1] (s.a. S. 235). Durch Reduktion der Sulfochloride lassen sich die verhältnismäßig instabilen 9,10-Anthrachinon-sulfin-säuren gewinnen.

Die aus den Sulfochloriden leicht erhältlichen Sulfamide sind zur Charakterisierung von 9,10-Anthrachinon-sulfonsäuren gut geeignet[2,3].

3. Hinweise zur Analytik der 9,10-Anthrachinon-sulfonsäuren bzw. -sulfochloride

Die 9,10-Anthrachinon-sulfonsäuren lassen sich auf folgende Weisen analytisch erfassen bzw. charakterisieren:

① Nur die α-ständigen Sulfo-Gruppen werden beim Erhitzen mit ~75%-iger Schwefelsäure und Quecksilber(II)-Salzen auf 180° abgespalten (s. S. 69).

② Nur die 9,10-Anthrachinon-α-sulfonsäuren setzen sich in wäßrig-alkalischer Lösung mit aliphatischen Mercaptanen zu Thioäthern um (s. S. 232).

③ Alle Sulfo-Gruppen werden bei der Einwirkung von Chlorat und Salzsäure praktisch quantitativ durch Chlor ersetzt (s. S. 57 u. Lit.[4]) (Hydroxy- und Amino-9,10-anthrachinon-sulfonsäuren werden dabei völlig aboxidiert).

④ Die Sulfonsäure-dimethylamide bzw. -anilide besitzen scharfe Schmelzpunkte, sind gut durch Kristallisation aus organischen Lösungsmitteln zu reinigen und auch chromatographisch zu unterscheiden.

⑤ Eine gravimetrische Bestimmung ist durch Fällen mit Benzidin und evtl. anschließendem Chromatographieren möglich[5].

⑥ Gute Trennungseffekte werden oft durch die unterschiedlichen Löslichkeiten der Alkalimetall-, Erdalkalimetall- oder Ammonium-Salze erzielt (s. in den entsprechenden Herstellungsvorschriften).

d) Herstellung von Nitro-9,10-anthrachinonen

1. durch Ringschluß-Reaktionen

Nitro-9,10-anthrachinone sind praktisch nicht durch Synthesen mit Phthalsäureanhydriden (s. S. 31 ff.) zugänglich. So läßt sich Phthalsäureanhydrid nicht mit Nitrobenzol, 3-

---

[1] K. FRIES u. G. SCHÜRMANN, B. **52**, 2189 (1919).
[2] S. z. B. H. E. FIERZ-DAVID, Helv. **10**, 195 (1927).
[3] C. A. BUEHLER u. W. J. WILLIAMS, Am. Soc. **63**, 2852 (1941).
[4] V. V. KOZLOV u. A. A. DAVYDOV, Ž. obšč. Chim. **30**, 3456 (1960); engl.: 3425.
[5] M. MATRKA, F. NAVRÁTIL u. B. SMETANA, Chem. Průmysl **9**, 415 (1959); C. **1961**, 961.

Nitro-phthalsäureanhydrid[1] praktisch nicht mit Aromaten und 4-Nitro-phthalsäureanhydrid nur in mittleren Ausbeuten mit Aromaten kondensieren. Dazu kommt noch, daß die anschließenden Ringschlüsse[2] recht schwierig sind. So läßt sich z.B. die durch nachträgliche Nitrierung erhältliche 2-(3-Nitro-benzoyl)-benzoesäure nur sehr schwer in siedendem Trichlorbenzol mit Phosphor(V)-oxid zu einem Gemisch aus $\sim 90\%$ 2- und 10% *1-Nitro-9,10-anthrachinon* cyclisieren[3].

2. Nitro-9,10-anthrachinone durch Nitrierung von 9,10-Anthrachinonen[4]

Die Nitrierung des 9,10-Anthrachinons verläuft nicht einheitlich. Das wichtige 1-Amino-9,10-anthrachinon wird daher heute noch über die Anthrachinon-1-sulfonsäure hergestellt. Um dieses großtechnische Zwischenprodukt erheblich zu verbilligen, wurde in jüngster Zeit von allen großen Farbstoffherstellern die Nitrierung des 9,10-Anthrachinons erneut und eingehend bearbeitet, z.B. in Fluorwasserstoff, Phosphorsäure, als Suspension in wasserhaltiger Schwefelsäure, in Dichlormethan oder in 99%-iger Salpetersäure. Mit letzterer scheinen die optimalsten Ergebnisse erzielt zu werden.

Bei dem völlig unwirtschaftlichen Molverhältnis 500 Salpetersäure : 1 9,10-Anthrachinon bei $-20°$ innerhalb von 42 Min. resultiert ein Nitriergemisch der Zusammensetzung: 92% *1-Nitro-*, $2,3\%$ *2-Nitro-*, 1% *Dinitro-9,10-anthrachinone* und $4,7\%$ *9,10-Anthrachinon*[5,6] (zum Reaktionsmechanismus s.S. 13).

Die folgende Arbeitsweise dürfte den technischen Erfordernissen besser Rechnung tragen.

1-Nitro-9,10-anthrachinon[5]: In 1,563 *l* einer 95%-igen Salpetersäure werden unter schwacher Kühlung bei 35° 208 g 9,10-Anthrachinon eingerührt (Molverh. HNO_3 : 9,10-Anthrachinon 35,2 : 1). Wenn die Reaktion abgeklungen ist, wird nach 45 Min. Wasser zugegeben, das kristalline Produkt abgesaugt und säurefrei gewaschen; Ausbeute: 253,5 g.
Es besteht aus[6]

  $78,2\%$ *1-Nitro-9,10-anthrachinon*
  $7,9\%$ *2-Nitro-9,10-anthrachinon*
  $6,7\%$ *1,5-* und *1,8-Dinitro-9,10-anthrachinon*-Gemisch
  $1,6\%$ *1,6-* und *1,7-Dinitro-9,10-anthrachinon*-Gemisch
  $5,6\%$ *9,10-Anthrachinon*

Ein Nitriergemisch ganz ähnlicher Zusammensetzung wird erhalten, wenn man eine bei $-10°$ hergestellte Suspension von 41,6 g feinst gepulvertem 9,10-Anthrachinon in 151 g Salpetersäure (spez. Gew. 1,51) in kontinuierlicher Arbeitsweise mit einer Verweilzeit von 15 Min. durch ein auf $\sim 50°$ geheiztes Strömungsrohr pumpt[7].

Zur Reinherstellung von 1-Nitro-9,10-anthrachinon sind in Patenten zahlreiche Verfahren angegeben. Zum Umkristallisieren sind Salpetersäure (63%-ig), Morpholin und Dimethylformamid gut geeignet.

Aus den rohen ~ 76–78%-igen 1-Nitro-9,10-anthrachinon-Gemischen kann technisch durch eine Vakuumdestillation ein Produkt mit einem Reinheitsgrad von 99% erhalten werden.

---

[1] W. A. LAWRANCE, Am. Soc. **43**, 2577 (1921).
  W. H. BEISLER u. L. W. JONES, Am. Soc. **44**, 2296 (1922).
[2] J. RAINER, M. **29**, 431 (1908).
[3] DRP. 592366 (1932), I.G. Farb., Erf.: P. NAWIASKY u. A. PALM; Frdl. **20**, 1296.
[4] Die Nitrierung von Hydroxy-, Alkoxy-, Amino- und Carboxy-9,10-anthrachinonen ist bei diesen Substanzklassen beschrieben.
[5] Z. Z. MOISEEVA, Org. Poluprod. Krasiteli **1969**, Nr. 4, 70; C. A. **72**, 80310ᵃ (1970).
[6] Analysenwerte der Farbf. Bayer.
[7] DOS. 2232464 (1972), 2241627 (1972), Farbf. Bayer, Erf.: W. AUGE, K.-W. THIEM u. R. NEEFF; C. A. **80**, 95617ᵛ, 145908ᵖ (1974).
  S.a. DOS. 2461648 (1974), Bayer AG, Erf.: W. AUGE, K.-W. THIEM, G. DANKERT u. R. NEEFF; C. A. **85**, 94144ᵉ (1976).

Bei der technischen Herstellung von *1-Amino-9,10-anthrachinon* kann die Isomeren-Trennung auch erst auf der Amin-Stufe erfolgen.

In das 9,10-Anthrachinon lassen sich leicht auch zwei Nitro-Gruppen einführen. Dies kann in Oleum[1], in konz. Schwefelsäure oder auch mit 98%-iger Salpetersäure erfolgen. Dabei entsteht ein Gemisch, das hauptsächlich aus *1,5-Dinitro-* und *1,8-Dinitro-9,10-anthrachinon* besteht, die sich ohne Schwierigkeiten in reiner Form isolieren lassen. Die übrigen Isomeren können durch Umkristallisieren praktisch nicht getrennt werden.

1,5- und 1,8-Dinitro-9,10-anthrachinon[2]: In ein Gemisch aus 238,5 g 96%-iger Schwefelsäure und 233,5 g 98%-iger Salpetersäure werden bei 30° innerhalb 15 Min. 126 g 9,10-Anthrachinon unter Kühlen eingerührt. Dann läßt man weitere 30 Min. bei 40° und 30 Min. bei 70° nachreagieren. Nach dem Einrühren von 673 *ml* Wasser bei 60–70° wird der Niederschlag abgesaugt, ausgewaschen und getrocknet; Ausbeute: 178,5 g der Zusammensetzung:

40,9 % *1,5-Dinitro-9,10-anthrachinon* (40,5% d. Th.)
36,6 % *1,8-Dinitro-9,10-anthrachinon* (36,2% d. Th.)
8,93% *1,6-Dinitro-9,10-anthrachinon*
8,77% *1,7-Dinitro-9,10-anthrachinon*
0,38% *2,6-Dinitro-9,10-anthrachinon*
0,35% *2,7-Dinitro-9,10-anthrachinon*
0,72% *1-Nitro-9,10-anthrachinon*

Rest nicht identifiziert.

Die Analysen wurden mittels Hochdruckflüssigkeitschromatographie durchgeführt.

Da von allen Isomeren das *1,5-Dinitro-9,10-anthrachinon* das am schwersten lösliche ist, wird es im Laboratorium am besten auf folgende Weise isoliert: Zunächst wird das Gemisch mit Pyridin ausgekocht und dann der Rückstand in siedendem Nitrobenzol gelöst. Nach dem Abkühlen auf ~ 130° werden die abgeschiedenen hellgelben Kristalle abgesaugt und mit heißem Nitrobenzol ausgewaschen; reines 1,5-Dinitro-9,10-anthrachinon; F: 422°.

Der aus dem Pyridin-Extrakt anfallende Eindampf-Rückstand liefert beim fraktionierten Umkristallisieren aus Essigsäureanhydrid reines *1,8-Dinitro-9,10-anthrachinon* (F: 312°)[3].

Ein technisches Trennverfahren des Dinitro-9,10-anthrachinon-Gemisches mittels Nitrobenzol ist in einem Patent[4] ausführlich beschrieben.

Durch Di-nitrieren von 9,10-Anthrachinon mit 98–99%-iger Salpetersäure (Molverh. 1:40; 90 Min. bei 35°)[5] entsteht ein Isomeren-Gemisch ähnlicher Zusammensetzung. Die Trennung kann hier durch eine dosierte Wasser-Zugabe erfolgen, wobei zuerst weitgehend reines *1,5-Dinitro-9,10-anthrachinon* auskristallisiert[6].

Zur Zerlegung der Nitrier-Gemische durch fraktioniertes Umkristallisieren sind als Lösungsmittel auch Sulfolan[7] oder ein Gemisch aus 98%-iger Salpetersäure und 1,2-Dichlor-äthan (1:1) bei 60°[8] geeignet.

Reines *1,5-Diamino-9,10-anthrachinon* kann aus dem durch Reduktion erhaltenen Diamino-9,10-anthrachinon-Gemisch durch Lösen in konz. Schwefelsäure und dosierte

[1] H. ROEMER, B. **16**, 363 (1883).
DRP. 167699 (1904), Farbw. Hoechst; Frdl. **8**, 266.
BIOS Final Rep. Nr. **1484**, 16 (1948), I. G. Farb. Leverkusen.
S. a. DOS. 2143253 (1971), Farbf. Bayer, Erf.: W. HOHMANN u. H. SCHEITER; C. A. **78**, 135953[u] (1973).
[2] DOS. 2637732 (1976), Bayer AG, Erf.: W. HOHMANN u. K. WUNDERLICH; C. A. **88**, 152311[g] (1978).
vgl. DOS. 2740403 (1976/77), Mitsubishi Chem. Ind., Erf.: Y. TAKEDA et al.
[3] R. E. SCHMIDT, Farbf. Bayer.
[4] DOS. 2637733 (1976), Bayer AG, Erf.: K. WUNDERLICH, W. HOHMANN u. H. S. BIEN; C. A. **88**, 169833[b] (1978).
[5] DOS. 2306611 (1973), Bayer AG, Erf.: W. AUGE, K.-W. THIEM u. R. NEEFF; C. A. **82**, 5385[g] (1975).
[6] DOS. 2439280 (1974), Bayer AG, Erf.: W. HOHMANN; C. A. **84**, 30761[a] (1976).
[7] DOS. 2517436 (1975), Bayer AG, Erf.: B. SCHROEDER, W. AUGE, K.-W. THIEM u. R. NEEFF; C. A. **86**, 16459[t] (1977).
[8] DOS. 2400164 (1974), Bayer AG, Erf.: A. VOGEL; C. A. **83**, 178649[v] (1975).

Wasser-Zugabe hergestellt werden, wobei sich zunächst nur das 1,5-Diamino-9,10-anthrachinon-sulfat abscheidet.

2-Methyl-9,10-anthrachinon wird unter den üblichen Bedingungen zu $\sim 75\%$ in das *1-Nitro-2-methyl-9,10-anthrachinon* überführt, das sich von den mitentstandenen Isomeren und Dinitro-Verbindungen[1] leicht abtrennen läßt. Ähnlich verlaufen die Nitrierungen der höheren 2-Alkyl-9,10-anthrachinone; z.B.:

1-Nitro-2-äthyl-9,10-anthrachinon[2]; 70% d.Th.; F: 220°
1-Nitro-2-propyl-9,10-anthrachinon[1]
1-Nitro-2-butyl-9,10-anthrachinon[3]; 70% d.Th., F: 150°

Höhere 2-Alkyl-9,10-anthrachinone mit α-verzweigten Alkyl-Resten liefern schlechtere Ausbeuten an 1-Nitro-Derivaten, da hierbei auch Oxidationen stattfinden; z.B.:

1-Nitro-2-isopropyl-9,10-anthrachinon[3]
1-Nitro-2-tert.-butyl-9,10-anthrachinon[3]; 46% d.Th.; F: 206–207°

Das *1-Nitro-2-cyclohexyl-9,10-anthrachinon* ($\sim 40\%$ d.Th.; F: 258–260°) wird zweckmäßig in 92%-iger Schwefelsäure bei 10° hergestellt[4].

Aus 2,3-Dimethyl-9,10-anthrachinon entsteht das *1-Nitro-2,3-dimethyl-9,10-anthrachinon*. 2,6-Dimethyl-9,10-anthrachinon kann anscheinend einheitlich zum *1,5-Dinitro-2,6-dimethyl-9,10-anthrachinon*[5] dinitriert werden.

Aus 1-Methyl-9,10-anthrachinon wird *4-Nitro-1-methyl-9,10-anthrachinon*[6] und aus 1,4-Dimethyl-9,10-anthrachinon *5-Nitro-1,4-dimethyl-9,10-anthrachinon*[7] erhalten.

1-Nitro-2-methyl-9,10-anthrachinon[8, 9]:
a) **Isolierung durch fraktionierte Abscheidung aus Schwefelsäure:** 400 g 2-(4-Methyl-benzoyl)-benzoesäure werden mit 1,6 kg 96%-iger Schwefelsäure und 1,6 kg 24%-igem Oleum durch 1 stdg. Erhitzen auf 115° zum 2-Methyl-9,10-anthrachinon cyclisiert.

Nach Zugabe von 720 g konz. Schwefelsäure und anschließend von 320 *ml* Wasser rührt man zwischen 12–14° 525 g Mischsäure (20%-ig an HNO_3) innerhalb von 4 Stdn. ein. Nach kurzem Aufheizen auf 95° wird das auskristallisierte reine 1-Nitro-2-methyl-9,10-anthrachinon abgesaugt, mit Schwefelsäure nachgewaschen, dann mit Wasser angeschlämmt und säurefrei gewaschen; Ausbeute: 340 g (73% d.Th.); F: 265–270°.

b) **Isolierung durch Abtrennung der mitentstandenen Isomeren als Sulfonsäuren**[9]: Der feuchte Nutschkuchen (111 g 100%-ig) aus dem rohen ausgefällten 1-Nitro-2-methyl-9,10-anthrachinon wird mit 333 g Natriumsulfit in 2 *l* Wasser 6 Stdn. im Autoklaven auf 110° erhitzt. Die mitentstandenen Mono- und Dinitro-2-methyl-9,10-anthrachinone werden dabei in lösliche Sulfonsäuren überführt, während das 1-Nitro-2-methyl-9,10-anthrachinon unangegriffen bleibt. Nach dem Absaugen und Auswaschen mit kochendem Wasser erhält man reines 1-Nitro-2-methyl-9,10-anthrachinon (etwa 75% des Rohproduktes; F: 269–270°).

Das 1-Nitro-2-methyl-9,10-anthrachinon ist ein wichtiges Ausgangsmaterial zur Herstellung von *4-Brom-1-amino-2-methyl-9,10-anthrachinon*, 1-Amino-9,10-anthrachinon-2-carbonsäure und für 1-Amino-2-formyl-9,10-anthrachinon.

Im folgenden Beispiel wird ein Eintopfverfahren beschrieben, bei dem die Reinigung erst auf der Amin-Stufe erfolgt.

1-Amino-2,3-dimethyl-9,10-anthrachinon[10]: Das durch Kondensation von Phthalsäureanhydrid mit o-Xylol und anschließendem Ringschluß leicht zugängliche Isomeren-Gemisch aus 1,2- (25%) und 2,3-Dimethyl-9,10-

[1] R. EDER et al., Helv. **7**, 341 (1924).
[2] I. G. Farb. $\sim$1928.
[3] R.J. MOUALIM u. A.T. PETERS, Soc. **1948**, 1627.
[4] B. BIENERT u. C. WEINAND, I.G. Farb. Leverkusen (1934).
[5] C. SEER, M. **32**, 158 (1911).
[6] V. FAIN u. V.L. PLAKIDIN, Ž. obšč. Chim. **31**, 1588 (1961); engl.: 1476.
[7] DOS. 2200185 (1971/72), Vyzkummy ustav organickych synthez, Erf.: J. ARIENT; C.A. **77**, 166169[b] (1972).
[8] BIOS Final Rep. Nr. **987**, 13 (1948), I.G. Farb. Ludwigshafen.
[9] DRP. 399741 (1923), Sandoz; Frdl. **14**, 859.
DRP. 413380 (1924), Sandoz; Frdl. **15**, 670.
A. LOCHER u. H.E. FIERZ-DAVID, Helv. **10**, 649 (1927).
[10] DRP. 605191 (1933), I.G. Farb., Erf.: O. BAYER; Frdl. **21**, 1041.

anthrachinon (75%) wird bei 0–20° mit der ber. Menge Mischsäure nitriert. Anschließend wird die neutral gewaschene Paste mit Natriumsulfid reduziert und der ausgewaschene feuchte Preßkuchen in etwa der 12fachen Menge konz. Schwefelsäure gelöst. Unter Selbsterwärmung auf ~100° wird solange Wasser zugetropft, bis die Schwefelsäure-Konzentration ~75% beträgt. Dabei beginnt sich das Sulfat des reinen 1-Amino-2,3-dimethyl-9,10-anthrachinons abzuscheiden, das bei 40° abgesaugt, mit 75%-iger Schwefelsäure nachgewaschen und mit heißem Wasser hydrolysiert wird. Man kristallisiert aus Essigsäure um; F: 213° (dunkelrote Nadeln).

Aus 400 g 2-(3,4-Dimethyl-benzoyl)-benzoesäure werden so ~200 g erhalten. Aus der Schwefelsäure-Lösung lassen sich durch vorsichtige Wasserzugabe weitere 56 g etwas weniger reines Produkt (F: 208–210°) gewinnen.

Die Stellung der Amino-Gruppe ist nicht bewiesen.

1- bzw. 2-Chlor-9,10-anthrachinone lassen sich nicht einheitlich mononitrieren. Aus 1-Chlor-9,10-anthrachinon fällt ein Nitrier-Gemisch an, das zu ~75% aus *1-Chlor-4-nitro-9,10-anthrachinon* besteht[1].

Durch Nitrieren mit Mischsäure bei 20–70° lassen sich folgende Chlor-nitro-9,10-anthrachinone praktisch rein gewinnen, die sich meist kristallin abscheiden; z.B.:

1,4-Dichlor-5-nitro-9,10-anthrachinon[1]; F: 238°
1,5-Dichlor-4-nitro-9,10-anthrachinon[2]
1,8-Dichlor-4-nitro-9,10-anthrachinon[2,3]
2,3-Dichlor-5-nitro-9,10-anthrachinon[4]; F: 290°
1,4,5-Trichlor-8-nitro-9,10-anthrachinon[5]
1,2,3,4-Tetrachlor-5-nitro-9,10-anthrachinon[5]

Durch Einwirkung eines großen Überschusses an 98%-iger Salpetersäure auf 2-Chlor-9,10-anthrachinon (15 Stdn. bei 40°) entsteht ein Gemisch, aus dem sich durch fraktioniertes Fällen mit Wasser 32% d.Th. *2-Chlor-1,5-dinitro-9,10-anthrachinon* (F: 358–360°) rein abscheiden lassen. Durch weitere Wasserzugabe scheiden sich weitere 37% d.Th. des Gemisches aus *2-Chlor-1,5-* und *2-Chlor-1,8-dinitro-9,10-anthrachinon* ab[6].

1-Chlor-8-nitro-9,10-anthrachinon wird durch 96,7%-ige Salpetersäure bei 80–90° zum *1-Chlor-4,8-dinitro-9,10-anthrachinon* (70% d.Th.; F: 357°)[7] weiternitriert; analog das 1-Chlor-5-nitro-9,10-anthrachinon zum *1-Chlor-4,5-dinitro-9,10-anthrachinon* (F: 337°)[7].

Zahlreiche Chlor-nitro-9,10-anthrachinone werden durch Sandmeyer-Reaktion von Amino-nitro-9,10-anthrachinonen, durch Umsetzung von Nitro-9,10-anthrachinon-sulfonsäuren mit Natriumchlorat und Salzsäure (s. S. 57) und die der β-Reihe durch Oxidation von 2-Amino-x-chlor-9,10-anthrachinonen mit Perverbindungen (s. S. 79) hergestellt.

Die Herstellung von Chlor-nitro-9,10-anthrachinonen durch Chlorieren von Nitro-9,10-anthrachinonen ist auf S. 61ff. beschrieben.

Durch Nitrieren in der üblichen Weise sind folgende 2-Fluor-nitro-9,10-anthrachinone zugänglich:

2,3-Difluor-5-nitro-9,10-anthrachinon[8]; F: 247,7–249,5°
2,6-Difluor-1-nitro-9,10-anthrachinon[9]; F: 207–209°

Mit den 1-Fluor-9,10-anthrachinonen wurden keine brauchbaren Ergebnisse erzielt[9]. 9,10-Anthrachinon-sulfonsäuren[10] lassen sich leicht im unsubstituierten Kern nitrieren.

---

[1] R.E. Schmidt, Farbf. Bayer.
[2] DRP. 249 721 (1911), Farbf. Bayer; Frdl. **11**, 550.
[3] BIOS Final Rep. **1484**, 15 (1948), I.G. Farb. Leverkusen.
[4] DBP. 844776 (1950), CIBA, Erf.: W. Jenny u. W. Kern.
[5] Farbf. Bayer.
[6] Fr.P. 1577033 (1967), BASF; C.A. **73**, 16314^y (1970).
[7] DRP. 527860 (1928), CIBA; Frdl. **17**, 1153.
[8] N.S. Dokunikhin u. B.V. Salov, Ž. obšč. Chim. **36**, 1313 (1966); engl.: 1328.
[9] US.P. 3113141 (1961), Stauffer Chemical Co., Erf.: G.N. Valkanas u. H. Hopff; C.A. **60**, 9399^a (1964).
    G.N. Valkanas, Canad. J. Chem. **41**, 3135 (1963).
[10] s.a. den Abschnitt Amino-9,10-anthrachinon-sulfonsäuren, S. 191.

Die Nitro-sulfonsäuren – meist Isomeren-Gemische – lassen sich gut trennen und werden meist direkt zu den entsprechenden Amino-sulfonsäuren reduziert.

Durch Nitrieren der 9,10-Anthrachinon-1-sulfonsäure entsteht hauptsächlich die *1-Nitro-9,10-anthrachinon-5-sulfonsäure* neben dem 1,8-Isomeren, deren Herstellung auf S. 58 beschrieben ist.

Bei der Nitrierung von 9,10-Anthrachinon-2-sulfonsäure resultiert ein Gemisch aus je ~40% *1-Nitro-9,10-anthrachinon-6-* und *-7-sulfonsäure*[1]. Der Rest besteht hauptsächlich aus den *2-Nitro-9,10-anthrachinon-6-* und *-7-sulfonsäuren*.

1-Nitro-9,10-anthrachinon-6- und -7-sulfonsäure[2]: 100 g 9,10-Anthrachinon-2-sulfonsaures Natrium (100%-ig) werden mit 1770 g konz. Schwefelsäure auf 100° erhitzt, bis der aus dem beigemengten Natriumchlorid entstandene Chlorwasserstoff entwichen ist. Dann kühlt man auf 25° ab, rührt 120% d. Th. an konz. Salpetersäure ein und erwärmt innerhalb 1 Stde. auf 70°. Anschließend tropft man 230 ml Wasser zu, wobei die Temp. auf ~110° ansteigt. Nach dem Abkühlen auf 60° wird die auskristallisierte 1,6-Säure abgesaugt, mit einer 10%-igen Salzsäure ausgewaschen und getrocknet.

Die Ausbeute an reiner *1-Nitro-9,10-anthrachinon-6-sulfonsäure* beträgt ~43 g.

Die in der Mutterlauge enthaltene 1,7-Disulfonsäure ist nur schwer von den β-Nitro-sulfonsäuren abzutrennen: Man stellt das Filtrat auf einen Schwefelsäure-Gehalt von ~75% ein und saugt die abgeschiedenen Kristalle nach 12stdg. Rühren ab. Der scharf abgesaugte Nutschkuchen wird in der 7fachen Gewichtsmenge 90%-iger Schwefelsäure bei 130° gelöst. Beim langsamen Abkühlen auf 40° scheidet sich dann die *1-Nitro-9,10-anthrachinon-7-sulfonsäure* ab, die nach dem Absaugen mit konz. Salzsäure schwefelsäurefrei gewaschen wird. Man erhält so ~30 g an reinem Produkt, das frei von den β-Nitrosulfonsäuren ist.

Zur Reinigung kann man auch die erheblich größere Löslichkeit des Natriumsalzes der 1-Nitro-9,10-anthrachinon-7-sulfonsäure nutzen[3].

Die Reduktion zu den 1-Amino-9,10-anthrachinon-6- bzw. -7-sulfonsäuren mit alkalischem Natriumsulfid macht keinerlei Schwierigkeiten.

9,10-Anthrachinon-disulfonsäuren lassen sich in der üblichen Weise nicht nitrieren, da dabei Zersetzungen eintreten. Durch Einwirkung eines großen Überschusses an 100%-iger Salpetersäure unter Zusatz von ~20 Gew.% Schwefelsäure-Monohydrat bei 80° konnte in mäßiger Ausbeute die *1-Nitro-9,10-anthrachinon-3,7-disulfonsäure* gefaßt[4] werden.

Über die Herstellung der 1,4-Dinitro-9,10-anthrachinon-2-carbonsäure und des 1,4-Dinitro-2-acetyl-9,10-anthrachinons s. S. 251.

3. Nitro(insbesondere β-Nitro)-9,10-anthrachinone durch spezielle Verfahren

1- und 2-Chlor-9,10-anthrachinone lassen sich mit Natriumnitrit praktisch nicht umsetzen. Durch Erhitzen von Dichlor-9,10-anthrachinonen mit Natriumnitrit in Dimethylformamid entstehen jedoch Hydroxy-nitro-9,10-anthrachinone und aus 1-Hydroxy-9,10-anthrachinonen bilden sich unter Zusatz von Benzoesäure 1-Hydroxy-β-nitro-9,10-anthrachinone (s. S. 131).

2-Nitro-9,10-anthrachinone können – falls keine dirigierenden Substituenten vorhanden sind – nur auf indirekte Weise hergestellt werden. Die geringen Mengen *2-Nitro-9,10-anthrachinon*, die bei der Nitrierung von 9,10-Anthrachinon als Nebenprodukt anfallen (s. S. 75), sind nur schwer isolierbar.

Die Umsetzungen von 2-Diazoniumsalzen mit Natriumnitrit ergeben nur sehr schlechte

[1] Sog. „Claus'sche Säuren", A. Claus, B. **15**, 1514 (1882).
[2] C. Weinand u. C. Bamberger, I.G. Farb. Leverkusen (1936).
    Vgl. a. DBP. 1 226 598 (1964) ≡ Belg. P. 667 293 (1965), Farbf. Bayer; Erf.: F. Baumann, H. Vollmann u. H.J. Schulz; C.A. **65**, 12317g (1966).
[3] H.E. Fierz-David, Helv. **10**, 206 (1927).
[4] O. Runne, I.G. Farb. Hoechst (1937).

Ausbeuten an 2-Nitro-9,10-anthrachinonen[1], ebenso die Entaminierung von 3-Nitramino-2-nitro-9,10-anthrachinon. Auch in der α-Reihe werden über die Diazoniumverbindungen[2] keine guten Ausbeuten erhalten.

Ein allgemein anwendbares Verfahren zur Herstellung von 2-Nitro-9,10-anthrachinonen besteht in der Oxidation von β-Amino-9,10-anthrachinonen mit Persulfat[3, 4].

1-Chlor-2-nitro-9,10-anthrachinon[3]: In eine Lösung von 50 g 1-Chlor-2-amino-9,10-anthrachinon in 300 *ml* konz. Schwefelsäure rührt man 250 g Ammoniumpersulfat, in 1 *l* Wasser gelöst, ein und erhitzt die entstandene Suspension so lange auf dem Wasserbad, bis die orangerote Farbe nach hellgelb umgeschlagen ist. Das abfiltrierte, ausgewaschene und getrocknete Rohprodukt wird aus Essigsäure umkristallisiert; Ausbeute: ~60% d.Th.; F: 258° (hellgelbe Nadeln).

In analoger Weise werden erhalten:

2-Nitro-9,10-anthrachinon[3]   F: 183–184°
2-Chlor-3-nitro-9,10-anthrachinon[3]
2-Nitro-9,10-anthrachinon-3-sulfonsäure[4]

Die Oxidation von 1-Amino-9,10-anthrachinonen nach Kopetschni führt nur bis zur Nitroso-Stufe (s. S. 220), die durch Chrom(VI)-oxid in Essigsäure zu der Nitro-Verbindung weiteroxidiert werden kann. Oxidiert man mit Peressigsäure, so erhält man auch aus 1-Amino-9,10-anthrachinonen direkt die 1-Nitro-9,10-anthrachinone[5].

Tab. 1: Nitro-9,10-anthrachinone durch Oxidation von Amino-9,10-anthrachinonen mit Peressigsäure[5]

...-9,10-anthrachinon	...-9,10-anthrachinon	Ausbeute [% d. Th.]	F [°C]
1-Chlor-2-amino-...	1-Chlor-2-nitro-...	82	265
2-Chlor-1-amino-...	2-Chlor-1-nitro-...	75	282–284
4-Chlor-1-amino-...	1-Chlor-4-nitro-...	73	258
3-Brom-2-amino-...	2-Brom-3-nitro-...	61	282
1,5-Dichlor-2,6-diamino-...	1,5-Dichlor-2,6-dinitro-...	52	346
2-Amino-3-nitro-...	2,3-Dinitro-...	36	276–277

Bemerkenswert ist, daß 1,2-Diamino-9,10-anthrachinon durch Peressigsäure bei 100° mit ~75%-iger Ausbeute zum *1-Amino-2-nitro-9,10-anthrachinon*[6] (F: 223°) und 2,3-Dichlor-1,4-diamino-9,10-anthrachinon mit 35% Ausbeute zum *2,3-Dichlor-1-amino-4-nitro-9,10-anthrachinon*[5] (F: 329°) oxidiert werden.

Das *2,7-Dinitro-9,10-anthrachinon* ist durch Nitrieren von Anthron[7] – besser noch von 9,9'-Bi-anthronyl[8] – zugänglich.

Das 2,7-Dinitro-9,10-anthrachinon bildet mit höheren Aromaten, ähnlich wie Pikrinsäure, charakteristische Doppelverbindungen[9].

2,7-Dinitro-9,10-anthrachinon[8, 10]: In 100 g 99%-ige Salpetersäure trägt man bei 0° 10 g feingepulvertes 9,9'-Bi-anthronyl ein und rührt noch ~2 Stdn. bei 0–5°. Hierauf läßt man den Ansatz unter Kühlen in 200 *ml* Essigsäure einfließen, wobei sich das Tetranitro-9,9'-bi-anthronyl in Form farbloser Nadeln abscheidet, die abgesaugt und mit Essigsäure ausgewaschen werden (Ausbeute: ~90% d.Th.)[8].

[1] W. Bradley u. E. Leete, Soc. **1951**, 2139.
[2] Z.B. DRP. 581 439 (1932), I.G. Farb., Erf.: P. Nawiasky, H. Neresheimer u. A. Palm; Frdl. **20**, 1319.
[3] DRP. 363930 (1914), E. Kopetschni; Frdl. **14**, 850.
[4] W. Bradley u. E. Leete, Soc. **1951**, 2145.
[5] W.L. Mosby u. W.L. Berry, Tetrahedron **5**, 95 (1959).
[6] F. Ebel, I.G. Farb. Ludwigshafen (1937).
[7] DRP. 497503 (1925), I.G. Farb., Erf.: R.E. Schmidt u. B. Stein; Frdl. **16**, 1241.
[8] DRP. 488605 (1925), I.G. Farb., Erf.: R.E. Schmidt u. B. Stein; Frdl. **16**, 1240.
[9] E. Börnstein et al., B. **59**, 2812 (1926).
[10] DRP. 489455 (1925), I.G. Farb., Erf.: R.E. Schmidt u. B. Stein; Frdl. **16**, 1241.

Zur oxidativen Spaltung muß das Anthron zuvor in die Enol-Form umgelagert werden. Dies geschieht durch Aufkochen von 10 g Tetranitro-9,9′-bi-anthronyl mit 200 *ml* Anilin. Nach dem Erkalten werden die braunen Kristalle abgesaugt und mit Essigsäure ausgewaschen. Die Kristallmasse wird mit einer Lösung von 20 g Chrom(VI)-oxid in 300 *ml* Essigsäure solange erhitzt, bis völlige Lösung eingetreten ist. Nach dem Erkalten ist das 2,7-Dinitro-9,10-anthrachinon auskristallisiert (F: 284–285°); Ausbeute: ~60% d.Th.[1].

Da man jetzt in der Technik dazu übergeht, das 1-Nitro-9,10-anthrachinon durch direkte Nitrierung herzustellen, fallen größere Mengen an *1,6-* und *1,7-Dinitro-9,10-anthrachinonen* an. In diesen ist die 1-ständige Nitro-Gruppe die reaktionsfähigste und kann selektiv umgesetzt werden.

e) Herstellung von Hydroxy-9,10-anthrachinonen und ihren Estern

1. Allgemeines

α) Chemisches Verhalten

Die Hydroxy-9,10-anthrachinone[2] sind sehr stabile Verbindungen von gelber, roter bis brauner Farbe. Sie besitzen phenolischen Charakter, jedoch verhalten sich 1- und 2-Hydroxy-9,10-anthrachinone sehr unterschiedlich. Die 2-Hydroxy-9,10-anthrachinone bilden Anionen, in denen sich die Übergänge in mesomere Grenzzustände leicht vollziehen können:

Eine derartige Mesomeriestabilisierung ist jedoch bei den 1-Hydroxy-9,10-anthrachinonen sehr erschwert, einmal, weil sich zwei von drei obiger Grenzformen mit gleichen, abstoßend wirkenden negativen Ladungen gegenüberstehen, und zum anderen der Effekt der Wasserstoffbrückenbindung entscheidend in den Vordergrund tritt.

Die Existenz von Wasserstoffbrücken wurde zum ersten Mal „als Komplexbildungsvermögen des Wasserstoffatoms" von P. Pfeiffer[3] am Beispiel des 1-Hydroxy-9,10-anthrachinons postuliert (s.a. S. 83).

Diese bewirken, daß 1-Hydroxy-9,10-anthrachinone erheblich weniger reaktionsfähig und erheblich schwächer sauer als die 2-Hydroxy-Verbindungen sind[4-7].

[1] DRP. 489 455 (1925), I. G. Farb., Erf.: R. E. SCHMIDT u. B. STEIN; Frdl. **16**, 1241.

[2] s. dazu die klassischen Arbeiten von C. LIEBERMANN, A. **183**, 145–224 (1876).
C. LIEBERMANN u. S. v. KOSTANECKI, A. **240**, 245 (1887).
Die Hydroxy-9,10-anthrachinone sind ausführlich beschrieben in: J. HOUBEN, *Das Anthracen und die Anthrachinone*, G. Thieme Verlag, Leipzig 1929.
In den folgenden Abschnitten stammen zahlreiche Angaben ohne besonderes Literaturzitat aus den unveröffentlichten Aufzeichnungen von R. E. SCHMIDT.

[3] P. PFEIFFER et al., A. **398**, 152 (1913).

[4] P. PFEIFFER et al., A. **398**, 137 (1913); B. **60**, 111 (1927).

[5] Wasserstoffbrücken in Hydroxy-9,10-anthrachinonen:
O. R. WULF u. U. LIDDEL, Am. Soc. **57**, 1464 (1935).
G. E. HILBERT et al., Am. Soc. **58**, 548 (1936).
H. HOYER, Z. El. Ch. **49**, 97 (1943); **54**, 413 (1950); B. **86**, 1016 (1953).

[6] Theorie der Wasserstoffbrückenbindung in Hydroxy- und Amino-9,10-anthrachinonen: D. N. SHIGORIN u. N. S. DOKUNIKHIN, Ž. fiz. Chim. **29**, 1958 (1955); C. A. **50**, 9156ª (1956).

[7] Wasserstoffbrückenbindungen in 1-Hydroxy-9,10-anthrachinon-sulfonsäuren: H. HOYER, Z. El. Ch. **61**, 313 (1957).

Tab. 2: Übersicht über die wichtigsten Hydroxy-9,10-anthrachinone (mit Trivial-namen)[1]

9,10-Anthrachinon	Lösung in konz. Schwefelsäure	Lösung in Natronlauge	F[°C]	Peracetyl-Vbg. F [°C]
1-Hydroxy-9,10-anthrachinon (Erythroxyanthrachinon)	goldgelb	bräunlichrot[1]	200–201	185–187
2-Hydroxy-9,10-anthrachinon	gelbrot	gelbrot	306[1] 314 (subl.)	158–158,5
1,2-Dihydroxy-9,10-anthrachinon (Alizarin)	rotbraun	blau-violett	289–290 292	187–190 (184)
1,3-Dihydroxy-9,10-anthrachinon (Xanthopurpurin; Purpuroxanthin)	gelb	rot	264	183–184
1,4-Dihydroxy-9,10-anthrachinon (Chinizarin)	karminrot	violett	201 (198) (?)	210 (207)
1,5-Dihydroxy-9,10-anthrachinon (Anthrarufin)	orange-rot	gelbrot	(280)[1]	(245)
1,6-Dihydroxy-9,10-anthrachinon	orange	rot	270–273	
1,7-Dihydroxy-9,10-anthrachinon (meta-Benzdioxyanthrachinon)	braungelb	gelb	> (293)	(199)
1,8-Dihydroxy-9,10-anthrachinon (Chrysazin)	rot	gelbrot	193 194	231–232 (244) (227–232)
2,3-Dihydroxy-9,10-anthrachinon (Hystazarin)	rot	blau	(> 260)	210 (211–213)
2,6-Dihydroxy-9,10-anthrachinon (Anthraflavin[säure])	gelb	gelbrot	> 365[2] (> 330)	(228)
2,7-Dihydroxy-9,10-anthrachinon (Isoanthraflavin[säure])	rot	rot	> 350 (subl.)[2]	191
1,2,3-Trihydroxy-9,10-anthrachinon (Anthragallol)	rot		313–314	188–189
1,2,4-Trihydroxy-9,10-anthrachinon (Purpurin)	hellrot	rot	257–259 263	200–201 (203)
1,2,5-Trihydroxy-9,10-anthrachinon (Oxyanthrarufin)	rot-violett	rot-violett	(274)[3]	(229)[3]
1,2,6-Trihydroxy-9,10-anthrachinon (Flavopurpurin)	rot-violett	purpur	(~360)	208–211 (203)
1,2,7-Trihydroxy-9,10-anthrachinon (Anthrapurpurin; Isopurpurin)	rotbraun	violett	372–374 (369)	227 (223)
1,2,8-Trihydroxy-9,10-anthrachinon (Oxychrysazin)	karminrot	violett-blau	239–240	223–224
1,3,8-Trihydroxy-9,10-anthrachinon	orange	rot rot-violett	287–288 270–271	198–199 225
1,4,5-Trihydroxy-9,10-anthrachinon (Xyromehl)	rot-violett	violett		
1,4,6-Trihydroxy-9,10-anthrachinon	rot-violett	violett	(256)[4]	
1,2,3,4-Tetrahydroxy-9,10-anthrachinon	rot	rot	260,5–261	205[5]
1,2,4,6-Tetrahydroxy-9,10-anthrachinon (Oxyflavopurpurin)	blau-rot	orange		202
1,2,5,6-Tetrahydroxy-9,10-anthrachinon (Rufiopin; Dializarin)	violett-rot	violett-rot	> 300 (316–318)	260–275 Zers. (238)

[1] In den meisten Fällen handelt es sich um ältere Angaben, die sich z. T. auf nicht völlig einheitliche Verbindungen beziehen.
[2] nach BEILSTEIN 8 III, 3796, 3798 (1970) .
[3] nach BEILSTEIN 8, 513 (1925).
[4] nach BEILSTEIN 8 I, 742 (1931).
[5] nach BEILSTEIN 8 II, 582 (1948).

9,10-Anthrachinon	Lösung in konz. Schwefelsäure	Lösung in Natronlauge	F [°C]	Peracetyl-Vbg. F [°C]
1,2,5,8-Tetrahydroxy-9,10-anthrachinon (Alizarinbordeaux; Chinalizarin)	blau-violett	rot-violett	313–316 > 275 (subl.)	(201)
1,2,7,8-Tetrahydroxy-9,10-anthrachinon (Chrysopin)	violett-rot	blau	316–318 (292)	238–240 (?)
1,4,5,8-Tetrahydroxy-9,10-anthrachinon- (Dichinizarin)	grün-blau	blau	> 300 (246)[1]	281–282 Zers.
1,2,3,5,7-Pentahydroxy-9,10-anthrachinon (Dioxyanthragallol; 5,7-Dioxy-anthragallol)[2]	braun-rot	grün	(> 360)[2]	(229)[2]
1,2,4,5,8-Pentahydroxy-9,10-anthrachinon (Alizarinpentacyanin)	blau	blau-violett		268–270 (Zers.)[3]
1,2,3,5,6,7-Hexahydroxy-9,10-anthrachinon (Rufigallol; Rufigallussäure)	rot	violett	(250)	(266) (?)
1,2,4,5,7,8-Hexahydroxy-9,10-anthrachinon (Alizarinhexacyanin)	blau	grün-blau		
Octahydroxy-9,10-anthrachinon	blau	(?)	Zers. ~200[4]	

Der Verlust an Farbigkeit, der durch die eingeschränkten Mesomerieübergänge bei den α-Ionen eintritt, wird durch den Effekt der Wasserstoffbrückenbindungen erheblich überkompensiert.

Im einzelnen bestehen zwischen α- und β-Hydroxy-9,10-anthrachinonen folgende wesentlichen Unterschiede, die auch zu deren Trennung genutzt werden können:

① Im Gegensatz zu den β-Hydroxy-Verbindungen bilden die 1-Hydroxy-9,10-anthrachinone keine Pyridinium-Salze[5]; sie lösen sich ferner nicht in wäßrigen Alkalicarbonat-Lösungen, sondern nur in heißer verdünnter Natronlauge.

So kann man das *1,4-Dihydroxy-9,10-anthrachinon* leicht vom *1,2,4-Trihydroxy-9,10-anthrachinon* abtrennen, indem man das Gemisch in heißer, stark verd. Kalilauge löst und Kohlendioxid einleitet. Dabei wird nur das Chinizarin ausgefällt[6].

② β-Hydroxy-9,10-anthrachinone sind bereits in einer verdünnten Kaliumacetat-Lösung löslich, bilden Pyridinium-Salze[5], lassen sich leicht verestern und normal veräthern.

③ Bei der Acetylierung von Polyhydroxy-9,10-anthrachinonen mit Essigsäureanhydrid in Pyridin werden nur die β-ständigen Hydroxy-Gruppen verestert. Eine vollständige Acetylierung erzielt man erst durch Erhitzen mit siedendem Essigsäureanhydrid, dem ein Tropfen Schwefelsäure zugefügt wurde (s. S. 136). Schwefelsäureester der α-Hydroxy-9,10-anthrachinone sind nicht herstellbar (s. S. 137).

④ Auch die Verätherung α-ständiger Hydroxy-Gruppen erfordert energischere Reaktionsbedingungen als die der β-Derivate – andererseits lassen sich α-ständige Äther-Gruppen erheblich leichter als β-ständige hydrolytisch spalten.

⑤ Typisch nur für die α-Hydroxy-9,10-anthrachinone ist ihr starkes Komplexbildungsvermögen unter Einbeziehung der benachbarten Carbonyl-Gruppe. Dieses wurde besonders an den technisch wichtigen Borsäure-Komplexen (s. S. 138) und den farbigen Zinn(IV)-Komplexen[6] untersucht. Letztere entstehen leicht durch Er-

---

[1] nach BEILSTEIN **8** I, 756 (1931).
[2] nach BEILSTEIN **8**, 562–563 (1925).
[3] nach BEILSTEIN **8** II, 603 (1948).
[4] nach BEILSTEIN **8** I, 767 (1931).
[5] P. PFEIFFER et al., A. **398**, 137 (1913); B. **60**, 111 (1927).
[6] E. SCHUNCK u. H. ROEMER, B. **10**, 555 (1877).

hitzen mit Zinn(IV)-chlorid in Benzol unter Chlorwasserstoff-Abspaltung (I). *Chinizarin* gibt einen violettschwarzen Dizinn-Komplex. β-Hydroxy-9,10-anthrachinone reagieren weder mit Borsäure noch mit Zinn(IV)-Salzen. Aus Alizarin entsteht demzufolge der Komplex II:

I   II; violettschwarz

Herstellung und Eigenschaften der Borsäureester-Komplexe sind auf S. 138 ff. beschrieben.

Diesem stark ausgeprägten Komplexbildungsvermögen der α-Hydroxy-9,10-anthrachinone verdankt das *Alizarin* seine frühere überragende Bedeutung als Farbstoff. Das Prinzip der Alizarin-Färberei beruht darauf, daß auf der Faser die α-ständige Hydroxy-Gruppe mit einem komplexbildenden Metall (z.B. mit Aluminium) und die β-Hydroxy-Gruppe mit einem 2-wertigen Metall unter Salzbildung reagieren, so daß ein „Farblack" entsteht[1−3].

Tab. 3: Unterschiedliches Verhalten der α- und β-Hydroxy-9,10-anthrachinone

Reagenz	α-Hydroxy-9,10-anthrachinone	β-Hydroxy-9,10-anthrachinone	Literatur
Silicagel	verhalten sich praktisch wie Kohlenwasserstoffe. Schwache Absorption.	gute Absorption	s. S. 86
Pyridin	reagieren nicht	Salzbildung	
Natriumcarbonat bzw. Natriumacetat in wäßr. Lösung	reagieren nicht	lösen sich bei 20° als Natriumsalze	
Natronlauge[4]	in der Kälte langsame Salzbildung, leichte in der Hitze	lösen sich bei 20° als Natriumsalze	
Alkylierungsmittel	in der Kälte praktisch ohne Einwirkung. Unter energischen Bedingungen tritt Verätherung ein	glatte Verätherung	s. S. 142
Essigsäureanhydrid	bis ∼ 40° in Gegenwart von Pyridin keine Einwirkung. In der Siedehitze tritt Acetylierung ein	leichte Veresterung	s. S. 136
Benzoesäure (unter Rückflußsieden)	keine Umsetzung	Veresterung	s. S. 136
SO$_3$-Pyridin	reagiert nicht	bei 20° entstehen glatt die Schwefelsäurediester	s. S. 137
Benzol-sulfochlorid (in Pyridin)	reagiert nicht	leichte Bildung der Benzolsulfonsäureester	s. S. 137
Borsäure a) in Schwefelsäure b) in Essigsäureanhydrid	} stabile Borsäureester-Komplexe	− Acetylierung	s. S. 138

[1] Zur Konstitution des *Alizarinrots*: H. E. FIERZ-DAVID u. M. RUTISHAUSER, Helv. **23**, 1298 (1940).
[2] Über das Färben mit Alizarin-Farbstoffen s. A. SCHAEFFER, *Handbuch der Färberei*, S. 266 ff., Konradin-Verlag, Stuttgart 1949.
[3] E. G. KIEL u. P. M. HEERTJES, J. Soc. Dyers Col. **79**, 21, 61 (1963).
[4] Ammoniak ist zur Salzbildung ungeeignet, da dieses einige Polyhydroxy-9,10-anthrachinone, z.B. 1,2,4-Trihydroxy-9,10-anthrachinon, leicht in Amino-hydroxy-9,10-anthrachinone überführt.
Über die Salze der Hydroxy-9,10-anthrachinone s. R. SCHOLL, B. **74**, 1129 (1941).

Infolgedessen ist das Gebiet der Polyhydroxy-9,10-anthrachinone und deren Sulfonsäuren seit der Konstitutionsaufklärung des *Alizarins* durch C. Graebe u. C. Liebermann bereits bis zur Jahrhundertwende weitgehend erschlossen worden.

So hat man aus *Alizarin* das sog. *Krapprot* (Aluminium-Calcium-Komplex)[1⁻3], aus *Penta-* bzw. *Hexahydroxy-9,10-anthrachinonen* mit Chrom-Salzen und aus dem Polyhydroxy-9,10-anthrachinon mit Chrom- bzw. Nikkel-Zink-Beizen sehr echte Blaufärbungen (Alizarinblaumarken) erzeugt.

Trotz der Schönheit und hohen Echtheit der Färbungen sind diese sog. Beizenfarbstoffe wegen ihrer umständlichen Färbeweise inzwischen fast völlig verdrängt worden.

β) Handhabung der Hydroxy-9,10-anthrachinone

Als Lösungsmittel, die zum Umkristallisieren von Hydroxy-9,10-anthrachinonen geeignet sind, kommen hauptsächlich in Betracht: Pyridin, Essigsäure, Phenol, Dichlorbenzol und Nitrobenzol. Polyhydroxy-9,10-anthrachinone sind darin mit steigender Anzahl der Hydroxy-Gruppen immer schwerer löslich.

Beim Umlösen aus Pyridin kann man durch Zugabe von Äthanol eine gute Fraktionierwirkung erzielen. Dabei ist zu beachten, daß β-ständige Hydroxy-Gruppen Pyridinium-Salze bilden. Diese zerfallen beim Trocknen zwischen 60–130° oder durch Aufkochen mit Methanol.

Ein besonders gutes Lösungsmittel ist konz. Schwefelsäure oder schwaches Oleum, in denen die Hydroxy-9,10-anthrachinone meist als Onium-Verbindungen vorliegen. Einige Tetrahydroxy-, Pentahydroxy- und Hexahydroxy-9,10-anthrachinone sind darin nur in der Hitze löslich und können so umkristallisiert werden.

Ein bemerkenswertes Lösungsmittel für einige Polyhydroxy-9,10-anthrachinone mit 1,2,4-Trihydroxy-Struktur ist eine heiße wäßr. Kalium-aluminium-sulfat-Lösung, aus der sich beim Erkalten die Aluminium-Komplexe abscheiden, die leicht mit Säuren zerlegt werden können.

Eine der saubersten Reinigungsmethoden ist die Sublimation im Hochvakuum, die sich sogar fraktionierend durchführen läßt, da die α-Hydroxy-9,10-anthrachinone einen höheren Dampfdruck als die β-Verbindungen haben[4].

Eine weitere Trennungsmöglichkeit bieten die vollständig acetylierten Hydroxy-9,10-anthrachinone (s.S. 136), die gut kristallisieren und erheblich leichter löslich sind als die Hydroxy-Verbindungen. Die Verseifung gelingt leicht durch Erwärmen in 94%-iger Schwefelsäure auf ~40–50°, aus der man die Polyhydroxy-9,10-anthrachinone erforderlichenfalls durch Wasser oder Essigsäure-Zugabe noch fraktionierend abscheiden kann.

Beim Arbeiten mit Hydroxy-9,10-anthrachinonen ist stets destilliertes Wasser zu verwenden, da sich sonst Calciumsalze bilden[5].

Die Hydroxy-9,10-anthrachinone und ihre Sulfonsäuren scheiden sich beim Ansäuern ihrer Salzlösungen meist gelatinös ab. Es empfiehlt sich daher, die Fällungen langsam in der Siedehitze vorzunehmen und solange nachzuheizen, bis der Niederschlag kristallin geworden ist.

Polyhydroxy-9,10-anthrachinone sind nicht autoxidabel; ihre alkalischen Lösungen sind jedoch sehr lichtempfindlich. So wird eine verdünnte alkalische Lösung von 1,2,4-Trihydroxy-9,10-anthrachinon am Tageslicht sofort entfärbt und bis zur Phthalsäure abgebaut.

---

[1] Zur Konstitution des *Alizarinrots*: H.E. FIERZ-DAVID u. M. RUTISHAUSER, Helv. **23**, 1298 (1940).

[2] Über das Färben mit Alizarin-Farbstoffen s. A. SCHAEFFER, *Handbuch der Färberei*, S. 266 ff., Konradin-Verlag, Stuttgart 1949.

[3] E.G. KIEL u. P.M. HEERTJES, J. Soc. Dyers Col. **79**, 21, 61 (1963).

[4] Dampfdrucke von Hydroxy-9,10-anthrachinonen bei 10^{-5}–10^{-2} Torr: H. HOYER u. W. PEPERLE, Z. El. Ch. **62**, 61 (1958).

[5] Besonders wirksam als „Entkalkungsmittel" ist 3-Nitro-alizarin, das Erdalkali-Ionen anscheinend sogar komplex zu binden vermag.

γ) Hinweise zur Analytik der Hydroxy-9,10-anthrachinone

Auf einfache Weise läßt sich bei Polyhydroxy-9,10-anthrachinonen feststellen, wie die Hydroxy-Gruppen auf die Benzolkerne verteilt sind: Erhitzt man die Verbindungen mit verdünnter Salpetersäure, so wird nur der Hydroxy-Gruppen enthaltende Kern aboxidiert. Z.B. entsteht aus 1- und 2-Hydroxy-9,10-anthrachinonen, 1,2-Dihydroxy- und 1,2,4-Trihydroxy-9,10-anthrachinon quantitativ *Phthalsäure* und aus 5,8-Dichlor-1,4-dihydroxy-9,10-anthrachinon die *3,6-Dichlor-phthalsäure*[1]. 1,5-Dihydroxy-, 1,2,5,8-Tetrahydroxy-9,10-anthrachinon und alle 9,10-Anthrachinone, die in beiden Kernen hydroxyliert sind, werden restlos abgebaut.

Die bereits eingangs beschriebenen Unterscheidungsmerkmale von α- und β-Hydroxy-9,10-anthrachinonen können ebenfalls für analytische Zwecke genutzt werden. Zahlreiche Reinigungs- bzw. Trennmethoden über Salze (s. Tab. 3, S. 83) sind in den Herstellungsvorschriften beschrieben. Die Bariumsalze von 2-Hydroxy-, 1,3- und 2,7-Dihydroxy-9,10-anthrachinon sind gut, die Erdalkalimetall-Salze des Alizarins hingegen sehr schwer in Wasser löslich (Trennung von 2-Hydroxy-9,10-anthrachinon und Alizarin).

Die verschiedenfarbigen Fällungen und Färbungen, die aus Hydroxy-9,10-anthrachinonen und Metallsalzen entstehen, können nicht nur zur analytischen Bestimmung der Metalle, sondern auch zur Charakterisierung der Polyhydroxy-9,10-anthrachinone benutzt werden[2,3]. Dazu einige Beispiele:

Titan, Zirkonium und Thorium sind mittels Alizarin noch in Mengen von 0,2 mg mikroanalytisch nachweisbar. Aus Beryllium und 1,2,5,8-Tetrahydroxy-9,10-anthrachinon entsteht in alkalischer Lösung eine kornblumenblaue Fällung[4]. Das farbige *Calcium*-Salz des *1-Nitro-2,3-dihydroxy-9,10-anthrachinons* ist so schwer löslich, daß es zur mikrocolorimetrischen Bestimmung der Wasserhärte benutzt werden kann.

Einige Polyhydroxy-9,10-anthrachinone geben sehr charakteristische Absorptionsspektren[5,6]. Diese sind aber sehr verschieden je nachdem, ob man indifferente, polare Lösungsmittel, Schwefelsäuren unterschiedlicher Konzentration, Oleum oder Essigsäure mit oder ohne Borsäure-Zusatz[5] verwendet. Auch die wäßrig-äthanolischen Lösungen der Alkalimetall-Salze von Hydroxy-9,10-anthrachinonen liefern brauchbare Spektren.

Die Spektroskopie ist gerade bei den Polyhydroxy-9,10-anthrachinonen immer noch ein wichtiges Hilfsmittel, um Verunreinigungen erkennen und den Verlauf von Reaktionen verfolgen zu können[5].

---

[1] C. LIEBERMANN, A. **183**, 215 (1876).
  s. a.: Abbau von Hydroxy-9,10-anthrachinonen zu 1,4-Naphthochinonen:
    O. DIMROTH u. E. SCHULTZE, A. **411**, 339 (1916).
    s. ds. Handb., Bd. VII/3a, S. 234, 308.
[2] F. FEIGL, *Tüpfelanalyse*, 3. Aufl., Akademische Verlagsgesellschaft, Leipzig 1938.
[3] F.J. WELCHER, *Organic Analytical Reagents*, Vol. IV, S. 407–442, D. van Nostrand Co. Inc., New York · Toronto 1948.
[4] W. FISCHER u. J. WERNET, Ang. Ch. **60**, 129 (1948).
[5] R. E. SCHMIDT, Farbf. Bayer.
[6] R. MEYER u. O. FISCHER, B. **46**, 85 (1913).
  O. DIMROTH u. R. FICK, A. **411**, 334 (1916).
  Absorptionsspektren der Hydroxy-9,10-anthrachinone in verschiedenen Lösungsmitteln: K. LAUER u. M. HORIO, J. pr. **145**, 273 (1936).
  1-Hydroxy-9,10-anthrachinon – Lichtabsorption u. Konstitution: R. A. MORTON u. W. T. EARLAM, Soc. **1941**, 159.
  Absorptionsspektren von
    2-Hydroxy-9,10-anthrachinon: R. H. PETERS u. H. H. SUMNER, Soc. **1953**, 2101.
    1,4,5,8-Tetrahydroxy-9,10-anthrachinon: D. B. BRUCE u. R. H. THOMSON, Soc. **1952**, 2762.
  IR-Spektren:
    H. BLOOM et al., Soc. **1959**, 178 (Tabellen).
    D. HADŽI u. N. SHEPPARD, Trans. Faraday Soc. **50**, 911 (1954).

Die schärfsten Spektren in konz. Schwefelsäure geben das 1,4,5,8-Tetrahydroxy-9,10-anthrachinon und alle Pentahydroxy- und Hexahydroxy-9,10-anthrachinone, die diese Gruppierung enthalten[1] (Mengen unter $1\,\gamma$ sind noch nachweisbar!). Dagegen sind die Spektren aus den 1,2,4,8-Isomeren völlig verwaschen[1]. Auch das aus 1,2,4,5,6,8-Hexahydroxy-9,10-anthrachinon (I; Hexacyanin) erhältliche *2,5,6,8-Tetrahydroxy-1,4;9,10-anthra-dichinon* (II) läßt im Gegensatz zum Chinon I keine scharfen Linien mehr erkennen[1]:

Durch Zugabe von Hydrochinon zum Bis-chinon II erscheinen sofort wieder die Banden des Chinons I.

Zur analytischen Erfassung und Trennung von Hydroxy-9,10-anthrachinonen leistet die Chromatographie hervorragende Dienste. Wegen der starken Wasserstoffbrücken-bindungen laufen α-Hydroxy-9,10-anthrachinone glatt durch Säulen mit saurem Kieselgel hindurch (sie verhalten sich fast wie Kohlenwasserstoffe), hingegen werden β-Hydroxy-9,10-anthrachinone stark absorbiert; Modellbeispiele für die Trennung von Hydroxy-9,10-anthrachinonen finden sich auf S. 17 u. 149ff. Zur Trennung von 1,4- und 1,8-Dihy-droxy-9,10-anthrachinonen an Eisen(III)-oxid-Hydrat[2] und zur Papierchromatographie von Hydroxy-9,10-anthrachinonen s. Lit.[3].

Zahlreich sind die Beispiele, bei denen Hydroxy-9,10-anthrachinone aus pflanzlichen Materialien auf chromatographischem Wege identifiziert und isoliert wurden. Von neue-ren Publikationen seien erwähnt: Die Isolierung von *1,8-Dihydroxy-* und *1,8-Dihydro-xy-3-methoxy-9,10-anthrachinon* aus Xyris semifuscata durch Wasserdampfdestillation und Säulenchromatographie[4], die Isolierung von Di- und Trihydroxy-9,10-anthrachino-nen aus hydrolysiertem Rhabarber[5], aus den Methanol/Äthanol-Extrakten der Wurzeln von Rubia tinctorum wurden durch Dünnschichtchromatographie zahlreiche Dihydroxy-9,10-anthrachinone[6] und aus Digitalis schischkinii 21 Di- und Polyhydroxy-9,10-anthra-chinone mit Methyl- und Methoxy-Gruppen isoliert[7].

Weitere Literatur über die chromatographische Trennung von natürlich vorkommen-den Hydroxy-9,10-anthrachinonen und deren Glycosiden findet sich auf S. 149.

---

[1] R. E. Schmidt, Farbf. Bayer.
[2] O. Glemser et al., Ang. Ch. **69**, 92 (1957).
[3] M. Takido, Pharm. Bull. (Tokyo) **4**, 45 (1956).
[4] G. Fournier u. C. A. L. Bercht, Phytochemistry **1975**, 2099.
[5] V. Carelli u. R. Giuliano, Farmaco. Ed. prat. **12**, 184 (1957).
[6] W. Berg et al., Pharmazie **30**, 330 (1975).
[7] S. Imre u. A. Öztunc, Z. Naturf. **31 C**, 403 (1976).

2. Der Chinizarin-Komplex

(Spezifische Reaktionen der 1,4-Dihydroxy-, 4-Amino-1-hydroxy-, 1,4-Diamino-9,10-anthrachinone und der 1-Hydroxy- bzw. 1-Amino-9,10-anthrachinone mit Substituenten in 4-Stellung)

α) Spezielle Reaktionen des Chinizarins

Die 1,4-Dihydroxy-, 1-Hydroxy-4-amino- und 1,4-Diamino-9,10-anthrachinone zeichnen sich durch eine Reihe spezifischer und ungewöhnlicher Reaktionen aus, die zu den wichtigsten der gesamten Anthrachinon-Chemie zählen. Zum besseren Verständnis vieler Umsetzungen und um Wiederholungen zu vermeiden, ist es daher zweckmäßig, die Chemie des Chinizarins zusammenfassend zu beschreiben und diese Übersicht an den Anfang aller speziellen Kapitel zur Herstellung von Hydroxy-9,10-anthrachinonen zu stellen.

Chinizarin (1,4-Dihydroxy-9,10-anthrachinon), eine kristalline, leicht sublimierbare, gelborange Verbindung (F: 194–195°), ist wohl das vielseitigst umwandelbare Anthrachinon-Derivat, dessen technische Herstellung auf eine ungewöhnliche Weise (s.S. 97) erfolgt. Seine Bildungstendenz ist so ausgeprägt, daß es sogar durch Oxidation von 9,10-Anthrachinon mit Salpetriger Säure in konz. Schwefelsäure in Gegenwart von Borsäure und Quecksilber bei ~180° entsteht (s.S. 116).

Durch geeignete Oxidationsmittel entstehen aus Chinizarin bzw. 1,4-Diamino-9,10-anthrachinon primär die entsprechenden 1,4-Chinone bzw. Chinon-imine, die sich wie 1,4-Naphthochinon verhalten und in den 2-Stellungen leicht Hydroxy-, Acetoxy- (s.S. 116), Mercapto- (s.S. 234), Sulfonat- (s.S. 126) und z.T. auch Cyan-Gruppen (s. S. 239) anlagern. Die Additionen von Aminen, besonders von Ammoniak, verlaufen jedoch nicht eindeutig, da hierbei auch die Oxo-Gruppen mitreagieren (s.S. 112).

Bei der Oxidation von Chinizarin mit 80%-igem Oleum treten die Hydroxy-Gruppen in den hydroxygruppenfreien Kern ein (s.S. 110), wohingegen Mangandioxid in Schwefelsäure glatt zum *1,2,4-Trihydroxy-9,10-anthrachinon* oxidiert (s.S. 112).

Eine dehydrierende Verknüpfung von zwei Molekülen Chinizarin erfolgt bereits durch Erhitzen mit einer 10%-igen Natriumcarbonat-Lösung auf 120°[1]. Dabei entstehen das *1,4,1',4'-Tetrahydroxy-2,2'-bi-(9,10-anthrachinonyl)* (I) und als Folgeprodukt das Furan-Derivat II[1,2] (vgl. a. Bd. IV/1b, S. 33):

Trägt man Chinizarin bei ~50° in Piperidin ein, so entsteht sofort das *1,4,1',4'-Tetrahydroxy-2,2'-bi-(9,10-anthrachinonyl)*, das beim Erhitzen mit Nitrobenzol unter Dehydrierung zu dem Furan-Derivat II cyclisiert.

Von besonderer Bedeutung für die Chemie des Chinizarins ist sein in Schwefelsäure ungewöhnlich stabiler Borsäureester-Komplex (s.S. 138ff.), der nicht nur den hydroxygruppen-haltigen Kern vor jeglicher Substitution abschirmt, sondern auch eine solche im anderen Kern erschwert – eine Nitrierung sogar unmöglich macht. Das *1,4-Dihydroxy-5-nitro-9,10-anthrachinon* (s.S. 129) ist jedoch durch Nitrieren des 10-Chlor-9-hydroxy-1,4-anthrachinons (s.S. 88) leicht zugänglich. Zur Herstellung der *1,4-Dihydroxy-9,10-anthrachinon-6-sulfonsäure* muß der Chinizarin-Borsäure-Komplex mit 40%-igem

---

[1] DRP. 146223 (1902), Farbf. Bayer; Frdl. **7**, 185.
[2] DRP. 515114, 515115 (1929), I. G. Farb., Erf.: R. E. SCHMIDT, B. STEIN u. C. BAMBERGER; Frdl. **17**, 1177–78.

Oleum unter Quecksilber-Zusatz auf 180° erhitzt werden (s. S. 125). Die Tendenz zur Bildung des Chinizarin-Borsäure-Komplexes ist derart stark, daß sogar das 4-Chlor-1-hy-
droxy- bzw. das 1,4-Dichlor-9,10-anthrachinon beim Erhitzen mit Borsäure/Schwefel-
säure glatt in diesen überführt werden (s. S. 100). Analog entsteht aus 4-Chlor-1-amino-
9,10-anthrachinon das *4-Amino-1-hydroxy-9,10-anthrachinon* (s. S. 203).

Je nach dem Reaktionsmedium reagiert Chinizarin eindeutig entweder als 1,4-Dihydro-
xy-9,10-anthrachinon (I) oder als 9,10-Dihydroxy-1,4-anthrachinon (II). Wahrscheinlich
liegt dem Bor-Komplex III die tautomere Form II zugrunde (s. a. S. 140). So lagert der
Chinizarin-Borsäure-Essigsäure-Komplex bei 25° Anilin in 2-Stellung an (s. S. 140).

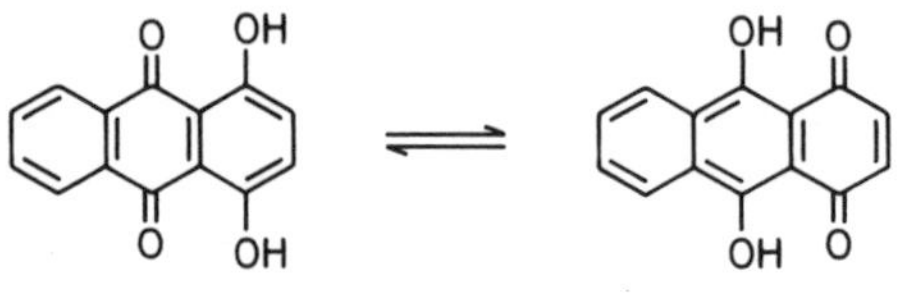

Besonders ausgeprägt ist diese Tautomerie beim 1,4-Diamino-9,10-anthrachinon, denn
aus diesem entsteht durch Einwirkung von ~ 30%-igem Oleum glatt der cyclische Amino-
sulfonsäureester IV (Näheres s. S. 140):

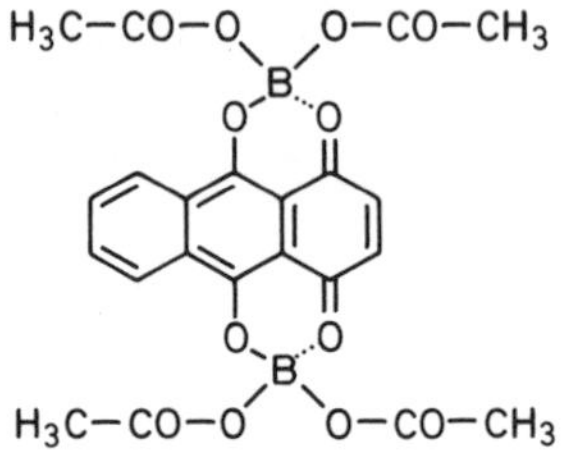

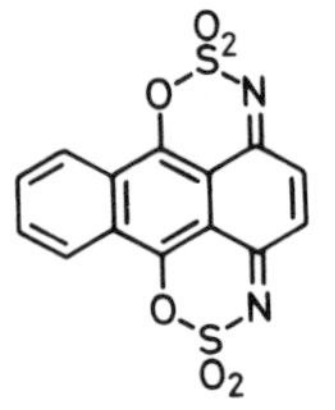

IV

Sehr ungewöhnlich verläuft auch die Einwirkung von Thionylchlorid auf Chinizarin.
Durch Rückflußsieden mit einem großen Überschuß an Thionylchlorid entsteht sehr glatt
das *10-Chlor-9-hydroxy-1,4-anthrachinon*[1]:

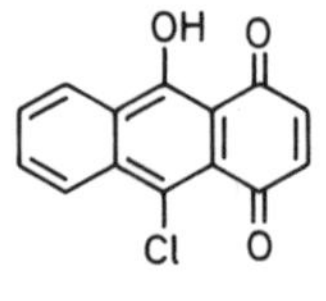

10-Chlor-9-hydroxy-1,4-anthrachinon[1]: 30 g Chinizarin werden mit 120 *ml* Thionylchlorid (Molverhältnis
1:13) ~ 8 Stdn. zum Sieden erhitzt, bis die Entwicklung von Chlorwasserstoff und Schwefeldioxid weitgehend
beendet ist. Dann wird das tiefrote Reaktionsgemisch etwa zur Hälfte eingedampft.

Nach dem Abkühlen werden die abgeschiedenen roten Kristalle abgesaugt, mit kaltem Benzol nachgewaschen
und i. Vak. getrocknet; Ausbeute: 26 g (weitgehend reines Produkt); F: 225–226°. Aus dem Filtrat können nach
dem Eindampfen weitere 4 g gewonnen werden (Nitrierung s. S. 129).

Die analogen Produkte entstehen auch aus 2-Methyl-[2] und 2-Brom-chinizarin (s. S.
164). Dagegen können Polyhydroxy-9,10-anthrachinone mit Chinizarin-Struktur

---

[1] A. GREEN, Soc. **1926**, 1431 (Konstitution nicht bewiesen).
[2] H. WALDMANN u. M. POPPE, A. **527**, 194 (1937).

nicht in die entsprechenden Chlor-Verbindungen überführt werden, sondern reagieren mit Thionylchlorid normal zu Esterchloriden oder cyclischen Schwefligsäureestern (s.S. 138).

Die weitere Einwirkung von Thionylchlorid auf 10-Chlor-9-hydroxy-1,4-anthrachinon verläuft undurchsichtig.

Durch 24stdg. Rückflußsieden von Chinizarin mit Thionylchlorid im Molverhältnis 1:6,4 soll mit 75%-iger Ausbeute *1,4-Dichlor-9,10-anthrachinon* (F: 183–185°) entstehen[1], das sich auch aus Dihydrochinizarin herstellen[2] läßt.

1,4-Dichlor-9,10-anthrachinon[2]: Erhitzt man 24,2 g Dihydrochinizarin mit 150 g Phosphor(V)-chlorid und 50 g Phosphorylchlorid 20 Stdn. auf 105–110°, so entsteht das 1,4,9,9,10,10-Hexachlor-9,10-dihydro-anthracen (Zers.P. ~ 260°), das mit konz. Schwefelsäure bei 80° oder in siedendem Pentanol glatt zum 1,4-Dichlor-9,10-anthrachinon (F: 187–188°) hydrolysiert wird.

Läßt man auf Chinizarin Thionylchlorid (im Molverhältnis 1:2) 4 Stdn. bei 140° unter Druck einwirken, so kann aus dem Reaktionsgemisch zu ~ 30% das *2,4-Dichlor-1-hydroxy-9,10-anthrachinon* (F: 241°) isoliert werden[3]. Das gleiche Produkt wird unter Zusatz von Dimethylformamid in ~ 70%-iger Ausbeute erhalten[4].

2,4-Dichlor-1-hydroxy-9,10-anthrachinon[3]: 40 g Chinizarin, 640 g Thionylchlorid und 10 g Dimethylformamid werden 4 Stdn. unter Rückfluß gerührt. Anschließend destilliert man den größten Teil des Thionylchlorids i. Vak. ab. Nach dem Zersetzen des Rückstandes mit Wasser wird das Rohprodukt aus Chlorbenzol umkristallisiert; Ausbeute: 70% d. Th. (reines Chinon).

Die Chlorierung vom Chinizarin zum 5,8-Dichlor-1,4-dihydroxy-9,10-anthrachinon ist auf S. 121 beschrieben.

Wie unterschiedlich Chinizarin mit Aminen reagieren kann, sei an folgenden Beispielen demonstriert: Beim Erhitzen mit Anilin entsteht ein unentwirrbares Gemisch von Reaktionsprodukten. Dabei scheint zunächst vorwiegend eine teilweise Disproportionierung zu *Dihydro-chinizarin* und *1,2,4-Trihydroxy-9,10-anthrachinon* einzutreten, welche dann in verschiedenen Richtungen weiterkondensieren (s.S. 162).

Erhitzt man Chinizarin mit ~ 1 Mol Anilin in Gegenwart von Anilin-Hydrochlorid und Borsäure in Nitrobenzol auf ~ 150°, so entsteht hauptsächlich *2-Anilino-1,4-dihydroxy-9,10-anthrachinon*[5]. Aus 5-Nitro-chinizarin und überschüssigem Anilin wird bei 95° glatt das *5-Anilino-1,4-dihydroxy-9,10-anthrachinon* erhalten[6].

Kondensiert man 5,8-Dichlor-1,4-dihydroxy-9,10-anthrachinon mit Anilin in Gegenwart von Natriumacetat und Kupfer mehrere Stunden bei 170°, so resultiert in 80%-iger Ausbeute das *5,8-Dianilino-1,4-dihydroxy-9,10-anthrachinon* (dunkelblaue Kristalle; F: 258–260°)[7].

Führt man jedoch das 5,8-Dichlor-1,4-dihydroxy-9,10-anthrachinon mittels Zinn und Salzsäure in die Dihydro-Verbindung (vgl. S. 90ff.) über und setzt diese mit Anilin und Borsäure bei 90° um, so erhält man das *5,8-Dichlor-1,4-dianilino-9,10-anthrachinon* (dunkelblaue Kristalle; F: 234–235°)[7].

β) Dihydrochinizarine

Chinizarin ist in heißer verdünnter Natronlauge mit violett-blauer Farbe löslich und läßt sich in Gegenwart starker Natronlauge zum 1,4,9,10-Tetrahydroxy-anthracen verküpen.

[1] DOS. 2 240 518 (1971/72), I.C.I., Erf.: D. A. S. PHILLIPS; C. A. **78**, 135 951ˢ (1973).
[2] DAS. 1 768 593 (1967) ≡ Fr.P. 1 570 833 (1968), Ciba-Geigy AG, Erf.: M. GRÉLAT; C. A. **72**, 122 929ˢ (1970).
[3] K. ZAHN, B. **67**, 2078 (1934); vgl. H. RAUDNITZ, B. **62**, 2761 (1929).
[4] DOS. 2 242 874 (1971/72), I.C.I., Erf.: I. K. BARBEN u. D. A. S. PHILLIPS; C. A. **78**. 147 686ˣ (1973).
[5] FIAT Final Rep. Nr. **1313 III**, 74 (1948).
[6] DRP. 116 867 (1900), Farbf. Bayer; Frdl. **6**, 367.
[7] K. ZAHN u. P. OCHWAT, A. **462**, 90 (1928).

Durch Reduktionsmittel im schwach alkalischen oder sauren Bereich wird das Chinizarin jedoch in ein nicht autoxidables und sehr reaktionsfähiges *„Dihydrochinizarin"* II übergeführt, für das sich in der älteren Fachliteratur die Bezeichnung *Leukochinizarin* eingebürgert hat. Dieses lagert sich beim Erwärmen mit Natronlauge in die „Küpe" des Chinizarins (1,4,9,10-Tetrahydroxy-anthracen) um.

Das Dihydrochinizarin ist in der Farbenchemie von großer Bedeutung, da es sich im Gegensatz zum Chinizarin mit Aminen leicht in 1,4-Diamino-9,10-anthrachinone überführen läßt (s.S. 164):

I	II	III
Chinizarin	*2,3-Dihydro („Leuko")-chinizarin*	*2,3-Dihydro („Leuko")-1,4-diamino-anthrachinone*

IV	V
	1,4-Diamino-9,10-anthrachinone

Über die Aldol-Kondensationen von Aldehyden mit Dihydrochinizarin zu 1,4-Dihydroxy-2-alkyl-9,10-anthrachinonen s.S. 135; z.B.:

1,4-Dihydroxy-2-benzyl-9,10-anthrachinon

2,3-Dihydro(„Leuko")-chinizarin[1](II): In eine Lösung von 1 kg Natriumcarbonat in 6,5 *l* Wasser werden bei 70° 750 g Chinizarin und unter Luftausschluß 870 g Natriumdithionit zugegeben. Unter schwachem Kühlen läßt man die Temp. auf 80° ansteigen. Nachdem unter dem Mikroskop kein Ausgangsmaterial mehr erkennbar ist, filtriert man ab, wäscht mit warmem Wasser aus und trocknet i. Vak.; Ausbeute: 698 g (93% d. Th.).

In analoger Weise lassen sich u. a. die folgenden Hydroxy- und Amino-9,10-anthrachinone in ihre Dihydro-Verbindungen überführen:

---

[1] BIOS Final Rep. Nr. **1484**, 17 (1948), I.G. Farb. Leverkusen.

1,4,5-Trihydroxy-9,10-anthrachinon → *5,9,10-Trihydroxy-2,3-dihydro-1,4-anthrachinon*
1,4,6-Trihydroxy-9,10-anthrachinon → *6,9,10-Trihydroxy-2,3-dihydro-1,4-anthrachinon*
1,4,5,8-Tetrahydroxy-9,10-anthra-chinon → *5,8,9,10-Tetrahydroxy-2,3-dihydro-1,4-anthrachinon*
1,2,5,8-Tetrahydroxy-9,10-anthra-chinon[1] → *5,6,9,10-Tetrahydroxy-2,3-dihydro-1,4-anthrachinon*
4-Amino-1-hydroxy-9,10-anthrachinon → *9,10-Dihydroxy-2,3-dihydro-1,4-anthrachino-4-mono-imin*
5,8-Diamino-1-hydroxy-9,10-anthrachinon → *5,9,10-Trihydroxy-2,3-dihydro-1,4-anthrachinon-bis-imin*
4,8-Diamino-1,5-dihydroxy-9,10-anthrachinon → *8-Amino-5,9,10-trihydroxy-2,3-dihydro-1,4-anthrachinon-4-mono-inim*
1,4-Bis-[4-methyl-anilino]-9,10-anthrachinon → *9,10-Dihydroxy-2,3-dihydro-1,4-anthrachinon-bis-[4-methyl-phenylimin]*
1,4,5,8-Tetraamino-9,10-anthra-chinon → *5,8-Diamino-9,10-dihydroxy-2,3-dihydro-1,4-anthrachinon-bis-imin*
Zahlreiche weitere 1,4-Diamino-9,10-anthrachinone

Dihydro-chinizarin kann auch durch katalytische Hydrierung hergestellt werden (s. S. 279).

Dihydrochinizarine, die in 2-Stellung Hydroxy-, Amino-, Sulfo-Gruppen oder Halogen-Atome enthalten, lassen sich nicht herstellen. Es erfolgt stets eine Abspaltung dieser Substituenten, und man erhält Chinizarin bzw. Dihydrochinizarin. Läßt man jedoch auf 1,2,4-Trihydroxy-9,10-anthrachinon im stark alkalischen Bereich Natriumdithionit einwirken, so entsteht glatt *1,3-Dihydroxy-9,10-anthrachinon* (s. S. 117).

γ) Gegenseitige Umwandlungen von 1,4-Dihydroxy-, 4-Amino-1-hydroxy- und 1,4-Diamino-9,10-anthrachinonen

Derartige gegenseitige Umwandlungen können leicht über die Dihydro-Verbindungen erfolgen (s. S. 164). Da sich hierbei Gleichgewichte einstellen, läßt sich die Herstellung des gewünschten Reaktionsproduktes optimieren. So gelingt es sogar, das 1,4,5,8-Tetrahydroxy-dihydro-9,10-anthrachinon über isolierbare Zwischenstufen in die 1,4,5,8-Tetraamino-9,10-anthrachinone überzuführen. Die Dehydrierungen werden zweckmäßig in Nitrobenzol unter Piperidin-Zusatz bei ~ 150° vorgenommen. Diese technisch sehr wichtigen Verfahren sind auf S. 164 ausführlich beschrieben.

Ein weiteres, aber irreversibles, Verfahren zum Austausch von in 1,4-Stellung befindlichen Amino- gegen Hydroxy-Gruppen führt über die 1,4-Chinon-bis-imine, die sehr leicht hydrolysierbar sind. Derartige Umsetzungen werden vorwiegend mit Mangandioxid in wasserhaltiger Schwefelsäure durchgeführt. So wird z. B. 1,4-Diamino-9,10-anthrachinon in einer 65%-igen Schwefelsäure zunächst zum 1,4-Chinon-bis-imin oxidiert und durch eine Temperaturerhöhung auf 50° zum *1,4;9,10-Anthradichinon-1-imin* hydrolysiert[2]. Durch Eingießen in hydrogensulfithaltiges Wasser wird das 4-Amino-1-hydroxy-9,10-anthrachinon in großer Reinheit erhalten[3]. Auf diese Weise wurden aus den entsprechenden Di- bzw. Tetraamino-Derivaten hergestellt[3]: *2,3-Dichlor-4-amino-1-hydroxy-* sowie *4,5,8-Triamino-1-hydroxy-9,10-anthrachinon* und unter schärferen Bedingungen bei 80° *8-Amino-1,4,5-trihydroxy-9,10-anthrachinon*.

Zur Isolierung des *1,4;9,10-Anthradichinon-1,4-bis-imins* oxidiert man bei Temp. unter 15° und in konzentrierter Schwefelsäure[4]. So lassen sich leicht herstellen[4]: *5,8-Diami-*

[1] DRP. 90722 (1896), Farbf. Bayer; Frdl. **4**, 324.
[2] DRP. 561181 (1931), I. G. Farb., Erf.: R. E. SCHMIDT u. C. BAMBERGER; Frdl. **19**, 1924.
[3] DRP. 554647, 556459 (1930), 569069 (1931), I. G. Farb., Erf.: R. E. SCHMIDT u. C. BAMBERGER; Frdl. **19**, 1949–1956.
[4] Brit. P. 368824 (1930), I. G. Farb., Erf.: R. E. SCHMIDT.
   s. a. DAS. 1293363 (1964), Farbf. Bayer, Erf.: R. NEEFF et al.; C. A. **65**, 2390[t] (1966).

no-1,4;9,10-anthradichinon-1,4-bis-imin und aus 4,8-Diamino-1,5-dihydroxy-9,10-an-
thrachinon (I) mit 1 Mol Mangandioxid das *8-Amino-5-hydroxy-1,4;9,10-anthradichi-
non-4-imin* (II). Nach Zugabe eines weiteren Moleküls Mangandioxid bei 0° wird die Lösung praktisch farblos, wobei das *1,4;5,8;9,10-Anthratrichinon-4,8-bis-imin* (III) entsteht. Durch Zugabe von Hydrochinon wird zunächst das Bis-chinon II und schließlich das
Chinon I (in Lösung gelb) wieder zurückgebildet!

8-Amino-5-hydroxy-1,4;9,10-anthradichinon-4-imin(II)[1]: 60 g   4,8-Diamino-1,5-dihydroxy-9,10-anthra-
chinon, in 825 g konz. Schwefelsäure gelöst, werden bei 15–20° innerhalb 30 Min. mit 26 g Mangandioxid
(80,7%-ig) versetzt. Nach 1stdg. Rühren saugt man die blaue Lösung vom restlichen Mangandioxid und dem
auskristallisierten Mangan(II)-sulfat ab, wäscht mit 275 g konz. Schwefelsäure nach und gibt zu dem Filtrat 600 g
Eis, wobei die Temp. unterhalb 10° bleiben soll. Das abgeschiedene, gut kristallisierte Oxidationsprodukt wird
abgesaugt, mit 60%-iger Schwefelsäure und dann – zur Entfernung der anhaftenden Schwefelsäure – mit Essigsäureäthylester ausgewaschen; Ausbeute (als Bis-sulfat): 95 g (92% d. Th.).

2,3-Dichlor-4-amino-1-hydroxy-9,10-anthrachinon[1]:
Methode (a): 61,5 g 2,3-Dichlor-1,4-diamino-9,10-anthrachinon in 1,43 kg 98%-iger Schwefelsäure gelöst,
werden durch Zugabe von 570 ml Wasser als Sulfat abgeschieden. Bei 65° wird dann zu dem orangefarbigen Brei
eine Suspension von 1 g (~ $1/_{20}$ Mol) Mangandioxid in 100 ml 70%-iger Schwefelsäure eingerührt, wobei die
Farbe von violett nach gelb umschlägt. Dann wird abgekühlt. Die gelben Kristalle des Sulfates werden abgesaugt
und mit Wasser hydrolysiert.
Methode (b): Oxidiert man in 90%-iger Schwefelsäure mit etwas mehr als 1 Mol Mangandioxid bei 15°, so
entsteht glatt das 2,3-Dichlor-1,4;9,10-anthradichinon-1,4-bis-imin. Nach dem Herunterstellen der Schwefelsäure-Konzentration tritt rasch Hydrolyse ein und nach dem Austragen in Eiswasser, dem Natriumhydrogensulfit
zugesetzt ist, wird ebenfalls das 2,3-Dichlor-4-amino-1-hydroxy-9,10-anthrachinon in reiner Form erhalten.

Das aus 1,4,5,8-Tetraamino-9,10-anthrachinon herstellbare *5,8-Diamino-1,4;9,10-an-
thradichinon-1,4-bis-imin*

ist in konz. Schwefelsäure stabil. Durch Einwirkung von verdünnter Schwefelsäure können
jedoch nacheinander alle vier Amino- bzw. Imino-Gruppen hydrolysiert werden[2].

Analog lassen sich 4,8-Diamino-1,5-dihydroxy-9,10-anthrachinon-2-mono- und
-2,6-disulfonsäure bis zu der *1,4,5,8-Tetrahydroxy-9,10-anthrachinon -2-mono-* bzw.
2,6-disulfonsäure hydrolysieren[2].

Durch Oxidation von 9,10-Dihydroxy-2,3-dihydro-1,4-anthrachinon-bis-imin(IV) mit
Mangandioxid in ~ 70%-iger Schwefelsäure bei 10° entsteht *2,3-Dihydro-1,4;9,10-an-
thradichinon-1,4-bis-imin* (V), das sich beim Erwärmen des Oxidationsgemisches leicht in
1,4-Diamino-9,10-anthrachinon (VI) umlagert[3]. Die Chinone V und VI können durch
weiteren Mangandioxid-Zusatz zum *1,4;9,10-Anthradichinon-1,4-bis-imin* (VII) oxidiert

[1] Brit. P. 368 824 (1930), I. G. Farb., Erf.: R. E. SCHMIDT.
  s. a. DAS. 1 293 363 (1964), Farbf. Bayer, Erf.: R. NEEFF et al.; C. A. **65**, 2390^t (1966).
[2] Brit. P. 368 824 (1930), I. G. Farb., Erf.: R. E. SCHMIDT.
[3] DRP. 625 759 (1930), I. G. Farb., Erf.: R. E. SCHMIDT; Frdl. **21**, 1034.

werden, das leicht hydrolysierbar ist und dabei in *1,4;9,10-Anthradichinon-4-imin* (VIII) übergeht. Das Imin VIII steht nun in Redox-Beziehungen zu den Chinonen V bzw. VI und wird von diesen zum *4-Amino-1-hydroxy-9,10-anthrachinon* (IX) reduziert, so daß von neuem das Chinon VII gebildet wird. Es genügt daher nur eine kleine Menge Chinon VII bzw. Mangandioxid als Katalysator, um die Hydrolyse von 1,4-Diamino-9,10-anthrachinon durchzuführen!

4-Amino-1-hydroxy-9,10-anthrachinon (IX)[1]: 24 g 9,10-Dihydroxy-2,3-dihydro-1,4-anthrachinon-bis-imin (IV) werden in 400 g 65%-iger Schwefelsäure gelöst und bei 10–15° mit einer Anschlämmung von 14 g

[1] DRP. 626 873 (1930), I.G. Farb., Erf.: R.E. SCHMIDT; Frdl. **21**, 1037.
DRP. 556 459 (1930), I.G. Farb., Erf.: R.E. SCHMIDT u. C. BAMBERGER; Frdl. **19**, 1954.

synth. 67%-igem Mangandioxid (108% d. Th.) in 300–400 g 65%-iger Schwefelsäure verrührt. Dabei entstehen die Chinone V und VI neben etwas Dichinon-bis-imin VII. Durch Erhitzen auf 95° beginnt bereits die Abscheidung von reinem 4-Amino-1-hydroxy-9,10-anthrachinon-sulfat. Wenn dessen Menge nicht mehr zunimmt, wird abgesaugt und das Sulfat mit warmem Wasser hydrolysiert; Ausbeute: ∼ 85% d. Th.

3. Hydroxy-9,10-anthrachinone durch Ringschluß-Reaktionen

α) aus Phthalsäureanhydriden und Phenolen

α₁) über 2-(Hydroxy-benzoyl)-benzoesäuren

Man sollte erwarten, daß die Kondensationen von Phthalsäureanhydrid mit Phenolen und die anschließenden Ringschlüsse zu Hydroxy-9,10-anthrachinonen besonders glatt verlaufen. Das ist aber keineswegs der Fall. Oft verläuft die Herstellung der 2-(Hydroxy-benzoyl)-benzoesäuren[1] sehr leicht, und der nachfolgende Ringschluß macht Schwierigkeiten (Extremfall Resorcin, s.S. 96) oder umgekehrt.

Die Kondensationen werden in der Regel mit Aluminiumchlorid durchgeführt[1]. Oft ist es zweckmäßig, mehr als 2 Mol einzusetzen, da Phenole einen Teil des Aluminiumchlorids infolge von Aluminiumphenolat-Bildung desaktivieren. Als Reaktionsmedium scheint 1,1,2,2-Tetrachlor-äthan besonders geeignet zu sein. Bei der Herstellung der 2-(Hydroxy-benzoyl)-benzoesäuren bilden sich oft beträchtliche Mengen Phthalide[2] (s.S. 32). Diese unerwünschten sog. Phenolphthaleine lassen sich leicht spalten, indem man ihre „Oxime" mit verdünnter Schwefelsäure erhitzt[3]; es entstehen die 2-(4-Hydroxy-benzoyl)-benzoesäuren und 4-Amino-phenol[1].

2-(4-Hydroxy-benzoyl)-benzoesäure aus Phenolphthalein[4]:

In ein auf 65° erwärmtes Gemisch aus 31,8 g (0,1 Mol) Phenolphthalein und 160 ml (0,4 Mol) 2,5 n Natronlauge gibt man unter Rühren eine Lösung von 7,6 g (0,105 Mol) Hydroxylamin-Hydrochlorid (96%-ig) in 30 ml Wasser; dabei steigt die Temp. innerhalb von 3 Min. auf ∼ 75° an. Die nunmehr von dunkelrot nach braunrot umgeschlagene Lösung wird noch 15 Min. bei 75–80° gerührt und heiß in 700 ml 0,5 n Schwefelsäure ausgetragen. Der gelbe Niederschlag wird abgesaugt, ausgewaschen, abgepreßt und der noch feuchte Preßkuchen in 100 ml auf ∼ 100° vorgewärmte 5 n Schwefelsäure eingetragen und rasch auf 100° erhitzt. Nach 3 Min. ist eine dunkelgelbe Lösung entstanden, aus der sich Kristalle abzuscheiden beginnen. Nach weiteren 3 Min. wird abgekühlt, abgesaugt und ausgewaschen; Ausbeute: 22–23 g (∼ 92% d. Th.); F: 209–213° (aus Äthanol: 211–215°).

Aus dem Filtrat kann durch Alkalischstellen das 4-Amino-phenol gewonnen werden.

Die Schwierigkeiten bei den Phenol-Kondensationen lassen sich in einigen Fällen dadurch umgehen, daß man in 2-(4-Halogen-benzoyl)-benzoesäuren die Halogen-Atome

[1] Die Kondensation von Phthalsäureanhydrid und dessen Substitutionsprodukten mit Phenolen und Phenoläthern ist ausführlich in ds. Handb., Bd. VII/2a, S. 355–360, beschrieben.
[2] Über deren Entstehen aus 2-(Hydroxy-benzoyl)-benzoesäuren und zu ihren Eigenschaften:
    H. v. PECHMANN, B. **13**, 1612 (1880).
    W. R. ORNDORFF u. E. KLINE, Am. Soc. **46**, 2278 (1924).
    W. R. ORNDORFF u. R. R. MURRAY, Am. Soc. **39**, 679 (1917).
    F. F. BLICKE u. O. J. WEINKAUFF, Am. Soc. **54**, 1446, 1454 (1932).
    F. F. BLICKE, F. D. SMITH u. J. L. POWERS, Am. Soc. **54**, 1465 (1932).
[3] P. FRIEDLÄNDER, B. **26**, 174 (1893).
[4] M. H. HUBACHER, Am. Soc. **68**, 718 (1946).

gegen Hydroxy-Gruppen austauscht. So entsteht z.B. aus 2-(4-Chlor-benzoyl)-benzoe-säure durch Erhitzen mit Natronlauge bei 170° die 2-(4-Hydroxy-benzoyl)-benzoesäure[1], aus der man dann durch Ringschluß das *2-Hydroxy-9,10-anthrachinon* erhält.

Über die analoge Herstellung von *3-Amino-2-hydroxy-9,10-anthrachinon* s.S. 155.

Die Ringschlüsse der 2-(Hydroxy-benzoyl)-benzoesäuren werden im allgemeinen zweckmäßig mit 100%-iger Schwefelsäure oder ~6%-igem Oleum bei Wasserbadtempe-ratur vorgenommen. Sobald eine Probe farbig in verdünnter Natronlauge löslich bzw. ver-küpbar ist, erhitzt man nur noch kurze Zeit. In vielen Fällen – auch wenn keine α-Hydro-xy-anthrachinone entstehen – wirkt sich ein Borsäure-Zusatz günstig aus.

Mit Phenol[2] (ebenso mit o- bzw. m-Kresol) entstehen in mittleren Ausbeuten Gemische aus 2-(2- und 4-Hydroxy-benzoyl)-benzoesäuren[3] neben den Phenolphthaleinen.

Beim Verschmelzen von Phthalsäureanhydrid, o-Kresol und Borsäure bei 170° findet die Kondensation bevorzugt in ortho-Stellung zur Hydroxy-Gruppe statt[4] (wobei eben-falls viel o-Kresolphthalein entsteht). Der Ringschluß zum *1-Hydroxy-2-methyl-9,10-an-thrachinon* (F: 184–185°) wird mit schwachem Oleum und Borsäure durchgeführt.

In analoger Weise wurden aus m-Kresol das *1-Hydroxy-3-methyl-9,10-anthrachinon* (F: 178°) und aus 2,4-Dimethyl-phenol das *1-Hydroxy-2,4-dimethyl-9,10-anthrachinon* (F: 173–175°) erhalten. Über die anscheinend mäßigen Ausbeuten liegen keine Angaben vor[4].

Einheitlich läßt sich p-Kresol mit Phthalsäureanhydrid kondensieren und anschließend durch 30 min. Erhitzen mit konz. Schwefelsäure auf dem Wasserbad zum *1-Hydroxy-4-methyl-9,10-anthrachinon* ringschließen[3].

Die Kondensation mit 2,3,4-Trimethyl-phenol vollzieht sich mit ~60% Reinausbeu-te und der Ringschluß zum *4-Hydroxy-1,2,3-trimethyl-9,10-anthrachinon* (F: 227°) in 51%-iger Ausbeute[5].

Aus 2-Chlor-phenol entsteht das *3-Chlor-2-hydroxy-9,10-anthrachinon*[6].

3-Chlor-2-hydroxy-9,10-anthrachinon[6]: Ein äquimolares Gemisch aus Phthalsäureanhydrid und 2-Chlor-phenol wird in der Natriumchlorid/Aluminiumchlorid-Schmelze bei 150° mit guter Ausbeute zur 2-(3-Chlor-4-hydroxy-benzoyl)-benzoesäure (F: 219°) kondensiert, die sich mit konz. Schwefelsäure (1 Stde. bei 150°) ring-schließen läßt. Durch Umkristallisieren aus Nitrobenzol wird das schwerlösliche 3-Chlor-2-hydroxy-9,10-an-thrachinon (F: 265°) von dem Isomeren abgetrennt.

6-Chlor-2-methyl-phenol führt zu einem Gemisch aus *3-Chlor-2-hydroxy-1-methyl-* (F: 230–231°) und *1-Chlor-2-hydroxy-3-methyl-9,10-anthrachinon* (F: 200–201°) (~2,3:1), das sich durch Umkristallisieren aus Essigsäure zerlegen läßt[7].

Die leicht herstellbare 2-(5-Chlor-2-hydroxy-4-methyl-benzoyl)-benzoesäure macht beim Ringschluß erhebliche Schwierigkeiten[7].

Aus 4-Chlor-phenol wird mit ~70% Ausbeute die 2-(5-Chlor-2-hydroxy-benzoyl)-benzoesäure und aus dieser mit Schwefelsäure-Monohydrat (30 Min., 95°) das *4-Chlor-1-hydroxy-9,10-anthrachinon* (F: 193°) erhalten[8].

Aus 2,4-Dichlor-phenol erhält man die 2-(3,5-Dichlor-2-hydroxy-benzoyl)-benzoe-säure, die bereits erhebliche Mengen an *2,4-Dichlor-1-hydroxy-9,10-anthrachinon* ent-hält, da der Ringschluß sehr leicht eintritt[8].

---

[1] DRP. 545 399 (1927; US.Prior. 1926), Newport Co.; Frdl. **18**, 543.
[2] Klassische Arbeit von A. BAEYER u. H. CARO, B. **7**, 968 (1874).
[3] F. ULLMANN u. W. SCHMIDT, B. **52**, 2098 (1919).
  A. STEYERMARK u. J.H. GARDNER, Am. Soc. **52**, 4890 (1930).
[4] W.H. BENTLEY, H.D. GARDNER u. C. WEIZMANN, Soc. **91**, 1626 (1907).
[5] A. TOPP, P. BOLDT u. H. SCHMAND, A. **1974**, 1176.
[6] H. WALDMANN u. E. WIDER, J. pr. **150**, 110 (1938).
[7] B. BIENERT, I.G. Farb. Leverkusen (1930).
[8] F. ULLMANN u. A. CONIZETTI, B. **53**, 826 (1920).

Aus 4-Chlor-2,3-dimethyl-phenol, Phthalsäureanhydrid und 2,5 Mol Aluminiumchlorid entsteht bei 140° in Trichlorbenzol in ~80%-iger Ausbeute ein Kondensationsprodukt, das durch Schwefelsäure-Monohydrat bei ~90° praktisch quantitativ zum *4-Chlor-1-hydroxy-2,3-dimethyl-9,10-anthrachinon* (F: 238–239°) cyclisiert wird[1].

Die Synthese des *1-Brom-4-hydroxy-5,7-dimethoxy-2-methyl-9,10-anthrachinons* (F: 213–217°) ist in Lit.[2] beschrieben.

Die Tetrachlor-2-(hydroxy-benzoyl)-benzoesäuren sind meist gut herstellbar[3]. Sie lassen sich jedoch nicht zu den 1,2,3,4-Tetrachlor-hydroxy-9,10-anthrachinonen cyclisieren. – Beim Erwärmen der Tetrachlor-2-(2-hydroxy-5-methyl-benzoyl)-benzoesäure mit verd. Natronlauge erfolgt hingegen leicht ein Xanthon-Ringschluß[3]:

Auffallend leicht läßt sich Phthalsäureanhydrid mit Resorcin kondensieren; bereits durch Verschmelzen der Komponenten bei 125° ohne Kondensationsmittel entsteht die 2-(2,4-Dihydroxy-benzoyl)-benzoesäure (F: 208–209°). Daneben bildet sich jedoch bereits Fluorescein[4]. Unter Anwendung von Aluminiumchlorid läßt sich die Ausbeute an 2-(2,4-Dihydroxy-benzoyl)-benzoesäure bis auf 90% steigern[5]. Der Ringschluß zum 1,3-Dihydroxy-9,10-anthrachinon ist jedoch bis jetzt nicht gelungen. Ebenso resistent verhält sich die 2-(2,4-Dimethoxy-benzoyl)-benzoesäure (s. S. 142). Dagegen läßt sich aus 4-Chlor-resorcin in einer Gesamtausbeute von ~70% d. Th. das *1-Chlor-2,4-dihydroxy-9,10-anthrachinon* erhalten[6]. Brenzkatechin läßt sich nur in mäßiger Ausbeute mit Phthalsäureanhydrid kondensieren. Noch schlechter verläuft die Kondensation von Hydrochinon. In diesen Fällen scheinen durch Direktkondensation etwas bessere Ausbeuten erzielt zu werden (s. S. 97).

2,3-Dihydroxy-9,10-anthrachinon (Hystazarin)[7]:

2-(3,4-Dihydroxy-benzoyl)-benzoesäure: Ein Gemisch aus 25 g Phthalsäureanhydrid und 25 g Brenzkatechin wird bei 110° innerhalb 30 Min. in eine Schmelze aus 200 g Aluminiumchlorid und 40 g Natriumchlorid eingerührt. Dann erhitzt man 1 Stde. auf 130–138°. Nach dem Erkalten wird die zerkleinerte Schmelze mit salzsäurehaltigem Wasser zersetzt und aufgekocht. Aus dem Filtrat kristallisiert nach dem Erkalten die Benzoesäure aus; Ausbeute: 25 g (57% d. Th.); F: 207° (aus verd. Essigsäure).

2,3-Dihydroxy-9,10-anthrachinon: Der Ringschluß erfolgt mit der 10-fachen Menge konz. Schwefelsäure durch 15 min. Erwärmen auf dem Wasserbad. Nach dem Austragen in Wasser, Filtrieren, Auswaschen und Trocknen fallen 22 g Rohprodukt an, in welchem noch ~10% des gleichzeitig entstandenen Alizarins enthalten sind. Da dieses erheblich leichter flüchtig ist, erfolgt dessen Abtrennung zweckmäßig durch Sublimation i. Hochvak. oder auch durch Umkristallisieren der O,O-Diacetyl-Verbindung (F: 210°) aus der 10-fachen Menge Pyridin. Die Verseifung wird mit Schwefelsäure bei 30° durchgeführt. Das Hystazarin löst sich in verd. Natronlauge oder in konz. Ammoniak-Lösung mit dunkelgrüner Farbe.

In analoger Weise sind zugänglich:

5-Chlor-2,3-dihydroxy-9,10-anthrachinon
5,8-Dichlor-2,3-dihydroxy-9,10-anthrachinon

[1] B. BIENERT, I. G. Farb. Leverkusen (1930).
[2] H. BROCKMANN, F. KLUGE u. H. MUXFELDT, B. **90**, 2312 (1957).
   s. a. ds. Handb., Bd. VII/2a, S. 359.
[3] F. ULLMANN u. W. SCHMIDT, B. **52**, 2101, 2113 (1919).
[4] H. v. PECHMANN, B. **13**, 1612 (1880).
   W. R. ORNDORFF u. E. KLINE, Am. Soc. **46**, 2278 (1924).
[5] S. ds. Handb. Bd. VII/2a, S. 356.
[6] US.P. 1790915 (1927), Newport Chemical Corp., Erf.: I. GUBELMANN u. H. J. WEILAND; C. **1932 I**, 2238.
   US.P. 1960233 (1928), National Aniline and Chemical Co., Inc., Erf.: J. H. CROWELL, J. OGILVIE u. D. G. ROGERS; C. **1934 II**, 2605.
[7] H. WALDMANN, J. pr. **150**, 99 (1938).

Das sehr oxidable und leicht zur Phthalein-Bildung neigende 1,2,4-Trihydroxy-benzol konnte nur in Form seines O-Triacetats mit Phthalsäureanhydrid und Borsäure bei 180° mit mäßiger Ausbeute zur 2-(Trihydroxy-benzoyl)-benzoesäure kondensiert werden, die bei 150° mit konzentrierter Schwefelsäure/Borsäure zum *1,2,4-Trihydroxy-9,10-anthra-chinon* ringschließt[1].

In analoger Weise wurde aus O,O'-Diacetyl-hydrochinon und 3-Hydroxy-phthalsäure-anhydrid das *1,4,6-Trihydroxy-9,10-anthrachinon* synthetisiert[1].

α₂) Hydroxy-9,10-anthrachinone durch Direktkondensation von Phthalsäureanhydriden mit Phenolen

In einigen Fällen, bei denen die Herstellung der 2-(Hydroxy-benzoyl)-benzoesäuren und deren Ringschlüsse nur mit mäßigen Ausbeuten durchführbar sind, kann man Phthal-säureanhydrid mit Phenolen direkt in der Natriumchlorid/Aluminiumchlorid-Schmelze zwischen ~ 120–220° zu den Hydroxy-9,10-anthrachinonen kondensieren, wobei aller-dings meist sehr unreine Produkte anfallen.

Mit Brenzkatechin wird so *2,3-Dihydroxy-9,10-anthrachinon*[2], mit Hydrochinon *1,4-Dihydroxy-9,10-anthrachinon*[3] und mit Pyrogallol *1,2,3-Trihydroxy-9,10-anthrachinon* erhalten[2].

Aus 2,3-Dimethyl-hydrochinon entsteht in der Natriumchlorid/Aluminiumchlorid-Schmelze bei 150–210° das *1,4-Dihydroxy-2,3-dimethyl-9,10-anthrachinon* (F: 253°) in guter Ausbeute[4].

1,2,3-Trihydroxy-9,10-anthrachinon (Anthragallol)[2]: Ein Gemenge aus 3 Gew.-Tln. Phthalsäureanhydrid und 1 Gew.-Tl. Pyrogallol wird in üblicher Weise bei 210–230° in einer Natriumchlorid/Aluminiumchlorid-Schmelze kondensiert. Das in 60%-iger Ausbeute anfallende Rohprodukt wird zunächst aus Nitrobenzol umkri-stallisiert und dann über die O-Triacetyl-Verbindung gereinigt; Zers.p.: ~ 310°.

5,8-Dichlor-1,4-dihydroxy-9,10-anthrachinon[3]: 44 g Hydrochinon, 88 g 3,6-Dichlor-phthalsäureanhydrid und 50 g Aluminiumchlorid werden fein gepulvert, zusammengerieben und in ein bei 180° geschmolzenes Ge-misch von 250 g Aluminiumchlorid und 50 g Natriumchlorid eingetragen. Man steigert dann die Temp. auf 230–240° und erhitzt solange, bis die Masse nahezu fest geworden ist. Nach dem Erkalten wird die Masse zerklei-nert, mit 3 l Wasser und 500 ml roher Salzsäure zersetzt, heiß abgesaugt und nach dem Neutralwaschen getrock-net; Rohausbeute: 100–113 g (80–90% d. Th.).

Besonders günstig ist, daß eines der wichtigsten Zwischenprodukte der Anthrachinon-Reihe, das *Chinizarin*, sich auf billigste Weise durch Direktkondensation von Phthalsäure-anhydrid mit 4-Chlor-phenol in Gegenwart von Schwefelsäure/Borsäure herstellen läßt[5].

Wahrscheinlich entsteht zunächst ein Borsäure-ester-anhydrid I, das intramolekular zum Borsäureester II cyclisiert, aus dem der äußerst stabile Chinizarin-Borsäureester-Komplex III (s. S. 138) entsteht:

I   II   III

---

[1] O. DIMROTH u. R. FICK, A. **411**, 322 (1916).
[2] DRP. 298345 (1916), Farbf. Bayer; Frdl. **13**, 390.
[3] K. ZAHN, I. G. Farb. Hoechst.
[4] H. WALDMANN u. E. ULSPERGER, B. **83**, 180 (1950).
[5] DRP. 255031 (1912), Farbf. Bayer, Erf.: O. UNGER u. E. MOLINEUS; Frdl. **11**, 588.

Dieser Reaktionsverlauf wird durch die leichte Überführung von 4-Chlor-1-hydroxy-9,10-anthrachinon in Chinizarin durch Erhitzen mit Borsäure in 10%-igem Oleum erhärtet (s. S. 100).

1,4-Dihydroxy-9,10-anthrachinon (Chinizarin)[1]: In eine Mischung aus 124,5 g Schwefelsäure-Monohydrat und 144 g 62%-igem Oleum werden 50 g Bortrioxid eingerührt und ~20 Min. auf 120–150° erhitzt. Anschließend trägt man bei 130–150° 160 g Phthalsäureanhydrid und dann 104 g 4-Chlor-phenol ein und erhitzt 14 Stdn. auf 205°. Nach beendeter Chlorwasserstoff-Entwicklung wird auf 160° abgekühlt, in 2 l Wasser ausgetragen und 4 Stdn. unter Rückfluß gekocht, um den Borsäure-Komplex zu hydrolysieren. Dann wird heiß abgesaugt, mit heißem Wasser ausgewaschen und i.Vak. bei 60° getrocknet; Ausbeute: ~170 g (~85%-ig.).

Die Nebenprodukte sind u. a. 5% Phthalein und 1% 1,2,4-Trihydroxy-9,10-anthrachinon. Durch Vakuumsublimation (220–260°/3 Torr) erhält man ein ~95%-iges Chinizarin; F: 189–193° (nach dem Umkristallisieren F: 194–195°); Ausbeute: 150 g (~77% d. Th.).

In analoger Weise entstehen aus den entsprechenden Chlorphthalsäureanhydriden das *6-Chlor-1,4-dihydroxy-* und das *5,6-Dichlor-1,4-dihydroxy-9,10-anthrachinon*[2].

β) Polyhydroxy-9,10-anthrachinone durch Kondensation von zwei Molekülen 3-Hydroxy-benzoesäuren[3]

Das erste synthetische Anthrachinon-Derivat, das *1,2,3,5,6,7-Hexahydroxy-9,10-anthrachinon (Rufigallol)* wurde durch intramolekulare Kondensation von zwei Molekülen Gallussäure erhalten[3]:

In der Folgezeit wurde diese Reaktion eingehend bearbeitet und dabei festgestellt, daß im Prinzip alle 3-Hydroxy-benzoesäuren, in denen die 2-Stellung nicht blockiert ist, derartige Kondensationen eingehen; allerdings verlaufen die meisten mit unbefriedigenden Ausbeuten[4]. Gut gelingt nur die Selbstkondensation der Gallussäure und der 3,5-Dihydroxy-benzoesäure zum *1,3,5,7-Tetrahydroxy-9,10-anthrachinon*.

Diese beiden Benzoesäuren lassen sich auch mit aromatischen Carbonsäuren mischkondensieren. Dabei treten jedoch stets zusätzlich Selbstkondensationen ein. Um diese zurückzudrängen, muß ein großer Überschuß an Benzoesäuren eingesetzt werden. Auf diese Weise sind *1,3-Dihydroxy-* und *1,2,3-Trihydroxy-9,10-anthrachinon* zugänglich.

1,3,5,7-Tetrahydroxy-9,10-anthrachinon (Anthrachryson)[5]: 50 g 3,5-Dihydroxy-benzoesäure und 200 g konz. Schwefelsäure werden 1 Stde. auf 130° erhitzt. Etwa 24 Stdn. nach dem Erkalten saugt man die abgeschiedenen Kristalle ab, wäscht mit kalter 90%-iger Schwefelsäure und dann mit Wasser aus.

Nach dem Trocknen wird zunächst aus wenig Pyridin umkristallisiert, wobei ein Salz anfällt, aus dem sich beim Trocknen das Pyridin wieder abspaltet. Dann wird nochmals aus Nitrobenzol umkristallisiert; Ausbeute: ~30% d. Th.; F: >360°.

1,2,3,5,6,7-Hexahydroxy-9,10-anthrachinon (Rufigallol)[5]: 200 g Gallussäure werden mit 1 kg Schwefelsäure-Monohydrat 1 Stde. auf 120° erhitzt. Nach ~24-stdg. Stehen bei Raumtemp. wird das auskristallisierte Kondensationsprodukt abgesaugt, mit 90%-iger und anschließend mit 85%-iger Schwefelsäure ausgewaschen. Zur Reinigung wird nochmals – durch Lösen in konz. Schwefelsäure bei ~110° – umkristallisiert; Ausbeute: ~60 g (rote Kristalle).

[1] DOS. 2 758 397 (1976/77), Ciba-Geigy, Erf.: M. Grélat.
[2] DRP. 568 311 (1929), I.C.I.; Frdl. **19**, 1926.
[3] Robiquet, A. **19**, 204 (1836).
[4] Zusammenfassende Publikation s.: C. Liebermann u. St. v. Kostanecki, A. **240**, 256 (1887).
[5] Ältere Laborvorschriften der Farbf. Bayer.

1,2,3-Trihydroxy-9,10-anthrachinon (Anthragallol)[1]: 174 g Benzoesäure werden bei 50° in 720 g Schwefel-säure-Monohydrat gelöst und auf 105° erhitzt. Dann werden alternierend 244 g Gallussäure und 480 g 20%-iges Oleum eingerührt. Zum Schluß erhitzt man innerhalb 6 Stdn. auf 120° und hält diese Temp. weitere 6 Stdn. Dann wird in 6 l Wasser bei 40–45° ausgetragen und nach einiger Zeit auf 14 l aufgefüllt. Bei 30–35° wird, wenn der Niederschlag filtrierbar geworden ist, abgesaugt und mit heißem Wasser neutral gewaschen.

Das so entstandene Anthragallol enthält beträchtliche Mengen an dem aus zwei Molekülen Gallussäure ent-standenen 1,2,3,5,6,7-Hexahydroxy-9,10-anthrachinon, von dem es durch Vakuumsublimation oder durch Fraktionierung aus konz. Schwefelsäure, worin das 1,2,3-Trihydroxy-9,10-anthrachinon die am leichtesten lösli-che Verbindung ist, abgetrennt werden kann.

Aus 3-Hydroxy-benzoesäure wird durch Erhitzen mit Schwefelsäure auf 160° mit ~ 40% Ausbeute ein Gemisch der drei Isomeren Dihydroxy-9,10-anthrachinone erhalten, in welchem das *2,6-Dihydroxy-9,10-anthrachinon* der wesentliche Bestandteil ist[2].

Leitet man bei ~ 400° 3-Hydroxy-benzoesäure im Stickstoff-Strom über Tonscherben, so soll ein ähnliches Ergebnis erzielt werden[3]. In einer Natriumchlorid/Aluminiumchlo-rid-Schmelze bei 170–210° soll jedoch zu 70% d. Th. *1,5-Dihydroxy-9,10-anthrachinon* entstehen[4]:

4. Hydroxy-9,10-anthrachinone durch Austauschreaktionen

α) aus 9,10-Anthrachinonyl-äthern

Die 9,10-Anthrachinon-äther verhalten sich bei der Hydrolyse sehr unterschiedlich. Alle α-Äther werden durch eine 75–80%-ige Schwefelsäure bei 100–120° glatt gespal-ten[5], während die β-ständigen Alkoxy-Gruppen intakt bleiben. Dadurch ist es möglich, in Polyalkoxy-9,10-anthrachinonen nur die α-Äther zu hydrolysieren. Falls die β-Äther nicht besonders aktiviert sind, ist es erforderlich, sie mit einer 93%-igen Schwefelsäure oft bis auf 180° zu erhitzen oder Bromwasserstoff-Essigsäure anzuwenden[5].

Da sich Halogen-Atome, Nitro- und Sulfo-Gruppen nur schlecht gegen Hydroxy-, je-doch meist glatt gegen Methoxy-Gruppen austauschen lassen, kommt der Äther-Spaltung praktische Bedeutung zu.

1,5- und 1,8-Dihydroxy-9,10-anthrachinon[6]: 100 g eines Gemisches aus 1,5- und 1,8-Dimethoxy-9,10-an-thrachinon werden mit 300 g Essigsäure und 90 g 100%-iger Schwefelsäure 7 Stdn. unter Rückfluß gekocht. Dann saugt man bei 110° das auskristallisierte 1,5-Dihydroxy-9,10-anthrachinon ab, wäscht mit Essigsäure nach und schlämmt den Nutschkuchen mit heißem Wasser an; Ausbeute: 44 g (50% d. Th.) *1,5-Dihydroxy-9,10-an-thrachinon*.

Das Filtrat wird in 3 l Wasser gegossen und der entstehende Niederschlag abfiltriert. Er besteht aus reinem *1,8-Dihydroxy-9,10-anthrachinon* (37 g; 42% d. Th.).

In analoger Weise wird das 1-Isopropylamino-5-methoxy-9,10-anthrachinon zum *5-Isopropylamino-1-hydroxy-9,10-anthrachinon*[7] und das 1-Amino-2,4-dimethoxy-

[1] BIOS Final Rep. Nr. **1484**, 31 (1948), I.G. Farb., Hoechst.
  S. a. O. DIMROTH, A. **446**, 110 (1925).
[2] E. SCHUNK u. H. ROEMER, B. **11**, 969 (1878).
[3] DRP. 605446 (1933), Gewerkschaft M. Stinnes; Frdl. **21**, 1033.
[4] DOS. 2108575 (1970/71), Sandoz AG, Erf.: R. WINKLER; C. A. **75**, 151595[x] (1971).
[5] DRP. 145188 (1902), Farbw. Hoechst; Frdl. **7**, 189.
  O. FROBENIUS u. E. HEPP, B. **40**, 1048 (1907).
[6] DOS. 2224793 (1971/72), Sandoz A.G., Erf.: R. WINKLER; C. A. **78**, 58144[b] (1973).
[7] DOS. 1932646 (1969), Farbf. Bayer, Erf.: W. HOHMANN, K. WUNDERLICH, H.-S. BIEN; C. A. **75**, 504219[g] (1971).

7*

9,10-anthrachinon zum *4-Amino-1-hydroxy-3-methoxy-9,10-anthrachinon* hydrolysiert[1].

Das 2,3-Dimethoxy-9,10-anthrachinon wird als β-Äther mit konzentrierter Schwefelsäure bei 120–130° bemerkenswert leicht zum *2-Hydroxy-3-methoxy-9,10-anthrachinon* (F: 236°) verseift (in verdünnter Natronlauge intensiv rotviolett löslich). Die vollständige Spaltung zum *2,3-Dihydroxy-9,10-anthrachinon* gelingt erst durch Erhitzen mit Bromwasserstoffsäure (spez. Gew. 1,49) auf 180°[2].

1,2,3-Trimethoxy-9,10-anthrachinon wird durch Erhitzen mit 78%-iger Schwefelsäure auf 160° vollständig zum *1,2,3-Trihydroxy-9,10-anthrachinon* hydrolysiert[3].

β) Hydroxy-9,10-anthrachinone aus Halogen-9,10-anthrachinonen

Der direkte Austausch vom Halogen-Atomen – selbst von α-ständigen – gegen Hydroxy-Gruppen gelingt mit den üblichen alkalischen Mitteln sehr unbefriedigend. In den meisten Fällen dürfte es empfehlenswert sein, den Weg über die Methoxy-Gruppen einzuschlagen, (s. S. 144) wie z. B. bei der Umwandlung von 4-Chlor-1-methyl-9,10-anthrachinon in *1-Hydroxy-4-methyl-9,10-anthrachinon* (F: 175–176°)[4].

Im speziellen Fall des 5,8-Dichlor-1,4-dihydroxy-9,10-anthrachinons läßt sich eine partielle alkalische Hydrolyse nach folgender Vorschrift durchführen.

8-Chlor-1,4,5-trihydroxy-9,10-anthrachinon[5]: Ein Gemisch aus 1,7 g 5,8-Dichlor-chinizarin in 20 g DMF und 1 g Tetraäthylammoniumhydroxid in 4 *ml* Wasser wird 2 Stdn. bei 120° gerührt. Man kühlt auf 80° ab, fügt 15 *ml* 2n Salzsäure zu, kühlt auf 20° ab, filtriert, wäscht und trocknet; Ausbeute: 1,3 g (80% d. Th.); F: > 300°.

Auch in wasserlöslichen 9,10-Anthrachinonen mit sehr reaktionsfähigen Halogen-Atomen gelingt der Austausch relativ leicht. So wird die 4-Brom-1-amino-9,10-anthrachinon-2-sulfonsäure (Bromaminsäure) durch Erwärmen in einer sodaalkalischen Lösung in die *4-Amino-1-hydroxy-9,10-anthrachinon-3-sulfonsäure* übergeführt.

Die Halogen-Atome in den 4-Halogen-1-hydroxy- und 4-Halogen-1-amino-9,10-anthrachinonen (s. a. S. 203) nehmen eine Sonderstellung ein, da sie durch Einwirkung von Oleum bei ~ 100° oder von konzentrierter Schwefelsäure zwischen 120–180° in Gegenwart von Borsäure glatt zu Hydroxy-Gruppen hydrolysiert werden[6]. Auch die 4-Amino-1-hydroxy- und 4-Nitro-1-hydroxy-9,10-anthrachinone lassen sich durch Erhitzen mit Borsäure/Schwefelsäure in 1,4-Dihydroxy-9,10-anthrachinone überführen (s. S. 104). Die treibende Kraft für diese Umsetzungen ist die Bildung der äußerst stabilen Chinizarin-Borsäure-Komplexe (s. S. 138), die gleichzeitig als Schutzgruppen gegen Sulfierungen oder Oxidationen wirken.

Dieses Verfahren ist für die technische Chinizarin-Synthese, die über das 4-Chlor-1-hydroxy-9,10-anthrachinon verläuft, von besonderer Bedeutung (s. S. 97). In analoger Weise lassen sich hydrolysieren:

2,4-Dichlor-1-hydroxy-9,10-anthrachinon   → *2-Chlor-1,4-dihydroxy-9,10-anthrachinon*[6] (rein); F: 240°

4-Chlor-1-hydroxy-2-methyl-9,10-anthrachinon   → *1,4-Dihydroxy-2-methyl-9,10-anthrachinon*[7]; F: 177°

[1] Fr. P. 1521016 (1966), Toms River Chemical Corp., Erf.: A. D. OLIN; C. A. **70**, 97949ˣ (1969).
[2] K. LAGODZINSKI, A. **342**, 102 (1905).
[3] DRP. 158278 (1905), Farbw. Hoechst; Frdl. **8**, 265.
[4] O. FISCHER u. A. SAPPER, J. pr. **83**, 206 (1911).
[5] DOS. 2227765 (1972), I.C.I., Erf.: I. CHEETHAM, K. DUNKERLEY, C. W. GREENHALGH u. D. A. PHILLIPS; C. A. **80**, 4928ʰ (1974).
[6] DRP. 203083 (1906), Farbf. Bayer, Erf.: BERCHELMANN; Frdl. **9**, 681.
[7] F. ULLMANN u. W. SCHMIDT, B. **52**, 2110 (1919).

Ferner lassen sich aus den entsprechenden 4-Chlor-9,10-anthrachinonen folgende Verbindungen herstellen[1]:

6-Chlor-1,4-dihydroxy-9,10-anthrachinon
5,6-Dichlor-1,4-dihydroxy-9,10-anthrachinon
6,7-Dichlor-1,4-dihydroxy-9,10-anthrachinon
5,8-Dichlor-1,4-dihydroxy-9,10-anthrachinon
2,5,6-Trichlor-1,4-dihydroxy-9,10-anthrachinon

Aus dem leicht zugänglichen 4-Chlor-1,6- und -1,7-dihydroxy-9,10-anthrachinon-Gemisch entsteht durch Erhitzen mit Borsäure in 98%-iger Schwefelsäure auf 160° einheitlich das *1,4-Trihydroxy-9,10-anthrachinon*[2]. Es gelingt sogar, 1,4-Dihalogen-9,10-anthrachinone in 1,4-Dihydroxy-9,10-anthrachinone überzuführen; z. B.:

1,4-Dichlor-9,10-anthrachinon → *1,4-Dihydroxy-9,10-anthrachinon*[3]
1,4-Dichlor-9,10-anthrachinon-6-carbonsäure → *1,4-Dihydroxy-9,10-anthrachinon-6-carbonsäure*
 (s. S. 261)
5,8-Dichlor-1,4-dihydroxy-9,10-anthrachinon → *1,4,5,8-Tetrahydroxy-9,10-anthrachinon*

Über die Herstellung von 2-Acetylamino-1-acetoxy-9,10-anthrachinonen aus den reaktionsfähigen 1-Halogen-2-acetylamino-9,10-anthrachinonen durch Kochen mit Kaliumacetat in Nitrobenzol s. S. 204.

γ) Hydroxy-9,10-anthrachinone aus 9,10-Anthrachinon-sulfonsäuren

Das klassische Verfahren zur Herstellung von Phenolen durch Verschmelzen aromatischer Sulfonsäuren mit Alkalimetallhydroxiden ist zur Gewinnung von einheitlichen Hydroxy-9,10-anthrachinonen nicht geeignet. In der β-Reihe werden diese außerordentlich leicht weiterhydroxyliert (s. Alizarin-Herstellung S. 105), und bei den Anthrachinon-α-sulfonsäuren sind die Verhältnisse noch komplizierter. Das aus der 1-Sulfonsäure primär entstehende *1-Hydroxy-9,10-anthrachinon* wird in der Alkalihydroxid-Schmelze leicht zum *1,1'-Dihydroxy-2,2'-bi-(9,10-anthrachinonyl)* dehydriert[4]. Außerdem erleichtern die α-ständigen Sulfon-Gruppen die vollständige Aufspaltung des Anthrachinon-Moleküls, bevor ein Austausch der Sulfo-Gruppe gegen eine Hydroxy-Gruppe stattfindet.

Eine Aufspaltung des Moleküls tritt besonders bei der Alkalimetallhydroxid-Schmelze der 9,10-Anthrachinon-1,5-disulfonsäure in Erscheinung, die im beträchtlichen Umfang in zwei Moleküle 3-Sulfo-benzoesäure und deren Folgeprodukt 3-Hydroxy-benzoesäure aufgespalten wird[5, 6]:

Es bedeutete daher einen großen Fortschritt, als man erkannte, daß durch die Anwendung von Erdalkalimetall- bzw. Magnesium-hydroxiden diese Nebenreaktionen praktisch ausgeschaltet werden und die Hydroxy-9,10-anthrachinone dadurch mit sehr guten Aus-

---

[1] DRP. 568311 (1929/30), I.C.I.; Frdl. **19**, 1926.
[2] DRP. 490637 (1922/23), Scottish Dyes Ltd.; Frdl. **16**, 1257.
[3] DRP. 203083 (1906), Farbf. Bayer, Erf.: BERCHELMANN; Frdl. **9**, 681.
[4] DRP. 167461 (1904), Farbf. Bayer, Erf.: P. TUST; Frdl. **8**, 239.
[5] P. TUST, Farbf. Bayer (1904).
[6] Bereits C. GRAEBE und C. LIEBERMANN, A. **160**, 129 (1871), haben gefunden, daß 9,10-Anthrachinon in der Kaliumhydroxid-Schmelze bei 250° glatt in 2 Moleküle Benzoesäure aufgespalten wird. Dieses Verfahren wurde während des 1. Weltkrieges in den Farbf. Bayer technisch durchgeführt.

beuten zugänglich sind[1]. Eine partielle Hydrolyse läßt sich praktisch nur bei den 9,10-Anthrachinon-α, β-disulfonsäuren durchführen. Jedoch soll die *1-Hydroxy-9,10-anthrachinon-5-sulfonsäure* aus der 1,5-Disulfonsäure durch Erhitzen mit einer Calciumhydroxid-Anschlämmung auf 150° herstellbar sein[2].

Aus den 9,10-Anthrachinon-tri- bzw. -tetra-sulfonsäuren (s. S. 69) lassen sich durch Einwirkung von Calciumhydroxid nicht die entsprechenden Polyhydroxy-9,10-anthrachinone gewinnen, da diese zu undefinierten Produkten weiterkondensieren.

Eingehend untersucht wurden die Verschmelzungen der Alizarin-sulfonsäuren. Die Sulfo-Gruppe in 3-Stellung läßt sich nicht gegen die Hydroxy-Gruppe austauschen; zum größten Teil wird sie durch Wasserstoff ersetzt. Ebenso verhält sich die 1,2,4-Trihydroxy-9,10-anthrachinon-3-sulfonsäure.   Die   1,2-Dihydroxy-9,10-anthrachinon-5(bzw. 6-,7- oder 8)-sulfonsäuren werden durch Natronlauge bei 200° in *1,2,5-*, *1,2,6-*, *1,2,7-* bzw. *1,2,8-Trihydroxy-9,10-anthrachinon* und die 1,2,4-Trihydroxy-9,10-anthrachinon-8-sulfonsäure in *1,2,4,8-Tetrahydroxy-9,10-anthrachinon* umgewandelt[3].

Das *1,2,5-Trihydroxy-9,10-anthrachinon* läßt sich mit guter Ausbeute aus der Alizarin-3,5-disulfonsäure erhalten, indem man in dieser zunächst durch Erhitzen mit 70%-iger Schwefelsäure in Gegenwart von Borsäure die 3-ständige Sulfo-Gruppe gegen Wasserstoff ersetzt und dann mit Natronlauge bei 180–200° die verbleibende Sulfo-Gruppe gegen die Hydroxy-Gruppe austauscht.

Bemerkenswert gut lassen sich die 1,5- (bzw. 1,8)-Dihydroxy-9,10-anthrachinon-2,6 (bzw. 2,7)-disulfonsäuren zu *1,2,5-Trihydroxy-9,10-anthrachinon-6-sulfonsäure* bzw. *1,2,8-Trihydroxy-9,10-anthrachinon-7-sulfonsäure* verschmelzen[3]. Durch schärfere Reaktionsbedingungen entstehen daraus sogar mit Kaliumhydroxid *1,2,5,6-* bzw. *1,2,7,8-Tetrahydroxy-9,10-anthrachinon*[4, 5] (F: 292°).

Auch 1-Amino-9,10-anthrachinon-5-sulfonsäure wird mit Calciumhydroxid bei 170° in *5-Amino-1-hydroxy-9,10-anthrachinon* umgewandelt[6].

1-Hydroxy-9,10-anthrachinon[7]: 100 g 9,10-anthrachinon-1-sulfonsaures Kalium werden in Form einer 35%-igen wäßrigen Paste mit 600 *ml* Wasser und 40 g Calciumoxid im Autoklaven 3 Stdn. auf 180° erhitzt. Nach dem Erkalten verdünnt man mit Wasser bis auf ein Gesamtvol. von 1 *l*, stellt mit Salzsäure sauer, saugt ab und wäscht mit 70° warmem Wasser neutral; Ausbeute: 62,4 g (89% d. Th.).

1,5- und 1,8-Dihydroxy-9,10-anthrachinon[8]: 100 g 9,10-anthrachinon-1,5-disulfonsaures Natrium (100%ig) werden mit 350 *ml* Wasser, 55 g Calciumoxid und 55 g Magnesiumchlorid im Autoklaven rasch auf 230° erhitzt und 10–12 Stdn. bei dieser Temp. belassen. Nach dem Erkalten wird mit Wasser auf ein Gesamtvol. von 1 *l* verdünnt, mit Salzsäure angesäuert, mehrere Stdn. auf 100° erhitzt, abgesaugt und neutral gewaschen.

Ausbeute an 1,5-Dihydroxy-9,10-anthrachinon: 64 g an 80%-igem Produkt (88% d. Th.). (Rest: 9% anorganische Anteile und 1,2,5-Trihydroxy-9,10-anthrachinon).

Ganz ähnlich wird das *1,8-Dihydroxy-9,10-anthrachinon* hergestellt. Die Mengenverhältnisse sind hier: 120 g 9,10-anthrachinon-1,8-disulfonsaures Kalium, 70 g Calciumoxid, 60 g Magnesiumchlorid. Reaktionstemperatur: 215°; Ausbeute: 60,5 g an 93%-igem Produkt (~2,6% anorganische Bestandteile). Durch Vakuumsublimation (190°/1 Torr) wird ein 96%-iges Chinon erhalten.

Die Verschmelzung läßt sich auch kontinuierlich bei ~300–340° unter 100 at durchführen[9].

1,1'-Dihydroxy-2,2'-bi-(9,10-anthrachinonyl)[10]: 960 g Kaliumhydroxid und 800 *ml* Äthanol werden unter Rühren und Abdestillieren des überschüssigen Äthanols auf 160° erhitzt. Dann trägt man unter einer Stickstoff-Atmosphäre 240 g 1-Hydroxy-9,10-anthrachinon ein und läßt weitere 3 Stdn. bei dieser Temp. reagieren.

[1] β-Reihe: DRP. 106505 (1898), Farbw. Hoechst; Frdl. **5**, 275.
  α-Reihe: DRP. 172642, 170108 (1903), Farbf. Bayer, Erf.: R. E. Schmidt u. P. Tust; Frdl. **8**, 238.
[2] DRP. 197607 (1904), Farbf. Bayer; Frdl. **9**, 680.
[3] DRP. 178631 (1904), Farbf. Bayer; Frdl. **8**, 255.
[4] DRP. 103686, 103988 (1898), Farbf. Bayer; Frdl. **5**, 265, 266.
[5] P. G. Marshall, Soc. **1957**, 254.
[6] DRP. 148875 (1903), Farbw. Hoechst; Frdl. **7**, 190.
[7] FIAT Final Rep. Nr. **1313 II**, 50 (1948), I. G. Farb., Leverkusen.
[8] FIAT Final Rep. Nr. **1313 II**, 45–46 (1948), I. G. Farb., Leverkusen.
[9] DOS. 2445221 (1974), Bayer AG, Erf.: A. Huppertz, P. Schultz u. D. Maertens; C. A. **85**, 32704^d (1976).
[10] DRP. 469135 (1927), I. G. Farb., Erf.: P. Nawiasky u. F. Helwert; Frdl. **16**, 1208.

Die Schmelze wird heiß in ~ 20 l Wasser eingerührt, die Leukoverbindung durch Lufteinleiten oxidiert und der Niederschlag abgesaugt. Der Nutschkuchen wird mit heißer verd. Salzsäure angeschlämmt, erneut abgesaugt und ausgewaschen; Rohausbeute: quantitativ.

Zur Reinigung wird 1 Tl. in 10 Tln. Schwefelsäure-Monohydrat gelöst und ohne zu kühlen werden 50 Tle. einer 62%-igen Schwefelsäure langsam eingerührt, wobei sich das reine Produkt kristallin abscheidet. Nach dem Erkalten wird abgesaugt, mit einer 82%-igen Schwefelsäure ausgewaschen und wie üblich aufgearbeitet. Schwach gelber Küpenfarbstoff, in Schwefelsäure mit braunroter Farbe löslich.

1,6-Dihydroxy-9,10-anthrachinon[1]: 500 g 1-Hydroxy-9,10-anthrachinon-6-sulfonsaures Natrium werden mit 600 g Calciumhydroxid und 6 l Wasser 12 Stdn. im Rührautoklaven auf 195° erhitzt. Nach dem Erkalten wird die Schmelze mit Salzsäure kochend angesäuert, der Niederschlag abfiltriert, ausgewaschen, getrocknet und im Soxhlet mit Benzol extrahiert. Nach dem Umkristallisieren aus Essigsäure erhält man reines 1,6-Dihydroxy-9,10-anthrachinon (orangegelbe Nadeln; F: 271–272°; leicht löslich in verd. Natriumcarbonat-Lösung mit gelbroter Farbe).

Die Calcium- und Bariumsalze sind auch in der Hitze völlig unlöslich.

1,2,5-Trihydroxy-9,10-anthrachinon-6-sulfonsäure[2,3]: 50 g 1,5-Dihydroxy-9,10-anthrachinon-2,6-disulfonsaures Natrium werden mit 250 g Kaliumhydroxid und 250 ml Wasser so lange auf ~ 200° erhitzt, bis die Schmelze plötzlich zu einem Kristallbrei erstarrt. Nach dem Erkalten wird mit verd. Salzsäure angesäuert, wobei sich das Kaliumsalz kristallin abscheidet. Durch Umkristallisieren aus heißem Wasser wird das 1,2,5-trihydroxy-9,10-anthrachinon-6-sulfonsaure Kalium in Form goldgelber Kristalle erhalten. In verd. Natronlauge mit blauer und in Schwefelsäure/Borsäure mit grünblauer Farbe löslich.

1,2,5,6-Tetrahydroxy-9,10-anthrachinon[2]: Die besten Ausbeuten an 1,2,5,6-Tetrahydroxy-9,10-anthrachinon („Dializarin") werden durch Verschmelzen von 1,5-Dihydroxy-9,10-anthrachinon-2,6-disulfonsäure mit ~ 80%-igem Kaliumhydroxid zwischen 200–220° erzielt; Rohausbeute: ~ 80% d.Th.

Die Reinigung erfolgt über die O-Tetraacetyl-Verbindung, die aus chromsäurehaltiger Essigsäure umkristallisiert wird. Nach dem Verseifen durch kurzes Erwärmen in 94%-iger Schwefelsäure und dem Verdünnen auf eine 80%-ige Schwefelsäure scheidet sich das Dializarin schön kristallin ab; mit rotvioletter Farbe in verd. Natronlauge und mit blauvioletter in Schwefelsäure/Borsäure löslich.

δ) Hydroxy-9,10-anthrachinone aus Amino-9,10-anthrachinonen

Es sind keine Verfahren bekannt, die es ermöglichen, einfache Amino-9,10-anthrachinone (z. B.: 1- bzw. 2-Amino-, 1,5- bzw. 1,8-Diamino-9,10-anthrachinon) direkt mit erträglichen Ausbeuten zu den Hydroxy-9,10-anthrachinonen zu hydroxylieren. In diesen Fällen empfiehlt es sich, den Weg über die Diazonium-Verbindungen einzuschlagen. Die Diazoniumsalze (s. S. 220) des 9,10-Anthrachinons sind erheblich stabiler als die der aromatischen Reihe.

Es hat sich als zweckmäßig herausgestellt, das „Verkochen" der 9,10-Anthrachinonyldiazonium-Verbindungen in einer 70–90%-igen Schwefelsäure zwischen 120–150° vorzunehmen[4]. Das 1-Hydroxy-9,10-anthrachinon-4-diazoniumsulfat setzt sich erst bei 180° um. Früher wurden so *1-Hydroxy-*, *1,4* und *1,5-Dihydroxy-9,10-anthrachinone* technisch hergestellt. Die Hydrolyse von 1,4-Diamino- und 4-Amino-1-hydroxy-9,10-anthrachinonen zu den 1,4-Dihydroxy-9,10-anthrachinonen kann sowohl über die Dihydro-Verbindungen (s. S. 91 u. 164), die Chinonimine (s. S. 91) als auch über die Borsäure-Komplexe in konzentrierter Schwefelsäure erfolgen.

Die β-Diazoniumsulfate liefern meist weniger reine Hydroxy-9,10-anthrachinone als die α-Verbindungen. Besonders schlecht gelingt die Verkochung des Alizarin-3-diazoniumsulfates zum *1,2,3-Trihydroxy-9,10-anthrachinon.*

Die Herstellung von Hydroxy-9,10-anthrachinon-sulfonsäuren, Chlor-hydroxy-9,10-anthrachinonen und anderer substituierter Hydroxy-9,10-anthrachinone aus den entsprechenden Aminen ist in den speziellen Abschnitten beschrieben.

[1] O. FROBENIUS u. E. HEPP, B. **40**, 1048 (1907).

[2] DRP. 103 686, 103 988 (1898), Farbf. Bayer; Frdl. **5**, 265, 266.

[3] P. G. MARSHALL, Soc. **1957**, 254.

[4] H. ROEMER, B. **15**, 1786 (1882); **16**, 363 (1883).

ε) Hydroxy-9,10-anthrachinone aus Nitro-9,10-anthrachinonen

Der Austausch der Nitro- gegen die Hydroxy-Gruppe in 9,10-Anthrachinonen mit alkalischen Mitteln gelingt meist nur unbefriedigend[1,2]. Auch die Umsetzung mit Kaliumacetat in Essigsäure bei 180° führt nur mit schlechten Ausbeuten zu den Essigsäureestern[3].

Unter speziellen Arbeitsbedingungen ist in einigen Fällen der Austausch einer Nitro- gegen eine Hydroxy-Gruppe möglich.

5-Nitro-1-hydroxy-9,10-anthrachinon[4]: Eine Mischung aus 150 g N-Methyl-pyrrolidon, 50 g 1,5-Dinitro-9,10-anthrachinon und 9,5 g pulverisiertem Calciumhydroxid wird 2 Stdn. auf 150° erhitzt. Nach dem Abdestillieren des Lösungsmittels, Ausfällen des rohen Calciumsalzes mit verd. Salzsäure saugt man ab, wäscht neutral und trocknet. Man erhält:

44 g *5-Nitro-1-hydroxy-9,10-anthrachinon*; F: 235–237°
1,5% *1,5-Dihydroxy-9,10-anthrachinon*
2,5% *1,8-Dihydroxy-9,10-anthrachinon*
1,5% *2,5-Dinitro-1-hydroxy-9,10-anthrachinon*

1,5-Dihydroxy-9,10-anthrachinon[5]: 14,9 g 1,5-Dinitro-9,10-anthrachinon und 135 g Tetramethylensulfon (Sulfolan) erhitzt man in einem Rotationsverdampferkolben auf ~ 105°, tropft bei dieser Temp. innerhalb 3 Stdn. 84 g einer 20%-igen Kalilauge zu und rührt anschließend noch 15 Stdn. bei 105°. Dann gibt man 100 ml 15%-ige Salzsäure zu und destilliert das Wasser i. Vak. ab. Nachfolgend werden durch Vakuumdestillation 128 g Sulfolan wiedergewonnen.

Der Destillationsrückstand wird gemahlen, in kaltem Wasser suspendiert, das Produkt abgesaugt, mit Wasser gewaschen und getrocknet; Ausbeute: 11,7 g (97,6% d. Th.).

In analoger Weise läßt sich *1,8-Dihydroxy-9,10-anthrachinon* herstellen.

In den meisten Fällen wird man vorteilhaft die Nitro-Gruppe entweder gegen eine Methoxy-Gruppe austauschen (s. S. 146) und diese hydrolysieren (s. S. 99;) oder zum Amin reduzieren und dessen Diazoniumsalz verkochen (s. S. 103).

Wenn jedoch eine Nitro-Gruppe durch Substituenten aktiviert ist, kann ihr Austausch leicht erfolgen. Dies ist besonders dann der Fall, wenn sich der Chinizarin-Borsäure-Komplex bilden kann. So wurde früher das *Chinizarin* eine zeitlang durch Erhitzen von 4-Nitro-1-hydroxy-9,10-anthrachinon mit Borsäure/Schwefelsäure technisch hergestellt[6].

Aus 4,8-Dinitro-1,5-dihydroxy-9,10-anthrachinon-2,6-disulfonsäure, konz. Schwefelsäure und Borsäure entsteht bei ~ 80° glatt die *8-Nitro-1,4,5-trihydroxy-9,10-anthrachinon-2,6-disulfonsäure* und bei 130–140° die *1,4,5,8-Tetrahydroxy-9,10-anthrachinon-2,6-disulfonsäure*[6].

Das *1,4,5,8-Tetrahydroxy-2,3-dihydro-9,10-anthrachinon* ist am besten aus der 4,8-Diamino-1,5-dihydroxy-9,10-anthrachinon-2,6-disulfonsäure durch Reduktion mit Natriumdithionit zugänglich (s. S. 169 ff.).

5. Hydroxy-9,10-anthrachinone (und -anthra-bi- und tri-chinone) durch oxidative Hydroxylierung von 9,10-Anthrachinon, Hydroxy- und Amino-9,10-anthrachinonen und von 9,10-Anthrachinon-sulfonsäuren

α) Übersicht

In Hydroxy-9,10-anthrachinone lassen sich nach mehreren Verfahren Hydroxy-Gruppen direkt einführen. Es gelingt sogar, das 9,10-Anthrachinon zu hydroxylieren (Alizarin-Synthese). Die hierfür in Frage kommenden Oxidationsmittel verhalten sich sehr spezifisch und ergänzen sich z.T. gegenseitig.

[1] S. z. B. DRP. 158891 (1903), Farbf. Bayer; Frdl. **8**, 253.
[2] DRP. 145238 (1902), Farbf. Bayer; Frdl. **7**, 188.
[3] E. SCHWENK, J. pr. **103**, 106 (1921).
[4] DOS. 2254199 (1972), Bayer AG, Erf.: K. J. REUBKE, W. HOHMANN u. H. S. BIEN; C. A. **81**, 105107[r] (1974).
[5] DOS. 2537798 (1974/75), Ciba-Geigy AG, Erf.: Z. SEHA; C. A. **84**, 166268[c] (1976).
[6] DRP. 125579 (1900), Farbf. Bayer, Erf.: R. E. SCHMIDT; Frdl. **6**, 335.

Durch die oxidative Alkalimetallhydroxid-Schmelze entsteht aus 2-Hydroxy-9,10-anthrachinon das *1,2-Dihydroxy-9,10-anthrachinon*. Aus 1-Hydroxy-9,10-anthrachinonen erhält man mit Salpetriger Säure in konzentrierter Schwefelsäure die *1,4-Dihydroxy-9,10-anthrachinone*. Mit Mangandioxid in konzentrierter Schwefelsäure bildet sich sowohl aus α- als auch aus β-Hydroxy-9,10-anthrachinonen bevorzugt 1,2,4-Trihydroxy-9,10-anthrachinon.

80%-iges Oleum wirkt (präparativ verwertbar) nur auf α-Hydroxy-9,10-anthrachinone ein, wodurch 1-Hydroxy-, 1,2- und 1,4-Dihydroxy-9,10-anthrachinone zuerst im hydroxy-gruppenfreien Kern hydroxyliert werden. Bei allen Verfahren, die in Schwefelsäure bzw. Oleum durchgeführt werden, wirkt ein Zusatz von Borsäure ausbeutesteigernd bzw. dirigierend.

Die Oxidationen von β-Hydroxy-9,10-anthrachinonen im sauren Bereich führen zu keinen brauchbaren Ergebnissen.

Am Beispiel des Alizarins sei gezeigt, wie dieses durch Variation der Hydroxylierungs-Verfahren mit guten Ausbeuten in vier verschiedene Polyhydroxy-9,10-anthrachinone umgewandelt werden kann:

1. mit MnO_2 in H_2SO_4 → *1,2,4-Trihydroxy-9,10-anthrachinon*
2. mit MnO_2 in H_2SO_4 + B_2O_3 → *1,2,3,4-Tetrahydroxy-9,10-anthrachinon*
3. mit 80%-igem Oleum   → *1,2,5-Trihydroxy-9,10-anthrachinon*
                                                      ↓
4.   *1,2,5,8-Tetrahydroxy-9,10-anthrachinon*

β) Hydroxy-9,10-anthrachinone durch oxidative Alkalimetallhydroxid-Schmelzen

Das 2-Hydroxy-9,10-anthrachinon liegt in einer Alkalimetallhydroxid-Schmelze zweifellos in der sehr reaktionsfähigen Chinonmethid-Form I vor, an die sich leicht Alkalimetallhydroxid zu II anlagert:

Das Kaliumsalz II ist anscheinend in der Alkalimetallhydroxid-Schmelze eine stabile und begünstigte Konstellation, da fast alle 2- und auch 1-Hydroxy-9,10-anthrachinone, ja sogar 9,10-Anthrachinon selbst, in diese überführt werden können.

Dadurch wird auch die „Synthese" des Alizarins durch C. GRAEBE und C. LIEBERMANN verständlich, die dieses durch Kaliumhydroxid-Schmelze eines Dibrom-9,10-anthrachinon-Gemisches, in welchem sicherlich kein 1,2-Dibrom-9,10-anthrachinon enthalten war, hergestellt haben.

Die technische Alizarin-Herstellung durch Verschmelzen von 9,10-Anthrachinon-2-sulfonsäure mit Natriumhydroxid wurde unabhängig von W. H. Perkin[1] (Anthracen → Dichlor-anthracen → Dichlor-anthracensulfonsäure → 9,10-Anthrachinon-sulfonsäure) und von H. Caro, C. Graebe u. C. Liebermann[2] (Sulfieren von Anthrachinon) aufgefunden.

Die Oxidation des in der Schmelze vorliegenden Leuko-Derivates des Alizarins II zum Alizarin III erfolgt bereits durch Luftzutritt oder durch einen Zusatz von Kaliumchlorat bzw. Natriumnitrat zur Alkalischmelze.

Durch die oxidierende Alkalischmelze werden z. B. erhalten:

1,5-Dihydroxy-9,10-anthrachinon   → *1,2,5-Trihydroxy-9,10-anthrachinon*[3]
1,8-Dihydroxy-9,10-anthrachinon   → *1,2,8-Trihydroxy-9,10-anthrachinon*[3]
2,7-Dihydroxy-9,10-anthrachinon   → *1,2,7-Trihydroxy-9,10-anthrachinon*[4]

Die Hydroxylierung von 1,3-Dihydroxy- zu *1,2,4-Trihydroxy-9,10-anthrachinon* vollzieht sich bereits beim Erwärmen mit 50%-iger Kalilauge unter Luftzufuhr momentan[5].

1,6-Dihydroxy-9,10-anthrachinon wird nicht – wie man erwarten sollte – in 5-Stellung, sondern zum *1,2,6-Trihydroxy-9,10-anthrachinon* hydroxyliert[6].

Statt von den Hydroxy-9,10-anthrachinonen kann man auch direkt von den entsprechenden 9,10-Anthrachinon-sulfonsäuren ausgehen. Die Alkalischmelze der 9,10-Anthrachinon-2,6-disulfonsäure (I) nimmt folgenden interessanten Verlauf[7] (erkennbar an der tiefblauen Farbe des Chinons III):

[1] Brit. P. 1948 (1869), Erf.: W. H. PERKIN.
[2] Brit. P. 1936 (1869), Erf.: H. CARO, C. GRAEBE u. C. LIEBERMANN.
[3] DRP. 195 028 (1906); 196 980 (1907), Farbw. Hoechst; Frdl. **8**, 1361; **9**, 691.
[4] E. SCHUNK u. H. ROEMER, B. **9**, 679 (1876).
[5] C. LIEBERMANN u. S. v. KOSTANECKI, A. **240**, 267 (1887).
[6] O. FROBENIUS u. E. HEPP, B. **40**, 1049 (1907).
[7] R. E. SCHMIDT, J. pr. **43**, 232 (1891).

Bemerkenswert ist, daß das 2,6-Dihydroxy-9,10-anthrachinon (V) unter den Bedingungen der Alizarin-Schmelze praktisch unverändert bleibt[1].

Die Alkalischmelze der 9,10-Anthrachinon-2,7-disulfonsäure vollzieht sich in gleicher Folge, nur mit dem Unterschied, daß das dabei entstehende 2,7-Dihydroxy-9,10-anthrachinon glatt zum *1,2,7-Trihydroxy-9,10-anthrachinon* weiter hydroxyliert wird[1].

1,2-Dihydroxy-9,10-anthrachinon (Alizarin)[2]: 240 g reines 9,10-anthrachinon-2-sulfonsaures Kalium (frei von Disulfonsäure) werden mit 320 g 50%-iger Natronlauge und 40 g Natriumnitrat 15 Stdn. im Autoklaven auf 180°, dann noch 10–12 Stdn. auf 200° erhitzt. Nach dem Erkalten wird die Reaktionsmasse mit Wasser herausgespült und in Wasser eingerührt, so daß ein Gesamtvol. von ∼ 2 l entsteht. Nach der Zugabe von 300 g Natriumchlorid stellt man mit Salzsäure sauer (p_H : 2–3), filtriert und wäscht neutral; Rohausbeute: 175 g (∼ 100% d.Th.).

Zur Reinigung wird das getrocknete Rohprodukt in 1,5 kg 96%-iger Schwefelsäure bei 70–75° gelöst. Bei dieser Temp. läßt man innerhalb mehrerer Stdn. 640 g einer 49%-igen Schwefelsäure zufließen. Bei 25° werden die Kristalle abgesaugt und mit 680 g einer 69%-igen Schwefelsäure nachgewaschen.

Man kann auch 10 g Rohprodukt kochend in 250 ml Wasser und 25 ml konz. Natronlauge lösen und heiß filtrieren, wobei das unlösliche Natriumsalz des 2-Hydroxy-9,10-anthrachinons zurückbleibt[3]. Das ∼ 90° warme Filtrat wird mit 100 ml einer 10%-igen Calciumchlorid-Lösung versetzt und die unlöslichen Calciumsalze bei 100° abgesaugt. Nach dem Zerlegen mit heißer Salzsäure wird das noch durch 1,2,6- und 1,2,7-Trihydroxy-9,10-anthrachinon verunreinigte Alizarin in Nitrobenzol gelöst, wobei nach Zugabe von Chlorbenzol die Trihydroxy-9,10-anthrachinone auskristallisieren. Nach dem Einengen des Filtrates kristallisiert reines Alizarin aus.

1,2,5-Trihydroxy-9,10-anthrachinon (Oxyanthrarufin)[4]: 100 g 1,5-Dihydroxy-9,10-anthrachinon werden mit 220 g Natriumhydroxid, 308 g Kaliumhydroxid, 35 g Natriumnitrat und 825 ml Wasser 12 Stdn. im Rührautoklaven auf 180° erhitzt. Aus der mit Wasser verd. Schmelze werden mit einer Calciumchlorid-Lösung die Calciumsalze ausgefällt, abfiltriert und mit kochendem Wasser ausgewaschen. Der Nutschkuchen wird dann mit heißer verd. Salzsäure zerlegt, der abfiltrierte Niederschlag in heißer verd. Natriumcarbonat-Lösung gelöst und erneut filtriert. Beim Erkalten kristallisiert das Natriumsalz des 1,2,5-Trihydroxy-9,10-anthrachinons aus.

Ausbeute: ∼ 70% d.Th.; F: 273–274° (aus Essigsäure); Lösungsfarbe in konz. Schwefelsäure violett, nach Borsäure-Zusatz blau.

In der Mutterlauge befindet sich hauptsächlich das als Nebenprodukt entstandene 1,2,5,6-Tetrahydroxy-9,10-anthrachinon.

In analoger Weise erhält man aus 1,8-Dihydroxy-9,10-anthrachinon das *1,2,8-Trihydroxy-9,10-anthrachinon* (F: 230°).

1,2,6-Trihydroxy-9,10-anthrachinon[5]: 8 g 1,6-Dihydroxy-9,10-anthrachinon werden mit 8 g Kaliumnitrat und 1 l 42%-iger Natronlauge 12 Stdn. im Autoklaven auf 175° erhitzt. Nach dem Erkalten wird mit 1 l Wasser verdünnt, mit einer Calciumchlorid-Lösung das Calciumsalz gefällt, abfiltriert, ausgewaschen und mit verd. Salzsäure zerlegt; Rohausbeute: 6,6 g; nach dem Umkristallisieren aus Essigsäure 4 g (Triacetat, F: 202–203°).

9,10-Anthrachinon verhält sich in Gegenwart von Alkalimetallhydroxiden oberhalb von ∼ 180° wie ein reaktionsfähiges aromatisches Chinon und lagert Alkalimetallhydroxid an unter primärer Bildung von 2,9,10-Trihydroxy-anthracen. Durch einen Zusatz von Natriumnitrat oder Kaliumchlorat wird dieses zum *2-Hydroxy-9,10-anthrachinon* oxidiert, das dann nach dem gleichen Mechanismus wie auf S. 105 beschrieben zum Alizarin hydroxyliert wird[6]. Dabei bleibt ein Teil des 9,10-Anthrachinons unangegriffen, ein anderer wird zu Benzoesäure aufgespalten.

Einen anderen Verlauf nimmt das Möllenhoff-Verfahren[7], nach dem 9,10-Anthrachinon mit Natronlauge, Natriumsulfit und Natriumnitrat im Autoklaven 3–4 Tage auf ∼ 200° erhitzt wird. Hierbei konnte 9,10-Anthrachinon-2-sulfonsäure als Zwischenstufe

[1] R. E. SCHMIDT, J. pr. **43**, 232 (1891).
[2] BIOS Final Rep. Nr. **1484**, 39 (1948); FIAT Final Rep. Nr. **1313 II**, 44 (1948), I.G. Farb. Ludwigshafen.
[3] FIAT Final Rep. Nr. **1313 I**, 450 (1948).
[4] C. GRAEBE, A. **349**, 215 (1906).
    DRP. 196980 (1907), Farbw. Hoechst; Frdl. **9**, 691.
[5] O. FROBENIUS u. E. HEPP, B. **40**, 1049 (1907).
[6] Altes technisches Verfahren der BASF; DRP. 186526 (1904), BASF, Erf.: J. BONER; Frdl. **8**, 237.
[7] Bis zur Einstellung der Alizarin-Fabrikation wurde dieses Verfahren bei den Farbf. Bayer durchgeführt; DRP. 241806 (1911), Farbf. Bayer; Frdl. **10**, 594.

isoliert werden. Unter Berücksichtigung des wiedergewonnenen 9,10-Anthrachinons beträgt die Ausbeute an Alizarin über 90% d. Th.

γ) Hydroxy-9,10-anthrachinone durch oxidative Hydroxylierung von 9,10-Anthrachinonen mit 80%-igem Oleum

γ₁) *Hydroxylierung von α-Hydroxy-9,10-anthrachinonen*

Eine der ungewöhnlichsten Reaktionen in der organischen Chemie ist die nach ihren Entdeckern benannte Bohn-Schmidt-Reaktion[1,2]. Diese besteht darin, daß durch die Einwirkung von ~80%-igem Oleum auf Hydroxy-9,10-anthrachinone, die mindestens eine α-ständige Hydroxy-Gruppe enthalten, bei ~25° Polyhydroxy-9,10-anthrachinone entstehen. Dieser Vorgang vollzieht sich äußerst langsam, ohne daß eine Sulfierung stattfindet. R. E. Schmidt hat gefunden, daß man durch Zusatz von Borsäure die Hydroxylierungen unter Kontrolle halten, bestimmte Hydroxylierungsstufen optimieren und den völligen oxidativen Abbau stark zurückdrängen kann[3]. Setzt man Borsäure im Überschuß zu, so wird die Oxidation praktisch verhindert (zur Konstitutionsaufklärung hat L. Gattermann wertvolle Beiträge geleistet[4]).

Die Hydroxylierungen werden in etwa der 20fachen Menge 80%-igem Oleum vorgenommen. Dieser große Überschuß ist notwendig, damit die erforderliche hohe Schwefeltrioxid-Konzentration nicht merklich absinkt. Nach dem Einrühren des Hydroxy-9,10-anthrachinons in das Oleum muß man die Lösung einige Tage bis mehrere Wochen bei 25–30° stehen lassen. Die Hydroxylierungen vollziehen sich im allgemeinen um so rascher, je mehr Hydroxy-Gruppen bereits vorhanden sind.

In der Oleumschmelze liegen die Polyhydroxy-9,10-anthrachinone nicht in freier Form vor, sondern als z. T. cyclische Schwefelsäureester bzw. als Borsäureester. Nach Beendigung der Reaktion (spektroskopische Kontrolle) wird daher zur Spaltung der Ester vorsichtig mit verd. Schwefelsäure verdünnt und dann auf 100–120° erhitzt (um die Ester zu spalten). Gegebenenfalls ist sogar eine alkalische Vorverseifung der cyclischen Ester und eine saure Nachverseifung notwendig.

Ein 40%-iges Oleum steht in seinem chemischen Verhalten zwischen 80%-igem und schwachem Oleum. Wie ersteres wirkt es z. T. noch hydroxylierend, hydrolysiert jedoch bereits α-ständige Sulfo-Gruppen und sulfiert die entstandenen Polyhydroxy-9,10-anthrachinone.

Die Bohn-Schmidt-Reaktion wird verständlich, wenn man sich das Verhalten der Di- (Pyro-) und Polyschwefelsäuren vergegenwärtigt, die im 80%-igen Oleum vorliegen. Diese sind mäßig starke Säuren, die zu einer Sulfierung nicht befähigt sind.

P. Baumgarten[5] nimmt für die Pyroschwefelsäure aufgrund ihres chemischen Verhaltens die Konstitution A an:

Vieles deutet darauf hin, daß A in geringem Umfang im Gleichgewicht mit den radikalischen Formen B + C steht[6]. Das Radikal C kann nun mit einem Hydroxy-9,10-anthrachinon, das als Ester vorliegt, zum Chinon D rea-

[1] R. Bohn hat zuerst diese Beobachtung beim Alizarinblau (dem Chinolin aus 3-Amino-alizarin) [DRP. 46654 (1888), BASF; Frdl. **2**, 111] und R. E. Schmidt unabhängig davon am Beispiel des Alizarins gemacht [DRP. 60855 (1890), Farbf. Bayer; Frdl. **3**, 198].
[2] R. E. Schmidt, J. pr. **43**, 237 (1891).
[3] DRP. 81481 (1893), Farbf. Bayer, Erf.: R. E. Schmidt; Frdl. **4**, 272.
[4] L. Gattermann, J. pr. **43**, 246 (1891).
[5] P. Baumgarten, B. **64**, 1502 (1931).
[6] *Gmelin*, 8. Aufl., System Nr. 9, Teil B/2, S. 625, Verlag Chemie, Weinheim 1960.

gieren, wobei sich das abgespaltene Wasserstoff-Atom mit dem Radikal B vereinigt und so zu Schwefeldioxid und Wasser führt.

Dieser Reaktionsmechanismus[1, 2] würde auch die langen Reaktionszeiten erklären, da sich bei 30° die erneute Gleichgewichtseinstellung unter Bildung von B + C nur langsam vollzieht.

Eine weitere Stütze für diese Auffassung bildet die Feststellung, daß man auch in 10–20%-igem Oleum bei 15° unter Kaliumperoxodisulfat-Zusatz Hydroxy-Gruppen einführen kann[3].

Sicherlich spielen bei der Bohn-Schmidt-Reaktion auch Redox-Vorgänge eine Rolle. So hat R. E. Schmidt[4] beobachtet, daß sich durch mehrstündiges Einwirken von 45%-igem Oleum bei 25° auf 1,4- oder 1,5-Dihydroxy-9,10-anthrachinon unter Disproportionierung sogenannte „Perisulfate" bilden (eine 1. Stufe der Bohn-Schmidt-Reaktion?); z. B.:

In beiden Fällen entsteht *1,4,5-Trihydroxy-9,10-anthrachinon*. Die 1,9–4,10- bzw. 1,9–5,10-Perisulfate scheiden sich nach dem Einrühren in konzentrierte Schwefelsäure kristallin ab (vgl. dazu die analoge Disproportionierung von 1,5-Bis-[benzoylamino]-9,10-anthrachinon (S. 116) und das Redox-Verhalten der Polyhydroxy-9,10-anthrachinone bei der Mangandioxid-Oxidation (S. 112).

Die anfallenden Polyhydroxy-9,10-anthrachinone sind stets Gemische verschiedener Hydroxylierungsstufen bzw. von Isomeren. Ist das Ziel die Reindarstellung bestimmter Polyhydroxy-9,10-anthrachinone, dann müssen spezielle Reinigungsmethoden angewandt werden (s. Beispiele; s. a. S. 84ff.).

Die einzelnen Hydroxy-9,10-anthrachinone verhalten sich 80%-igem Oleum gegenüber wie folgt[5]:

① 1-Hydroxy-9,10-anthrachinon wird in *1,5-Dihydroxy-9,10-anthrachinon* überführt, das nur langsam weiteroxidiert wird.

② Im Gegensatz zum 1,5-Dihydroxy-9,10-anthrachinon wird das 1,8-Isomere in wenigen Tagen in ein *Hexahydroxy-9,10-anthrachinon-Gemisch* überführt.

③ 1,3,5,7-Tetrahydroxy- oder 1,2,4,5,8-Pentahydroxy-9,10-anthrachinon werden in wenigen Stdn. in *1,2,4,5,6,8-Hexahydroxy-9,10-anthrachinon* ($\sim$65% d. Th.) überführt.

Aus 1,2-Dihydroxy-9,10-anthrachinon entsteht *1,2,5,8-Tetrahydroxy-9,10-anthrachinon* und daraus erst innerhalb von Wochen die Endstufe, hauptsächlich *1,2,4,5,6,8-Hexahydroxy-* neben *1,2,4,5,7,8-Hexahydroxy-9,10-anthrachinon* (einheitlichere Verbindungen werden durch Hydroxylierungen mit Mangandioxid in Schwefelsäure erhalten).

Durch Borsäure-Zusatz kann man Alizarin in *1,2,5-Trihydroxy-9,10-anthrachinon*[6] (Triacetat, F: 229°) und 1,8-Dihydroxy-9,10-anthrachinon in *1,4,8-Trihydroxy-9,10-anthrachinon* mit guten Ausbeuten überführen[7].

---

[1] Formulierung von O. BAYER.
[2] vgl. a. J. WINKLER u. W. JENNY, Helv. **48**, 119 (1965).
[3] DRP. 238488 (1910), Farbf. Bayer; Frdl. **10**, 646.
[4] Vortrag in Freiburg am 8. 7. 1929.
[5] DRP. 60855, 63693, 62531, 64118, 67061, 67063 (1890); 65375, 65453, 69013 (1891); 69388 (1892);
    Farbf. Bayer, Erf.: R. E. SCHMIDT; Frdl. **3**, 198–211.
[6] DRP. 156960 (1903), Farbf. Bayer, Erf.: R. E. SCHMIDT; Frdl. **8**, 254.
[7] DRP. 161026 (1904), Farbf. Bayer; Frdl. **8**, 256.

Weitere Hydroxy-Gruppen lassen sich in 1,2,4,5,6,8- und 1,2,4,5,7,8-Hexahydroxy-9,10-anthrachinone praktisch nicht einführen, da mit steigender Anzahl der Hydroxy-Gruppen die Aufspaltung in Polyhydroxy-sulfo-benzoesäuren und der vollständige oxidative Abbau immer mehr in den Vordergrund treten. Aus dem 1,2,3,5,6,7-Hexahydroxy-9,10-anthrachinon (Rufigallol) soll jedoch durch Erhitzen mit Schwefelsäure in Gegenwart von Borsäure auf 230° *Octahydroxy-9,10-anthrachinon* entstehen[1].

Es ist bemerkenswert, daß aus Chinizarin (II) das gleiche Oxidationsprodukt III entsteht wie aus Alizarin (I) – allerdings mit geringerer Geschwindigkeit und Ausbeute:

III; *1,2,5,8-Tetrahydroxy-9,10-anthrachinon*

1,4,8-Trihydroxy-9,10-anthrachinon[2]**:** In 4,5 kg 80%-iges Oleum trägt man unterhalb 30° 110 g Borsäure ein und verrührt ~ 1¹/₂ Tage, bis Lösung eingetreten ist. Dann trägt man innerhalb 8 Stdn. 210 g 1,8-Dihydroxy-9,10-anthrachinon bei 27° ein. Nach 3–4 Tagen wird unter Kühlen vorsichtig Wasser zugetropft, bis eine 83%-ige Schwefelsäure entstanden ist. Anschließend erhitzt man zur Verseifung der Bor- und Schwefelsäureester auf 165–170°, verdünnt mit Wasser auf 23 l, saugt bei 90° ab und wäscht neutral; Rohausbeute: 203 g.

Zur Reinigung löst man das Rohprodukt in 1,5 kg 70–75° heißer 96%-iger Schwefelsäure und läßt dann bei dieser Temp. in mehreren Stdn. 640 g einer 49%-igen Schwefelsäure zufließen. Bei 25° werden die abgeschiedenen Kristalle abgesaugt und mit 680 g einer 69%-igen Schwefelsäure nachgewaschen. Das saure Nutschgut wird anschließend mit 6 l Wasser angeschlämmt, auf 80° erhitzt, erneut abgesaugt und neutral gewaschen; Reinausbeute: 157 g (80% d. Th.).

1,2,5,8-Tetrahydroxy-9,10-anthrachinon (Alizarinbordeaux B)[3]**:** In 4,4 kg 80%-iges Oleum trägt man bei 28° 231 g Alizarin ein und rührt 5 Tage bei dieser Temp. Hierauf werden 50 g Borsäure zugegeben (vor allem, um eine Weiteroxidation abzubremsen), nach einiger Zeit werden unter Kühlung bei 25–30° 500–600 ml Wasser eingetropft, bis eine 100%-ige Schwefelsäure entstanden ist. Bei ~ 40° wird dann ~ 1 l Wasser zugegeben, bis die Schwefelsäure-Konzentration auf 83% abgefallen ist. Zur Spaltung der Bor- und Schwefelsäureester erhitzt man 1 Stde. auf 165°. Nach dem Erkalten wird in 15 l Wasser ausgetragen, auf 90° erhitzt, der Niederschlag abfiltriert und neutral gewaschen; Rohausbeute: 258 g (~ 60%-ig).

Zur Reinigung wird das Rohprodukt mit 1950 g 96%-iger Schwefelsäure bis zur Lösung (~ 2–3 Stdn.) auf 65° erhitzt. Dann läßt man bei 65° innerhalb 5 Stdn. 1270 g 64%-ige Schwefelsäure zutropfen. Nach dem Abkühlen auf 20–25° werden die abgeschiedenen Kristalle abgesaugt, mit 900 g 78%-iger Schwefelsäure gewaschen, mit 8 l Wasser ausgekocht, erneut abgesaugt, neutral gewaschen und getrocknet; Ausbeute: 174 g (80%-ig).

1,2,4,7,8-Pentahydroxy-9,10-anthrachinon[4]**:** In analoger Weise wie im vorangehenden Beispiel beschrieben erhält man durch 8stdg. Einwirkung von 80%-igem Oleum auf 1,2,7,8-Tetrahydroxy-9,10-anthrachinon bei 30–35° (ohne Borsäure-Zusatz) und durch Verseifen des Rohproduktes durch Kochen mit 1%-iger Natronlauge unter Stickstoff das 1,2,4,7,8-Pentahydroxy-9,10-anthrachinon. Die Reinigung erfolgt am besten durch Lösen in der 6fachen Menge Pyridin, Zusatz der 12fachen Menge Methanol und dann vorsichtige Zugabe von etwas Wasser, bis die Kristallabscheidung des Pyridinium-Salzes beginnt.

[1] G. v. Georgievics, M. **32**, 347 (1911).
[2] BIOS Final Rep. Nr. **1484**, 22 (1948), I. G. Farb., Leverkusen.
[3] FIAT Final Rep. Nr. **1313 II**, 225 (1948), I.G. Farb., Leverkusen.
[4] Alte Laboratoriumsvorschrift der Farbf. Bayer.

γ_2) *Amino-hydroxy-9,10-anthrachinone aus α-Amino-9,10-anthrachinonen mit Oleum*

α-Amino-9,10-anthrachinone werden bei höheren Temperaturen durch Schwefelsäure oder schwaches Oleum meist in ein Gemisch von Oxidationsprodukten übergeführt.

Aus 1-Amino-9,10-anthrachinon entstehen mit 80%-igem Oleum bei 25° beträchtliche Mengen an 4-Amino-1-hydroxy-9,10-anthrachinon[1]. Recht gut verläuft die Hydroxylierung beim 1-Methylamino-9,10-anthrachinon und dessen 6- bzw. 7-sulfonsäuren innerhalb von 3–4 Tagen bei 30° [1]. Dabei tritt außer einer Hydroxy-Gruppe in 4-Stellung z.T. noch eine Sulfo-Gruppe in 2- oder 3-Stellung ein, die jedoch leicht wieder abgespalten werden kann.

Über die Redox-Wirkung von Oleum auf 1,5-Bis-[benzoylamino]-9,10-anthrachinon s.S. 116.

5,8-Diamino-1,4-dihydroxy-9,10-anthrachinon[2]: 25 g des 1,4-Diamino-9,10-anthrachinon-Boracetat-Komplexes werden in 920 g 20%-igem Oleum gelöst und unter Rühren bei 0° portionsweise mit 50 g Kaliumperoxodisulfat versetzt. Nach 4stdg. Reaktionsdauer bei 0–5° wird in Eiswasser ausgetragen, der Niederschlag abgesaugt und ausgewaschen. Man erhält so in 77%-iger Ausbeute ein Gemisch, das vorwiegend aus 5,8-Diamino-1,4-dihydroxy-9,10-anthrachinon besteht.

Der Borsäure-Komplex wird wie folgt hergestellt: Es empfiehlt sich, die Borsäure portionsweise bei 100° in das Essigsäureanhydrid einzurühren, damit die exotherme Reaktion unter Kontrolle gehalten werden kann. Dann rührt man bei 100° das 1,4-Diamino-9,10-anthrachinon ein. Nach ~30 Min. wird auf 0° abgekühlt, die kristalline Masse abgesaugt und weiterverarbeitet.

γ_3) *Hydroxy-9,10-anthrachinon-sulfonsäuren aus 9,10-Anthrachinon-α-sulfonsäuren und Oleum*

Auch 9,10-Anthrachinon-α-sulfonsäuren lassen sich mit hochprozentigem Oleum hydroxylieren[3]. Meistens verwendet man ein 40%-iges Oleum und läßt dieses mehrere Stdn. bei ~140° einwirken[4]. Wenn ein bestimmter Hydroxylierungsgrad erreicht ist, tritt zusätzlich Sulfierung ein. So erhält man z.B. aus 9,10-Anthrachinon-1-sulfonsäure bzw. -1,5-disulfonsäure *1,2-Dihydroxy-9,10-anthrachinon-3,5-disulfonsäure* bzw. *1,2,4-Trihydroxy-9,10-anthrachinon-3,8-disulfonsäure*. 1-Hydroxy-9,10-anthrachinon-8-sulfonsäure wird durch 20%-iges Oleum in Gegenwart von Quecksilberoxid und Borsäure hauptsächlich zu einer *1,4-Dihydroxy-9,10-anthrachinon-x-8-disulfonsäure* oxidiert.

δ) Hydroxy-9,10-anthrachinone durch oxidative Hydroxylierung von 9,10-Anthrachinonen mit Mangandioxid

δ_1) *Hydroxylierungen von Hydroxy-9,10-anthrachinonen*

F. de Lalande[5] hat als erster Alizarin mit Braunstein in Schwefelsäure bei 150° zu *1,2,4-Trihydroxy-9,10-anthrachinon (Purpurin)* oxidiert. R.E. Schmidt hat dann etwa 15

---

[1] DRP. 154353, 155440 (1903), Farbf. Bayer; Frdl. **7**, 191.

[2] DOS. 2244542 (1971/72), I.C.I., Erf.: K. Dunkerley u. R.W. Kenyon; C.A. **78**, 159330q (1973).

[3] DRP. 155045 (1903), Farbf. Bayer, Erf.: K. Thun; Frdl. **7**, 184.

[4] DRP. 172688 (1904), Farbf. Bayer, Erf.: K. Thun; Frdl. **8**, 259.
Über den Wert dieses Verfahrens können keine genauen Angaben gemacht werden, da entsprechende Aufzeichnungen nicht mehr existieren.

[5] F. de Lalande, C.r. **79**, 669 (1874); Bl. **22**, 425 (1874).

Jahre später dieses Oxidationsverfahren aufgegriffen[1] und damit sehr bemerkenswerte Ergebnisse erzielt. Nicht nur mehrere Polyhydroxy-9,10-anthrachinone, sondern auch Hydroxy-1,4;9,10-anthradichinone (s. S. 116) sind so gut zugänglich geworden. In der Regel entstehen stets 1,2,4-Trihydroxy-9,10-anthrachinone. So erhält man sowohl aus Alizarin als auch – allerdings etwas schwerer – aus Chinizarin das *1,2,4-Trihydroxy-9,10-anthrachinon.*

Die Hydroxylierungen werden durchweg mit Mangandioxid in 94–96%-iger Schwefelsäure zwischen 10–25° vorgenommen. Der Reaktionsverlauf wird zweckmäßig spektroskopisch verfolgt. Außer Mangandioxid dürfte auch Vanadin(V)-oxid gut geeignet sein[2].

In Gegenwart von Borsäure nehmen die Mangandioxid-Oxidationen z. T. einen anderen Verlauf. So wird Alizarin in Schwefelsäure unter Borsäure-Zusatz glatt zum *1,2,3,4-Tetrahydroxy-9,10-anthrachinon*[3] oxidiert, ohne daß dabei das 1,2,4-Trihydroxy-9,10-anthrachinon als Zwischenstufe auftritt. Es ist bemerkenswert, daß letzteres von Mangandioxid in Gegenwart von Borsäure ebenso wenig angegriffen wird, wie der sehr stabile Borsäure-Komplex des Chinizarins.

R. E. Schmidt hat nachgewiesen, daß zwischen den Hydroxy-1,4;9,10-anthradichinonen und Polyhydroxy-9,10-anthrachinonen recht komplizierte Redox-Beziehungen bestehen, wobei die Bis-chinone mit einer geringen Zahl von Hydroxy-Gruppen oxidierend auf höher hydroxylierte 9,10-Anthrachinone wirken.

Aus 1,2,5-Trihydroxy-9,10-anthrachinon entsteht – ebenso wie aus 1,2,5,8-Tetrahydroxy-9,10-anthrachinon (I; S. 113) – als 1. Oxidationsstufe das Bis-chinon III[4]. 1,4,5-Trihydroxy- und 1,4,5,6-Tetrahydroxy-9,10-anthrachinon werden zum *1,4-Dihydroxy-5,8;9,10-anthradichinon* oxidiert.

Aus 1,2,7,8-Tetrahydroxy-9,10-anthrachinon erhält man *1,2,4,7-Tetrahydroxy-5,8;9,10-anthradichinon* (~80% d.Th.)[4]. 1,2,5,6,8-Pentahydroxy- wird ebenso wie 1,2,4,5,6,8-Hexahydroxy-9,10-anthrachinon (IV) zum *1,2,4,6-Tetrahydroxy-5,8;9,10-anthradichinon* (V) oxidiert[5].

Aus 3-Nitro-1,2,7-trihydroxy-9,10-anthrachinon wird (nach der Reduktion des entstandenen Bis-chinons) mit guter Ausbeute das *3-Nitro-1,2,4,5,7,8-hexahydroxy-9,10-anthrachinon* und analog aus dem Isomeren 3-Nitro-1,2,6-trihydroxy-9,10-anthrachinon das isomere *3-Nitro-1,2,4,5,6,8-hexahydroxy-9,10-anthrachinon*[6] erhalten.

Der Reaktionsablauf der Mangandioxid-Oxidation von 1,2,5,8-Tetrahydroxy-9,10-anthrachinon (I) zum *1,2,4,5,6,8-Hexahydroxy-9,10-anthrachinon* (IV) läßt sich spektroskopisch exakt verfolgen. Aus I entsteht nicht das Chinon II (sehr charakteristisches Spektrum), sondern direkt das *1,2,4-Trihydroxy-5,8;9,10-anthradichinon* (III) (unklares Spektrum):

[1] DRP. 62018, 62504, 62505, 62506 (1890); 66153, 67061, 68113, 68114, 68123 (1891), Farbf. Bayer, Erf.: R. E. SCHMIDT; Frdl. **3**, 202–222.
[2] O. BAYER, unveröffentlicht.
[3] DRP. 421235 (1924), Farbf. Bayer, Erf.: R. E. SCHMIDT; Frdl. **15**, 662.
[4] DRP. 103988 (1898), Farbf. Bayer; Frdl. **5**, 266.
[5] R. E. SCHMIDT, Farbf. Bayer.
[6] DRP. 69933 (1892), Farbf. Bayer, Erf.: R. E. SCHMIDT; Frdl. **3**, 244.

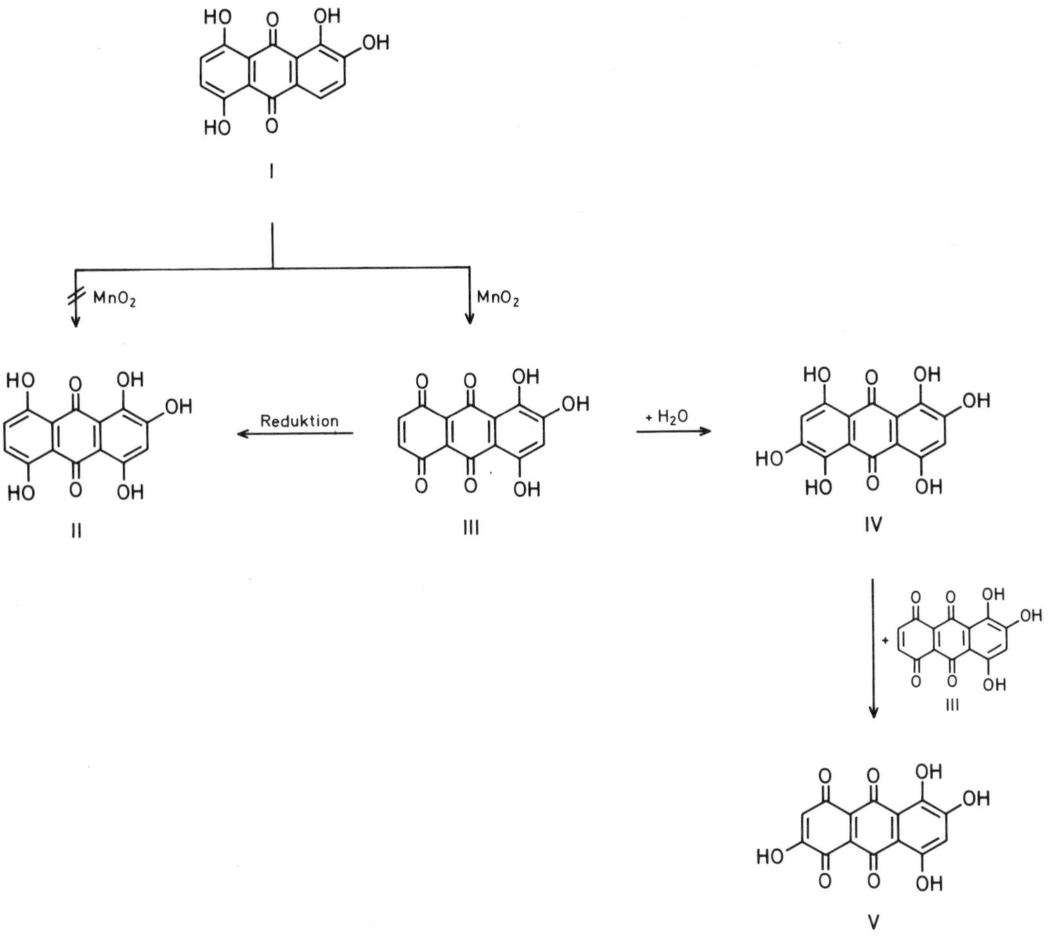

I

MnO₂ (crossed out)   MnO₂

II   ←Reduktion—   III   —+H₂O→   IV

+

III

V

Um 1,2,4,5,8-Pentahydroxy-9,10-anthrachinon (II) zu erhalten, muß man also das Chinon I erst zum Bis-chinon III oxidieren und dann den Oxidations-Ansatz entweder durch Hydrochinon-Zugabe oder durch Einrühren in eine schwache Natriumsulfit-Lösung reduzieren[1].

Das Bis-chinon III (Pentacyanin-chinon) lagert Wasser an und geht in das *1,2,4,5,6,8-Hexahydroxy-9,10-anthrachinon* (IV, *Hexacyanin*) über, das durch ein weiteres Chinon-Molekül III zu *1,2,4,6-Tetrahydroxy-5,8;9,10-anthradichinon* (V) oxidiert wird. Nach Zugabe von Hydrochinon kann man ein äquimolares Gemisch von Penta- und Hexahydroxy-9,10-anthrachinon isolieren.

Technisch wurde früher die Oxidation von 1,2,5,8-Tetrahydroxy-9,10-anthrachinon (I) mit 3 Mol Mangandioxid in Gegenwart von Borsäure[2] direkt zum *1,2,4,6-Tetrahydroxy-5,8;9,10-anthradichinon* (V) durchgeführt und dieses anschließend zum Chinon IV reduziert.

Die Lösungen der Polyhydroxy-9,10-anthrachinone in verdünnter Natronlauge sind sehr autoxidabel. So scheidet sich aus der Lösung von Chinon IV beim Luftdurchleiten das blaue Natriumsalz des Bis-chinons V ab.

---

[1] DRP. 66 153, 68 113 (1891); 69 842 (1892), Farbf. Bayer, Erf.: R. E. Schmidt; Frdl. **3**, 215, 223, 224.
[2] DRP. 119 756 (1899), Farbf. Bayer, Erf.: R. E. Schmidt; Frdl. **6**, 345.

Mit der berechneten Menge Mangandioxid kann aus dem Chinon IV über das Bis-chinon V sogar das *2,6-Dihydroxy-1,4;5,8;9,10-anthratrichinon* (VI)[1] gewonnen werden:

		IV	V	VI
in H_2SO_4	:	rotviolett	grünblau	olivbraun
Fluoreszenz	:	+	0	0
Spektrum	:	scharf	verwaschen	verwaschen

Auch aus Hexahydroxy-9,10-anthrachinon-disulfonsäure ist die Entstehung der unbeständigen Disulfo-tris-chinone nachgewiesen worden[1].

Am stabilsten sind die Anthra-bis- und -tris-chinone (VIII bzw. IX), die aus 3,7-Dinitro-1,2,4,5,6,8-hexahydroxy-9,10-anthrachinon (VII) herstellbar sind[2]:

3,7-Dinitro-1,2,4,6-tetrahydroxy-5,8;9,10-anthradichinon (VIII) entsteht aus dem Chinon VII durch Oxidation mit Mangandioxid in konz. Schwefelsäure bei 20° und *3,7-Dinitro-2,6-dihydroxy-1,4;5,8;9,10-anthratrichinon* (IX) aus dem Bis-chinon VIII durch Einwirkung von konz. Salpetersäure (D_{25} : 1,50). Das Tris-chinon IX ist eine starke Säure, leicht wasserlöslich und **explodiert** leicht.

Durch Einwirkung schwacher Reduktionsmittel wie Schweflige Säure oder Hydrochinon werden die Bis- bzw. Tris-chinone VIII und IX wieder zum Ausgangschinon VII reduziert.

Hydroxylierung von Hydroxy-9,10-anthrachinonen mit Mangandioxid; allgemeine Arbeitsvorschrift[1]: Die Hydroxylierungen werden mit Mangandioxid (~ 105% d. Th. an wirksamem Sauerstoff) in konz. Schwefelsäure zwischen 10–20° vorgenommen, wobei der Oxidationsablauf spektroskopisch verfolgt wird. Vielfach erzielt man nur dann gute Ausbeuten, wenn man über die beabsichtigte Hydroxylierungsstufe hinaus zum entsprechenden 1,4-Chinon oxidiert und anschließend Hydrochinon zusetzt oder den in Wasser ausgerührten Oxidations-Ansatz unter Zusatz von Natriumsulfit aufkocht.

Die erhaltenen Polyhydroxy-9,10-anthrachinone können vielfach aus konz. Schwefelsäure oder aus Anilin/Nitrobenzol umkristallisiert werden. Die Ausbeuten schwanken zwischen 50–75% d. Th. (besonders glatt gelingt die Oxidation des 1,2,7,8-Tetrahydroxy-9,10-anthrachinons, vgl. S. 112).

1,2,4-Trihydroxy-9,10-anthrachinon (Purpurin)[3]: 300 g Alizarin werden in 2,4 kg 96%-iger Schwefelsäure gelöst. Dann gibt man unterhalb 50° 90 *ml* Wasser zu und rührt unter Kühlen bei 18–20° eine Anschlämmung von

[1] R. E. SCHMIDT, Farbf. Bayer.
[2] DRP. 70782 (1891), Farbf. Bayer, Erf.: R. E. SCHMIDT; Frdl. **3**, 266.
    R. E. SCHMIDT, B. STEIN u. C. BAMBERGER, B. **62**, 1884 (1929).
[3] FIAT Final Rep. Nr. **1313 II**, 58 (1948), I. G. Farb. Leverkusen.

175 g Mangandioxid (auf 100% bezogen) in 800 g konz. Schwefelsäure ein. Falls nach 3 Stdn. die Lösungsfarbe einer Probe in verd. Natronlauge noch violettrot ist, gibt man noch 5–10 g Mangandioxid zu, bis die alkalische Lösung kirschrot geworden ist. Dann rührt man die Masse in 14 l Wasser ein und zerstört noch vorhandenes Mangandioxid mit Natriumhydrogensulfit, heizt zum Sieden und filtriert nach dem Erkalten ab. Die Ausbeute beträgt 300 g eines 80%-igen Produktes. Durch Vakuumsublimation (3 Torr: 180–320°) erhält man ein 92%-iges Purpurin.

1,2,3,4-Tetrahydroxy-9,10-anthrachinon[1]: In 500 g konz. Schwefelsäure werden 15 g Borsäure bei 80° gelöst und bei 30° 24 g Alizarin eingetragen. Zwischen 15–20° rührt man dann langsam eine Anschlämmung von 25 g 85%-igem Mangandioxid (Wirkungsgrad ~75%-ig) in 600 ml Schwefelsäure ein. Die Oxidation ist beendet, wenn in einer mit Wasser und Schwefeldioxid aufgekochten Probe kein Alizarin mehr nachweisbar ist.

Hierauf wird die Schmelze in ~4 l Wasser, das mit Natriumhydrogensulfit versetzt ist, eingerührt. Man kocht auf, saugt den Niederschlag ab und wäscht neutral; Rohausbeute: 22 g.

Diese werden 2mal aus Nitrobenzol umkristallisiert.

Herstellung und Bestimmung des Oxidationswertes von Mangandioxid[2]: Im Laboratorium verwendet man zweckmäßig ein durch Fällung hergestelltes und nicht über 100° getrocknetes Mangandioxid, dessen Oxidationswert nur 5% niedriger als der Mangandioxid-Gehalt ist. Natürliche Braunstein-Sorten hingegen erfordern eine etwas höhere Reaktionstemp. und enthalten dichte kristalline Bestandteile, die praktisch nicht wirksam sind. Ihr Oxidationswert beträgt nur ~75% des Mangandioxid-Gehaltes.

R. E. Schmidt hat ein analytisches Verfahren zur Ermittlung des Wirkungsgrades von Mangandioxid ausgearbeitet. Dieses beruht darauf, daß nach der vollständigen Oxidation von 1,2,4,5,6,8-Hexahydroxy-9,10-anthrachinon zum *1,2,4,6-Tetrahydroxy-5,8;9,10-anthradichinon* die scharfen Spektrallinien des ersteren völlig verschwunden sind. Das Bis-chinon ergibt nur ein stark verwaschenes Spektrum[3].

δ₂) Amino-hydroxy-9,10-anthrachinone aus Amino-9,10-anthrachinonen und Mangandioxid

Im Gegensatz zu den Hydroxy-9,10-anthrachinonen lassen sich Amino-9,10-anthrachinone mit Mangandioxid in Schwefelsäure praktisch nicht hydroxylieren. Von Fall zu Fall entstehen die verschiedenartigsten Produkte.

So wird aus 3 Mol 1-Amino-9,10-anthrachinon durch Einwirkung von Mangandioxid in 45%-iger Schwefelsäure nach Art einer Indamin-Kondensation und anschließender Reduktion hauptsächlich das *4-(9,10-Anthrachinon-1-ylamino)-1-(4-amino-9,10-anthrachinon-1-ylamino)-9,10-anthrachinon* (s.S. 213) erhalten:

1,4-Diamino-9,10-anthrachinon wird durch Mangandioxid in 90%-iger Schwefelsäure in das *1,4;9,10-Anthradichinon-1,4-bis-imin* überführt, das leicht hydrolisierbar ist (s. S. 93).

Recht glatt wird dagegen 1,5-Bis-[benzoylamino]-9,10-anthrachinon mit Mangandioxid in 10%-igem Oleum bei 15° zum *4,8-Bis-[benzoylamino]-1-hydroxy-9,10-anthra-*

---

[1] DRP. 421235 (1924), Farbf. Bayer, Erf.: R. E. Schmidt; Frdl. **15**, 662.

[2] vgl. a. ds. Handb., Bd. IV/1a, S. 491, 492, 497.

[3] R. E. Schmidt, B. Stein u. C. Bamberger, B. **62**, 1884 (1929).

chinon oxidiert[1]. Hier ist jedoch die auffallende Neigung des Ausgangsmaterials zu disproportionieren die treibende Kraft, da zwei Moleküle 1,5-Bis-[benzoylamino]-9,10-anthrachinon in 10%-igem Oleum bei 20° in die Verbindungen II und III übergehen (vgl. 1,5-Dihydroxy-9,10-anthrachinon, S. 109):

Das 1,3-Oxazin-Derivat III kann man leicht aufgrund seiner Nichtverküpbarkeit abtrennen. Das Mangandioxid hat also hier nur die Aufgabe, Verbindung III zu dehydrieren, damit die Reaktion ihren Fortgang nehmen kann.

Aus 1,4-Bis-[benzoylamino]-9,10-anthrachinon entsteht in guter Ausbeute das *5-Benzoylamino-2-phenyl-⟨anthra-[1,2-d]-1,3-oxazol⟩-6,11-chinon*[2].

ε) Oxidation von Hydroxy-9,10-anthrachinonen mit Blei(IV)-acetat

Die Einwirkungen von Mangandioxid in Schwefelsäure oder von Blei(IV)-acetat in Essigsäure[3] auf Di- und Poly-hydroxy-9,10-anthrachinone bzw. Amino-hydroxy-9,10-anthrachinone verlaufen anscheinend nach dem gleichen Mechanismus.

Mit Blei(IV)-acetat gelingt es in einigen Fällen besser als mit Mangandioxid, die Oxidation von Polyhydroxy-9,10-anthrachinonen auf den Anthra-bis-chinon-Stufen abzustoppen. So läßt sich Chinizarin mit 65%-iger Ausbeute durch Blei(IV)-acetat in Essigsäure zum *1,4;9,10-Anthradichinon* oxidieren[4]. Auf analoge Weise wurden ferner hergestellt:

2-Acetoxy-1,4;9,10-anthradichinon; F: 167–168°
2,3-Dibrom-1,4;9,10-anthradichinon; F: 300° (recht beständig)
5- und 6-Hydroxy-1,4;9,10-anthradichinon

Die Existenz von *5,8-Dihydroxy-1,4;9,10-anthradichinon*[5] und die des *1,4;5,8;9,10-Anthratrichinons*[5] wurde nachgewiesen.

Mit der Blei(IV)-acetat-Oxidation läßt sich oft auch eine Thiele-Winter-Anlagerung kombinieren. So entsteht aus dem 1,2,5,8-Tetrahydroxy-9,10-anthrachinon zunächst das sehr reaktionsfähige *1,4-Dihydroxy-5,6;9,10-anthradichinon*, das leicht mit Essigsäureanhydrid zum *1,4,5,6,8-Pentaacetoxy-9,10-anthrachinon* weiterreagiert[5].

Auch das 2-Acetoxy-1,4;9,10-anthradichinon wird durch Essigsäureanhydrid unter Zusatz einiger Tropfen Oleum glatt in das *1,2,3,4-Tetraacetoxy-9,10-anthrachinon* (F: 205°) übergeführt[4].

1,4;9,10-Anthradichinon (Chinizarinchinon)[4]: 20 g feingepulvertes Chinizarin werden in 50 *ml* Essigsäure verrührt und mit 40 g Blei(IV)-acetat versetzt. Nach ∼5 Min. erstarrt das Bis-chinon zu einem Kristallbrei. Es wird noch ∼10 Min. weitergerührt, bis in einer Probe unter dem Mikroskop kein Ausgangsmaterial mehr zu erkennen ist. Dann saugt man ab, wäscht mit Wasser aus, trocknet im Exsikkator, und kristallisiert aus 90° heißem Nitrobenzol um; Ausbeute: 65% d.Th.; Zers. P.: ∼211° (gelbliche Nadeln).

Das stabilere *2,3-Dibrom-1,4;9,10-anthradichinon* wird analog bei ∼50° hergestellt.

[1] DRP. 238488 (1910), Farbf. Bayer; Frdl. **10**, 646.
[2] O. BAYER, I.G. Farb. Mainkur (∼1931).
[3] O. DIMROTH u. E. SCHULTZE, A. **411**, 345 (1916).
[4] O. DIMROTH, O. FRIEDEMANN u. H. KÄMMERER, B. **53**, 481 (1920).
[5] O. DIMROTH, E. SCHULTZE u. F. HEINZE, B. **54**, 3035 (1921).
  O. DIMROTH u. V. HILCKEN, B. **54**, 3050 (1921).

ζ) Oxidative Hydroxylierungen von 9,10-Anthrachinon und Hydroxy-9,10-anthrachinonen mit Salpetriger Säure

Die Beobachtung, daß durch Erhitzen von 9,10-Anthrachinon mit konzentrierter Schwefelsäure auf ∼ 230° in geringen Mengen *Chinizarin* entsteht[1], führte zu dessen ältestem technischen Herstellungsverfahren: Oxidation von 9,10-Anthrachinon in konz. Schwefelsäure in Gegenwart von Borsäure und katalytischen Mengen Quecksilber mit Salpetriger Säure[2]. Man erhält so bei ∼ 180° neben 10% zurückgewonnenem Anthrachinon ∼ 70% d. Th. Chinizarin (ungewöhnlich ist der Reaktionsverlauf; denn bei einer Reaktionstemp. von ∼ 120–140° gelingt es, beträchtliche Mengen an 1-Hydroxy-9,10-anthrachinon-4-diazoniumsulfat zu isolieren[2]).

Bessere Ausbeuten an Chinizarin erhält man ausgehend vom 1-Hydroxy-9,10-anthrachinon[3].

Aus 1-Hydroxy-9,10-anthrachinon-5- oder -8-sulfonsäure entsteht in konzentrierter Schwefelsäure unter Borsäure-Zusatz durch Oxidation mit Natriumnitrit bei 210° in 60%-iger Ausbeute die *1,4-Dihydroxy-9,10-anthrachinon-5-sulfonsäure*.

In analoger Weise erhält man aus:

1,2-Dihydroxy-9,10-anthrachinon	→	*1,2,4-Trihydroxy-9,10-anthrachinon*[2]
1,8-Dihydroxy-9,10-anthrachinon	→	*1,4,8-Trihydroxy-9,10-anthrachinon*[4]
1,2,3-Trihydroxy-9,10-anthrachinon	→	*1,2,3,4-Tetrahydroxy-9,10-anthrachinon*[2]

Dieses Oxidationsverfahren hat heute keine Bedeutung mehr. Die Oxidation von 1,2,6- und 1,2,7-Trihydroxy-9,10-anthrachinon mit Nitrit in Schwefelsäure und Borsäure bei 160° soll jedoch die einzig brauchbare Methode sein, um wenigstens mit schlechten Ausbeuten zum *1,2,4,6-* bzw. *1,2,4,7-Tetrahydroxy-9,10-anthrachinon* zu gelangen[5].

Zur Oxidation von Hydroxy-methyl-9,10-anthrachinonen zu Hydroxy-9,10-anthrachinon-carbonsäuren s. S. 261.

5-Chlor-1,4-dihydroxy-9,10-anthrachinon[6]: In eine Lösung von 25 g Natriumnitrit in 1 kg konz. Schwefelsäure wird bei 25–30° ein Gemisch aus 40 g Borsäure und 50 g 1-Chlor-5-nitro-9,10-anthrachinon eingerührt; man läßt die Temp. innerhalb von 2 Stdn. auf 200–210° ansteigen, hält diese Temp. 12 Stdn. konstant und kühlt dann auf 30–40° ab. Nach dem langsamen Eingießen in 6 l Eis/Wasser kocht man die saure Suspension 30 Min., filtriert heiß und wäscht säurefrei. Das 5-Chlor-chinizarin ist ein rotoranges Pulver.

Zunächst tritt wahrscheinlich eine Hydrolyse der Nitro-Gruppe ein.

6. Reduktive Eliminierung von Hydroxy-Gruppen aus Polyhydroxy-9,10-anthrachinonen (Purpurin-Eliminierung)

1,2,4-Trihydroxy-9,10-anthrachinon (I; Purpurin) wird im schwach sauren oder alkalischen Bereich durch starke Reduktionsmittel in Chinizarin[7] (II) und in stark alkalischer Lösung glatt in *1,3-Dihydroxy-9,10-anthrachinon* (III) überführt[8]. Dieses Verhalten zeigen alle Polyhydroxy-9,10-anthrachinone mit Hydroxy-Gruppen in 1,2,4-Stellung.

---

[1] DRP. 81 245 (1893), Farbf. Bayer, Erf.: P. Tust; Frdl. **4**, 296.
[2] DRP. 161 954 (1904), Farbf. Bayer, Erf.: R. E. Schmidt u. P. Tust; Frdl. **8**, 252.
[3] DRP. 162 792 (1904), Farbf. Bayer; Frdl. **8**, 253.
[4] DRP. 163 041 (1904), Farbf. Bayer, Erf.: R. E. Schmidt u. P. Tust; Frdl. **8**, 257.
[5] O. Dimroth u. R. Fick, A. **411**, 326 (1916).
[6] US.P. 2 346 772 (1942), DuPont, Erf.: R. N. Lulek u. E. C. Buxbaum; C. A. **38**, 6107[4] (1944).
[7] DRP. 89 027 (1895), 246 079 (1911), Farbf. Bayer; Frdl. **4**, 322; **11**, 589.
[8] DRP. 212 697 (1907), Farbw. Hoechst; Frdl. **9**, 691.

Recht instruktiv ist das Verhalten des 1,2,4,5,6,8-Hexahydroxy-9,10-anthrachinons (IV):

Durch Reduktion mit Zinkstaub in verdünnter Natronlauge werden die 1,5-ständigen Hydroxy-Gruppen eliminiert (unter Bildung von *1,3,5,7-Tetrahydroxy-9,10-anthrachinon*; V), bei der sauren Reduktion dagegen eine β-ständige Hydroxy-Gruppe. Das dabei entstehende *1,2,4,5,8-Pentahydroxy-9,10-anthrachinon* (VI) fällt dabei als „Leuko"derivat (vgl. S. 89) an.

1,3-Dihydroxy-9,10-anthrachinon (Xanthopurpurin)[1,2]: 100 g naß vermahlenes 1,2,4-Trihydroxy-anthrachinon werden kalt in eine Lösung von 150 g Natriumhydroxid in 4 l Wasser eingetragen. Dazu gibt man bei 40°

[1] DRP. 212697 (1907), Farbw. Hoechst; Frdl. **9**, 691.
[2] C. LIEBERMANN u. S. v. KOSTANECKI, A. **240**, 267 (1887).

unter Rühren und Luft- und Lichtausschluß solange portionsweise Natriumdithionit (~ 200 g) zu, bis Flavanthronpapier (das gelbe Flavanthron wird leicht zu seiner intensiv blau gefärbten Küpe reduziert) deutlich blau gefärbt wird. Dann erwärmt man kurz auf 90° – evtl. unter weiterer Dithionit-Zugabe – filtriert und versetzt bei dieser Temp. das Filtrat mit verd. Salzsäure. Nach einigen Stdn., wenn der Niederschlag kompakter geworden ist, wird wie üblich aufgearbeitet.

Die Reinigung erfolgt durch Hochvakuumsublimation oder über das in der Hitze gut lösliche Bariumsalz[1]; Ausbeute: ~ 90% d. Th.; F: 262–263° (gelborange Nadeln).

Die alkalische „Purpurin-Eliminierung" mittels Zinkstaub in Gegenwart von verdünnter Natronlauge und Ammoniak bei ~ 90° wurde außerdem mit folgenden Polyhydroxy-9,10-anthrachinonen z. T. mit Ausbeuten bis zu 90% d. Th., durchgeführt:

1,2,4,8-Tetrahydroxy-9,10-anthrachinon	→ *1,3,5-Trihydroxy-9,10-anthrachinon*[2]
1,2,4,7-Terahydroxy-9,10-anthrachinon	→ *1,3,6-Trihydroxy-9,10-anthrachinon*[3]
1,2,4,6-Tetrahydroxy-9,10-anthrachinon	→ *1,3,7-Trihydroxy-9,10-anthrachinon*[2]
1,2,4,5,6,8-Hexahydroxy-9,10-anthrachinon	→ *1,3,5,7-Tetrahydroxy-9,10-anthrachinon*[2]
1,2,4,5,7,8-Hexahydroxy-9,10-anthrachinon	→ *1,3,6,8-Tetrahydroxy-9,10-anthrachinon*[2]

7. Herstellung substituierter Hydroxy-9,10-anthrachinone

α) Herstellung von Halogen-hydroxy-9,10-anthrachinonen

α₁) *Durch Synthesen und Austauschreaktionen*

Außer der direkten Halogenierung von Hydroxy-9,10-anthrachinonen gibt es eine Reihe weiterer Verfahren zur Herstellung von Halogen-hydroxy-9,10-anthrachinonen; die wichtigsten sind im folgenden aufgeführt:

① Die Synthese aus Phthalsäureanhydriden und Phenolen mit Halogen-Atomen in mindestens einem der Reaktionspartner (s. S. 94ff.).

② Wie bereits auf S. 101ff. ausgeführt, sind in Polyhalogen-1-hydroxy-9,10-anthrachinonen durch Erhitzen mit Borsäure-Schwefelsäure auf 120–180° oder mit Borsäure-Oleum auf 80–120° nur die 4-ständigen Halogen-Atome glatt gegen Hydroxy-Gruppen austauschbar[4]. Auf diese Weise lassen sich einige Halogen-chinizarine gut herstellen.

③ Da in 1-Hydroxy-9,10-anthrachinon-2- und -4-sulfonsäuren die Sulfo-Gruppen außerordentlich leicht in wäßriger Lösung durch Brom ersetzt werden (s. S. 121 f.) und Wasserstoff-Atome in der 2- und 4-Stellung ebenfalls durch Brom substituiert werden, ergeben sich zahlreiche Möglichkeiten zur Herstellung von Brom-hydroxy-9,10-anthrachinonen.

Infolgedessen erhält man sowohl aus der 1-Hydroxy-9,10-anthrachinon-2-sulfonsäure als auch aus der -2,4-disulfonsäure bei 90° glatt das *2,4-Dibrom-1-hydroxy-9,10-anthrachinon*, aus der 1,5-Dihydroxy-9,10-anthrachinon-2,6-disulfonsäure bei 100° das *2,4,6,8-Tetrabrom-1,5-dihydroxy-9,10-anthrachinon* und analog das *2,4,5,7-Tetrabrom-1,8-dihydroxy-9,10-anthrachinon*[5].

Bei der 1,5-Dihydroxy-9,10-anthrachinon-2,6-disulfonsäure und der 2-Hydroxy-9,10-anthrachinon-3-sulfonsäure gelingt es bei vorsichtiger Arbeitsweise, die *4,8-Dibrom-1,5-dihydroxy-9,10-anthrachinon-2,6-disulfonsäure*[6] bzw. die *1-Brom-2-hydroxy-9,10-anthrachinon-3-sulfonsäure* (bei 60°) zu isolieren.

[1] C. LIEBERMANN u. S. v. KOSTANECKI, A. **240**, 267 (1887).
[2] Farbf. Bayer (vor 1910).
[3] O. DIMROTH u. R. FICK, A. **411**, 330 (1915).
[4] DRP. 203083 (1906), Farbf. Bayer, Erf.: BERCHELMANN; Frdl. **9**, 681.
[5] F. WÖLBLING, B. **36**, 2941 (1903).
[6] DRP. 197082 (1907), Farbf. Bayer; Frdl. **9**, 689.

Das *3-Brom-1,2-dihydroxy-9,10-anthrachinon* (F: 245°) wird zweckmäßig aus der entsprechenden 3-Sulfonsäure durch Brom-Zusatz bei 50–70° (s. S. 59) hergestellt[1].

④ Die Hydrolyse von halogenhaltigen 4-Amino-1-hydroxy- bzw. 1,4-Diamino-9,10-anthrachinonen in Schwefelsäure und in Gegenwart von Mangandioxid (s. S. 91ff.) führt über die Chinonimine ebenfalls zu Halogen-chinizarinen (z. B. erhält man aus 2,3-Dichlor-1,4-diamino-9,10-anthrachinon das *2,3-Dichlor-1,4-dihydroxy-9,10-anthrachinon*).

⑤ Durch Sandmeyer-Reaktion von Amino-hydroxy-9,10-anthrachinonen gelangt man zu Halogen-hydroxy-9,10-anthrachinonen.

Durch Austausch der Amino-Gruppe in Halogen-amino-hydroxy-9,10-anthrachinonen gegen Wasserstoff, Halogen oder Hydroxy-Gruppen können zahlreiche weitere Halogen-hydroxy-9,10-anthrachinone hergestellt werden.

Aus den entsprechenden Halogen-amino-9,10-anthrachinonen werden durch Diazotieren und Erhitzen in wasserhaltiger Schwefelsäure auf 120–140° mit über 90%-iger Ausbeute Halogen-hydroxy-9,10-anthrachinone erhalten; z. B.:

2-Brom-1-hydroxy-9,10-anthrachinon[2]
3-Brom-1-hydroxy-9,10-anthrachinon
5,8-Dichlor-1-hydroxy-9,10-anthrachinon[3,4]; F: 229°
5,6,7,8-Tetrachlor-1-hydroxy-9,10-anthrachinon[3,4]; F: 202°
5,8-Dichlor-2-hydroxy-9,10-anthrachinon[4]; F: 256°.

Weitere Beispiele für die Herstellung von Halogen-hydroxy-9,10-anthrachinonen durch Sandmeyer-Reaktion sind[2]:

3-Brom-4-amino-1-hydroxy-9,10-anthrachinon → *3,4-Dibrom-1-hydroxy-9,10-anthrachinon*

4-Amino-alizarin → *4-Brom-1,2-dihydroxy-9,10-anthrachinon* (reaktionsträges Brom-Atom)

2-Brom-1,5-diamino-9,10-anthrachinon → *2-Brom-1,5-dihydroxy-9,10-anthrachinon*[2]

5,8-Dichlor-1-hydroxy-9,10-anthrachinon[4]: 50 g 5,8-Dichlor-1-amino-9,10-anthrachinon, in 500 *ml* konz. Schwefelsäure gelöst, werden mit ~110% der ber. Menge Nitrosylschwefelsäure bei 20° versetzt. Dazu tropft man unterhalb 40° 125 *ml* Wasser und rührt solange, bis eine Probe wasserlöslich geworden ist.

Dann gibt man weitere 130 *ml* Wasser zu und erhitzt auf 115–125°. Dabei scheidet sich das 5,8-Dichlor-1-hydroxy-9,10-anthrachinon in Form gelber Nadeln ab. Nachdem die Stickstoff-Entwicklung beendet ist, werden die Kristalle kalt abgesaugt, mit einer ~75%-igen Schwefelsäure ausgewaschen, der Nutschkuchen mit heißem Wasser digeriert, erneut abgesaugt und neutral gewaschen; Ausbeute: 47,5 g (95% d. Th.), F: 229°.

3,4-Dibrom-1-hydroxy-9,10-anthrachinon[5]: 31,8 g 3-Brom-4-amino-1-hydroxy-9,10-anthrachinon werden in 160 g konz. Schwefelsäure mit 10 g Natriumnitrit diazotiert. Durch Eintragen von Eis fällt das Diazoniumsulfat aus. Dieses wird nach 3 Stdn. abgesaugt und in ein Gemisch aus 150 *ml* Essigsäure + 70 *ml* 48%-iger Bromwasserstoffsäure, in dem 20 g Kupfer(I)-bromid gelöst sind, eingetragen. Nachdem die Stickstoff-Entwicklung praktisch beendet ist, erwärmt man auf dem Wasserbad, saugt den Niederschlag ab und wäscht diesen aus; Rohausbeute: 35,5 g. Nach dem Umkristallisieren aus Essigsäure erhält man 25 g reines Produkt.

Reine *4-Brom-1-hydroxy-9,10-anthrachinon-2-sulfonsäure* ist nur auf folgende Weise zugänglich.

4-Brom-1-hydroxy-9,10-anthrachinon-2-sulfonsäure[6]: 50 g 4-Brom-1-amino-9,10-anthrachinon-2-sulfonsäure werden wie üblich in wäßr. Lösung diazotiert, wobei sich die schwer lösliche Diazonium-Verbindung ab-

[1] DRP. 77179 (1893), Farbf. Bayer; Frdl. **4**, 330.
[2] DAS. 1057265 (1957), BASF, Erf.: W. BRAUN u. H. W. STEIN; C. A. **55**, 6874[d] (1961).
[3] Fr. P. 1445843 (1965), Farbf. Bayer, Erf.: W. HOHMANN u. H.-S. BIEN; C. A. **65**, 2388[h] (1966).
[4] Brit.P. 1029448 (1964/66), Farbf. Bayer; C. A. **65**, 8846[f] (1966).
[5] H. RAAB, I. G. Farb. Leverkusen (1933).
[6] DRP. 518214 (1929), I.G. Farb., Erf.: E. HONOLD; Frdl. **17**, 1165.

scheidet. Nach dem Absaugen und Auswaschen mit Eiswasser rührt man die 20–30%-ige Paste in eine 90° warme Lösung von 40 g krist. Kupfer(II)-sulfat in 600 *ml* Wasser ein. Sobald die Stickstoff-Abspaltung beendet ist, wird das in Form brauner Kristalle ausgefallene innere Kupfer-Salz abgesaugt und ausgewaschen. Behandelt man dieses mit heißer verd. Salzsäure, so geht es in Lösung. Nach der Filtration wird das Natriumsalz der 4-Brom-1-hydroxy-9,10-anthrachinon-2-sulfonsäure durch Aussalzen abgeschieden; Ausbeute: ~90% d. Th.

α_2) *Herstellung von Halogen-hydroxy-9,10-anthrachinonen durch Halogenierung von Hydroxy-9,10-anthrachinonen*

Die Halogenierung von Hydroxy-9,10-anthrachinonen ist bei weitem nicht so intensiv bearbeitet worden wie die der Amino-9,10-anthrachinone, da die Halogen-hydroxy-9,10-anthrachinone keine allzu große Rolle in der Technik spielen.

Die Halogenierung von Hydroxy-9,10-anthrachinonen führt vielfach – je nach dem Halogenierungsmittel und dem Reaktionsmedium – zu unterschiedlichen Ergebnissen.

Als Chlorierungsmittel kommt in erster Linie Sulfurylchlorid in Betracht. Die Chlorierungen können in Essigsäure, Nitrobenzol oder Chlorbenzol vorgenommen werden. Man kann aber auch in Sulfurylchlorid ohne Verdünnungsmittel arbeiten. Freies Chlor führt in konzentrierter Schwefelsäure, Essigsäure oder durch Einwirkung auf die verpasteten Ausgangsmaterialien bei ~80° zu guten Ergebnissen.

Der Eintritt von Halogen in α-Hydroxy-9,10-anthrachinone findet zuerst vorwiegend in die p-Stellung statt. Ein weiteres Halogen-Atom tritt dann in die o-Stellung ein. So entsteht durch mehrstündiges Rückflußsieden von 1-Hydroxy-9,10-anthrachinon mit Sulfurylchlorid –, evtl. auch in Verdünnung mit Nitrobenzol – vorwiegend reines *4-Chlor-1-hydroxy-9,10-anthrachinon* (F: 186°), wenn man katalytische Einflüsse von Jod oder Eisen ausschließt. Läßt man in Gegenwart von Jod weitere Mengen Sulfurylchlorid einwirken, so erhält man das *2,4-Dichlor-1-hydroxy-9,10-anthrachinon*[1,2] (F: 245°). Auch mit der berechneten Menge Chlor in 98%-iger Schwefelsäure bei 70° (evtl. unter Druck) wird das 4-Chlor-1-hydroxy-9,10-anthrachinon (F: 181–184°) in befriedigender Reinheit erhalten[3].

2,4-Dichlor-1-hydroxy-9,10-anthrachinon[1,2]: 67 g 1-Hydroxy-9,10-anthrachinon werden mit 110 *ml* Nitrobenzol, 102 *ml* Sulfurylchlorid und 2 g Jod so erhitzt, daß die Gasentwicklung nicht zu stürmisch verläuft. Nach ~3stdg. Rückflußsieden ist der größte Teil der Dichlor-Verbindung auskristallisiert. Man saugt nach dem Erkalten ab und wäscht mit Äthanol aus; Ausbeute: ~60 g (90% d. Th.); F: ~235°. Aus Benzol umkristallisiert: gelbe Nadeln; F: 242°.

Die Monochlorierung von 1,5- bzw. 1,8-Dihydroxy-9,10-anthrachinon führt zum 4-Chlor-Derivat, jedoch liegt dies stets im Gemisch mit dem Ausgangsmaterial und den Dichlor-Verbindungen vor. Mit überschüssigem Sulfurylchlorid in Nitrobenzol lassen sich dann *4,8-Dichlor-1,5-dihydroxy-* bzw. *4,5-Dichlor-1,8-dihydroxy-9,10-anthrachinon* gewinnen[1,4], jedoch sind auch diese Produkte nicht ganz einheitlich.

Aus 1,6- bzw. 1,7-Dihydroxy-9,10-anthrachinon werden durch Chlorieren in konzentrierter Schwefelsäure bei 70° unter Jod-Zusatz mit der berechneten Menge Chlor weitgehend *4-Chlor-1,6-* bzw. *-1,7-dihydroxy-9,10-anthrachinon* erhalten[3].

Die Besonderheiten der Einwirkung von Thionylchlorid auf Chinizarin sind auf S. 89 beschrieben.

Läßt man auf den Chinizarin-Borsäure-Komplex in 30%-igem Oleum bei 60–70° in Gegenwart von Jod Chlor einwirken, so entsteht in glatter Reaktion *5,8-Dichlor-1,4-di-*

[1] DRP. 282494 (1914), F. ULLMANN; Frdl. **12**, 426.
[2] F. ULLMANN u. A. CONZETTI, B. **53**, 826 (1920).
[3] DRP. 490637 (1923; Brit. Prior. 1922), Scottish Dyes Ltd., Erf.: J. THOMAS; Frdl. **16**, 1257.
[4] C.F.H. ALLEN et al., J. Org. Chem. **6**, 743 (1941).

hydroxy-9,10-anthrachinon[1] (Reinausbeute aus DMF umkristallisiert ∼80% d.Th.; F: 278–280°). Mit einem Mol Brom erhält man ein nicht völlig einheitliches *5-Brom-1,4-dihydroxy-9,10-anthrachinon*.

Die Bromierung von 1-Hydroxy-9,10-anthrachinon in siedender Essigsäure unter Zusatz von Natriumacetat[2] oder in 5%-gem Oleum bei 10–50°[3] führt je nach der angewandten Brom-Menge zu *4-Brom-1-hydroxy-* (F: 198°) bzw. *2,4-Dibrom-1-hydroxy-9,10-anthrachinon*.

Die Monohalogenierung von 2-Hydroxy-9,10-anthrachinon verläuft uneinheitlich, jedoch gelingt die Herstellung von 1,3-Dihalogen-2-hydroxy-9,10-anthrachinonen praktisch nach allen Verfahren.

Brom-Atome in 1-Brom-2-hydroxy-9,10-anthrachinonen zeigen das gleiche Verhalten wie die in den entsprechenden 1-Brom-2-amino-9,10-anthrachinonen (s. S. 190). So lagert sich 1-Brom-2-hydroxy-9,10-anthrachinon beim Erhitzen auf 280° in *3-Brom-2-hydroxy-9,10-anthrachinon* um[4]. Das gleiche Produkt resultiert auch beim Erhitzen von 1 Mol 2-Hydroxy-9,10-anthrachinon mit 1 Mol 1,3-Dibrom-2-hydroxy-9,10-anthrachinon in 90%-iger Phosphorsäure auf 250°. Analog entsteht aus äquimolaren Mengen 1,3,5,7-Tetrabrom-2,6-dihydroxy-9,10-anthrachinon und 2,6-Dihydroxy-9,10-anthrachinon das *3,7-Dibrom-2,6-dihydroxy-9,10-anthrachinon. 4,8-Dibrom-1,5-dihydroxy-* und *4,5-Dibrom-1,8-dihydroxy-9,10-anthrachinon* lassen sich in analoger Weise herstellen.

Die Halogenierung von Chinizarin, z. B. mit Brom in Essigsäure führt zu nicht ganz einheitlichem 2-Brom-1,4-dihydroxy-9,10-anthrachinon[5]. Aus 1,3-Dihydroxy-9,10-anthrachinon entsteht *2,4-Dibrom-1,3-dihydroxy-9,10-anthrachinon* (F: 227–230°)[6]. Purpurin wird in Essigsäure glatt zu *3-Brom-1,2,4-trihydroxy-9,10-anthrachinon* bromiert[5].

Durch erschöpfende Bromierung der entsprechenden Hydroxy-9,10-anthrachinone erhält man ohne Schwierigkeiten:

2,4,6,8-Tetrabrom-1,5-dihydroxy-9,10-anthrachinon
2,4,5,7-Tetrabrom-1,8-dihydroxy-9,10-anthrachinon[7]
1,3,5,7-Tetrabrom-2,6-dihydroxy-9,10-anthrachinon
2,6,4,8-Tetrabrom-1,3,5,7-tetrahydroxy-9,10-anthrachinon
4-Brom-5-nitro-1-hydroxy-9,10-anthrachinon
4,8-Dibrom-1,5-dihydroxy-2,3,6,7-tetramethoxy-9,10-anthrachinon[8]

Läßt man Brom in Pyridin bei ∼30° auf Polyhydroxy-9,10-anthrachinone einwirken, so entstehen wasserlösliche Pyridinium-bromide wahrscheinlich vom gleichen Typ wie die auf S. 178 beschriebenen Pyridiniumchloride.

Die Chlorierung mittels Hypochloriten gelingt nur in wenigen Fällen, da die meisten Hydroxy-9,10-anthrachinone durch dieses Agens aboxidiert werden. So erhält man durch Einwirkung von Natriumhypochlorit auf eine alkalische Lösung von 2-Hydroxy-9,10-anthrachinon bei 90° das *1-Chlor-2-hydroxy-9,10-anthrachinon* (F: 226°) in nur ∼40%-iger

[1] DAS. 1199279 (1963), Farbf. Bayer, Erf.: H. S. Bien, W. Hohmann u. H. Vollmann; C. A. **63**, 3088ᶜ (1965).
   S. a. Brit. P. 1357955 (1971) I. C. I., Erf.: K. Dunkerley u. C. W. Greenhalgh; C. A. **81**, 120339ᵐ (1974).
[2] DRP. 293694 (1913), Farbw. Hoechst; Frdl. **12**, 425.
   K. Fries u. G. Schürmann, B. **52**, 2185 (1919).
[3] DRP. 490637 (1923; Brit. Prior. 1922), Sottish Dyes Ltd.; Erf.: J. Thomas; Frdl. **16**, 1257.
[4] DRP. 484665 (1927), I.G. Farb., Erf.: M. A. Kunz u. G. v. Rosenberg; Frdl. **16**, 1243.
[5] Herstellung von techn. *2-Brom-1,4-dihydroxy-9,10-anthrachinon*: BIOS Final Rep. Nr. **1484**, 66 (1948), I.G. Farb. Leverkusen.
[6] H. Plath, B. **9**, 1204 (1876).
   DRP. 151018 (1902), BASF; Frdl. **7**, 216.
[7] H. Schrobsdorff, B. **36**, 2937 (1903).
[8] DOS. 1643242 (1967), BASF, Erf.: K. Bast.

Ausbeute[1]; mit 1 Mol Brom in 1%-iger Natronlauge entsteht entsprechend das *1-Brom-2-hydroxy-9,10-anthrachinon* (F: 185–187°)[2]. Behandelt man 4,8-Dinitro-1,5-dihydroxy-9,10-anthrachinon bei 20–40° in 2n Natronlauge mit Brom, so erhält man einheitlich das *2,6-Dibrom-4,8-dinitro-1,5-dihydroxy-9,10-anthrachinon*[3].

Erhitzt man 2-Hydroxy-9,10-anthrachinon mit Jod in Pyridin, so resultiert *3-Jod-2-hydroxy-9,10-anthrachinon* (F: 278–279°)[1].

Durch erschöpfende Chlorierung von 1- bzw. 2-Amino-9,10-anthrachinon in einem Gemisch aus Essigsäure und konzentrierter Salzsäure entstehen mit sehr guten Ausbeuten *2,2,3,4,4-Pentachlor-1-oxo-* (I) bzw. *1,1,3,4,4-Pentachlor-2-oxo-1,2,3,4-tetrahydro-9,10-anthrachinon* (II):

I   II

Diese werden durch Zinn(II)-chlorid in Essigsäure zu *2,4-Dichlor-1-hydroxy-*[4] bzw. *1,3-Dichlor-2-hydroxy-9,10-anthrachinon* reduziert[5]. Erhitzt man jedoch die Chlor-ketone I oder II längere Zeit in Essigsäure unter Zusatz von Ammoniumchlorid oder Natriumacetat, so erhält man in ~50%-iger Ausbeute das *2,3,4-Trichlor-1-hydroxy*[4]- (F: 214°) bzw. *1,3,4-Trichlor-2-hydroxy-9,10-anthrachinon*[5] (F: 252°). Daneben tritt eine Aufspaltung des 9,10-Anthrachinon-Ringsystems ein.

β) Herstellung von Hydroxy-9,10-anthrachinon-sulfonsäuren

β₁) durch Sulfieren von Hydroxy-9,10-anthrachinonen

Die Sulfierung von Hydroxy-9,10-anthrachinonen erfolgt verhältnismäßig leicht und ohne Komplikationen mit ~20%-igem Oleum bei ~100°. Stärkeres Oleum und höhere Temperaturen sind in der Regel zu vermeiden, da sich sonst Schwefelsäureester bilden, die eine Sulfierung erschweren.

Bei Mono-sulfierungen von Polyhydroxy-9,10-anthrachinonen setzt man ~110% d.Th. an Schwefeltrioxid ein. Man unterbricht die Reaktion, wenn eine Probe klar wasserlöslich geworden ist und Essigsäureäthylester sich beim Durchschütteln nicht mehr gelb färbt. Die Hydroxy-9,10-anthrachinon-sulfonsäuren haben nämlich die Eigenschaft, erhebliche Mengen unverändertes Ausgangsmaterial zu dispergieren.

Sehr schwer lösliche Hydroxy-9,10-anthrachinon-sulfonsäuren unterscheiden sich von den Ausgangsmaterialien durch ihre Löslichkeit in 10–20%-igen Pyridin-Wasser-Gemischen. Ferner ist zu beachten, daß bei der letzten Herstellungsstufe kalkfreies Wasser verwendet werden muß.

Die Aufarbeitung der Sulfierungsansätze gestaltet sich sehr einfach. Nach dem Einrühren in Wasser salzt man bei 90° mit Kaliumchlorid aus, da die Kaliumsalze schwerer löslich sind als die Natriumsalze. Am leichtesten löslich sind die Ammoniumsalze. Zur weiteren Reinigung kann man die Kaliumsalze in heißem Wasser lösen und durch Zusatz von Äthanol meist gut kristallisiert abscheiden.

---

[1] H. DECKER u. E. LAUBE, B. **39**, 112 (1906).
[2] R. W. HARDACRE u. A. G. PERKIN, Soc. **1929**, 185–188.
[3] DAS. 1 134087 (1961), CIBA, Erf.: P. THYNER; C. A. **58**, 10 144[h] (1963).
[4] K. FRIES u. E. AUFFENBERG, B. **53**, 23 (1920).
[5] K. FRIES u. W. HARTMANN, B. **54**, 193 (1921).

Bei den 1-Hydroxy-9,10-anthrachinonen tritt die erste Sulfo-Gruppe praktisch immer nur in die o-Stellung[1] und die zweite in die p-Stellung ein[2].

Aus 2-Hydroxy-9,10-anthrachinon entsteht mit 20%-igem Oleum bis 120° die *2-Hydroxy-9,10-anthrachinon-3-sulfonsäure*, über deren Weitersulfierung keine genauen Angaben vorliegen.

1,5-Dihydroxy-9,10-anthrachinon kann glatt in die *1,5-Dihydroxy-9,10-anthrachinon-2,6-disulfonsäure* und weiter in die *1,5-Dihydroxy-9,10-anthrachinon-2,4,6,8-tetrasulfonsäure* übergeführt werden[2]. Entsprechend erhält man aus 1,8-Dihydroxy-9,10-anthrachinon die *1,8-Dihydroxy-9,10-anthrachinon-2,7-disulfonsäure* bzw. *-2,4,5,7-tetrasulfonsäure*[2].

Die Monosulfierung von Dihydroxy-9,10-anthrachinonen, deren Hydroxy-Gruppen in α,α'- oder β,β'-Stellung – also in zwei verschiedenen Ringen – stehen, läßt sich praktisch nicht durchführen.

1-Hydroxy-9,10-anthrachinon-5(bzw.-6)-sulfonsäure wird mit schwachem Oleum unter Zusatz von Borsäure und Natriumsulfat zur *1-Hydroxy-9,10-anthrachinon-2,5-* (bzw. *2,6)-disulfonsäure* weitersulfiert.

Um bei Sulfierungen von Polyhydroxy-9,10-anthrachinonen mit Chinizarin-Struktur Nebenreaktionen auszuschließen, muß man genaue Versuchsbedingungen einhalten. Durch Sulfieren von Chinizarin mit 12,5%-igem Oleum in Gegenwart von Natriumsulfat zwischen 90–130° (20 Stdn.) entsteht mit guter Ausbeute die *1,4-Dihydroxy-9,10-anthrachinon-2-sulfonsäure*[3]. Unter Zusatz von Borsäure und Quecksilber wird Chinizarin erst bei 180° mit 40%-igem Oleum in ein Gemisch aus ~60% *1,4-Dihydroxy-9,10-anthrachinon-6-* und ~25% *1,4-Dihydroxy-9,10-anthrachinon-5-sulfonsäure* überführt[4,5]. Unter Verwendung von 20%-igem Oleum ensteht letztere nicht[5].

Aus 1,4,5-Trihydroxy-9,10-anthrachinon entsteht mit 30%-igem Oleum unter Borsäure-Zusatz bei 130° die *1,4,5-Trihydroxy-9,10-anthrachinon-6-sulfonsäure*[6] und analog aus 1,2,5,8-Tetrahydroxy-9,10-anthrachinon die *1,2,5,8-Tetrahydroxy-9,10-anthrachinon-3-sulfonsäure*[6].

Aus 2,6-[7] (bzw. 2,7)[8]-Dihydroxy-9,10-anthrachinon entstehen die *2,6-* (bzw. *2,7)-Dihydroxy-9,10-anthrachinon-3,7-* (bzw. *3,6)-disulfonsäuren*.

Über die Sulfierung des Alizarins und dessen Sulfonsäuren ist folgendes zu sagen[9]:

Durch Einwirkung von 20%-igem Oleum auf Alizarin bei 95° entsteht die *1,2-Dihydroxy-9,10-anthrachinon-3-sulfonsäure* neben geringen Mengen an *-4-sulfonsäure*[10]. Durch Sulfieren mit der 12,5fachen Gewichtsmenge 24%-igem Oleum bei 135° und anschließender saurer Hydrolyse des entstandenen Schwefelsäureesters wird ein Gemisch aus *1,2-Dihydroxy-9,10-anthrachinon-3,6-* und *-3,7-disulfonsäure* erhalten[11]. In Gegenwart von Quecksilber entsteht mit 20%-igem Oleum bei 110° hauptsächlich ein Gemisch aus *1,2-Dihydroxy-9,10-anthrachinon-3,5-* und *-3,8-disulfonsäure*[12].

1,2,4-Trihydroxy-9,10-anthrachinon läßt sich einheitlich in die *1,2,4-Trihydroxy-9,10-anthrachinon-3-sulfonsäure* überführen (s. S. 126).

---

[1] H. v. PERGER, J. pr. **18**, 116, 178 (1878).

[2] DRP. 141296 (1902), Farbf. Bayer, Erf.: BERCHELMANN; Frdl. **7**, 195.

[3] US.P. 3389151 (1966), American Aniline Products Inc., Erf.: D. A. ZANELLA u. L. HAVEN; C. A. **69**, 96342^m (1968).

[4] DRP. 492000 (1928), I.G. Farb., Erf.: H. MILDNER; Frdl. **16**, 1247.

[5] Brit.P. 1471265 (1973), I.C.I., Erf.: R.T. CLARKE, T. J. SMITH u. D. A. STEWART; C.A. **88**, 171796 (1978).

[6] DRP. 165860 (1904), Farbf. Bayer; Frdl. **8**, 262.

[7] DRP. 99874 (1897), Farbw. Hoechst; Frdl. **5**, 258.

[8] DRP. 99612 (1897), Farbw. Hoechst; DRP. 104317 (1898), Farbf. Bayer; Frdl. **5**, 260, 257.

[9] R. E. SCHMIDT, *Zur Kenntnis der Alizarinsulfonsäuren*, J. pr. **43**, 232 (1891).

[10] H. v. PERGER, J. pr. **18**, 173 (1878).

[11] DRP. 56952 (1890), Farbf. Bayer; Frdl. **3**, 269.

[12] DRP. 210863 (1908), R. WEDEKIND u. Co.; Frdl. **9**, 688.

1,2,5-Trihydroxy-9,10-anthrachinon wird durch 5%-iges Oleum unter Quecksilber-Zusatz bei 100° zur *1,2,5-Trihydroxy-9,10-anthrachinon-3,6-disulfonsäure* sulfiert und 1,2,7-Trihydroxy-9,10-anthrachinon zu einem Gemisch aus *1,2,7-Trihydroxy-9,10-anthrachinon-3-sulfonsäure* und *-3,6-disulfonsäure*.

Aus all diesen Sulfonsäuren ist die Sulfo-Gruppe in 3-Stellung durch Erhitzen mit 78%-iger Schwefelsäure auf ~ 180° leicht abspaltbar[1]. Infolgedessen sind über die entsprechenden Disulfonsäuren die *1,2-Dihydroxy-9,10-anthrachinon-5-(6-, 7- bzw. 8-)-sulfonsäuren* zugänglich[2]. Die Sulfo-Gruppe in 3-Stellung ist auch leicht mittels Salpetersäure durch eine Nitro-Gruppe austauschbar.

Die *1,2-Dihydroxy-9,10-anthrachinon-4-sulfonsäure* ist am besten durch Einwirkung von Natriumsulfit auf 4-Nitro-alizarin zugänglich (s. S. 71).

1-Hydroxy-9,10-anthrachinon-2-sulfonsäure[3]: 100 g 1-Hydroxy-9,10-anthrachinon werden in 500 g 20%-igem Oleum auf 90° erhitzt, bis eine Probe wasserlöslich geworden ist und Essigsäure-äthylester beim Ausschütteln nicht mehr gelb färbt. Nach dem Erkalten rührt man in 3 *l* Wasser ein und salzt mit Natriumsulfat aus.

1-Hydroxy-9,10-anthrachinon-2,4-disulfonsäure[4]: 200 g 1-Hydroxy-9,10-anthrachinon werden in 1,2 kg 25%-igem Oleum gelöst, vorteilhaft mit etwas Quecksilbersulfat versetzt und innerhalb 30 Min. auf 90° erhitzt. Dann erwärmt man noch ~ 90 Min. auf 110–120°, bis eine isolierte Probe sich nicht mehr rot sondern gelb in verd. Natronlauge löst. Die Aufarbeitung erfolgt wie üblich durch Einrühren in Wasser und Aussalzen in der Hitze mit Natriumchlorid.

Die Sulfo-Gruppe in 4-Stellung ist sehr leicht austauschbar[5].

1,5 (bzw. 1,8)-Dihydroxy-9,10-anthrachinon-2,6- (bzw. 2,7)-disulfonsäuren[6]: Die Sulfierung von 1,5-Dihydroxy-9,10-anthrachinon zur 1,5-Dihydroxy-9,10-anthrachinon-2,6-disulfonsäure wird mit 20%-igem Oleum (~ 115% d. Th. an SO_3) bei 100–110° durchgeführt, bis eine Probe klar wasserlöslich geworden ist. Nach dem Austragen der Schmelze in Wasser wird mit Kaliumchlorid ausgesalzen.

In gleicher Weise wird die 1,8-Dihydroxy-9,10-anthrachinon-2,7-disulfonsäure[7] erhalten, nur vollzieht sich hier die Sulfierung etwas leichter.

1,2-Dihydroxy-9,10-anthrachinon-3-sulfonsäure[8]: In 1,5 kg 20%-iges Oleum (~ 150% d. Th. an SO_3) und 80 g wasserfreies Natriumsulfat rührt man 500 g Alizarin ein und erhitzt auf 95°. Nach ~ 8 Stdn. soll eine in Wasser gegossene und abfiltrierte Probe klar in heißem Wasser löslich sein. Hierauf wird in 5 *l* Wasser ohne Kühlung ausgetragen und bei 90° mit ~ 1,2 kg Natriumchlorid langsam ausgesalzen. Bei 40° wird abgesaugt, mit 4,5 *l* einer 10%-igen Natriumchlorid-Lösung, dann mit einer Lösung von 40 g Natriumcarbonat in 3 *l* Wasser und zum Schluß nochmals mit einer angesäuerten 10%-igen Natriumchlorid-Lösung ausgewaschen.

Die Ausbeute an Trockensubstanz beträgt 775 g. Zur Reinigung und zur Abtrennung der in geringem Umfang mitentstandenen -4-sulfonsäure kristallisiert man aus Äthanol um, in welchem das Natriumsalz der -4-sulfonsäure schwerer löslich ist als das der Alizarin-3-sulfonsäure[9].

In Gegenwart von Quecksilber ist der Anteil der *1,2-Dihydroxy-9,10-anthrachinon-4-sulfonsäure* erheblich größer.

1,2-Dihydroxy-9,10-anthrachinon-mono- und -disulfonsäuren sind leicht durch Aussalzen zu trennen. Alle Alizarin-monosulfonsäuren lassen sich mit Natriumchlorid abscheiden – die Disulfonsäuren bleiben in Lösung. Letztere können anschließend mit Kaliumchlorid ausgesalzen werden.

1,4-Dihydroxy-9,10-anthrachinon-6-sulfonsäure[10]: In 150 g 20%-ig. Oleum werden bei 90–95° 17 g Borsäure gelöst und dazu 50 g Chinizarin eingerührt. Nach 2stdg. Erhitzen auf ~100° wird auf 80° abgekühlt, 1,7 g Quecksilberoxid und weitere 200 g 20%ig. Oleum hinzugefügt und 24 Stdn. auf 170–175° erhitzt. Nach dem

[1] DRP. 56 951, 56 952 (1890), Farbf. Bayer; Frdl. **3**, 269.
 R. E. Schmidt, J. pr. **43**, 232 (1891).
[2] DRP. 99 612 (1897), Farbw. Hoechst; Frdl. **5**, 260.
 DRP. 104 317 (1898), Farbf. Bayer; Frdl. **5**, 257.
[3] DRP. 127 438 (1899), Farbf. Bayer; Frdl. **6**, 371.
[4] DRP. 141 296 (1902), Farbf. Bayer; Frdl. **7**, 195.
[5] DRP. 142 154 (1902), Farbf. Bayer; Frdl. **7**, 209.
[6] DRP. 96 364 (1897), Farbf. Bayer; Frdl. **5**, 246.
[7] DRP. 100 136 (1897), Farbf. Bayer; Frdl. **5**, 247.
[8] FIAT Final Rep. Nr. **1313 II**, 223, I. G. Farb., Leverkusen (1948).
[9] H. v. Perger, J. pr. **18**, 173 (1878).
[10] Brit.P. 1 471 265 (1973), I.C.I., Erf.: R. T. Clarke, T. J. Smith u. D. A. Stewart; C.A. **88**, 171 796 (1978).

Abkühlen auf 30° trägt man den Ansatz in 2,5 kg Eiswasser aus und rührt 125 g Magnesiumsulfat ein. Dabei scheiden sich 60 g (83% d. Th.) reines Magnesiumsalz der 1,4-Dihydroxy-9,10-anthrachinon-6-sulfonsäure ab.

1,2,4-Trihydroxy-9,10-anthrachinon-3-sulfonsäure[1]: 10 g Borsäure werden mit einem Gemisch aus 85 *ml* 20%-igem Oleum und 65 *ml* 65%-igem Oleum bei 80° verrührt, bis Lösung eingetreten ist. Dann trägt man bei 50° portionsweise 50 g 1,2,4-Trihydroxy-9,10-anthrachinon ein, erhitzt in 1 Stde. auf 70° und rührt 30 Min. nach. Die Schmelze wird in 2,5 l Wasser, das etwas Natriumhydrogensulfit enthält, ausgetragen und die Lösung ~20 Min. auf 80° unter Zugabe von Aktivkohle erhitzt.

Das Filtrat wird mit 100 g Natriumchlorid ausgesalzen und das Natriumsalz der Sulfonsäure abgesaugt. Nach dem Anschlämmen mit einer Natriumchlorid-Lösung wird erneut abfiltriert.

β_2) Hydroxy-9,10-anthrachinon-sulfonsäuren aus 1,4-Dihydroxy-9,10-anthrachinonen, Natriumhydrogensulfit und Mangandioxid

In Chinizarin und in einige seiner Derivate läßt sich durch mehrstündiges Erhitzen mit einer ~10%-igen Natriumhydrogensulfit-Lösung in Gegenwart von Mangandioxid und zweckmäßig unter Borsäure-Zusatz eine Sulfo-Gruppe in die 2-Stellung einführen[2]. Zweifellos handelt es sich hierbei um eine Anlagerung von Schwefliger Säure an die entsprechenden 1,4-Chinone. Aus Chinizarin-6-sulfonsäure entsteht so die *1,4-Dihydroxy-9,10-anthrachinon-2,6-disulfonsäure*[3] und aus 1,4,5-Trihydroxy-9,10-anthrachinon die *1,4,5-Trihydroxy-9,10-anthrachinon-2-sulfonsäure*[4]. 1,2,4-Trihydroxy-9,10-anthrachinon wird durch Natriumsulfit, das mit Natriumdihydrogenphosphat abgepuffert ist, in Gegenwart von Mangandioxid glatt in die *1,2,4-Trihydroxy-9,10-anthrachinon-3-sulfonsäure*, 1,4,5,8-Tetrahydroxy-9,10-anthrachinon in 10%-igem Pyridin-Wasser-Gemisch in Gegenwart von Borsäure mit 80%-iger Ausbeute in die *1,4,5,8-Tetrahydroxy-9,10-anthrachinon-2,6-disulfonsäure* übergeführt.

Anstelle von Mangandioxid läßt sich auch 3-Nitro-benzolsulfonsäure einsetzen[5].

1,4-Dihydroxy-9,10-anthrachinon-2-sulfonsäure[6]: 2,5 l 50° warmes Wasser werden mit 100 g Chinizarin, 210 g Natriumhydrogensulfit, 53 g Borsäure und 63 g synth. Mangandioxid verrührt und innerhalb 2 Stdn. auf 95–98° erhitzt. Anschließend rührt man weitere 5 Stdn. bei dieser Temp., gießt in 300 *ml* konz. Salzsäure ein und saugt bei 45° ab.

Der Filterkuchen wird mit ½ l Wasser und 10 *ml* Salzsäure ausgewaschen und getrocknet.

In analoger Weise erhält man aus der 1,4-Dihydroxy-9,10-anthrachinon-5-sulfonsäure die *1,4-Dihydroxy-9,10-anthrachinon-2,5-disulfonsäure*.

Auch in 4-Amino-1-hydroxy-9,10-anthrachinon und 4,8-Diamino-1,5-dihydroxy-9,10-anthrachinon lassen sich ein bzw. zwei Sulfo-Gruppen oxidativ einführen. Diese treten sowohl in die o-Stellungen zur Hydroxy- als auch zur Amino-Gruppe ein[7].

Unter Anwendung des Verfahrens zur Alizarin-Herstellung (aus Anthrachinon, Natriumsulfit, Natriumhydroxid und Natriumnitrat bei ~200°, s.S. 107), entsteht aus 1,5-Dihydroxy-9,10-anthrachinon ein Gemisch aus *1,5-Dihydroxy-* und *1,2,5-Trihydroxy-9,10-anthrachinon-6-sulfonsäure*.

β_3) Hinweise auf weitere Herstellungsverfahren für Hydroxy-9,10-anthrachinon-sulfonsäuren

Die Herstellung einiger Hydroxy-9,10-anthrachinon-sulfonsäuren durch partielle alkalische Hydrolyse der Disulfonsäuren ist auf S. 102, 106ff. beschrieben.

Eine große Zahl von Hydroxy-9,10-anthrachinon-sulfonsäuren ist aus Amino-9,10-anthrachinon-sulfonsäuren durch Diazotieren und „Verkochen" gut zugänglich, z.B. die

[1] BIOS Final Rep. Nr. **1484**, 64 (1948), I. G. Farb., Leverkusen.
[2] DRP. 287867 (1914), Farbf. Bayer; Frdl. **12**, 436.
[3] DRP. 504599 (1928), I.G. Farb., Erf.: F. BAUMANN; Frdl. **17**, 1186.
[4] DRP. 288474 (1914), Farbf. Bayer; Frdl. **12**, 437.
[5] US.P. 2575155 (1948), Patent Chemicals Inc., Erf.: C. BAMBERGER u. J.W. ORELUP; C.A. **46**, 6156[h] (1952).
[6] BIOS Final Rep. Nr. **1484**, 65, 66 (1948), I. G. Farb. Leverkusen.
[7] Vgl. DRP. 289112 (1914), Farbf. Bayer; Frdl. **12**, 438.

1-Hydroxy-9,10-anthrachinon-4-(bzw. 5-, 6-, 7-, 8-)sulfonsäuren. Die *1-Hydroxy-9,10-anthrachinon-3-sulfonsäure* läßt sich durch Reduktion der diazotierten *4-Amino-1-hydroxy-9,10-anthrachinon-3-sulfonsäure* herstellen.

2,3-Dichlor-chinizarin kann durch Erhitzen mit Natriumsulfit in einem 15%-igen Pyridin-Wasser-Gemisch glatt in die *1,4-Dihydroxy-9,10-anthrachinon-2,3-disulfonsäure* überführt werden.

Die *1-(bzw. 2-)Hydroxy-9,10-anthrachinon-4-(bzw. 1)sulfonsäuren* sind durch Oxidation der entsprechenden Bis-[hydroxy-9,10-anthrachinonyl]-disulfide zugänglich[1].

Polyhydroxy-9,10-anthrachinon-sulfonsäuren können z.B. auch durch weitere Hydroxylierungen von Polyhydroxy-9,10-anthrachinon-sulfonsäuren (s.S. 111) oder durch Hydrolyse von Amino-hydroxy-9,10- anthrachinon-sulfonsäuren (s. S. 92, 169) erhalten werden.

Zur Herstellung von *1,2,4,5,6,8-Hexahydroxy-9,10-anthrachinon* und dessen *3,7-Disulfonsäure* als Endprodukt der Einwirkung von Schwefel in Oleum auf 1,5-Dinitro-9,10-anthrachinon s.S. 199ff.; zur Herstellung der *1,4,5,8-Tetrahydroxy-9,10-anthrachinon-2,6-disulfonsäure* aus 4,8-Dinitro-1,5-dihydroxy-9,10-anthrachinon-2,6-disulfonsäure s.S. 203.

Es ist bemerkenswert, daß die Sulfierung des Borsäure-Komplexes von 5,8-Dianilino-1-hydroxy-9,10-anthrachinon mit 20%-igem Oleum bei 30° eindeutig zur *5,8-Dianilino-1-hydroxy-9,10-anthrachinon-2-sulfonsäure* führt[2].

1-Hydroxy-9,10-anthrachinon-4-sulfonsäure[1]: Zu einer Lösung von 10 g Bis-[1-hydroxy-9,10-anthrachinon-4-yl]-disulfid in 10 g konz. Schwefelsäure rührt man soviel 30%-iges Dihydrogenperoxid ein, bis die violette Farbe in hellbraun umgeschlagen ist, rührt dann in 70 ml Wasser ein und filtriert heiß. Beim Erkalten scheidet sich die 1-Hydroxy-9,10-anthrachinon-4-sulfonsäure in Form gelbbrauner Nadeln ab. Sie wird durch Lösen in wenig Wasser und Ausfällen mit konz. Salzsäure sehr rein erhalten.

Analog läßt sich die *2-Hydroxy-9,10-anthrachinon-1-sulfonsäure* gewinnen[1].

Oxidiert man das Bis-[1-hydroxy-9,10-anthrachinon-4-yl]-disulfid mit Salpetersäure, so entsteht die *2-Nitro-1-hydroxy-9,10-anthrachinon-4-sulfonsäure*.

γ) Herstellung von Nitro-hydroxy-9,10-anthrachinonen

γ₁) durch Nitrierung von Hydroxy-9,10-anthrachinonen

Hydroxy-9,10-anthrachinone sind außerordentlich leicht nitrierbar. – Die vielfach in der Literatur anzutreffende Behauptung, α-Hydroxy-9,10-anthrachinone würden einheitlich in p-Stellung nitriert, trifft nicht zu. Das Verhältnis von p- zu o-Isomeren ist jedoch stark von den Nitrier-Bedingungen abhängig.

Nitriert man 1-Hydroxy-9,10-anthrachinon mit Salpetersäure/Schwefelsäure, so entstehen ~70% *4-Nitro-1-hydroxy-* und 30% *2-Nitro-1-hydroxy-9,10-anthrachinon.* Der Anteil der 4-Nitro-Verbindung erhöht sich, wenn man in Nitrobenzol oder Essigsäure nitriert. Optimale Ausbeuten erhält man in Schwefelsäure in Gegenwart von Borsäure.

Bei einigen Polyhydroxy-9,10-anthrachinonen muß die Reaktionstemperatur unterhalb 20° gehalten werden, da sonst zusätzlich Hydroxylierungen stattfinden.

Einheitlich lassen sich natürlich solche Hydroxy-9,10-anthrachinone nitrieren, bei denen bereits eine o- bzw. die p-Stellung besetzt ist. So ist das *3-Nitro-4-hydroxy-1-methyl-9,10-anthrachinon* leicht herstellbar. Um einheitliche p-Nitro-hydroxy-9,10-anthrachinone zu erhalten, führt man bisweilen die α-Hydroxy-9,10-anthrachinone zunächst in die einheitlich entstehenden o-Sulfonsäuren über und nitriert diese.

---

[1] K. FRIES u. G. SCHÜRMANN, B. **52**, 2188 (1919).
[2] DRP. 170113 (1904), Farbf. Bayer; Frdl. **8**, 329.

4-Nitro-1-hydroxy-9,10-anthrachinon-2-sulfonsäure[1]: 100 g 1-Hydroxy-9,10-anthrachinon-2-sulfonsaures Natrium (100%-ig; mit Natriumsulfat ausgesalzen; s. S. 125) werden in 500 g Schwefelsäure-Monohydrat gelöst, bei 25° mit 36 g feingepulvertem Kaliumnitrat verrührt und kurz auf 70° erhitzt.

Nach einigen Stdn. wird die in der Kälte auskristallisierte reine Nitrosulfonsäure abgesaugt, in Wasser gelöst und mit Natriumchlorid als Natriumsalz ausgesalzen. Gelbe Nadeln, in verd. Natronlauge mit roter Farbe löslich.

Die 4-ständige Nitro-Gruppe ist leicht austauschbar.

Durch Sulfieren und Nitrieren der 1-Hydroxy-9,10-anthrachinon-5-(6-; 7- bzw. 8-)sulfonsäuren sind die *4-Nitro-1-hydroxy-9,10-anthrachinon-2,5-(2,6-; 2,7- bzw. 2,8-)disulfonsäuren* gut zugänglich, z.B. aus 1-Hydroxy-9,10-anthrachinon-8-sulfonsäure die *4-Nitro-1-hydroxy-9,10-anthrachinon-2,8-disulfonsäure*[2].

Da in α-9,10-Anthrachinonyl-äther die erste Nitro-Gruppe weitgehend in die p-Stellung eintritt (s. S. 147), wird auch diese Möglichkeit in der Technik genutzt, um reine 4-Nitro(bzw. Amino)-1-hydroxy-9,10-anthrachinone zu gewinnen (s. S. 148ff.).

Aus 2-Hydroxy-9,10-anthrachinon läßt sich mit Schwefelsäure/Salpetersäure bei 0° ein sehr unreines *1-Nitro-2-hydroxy-9,10-anthrachinon* (F: 257°) gewinnen[3]. Auch die Herstellung von reinem *1,3-Dinitro-2-hydroxy-9,10-anthrachinon* gelingt nur schwer[4]. Die Nitrierung des 2-Acetoxy-9,10-anthrachinons mit Schwefelsäure/Salpetersäure bei −5 bis +15° verläuft ebenfalls uneinheitlich[5]. Besser soll man durch Einwirkung von überschüssigem Natriumnitrit auf 2-Hydroxy-9,10-anthrachinon in Essigsäure zum Ziel gelangen (vgl. die Umsetzungen von Halogen- und Nitro-9,10-anthrachinonen mit Natriumnitrit in DMF; s. S. 131).

Es gelingt nicht, Dihydroxy-9,10-anthrachinone, bei denen die Hydroxy-Gruppen auf beide Benzolkerne verteilt sind, zu mononitrieren. Auf die optimale Herstellung des techn. Großproduktes *4,8-Dinitro-1,5-dihydroxy-9,10-anthrachinon*[6] und des entsprechenden Diamins ist sehr viel Mühe verwandt worden.

Die in zahlreichen Patenten[6] beschriebenen Nitrierungen von 1,5- und 1,8-Dihydroxy-9,10-anthrachinonen verlaufen alle nicht einheitlich. Durch Nitrieren von 1,5-Dihydroxy-9,10-anthrachinon mit 95%-iger Salpetersäure bei 0° erhält man ein Gemisch, bei dem etwa 60% aus *4,8-Dinitro-1,5-dihydroxy-9,10-anthrachinon* und der Rest vorwiegend aus dem 2,8- und 2,6-Isomeren besteht[7,8]. 1,8-Dihydroxy-9,10-anthrachinon wird als Borsäureester in 98%-iger Schwefelsäure mit Salpetersäure/Schwefelsäure (2,1 Mol HNO₃) bei 10–15° nitriert. Das so erhaltene Rohprodukt besteht zu ∼70% aus *4,5-Dinitro-1,8-dihydroxy-9,10-anthrachinon*.

Reinere *4,8-(bzw. 4,5-)Dinitro-1,5-(bzw. 1,8-)dihydroxy-9,10-anthrachinone* entstehen durch Dinitrieren der 1,5-(bzw. 1,8-)Dihydroxy-9,10-anthrachinon-2,6-(bzw. -2,7-)disulfonsäuren[9] und anschließende Abspaltung der Sulfo-Gruppen (s. S. 129).

Das reinste *4,8-Dinitro-1,5-dihydroxy-9,10-anthrachinon* wird durch Hexa-Nitrierung von 1,5-Diphenoxy-9,10-anthrachinon erhalten (s. S. 148).

4,8-Diamino-1,5-dihydroxy-9,10-anthrachinon-2,6-disulfonsäure (Alizarinsaphirol B)[10]:

4,8-Dinitro-1,5-dihydroxy-9,10-anthrachinon-2,6-disulfonsäure: 240 g 1,5-Dihydroxy-9,10-anthrachinon werden mit 76 g Natriumsulfat und 1125 g 20%-igem Oleum auf 120° erhitzt, bis eine Probe wasserlöslich geworden ist. Nach dem Abkühlen läßt man zu der entstandenen 1,5-Dihydroxy-9,10-anthrachinon-

[1] DRP. 127438 (1899), Farbf. Bayer; Frdl. **6**, 371.
[2] Brit. P. 324120 (1928), I.G. Farb.; C. **1930** I, 3489.
[3] *Beilstein*, 4. Aufl., Bd. **8**, I. Erg.Bd., S. 658 (1931).
[4] R. Scholl et al., M. **32**, 1044 (1911).
[5] DRP. 141575 (1902), Farbf. Bayer; Frdl. **7**, 234.
[6] Erste Patente: DRP. 98639, 100138 (1897), Farbf. Bayer, Erf.: R.E. Schmidt; Frdl. **5**, 245, 246.
[7] Brit.P. 894388 (1959), DuPont; C.A. **57**, 16805ᵍ (1962).
[8] DBP. 1226730 (1961/62) ≡ Fr.P. 1305526, 1311332 (1961), Etabl. Kuhlmann, Erf.: A.P. Simonnet u. L.A. Cabut; C.A. **58**, 10333ʰ; **59**, 14141ᵉ (1963).
[9] DRP. 96364 (1897), Farbf. Bayer, Erf.: R.E. Schmidt; Frdl. **5**, 246.
[10] FIAT Final Rep. Nr. **1313 II**, 212 (1948); I.G. Farb., Leverkusen.

2,6-disulfonsäure innerhalb von 8 Stdn. 570 g Schwefelsäure/Salpetersäure (28%-ig an HNO_3) zutropfen, so daß die Temp. 35° nicht übersteigt. Anschließend erhitzt man noch 2 Stdn. auf 50–60° und trägt dann die abgekühlte Masse in 7 l Wasser ein. Bei 60° wird mit 5,8 l einer ges. Natriumchlorid-Lösung ausgesalzen und die Disulfonsäure scharf abgesaugt.

4,8-Diamino-1,5-dihydroxy-9,10-anthrachinon-2,6-disulfonsäure: Ohne nachzuwaschen gibt man zur erhaltenen Disulfonsäure 680 g 30%-ige Natronlauge zu, verdünnt mit Wasser auf ~5,5 l, fügt 450 g Dinatriumsulfid (100%-ig) als 20%-ige Lösung hinzu und erwärmt auf 90°, bis unter dem Mikroskop kein (hellfarbiges) Ausgangsmaterial mehr erkennbar ist. Nach dem Absaugen wird mit einer Mischung aus 900 ml Wasser, 50 ml einer 20%-igen Natriumchlorid-Lösung und 50 g 30%-iger Natronlauge ausgewaschen. Man erhält so das Tetranatriumsalz. Dieses wird durch Erhitzen der Paste mit 5 l Wasser und 400 g 30%-iger Salzsäure auf 80° in das Dinatriumsalz übergeführt, das abgesaugt, mit wenig Eiswasser nachgewaschen und getrocknet wird.

Aus der Disulfonsäure läßt sich eine Sulfo-Gruppe abspalten, indem man 300 g des trockenen Farbstoffes mit 2 kg konzentrierter Schwefelsäure und 40 g Borsäure, verdünnt mit 85 ml Wasser, auf 125–135° erhitzt (unter dem Mikroskop verfolgen).

Die direkte Abspaltung beider Sulfo-Gruppen gelingt mit Natriumdithionit (s. S. 169).

Die Einführung von zwei Nitro-Gruppen pro Hydroxy-Gruppe führt man zweckmäßig mit 85–90%-iger Salpetersäure durch; man beginnt die Nitrierung unter Kühlen und steigert nach einiger Zeit die Temperatur langsam auf max. 60–70°, da sonst Ausbeuteverluste durch oxidativen Abbau eintreten können. So wurden u.a. erhalten:

2,4-Dinitro-1-hydroxy-9,10-anthrachinon[1]; F: 293°
2,4,6,8-Tetranitro-1,5-dihydroxy-9,10-anthrachinon[2]
2,4,5,7-Tetranitro-1,8-dihydroxy-9,10-anthrachinon[3]
1,3,5,7-Tetranitro-2,6-dihydroxy-9,10-anthrachinon[4]
1,3,5,8-Tetranitro-2,7-dihydroxy-9,10-anthrachinon[4]

Diese Tetranitro-dihydroxy-Verbindungen sind starke Säuren, die in heißem Wasser löslich sind[5]. Ihre Salze sind von tiefroter Farbe, die stark temperaturabhängig ist.

Chinizarin, in Essigsäure suspendiert, wird bei 20° in ein uneinheitliches 2-Nitro-1,4-dihydroxy-9,10-anthrachinon[6] und, in konzentrierter Schwefelsäure gelöst, in 3-Nitro-1,2,4-trihydroxy-9,10-anthrachinon übergeführt. Der Borsäureester des Chinizarins läßt sich nicht nitrieren. Auf dem Umweg über das 10-Chlor-9-hydroxy-1,4-anthrachinon ist das 5-Nitro-1,4-dihydroxy-9,10-anthrachinon gut zugänglich.

5-Nitro-1,4-dihydroxy-9,10-anthrachinon[7]: 50 g 10-Chlor-9-hydroxy-1,4-anthrachinon[8] werden bei −10° innerhalb von 30 Min. in eine Lösung aus 30 g Borsäure und 460 g konz. Schwefelsäure eingerührt. Dann fließen langsam 57 g Schwefelsäure/Salpetersäure (28% HNO_3, 56% H_2SO_4 + 16% H_2O) unter Kühlen so zu, daß die Temp. weiterhin −10° beträgt. Nach 2 Stdn. werden 10 g Hydraziniumsulfat zur Zerstörung überschüssiger Salpetersäure hinzugefügt. Um die Chlor-nitro-Verbindung zu hydrolysieren, steigert man die Temp. innerhalb 4 Stdn. auf 80°. Nach weiteren 30 Min. gibt man 1 l Wasser zu, erhitzt kurz zum Sieden, saugt heiß ab, wäscht neutral und trocknet; Ausbeute: 54 g (durch 3% Chinizarin und geringe Mengen 6-Nitro-chinizarin verunreinigt).

Der Verlauf der Nitrierung von Polyhydroxy-9,10-anthrachinonen mit einer Alizarin-Struktur hängt stark von den Versuchsbedingungen ab. Läßt man auf einer Suspension von Alizarin in Essigsäure oder in Nitrobenzol konz. Salpetersäure bei 25–30° einwirken, so erhält man das 3-Nitro-1,2-dihydroxy-9,10-anthrachinon; in konz. Schwefelsäure hingegen entsteht hauptsächlich 3-Nitro-1,2,4-trihydroxy-9,10-anthrachinon.

Nitriert man Alizarin in konz. Schwefelsäure unter Borsäure-Zusatz, so resultiert reines 3-Nitro-1,2-dihydroxy-9,10-anthrachinon[9]. Das 4-Nitro-1,2-dihydroxy-9,10-anthrachi-

[1] s.a. S.E. Simon, B. **14**, 464 (1881).
[2] C. Liebermann, B. **12**, 188 (1879).
[3] C. Liebermann u. F. Giesel, A. **183**, 195 (1876).
[4] F. Schardinger, B. **8**, 1487 (1875).
[5] C. Liebermann u. F. Giesel, A. **183**, 199 (1876).
[6] DRP. 272299 (1912), Farbf. Bayer; Frdl. **11**, 590.
[7] Brit.P. 1130499 (1966/67), Farbf. Bayer; Erf.: R. Schmitz, H. Leister u. H.S. Bien.
[8] Herstellung s. S. 88.
[9] DRP. 74562 (1893), Farbf. Bayer; Frdl. **3**, 266.

non wird zweckmäßig aus 1,2-Dibenzoyloxy-9,10-anthrachinon mittels 70%-iger Salpetersäure hergestellt.

3-Nitro-1,2-dihydroxy-9,10-anthrachinon[1]: 150 g Alizarin werden in 1,2 kg 1,2-Dichlor-benzol mit 70 g 62%-iger Salpetersäure 8 Stdn. bei 37–40° gerührt. Anschließend wird mit 20 g 20%-iger Natronlauge neutralisiert und das 1,2-Dichlor-benzol mit Wasserdampf überdestilliert. Durch Umkristallisieren wird das reine Produkt erhalten; F: 244–245° (Zers.).

4-Nitro-1,2-dihydroxy-9,10-anthrachinon[2]: In eine mit Eis-Kochsalz gekühlte Mischung aus 16 Tln. konz. Schwefelsäure und 11 Tln. ~ 70%-iger Salpetersäure werden 6 Tle. feingepulvertes 1,2-Dibenzoyloxy-9,10-anthrachinon unterhalb +5° eingerührt.

Es entsteht eine breiige inhomogene Masse, die allmählich in einen fein verteilten Kristallbrei übergeht. Hierauf wird so lange bei 20° weitergerührt, bis in einer Probe in äthanolisch-alkalischer Lösung das Alizarin-Spektrum verschwunden ist.

Nach dem Einrühren in Eiswasser wird das 4-Nitro-1,2-dibenzoyloxy-9,10-anthrachinon abgesaugt und neutral gewaschen (aus Essigsäure: hellgelbe Kristalle).

Die Verseifung zum 4-Nitro-1,2-dihydroxy-9,10-anthrachinon erfolgt durch Erwärmen mit 93%-iger Schwefelsäure; F: 289° (Zers.).

In analoger Weise werden *4-Nitro-1,2,6-trihydroxy-* und *-1,2,7-trihydroxy-9,10-anthrachinon*[3] erhalten.

3-Nitro-alizarin läßt sich in konz. Schwefelsäure bei ~ 0° leicht zum *3,4-Dinitro-1,2-dihydroxy-9,10-anthrachinon* weiternitrieren, das auch direkt aus Alizarin erhalten werden kann[2]. Es ist eine sehr empfindliche Substanz, die bereits beim Erwärmen mit Schwefelsäure auf 40–50° zum *3-Nitro-1,2,4-trihydroxy-9,10-anthrachinon* hydrolysiert wird[4].

3,4-Dinitro-1,2-dihydroxy-9,10-anthrachinon[4]: 1 Tl. Alizarin, in 10 Tln. konz. Schwefelsäure gelöst, wird unterhalb 5° mit 2,2 Mol Salpetersäure in Form von Mischsäure nitriert. Dabei kristallisiert das 3,4-Dinitro-1,2-dihydroxy-9,10-anthrachinon in ~ 50%-iger Ausbeute aus, das scharf abgesaugt, mit kalter Schwefelsäure gewaschen, mit Eiswasser angeschlämmt, abgesaugt und i. Vak. getrocknet wird.

Durch Nitrieren des cyclischen Alizarin-schwefelsäureesters erhält man ein Gemisch aus *5-* bzw. *8-Nitro-1,2-dihydroxy-9,10-anthrachinon*.

Aus 1,3- bzw. 2,3-Dihydroxy-9,10-anthrachinon sind herstellbar:

2-Nitro-1,3-dihydroxy-9,10-anthrachinon (in Borsäure/Schwefelsäure)[5]
2,4-Dinitro-1,3-dihydroxy-9,10-anthrachinon (mit konz. Salpetersäure bei 20°; hellrote Kristalle; F: 249–250°)[6]
1-Nitro-2,3-dihydroxy-9,10-anthrachinon (in Schwefelsäure bei 0° mit 1 Mol Kaliumnitrat; Zers.P.: 244°)[5]
1,4-Dinitro-2,3-dihydroxy-9,10-anthrachinon (mit konz. Salpetersäure bei 20°; mit blauer Farbe in verd. Natronlauge löslich; Zers.P.: 224°)[5]

Aus 1,4,5-Trihydroxy-9,10-anthrachinon ist durch Nitrieren in Schwefelsäure-Monohydrat in Gegenwart überschüssiger Borsäure bei 5–10° das *8-Nitro-1,4,5-trihydroxy-9,10-anthrachinon* (neben etwas 6-Nitro-1,4,5-trihydroxy-9,10-anthrachinon) erhältlich.

Praktisch quantitativ läßt sich 1,2,5,8-Tetrahydroxy-9,10-anthrachinon in Essigsäure-Suspension zum *3-Nitro-1,2,5,8-tetrahydroxy-9,10-anthrachinon* nitrieren[7].

Sehr gut läßt sich auch durch Nitrieren mit Schwefelsäure/Salpetersäure bei 50° das *2,4,6,8-Tetranitro-1,3,5,7-tetrahydroxy-9,10-anthrachinon* gewinnen[8].

---

[1] BIOS Final Rep. Nr. **1484**, 19 (1948), I. G. Farb., Ludwigshafen.
[2] DRP. 66811 (1892), Farbw. Hoechst; Frdl. **3**, 261.
[3] DRP. 70515 (1892), Farbw. Hoechst; Frdl. **3**, 262.
[4] S. Gassner, Farbf. Bayer (1923).
[5] H. Schrobsdorff, B. **36**, 2939 (1903).
   H. Waldmann u. E. Wider, J. pr. **150**, 107 (1938).
[6] H. Plath, B. **9**, 1204 (1876).
[7] R. E. Schmidt, J. pr. **43**, 241 (1891).
[8] G. Heller u. P. Lindner, B. **55**, 2675 (1922).

γ_2) *o-Nitro-hydroxy-9,10-anthrachinone aus Dihalogen- bzw. α-Hydroxy-9,10-anthrachinonen durch Einwirkung von Natriumnitrit in Dimethylformamid*

Durch Erhitzen von Dihalogen-9,10-anthrachinonen mit einem Überschuß an Natriumnitrit in DMF wird hauptsächlich ein Halogen-Atom gegen eine Hydroxy- und das andere gegen eine Nitro-Gruppe[1] ausgetauscht. So erhält man z.B. aus:

1,5-Dichlor-9,10-anthrachinon	$\longrightarrow$	*5-Nitro-1-hydroxy-9,10-anthrachinon*[1]
1,5-Dichlor-4,8-dinitro-9,10-anthrachinon	$\xrightarrow{60°}$	*4,5,8-Trinitro-1-hydroxy-9,10-anthrachinon*[2]
2,3-Dibrom-9,10-anthrachinon	$\longrightarrow$	*3-Nitro-2-hydroxy-9,10-anthrachinon*[2]
2,3,6,7-Tetrachlor-9,10-anthrachinon	$\xrightarrow{145°}$	*2,7-Dinitro-3,6-dihydroxy-9,10-anthrachinon* + *2,6-Dinitro-3,7-dihydroxy-9,10-anthrachinon*[2]
1,4-Dichlor-5,8-dihydroxy-9,10-anthrachinon	$\xrightarrow{100°/30\,Min.}$	*4-Nitro-1,5,8-trihydroxy-9,10-anthrachinon* (+ wenig *8-Chlor-1,4,5-trihydroxy-9,10-anthrachinon*)[3]

Läßt man Natriumnitrit in Dimethylformamid auf α-Hydroxy-9,10-anthrachinone in Gegenwart von Benzoesäure einwirken, so entstehen β-Nitro-α-hydroxy-9,10-anthrachinone[4].

2-Nitro-1-hydroxy-9,10-anthrachinon[4]: 20 g 1-Hydroxy-9,10-anthrachinon und 40 g Natriumnitrit werden in 800 g DMF ~ 6 Stdn. bei 150° gerührt, bis sich keine nitrosen Gase mehr entwickeln. Dann wird eine Lösung von 33 g Benzoesäure in 800 g DMF innerhalb von 18 Stdn. ebenfalls bei 150° eingetropft. Nach weiteren 6 Stdn. bei der gleichen Temp. rührt man das Reaktionsgemisch in 4 *l* 5%-ige Salzsäure ein, filtriert ab, wäscht aus und trocknet.

Nach dem Umkristallisieren aus 2-Äthoxy-äthanol resultieren grünlich-gelbe Blättchen; F: 194° (keine Ausbeute-Angaben).

In analoger Weise wird 1,5-Dihydroxy-9,10-anthrachinon in *2-Nitro-1,5-dihydroxy-9,10-anthrachinon* (F: 225°) und dieses in *2,6-Dinitro-1,5-dihydroxy-9,10-anthrachinon* (F: 275°) übergeführt[4].

Aus 1-Chlor-5-benzoylamino-9,10-anthrachinon entsteht das *5-Benzoylamino-2-nitro-1-hydroxy-9,10-anthrachinon*[4] (F: 246–248°).

Anstelle von Hydroxy- oder Halogen-9,10-anthrachinonen kann man auch Nitro-9,10-anthrachinone einsetzen. So erhält man aus 1,5-Dinitro-9,10-anthrachinon ein Gemisch, das u.a. *2,5-Dinitro-1-hydroxy-9,10-anthrachinon* enthält.

δ) Hydroxymethylierung, Methylierung von Hydroxy-9,10-anthrachinonen (Marschalk-Reaktion)

C-Alkylierungen von Hydroxy-9,10-anthrachinonen mit reaktionsfähigen Olefinen und Acylierungen mit Carbonsäurechloriden sind bis jetzt nicht beschrieben worden. Sie gelingen anscheinend selbst mit reaktionsfähigen Polyhydroxy-9,10-anthrachinonen nicht.

Auch die Kondensation mit Formaldehyd, die sich bei den Phenolen so außerordentlich leicht vollzieht, führt nur bei einigen Polyhydroxy-9,10-anthrachinonen zu definierten Produkten, z.B. beim 1,3,5,7-Tetrahydroxy-9,10-anthrachinon. Das leicht herstellbare *1,3,5,7-Tetrahydroxy-2,6-bis-[hydroxymethyl]-9,10-anthrachinon*[1] ist eine reaktionsfähige Verbindung; sie läßt sich mit Diäthylamin in das *1,3,5,7-Tetrahydroxy-2,6-bis-[diä-*

[1] DBP. 842 793 (1949), I.C.I., Erf.: P.L. BELSHAW, H.T. HOWARD u. F. IRVING; C. **1954**, 1352.
[2] N.S. DOKUNIKHIN, Z.Z. MOISEEVA u. V.A. MAYATNIKOVA, Ž. vses. Chim. obšč. **13**, 470 (1968); C.A. **70**, 12 632^r (1969).
[3] DOS. 2 227 766 (1971/72), I.C.I., Erf.: I. CHEETHAM; C.A. **78**, 99 054^r (1973).
[4] DAS. 1 126 890 (1957/58), I.C.I., Erf.: R. BUDZIAREK u. S. COFFEY; C.A. **54**, 10 984^c (1960).
  Analog dazu die Herstellung von 1-Nitro-2-hydroxy-9,10-anthrachinon aus 2-Hydroxy-9,10-anthrachinon und Natriumnitrit in Essigsäure s.S. 128.
[5] DRP. 184 768, 188 189 (1906), Farbw. Hoechst, Erf.: B. HOMOLKA; Frdl. **9**, 694, 698.

thylamino-methyl]-9,10-anthrachinon überführen (S. 134). Auch Methansulfonsäuren sind durch Einwirkung von Formaldehyd-Bisulfit herstellbar.

1,3,5,7-Tetrahydroxy-2,6-bis-[hydroxymethyl]-9,10-anthrachinon[1]**:** 110 g 1,3,5,7-Tetrahydroxy-9,10-anthrachinon werden in 65 g Natriumhydroxid und 1200 *ml* Wasser heiß gelöst. Man filtriert und versetzt bei 25° mit 65 g einer 40%-igen Formaldehyd-Lösung. Nach einiger Zeit ist die Abscheidung des gut kristallisierten roten Natriumsalzes des Kondensationsproduktes beendet. Es wird abgesaugt, mit kaltem Wasser ausgewaschen, in ~ 800 *ml* heißem Wasser gelöst und mit verd. Salzsäure angesäuert. Die so erhaltene Bis-[hydroxymethyl]-Verbindung ist in konz. Schwefelsäure mit blauroter und in verd. Natronlauge mit orangegelber Farbe löslich.

Durch Erhitzen von Chinizarin mit Paraformaldehyd und Piperidin in Dimethylformamid auf 120° wurde das *1,4-Dihydroxy-2-piperidinomethyl-9,10-anthrachinon* erhalten[2]:

Aus 1,4,5-Trihydroxy-9,10-anthrachinon entsteht das analoge Produkt[2].

Auch mit Imino-diessigsäure und Formaldehyd wurden derartige Kondensationen durchgeführt[3]. So entsteht aus Alizarin und dem Dinatriumsalz der „Iminodiessigsäure" in verdünnter Natronlauge durch langsame Zugabe einer 37%-igen Formaldehyd-Lösung bei 75° *1,2-Dihydroxy-3-(N,N-bis-[carboxymethyl]-aminomethyl)-9,10-anthrachinon* in einer Ausbeute von 13% d. Th.[3].

1,2,4-Trihydroxy-3-hydroxymethyl-9,10-anthrachinon[4]**:** Eine Lösung von 10 g reinem 1,2,4-Trihydroxy-9,10-anthrachinon (Purpurin) in 200 *ml* 5%-iger Natronlauge und 800 *ml* kalkfreiem Wasser wird mit 15 *ml* einer 30%-igen Formaldehyd-Lösung versetzt. Nach 12stdg. Stehen werden die abgeschiedenen Kristalle abgesaugt und mit einer 2%-igen Natronlauge ausgewaschen.

Das so in mittlerer Ausbeute erhältliche Natriumsalz des 1,2,4-Trihydroxy-3-hydroxymethyl-9,10-anthrachinons ist recht unbeständig und spaltet leicht Formaldehyd ab. Dabei entsteht das *Bis-[1,2,4-trihydroxy-9,10-anthrachinon-3-yl]-methan*. Durch Einwirkung von verdünnter Schwefelsäure auf die Hydroxymethyl-Verbindung tritt in Gegenwart von Formaldehyd Ringschluß zum *5,12-Dihydroxy-2H,4H-⟨anthraceno-[2,3-d]1,3-dioxin⟩-6,10-chinon* ein.

Einen unerwarteten Verlauf nimmt jedoch die Einwirkung von Formaldehyd/Natriumdithionit und Natronlauge auf Hydroxy-9,10-anthrachinone. Die zunächst entstehenden 9,10-Dihydro-Verbindungen („Küpen") (z.B. I), in denen der phenolische Charakter der Hydroxy-9,10-anthrachinone verstärkt ist, kondensieren teils mit Formaldehyd, teils mit entstehender Hydroxy-methansulfonsäure unter Bildung von Hydroxymethyl-Verbindungen bzw. von Methansulfonsäuren; z.B. zu II. Durch einen intramolekularen Redox-

[1] DRP. 184768, 188189 (1906), Farbw. Hoechst, Erf.: B. HOMOLKA; Frdl. **9**, 694, 698.
[2] Fr.P. 1363216 (1962/63), Farbw. Hoechst; C.A. **62**, 10572ᵃ (1965).
[3] R. BELCHER, M.A. LEONARD u. T.S. WEST, Soc. **1958**, 2390.
[4] Brit.P. Anm. 26715, 26716 (1936), D. RICHTER.
   S.a. R. HILL u. D. RICHTER, Soc. **1936**, 1714.

Vorgang oder durch weitere Einwirkung von Natriumdithionit mit anschließender Oxidation der Küpe wird die Sulfo-Gruppe eliminiert[1]; es entsteht ein Methyl-9,10-anthrachinon (z.B. III):

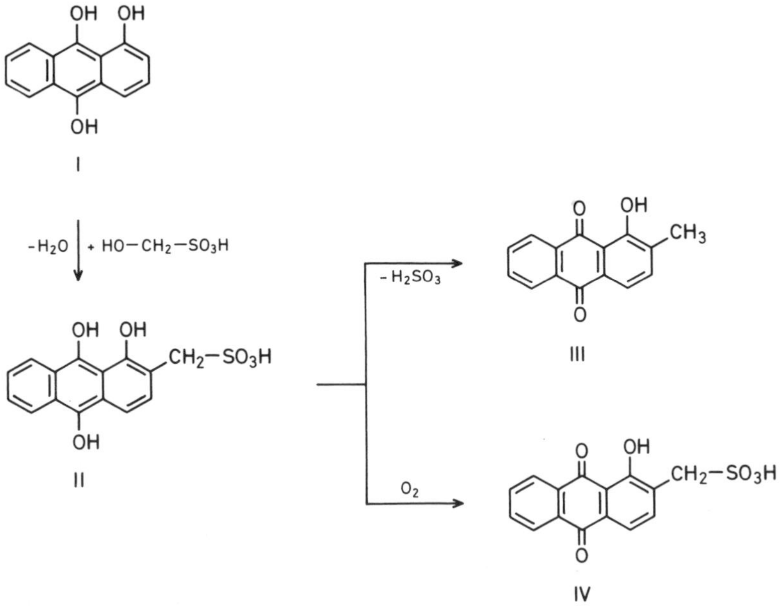

I

$-H_2O$ | $+ HO-CH_2-SO_3H$

II

$-H_2SO_3$

III

O_2

IV

In der alkalischen Mutterlauge ist noch die Zwischenstufe II enthalten[1]. Läßt man Formaldehyd, Natriumdithionit und Natronlauge nicht bei 95°, sondern bei 50° auf Hydroxy-9,10-anthrachinone einwirken[1], so bleibt die Reaktion auf dieser Stufe stehen. Nach der Oxidation mit Luft, Ansäuern mit Natriumhydrogensulfit und Aussalzen mit Kaliumchlorid läßt sich die *1-Hydroxy-9,10-anthrachinon-2-methansulfonsäure* (IV) in guter Ausbeute isolieren.

2-Hydroxy-1-methyl-9,10-anthrachinon[2]: In 2 *l* einer 1,5%-igen Natronlauge werden 20 g 2-Hydroxy-9,10-anthrachinon bei 30° gelöst und 35–40 g Natriumdithionit unter einer Stickstoff-Atmosphäre eingerührt.

Nach kurzer Zeit, wenn die Verküpung vollständig ist, gibt man 9 g einer 36%-igen Formaldehyd-Lösung zu und steigert die Temp. innerhalb 1 Stde. auf 90–95°.

Anschließend oxidiert man durch Lufteinleiten. Dann fällt man in der Siedehitze das 2-Hydroxy-1-methyl-9,10-anthrachinon mit einer Natriumhydrogensulfit-Lösung aus. Man saugt den Niederschlag ab und wäscht ihn aus; Rohausbeute: ~17 g.

Durch Fraktionieren aus konz. Schwefelsäure erhält man ~12 g reines 2-Hydroxy-1-methyl-9,10-anthrachinon; F: 236–238°.

In analoger Weise wird aus 1-Hydroxy-9,10-anthrachinon das *1-Hydroxy-2-methyl-9,10-anthrachinon* (F: 182–183°) erhalten[2]. Die Ausbeute an reinem Produkt liegt hier bei ~40% d. Th.

Beim 1,5-Dihydroxy-9,10-anthrachinon bleibt die Marschalk-Reaktion auf der Stufe des *1,5,9,10-Tetrahydroxy-2,6-bis-[sulfomethyl]-anthracens* stehen. Durch Erhitzen mit 50%-iger Kalilauge auf 180° entsteht daraus das *1,5-Dihydroxy-2,6-dimethyl-9,10-anthrachinon*[3].

[1] C. MARSCHALK et al., Bl. [4] **53**, 656 (1933).
    DRP. 583871 (1932), Etablissement Kuhlmann, Erf.: C. MARSCHALK; Frdl. **20**, 1299.
[2] Optimierung der Vorschrift von
    C. MARSCHALK, Bl. [5] **6**, 658 (1939).
    C. MARSCHALK, F. KOENIG u. N. OUROUSSOFF, Bl. [5] **3**, 1552 (1936).
[3] C. MARSCHALK, F. KOENIG u. N. OUROUSSOFF, Bl. [5] **3**, 1561 (1936).

1,5-Dihydroxy-2,6-dimethyl-9,10-anthrachinon[1]**:** In eine Lösung aus 600 *ml* Wasser, 180 *ml* 30%-iger Natronlauge und 30 g 1,5-Dihydroxy-9,10-anthrachinon wird eine Lösung von 79 *ml* 40%-igem Formaldehyd und 250 *ml* techn. Natriumhydrogensulfit-Lösung eingerührt. Man erhitzt ~4¹/₂ Stdn. unter Rückfluß, bis in einer mit Wasser verd. Probe keine Fällung mehr entsteht. Hierauf wird mit Wasser verdünnt, filtriert und die 2,6-Bis-methansulfonsäure mit Kaliumchlorid ausgesalzen.

Durch Erhitzen mit 50%-iger Kalilauge auf 180° wird diese in 1,5-Dihydroxy-2,6-dimethyl-9,10-anthrachinon übergeführt.

Aus Chinizarin erhält man in mäßigen Ausbeuten *2-Methyl-* und *2,3-Dimethyl-chinizarin*.

Auch eine Hydroxymethylierung der α-Hydroxy-9,10-anthrachinone läßt sich durch eine abgebremste Marschalk-Reaktion erreichen. Leitet man kurz nach Reaktionsbeginn in die Lösung Luft ein, so wird – ausgehend von 1-Hydroxy-9,10-anthrachinon – das zunächst entstandene 1,9,10-Trihydroxy-2-hydroxymethyl-anthracen nicht durch intramolekulare Redox-Reaktion in das *1-Hydroxy-2-methyl-9,10-anthrachinon* umgewandelt, sondern zum *1-Hydroxy-2-hydroxymethyl-9,10-anthrachinon* dehydriert. Einfacher ist es jedoch, anstelle von Sauerstoff einen größeren Überschuß an Formaldehyd einzusetzen, der ebenfalls dehydrierend wirkt[2].

1-Hydroxy-2-hydroxymethyl-9,10-anthrachinon[2]**:** 0,896 g (~4 mMol) 1-Hydroxy-9,10-anthrachinon werden in 400 *ml* 0,1 n Natronlauge durch Zugabe von 0,87 g (4 mMol) Natriumdithionit unter Stickstoff in Lösung gebracht. Dann rührt man 1,5 g (20 mMol) einer 40%-igen wäßr. Formaldehyd-Lösung ein. Nach ~ 10 Min. wird Luft eingeblasen, abfiltriert und wie üblich aufgearbeitet; Ausbeute: 0,97 g (95% d. Th.); F: 210–212°.

Mit geringerer Ausbeute entsteht das Produkt auch aus der 1-Hydroxy-9,10-anthrachinon-2-sulfonsäure.

In analoger Weise wurden hergestellt:

1,5-Dihydroxy-2,6-bis-[hydroxymethyl]-9,10-anthrachinon; 90% d. Th.; F: 248–250°
1,8-Dihydroxy-2,7-bis-[hydroxymethyl]-9,10-anthrachinon; 35% d. Th.; Zers. F: 263–268°

Setzt man den Ansätzen sekundäre Amine zu, so entstehen infolge der hohen Reaktionsfähigkeit der Hydroxymethyl-Gruppen[3–7] sofort die *1-Hydroxy-2-(dialkylaminomethyl)-9,10-anthrachinone*.

1-Hydroxy-2-(dimethylaminomethyl)-9,10-anthrachinon[2]**:** Aus 0,896 g (4 mMol) 1-Hydroxy-9,10-anthrachinon, 0,835 g (~4 mMol) Natriumdithionit, 1,5 g (20 mMol) 40%-iger Formaldehyd-Lösung, 2,25 g (20 mMol) 40%-iger Dimethylamin-Lösung und 350 *ml* 0,1%-iger Natronlauge resultieren nach 15 Min. bei 20° 0,95 g (84% d. Th.); F: 110°.

Die sehr reaktionsfähigen 1-Hydroxy-2-hydroxymethyl-9,10-anthrachinone lassen sich mit Thionylchlorid in die Chlormethyl-Verbindungen[3,4] überführen, mit Alkoholen veräthern[5] und mit Aromaten kondensieren[4,6,7]. So wurde z. B. aus dem 1-Hydroxy-2-hydroxymethyl-9,10-anthrachinon durch Kondensation mit Phenol in Gegenwart von 10 Gew.-% einer 98%-igen Schwefelsäure durch Erhitzen auf 70° das *1-Hydroxy-2-(4-hydroxy-benzyl)-9,10-anthrachinon* (einheitlich in p-Stellung?) erhalten[6].

Die Kondensationen mit Benzol erfordern schärfere Bedingungen, z. B. muß man 1-Hydroxy-2-hydroxymethyl-9,10-anthrachinon 45 Min. mit Benzol und Zinn(IV)-chlorid auf 100° erhitzen, um das *1-Hydroxy-2-benzyl-9,10-anthrachinon* (92% d. Th.; F: 149°) zu erhalten[4,7].

Mit anderen Aldehyden als Formaldehyd lassen sich Hydroxy-9,10-anthrachinone nicht kondensieren. Eine Ausnahme machen die 1,4-Dihydroxy-2,3-dihydro-9,10-anthrachi-

[1] C. MARSCHALK, F. KOENIG u. N. OUROUSSOFF, Bl. [5] **3**, 1561 (1936).
[2] K. BREDERECK et al., A. **1975**, 972.
[3] S.A.M. METWALLY, J. appl. Chem. Biotechnol. **25**, 161 (1975).
[4] S. A. M. METWALLY, J. appl. Chem. Biotechnol. **26**, 1 (1976); C.A. **85**, 64 769 (1976).
[5] Brit. P. 1 244 211 (1968), I.C.I.; C. A. **73**, 100046ᵛ (1970).
[6] Brit. P. 1 254 488 (1969), I.C.I., Erf.: C. W. GREENHALGH u. D. F. NEWTON; C. A. **76**, 73 750ʸ (1972).
[7] K. BREDERECK u. S. A. METWALLY, A. **1974**, 1536.

none. Diese gehen mit Aldehyden Aldol-Kondensationen ein, wobei unter Umlagerung die 1,4-Dihydroxy-2-alkyl-9,10-anthrachinone in guten Ausbeuten entstehen. So wird das *1,4-Dihydroxy-2-benzyl-9,10-anthrachinon* (F: 179°) in 90%-iger Ausbeute durch Erwärmen von Dihydro-chinizarin mit Benzaldehyd in Pyridin unter Zusatz geringer Mengen Piperidin erhalten[1]:

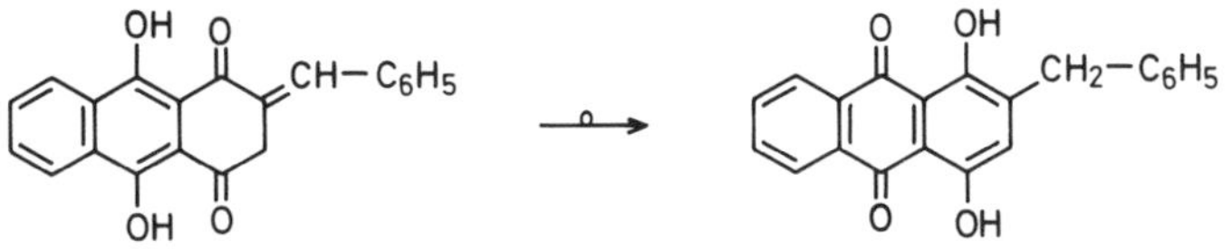

Analog entsteht aus Dihydro-chinizarin mit Butanal bei 45° in 1,5%-iger Natronlauge glatt das *1,4-Dihydroxy-2-butyl-9,10-anthrachinon*[2] (F: 125°) und mit Glyoxylsäure in mäßiger Ausbeute die *1,4-Dihydroxy-9,10-anthrachinon-2-essigsäure*[3] (F: 248–250°).

Läßt man auf die 2,3-Dihydro-Verbindung des 1,4,5-Trihydroxy-9,10-anthrachinons (I) bei 20° Crotonaldehyd in Gegenwart von Triäthanolamin/Wasser einwirken, so resultiert in 29%-iger Ausbeute das *4,9,11-Trihydroxy-1(3?)-methyl-2,3-dihydro-1H-⟨cyclopent-[6]-anthracen⟩-5,10*-chinon[4] (II):

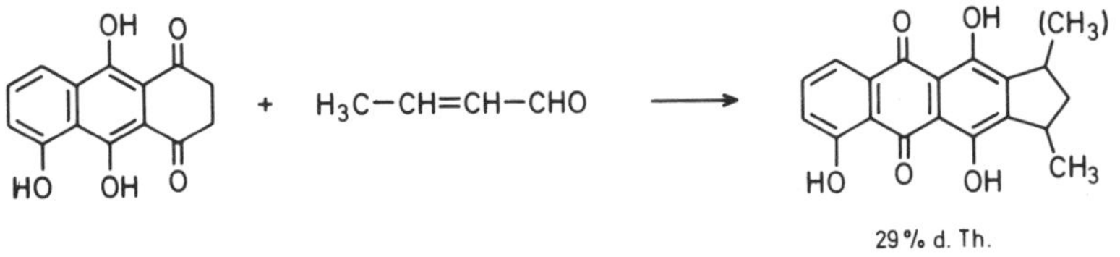

Durch Kondensation von Chinizarin mit dem Enamin aus Piperidin und Cyclohexanon in Nitrobenzol/Essigsäure (30 Min. bei 100°) wird das *6-Hydroxy-1,2,3,4-tetrahydro-⟨anthra-[1,2-b]-1-benzofuran⟩-7,12-chinon* (F: 223°) in ~60%-iger Rohausbeute erhalten[5]:

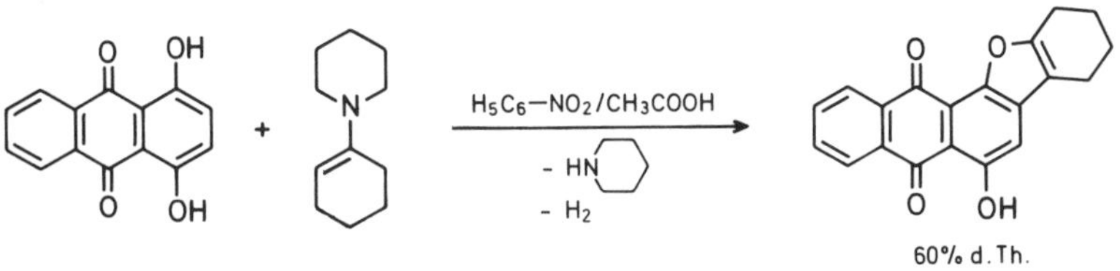

Mit reaktionsfähigen N-Hydroxymethyl-Verbindungen wie N-Hydroxymethyl-benzamid, N-Hydroxymethyl-trichloracetamid und N-Hydroxymethyl-phthalimid gelingt es, in alle Hydroxy-9,10-anthrachinone in Schwefelsäure bei 20° Acylaminomethyl-Gruppen einzuführen[6].

Im 1-Hydroxy-9,10-anthrachinon reagiert zunächst die 4- und dann die 2-Stellung. In 1,5-Dihydroxy-9,10-anthrachinon können bis zu vier Reste eingeführt werden. 1-Hydro-

[1] F. BAUMANN, I. G. Farb. Leverkusen (1933).
   S. a. DAS. 1644439 (1965), BASF, Erf.: W. BRAUN u. K. MAIER; C. A. **70**, 12665[d] (1969).
[2] A. T. PETERS jun. u. A. T. PETERS, Soc. **1960**, 1127.
[3] DRP. 583871 (1931/32), Establissement Kuhlmann, Erf.: C. MARSCHALK; Frdl. **20**, 1299.
[4] R. FLÜGEL u. W. MÜLLER, A. **751**, 172 (1971).
[5] DOS. 1644447 (1966), BASF, Erf.: H. EILINGSFELD u. E. STEINGRUBER.
[6] H. DE DIESBACH u. P. GUBSER, Helv. **11**, 1098 (1928).

xy-9,10-anthrachinone mit einem p-ständigen Substituenten wie der Methyl-, Nitro- oder Hydroxy-Gruppe lassen sich nicht kondensieren.

2-Hydroxy-9,10-anthrachinon wird in 1-Stellung und 2,3-Dihydroxy-9,10-anthrachinon in 1,4-Stellung substituiert.

Eine präparative Bedeutung kommt diesen Verfahren nicht zu, denn abgesehen von dem uneinheitlichen Reaktionsverlauf gelingt die Spaltung zu den Aminomethyl-9,10-anthrachinonen nicht (es finden statt dessen eigenartige Kondensationen statt; s. Lit.[1]).

8. Herstellung von Estern der Hydroxy-9,10-anthrachinone

α) Von Carbonsäure- und Sulfonsäure-estern

Ebenso wie α- und β-ständige Hydroxy-Gruppen weisen auch deren Ester sowohl bei ihrer Herstellung als auch in ihren Eigenschaften große Unterschiede auf.

So lassen sich β-ständige Hydroxy-Gruppen wesentlich leichter als α-ständige verestern und umgekehrt die α-Ester leichter als die β-Ester verseifen.

Eine Ausnahme machen die Borsäureester: Borsäure reagiert in Gegenwart von konzentrierter Schwefelsäure, Oleum oder Essigsäureanhydrid nur mit α-ständigen Hydroxy-Gruppen zu stabilen komplexen Borsäureestern (s. S. 138).

Die übrigen Ester haben – auch als Schutz-Gruppen – keine Bedeutung; doch wird die Charakterisierung bzw. Reinherstellung von schwerlöslichen Polyhydroxy-9,10-anthrachinonen vielfach mit Hilfe der Acetyl-Verbindungen durchgeführt, da diese leichter löslich sind, sehr gut kristallisieren und scharfe Schmelzpunkte besitzen.

Die Acetylierung β-ständiger Hydroxy-Gruppen wird mit Essigsäureanhydrid in Gegenwart von Pyridin oder von Alkalimetallacetat zwischen 20–60° oder durch kurzes Sieden ohne Katalysator-Zusatz durchgeführt[2].

1,4-Dihydroxy-2-acetoxy-9,10-anthrachinon[3]: 10 g 1,2,4-Trihydroxy-9,10-anthrachinon werden heiß in 100 *ml* Pyridin gelöst und mit 4 *ml* Essigsäureanhydrid versetzt. Nach 1 Stde. kühlt man ab, tropft Wasser ein und filtriert das 1,4-Dihydroxy-2-acetoxy-9,10-anthrachinon ab; F: 172–173° (orangefarbige Kristalle aus Benzol).

Analog entsteht durch 12stündige Einwirkung von Essigsäureanhydrid und Kaliumacetat auf 1,2,7-Trihydroxy-9,10-anthrachinon bei 20° das *1-Hydroxy-2,7-diacetoxy-9,10-anthrachinon*[3].

Zur Acetylierung α-ständiger Hydroxy-Gruppen bzw. zur vollständigen Acetylierung aller Hydroxy-Gruppen ist mehrstündiges Rückflußkochen unter Zusatz von Natriumacetat oder geringen Mengen Schwefelsäure erforderlich. Auf diese Weise sind peracetylierte Polyhydroxy-9,10-anthrachinone leicht herstellbar.

Über die partielle Acetylierung von 1,8-Dihydroxy-9,10-anthrachinonen unter Schutz einer Hydroxy-Gruppe durch den Borsäureester-Komplex s. S. 139.

Da 1-Hydroxy-9,10-anthrachinone nicht mit Benzoesäure reagieren, läßt sich die Veresterung einer β-Hydroxy-Gruppe von Polyhydroxy-9,10-anthrachinonen durch zweistündiges Rückflußsieden mit überschüssiger Benzoesäure unter Zusatz katalytischer Mengen Schwefelsäure erzielen. So sind u. a. herstellbar[4]:

1-Hydroxy-2-benzoyloxy-9,10-anthrachinon	F: 214–216°
1-Hydroxy-2,6-dibenzoyloxy-9,10-anthrachinon	F: 268–272°
1-Hydroxy-2,7-dibenzoyloxy-9,10-anthrachinon	F: 208–210°

[1] H. de DIESBACH u. P. GUBSER, Helv. **11**, 1098 (1928).
[2] S. u. a. A. G. PERKIN u. R. C. STOREY, Soc. **1928**, 235.
   O. KUBOTA u. A. G. PERKIN, Soc. **127**, 1892 (1925).
[3] O. DIMROTH, O. FRIEDEMANN u. H. KÄMMERER, B. **53**, 482, 487 (1920).
[4] DRP. 297261 (1915), R. WEDEKIND u. Co.; Frdl. **13**, 393.

Die Benzoylierung aller Hydroxy-Gruppen wird durch Erhitzen mit Benzoylchlorid in 1,2-Dichlor-benzol, evtl. in Gegenwart von Natriumacetat, erzielt.

Durch entsprechende Anwendung anderer Acylchloride lassen sich auch deren 9,10-Anthrachinonylester herstellen. So entstehen die gemischten Kohlensäurediester[1] durch Rückflußsieden der 1-Hydroxy-9,10-anthrachinone mit überschüssigen Kohlensäure-ester-halogeniden unter Zusatz tert. Amine und analog erhält man die N,N-disubstituierten Carbamidsäureester[1]. Aus Alizarin und Kohlensäure-äthylester-chlorid entsteht in Pyridin bei 20° das *1-Hydroxy-2-äthoxycarbonyloxy-9,10-anthrachinon* (F: 138–140°)[2].

Der Stearinsäureester des 2-Hydroxy-9,10-anthrachinons[3] wurde durch Vereste-rung mit dem Carbonsäurechlorid bei 180° in Nitrobenzol erhalten.

Auch Phenylisocyanat addiert sich nur an β-ständige Hydroxy-Gruppen. So entsteht aus 4-Amino-1,3-dihydroxy-9,10-anthrachinon und Phenylisocyanat bei ~80°, katalysiert durch Zinn(II)-octanoat, das *4-Amino-1-hydroxy-3-anilinocarbonyloxy-9,10-anthrachinon*[4].

Chinizarin setzt sich mit zwei Mol Chlorcyan in Aceton-Suspension in Gegenwart von Triäthylamin bei 0° zum *1,4-Dicyanato-9,10-anthrachinon* (F: 140°) um[2].

Zu beachten ist, daß bei Umsetzungen mit partiell acylierten 1,2-Dihydroxy- bzw. 1,2,3- oder 1,2,4-Trihydroxy-9,10-anthrachinonen leicht Acyl-Wanderungen eintreten[5]. So entsteht durch Einwirkung von Benzoylchlorid auf das Kaliumsalz des 1-Hydroxy-2-acet-oxy-9,10-anthrachinons in Pyridin das *1-Acetoxy-2-benzoyloxy-9,10-anthrachinon*.

Auch beim Veräthern mit Diazomethan in Äther können derartige Umlagerungen statt-finden[6]. Über die Verätherung der Carminsäure mit Diazomethan s. S.143.

Die Verseifung α-ständiger Acyloxy-Gruppen gelingt besonders leicht. Fügt man z. B. zu einer Suspension von 1,2,3-Triacetoxy-9,10-anthrachinon in Aceton bei ~40° eine konzentrierte Ammoniak-Lösung, so tritt sofort Hydrolyse zum *1-Hydroxy-2,3-diacet-oxy-9,10-anthrachinon* ein[7].

Die vollständige Verseifung aller Acyloxy-Gruppen wird mit konzentrierter Schwefel-säure durch ~30 min. Erhitzen auf 50–90° bewirkt, wobei man anschließend durch eine dosierte Wasserzugabe eine fraktionierte Fällung der Hydroxy-9,10-anthrachinone durchführen kann (mit steigender Zahl von Hydroxy-Gruppen werden die Polyhydroxy-9,10-anthrachinone immer schwerer in Schwefelsäure löslich).

Besonders selektiv gegenüber Hydroxy-9,10-anthrachinonen verhält sich Chlorsulfon-säure in Pyridin. Während sich so β-ständige Hydroxy-Gruppen außerordentlich leicht in die Schwefelsäuremonoester überführen lassen, reagieren α-ständige Hydroxy-Gruppen überhaupt nicht. Dieses Verhalten läßt sich sogar benutzen, um in Polyhydroxy-9,10-an-thrachinonen die β-ständigen Hydroxy-Gruppen analytisch zu erfassen. Leicht herstellbar sind u. a.

1-Hydroxy-2-sulfoxy-9,10-anthrachinon
1,4-Dihydroxy-2-sulfoxy-9,10-anthrachinon
1-Hydroxy-2,3-bis-[sulfoxy]-9,10-anthrachinon

Ebenso wie die Chlorsulfonsäure verhält sich Tosylchlorid: Durch Einwirkung von überschüssigem Tosylchlorid in Pyridin bei 10° auf Polyhydroxy-9,10-anthrachinone wer-

[1] DOS. 2210654 (1972; US. Prior. 1971), General Aniline and Film Corp., Erf.: D. I. RANDALL; C. A. **78**, 4025ᵛ (1973).

[2] US.P. 3553244 (1963) Beisp. 29, Farbf. Bayer, Erf.: E. GRIGAT u. R. PÜTTER; C. A. **63**, 16276⁸ (1965).

[3] C. H. GILES u. E. L. NEUSTÄDTER, Soc. **1952**, 3813.

[4] Jap.P. 73-11806 (1969), Sumitomo Chemical Co., Ltd., Erf.: E. YAMADA u. K. YAMAGUCHI; C. A. **80**, 14961ⁿ (1974).

[5] O. KUBOTA u. A. G. PERKIN, Soc. **127**, 1889 (1925).
A. G. PERKIN u. R. C. STOREY, Soc. **1928**, 229.

[6] A. G. PERKIN u. R. C. STOREY, Soc. **1928**, 239.

[7] A. G. PERKIN u. C. W. H. STORY, Soc. **1929**, 1415.

den nur die β-ständigen Hydroxy-Gruppen verestert (Tosylester von α-Hydroxy-9,10-anthrachinonen sind nicht bekannt). So resultieren z. B.:

1-Hydroxy-2-tosyloxy-9,10-anthrachinon[1]
1,4-Dihydroxy-2-tosyloxy-9,10-anthrachinon[2]
1-Hydroxy-2,3-ditosyloxy-9,10-anthrachinon[1]
4-Anilino-1-hydroxy-2-tosyloxy-9,10-anthrachinon[3]
4-Amino-1-hydroxy-3-tosyloxy-9,10-anthrachinon[2]
4,8-Diamino-1,5-dihydroxy-2-tosyloxy-9,10-anthrachinon[3].

1-Hydroxy-2,3-ditosyloxy-9,10-anthrachinon[1]**:** 4 g 1,2,3-Trihydroxy-9,10-anthrachinon in 40 *ml* Pyridin werden bei 5° mit 8 g Tosylchlorid verrührt. Nach 30 Min. läßt man die Temp. auf 20° ansteigen, gibt nach weiteren 30 Min. Äthanol zu, saugt die Kristalle ab und kristallisiert aus Pyridin um; Ausbeute: ~5 g; (57% d. Th.); F: 196–198° (gelbe Kristalle).
Eine anschließende Acetylierung führt zum *1-Acetoxy-2,3-ditosyloxy-9,10-anthrachinon* (F: 212–215°).

Mono-hydroxy-9,10-anthrachinone reagieren nicht mit Thionylchlorid[4]. Dagegen lassen sich o-Dihydroxy-9,10-anthrachinone mit Thionylchlorid unter Rückflußsieden leicht in die cyclischen Schwefligsäureester überführen[4]. Aus Alizarin entsteht das *1,2-Thionyldioxy-9,10-anthrachinon*[4] und aus Purpurin das *1-Hydroxy-3,4-thionyldioxy-9,10-anthrachinon*[5].

Diese cyclischen Schwefligsäureester werden bereits durch Einwirkung von Luftfeuchtigkeit hydrolysiert. Durch kurzes Erhitzen mit Essigsäure werden sie unter Acetylierung der β-ständigen Hydroxy-Gruppen aufgespalten[5].

Über die Umsetzungen von Chinizarin mit Thionylchlorid s. S. 89.

β) Herstellung und Eigenschaften der α-Hydroxy- und α-Amino-9,10-anthrachinon-borsäureester-Komplexe

Die Borsäureester spielen in der Anthrachinon-Chemie eine bedeutende Rolle[6], da Borsäure mit α-ständigen Hydroxy-Gruppen und der Carbonyl-Gruppe außerordentlich leicht komplexe Ester bildet, die in konzentrierter Schwefelsäure bzw. Oleum sehr beständig sind, jedoch beim Eingießen in Wasser bzw. durch Einwirkung von verdünnter Natronlauge sofort hydrolysiert werden.

Durch die Veresterung mit Borsäure werden die α-Hydroxy-9,10-anthrachinone gegen Oxidationsmittel weniger anfällig, so daß z. B. die Polyhydroxylierungen mit 80%-igem Oleum kontrollierbar verlaufen und ein Totalabbau zurückgedrängt wird[6].

Auch bei Nitrierungen und Sulfierungen von Hydroxy- und Amino-9,10-anthrachinonen, ebenso bei der Hydrolyse von Halogen-9,10-anthrachinonen mittels Oleum (s. S. 100), wirkt sich ein Borsäure-Zusatz günstig aus. In manchen Fällen wird dadurch noch zusätzlich ein dirigierender Effekt erzielt. Selbst bei den Kondensationen von 2,3-Dihydrochinizarin mit aliphatischen bzw. aromatischen Aminen werden durch die Anwesenheit von Borsäure höhere Ausbeuten und reinere Produkte erhalten.

Die Strukturaufklärung der Borsäureester-Komplexe verdanken wir vor allem O. Dimroth[7,8].

[1] A. G. Perkin u. C. W. H. Story, Soc. **1929**, 1417.
[2] Fr. P. 1489956 (1965/66), Sumitomo Chemical Co.; C. A. **67**, 65420q (1967).
[3] Fr. P. 1480825 (1965/66), Farbf. Bayer; C. A. **68**, 3901j (1968).
[4] A. Green, Soc. **125**, 1450 (1924).
[5] A. Green, Soc. **1926**, 2198.
[6] Es ist das Verdienst von R. E. Schmidt, die Bedeutung der Borsäure für die Chemie der Hydroxy-9,10-anthrachinone, die Eigenschaften der Borsäureester und ihren Wert für die Spektroskopie erkannt zu haben.
[7] O. Dimroth u. T. Faust, B. **54**, 3020 (1921).
[8] O. Dimroth u. R. Schweizer, A. **446**, 97, 108 (1926).

Bekannt war, daß Alkohole sich mit Borsäure-Essigsäureanhydrid glatt zu Borsäure-estern umsetzen lassen[1]. O. Dimroth fand nun, daß α-Hydroxy-9,10-anthrachinone mit diesem Reagenz gut kristallisierende und z. Tl. stark fluoreszierende Verbindungen bilden, die mit Wasser sofort wieder hydrolysiert werden. Er konnte nachweisen, daß es sich um die komplexen Ester der Diacetylborsäure (I) handelt, die beim Erhitzen in Verbindungen vom Typ II und Essigsäureanhydrid zerfallen[2]:

Daß die Carbonyl-Gruppe in die Esterbildung mit einbezogen ist, ergibt sich aus der Tatsache, daß sich diese stabilen Ester nur bilden, wenn jeder Hydroxy-Gruppe eine Carbonyl-Gruppe gegenübersteht.

So erhält man aus 1,4- und 1,5-Dihydroxy-9,10-anthrachinon glatt die entsprechenden Bis-borsäureester, aus 1,8-Dihydroxy-9,10-anthrachinon hingegen nur *1-Boryloxy-8-acetoxy-9,10-anthrachinon* und aus 1,4,5-Trihydroxy-9,10-anthrachinon das *1,5-Diboryloxy-4-acetoxy-9,10-anthrachinon*.

Mit β-Hydroxy-9,10-anthrachinonen bilden sich keine Borsäureester, sondern es tritt beim Erhitzen mit Borsäure/Essigsäureanhydrid nur eine Acetylierung ein.

Dieses unterschiedliche Verhalten von α- und β-ständigen Hydroxy-Gruppen zeigen alle Hydroxy-9,10-anthrachinone. Im Alizarin und im 1,2,4-Trihydroxy-9,10-anthrachinon bilden ebenfalls nur die α-ständigen Hydroxy-Gruppen Diacetylborsäureester; die β-ständigen bleiben intakt oder werden beim Erhitzen acetyliert. Durch vorsichtige Verseifung lassen sich diese gemischten Ester in *1-Hydroxy-2-acetoxy-* bzw. *1,4-Dihydroxy-2-acetoxy-9,10-anthrachinon* überführen.

Aufgrund dieser Modellversuche darf man annehmen, daß aus α-Hydroxy-9,10-anthrachinonen, Borsäure und Oleum die analogen Borsäure/Schwefelsäure-Ester III bzw. IIIa entstehen:

β-Ständige Hydroxy-Gruppen werden ebenfalls nur in Schwefelsäureester übergeführt.

Eine Sonderstellung nehmen die komplexen Borsäure-Schwefelsäureester-Komplexe aus den 1,4-Dihydroxy-9,10-anthrachinonen ein (Herstellung des Chinizarin-Komplexes s. z. B. S. 125). Diese sind nicht nur in konzentrierter Schwefelsäure und in Oleum äußerst stabil, sondern desaktivieren auch das Gesamtmolekül sehr stark (s. S. 87, 108, 125). Erst durch mehrstündiges Erhitzen mit verdünnter Schwefelsäure auf 80–100° werden sie hydrolytisch gespalten (s. S. 98). Aufgrund eigener Beobachtungen[3] spricht vieles dafür, daß

[1] A. Pictet u. A. Geleznoff, B. **36**, 2219 (1903).
[2] O. Dimroth u. R. Schweizer, A. **446**, 97, 108 (1926).
[3] O. Bayer.

diese Ester in Wirklichkeit die komplexen Ester des 9,10-Dihydroxy-1,4-anthrachinons sind (IV)[1]:

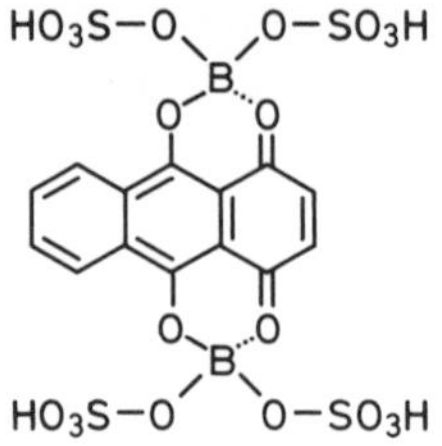

IV   analog zum   IVa

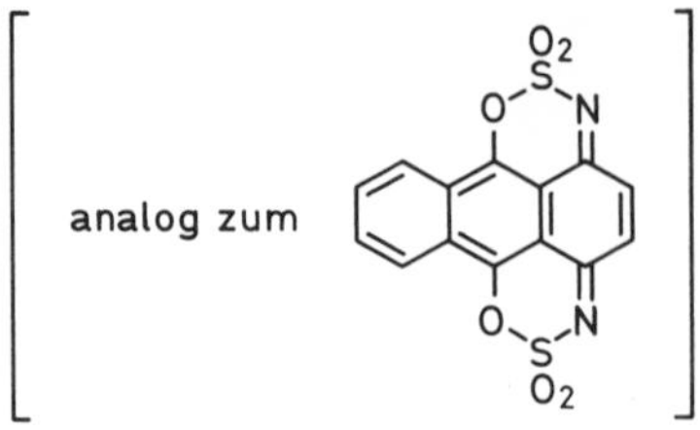

Die Chinizarin-Diacetylborsäure-Komplexe gehen zwar keine Diensynthese ein[1], doch läßt sich in 2-Stellung Anilin anlagern[2].

Auch die 2,3-Dihydro-1,4-dihydroxy- bzw. -1,4-diamino-9,10-anthrachinone reagieren mit Borsäure. So scheidet sich bereits nach kurzem Erhitzen von 2,3-Dihydrochinizarin mit p-Toluidin und Borsäure auf 130° ein gelber Borsäurekomplex des 2,3-Dihydro-1,4-di-p-toluidino-9,10-anthrachinons ab, der beim Erwärmen mit einem Aceton-Wasser-Gemisch hydrolytisch gespalten wird[3].

In der Analytik sind die Borsäureester von Bedeutung, da Lösungen von α-Hydroxy-9,10-anthrachinonen in Schwefelsäure, Oleum oder in Essigsäure-Essigsäureanhydrid-Gemischen in Gegenwart von Borsäure besonders charakteristische Spektren geben[4]. Infolgedessen läßt sich bei allen Umsetzungen mit α-Hydroxy-9,10-anthrachinonen der Reaktionsablauf auf einfachste Weise verfolgen.

Auch α-Amino-9,10-anthrachinone bilden Diacetylborsäure-Komplexe analoger Struktur (V)[5]:

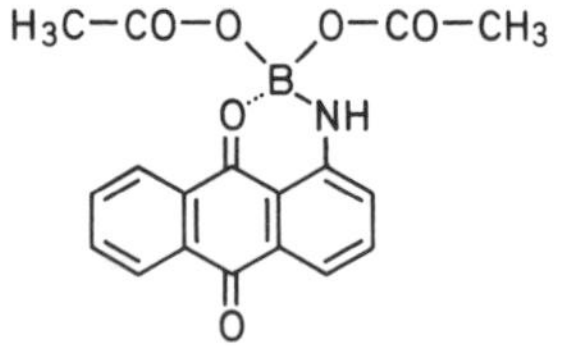

V; tiefviolett 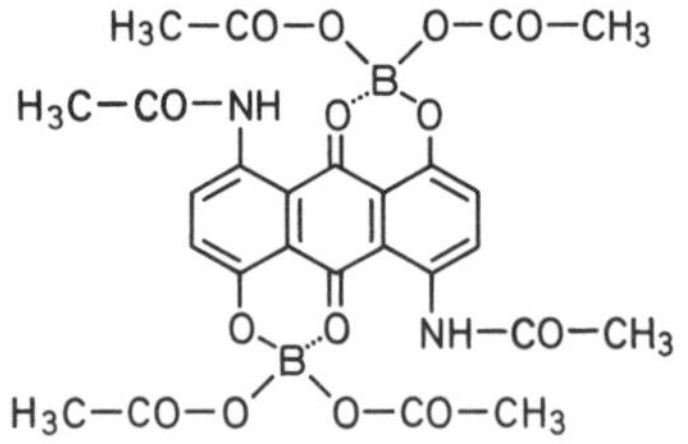   VI

Diese Borsäureamid-Komplexe sind jedoch nicht so stabil wie die α-Hydroxy-9,10-anthrachinon-Komplexe, denn beim Kochen mit Essigsäureanhydrid gehen sie in die α-Acetylamino-Verbindungen über.

Aus 4,8-Diamino-1,5-dihydroxy-9,10-anthrachinon entsteht der Komplex VI, aus dem man durch Hydrolyse *4,8-Bis-[acetylamino]-1,5-dihydroxy-9,10-anthrachinon* erhält.

Verhältnismäßig beständig ist der Komplex aus 2,3-Dichlor-1,4-diamino-9,10-anthrachinon, in welchem die Halogen-Atome besonders reaktiv sind. Infolgedessen dürfte diesem – analog dem Chinizarin-Komplex IV – wahrscheinlich die Struktur VII zukommen:

[1] O. Bayer.
[2] T. N. Kurdyumova, Ž. org. Chim. 4, 1683 (1968); engl.: 1619.
[3] R. E. Schmidt u. O. Dimroth (~ 1895).
[4] R. E. Schmidt (vor 1890).
[5] O. Dimroth, A. 446, 97 (1926).

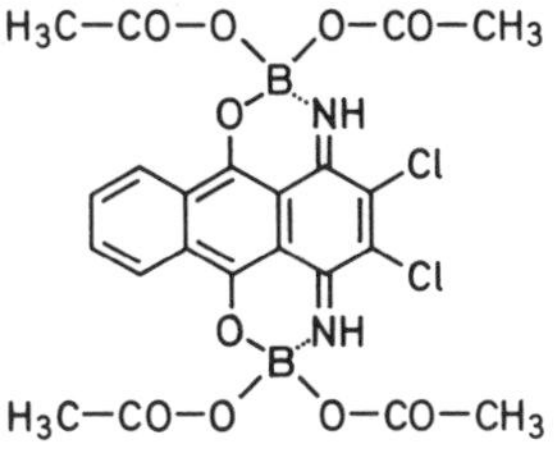

VII

(Herstellungsvorschrift s. S. 111, 194)

β-Ständige Amino-Gruppen bilden keine Komplexe, sondern werden analog den β-Hydroxy-9,10-anthrachinonen acetyliert.

f) Herstellung von 9,10-Anthrachinonen mit Äther-Gruppen

9,10-Anthrachinone mit Äther-Gruppen haben als solche keine Bedeutung. Sie dienen vor allem als Zwischenprodukte, um Nitro- bzw. Sulfo-Gruppen in Hydroxy-Gruppen überzuführen und um Nitro-Gruppen eindeutiger in die p-Stellung zu dirigieren, als dies bei den α-Hydroxy-9,10-anthrachinonen möglich ist.

9,10-Anthrachinonyl-äther können sowohl durch Alkylierung von Hydroxy-9,10-anthrachinonen als auch durch Umsetzung von Halogen-, Nitro- oder Sulfo-9,10-anthrachinonen mit Alkanolaten bzw. Phenolaten hergestellt werden.

1. 9,10-Anthrachinonyl-äther durch Ringschluß-Reaktionen

Die Herstellung von äthergruppenhaltigen 9,10-Anthrachinonen durch Synthesen mit Phthalsäureanhydrid hat ihre Tücken. Die Ausbeuten an 2-Benzoyl-benzoesäuren schwanken sehr, je nach der Konstitution des zu kondensierenden aromatischen Äthers und den Versuchsbedingungen. Erst 1955 sind dazu vergleichende Versuche angestellt worden[1]. Die vorgängigen Publikationen sind daher kritisch zu werten.

Ein für diese Friedel-Crafts-Kondensationen besonders geeignetes Reaktionsmedium ist ein Gemisch aus 80% 1,1,2,2-Tetrachlor-äthan und 20% Nitrobenzol[1], wobei Temperaturen über 50° vermieden werden sollten, da sonst Äther-Spaltungen eintreten können. Besonders anfällig sind zur Carbonyl-Gruppe o-ständige Alkoxy-Gruppen.

Aus Phthalsäureanhydrid und den entsprechenden Aryläthern wurden folgende 2-(Alkoxy-aroyl)-benzoesäuren erhalten[1]:

2-(Methoxy-benzoyl)-benzoesäure	65% d. Th.
2-(Äthoxy-benzoyl)-benzoesäure	64% d. Th.
2-(Butyloxy-benzoyl)-benzoesäure	66% d. Th.
2-(Äthoxy-methyl-benzoyl)-benzoesäure	80% d. Th.
2-(Methoxy-methyl-benzoyl)-benzoesäure	25% d. Th.
2-(Chlor-äthoxy-benzoyl)-benzoesäure	37% d. Th.
2-(Dimethoxy-benzoyl)-benzoesäure	22% d. Th.
2-(Diäthoxy-benzoyl)-benzoesäure	63% d. Th.
2-(Dibutyloxy-benzoyl)-benzoesäure	71% d. Th.
2-[Äthoxy-naphthoyl-(1 bzw. 2)]-benzoesäure	~80% d. Th.

Die Ringschlüsse der 2-(Alkoxy-benzoyl)-benzoesäuren sind wegen der leichten Oxoniumsalz-Bildung meist sehr erschwert. Die Verwendung von Oleum ist nicht immer gün-

---

[1] J. D. REINHEIMER et al., Am. Soc. **77**, 1909 (1955).

stig, zumal auch noch Sulfierungen stattfinden können. Mit Schwefelsäure hingegen treten diese Schwierigkeiten in den Hintergrund; dafür muß man jedoch höhere Temperaturen in Kauf nehmen, wodurch die Äther-Spaltungen begünstigt werden.

Über die Ringschlüsse der oben aufgeführten 2-(Alkoxy-aroyl)-benzoesäuren finden sich nur spärliche Angaben in der Literatur. Die Cyclisierung der 2-(4-Methoxy-3-methyl-benzoyl)-benzoesäure mittels konzentrierter Schwefelsäure führt erst bei 155° zu einem Gemisch der beiden 2- (bzw. 3)-Methoxy-1-(bzw. -2)-methyl-9,10-anthrachinone und deren Hydrolyse-Produkten. Das Kondensationsprodukt aus Phthalsäureanhydrid und 1,2-Dimethoxy-benzol läßt sich durch Erwärmen mit konzentrierter Schwefelsäure auf dem Wasserbad zu einem Isomeren-Gemisch ringschließen, das vorwiegend aus *2,3-Dimethoxy-9,10-anthrachinon* (F: 237°) besteht[1].

Die 2-(2,4-Dimethoxy-benzoyl)-benzoesäure hingegen ist nicht cyclisierbar[2]. Auch die aus dieser gut herstellbare 2-(2,4-Dimethoxy-benzyl)-benzoesäure läßt sich nicht zum Anthron-Derivat cyclisieren[2]. Ebenso verhält sich das in befriedigender Ausbeute herstellbare Kondensationsprodukt aus Phthalsäureanhydrid und Diphenyläther[3].

Die Herstellung von *1,2,3-Trimethoxy-9,10-anthrachinon* verläuft in beiden Stufen sehr schlecht[4].

Bei dem mit mäßiger Ausbeute aus 4,5-Dimethoxy-phthalsäureanhydrid und 1,2-Dimethoxy-benzol bei 60° erhältlichen Kondensationsprodukt läßt sich der Ringschluß zum *2,3,6,7-Tetramethoxy-9,10-anthrachinon* (F: 222–223°) nur mit Phosphor(V)-oxid erzwingen[4]; dabei findet bereits teilweise eine Entmethylierung statt[4, 6].

Durch Kondensation von 1,4-Diäthoxy-naphthalin mit Maleinsäureanhydrid in einer Natriumchlorid/Aluminiumchlorid-Schmelze bei 220° entsteht in mäßiger Ausbeute *Chinizarin*; mit Bernsteinsäureanhydrid bildet sich das Dihydrochinizarin[5].

2. 9,10-Anthrachinonyl-äther durch Alkylierung von Hydroxy-9,10-anthrachinonen

Auf S. 83 wurde bereits ausgeführt, daß sich α- und β-ständige Hydroxy-Gruppen auch bei der Verätherung sehr verschieden verhalten.

Während sich β-Hydroxy-9,10-anthrachinone nur etwas schwerer als Phenole veräthern lassen, muß man zur Herstellung von α-Äthern schon erheblich energischere Bedingungen anwenden. Infolgedessen ist es beim gleichzeitigen Vorliegen α- und β-ständiger Hydroxy-Gruppen meist ohne Schwierigkeiten möglich, letztere selektiv zu veräthern. Bei einer Häufung von Methoxy-Gruppen im gleichen Benzol-Kern verwischen sich allerdings bisweilen die Unterschiede.

C. Graebe[7] hat diese Verhältnisse näher untersucht. Er erhielt jedoch aufgrund nicht optimaler Versuchsbedingungen – Erhitzen der festen Alkalimetallsalze (zu wenig Alkali!) mit Dimethylsulfat – nur mittlere Ausbeuten.

So wurden z. B. erhalten aus:

1-(bzw.-2)-Hydroxy-9,10-anthrachinon	→ *1-(bzw. 2)-Methoxy-9,10-anthrachinon*[7]
1-Chlor-2-hydroxy-9,10-anthrachinon	→ *1-Chlor-2-methoxy-9,10-anthrachinon*[8]
1,2-Dihydroxy-9,10-anthrachinon	→ *1-Hydroxy-2-methoxy-9,10-anthrachinon*[7]
1,2,4-Trihydroxy-9,10-anthrachinon	→ *1,4-Dihydroxy-2-methoxy-9,10-anthrachinon*[7]

[1] K. Lagodzinski, A. **342**, 99 (1905).
[2] C. Dufraisse, A. Allais u. J. Robert, Bl. [5] **14**, 701 (1947).
[3] E. de Barry Barnett u. N. F. Goodway, B. **63**, 3051 (1930).
[4] W. H. Bentley u. C. Weizmann, Soc. **93**, 435 (1908).
[5] K. Zahn u. P. Ochwat, A. **462**, 88 (1928).
[6] W. N. Haworth et al., Soc. **1931**, 1349.
[7] C. Graebe, A. **349**, 201 (1906).
[8] H. Decker u. E. Laubé, B. **39**, 112 (1906).

1,2,5-Trihydroxy-9,10-anthrachinon	→ *1,5-Dihydroxy-2-methoxy-9,10-anthrachinon*[1]
1,2,8-Trihydroxy-9,10-anthrachinon	→ *1,8-Dihydroxy-2-methoxy-9,10-anthrachinon*[1]
1,2,6-Trihydroxy-9,10-anthrachinon	→ *1-Hydroxy-2,6-dimethoxy-9,10-anthrachinon*[1]
1,2,7-Trihydroxy-9,10-anthrachinon	→ *1-Hydroxy-2,7-dimethoxy-9,10-anthrachinon*[1]
1,3,5,7-Tetrahydroxy-9,10-anthrachinon	→ *1,5-Dihydroxy-3,7-dimethoxy-9,10-anthrachinon*[2]

1,2,5,8-Tetrahydroxy-9,10-anthrachinon läßt sich mit Dimethylsulfat und Natriumcarbonat in Nitrobenzol bei 90° recht einheitlich zum *1,5,8-Trihydroxy-2-methoxy-9,10-anthrachinon* alkylieren[3]. Analog erhält man *1-Hydroxy-2-methoxy-* und *1-Hydroxy-2,7-dimethoxy-9,10-anthrachinon*[4].

Die selektive β-Alkylierung von 4-Amino-1,2- (bzw. -1,3)-dihydroxy-9,10-anthrachinon gelingt anscheinend recht gut mit Dimethylsulfat durch längeres Erhitzen mit überschüssiger Natronlauge in Aceton[5] und man erhält *4-Amino-1-hydroxy-2-methoxy-* (F: 283–284°) bzw. *4-Amino-1-hydroxy-3-methoxy-9,10-anthrachinon* (F: 224–226°).

Näher untersucht wurde die Methylierung des 1,6,8-Trihydroxy-3-methyl-9,10-anthrachinons[6].

Carminsäure mit ihren vier Hydroxy-Gruppen, einer Carboxy-Gruppe und einem *C*-Glykosid-Rest (s. S. 150) wurde mit Diazomethan in wasserfreiem Methanol bei 5° in das Tetramethoxy-methoxycarbonyl-Derivat überführt.

Bei der Alkylierung von Hydroxy-acetoxy-9,10-anthrachinonen mit Diazomethan treten Umlagerungen ein. So entsteht aus 1-Hydroxy-2-acetoxy-9,10-anthrachinon weitgehend das *2-Methoxy-1-acetoxy-9,10-anthrachinon*[7,8]. Ganz ähnlich, nur komplizierter, liegen die Verhältnisse beim 1,2,3-Trihydroxy-9,10-anthrachinon[9].

In der älteren Literatur sind zahlreiche Permethylierungen von Polyhydroxy-9,10-anthrachinonen mit Dimethylsulfat beschrieben. Diese Verfahren sind durch die Anwendung des Toluolsulfonsäure-methylesters in höher siedenden Lösungsmitteln in Gegenwart von völlig wasserfreiem Natriumcarbonat überholt. Mit diesem Methylierungsmittel gelingt es sogar, das schwer zu veräthernde Chinizarin bei 170° mit 80% Ausbeute in das *1,4-Dimethoxy-9,10-anthrachinon* (F: 170–171°) überzuführen[10]. In analoger Weise soll auch das 3-Benzoylamino-2-hydroxy-9,10-anthrachinon in das *3-Benzoylamino-2-methoxy-9,10-anthrachinon* überführbar sein[11].

Die Alkylierungen mit Alkyljodiden bieten keinerlei Vorteile[2,12,13].

Durch Erhitzen von Dinatriumalizarin mit 1,2-Dibrom-äthan unter Druck entsteht das *1,2-Äthylendioxy-9,10-anthrachinon*[14] (F: 232°) und in analoger Weise das *4-Nitro-1,2-äthylendioxy-9,10-anthrachinon*.

Basische Di-äther wurden aus 1,4- und 1,5-Dihydroxy-9,10-anthrachinon durch 6stdg. Kochen der Kaliumsalze mit 1-Chlor-3-dimethylamino-propan in Xylol erhalten[15].

[1] C. Graebe, A. **349**, 201 (1906).
[2] DRP. 139424 (1902), Farbw. Hoechst; Frdl. **7**, 172.
[3] DAS. 1107634 (1957) ≡ Schweiz. P. 350396 (1956), CIBA, Erf.: P. Grossmann; C.A. **55**, 17029ᵃ (1961).
[4] DAS. 1051239 (1956; Schweiz. Prior. 1955), CIBA, Erf.: P. Grossmann; C. A. **55**, 8872ᵈ (1961).
[5] DRP. 549285 (1930), I.G. Farb., Erf.: W. Albrecht u. J. Müller; Frdl. **19**, 2003.
[6] R. Eder u. F. Hauser, Helv. **8**, 140 (1925).
[7] O. Kubota u. A. G. Perkin, Soc. **127**, 1889 (1925).
[8] M. A. Ali u. L. J. Haynes, Soc. **1959**, 1033.
[9] A. G. Perkin u. C. W. H. Storey, Soc. **1929**, 1399.
[10] K. Zahn u. P. Ochwat, A. **462**, 95 (1928).
[11] DRP. 456584 (1926), I.G. Farb., Erf.: M. A. Kunz u. G. v. Rosenberg; Frdl. **16**, 1324.
[12] E. Schunk u. H. Roemer, B. **9**, 383 (1876).
[13] C. Liebermann u. G. Jellinek, B. **21**, 1164 (1888).
[14] DRP. 280975 (1913), Farbw. Hoechst; Frdl. **12**, 433.
[15] US.P. 2881173 (1957), Hoffmann-La Roche Inc., Erf.: W. Wenner; C. A. **53**, 17085ⁱ (1959).

In ähnlicher Weise wurden die 2,6- und 2,7-Dihydroxy-9,10-anthrachinone mit 1-Chlor-2-diäthylamino-äthan veräthert[1].

[9,10-Anthrachinonyl-(1)-oxy]-essigsäure-äthylester[2]: 22,4 g 1-Hydroxy-9,10-anthrachinon werden in 100 ml N-Methyl-pyrrolidon bei 25° mit 5,4 g Natriummethanolat versetzt und durch Erhitzen auf 90° in das Natriumsalz übergeführt.

Nach dem Abkühlen auf 50° gibt man 16,7 g Bromessigsäure-äthylester zu und erwärmt 3 Stdn. auf 70° bis die Lösung tiefbraun geworden ist. Nach einiger Zeit fügt man bei 20° 300 ml Wasser zu, saugt den Niederschlag ab und wäscht diesen mit einer 0,4%-igen Natronlauge aus; Rohausbeute: 29,4 g; F: 173–175° (aus Äthanol).

Auch die Herstellung des *4,5-Divinyloxy-2-methyl-9,10-anthrachinons* ist beschrieben. Dieses soll durch Einleiten von Acetylen in eine Suspension des 4,5-Dihydroxy-2-methyl-9,10-anthrachinon-Dikaliumsalzes in Benzol bei ~ 50° entstehen[3](?).

3. 9,10-Anthrachinonyl-äther durch Austauschreaktionen

α) aus Halogen-9,10-anthrachinonen

Die allgemein anwendbarste Methode zur Herstellung von 9,10-Anthrachinonyl-äthern sowohl der α- als auch der β-Reihe besteht in der Umsetzung von Halogen-9,10-anthrachinonen mit Alkanolaten bzw. Phenolaten. Auf diese Weise werden nicht nur die besten Ausbeuten, sondern auch die reinsten Produkte erhalten. Es ist im allgemeinen kein großer Unterschied, ob man von den Chlor- oder Brom-Verbindungen ausgeht.

So entsteht aus 1-Chlor-9,10-anthrachinon durch 10stdg. Erhitzen mit Methanol und Kaliumhydroxid auf 80° in praktisch quantitativer Ausbeute *1-Methoxy-9,10-anthrachinon* (F: 169°)[4]. Zur Herstellung des *2-Methoxy-9,10-anthrachinons* muß man die Temp. auf 130° erhöhen[4].

Weiterhin sind u. a. folgende Umsetzungen beschrieben:

4-Chlor-1-methoxy-9,10-anthrachinon	⟶ *1,4-Dimethoxy-9,10-anthrachinon*[4]
4-Brom-1-methylamino-9,10-anthrachinon	⟶ *4-Methylamino-1-methoxy-9,10-anthrachinon*[4]
4-Brom-benzoylamino-9,10-anthrachinon	⟶ *4-Benzoylamino-1-methoxy-9,10-anthrachinon*[4]
3-Chlor-4-amino-1-hydroxy-9,10-anthrachinon	$\xrightarrow{120°}$ *4-Amino-1-hydroxy-3-(2-methoxy-äthoxy)-9,10-anthrachinon*[5] (mäßige Ausbeute)
1,8-Dichlor-9,10-anthrachinon	⟶ *1,8-Dimethoxy-9,10-anthrachinon*[4]; F: 223°

In allen Fällen ist es von Vorteil, mit völlig wasserfreiem Methanolat und in Gegenwart von Kupfer(II)-Salzen zu arbeiten.

4-Methylamino-1-methoxy-9,10-anthrachinon[4]: 25 g 4-Brom-1-methylamino-9,10-anthrachinon werden mit einer Lösung von 4 g Natrium, 25 g völlig wasserfreiem Natriumacetat und 1 g Kupfer(II)-acetat in 300 ml abs. Methanol 8 Stdn. im Autoklaven auf 85° erhitzt. Die abgeschiedenen Kristalle werden abgesaugt, mit Methanol und dann mit Wasser ausgewaschen. Durch Umkristallisieren aus Pyridin erhält man reines 4-Methylamino-1-methoxy-9,10-anthrachinon (violette Prismen, löslich in Schwefelsäure/Borsäure mit grüner Farbe und braunroter Fluoreszenz).

Die Kondensationen mit Phenolen vollziehen sich ebenso glatt, jedoch muß man höhere Temperaturen anwenden. So setzt sich 1-Brom-9,10-anthrachinon bei ~ 180° mit Natriumphenolat in Phenol zu *1-Phenoxy-9,10-anthrachinon* um[6].

---

[1] DOS. 2 121 996 (1970/71), Richardson-Merrell, Erf.: R. W. FLEMING, A. deWITT SILL u. F. W. SWEET; C. A. **76**, 72 315[y] (1972).

[2] DOS. 2 210 654 (1971/72), General Aniline and Film Corp., Erf.: D. I. RANDALL; C. A. **78**, 4025[v] (1973). S. a. DRP. 158 277 (1904), Farbw. Hoechst; Frdl. **8**, 263.

[3] USSR.P. 427 919 (1972), Kasachische Universität, Erf.: T. K. GUMBALOV, V. D. NAZAROVA u. R. A. MUZYČ-KINA; C. A. **81**, 49 474[u] (1974).

[4] DRP. 229 316 (1909), Farbf. Bayer; Frdl. **10**, 592.

[5] Brit. P. 1 085 685 (1965), CIBA; C. A. **68**, 22 714[s] (1968).

[6] DRP. 158 531 (1903), Farbf. Bayer; Frdl. **8**, 241.

Aus den entsprechenden Halogen-9,10-anthrachinonen wurden u. a. hergestellt:

1,4-Diphenoxy-9,10-anthrachinon[1] F: 165°
1,3-Diphenoxy-9,10-anthrachinon[2] F: 167°
1-Amino-2,4-diphenoxy-9,10-anthrachinon[2]
4-Amino-1-(4-methyl-anilino)-2-phenoxy-9,10-anthrachinon[3]
1,4-Dihydroxy-5,8-diphenoxy-9,10-anthrachinon[3]

Aus dem 2,3-Dichlor-1,4-diamino-9,10-anthrachinon kann man je nach den Versuchs-bedingungen die Herstellung von *3-Chlor-1,4-diamino-2-phenoxy-*[3] und *1,4-Diamino-2,3-diphenoxy-9,10-anthrachinon*[3] optimieren. Beim Erhitzen von 2,3-Dichlor-1,4-di-amino-9,10-anthrachinon mit einem ∼ 33%-igen Phenol-Wasser-Gemisch, Natriumsulfit und Magnesiumoxid entsteht die *1,4-Diamino-2-phenoxy-9,10-anthrachinon-3-sulfon-säure*[4] in guter Ausbeute (®*Anthralanviolett 4 BF*).

Die 2-Chlor-9,10-anthrachinon-3-sulfonsäure wird in wäßriger Lösung mit Phenol und Natriumcarbonat bei ∼ 160° zur *2-Phenoxy-9,10-anthrachinon-3-sulfonsäure* umgesetzt[5].

1,5-Diphenoxy-9,10-anthrachinon[6]: 105 g Phenol, 84 g Natriumhydroxid (auf 100%-ig ber.) und 220 g 1,5-Dichlor-9,10-anthrachinon werden ∼ 3 Stdn. auf 170° erhitzt. Nach dem Abkühlen gibt man 750 *ml* heißes Wasser zu und saugt ab. Dann schlämmt man den Filterkuchen mit 1,2 *l* Wasser und 100 g 30%-iger Natronlauge an, saugt bei 60° ab und wiederholt dies mit 1,2 *l* Wasser und 10 g 30%-iger Natronlauge bei 70°. Nach dem Neu-tralwaschen und Trocknen werden 285 g (91% d. Th.) 1,5-Diphenoxy-9,10-anthrachinon erhalten (F: 223°).

Halogen-9,10-anthrachinone lassen sich auch mit Hydroxy-9,10-anthrachinonen in Ni-trobenzol in Gegenwart von Natriumacetat und Kupfer(II)-Salzen[7, 3] zu Bis-[9,10-an-thrachinonyl]-äthern (schlechte Ausbeuten) kondensieren. Durch Selbstkondensation von zwei Mol 1-Halogen-2-hydroxy-9,10-anthrachinon entsteht in ∼ 50%-iger Ausbeute der kräftig gelbe Küpenfarbstoff I von mittlerer Lichtechtheit[8].

I; ⟨*Dianthra-[1,2-b;1′,2′-e]-1,4-dioxin*⟩*-5,18;9,14-bis-chinon*

β) 9,10-Anthrachinonyl-äther aus 9,10-Anthrachinon-sulfonsäuren

Die Umsetzungen von 9,10-Anthrachinon-sulfonsäuren mit primären Alkoholen gelin-gen meist recht gut. Die α-Sulfonsäuren reagieren bereits beim längeren Rückflußkochen mit Methanol und Alkalimetallhydroxid[9], die β-Sulfonsäuren erst bei ∼ 130° unter Druck[10]

[1] F. ULLMANN u. G. BILLIG, A. **381**, 13 (1911).
[2] F. ULLMANN u. O. EISER, B. **49**, 2168 (1916).
[3] DRP. 263 423 (1911), Farbf. Bayer, Erf.: A. JACOBI; Frdl. **11**, 570.
[4] BIOS Final Rep. Nr. **1484**, 49 (1948), I.G. Farb. Leverkusen.
   DRP. 561 442 (1930), I.G. Farb., Erf.: B. STEIN; Frdl. **19**, 1996.
   DRP. 583 936, 585 528 (1932), I.G. Farb., Erf.: B. STEIN u. F. BAUMANN; Frdl. **20**, 1325, 1327.
[5] DRP. 680 093 (1937), I.G. Farb., Erf.: W. DIETERLE u. S. GASSNER.
[6] In Anlehnung an die Fabrikationsvorschrift BIOS Final Rep. Nr. **1493**, 8 (1948), I.G. Farb. Leverkusen.
[7] DRP. 158 531 (1903), Farbf. Bayer; Frdl. **8**, 241.
[8] DRP. 257 832, 265 647, 269 215 (1912), 263 621 (1911), R. Wedekind u. Co.; Frdl. **11**, 660–663.
[9] DRP. 156 762 (1903), Farbf. Bayer; Frdl. **8**, 240.
[10] DRP. 166 748 (1904), Farbf. Bayer; Frdl. **8**, 241.

und die 9,10-Anthrachinon-1,5-disulfonsäure mit Phenolaten bei ~ 130°[1]. Die Ausbeuten an den Äthern sind jedoch nicht immer befriedigend, da diese durch die Hydroxy-Verbindungen verunreinigt sein können.

5-Isopropylamino-1-methoxy-9,10-anthrachinon[2]**:** In eine Lösung von 160 g Natriumhydroxid in 600 ml Methanol trägt man unter intensivem Rühren bei 80–85° 200 g 1-isopropylamino-9,10-anthrachinon-5-sulfonsaures Natrium (89%-ig) rasch ein. Nach ~ 1 Stde. verdünnt man mit 1 l heißem Wasser, saugt bei 70° ab, wäscht mit heißem Wasser nach und trocknet i. Vak.; Ausbeute: 135 g (95% d. Th.) mit ~ 2% 5-Isopropylamino-1-hydroxy-9,10-anthrachinon verunreinigt.

Besonders leicht reagieren die 1,4-Diamino-9,10-anthrachinon-2-sulfonsäuren, die sich mit Alkanolaten bereits bei 90° umsetzen lassen[3]; u. a. wurden so *1,4-Diamino-2-methoxy-* und *1-Amino-4-methylamino-2-methoxy-9,10-anthrachinon* erhalten.

Ein besonders reines Produkt wird nach folgender Variante erhalten:

1,4-Diamino-2-methoxy-9,10-anthrachinon[4]**:** 150 g der 1-Amino-4-toluolsulfonylamino-9,10-anthrachinon-2-sulfonsäure (s. S. 180) werden mit 900 ml Methanol und 450 g 90%-igem Kaliumhydroxid ~2 Stdn. auf 80° erhitzt. Die Abspaltung des Toluolsulfonsäure-Restes erfolgt glatt durch 1-stdg. Erwärmen mit konz. Schwefelsäure auf 40°; Ausbeute: fast quantitativ; F: 230–232° (rote Kristalle).

γ) 9,10-Anthrachinonyl-äther aus Nitro-9,10-anthrachinonen

Die Umsetzungen von Nitro-Gruppen mit primären Alkanolaten bzw. Phenolaten vollzieht sich meist leicht. Dabei kann aber in geringem Umfang eine Reduktion der Nitro-Gruppe und – bei zu langer Reaktionsdauer – auch eine Äther-Spaltung eintreten.

Aus 1-Nitro-9,10-anthrachinon entsteht durch 48stdg. Rückflußsieden mit Kaliumhydroxid in absolutem Methanol das *1-Methoxy-9,10-anthrachinon*[5]; in analoger Weise sind *1,5-Dimethoxy-* (F: 233°) und *1,8-Dimethoxy-9,10-anthrachinon* (F: 212°) zugänglich[6].

Durch 12stdg. Rückflußkochen von 1-Nitro-2-methoxy-9,10-anthrachinon in einer 10%-igen Lösung von Kaliumhydroxid in Methanol ist das *1,2-Dimethoxy-9,10-anthrachinon* (F: 210°) und in analoger Weise aus 1,3-Dinitro-2-methoxy-9,10-anthrachinon das *1,2,3-Trimethoxy-9,10-anthrachinon* (braune Kristalle, F: 160°) zugänglich[7]. Aus 4-Nitro-1-methoxy-9,10-anthrachinon hingegen entsteht beim Erhitzen mit Kaliumhydroxid in Methanol ein Gemisch aus 4-Nitro-1-hydroxy- und *1-Amino-4-methoxy-9,10-anthrachinon*[7].

Die Herstellung von *1-Methoxy-2-methyl-9,10-anthrachinon* (F: 152–154°) aus 1-Nitro-2-methyl-9,10-anthrachinon gelingt praktisch nicht[8].

Aus 1-Nitro-9,10-anthrachinon-6(bzw.7)-sulfonsäure erhält man nur dann gute Ausbeuten an *1-Methoxy-9,10-anthrachinon-6*(bzw.7)-*sulfonsäure*, wenn man die Umsetzung in wasserhaltigem Methanol durchführt[9].

1-Methoxy-9,10-anthrachinon-6-sulfonsäure[9]**:** 100 g 1-Nitro-9,10-anthrachinon-6-sulfonsaures Natrium werden mit 500 g einer 12%-igen Natronlauge und 500 ml Methanol 4 Stdn. unter Rückfluß erhitzt, wobei unter schwacher Braunfärbung Lösung eintritt. Nach dem Erkalten saugt man das auskristallisierte Sulfonat ab, wäscht

[1] DRP. 158531 (1903), Farbf. Bayer; Frdl. **8**, 241.
[2] DOS. 1932646 (1969), Farbf. Bayer, Erf.: W. HOHMANN, K. WUNDERLICH u. H.-S. BIEN; C. A. **75**, 50421[8] (1971).
[3] DRP. 521382 (1928/29), I.C.I.; Frdl. **17**, 1192.
[4] DRP. 541173 (1930), I. G. Farb., Erf.: P. NAWIASKY, A. KRAUSE u. B. STEIN; Frdl. **18**, 1256.
FIAT Final Rep. Nr. **1313 II**, 203 (1948), I.G. Farb. Leverkusen.
[5] DRP. 75054 (1893), Farbw. Hoechst; Frdl. **3**, 268.
[6] DRP. 77818 (1893), Farbw. Hoechst; Frdl. **4**, 304.
DOS. 2152991 (1971), Bayer AG, Erf.: G. GEHRKE.
[7] DRP. 158278 (1905), Farbw. Hoechst; Frdl. **8**, 265.
[8] A. ECKERT u. G. ENDLER, J. pr. **102**, 332 (1921).
[9] DRP. 145188 (1902), Farbw. Hoechst; Frdl. **7**, 189.

mit wässrigem Methanol aus und trocknet. Die Reinigung erfolgt durch Lösen in Wasser und Aussalzen mit Kaliumchlorid (Lösungsfarbe in konz. Schwefelsäure: tiefgelb).

Durch kurzes Erwärmen mit 78%-iger Schwefelsäure auf 120° erfolgt eine glatte Spaltung zur *1-Hydroxy-9,10-anthrachinon-6-sulfonsäure*.

Die Umsetzungen von Nitro-9,10-anthrachinonen mit Phenolaten erfordern etwas höhere Temperaturen. So wurden u.a. hergestellt[1]:

1-Phenoxy-9,10-anthrachinon
1,5-(bzw. 1,8)-Diphenoxy-9,10-anthrachinon
8-Nitro-1-(2-methyl-phenoxy)-9,10-anthrachinon
5-Amino-1-phenoxy-9,10-anthrachinon
5-Dimethylamino-1-phenoxy-9,10-anthrachinon
1-Phenoxy-9,10-anthrachinon-5-(bzw. -6)-sulfonsäure

4-Nitro-1-methoxy- und 4,8-Dinitro-1,5-dimethoxy-9,10-anthrachinon werden mit Phenolat bei 120° in *1-Methoxy-4-phenoxy-* bzw. *1,5-Dimethoxy-4,8-diphenoxy-9,10-anthrachinon* übergeführt[1].

Aryloxy-9,10-anthrachinone; allgemeine Arbeitsvorschrift[1]: In überschüssigem Phenol wird Kaliumhydroxid (etwa die 4fache Gewichtsmenge der Nitro-Verbindung) so lange erhitzt, bis Lösung eingetreten und das Wasser abgedampft ist. Dann rührt man bei 90° die Nitro-Verbindung ein und erhitzt so lange auf 100–160°, bis die Nitro-Verbindung verschwunden ist. Das überschüssige Phenol wird entweder mit Wasserdampf überdestilliert oder in verd. Natronlauge gelöst. Zur Kondensation sind alle Phenole geeignet, die nicht allzu stark reduzierend wirken.

δ) 9,10-Anthrachinonyl-äther durch Umätherungen

In Phenoxy-9,10-anthrachinonen läßt sich die Phenoxy-Gruppe durch Erhitzen mit einem Überschuß eines primären Alkohols in Gegenwart von Natriumhydroxid durch mehrstündiges Erhitzen auf 100–120° gegen eine Alkoxy-Gruppe austauschen[2]. Dieses Verfahren scheint zur Einführung von Alkoxy-Gruppen, z.B. der Dodecyloxy-Gruppe, vielfach Vorteile gegenüber dem Halogen-Austausch zu bieten[3].

Die Umsetzungen des 4-Amino-1-hydroxy-3-phenoxy-9,10-anthrachinons mit primären Alkoholen werden z.Tl. in Sulfolan unter Zusatz von Kaliumhydroxid bei 120° durchgeführt[4,5].

In den 1,4-Diamino-2-methoxy-9,10-anthrachinonen läßt sich sogar die Methoxy-Gruppe umäthern[3].

4. Einführung von Substituenten in 9,10-Anthrachinonyl-äther

α) Nitrierung von 9,10-Anthrachinonyl-äthern

Von den Derivaten, die aus 9,10-Anthrachinonyl-äthern hergestellt werden können, sind nur die Nitro- bzw. Amino-Derivate von Interesse. Dies hat zwei Gründe. Einmal dirigieren α-ständige Äther-Gruppen die Nitro-Gruppe optimal in die p-Stellung[6], und zum anderen sind Äther-Gruppen in p-Stellung zu einer Amino-Gruppe derart aktiviert, daß sie sich wie reaktive Halogen-Atome mit Aminen umsetzen lassen (s.S. 171).

Durch Nitrierung von 9,10-Anthrachinonyl-äthern wurden u.a. *4-Nitro-1-methoxy-*

---

[1] DRP. 158 531 (1903), Farbf. Bayer; Frdl. **8**, 241.
[2] DRP. 538 014 (1930), I.G. Farb., Erf.: P. NAWIASKY, B. STEIN u. A. KRAUSE; Frdl. **18**, 1251.
[3] DRP. 661 137 (1935/36), I.C.I.; Frdl. **24**, 800.
[4] DOS. 1 939 095 (1969), Farbf. Bayer, Erf.: P. WEGNER, R. NEEFF, V. HEDERICH u. G. GEHRKE; C.A. **74**, 14241ᵗ (1971).
[5] DOS. 2 405 782 (1974), BASF, Erf.: K. MAIER; C.A. **83**, 181105ᵛ (1975).
[6] DRP. 205 881 (1903), Farbf. Bayer; Frdl. **9**, 716.

9,10-anthrachinon[1] und *4-Nitro-1-methoxy-9,10-anthrachinon-5-sulfonsäure*[2] hergestellt.

4-Nitro-1-methoxy- und 4-Amino-1-methoxy-9,10-anthrachinon[1]:

4-Nitro-1-methoxy-9,10-anthrachinon: In 1,8 kg konz. Schwefelsäure werden bei 25° 200 g 1-Me-
thoxy-9,10-anthrachinon gelöst. Innerhalb 4–6 Stdn. fließen 208 g Schwefelsäure/Salpetersäure (28%-ig an
HNO₃) unter schwacher Kühlung zwischen 25–30° zu. Hierauf trägt man in 900 *ml* Wasser aus und saugt ab.

4-Amino-1-methoxy-9,10-anthrachinon: Der Filterkuchen wird mit 10 *l* Wasser angeschlämmt, mit
70 g Natriumcarbonat versetzt, auf 60° erhitzt, erneut filtriert, ausgewaschen und getrocknet oder als Paste direkt
reduziert. Die Reduktion erfolgt glatt mit 300 g Natriumsulfid (100%-ig) zwischen 60–95°; Ausbeute: 85%
d. Th.

Auf ähnliche Weise werden aus 1,5-(bzw. 1,8)-Dimethoxy-9,10-anthrachinonen nicht
ganz einheitliche *4,8-(bzw. 4,5)-Dinitro-1,5-(bzw. -1,8)-dimethoxy-9,10-anthrachinone*
erhalten[1].

Nitriert man 1,5-Diphenoxy-9,10-anthrachinon, so treten zunächst je zwei Nitro-
Gruppen in die Phenoxy-Reste und dann je eine in die 4- und 8-Stellung ein[3]. Die Phen-
oxy-Gruppen sind durch diesen Kunstgriff erheblich leichter abspaltbar; bereits beim Erwärmen mit verdünnter Natronlauge tritt Hydrolyse zum *4,8-Dinitro-1,5-dihydroxy-
9,10-anthrachinon* ein. Nach diesem Verfahren erhält man ein Produkt mit der höchsten
technisch erreichbaren Reinheit.

4,8-Dinitro-(bzw. 4,8-Diamino)-1,5-dihydroxy-9,10-anthrachinon[4]:
In ein Gemisch aus 1 kg Schwefelsäu-
re-Monohydrat und 700 g Schwefelsäure/Salpetersäure (28%-ig an HNO₃) werden 180 g 1,5-Diphenoxy-
9,10-anthrachinon eingerührt; dann erwärmt man 12 Stdn. auf 40°. Anschließend wird das Reaktionsgemisch in
Eiswasser ausgetragen, der Niederschlag abgesaugt und neutral gewaschen.

Zur hydrolytischen Abspaltung der (2,4-Dinitrophenoxy)-Gruppen wird die feuchte Paste mit 6 *l* Wasser und
400 g 30%-iger Natronlauge 30 Min. auf 95° erhitzt. Nach dem Abkühlen auf 40° wird abgesaugt und mit verd.
Natronlauge (20 g Natriumhydroxid/650 *ml* Wasser) nachgewaschen.

Zur Reduktion der Nitro-Gruppen gibt man 200 g Dinatriumsulfid (100%-ig) in 1,8 *l* Wasser zu, erhitzt 30
Min. auf 90°, verdünnt mit 2,5 *l* Wasser, läßt abkühlen, saugt ab, wäscht neutral und wäscht dann mit verd. Salzsäure nach; Ausbeute an *4,8-Diamino-1,5-dihydroxy-9,10-anthrachinon*: 112 g (90% d. Th.).

Durch Nitrieren von 2-Methoxy-9,10-anthrachinon mit der berechneten Menge Salpetersäure in 78%-iger Schwefelsäure resultiert das 1-Nitro-2-methoxy-9,10-anthrachinon
und in konz. Schwefelsäure mit 2 Mol Salpetersäure das *1,3-Dinitro-2-methoxy-9,10-an-
thrachinon*[5].

β) Halogenierung von 9,10-Anthrachinonyl-äthern

Über die Halogenierungen von 9,10-Anthrachinonyl-äthern ist nur wenig bekannt. Anscheinend verlaufen
diese uneinheitlich.

γ) Sulfierung von 9,10-Anthrachinonyl-äthern

Die Sulfierung von α-Alkoxy-9,10-anthrachinonen gelingt praktisch nicht, da unter den
Sulfierungs-Bedingungen bereits eine weitgehende Äther-Spaltung eintritt (vgl. S. 99). So
entsteht aus 1,5-Dimethoxy-9,10-anthrachinon und schwachem Oleum bei ~110° die
1,5-Dihydroxy-9,10-anthrachinon-2,6-disulfonsäure[6]. Im 1-Hydroxy-5-methoxy-9,10-
anthrachinon läßt sich erwartungsgemäß eine Sulfo-Gruppe in die 2-Stellung einführen.

Die β-Alkoxy-9,10-anthrachinone sollten sulfierbar sein.

[1] BIOS Final Rep. Nr. **1484**, 7 (1948), I.G. Farb. Leverkusen.
  DRP. 191 731 (1903), Farbf. Bayer; Frdl. **9**, 721.
[2] DRP. 205 551 (1908), Farbw. Hoechst; Frdl. **9**, 728.
[3] DRP. 170 728 (1904), Farbf. Bayer, Erf.: P. NUESCH; Frdl. **8**, 250.
[4] Nach der Fabrikationsvorschrift der I.G. Farb. Leverkusen; BIOS Final Rep. Nr. **1493**, 8 (1948).
[5] DRP. 158 278 (1905), Farbw. Hoechst; Frdl. **8**, 265.
[6] DOS. 2 451 569 (1973), Toms River Chemical Corp., Erf.: D.L. WHITE u. J.W. FITZPATRICK; C.A. **83**, 81236ʸ
  (1975).

5. Struktur, Isolierung, Trennung, Eigenschaften und Synthesen von 9,10-Anthrachinonyl-glykosiden

Die natürlich vorkommenden Di- und Polyhydroxy-9,10-anthrachinone, z.B. in der Krappwurzel, in den Aloe-Arten und im Rhabarber, liegen als *O*- oder *C*-Glykoside vor. Es existieren jedoch auch Hydroxy-anthron-(10)-9-*C*-glykoside.

Die Isolierung der Glykoside erfolgt meist durch Methanol-Extraktion der trockenen Blätter oder Wurzeln. Nach dem Eindampfen wird die Spaltung der *O*-Glykoside durch 30 Min. Kochen mit 3n Salzsäure vorgenommen. Die Trennung der Hydroxy-9,10-anthrachinon-Gemische erfolgt durch Chromatographie. Die dabei angewandten Methoden sind detailliert in Lit.[1] beschrieben (s.a. S. 16).

Bei der chromatographischen Auftrennung der 9,10-Anthrachinonyl-glykoside des Rheum palmatum variitas tanguticum wurden vier *O*-Glykoside isoliert[2,3]:

(Strukturformeln I, II, III, IV)

I II III IV

R = 1-O-β-D-Glucopyranosyl

*1-O-β-D-Gluco-
pyranosyl-
chrysophanol*

Die Reindarstellung des *Chrysophanol-1-β-D-glykosids* II aus Rhizoma Rhei palmatum z.B. erfolgte durch Absorption an Polyamid[4].

Das *Glykosid* des *4,5,7-Trihydroxy-2-methyl-9,10-anthrachinons* (*Emodin*) III wurde elektro-papierchromatographisch aus Gemischen abgetrennt[5].

Zur Synthese von *O*-Glykosiden der Hydroxy-9,10-anthrachinone existieren nur unzulängliche Methoden. Die Einführung der Zucker-Reste erfolgt nach dem klassischen Verfahren mittels Aceto-brom-osen und Silberoxid[6-9]. So wurde die Synthese des *1,8-Dihydroxy-3-methyl-9,10-anthrachinonyl-1-O-β-D-glucosids* (II) durch Kondensation von 1,8-Dihydroxy-3-methyl-9,10-anthrachinon mit Aceto-brom-glucose/Silberoxid in Pyridin und anschließende Abspaltung der Acetyl-Gruppen mit methanolischer Natronlauge bei 95° durchgeführt[4].

Liegen in einem Polyhydroxy-9,10-anthrachinon sowohl α- als auch β-ständige Hydroxy-Gruppen vor, so reagieren zuerst – wie bei den Verätherungen und Veresterungen – die β-ständigen, wodurch selektive Umsetzungen durchgeführt werden können[8].

[1] M.C.B. van Rheede van Oudtshoorn, Planta Medica **11**, 332 (1963); Phytochemistry **3**, 383 (1964). Hier sind auch weitere Methoden zur Isolierung der Glykoside angegeben.
Weitere Literatur über die chromatographische Trennung von natürlich vorkommenden Hydroxy-9,10-anthrachinonen s.S. 86.
[2] H. Okabe, K. Matsuo u. I. Nishioka, Chem. Pharm. Bull. (Tokyo) **21**, 1254 (1973).
[3] L. Hörhammer et al., Z. Naturf. **18 b**, 89 (1963); B. **97**, 1662 (1964); **98**, 2859 (1965).
[4] L. Hörhammer, H. Wagner u. E. Müller, B. **98**, 2859 (1965).
[5] T.M. Chang u. N.M. Ferguson, J. Pharm. Sci. **63**, 1316 (1974).
[6] R. Takahashi, J. pharm. Soc. Japan **1925**, Nr. 525, 4; C. **1926 I**, 1646.
[7] G. Zemplén u. A. Müller, B. **62**, 2107 (1929).
[8] A. Müller, B. **62**, 2793 (1929).
[9] J.H. Gardner et al., Am. Soc. **57**, 1074 (1935).

Die besten Ausbeuten (44% d. Th.) an *1-Hydroxy-2-(β-D-tetraacetyl-glucopyranosyl)-9,10-anthrachinon* (F: 205–206°) werden erhalten, indem man in ein Gemisch aus Alizarin und Tetraacetyl-brom-glucose in Chinolin unter schwachem Kühlen portionsweise Silberoxid einrührt[1-3].

Ein Verfahren, β-Hydroxy-α-glykosido-9,10-anthrachinone herzustellen – die in einigen Naturprodukten vorliegen – ist nicht bekannt.

Bemerkenswert ist jedoch, daß sich im Chinizarin – im Gegensatz zum Alizarin – die beiden Hydroxy-Gruppen zu Bis-glykosiden kondensieren lassen[2].

Die Abspaltung der Acetyl-Gruppen erfolgt mittels äthanolischer Natronlauge bei ~95°[1,4]. Bei Verseifungen durch Ammoniak in Methanol – wie besonders beim Tetraacetyl-monoglykosid des Alizarins – kann auch eine der 9,10-Dioxo-Gruppen mitreagieren[1,3,5].

Das klassische Beispiel für den Typ eines *C*-Glucopyranosyl-9,10-anthrachinons ist die *Carminsäure*[6-8]:

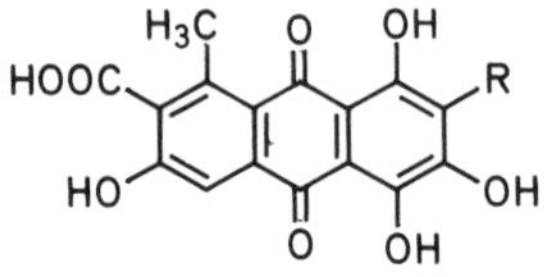

R = Glucopyranosyl

Aus Aloe wurde ein Glykosid isoliert, das eine Anthron-Struktur besitzt[9]:

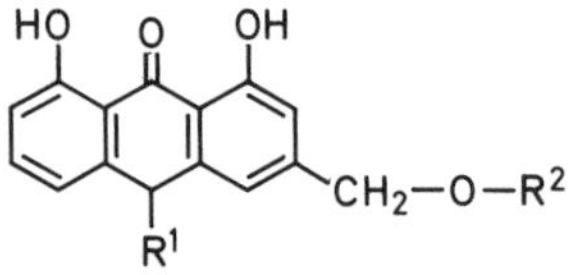

R¹ = Glucopyranosyl
R² = Rhamnosyl

Aloinosid B

g) Herstellung von Amino- und Amino-hydroxy-9,10-anthrachinonen[10] (mit weiteren Substituenten)

1. Allgemeines

α) Chemisches Verhalten

Amino-9,10-anthrachinone, die am N-Atom noch Wasserstoff tragen, sind äußerst schwache Basen, deren Salze in Wasser vollständig zerfallen. Am unteren Ende der Basizi-

---

[1] G. Zemplén u. A. Müller, B. **62**, 2107 (1929).

[2] A. Müller, B. **62**, 2793 (1929).

[3] A. Müller, B. **64**, 1417 (1931).

[4] L. Hörhammer, H. Wagner u. E. Müller, B. **98**, 2859 (1965).

[5] A. Müller, B. **65**, 329, 672 (1932).

[6] O. Dimroth u. H. Kämmerer, B. **53**, 471 (1920).

[7] M. A. Ali u. L. J. Haynes, Soc. **1959**, 1033.

[8] J. C. Overeem u. G. J. M. van der Kerk, R. **83**, 1023 (1964).

[9] L. Hörhammer, H. Wagner u. G. Bittner, Z. Naturf. **19 b**, 222 (1964). Die hier beschriebene Aufarbeitung, chromatographische Trennung und Hydrolyse können als Modellbeispiele dienen.

[10] Für Amino-9,10-anthrachinone existieren keine Trivialnamen.
    Amino-hydroxy-9,10-anthrachinone sind z. T. auch im Abschnitt „Hydroxy-9,10-anthrachinone" beschrieben.

tätsskala steht das *1-Phenylamino-9,10-anthrachinon*. Dann steigt die Basizität wie folgt an:

1-Phenylamino- < *1-Amino-* und *1,5-Diamino-* < *1,4-* und *1,8-Diamino-* < *2-Amino-9,10-anthrachinon* < 1-Alkylamino- < 1-Dialkylamino-9,10-anthrachinone.

Letztere lösen sich bereits in verdünnten Säuren[1].

Die einfachen Amino-9,10-anthrachinone sind vielseitig abwandelbare und wichtige Farbstoff-Zwischenprodukte. Von besonderer Bedeutung sind die α-Amino-9,10-anthrachinone, in denen starke Wasserstoffbrückenbindungen bestehen[2-4], deren Bindungsenergie erheblich größer ist als die der α-Hydroxy-9,10-anthrachinone. Das ist einer der Hauptgründe, warum α-Amino-9,10-anthrachinone tieferfarbig als entsprechende α-Hydroxy-9,10-anthrachinone sind. Die Stärke der Wasserstoffbrückenbindung nimmt mit abnehmender Basizität der Amino-Gruppen zu, also in umgekehrter Richtung wie in obiger Basizitätsskala.

Die Bedeutung der starken Wasserstoffbrückenbindungen in α-Amino-9,10-anthrachinonen wird besonders deutlich beim Vergleich des Indanthrons mit dessen Azin:

Indanthron
(intensiv blau)

Dehydro-indanthron
(schwach gelb)

ebenso treten diese bei den blauen und grünen Farbstoffen auf Basis des 1,4-Diamino-9,10-anthrachinons stark in Erscheinung.

Die violette Farbe des *1,4-Diamino-2,3-diphenoxy-9,10-anthrachinons* ist sicher dadurch bedingt, daß jedes der vier Wasserstoff-Atome der Amino-Gruppen zu einem benachbarten Sauerstoff-Atom in Wechselwirkung treten kann.

Im *1,4,5,8-Tetraamino-9,10-anthrachinon* hingegen sind wegen der erhöhten Basizität anscheinend nur zwei Stickstoff-Atome mit den Sauerstoff-Atomen über Wasserstoffbrücken verbunden, da diese „nur" von blauer Farbe ist.

Für die Farbintensität und die oft überraschend leicht verlaufenden Substitutionsreaktionen in Amino- und Hydroxy-9,10-anthrachinonen sind zusätzlich noch die vielfach möglichen und leichten Übergänge in mesomere Formen verantwortlich zu machen, z. B. bei dem tiefvioletten *1,5-Diamino-4,8-dihydroxy-9,10-anthrachinon* (s. S. 14) und dem gelblichgrünen *1,4-Dianilino-5,8-dihydroxy-9,10-anthrachinon*.

In 4-Stellung substituierte 1-Hydroxy- und 1-Amino-9,10-anthrachinone zeigen in ihren Reaktivitäten vielfach ein ungewöhnliches Verhalten.

So sind in den 4-Halogen-1-amino- bzw. 4-Halogen-1-hydroxy-9,10-anthrachinonen die Halogen-Atome besonders stark aktiviert. Diese reagieren nicht nur sehr leicht mit Aminen, sondern lassen sich auch durch Erhitzen mit Borsäure/Schwefelsäure glatt gegen Hydroxy-Gruppen austauschen. In den 4-Amino-1-alkoxy-9,10-anthrachinonen sind die

---

[1] Über die Basizität der α-Amino-9,10-anthrachinone:
   S. S. TKACHENKO u. V. Y. FAIN, Ukr. Chim. Ž. **42**, 1054 (1976); C. A. **86**, 6378[b] (1977).
[2] Theorie der Wasserstoffbrückenbindung in Hydroxy- und Amino-9,10-anthrachinonen:
   D. N. SHIGORIN u. N. S. DOKUNIKHIN, Ž. fiz. Chim. **29**, 1958 (1955); C. A. **50**, 9156[a] (1956).
[3] Wasserstoffbrücken und Einfluß auf die Energieverteilung in Amino-9,10-anthrachinonen:
   D. N. SHIGORIN u. N. S. DOKUNIKHIN, Doklady Akad. SSSR **100**, 323, 745 (1955); C. A. **49**, 14485[h, i] (1955).
[4] s. a. Lit. S. 80.

Tab. 4: Lösungsfarben von Amino-9,10-anthrachinonen in Chloroform

...-9,10-anthrachinon	Farbe	...-9,10-anthrachinon	Farbe
1-Amino-	orange	*1,5-Bis-[methylamino]-*	rotviolett
1-Methylamino-	orange	*1,5-Dianilino-*	violett
1-Anilino-	blaurot	*1,8-Bis-[methylamino]-*	rotviolett
1-Dimethylamino-	schwach orangegelb (keine H-Brücken)	*5,8-Bis-[alkylamino]-1,4-dihydroxy-*	grün
2-Amino-	gelbrot (leichte Mesomerieübergänge!)	*4,8-Diamino-1,5-dihydroxy-*	tiefblauviolett
1,4-Diamino-	blaurot	*4,5-Diamino-1,8-dihydroxy-*	tiefblauviolett
1,4-Bis-[methylamino]-	blau	*4-Amino-1-hydroxy-*	rotviolett
1,4-Dianilino-	grün	*4-Amino-1-hydroxy-3-methyl-*	rosa
1,5-Diamino-	rot	*1,4,5,8-Tetraamino-*	blau

Alkoxy-Gruppen ebenfalls leicht gegen Amino-Gruppen austauschbar. – Bei der Kondensation von 1-Dimethylamino-4-hydroxy-9,10-anthrachinon mit p-Toluidin bei 180° (über die 2,3-Dihydro-Verbindung) wird außerdem eine Methyl-Gruppe abgespalten[1].

Diese Effekte sind auf mehrere Ursachen zurückzuführen. Vor allem ermöglichen die durch die 1,4-Konfiguration bedingten starken Wasserstoffbrückenbindungen ohne großen Energieaufwand den Übergang in hochreaktive chinoide Grenzformen:

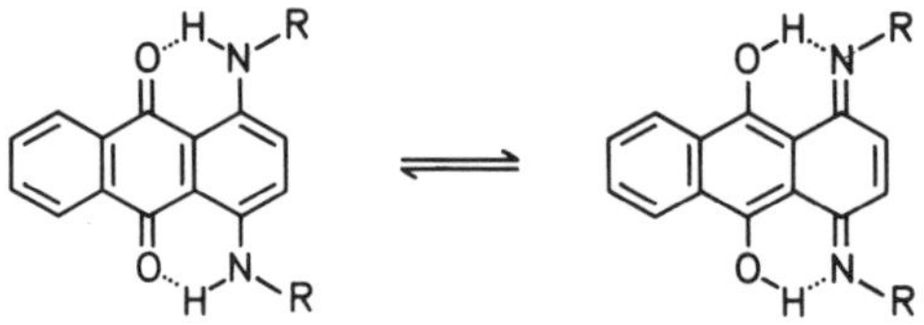

Schwächer aktiviert sind Substituenten in 2-Stellung, so daß es z.B. im 2,4-Dibrom-1-amino-9,10-anthrachinon leicht gelingt, selektiv Umsetzungen mit dem 4-ständigen Brom-Atom durchzuführen.

Auch in den β-Amino-9,10-anthrachinonen sind Substituenten in den beiden o-Stellungen erhöht reaktionsfähig, wenn auch nicht so ausgeprägt wie bei den p-ständigen Substituenten der α-Amino-9,10-anthrachinone.

Das 1-Amino-9,10-anthrachinon ist dadurch ausgezeichnet, daß es in Gegenwart von starken Alkalien bzw. Alkalimetallamiden höchst reaktionsfähig wird und zahlreiche polare Verbindungen meist sehr glatt in 2-Stellung reduktiv anlagert; z.B. Anlagerung von:

NH_3 → *1,2-Diamino-9,10-anthrachinon* (s. S. 185)
C_6H_5-NH_2 → *1-Amino-2-anilino-9,10-anthrachinon* (s. S. 185)
Na_2S → *1-Amino-2-mercapto-9,10-anthrachinon* (s. S. 228)
Na_2SO_3 → *1-Amino-9,10-anthrachinon-2-sulfonsäure* (s. S. 192)

Außerdem lassen sich N-substituierte 1-Amino-9,10-anthrachinone mit einer passenden alkalireaktiven Stelle im Substituenten glatt durch Kaliumhydroxid in 2-Stellung ringschließen; z.B.:

---

[1] R. E. Schmidt, Farbf. Bayer.

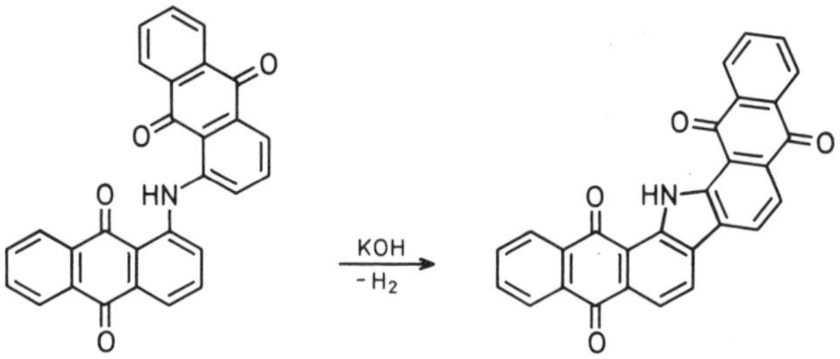

⟨*Bis-[anthraceno-*
[1,2-b;2',1'-d]-pyrrol⟩-
5,17;10,15-
bis-chinon

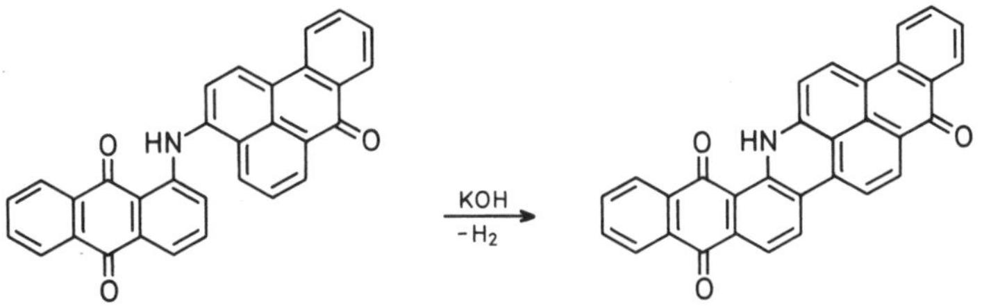

®*Indanthrenolivgrün B*; s.Bd. IV/1b, S. 40

Weiteres Beispiel s.Bd. IV/1b, S. 36.

2-Amino-9,10-anthrachinon geht obige Additionsreaktionen praktisch nicht ein, wenngleich sich mit Alkalimetallhydroxiden zwei Moleküle zum *Indanthron* kondensieren lassen (s. Bd. IV/1 b, S. 36). Dieses wird mit mindestens der gleichen Ausbeute (70% d.Th.) auch aus 1-Amino-9,10-anthrachinon durch Verschmelzen mit Kaliumphenolat, Natriumacetat und Kaliumchlorat bei ~200° erhalten[1].

Eine allgemeine Methode zur Reinigung bzw. Isomeren-Trennung von Amino-9,10-an-thrachinonen beruht auf der fraktionierten Fällung ihrer Sulfate aus Schwefelsäure. Zu diesem Zweck rührt man in die Lösungen der Amine in konzentrierter Schwefelsäure so lange vorsichtig Wasser ein, bis sich die ersten Kristalle abzuscheiden beginnen, die durch Digerieren mit heißem Wasser oder Methanol leicht hydrolysiert werden.

β) Hinweise zur Analytik von Amino-9,10-anthrachinonen

Amino-9,10-anthrachinone der α- und β-Reihe sind analytisch leicht zu unterscheiden. Die α-Derivate geben in konzentrierter Schwefelsäure unter Zusatz von Formaldehyd tiefe Färbungen. Die β-Derivate hingegen verändern ihre Farbe nicht wesentlich, ebenso nicht einige 1,8-Diamino-9,10-anthrachinone.

Charakteristisch sind auch die Lösungsfarben in 40−45%-igem Oleum. Diese Lösungen liefern scharfe Spektren, im Gegensatz zu den Formaldehyd/Schwefelsäure-Lösungen, deren Spektren verwaschen sind.

α- Und β-Amino-9,10-anthrachinone lassen sich leicht über ihre Benzoyl-Verbindun-gen trennen, indem man diese bei ~40° mit Kaliumhydroxid in Äthanol behandelt. Nur die β-Benzoylamino-9,10-anthrachinone gehen dabei als Kalium-Salze in Lösung. Die α-Derivate bleiben unverändert[2] (s.S. 216).

---

[1] DBP. 904 926 (1951), Farbf. Bayer, Erf.: H. THIELERT u. F. BAUMANN; C. **1955**, 2541.
[2] DRP. 513 025 (1927), I. G. Farb., Erf.: M. KUGEL; Frdl. **17**, 1209.

Tab. 5: Lösungsfarben von Amino-9,10-anthrachinonen

...-9,10-anthrachinon	in Pyridin	in 40%-igem Oleum	in Schwefelsäure + Formaldehyd
1-Amino-	orange	rot	blaurot
1-Methylamino-	rosa	violett	blau
1-Dimethylamino-	rosa	gelb	unspez.
1-Anilino-	rot	trüb-blau	blaugrün
2-Amino-	orange	gelb	unspez.
1,2-Diamino-	rotbraun	gelblich	rot
1,4-Diamino-	rotviolett	blauviolett	trüb-rotblau
1,4-Bis-[methylamino]-	blau	blau	trüb-blau
1,4-Dianilino-	grünblau	graublau	olivgrün
1-Amino-4-anilino-	blau	blau	grün
1,5-Diamino-	orange	grünblau	kornblumenblau
1,5-Bis-[methylamino]-	rotviolett?	grünblau	blaugrün
1,5-Dianilino-	blaurot	grünblau	blaugrün
1,8-Diamino-	scharlach	unspez.	unspez.
1,2-Diamino-			
2,3-Diamino-			
2,6-Diamino-	gelborange	unspez.	unspez.
1,2,4-Triamino-	violett-rot	blaurot	trüb-violett
1,4,5,8-Tetraamino-	blau	schwach violett	violett

Zur analytischen Erfassung der Amino-9,10-anthrachinone sind chromatographische Methoden von großer Bedeutung[1]. Beispiele hierfür finden sich auf S. 18ff.

Im übrigen gelten die für die Hydroxy-9,10-anthrachinone gegebenen Hinweise meist auch für die Amino-9,10-anthrachinone.

2. Amino- und Amino-hydroxy-9,10-anthrachinone durch Ringschluß-Reaktionen (Übersicht)

Die Ringschlüsse von 2-(Amino-benzoyl)-benzoesäuren zu Amino-9,10-anthrachinonen verlaufen sehr unterschiedlich. So muß man die 2-(3-Amino-benzoyl)-benzoesäure mit konzentrierter Schwefelsäure auf 200° erhitzen, um – allerdings mit schlechter Ausbeute – ein Gemisch aus 1- und 2-Amino-9,10-anthrachinon zu erhalten[2]. Die 2-(4-Dimethylamino-benzoyl)-benzoesäure läßt sich überhaupt nicht zum 2-Dimethylamino-9,10-anthrachinon ringschließen.

Acetanilide lassen sich normalerweise nur sehr schlecht mit Phthalsäureanhydrid kondensieren. Zu den Ausnahmen gehört das 3,4-Dimethyl-acetanilid, aus dem mit 2,15 Mol Aluminiumchlorid in 1,1,2,2-Tetrachlor-äthan bei 120° die 2-(2-Acetylamino-4,5-dimethyl-benzoyl)-benzoesäure (F: 192°) in ~68%-iger Ausbeute entsteht. Der Ringschluß zum 1-Amino-3,4-dimethyl-9,10-anthrachinon (F: 218,5°) vollzieht sich glatt in konzentrierter Schwefelsäure durch 3stdg. Erwärmen[3] auf ~95°.

Einige substituierte 2-(Amino-benzoyl)-benzoesäuren lassen sich ebenfalls ohne Schwierigkeiten cyclisieren. So erhält man in guter Ausbeute aus der 2-(4-Chlor-3-amino-benzoyl)-benzoesäure das 3-Chlor-2-amino-9,10-anthrachinon[2] neben 2-Chlor-1-amino-9,10-anthrachinon (~85:15). Aus diesem Gemisch läßt sich nach der Acetylierung das schwerer lösliche 3-Chlor-2-acetylamino-9,10-anthrachinon (F: 260°) gut ab-

[1] N. R. RAO, K. H. SHAH u. K. VENKATARAMAN, Pr. indian Acad. 34 A, 355 (1951); C. A. 47, 8713[f] (1953). Chromatographie und UV-Absorptionsspektren: Y. BANSHO et al., Rep. Government chem. ind. Res. Inst., Tokyo 56, 12 (1961).
[2] DRP. 148110 (1903), CIBA; Frdl. 7, 192.
[3] P. KRÄNZLEIN, B. 70, 1958 (1937).

trennen[1]. Auch die *2-Amino-9,10-anthrachinon-3-carbonsäure* läßt sich durch Cyclokondensation herstellen (s. S. 254).

Wenn eine Cyclisierung nicht gelingt, dann bringt auch ein Schutz der Amino-Gruppen durch Acylierung praktisch keine Verbesserung, da bereits vor der Kondensation eine Hydrolyse der Amid-Gruppen eintritt.

Bemerkenswerterweise vollziehen sich jedoch die Ringschlüsse bei den Harnstoffen[2] und cyclischen Urethanen (s. unten) ohne hydrolytische Spaltung. So läßt sich der Harnstoff aus zwei Mol 2-(3-Amino-benzoyl)-benzoesäure mit Schwefelsäure-Monohydrat (90 Min./80°) zu einem N,N'-Di-(9,10-anthrachinonyl)-harnstoff-Gemisch cyclisieren, dem vorwiegend das 2-Amino-9,10-anthrachinon zugrunde liegt. Ausgehend von dem cyclischen Harnstoff der 2-(4,5-Diamino-2-methyl-benzoyl)-benzoesäure wird der cyclische Harnstoff des *3,4-Diamino-1-methyl-9,10-anthrachinons* erhalten[3].

Führt man die Ringschlüsse bei 130° durch, dann wird die Harnstoff-Gruppierung aufgespalten, und man erhält direkt die Amine; z. B. *3-Amino-2-methyl-9,10-anthrachinon* neben dem 2,1-Isomeren.

Auch 2-Benzoyl-benzoesäuren mit einer 1,3-Oxazolon-Gruppe lassen sich ringschließen. So durchläuft die technische Herstellung des *3-Amino-2-hydroxy-9,10-anthrachinons* (VI) folgende Stufen[4]:

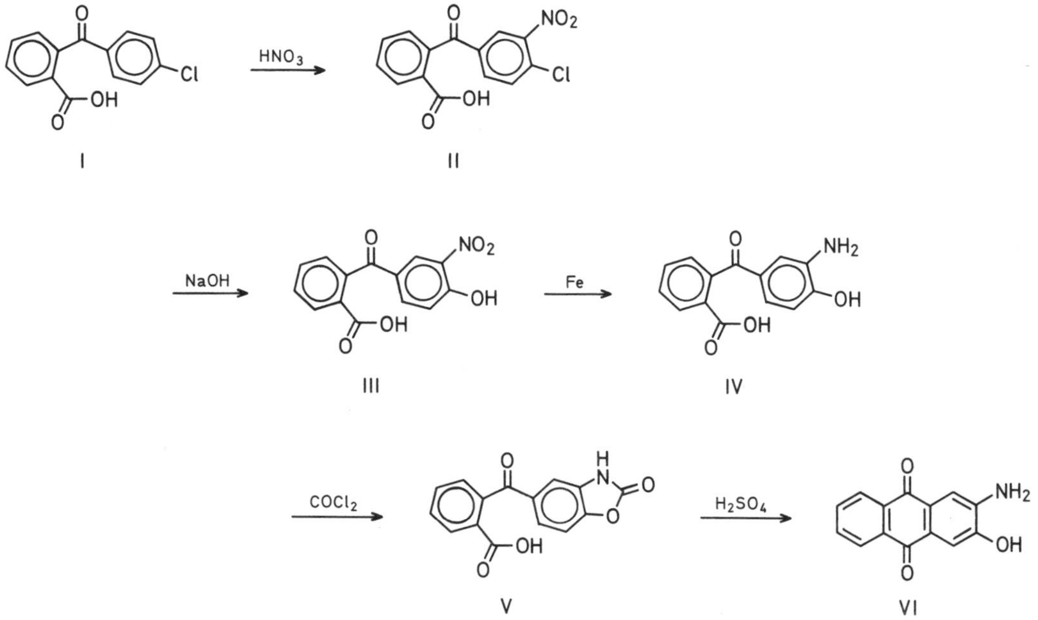

2-(4-Chlor-benzoyl)-benzoesäure (I) wird in schwachem Oleum bei 15° zur Nitro-Verbindung II nitriert (92% d. Th.), diese wird mit Natronlauge bei 80° zum Hydroxy-Derivat III hydrolysiert und anschließend mit Eisenpulver in verdünnter Salzsäure bei 100° zum Amin IV reduziert. In die schwach alkalisch gestellte und mit Natriumhydrogensulfit versetzte Lösung des Amins IV wird nach dem Abfiltrieren des Eisenschlammes Phosgen unter portionsweisem Zusatz von Natriumcarbonat eingeleitet. Durch Fällen mit verdünnter Schwefelsäure bei 50°, Absaugen und Auswaschen erhält man das 1,3-Oxazol-Derivat V (Ausbeute bez. auf II: 90% d.Th.).

Der abschließende Ringschluß wird mit Schwefelsäure-Monohydrat bei 135° vollzogen (~3 Stdn.). Durch Wasserzugabe bis zur Schwefelsäure-Konzentration von 88% scheidet sich das Sulfat des Chinons VI ab (das

[1] DRP. 626 788 (1933), I.G. Farb., Erf.: F. HELWEST u. A. PALM; Frdl. **22**, 1027.
[2] DRP. 281 010 (1913), Agfa, Erf.: W. HERZBERG; Frdl. **12**, 448.
[3] L. S. EFROS et al., Ž. obšč. Chim. **23**, 1691 (1953); engl.: 1779.
[4] FIAT Final Rep. Nr. **1313 II**, 154–156 (1948), I. G. Farb. Ludwigshafen.
    DRP. 605 125 (1932), I.G. Farb., Erf.: J. MÜLLER; Frdl. **21**, 1042.

1-Amino-2-hydroxy-9,10-anthrachinon bleibt in Lösung). Das Sulfat wird mit heißem Wasser hydrolysiert und man erhält das reine 3-Amino-2-hydroxy-9,10-anthrachinon.

Durch Nitrieren von 2-Benzoyl-benzoesäuren sind eine Reihe von 2-(Amino-benzoyl)-benzoesäuren mit weiteren Substituenten zugänglich, die noch weiter substituiert werden können.

Die z. B. so hergestellte 2-(3-Nitro-benzoyl)-benzoesäure enthält noch ~20% des 2-Isomeren (eine Trennung kann über die Calciumsalze erfolgen)[1]. Die 2-(3-Amino-4-methyl-benzoyl)-benzoesäure wird aus ersterer durch Reduktion rein erhalten.

Leicht zugänglich sind auf diese Weise u. a. auch 2-(4-Chlor-3-amino-benzoyl)- und 2-(2,4-Dichlor-5-nitro-benzoyl)-benzoesäure. Aus letzterer läßt sich mit 90% Ausbeute einheitlich das *2,4-Dichlor-1-amino-9,10-anthrachinon* (F: 205–206°) herstellen[2].

Aus 2-(3-Acetylamino-4-methyl-benzoyl)-benzoesäure resultiert durch Bromieren und Ringschluß mit 3%-igem Oleum innerhalb weniger Minuten bei 130° reines *4-Brom-1-amino-2-methyl-9,10-anthrachinon*[3].

2-(5-Amino-4-tert.-butyl-benzoyl)-benzoesäure (hergestellt durch Nitrieren und Reduktion) läßt sich durch kurzes Erwärmen mit konzentrierter Schwefelsäure – anscheinend nur in mäßiger Ausbeute – zu einem Gemisch aus *3-Amino-2-tert.-butyl-* und *1-Amino-2-tert.-butyl-9,10-anthrachinon* ringschließen[4].

Die analog hergestellte 2-(4-Fluor-3-amino-benzoyl)-benzoesäure wird erst durch Schwefelsäure-Monohydrat bei 200° cyclisiert. Aus dem anfallenden Gemisch läßt sich das *3-Fluor-2-amino-9,10-anthrachinon* (F: 278°; gelbe Kristalle) durch Lösen in konzentrierter Schwefelsäure und Verdünnen auf eine 80%-ige Säure in reiner Form als Sulfat abtrennen[5].

Die 2-(4-Methoxy-benzoyl)-benzoesäure wird durch Dinitrieren und anschließende Reduktion mit Eisen in die 2-(3,5-Diamino-4-methoxy-benzoyl)-benzoesäure übergeführt, die bereits durch 30 Min. Kochen mit Essigsäure zum *1,3-Diamino-2-methoxy-9,10-anthrachinon* (F: 225–230°) ringschließt[6]. In analoger Weise ist das *1,3-Diamino-2-methyl-9,10-anthrachinon* (F: 273–276°) zugänglich[6].

Die durch Nitrieren der 2-(3-Acetylamino-benzoyl)-benzoesäure und anschließende Reduktion entstehende 2-(2-Amino-5-acetylamino-benzoyl)-benzoesäure geht beim Erwärmen mit 30%-iger Schwefelsäure in ein 7-Ring-Lactam (s. S. 157) über. Dieses wird durch kurzes Erhitzen mit Borsäure/5%-igem Oleum auf 190° in ein unreines *1,4-Diamino-9,10-anthrachinon* umgewandelt[7].

In den 2-(Chlor-nitro-benzoyl)-benzoesäuren sind die Chlor-Atome besonders reaktionsfähig (s. Beisp. S. 155). So läßt sich die 2-(4-Chlor-3-nitro-benzoyl)-benzoesäure z. B. auch mit Natriumsulfit umsetzen; die durch anschließende Reduktion anfallende 2-(3-Amino-4-sulfo-benzoyl)-benzoesäure kann – als Harnstoff-Derivat – mit Schwefelsäure-Monohydrat bei 120° zu dem Gemisch aus *2- (bzw. 1)-Amino-9,10-anthrachinon-3-(bzw.2)-sulfonsäure* cyclisiert werden. Durch fraktioniertes Aussalzen wird das am wenigsten lösliche Natriumsalz der 2-Amino-9,10-anthrachinon-3-sulfonsäure abgetrennt[8].

Die 2-(2,4-Dichlor-5-nitro-benzoyl)-benzoesäure läßt sich bereits bei ~ 120° glatt mit 20%-igem Ammoniak umsetzen. Die nach der Reduktion entstandene 2-(2,4,5-Triamino-benzoyl)-benzoesäure konnte jedoch nicht zu einem Anthrachinon cyclisiert werden[9].

[1] DRP. 258343 (1912), Agfa; Frdl. **11**, 565.
[2] DRP. 565041 (1927), Newport Chemical Corp.; Frdl. **18**, 1240.
[3] DRP. 254091 (1911), Agfa; Frdl. **11**, 564.
[4] W. BRADLEY u. H. E. NURSTEN, Soc. **1951**, 2175.
[5] US.P. 2013657 (1932), DuPont, Erf.: F. W. JOHNSON; C. **1936 I**, 2441.
[6] DRP. 205036 (1907), BASF; Frdl. **9**, 708.
[7] DRP. 260899 (1912), Agfa, Erf.: W. HERZBERG u. G. HOPPE; Frdl. **11**, 566.
[8] DRP. 281010 (1913), Agfa; Frdl. **12**, 448.
[9] I. G. Farb. Ludwigshafen (~ 1940).

1,2- und 2,3-Diamino-9,10-anthrachinon[1, 2]: Die durch Nitrieren leicht erhältliche 2-(4-Amino-3-nitro-ben-zoyl)-benzoesäure wird als wäßrige Paste mit Eisen und Essigsäure bei ~ 90° reduziert[1]. Der Ringschluß erfolgt durch 15 Min. Erhitzen mit der 10fachen Menge 98%-iger Schwefelsäure auf 185°. Beim Verdünnen auf eine Schwefelsäure-Konzentration von 83% scheidet sich praktisch alles *2,3-Diamino-9,10-anthrachinon* als Sulfat ab. Nach weiterem Verdünnen auf eine 67%-ige Schwefelsäure kristallisiert das *1,2-Diamino-9,10-anthrachi-non-sulfat* aus (Ausbeuten sind nicht angegeben).

Wahrscheinlich wäre es vorteilhafter, den entsprechenden cyclischen Harnstoff in die Diamino-9,10-anthra-chinone überzuführen (s. S. 155).

N-Phenyl-phthalimid läßt sich in der Natriumchlorid/Aluminiumchlorid-Schmelze in Gegenwart von Chlorwasserstoff bei ~ 180° mit ~ 60% Ausbeute in das 7-Ring-Lactam I umlagern[3], das mit verdünnter Natronlauge zur 2-(2-Amino-benzoyl)-benzoesäure auf-gespalten wird. Diese konnte jedoch nicht zum 1-Amino-9,10-anthrachinon cyclisiert werden:

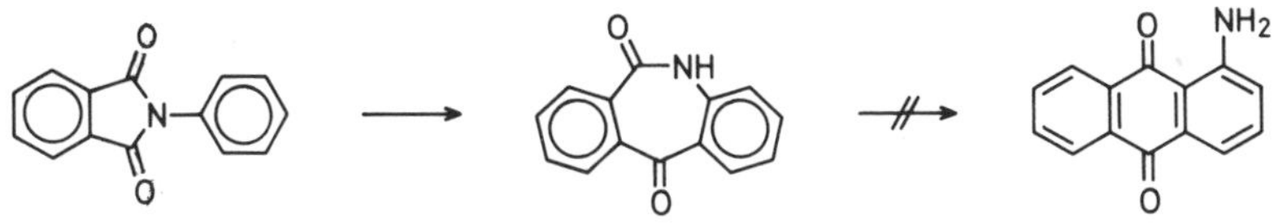

I

Der Ringschluß zum Lactam erfolgt bei allen 2-(2-Amino-benzoyl)-benzoesäuren sehr leicht durch Erhitzen mit ~ 30%-iger Schwefelsäure oder 6n Salzsäure[4]. Mit konzentrier-ter Schwefelsäure hingegen gelingt bei einigen substituierten 2-(2-Amino-benzoyl)-ben-zoesäuren auch der Ringschluß zu den α-Amino-9,10-anthrachinonen.

Die Synthesen der Amino-anthrone sind auf S. 41 beschrieben.

Folgender Weg kann als Modell-Beispiel für die Synthese von α-Amino-9,10-anthra-chinonen über die Anthron-Stufe dienen[5]:

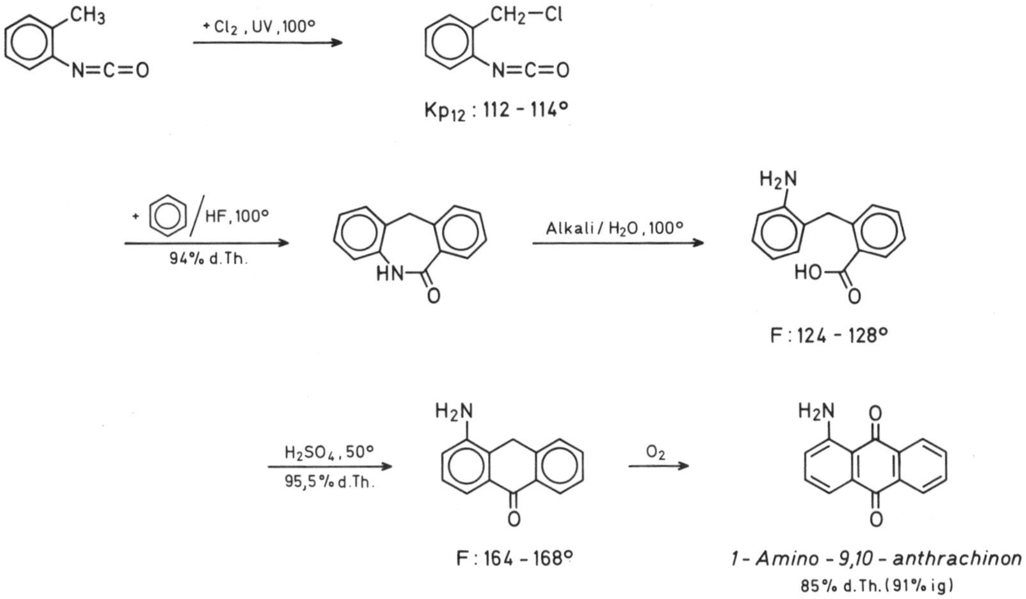

[1] US.P. 1663229 (1926), Newport Chemical Corp., Erf.: R. ADAMS et al.; C. **1928 II**, 1941.
[2] US.P. 1803503 (1928), Newport Chemical Corp., Erf.: I. GUBELMANN u. M. TINKER; C. **1933 II**, 281.
[3] DRP. 575580 (1930), I.G. Farb., Erf.: A. WOLFRAM, L. SCHÖRNIG u. W. ELBS; Frdl. **19**, 1928.
[4] DRP. 283343 (1912), Agfa; Frdl. **11**, 565.
[5] DOS. 2431409 (1974), Bayer AG, Erf.: H. JÄGER u. E. KLAUKE; C. A. **84**, 135373[d] (1976).

3. Herstellung von Amino- und Amino-hydroxy-9,10-anthrachinonen durch Reduktion bzw. Substitution funktioneller Gruppen

α) Amino-9,10-anthrachinone durch Reduktion von Nitro-9,10-anthrachinonen

Die Reduktion von Nitro-9,10-anthrachinonen zu Amino-9,10-anthrachinonen gelingt bereits mit schwachen Reduktionsmitteln. Komplikationen können jedoch bei solchen Nitro-9,10-anthrachinonen auftreten, die in p-Stellung Halogen-Atome bzw. in demselben Benzol-Kern zusätzlich eine Hydroxy-, Alkoxy- oder Amino-Gruppe enthalten.

Als Reduktionsmittel hat sich besonders Dinatriumsulfid[1] unter Zusatz von Natronlauge bewährt[2]. Beim Erhitzen des verpasteten 1-Nitro-9,10-anthrachinons mit einer wäßrigen Dinatriumsulfid-Lösung entsteht vorübergehend die grüne Lösung der Hydroxylamin-Stufe, aus der sich das hellrote *1-Amino-9,10-anthrachinon* mit ∼95%-iger Ausbeute abscheidet.

Ohne Alkali-Zusatz bzw. mit Diammoniumsulfid oder Natriumhydrogensulfid oder im essigsauren Milieu entstehen oft als Nebenprodukte schwefelhaltige Amino-9,10-anthrachinone.

Für die Reduktion des 3-Nitro-1,2-dimethoxy-9,10-anthrachinons wird jedoch kurzes Aufkochen mit einer 1%-igen Dinatriumsulfid-Lösung in Gegenwart von überschüssigem Ammoniumchlorid empfohlen (*3-Amino-1,2-dimethoxy-9,10-anthrachinon*; F: 203–205° aus Benzol)[3].

Auch mit Zinn(II)-chlorid in verdünnter Natronlauge oder verdünnter Salzsäure und mit Glucose in Natronlauge erzielt man gute Resultate. Zinn(II)-Verbindungen bei 20–40° sind besonders zur Reduktion empfindlicher Nitro-Verbindungen zu empfehlen (s. S. 160).

Die Herstellung kleiner Mengen Amino-9,10-anthrachinone im Laboratorium gelingt sehr glatt durch kurzes Erhitzen der Nitro-Verbindungen mit Phenylhydrazin, aus dem sich das Amin kristallin abscheidet[4].

Da künftig der größte Teil der α-Amino-9,10-anthrachinone technisch aus den Nitro-9,10-anthrachinonen hergestellt werden wird, kommt wegen der Abwasserprobleme die Reduktion mit Dinatriumsulfid nicht in Betracht. Infolgedessen sind in zahlreichen Patenten Reduktionsverfahren zur Herstellung von 1-Amino-, 1,5- und 1,8-Diamino-9,10-anthrachinonen beschrieben; z. B. durch Erhitzen mit Hydrazin in Natronlauge[5], mit Tetralin[6] und durch katalytische Reduktion (s. S. 161ff.). Auch Natriumboranat wird empfohlen[7].

Konzentrierte Schwefelsäure ist als Reaktionsmedium nicht geeignet, da sich in dieser die Hydroxylamin-Zwischenstufen leicht in ein Gemisch aus 4-Amino-1- und 4-Amino-3-hydroxy-9,10-anthrachinonen umlagern[8] (s. S. 202).

In einigen Fällen kann es vorteilhaft sein, die 1-Nitro-9,10-anthrachinone nicht zu reduzieren, sondern mit Ammoniak unter Druck zu Amino-9,10-anthrachinonen umzusetzen (s. S. 183).

---

[1] H. ROEMER, B. **15**, 1786 (1882); s. a. **16**, 363 (1883).
  R. BOETTGER u. T. PETERSEN, B. **6**, 16 (1873); A. **166**, 147 (1873).
[2] Zahlreiche Beispiele sind im Anschluß an die Nitrierungen von 9,10-Anthrachinonen in den jeweiligen Abschnitten beschrieben.
[3] A. G. PERKIN u. C. W. H. STORY, Soc. **1929**, 1416.
[4] R. E. SCHMIDT, Farbf. Bayer.
[5] DOS. 2425314 (1973/74), Sandoz AG, Erf.: P. BÜCHELER; C. A. **82**, 126611[m] (1975).
[6] US.P. 4021456 (1974/75), Ciba-Geigy, Erf.: Z. SEHA; C. A. **86**, 16457[r] (1977).
[7] J. O. MORLEY, Synthesis **1976**, 528.
[8] R. E. SCHMIDT u. L. GATTERMANN, B. **29**, 2934 (1896).
  DRP. 81694 (1893), Farbf. Bayer; Frdl. **4**, 302.

Bei der Reduktion von 1-Halogen-4-nitro-9,10-anthrachinonen ist zu beachten, daß im alkalischen Bereich die 4-ständigen Halogen-Atome stets durch Wasserstoff ersetzt werden[1]; im sauren Milieu hingegen werden diese nicht eliminiert. So wird das 1-Chlor-4-nitro-9,10-anthrachinon mit Eisen in $\sim 90^0/_0$-iger Schwefelsäure oder $90^0/_0$-iger Essigsäure bei 50–70° glatt zum *4-Chlor-1-amino-9,10-anthrachinon* reduziert. Analog ist das *4,8-Dichlor-1-amino-9,10-anthrachinon* herstellbar.

Die Reduktion zur *4-Chlor-1-amino-9,10-anthrachinon-5-sulfonsäure* gelingt auch (in $56^0/_0$-iger Ausbeute) mit Schwefeldioxid unter Druck bei 120° (s. S. 161).

Nitro-9,10-anthrachinone mit 5- und 8-ständigen Halogen-Atomen lassen sich mit Dinatriumsulfid in Natronlauge bei 80° reduzieren, ohne daß eine Halogen-Eliminierung stattfindet. Das so hergestellte *5-Chlor-1-amino-9,10-anthrachinon*[2] ist praktisch rein; das *8-Chlor-1-amino-9,10-anthrachinon* hingegen enthält schwefelhaltige Nebenprodukte und muß daher aus Schwefelsäure fraktioniert werden. Das 1,4-Dichlor-5-nitro-9,10-anthrachinon (F: 238°) wurde mit Zinn und Salzsäure zum *5,8-Dichlor-1-amino-9,10-anthrachinon* (F: 199°) reduziert[3].

Die partielle Reduktion von 1,5- und 1,8-Dinitro-9,10-anthrachinon zum *1-Amino-5-(bzw. 8)-nitro-9,10-anthrachinon* wird zweckmäßig durch Erhitzen mit reduzierend wirkenden organischen Lösungsmitteln wie N,N-Dimethylanilin[4], Tetrahydrochinaldin in Essigsäure[5] oder Tetralin durchgeführt.

Die Reduktion von Nitro-9,10-anthrachinonen, die im gleichen Kern zusätzlich Hydroxy- und/oder Amino-Gruppen enthalten, muß sorgfältig durchgeführt werden, da sonst unerwünschte Nebenreaktionen in erheblichem Umfang eintreten. Diese wurden in älteren Arbeiten vielfach nicht beachtet. Infolgedessen sind viele der früher aus Nitro-hydroxy- und Amino-nitro-9,10-anthrachinonen erhaltenen Reduktionsprodukte unrein.

Die Reduktionen von 2-Nitro-1,4-dihydroxy-, 4-(bzw. 1)-Amino-2-nitro-1-(bzw. 4)-hydroxy- und 1,4-Diamino-2-nitro-9,10-anthrachinon sind mit den üblichen sauren Reduktionsmitteln praktisch nicht durchführbar, da sich leicht die 2-Amino-2,3-dihydro-Derivate bilden, aus denen sich dann Ammoniak abspaltet.

Aus dem 4-Nitro-1-hydroxy- und dem 2-Brom-4-nitro-1-hydroxy-9,10-anthrachinon entsteht durch Reduktion in saurem Medium *Dihydro-chinizarin*[6]. Durch energische Reduktion mit alkalischen Mitteln wird die 4-Nitro-1-methoxy-9,10-anthrachinon-5-sulfonsäure in *1,4-Dihydroxy-2,3-dihydro-9,10-anthrachinon-5-sulfonsäure* und die 4-Amino-1-hydroxy-9,10-anthrachinon-2-sulfonsäure in *Dihydrochinizarin* übergeführt.

2,4-Dinitro-1-hydroxy-9,10-anthrachinon scheint mit Dinatriumsulfid zum *2,4-Diamino-1-hydroxy-9,10-anthrachinon* (braunrote Kristalle, F: 266°) reduzierbar zu sein. Erhitzen mit Zinn(II)-chlorid in konzentrierter Salzsäure hingegen führt zum *Dihydro-chinizarin*[7].

Weiterhin ist zu beachten, daß bei der Reduktion von 1-Nitro-4-hydroxy- bzw. 4-Amino-1-nitro-9,10-anthrachinonen durch Wasser-Abspaltung aus den primär entstehenden Hydroxylamin-Stufen Chinonimine entstehen können, die zu Anlagerungsreaktionen befähigt sind.

Über die Schwierigkeiten bei der Reduktion von 2,4,6,8-Tetranitro-1,3,5,7-tetrahydroxy-9,10-anthrachinon s. Lit.[8].

---

[1] M. BATTEGAY u. J. CLAUDIN, Bl. [4] **29**, 1020 (1921).
[2] BIOS Final Rep. Nr. **1493**, 16 (1948), I.G. Farb. Leverkusen.
[3] G. M. WALSH u. C. WEIZMANN, Soc. **97**, 687 (1910).
[4] DRP. 147851 (1902), Farbf. Bayer, Erf.: R. E. SCHMIDT; Frdl. **7**, 177.
[5] DRP. 473871 (1925), I.G. Farb., Erf.: H. BERTHOLD; Frdl. **16**, 1272.
[6] DRP. 148792 (1903), Farbw. Hoechst; Frdl. **7**, 186.
[7] DRP. 183332 (1906), Farbw. Hoechst; Frdl. **8**, 271.
[8] G. HELLER u. P. LINDNER, B. **55**, 2674 (1922).

Im folgenden werden einige spezielle Verfahren zur Herstellung empfindlicher Amino-hydroxy-9,10-anthrachinone angegeben.

Die Reduktion von 5-Nitro-chinizarin wurde mittels Natriumhydrogensulfid unter Zusatz von Natriumcarbonat in 1,2-Dichlorbenzol bei 80° durchgeführt, wobei das *5-Amino-1,4-dihydroxy-9,10-anthrachinon* in ~85%-iger Ausbeute entsteht[1].

Die 1-Nitro- und 1,4-Dinitro-2,3-dihydroxy-9,10-anthrachinone wurden mit Natriumdithionit in heißem, wasserhaltigen Äthanol ohne Alkali-Zusatz zu *1-Amino-2,3-dihydroxy-* und *1,4-Diamino-2,3-dihydroxy-9,10-anthrachinon* reduziert[2](?).

Das 2-Amino-1,3-dinitro-9,10-anthrachinon wird mit einer verdünnten äthanolisch-alkalischen Zinn(II)-hydroxid-Lösung bei 20° in das *1,2,3-Triamino-9,10-anthrachinon* übergeführt[3].

Aus 1,4-Diamino-5,8-dinitro-9,10-anthrachinon reines *1,4,5,8-Tetraamino-9,10-anthrachinon* zu erhalten, ist recht schwierig, da letzteres wohl infolge von Redox-Gleichgewichten sehr hydrolyseempfindlich ist. Ein optimales Ergebnis wird erzielt, wenn man auf das zuvor verpastete Ausgangsmaterial kalt eine Lösung von Zinn(II)-hydroxid, gerade ätzalkalisch gestellt, einwirken läßt[4].

Im übrigen ist das 1,4,5,8-Tetraamino-9,10-anthrachinon besser aus 1,4,5,8-Tetrahydroxy-9,10-anthrachinon über die 2,3-Dihydro-Verbindung zugänglich (s. S. 167).

Die sehr reaktiven Nitro-Gruppen in der 1,4-Dinitro-9,10-anthrachinon-2-carbonsäure lassen sich nach folgender Vorschrift mit optimaler Ausbeute reduzieren.

1,4-Diamino-9,10-anthrachinon-2-carbonsäure[5]: In eine siedende Lösung von 3,84 g 1,4-Dinitro-9,10-anthrachinon-2-carbonsäure in 100 g Essigsäure rührt man portionsweise 5 g Zinkstaub ein, wobei die Farbe nach blauviolett umschlägt. Man läßt noch 1 Stde. bei 100° weiterreagieren, gießt in der Hitze vom Rückstand ab, digeriert diesen mit heißer Essigsäure, fällt durch Wasserzugabe, saugt ab und wäscht aus.

Zur Reinigung löst man in verd. Natriumcarbonat-Lösung, filtriert und fällt die 1,4-Diamino-9,10-anthrachinon-2-carbonsäure mit verd. Essigsäure. Nach der üblichen Aufarbeitung wird diese aus 1,3,5-Trichlor-benzol umkristallisiert; Ausbeute: 2,8 g (88% d. Th.); leuchtend blaue Kristalle.

Auch die Reduktion mit Schwefel in ~18%-igem Oleum (~7 Stdn. bei max. 40°) liefert in guter Ausbeute ein weitgehend reines Produkt[6].

Viel Mühe ist zur einheitlichen Reduktion der 4,8-(bzw. 4,5)-Dinitro-1,5-(bzw. -1,8)-dihydroxy-9,10-anthrachinone aufgewendet worden. Am besten scheint noch Zinn(II)-chlorid in Essigsäure/Salzsäure geeignet zu sein, da sich dabei die Zinn(IV)-chlorid-Komplexe der *4,8-(bzw. 4,5)-Diamino-1,5-(bzw. 1,8)-dihydroxy-9,10-anthrachinone* kristallin abscheiden[7].

Unter Einhaltung ganz spezieller Bedingungen gelingt jedoch auch die Reduktion mit Dinatriumsulfid sehr gut.

Die Reduktion des 8-Nitro-1,4,5-trihydroxy-9,10-anthrachinons zum *8-Amino-1,4,5-trihydroxy-9,10-anthrachinon* gelingt recht gut in wasserhaltigem Dimethylformamid mit Dinatriumsulfid bei 60°[8].

In neuerer Zeit wird empfohlen, die Reduktion der Nitro-Verbindungen bei ~90° mit einer Lösung von Hydrazin-Hydrat in ~8%-iger Natronlauge vorzunehmen[9]. Mit der stöchiometrischen Menge Hydrazin-Hydrat in einer 5%-igen Natriumacetat-Lösung (3 Stdn. bei 100°) entstehen aus 4,8-(bzw. 4,5)-Dinitro-1,5-(bzw. -1,8)-dihydroxy-9,10-anthra-

[1] Farbf. Bayer.
[2] H. WALDMANN u. E. WIDER, J. pr. **150**, 109 (1938).
[3] R. SCHOLL, B. **37**, 4439 (1904).
[4] Vgl. dazu: DRP. 143 804 (1900), Farbf. Bayer; Frdl. **7**, 199.
[5] Fr.P. 1 123 509 (1954/55), BASF; C. **1958**, 12 250.
[6] DOS. 2 541 800 (1975), BASF, Erf.: E. HARTWIG; C. A. **87**, 22 885^r (1977).
[7] DRP. 100 138 (1897), Farbf. Bayer; Frdl. **5**, 245.
[8] DOS. 2 227 766 (1971/72), I.C.I., Erf.: I. CHEETHAM; C. A. **78**, 99 054^r (1973).
[9] DOS. 2 344 195 (1973), BASF, Erf.: W. ELSER, K.-H. BANTEL u. G. EPPLE; C. A. **83**, 114 082^x (1975).

chinon weitgehend die *4-Amino-8-nitro-1,5-dihydroxy-* und *4-Amino-5-nitro-1,8-dihy-droxy-9,10-anthrachinone*[1].

Die Reduktion des 1-Hydroxy-4-nitro-5,8-bis-[2-methyl-anilino]-9,10-anthrachinons zum *1-Hydroxy-4-amino-5,8-bis-[2-methyl-anilino]-9,10-anthrachinon* wurde in 1,2-Dichlor-benzol mit Hydrazin-Hydrat bei 150° durchgeführt[2].

Die Reduktion von Nitro-9,10-anthrachinonen mit einem Minimum an Nebenreaktionen gelingt anscheinend in wasserhaltiger Schwefelsäure mit Schwefeldioxid unter Druck bei ∼ 140–160° in Gegenwart von Jod und eines Platinnetzes[3] evtl. unter Zusatz eines Emulgators. Beschrieben ist u. a. die Herstellung von

4,8-Diamino-1,5-dihydroxy-9,10-anthrachinon-2,6-disulfonsäure; 71% d. Th.
5-Amino-1,4-dihydroxy-9,10-anthrachinon; 84% d. Th.
4,8-Diamino-1,5-dihydroxy-9,10-anthrachinon; 93% d. Th.

Zur Herstellung einiger besonders empfindlicher Amino-hydroxy-9,10-anthrachinone, z. B. des *2-Amino-1,4-dihydroxy-* (F: 312°) und des *3-Amino-1,2,4-trihydroxy-9,10-anthrachinons* (F: 335°), wurde die katalytische Hydrierung empfohlen[4]. Dieses Verfahren dürfte wegen der Schwerlöslichkeit und der schwierigen Katalysator-Abtrennung allenfalls zur Herstellung kleiner Mengen in Betracht kommen.

Zur Reduktion von Dihydroxy-dinitro-9,10-anthrachinonen wird empfohlen, mit Palladium/Kohle bei 115° in einer wasserhaltigen Schwefelsäure zu hydrieren, in der das Ausgangsmaterial unlöslich, das entstandene Amin jedoch löslich ist[5].

β) Herstellung von Amino- und Amino-hydroxy-9,10-anthrachinonen aus Hydroxy-9,10-anthrachinonen durch Kondensation mit Aminen

β₁) aus Polyhydroxy-9,10-anthrachinonen und Aminen

Monohydroxy- und Dihydroxy-9,10-anthrachinone, bei denen die Hydroxy-Gruppen auf beide Bz-Kerne verteilt sind, lassen sich praktisch nicht mit Ammoniak in Amino-9,10-anthrachinone überführen.

Dihydroxy-9,10-anthrachinone mit den Hydroxy-Gruppen im gleichen Kern und vor allem Polyhydroxy-9,10-anthrachinone reagieren jedoch mit Ammoniak.

Besonders leicht lassen sich Tetra-, Penta- und Hexahydroxy-9,10-anthrachinone und deren Sulfonsäuren auf Grund von Redox-Reaktionen in Gemische von Mono- und Diamino-hydroxy-9,10-anthrachinonen überführen[6]. Begünstigt wird dieser Austausch durch Zusatz von Natronlauge oder Borsäure. Unter diesen Bedingungen ist aus 1,2,5,8-Tetrahydroxy-9,10-anthrachinon das *2-Amino-1,5,8-trihydroxy-9,10-anthrachinon* (neben etwas 1-Amino-2,5,8-trihydroxy-9,10-anthrachinon) gut herstellbar[6].

Die Einwirkung von Ammoniak auf Alizarin nimmt je nach den Versuchsbedingungen einen unterschiedlichen Verlauf. Erhitzt man Alizarin mit 40–50%-igem Ammoniak 5 Stdn. auf 140°, so resultiert in ∼ 70%-iger Ausbeute *2-Amino-1-hydroxy-9,10-anthrachinon-9-imin*[7].

[1] DOS. 2428338 (1974), BASF, Erf.: W. Elser u. G. Epple; C. A. **85**, 20943ᵗ (1976).
[2] DOS. 2651975 (1976), BASF, Erf.: G. Epple u. W. Elser.
[3] DAS. 1543605 (1966), Farbf. Bayer, Erf.: H. Pelster, H. Bertsch et al.; C. A. **71**, 4507ʲ (1969).
[4] DRP. 641716 (1935), I.G. Farb., Erf.: H. Schlichenmaier u. L. Berlin; Frdl. **23**, 939.
[5] DOS. 2810484 (1977/78), I.C.I., Erf.: I. O. Morley u. I. R. Rutcheson.
[6] z. B. DRP. 72204 (1891), Farbf. Bayer, Erf. R. E. Schmidt; Frdl. **3**, 239.
[7] R. Scholl u. M. Parthey, B. **39**, 1201 (1906).
   Vgl. a. C. Liebermann, A. **183**, 205, 209 (1876).

Dieses Imin läßt sich aus seinen Lösungen in kalter Schwefelsäure oder Natronlauge unverändert wieder abscheiden. Durch Erhitzen mit Natronlauge wird es dagegen zum *2-Amino-1-hydroxy-9,10-anthrachinon* hydrolysiert[1].

Läßt man jedoch unter ähnlichen Bedingungen 20%-iges Ammoniak auf Alizarin einwirken, so entsteht in ~ 60%-iger Ausbeute das *1-Amino-2-hydroxy-9,10-anthrachinon* neben dem 1,2-Isomeren[2]. Die Ausbeute an 1-Amino-2-hydroxy-9,10-anthrachinon läßt sich auf 80% d.Th. steigern[2], wenn man in Gegenwart von Natronlauge arbeitet (das 1,2-Isomere entsteht nur in sehr geringer Menge).

1-Amino-2-hydroxy-9,10-anthrachinon[2]: 100 g Alizarin werden mit 40 g Natriumhydroxid und 500 *ml* 20%-igem Ammoniak 6 Stdn. auf 180° erhitzt. Nach dem Erkalten wird der entstandene Kristallbrei mit einer 20%-igen Natriumchlorid-Lösung herausgespült, abgesaugt und mit weiterer Natriumchlorid-Lösung ausgewaschen, bis das Filtrat farblos abläuft. Das so erhaltene Natriumsalz wird mit heißer verd. Schwefelsäure in die freie Hydroxy-Verbindung übergeführt, die abgesaugt und ausgewaschen wird; Ausbeute: ~ 80 g (praktisch rein); rote Nadeln aus wasserhaltigem Pyridin.

Die beiden Isomeren können auch durch die unterschiedliche Löslichkeit ihrer Bariumsalze getrennt werden.

Mit Formaldehyd-Schwefelsäure gibt das 1-Amino-2-hydroxy-9,10-anthrachinon eine blaue, das 2-Amino-1-hydroxy-9,10-anthrachinon nur eine rotbraune Farbreaktion.

Analog entsteht aus 4-Amino-1,2-dihydroxy-9,10-anthrachinon durch 3-stündiges Erhitzen mit 25%-igem Ammoniak auf 120° *1,4-Diamino-2-hydroxy-9,10-anthrachinon* und aus 4-(4-Methyl-anilino)-1,2-dihydroxy-9,10-anthrachinon *1-Amino-4-(4-methyl-anilino)-2-hydroxy-9,10-anthrachinon*[3].

Leitet man Ammoniak in eine methanolische Suspension des O,O′-Diacetyl-alizarins bei +5° ein, so entsteht praktisch quantitativ das leicht hydrolysierbare *Alizarin-9-imin*[4]:

1,8-Dihydroxy-3-methyl-9,10-anthrachinon (Chrysophansäure)[5] wird bei 100° ebenfalls nur in das 9-Imin übergeführt, das beim Erhitzen mit Natronlauge wieder zum Ausgangsmaterial hydrolysiert[5].

Die Tendenz zur Bildung der 9,10-Anthrachinon-imine ist bei allen Hydroxy- und Amino-9,10-anthrachinonen mehr oder weniger stark ausgeprägt. So bilden sich sogar beim Erhitzen von 1-Nitro-9,10-anthrachinon mit Ammoniak als Lösungsmittel auf ~ 170° ca. 5% *1-Amino-9,10-anthrachinon-imin* (s. S. 183).

Weitere Beispiele s. S. 287.

Einige dieser 9,10-Anthrachinon-monoimine sind hydrolyseempfindlich, andere hingegen recht stabil. Letztere werden in der Literatur vielfach als „unlöslicher Rückstand" erwähnt, jedoch nicht näher untersucht[6].

Chinizarin als solches reagiert mit Ammoniak bzw. aliphatischen oder aromatischen Aminen zu einem Gemisch verschiedener Produkte, in dem neben wenig *1,4-Diamino-9,10-anthrachinonen* 2-Amino-, 9-Imin-Derivate und Amin-Derivate des Purpurins enthalten sind[7]. Die gleichen Beobachtungen wurden auch bei der Umsetzung des 2-Brom-chinizarins mit Anilin gemacht[8].

[1] R. SCHOLL u. M. PARTHEY, B. **39**, 1201 (1906).
  Vgl. a. C. LIEBERMANN, A. **183**, 205, 209 (1876).
[2] Nach Untersuchungen von F. KIESER, I.G. Farb. Leverkusen (1931).
[3] DAS. 1245387 (1965), Farbf. Bayer, Erf.: V. HEDERICH u. G. GEHRKE; C. **1968**, 18-2689.
[4] A. MÜLLER, B. **64**, 1416 (1931).
[5] O. FISCHER u. H. GROSS, J. pr. **84**, 374 (1911).
[6] C. LIEBERMANN u. O. FISCHER, A. **183**, 218 (1876).
[7] DRP. 91149 (1895), Farbf. Bayer, Erf.:R. E. SCHMIDT; Frdl. **4**, 315.
[8] K. MURATA et al., Hiroshima Daigaku Kogakubu Kenkyu Hokoku **5**, 319 (1956); C. A. **51**, 10910^g (1957).

1,2,4-Trihydroxy-9,10-anthrachinon reagiert mit einer ~12%-igen Ammoniak-Lösung bereits bei 50°. Dabei entsteht das *4-Amino-1,3-dihydroxy-9,10-anthrachinon*[1] (das sog. *Purpurinamid*) neben einem unlöslichen Rückstand, der wahrscheinlich aus einem 9- bzw. 10-Imin-Derivat besteht.

Die *4-Amino-1,3-dihydroxy-9,10-anthrachinon-2-sulfonsäure* – deren Konstitution allerdings nicht gesichert ist –, wird in ähnlicher Weise hergestellt[2].

4-Amino-1,3-dihydroxy-9,10-anthrachinon (Purpurinamid)[3]: 100 g Purpurin werden mit Äthanol benetzt, mit 200 *ml* Wasser fein vermahlen und dann mit 300 *ml* Wasser in einen Rührkolben gespült. Unter Rühren gibt man langsam 500 *ml* einer 25%-igen Ammoniak-Lösung zu (wobei z. T. Lösung eintritt), erwärmt ~30 Min. auf 50–60°, filtriert vom Rückstand ab und erhitzt das Filtrat weitere 90 Min. auf 50°. Nach dem Erkalten kristallisiert das Purpurinamid als Ammoniumsalz aus, das abfiltriert und mit 10%-igem Ammoniak ausgewaschen wird. Man löst das Salz in heißem Wasser, filtriert und fällt durch Kochen mit verd. Schwefelsäure das Purpurinamid aus; Ausbeute: ~50 g.

Durch Umkristallisieren aus etwa der 4fachen Menge Pyridin erhält man dunkelgrüne Kristalle des Pyridin-Salzes, das erst bei ~140° das Pyridin verliert.

Das Purpurinamid zeichnet sich durch ein sehr charakteristisches Spektrum in Schwefelsäure/Borsäure aus, so daß man in einem Polyhydroxy-9,10-anthrachinon-Gemisch durch Eindampfen mit Ammoniak Purpurin noch in Mengen von 0,2 mg nachweisen kann.

Erhitzt man 1,2,4-Trihydroxy-9,10-anthrachinon (I) mit Anilin unter Zusatz von Anilin-Hydrochlorid auf 110°, so wird zunächst nur die 2-ständige Hydroxy-Gruppe durch die Anilino-Gruppe ersetzt[4]. Bei höherer Temperatur reagiert zusätzlich eine der Carbonyl-Gruppen mit Anilin, wodurch das *2-Anilino-1,4-dihydroxy-9,10-anthrachinon-9-phenyl-imin* (III) entsteht[5]:

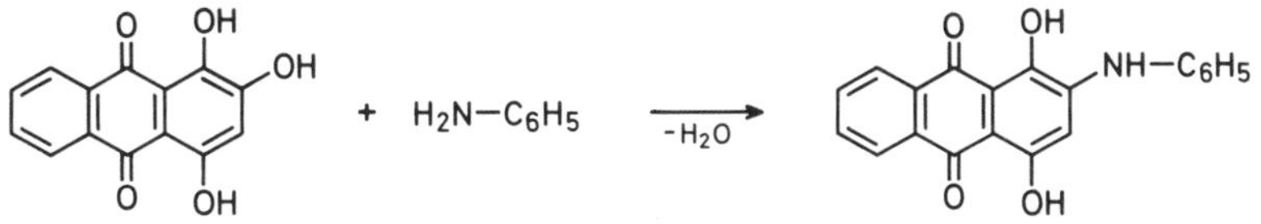

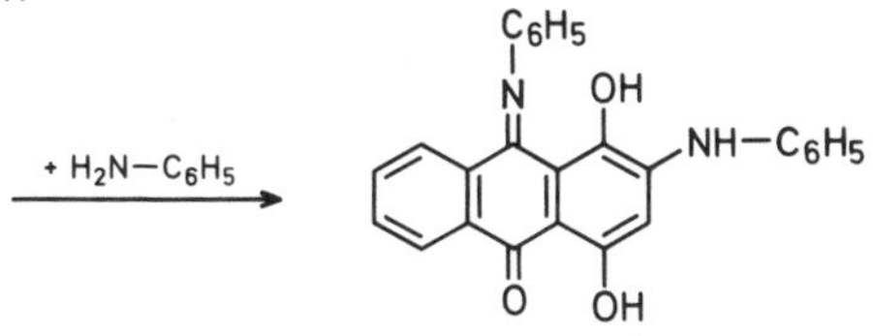

Die Konstitution des Phenylimins III wurde auf folgende Weise bewiesen[4]:

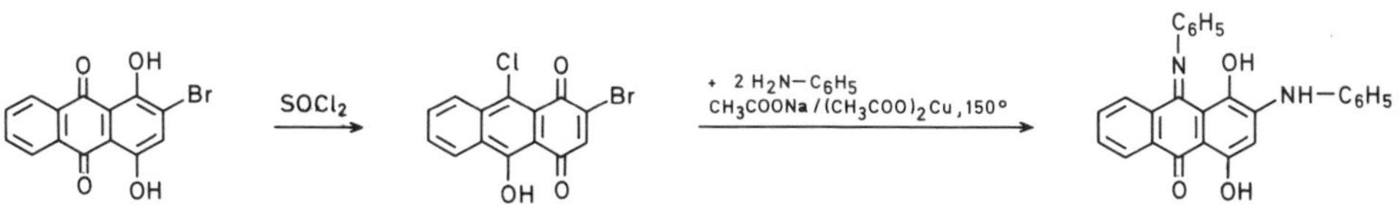

[1] C. Liebermann, A. **183**, 211 (1876).
Die hier angegebenen Versuchsbedingungen sind sicher nicht optimal.
[2] BIOS Final Rep. Nr. **1484**, 64 (1948), I.G. Farb. Leverkusen.
[3] Farbf. Bayer (vor 1910).
[4] DRP. 86150 (1894), 86539 (1895), Farbf. Bayer; Frdl. **4**, 308, 312.
DRP. 151511 (1902), Farbf. Bayer; Frdl. **7**, 198.
[5] Diese von R. E. Schmidt für wahrscheinlich gehaltene Konstitution wurde durch H. Raab, Leverkusen (1933), bewiesen.

2-Brom-chinizarin (IV) wird – analog dem Chinizarin – durch Erhitzen mit Thionylchlorid in das 9-Chlor-Derivat V übergeführt (s. S. 89), aus dem durch Einwirkung von Anilin bei 150° in Gegenwart von Natriumacetat und Kupferacetat glatt das sehr reine Phenylimin-Derivat III entsteht.

Daß das 2-Brom-Derivat V eine benzochinoide Struktur besitzt, folgt auch aus der leichten Addition von Anilin an die bromfreie Verbindung. Diese wird durch Erwärmen mit Anilin auf 80° innerhalb von 8 Stdn. unter Zusatz von Kupfer- und Natriumacetat in Gegenwart von Luft ebenfalls in das Phenylimin-Derivat III überführt.

In der Technik wird Purpurin mit einem Überschuß von Anilin unter Zusatz von Borsäure 5 Stdn. auf 160° erhitzt[1]. Das so erhaltene Produkt enthält noch 2-Anilino-1,4-dihydroxy-9,10-anthrachinon (II). Die Disulfonsäure des Gemisches ist als *Alizarin blauschwarz B* im Handel.

β_2) 1,4-Diamino-9,10-anthrachinone aus den 2,3-Dihydro-Derivaten der 1,4-Dihydroxy- bzw. 4-Amino-1-hydroxy-9,10-anthrachinone

Das von C. Liebermann durch Einwirkung von Zinn(II)-chlorid in Salzsäure auf Chinizarin erhaltene sog. „Chinizarinhydrür"[2] besitzt die auf S. 90 unter II angegebene Struktur einer 1,4-Dicarbonyl-Verbindung. R. E. Schmidt fand nun, daß sich dieses 2,3-Dihydro-chinizarin in Gegensatz zum Chinizarin mit Aminen glatt zu 1,4-Diamino-2,3-dihydro-9,10-anthrachinonen umsetzen läßt[3]. Darüberhinaus stellte er fest, daß alle Polyhydroxy-9,10-anthrachinone, die zwei Hydroxy-Gruppen in 1,4-Stellung enthalten, das gleiche Verhalten zeigen.

Die Kondensationen des Dihydro-chinizarins mit Aminen können sowohl in Wasser, Äthanol oder in überschüssigem Amin vorgenommen werden. Ammoniak und aliphatische Amine reagieren bereits bei 70–110°, aromatische in Gegenwart von etwas Amin-Hydrochlorid bei 90–130°. In den meisten Fällen wirkt sich ein Borsäure-Zusatz günstig aus.

Da es sich bei den Umsetzungen um Gleichgewichtsreaktionen handelt, können bereits eingeführte Amino-Gruppen auch gegen andere Amino-Gruppen ausgetauscht werden[4]. Von dem Amin-Austausch macht man Gebrauch, indem man anstelle des 2,3-Dihydro-chinizarins das daraus leicht herstellbare 1,4-Diamino-2,3-dihydro-9,10-anthrachinon einsetzt, das besonders leicht mit Aminen reagiert und bisweilen auch reinere Produkte liefert[4]. Die Umsetzung mit aliphatischen Aminen, die in äthanolischer Lösung durchgeführt wird, findet bereits bei 50–60° statt. Aromatische Amine werden zweckmäßig als Hydrochloride eingesetzt.

In den meisten Fällen ist es nicht notwendig, erst die Dihydro-Verbindungen herzustellen, sondern es genügen bereits katalytische Mengen eines Reduktionsmittels, wie z. B. Zinkstaub[5], um die Aminierungen über ein intermolekulares Redox-System im gewünschten Sinne ablaufen zu lassen.

Umgekehrt lassen sich die 1,4-Diamino-dihydro-9,10-anthrachinone mit methanolischer Salzsäure bei 50° oder durch Erhitzen mit wäßrigen Alkalihydroxiden wieder zu 4-Amino-1-hydroxy-dihydro- bzw. 1,4-Dihydroxy-dihydro-9,10-anthrachinonen hydrolysieren[6].

Die Rückoxidation der 1,4-Diamino-dihydro-9,10-anthrachinone gelingt leicht und wird zweckmäßig durch Erhitzen mit Nitrobenzol in Gegenwart geringer Mengen Piperidin bei 130–160° vorgenommen[7].

Die 1,4-Diamino- und 1-Amino-4-alkylamino-9,10-anthrachinone sind blauviolette, die 1,4-Bis-[alkylamino]- und 1-Amino-4-arylamino-9,10-anthrachinone blaue, die 1,4-Bis-[aryl-

---

[1] FIAT Final Rep. Nr. **1313 II**, 211 (1948), I.G. Farb. Leverkusen.

[2] C. LIEBERMANN, A. **212**, 14 (1882).

[3] DRP. 91 149 (1895), Farbf. Bayer; Frdl. **4**, 315.
vgl. a. R. E. SCHMIDT, Ang. Ch. **41**, 80 (1928).

[4] DRP. 644 584, 645 125 (1935), I. G. Farb., Erf.: K. KÖBERLE u. C. STEIGERWALD; Frdl. **23**, 990–993.

[5] DRP. 93 223 (1896), Farbf. Bayer, Erf.: R. E. SCHMIDT; Frdl. **4**, 320.

[6] DRP. 646 498 (1935), I.G. Farb., Erf.: C. STEIGERWALD u. K. KÖBERLE; Frdl. **24**, 790.

[7] DRP. 488 684 (1927), I.G. Farb., Erf.: S. GASSNER u. F. BAUMANN; Frdl. **16**, 1207.

amino]-9,10-anthrachinone grüne und die 4-Amino-1-hydroxy-9,10-anthrachinone violette Farbkörper.

Diese Amino-9,10-anthrachinone sind die Basis für eine große Zahl von Farbstoffen. Ohne wasserlöslich-machende Gruppen dienen sie zum Färben von Acetatseide[1] und vollsynthetischen Fasern. In vielen Fällen wird ein besonderer coloristischer Effekt durch Einsatz von Amin-Gemischen erzielt.

Läßt man auf die 1,4-Bis-[arylamino]-9,10-anthrachinone schwaches Oleum einwirken, so tritt in jeden Aryl-amino-Rest eine Sulfo-Gruppe ein, und es entstehen grüne Wollfarbstoffe mit sehr hohen Lichtechtheiten.

Saure blaue Farbstoffe mit 1,4-Diamino-Struktur werden u. a. auch aus substituierten 4-Brom-1-amino-9,10-anthrachinonen (z. B. solchen mit Sulfo-Gruppen) in großer Vielfalt hergestellt (s. S. 176). Die Konstitution der älteren sauren Farbstoffe der 1,4-Diamino-Reihe sind in FIAT Final Rep. Nr. **1313 II**, 230–239 (1948), aufgeführt.

Zur Reinherstellung von 4-Amino-1-hydroxy-9,10- und von 1,4-Diamino-9,10-anthrachinonen mit verschieden substituierten Amino-Gruppen sind die Umsetzungen mit Dihydro-chinizarin wegen der Gleichgewichts-Einstellungen in vielen Fällen nicht geeignet.

Einheitliche 1-Amino-4-(subst. -amino)-9,10-anthrachinone werden am einfachsten aus Bromaminsäure (s. S. 176), 1-Alkylamino-4-(subst. -amino)-9,10-anthrachinone aus 4-Brom-1-alkylamino-9,10-anthrachinonen (s. S. 175) und 4-(subst. -Amino)-1-hydroxy-9,10-anthrachinone aus 4-Brom-1-hydroxy-9,10-anthrachinon-2-sulfonsäure (rein herstellbar aus diazotierter Bromaminsäure, s. S. 120) erhalten.

Aus 1,4-Dihydroxy-2,3-dihydro-9,10-anthrachinon und aliphatischen Aminen wurden u. a. hergestellt:

1,4-Bis-[methylamino]-9,10-anthrachinon[2] (blau)
1,4-Bis-[butylamino]-9,10-anthrachinon (benzinlösl. blau)[3]
1,4-Bis-[dodecylamino]-9,10-anthrachinon[3]
1,4-Bis-[2-phenyl-äthylamino]-9,10-anthrachinon[4]
1,4-Bis-[tetralyl-(2)-amino]-9,10-anthrachinon[5] (blau)
1,4-Bis-[2-hydroxy-äthylamino]-9,10-anthrachinon[6]
1,4-Bis-[5-cyan-pentylamino]-9,10-anthrachinon[7]
1,4-Bis-[2-sulfo-äthylamino]-9,10-anthrachinon[8, 9] (in wasserhaltigem Pyridin + Natriumcarbonat)
1,4-Bis-[3-dimethylamino-propylamino]-9,10-anthrachinon
gemischte *1,4-Bis-[alkylamino]-9,10-anthrachinone*[10]
1,4-Bis-[polyfluoralkylamino]-9,10-anthrachinone[11]

Von den zahlreichen aus 2,3-Dihydro-chinizarin hergestellten 1,4-Bis-[arylamino]-9,10-anthrachinonen werden nachfolgend nur einige, z. T. technisch hergestellte, aufgezählt:

1,4-Bis-[4-methyl-anilino]-9,10-anthrachinon[12] (grün)
1,4-Bis-[biphenylyl-(4)-amino]-9,10-anthrachinon[13] (grün)
1,4-Bis-[4-phenoxy-anilino]-9,10-anthrachinon[14] (grün)
1,4-Bis-[2,4,6-trimethyl-anilino]-9,10-anthrachinon[15] (blau)

---

[1] FIAT Final Rep. Nr. **1313 II**, 199 ff. (1948), I. G. Farb.
[2] DRP. 205 149, 205 096 (1907), Farbw. Hoechst; Frdl. **9**, 724, 727.
[3] DRP. 646 299 (1932), I.G. Farb., Erf.: P. NAWIASKY u. A. EHRHARDT; Frdl. **24**, 856.
[4] Brit. P. 999 127 (1963/64), BASF; C. A. **62**, 13 282[b] (1965).
[5] DRP. 602 959 (1933), I.G. Farb., Erf.: K. ZAHN et al.; Frdl. **21**, 1067.
[6] DRP. 499 965 (1927), I.G. Farb., Erf.: F. BAUMANN et al.; Frdl. **17**, 1188.
[7] US.P. 2 359 381 (1941), DuPont, Erf.: M. A. PERKINS u. J. DEINET; C. A. **39**, 818[4] (1945).
[8] DRP. 654 616 (1936), I.G. Farb., Erf.: K. KÖBERLE u. C. STEIGERWALD; Frdl. **24**, 796.
[9] US.P. 2 188 369 (1936), Eastman Kodak Co., Erf.: J. G. MCNALLY u. J. B. DICKEY; C. A. **34**, 3928[2] (1940).
[10] DRP. 722 593 (1933) ≡ Fr. P. 780 030 (1934), I. G. Farb., Erf.: K. KÖBERLE et al.; C. **1935 II**, 2453, u. zahlreiche weitere Patente.
[11] J. B. DICKEY et al., Ind. eng. Chem. **48**, 209 (1956).
[12] DRP. 91 149, 91 150 (1895), Farbf. Bayer, Erf.: R. E. SCHMIDT; Frdl. **4**, 315, 316; s. a. bis S. 325.
[13] DRP. 595 472 (1931), I.G. Farb., Erf.: K. ZAHN u. W. SCHULTHEIS; Frdl. **20**, 1333.
     BIOS Final Rep. Nr. **1484**, 33 (1948), I.G. Farb. Leverkusen.
[14] DRP. 706 608 (1937) ≡ Brit. P. 487 830 (1938), Geigy, Erf.: K. METTLER; C. **1938 II**, 3014.
[15] DRP. 631 518 (1934), Sandoz, Frdl. **23**, 952.

o-Substituierte Aniline, z. B. 2-Chlor-anilin, reagieren nur schwer mit Dihydro-chinizarin. 2-Methoxy-anilin und N-Alkyl-aniline setzen sich praktisch nicht um; bei der Kondensation mit 2-Amino-phenol und o-Phenylendiamin treten bereits teilweise 1,3-Oxazin- bzw. Phenazin-Ringschlüsse ein[1].

Ausgehend von den entsprechenden Derivaten des Dihydro-chinizarins lassen sich ebenfalls mit guten Ausbeuten folgende Verbindungen herstellen:

1,4-Diamino-2-butyl-9,10-anthrachinon[2]; F: 211–212°
6-Chlor-1,4-diamino-9,10-anthrachinon[2]
5,8-Dichlor-1,4-diamino-9,10-anthrachinon[2]
6,7-Difluor-1,4-diamino-9,10-anthrachinon[3]
1,4-Bis-[methylamino]-5-hydroxy-9,10-anthrachinon[4]
1,4-Bis-[4-methyl-anilino]-5-hydroxy-9,10-anthrachinon[5]

Aus 1,4-Dihydroxy-2,3-dihydro-9,10-anthrachinon-6-sulfonsäure wurden folgende Amino-9,10-anthrachinone erhalten:

1,4-Diamino-9,10-anthrachinon-6-sulfonsäure[6] (18%-iges Ammoniak + Borsäure bei 90°)
1,4-Bis-[butyl-(2)-amino]-9,10-anthrachinon-6-sulfonsäure[6]
1,4-Bis-[4-methyl-anilino]-9,10-anthrachinon-6-sulfonsäure[6]
1,4-Bis-[4-methylmercapto-anilino]-9,10-anthrachinon-6-sulfonsäure[7]

1,4-Diamino-2,3-dihydro-9,10-anthrachinon und 1,4-Diamino-9,10-anthrachinon[8]: 10 g Dihydro-chinizarin werden mit 30 g 25%-igem äthanolischem Ammoniak 10 Stdn. im Autoklaven auf 100–110° erhitzt. Nach dem Erkalten wird das 1,4-Diamino-dihydro-9,10-anthrachinon abfiltriert, ausgewaschen und getrocknet; Ausbeute: 90% d.Th.; Zers.F: 272°; gelbbraune, grünlich irisierende Kristalle, leicht löslich in verd. Salzsäure.

Die Oxidation zum *1,4-Diamino-9,10-anthrachinon* wird durch Erhitzen in der 6fachen Menge Nitrobenzol unter Zugabe von etwas Piperidin bei 130–150° durchgeführt (s. S. 164); Ausbeute: praktisch quantitativ; dunkelblaue Kristalle, löslich in Pyridin mit rotblauer Farbe.

1,4-Bis-[methylamino]-9,10-anthrachinon[9]: In einem Autoklaven legt man 1,6 l Wasser, 200 g Chinizarin und 200 g Methylamin vor und rührt dann 20 g Zinkstaub ein (Eintopfverfahren zur Herstellung des Dihydro-chinizarins). Nach dem Schließen des Druckgefäßes erhitzt man innerhalb 4 Stdn. auf 60°, dann in weiteren 4 Stdn. auf 70° und zum Schluß 14 Stdn. auf 120° (bei ~4 atm). Eine getrocknete Probe muß beim Schütteln mit Benzol farblos bleiben. Eine Gelbfärbung zeigt die Anwesenheit von Chinizarin an, und eine Violettfärbung deutet auf 4-Methylamino-1-hydroxy-9,10-anthrachinon hin.

Nach dem Abdestillieren des überschüssigen Methylamins bei 100° wird das Reaktionsprodukt bei 40° abgesaugt, mit Wasser nachgewaschen und bei 80° vorsichtig getrocknet.

Die Ausbeute an dem intensiv blauen 1,4-Bis-[methylamino]-9,10-anthrachinon (®Cellitonechtblau B) ist praktisch quantitativ.

1,4-Bis-[4-methyl-anilino]-9,10-anthrachinon[10]: In 750 g geschmolzenes p-Toluidin werden 150 g Chinizarin, 60 ml konz. Salzsäure, 15 g Borsäure und anschließend 9,5 g Zinkstaub bei 85° eingerührt. Die Temp. steigt auf 92° und wird ~3–5 Stdn. gehalten, bis das Ausgangsmaterial verschwunden ist.

Nach dem Abkühlen auf 70° verdünnt man mit 750 ml Methanol und saugt bei 20° ab. Anschließend wird 4mal mit je 200 ml Methanol und zum Schluß mit 200 ml Wasser ausgewaschen. Nach dem Trocknen i. Vak. resultieren 208 g (79% d.Th.).

[1] K. WEINAND, I. G. Farb. Leverkusen (1931).
[2] A. T. PETERS jr. u. A. T. PETERS, Soc. **1960**, 1125.
[3] N. S. DOKUNIKHIN, B. V. SALOV u. S. A. PLENTSOVA, Ž. obšč. Chim. **37**, 663 (1967); engl.: 621.
[4] DRP. 205096 (1907), Farbw. Hoechst; Frdl. **9**, 727.
[5] DRP. 170113 (1904), Farbf. Bayer; Frdl. **8**, 329.
  BIOS Final Rep. Nr. **1484**, 33 (1948), I.G. Farb. Leverkusen.
[6] DOS. 2262741 (1971/72), I.C.I., Erf.: J. A. BONE; C. A. **79**, 93439ᵘ (1973).
[7] DRP. 597145 (1932), I.G. Farb., Erf.: K. WEINAND u. E. KALCKBRENNER; Frdl. **21**, 1046.
[8] DRP. 205149 (1907), Farbw. Hoechst; Frdl. **9**, 72;
  vgl. a. FIAT Final Rep. Nr. **1313 II**, 51 (1948), I. G. Farb. Leverkusen.
[9] BIOS Final Rep. Nr. **1484**, 54 (1948), I.G. Farb. Ludwigshafen.
  FIAT Final Rep. Nr. **1313 II**, 206 (1948), I.G. Farb. Ludwigshafen.
[10] FIAT Final Rep. Nr. **1313 II**, 215 (1948), I.G. Farb. Leverkusen.
  DRP. 92997 (1896), Farbf. Bayer, Erf.: R. E. SCHMIDT; Frdl. **4**, 328.

1,4-Bis-[biphenylyl-(4)-amino]-9,10-anthrachinon[1]: 20 g Chinizarin, 10 g Dihydro-chinizarin, 20 g Borsäure und 300 g 4-Amino-biphenyl werden unter Rühren in einer Stickstoff-Atmosphäre solange auf 140–150° erhitzt, bis die Schmelze eine reine grüne Farbe angenommen hat. Dann leitet man Luft ein, destilliert das überschüssige Amin i. Vak. ab und kocht den Rückstand mit Äthanol aus. Durch Umkristallisieren aus Benzol fallen bronzeglänzende Kristalle (F: 252–254°) an.

1,4-Bis-[4-acetylamino-anilino]-9,10-anthrachinon-6-sulfonsäure[2]: 100 g Chinizarin-6-sulfonsäure, 300 g 4-Amino-acetanilid, 100 g Borsäure und 10 g Zinkstaub werden in 1 l Essigsäure 3–4 Stdn. unter Rückflußsieden gerührt. Dann gießt man die Schmelze in 10 l Wasser und neutralisiert mit ~ 2 kg einer 24%-igen Natronlauge. Die abgeschiedenen Kristalle werden abgesaugt und mit kaltem Wasser solange ausgewaschen, bis das Filtrat klar abläuft.

Zur Reinigung kann der grüne Farbstoff aus 5%-igem Pyridin-Wasser umgelöst werden.

4-[3-(2-Hydroxy-äthoxycarbonyl)-anilino]-1-hydroxy-9,10-anthrachinon[3]: 80 g Chinizarin, 25 g Dihydro-chinizarin und 60 g Borsäure werden in 0,5 l Äthanol zum Sieden erhitzt. Innerhalb 8 Stdn. läßt man eine Lösung von ~ 80 g 3-Amino-benzoesäure-(2-hydroxy-äthyl)-ester in 150 ml Äthanol zutropfen. Nach weiterem 4stdg. Rückflußsieden wird die Dihydro-Verbindung durch Zugabe von Dihydrogenperoxid in verd. Natronlauge oxidiert. Dann saugt man das Amino-hydroxy-9,10-anthrachinon ab. Etwa noch vorhandenes Ausgangsmaterial wird durch Digerieren mit 0,5 n Natronlauge bei 50° entfernt. Der so erhaltene violette Farbstoff enthält noch Anteile des sym. 1,4-Diamino-Derivates.

Über die Umsetzungen von 1,4,5-Trihydroxy-dihydro- und 1,4,5,8-Tetrahydroxy-dihydro-9,10-anthrachinonen mit Aminen liegt eine umfangreiche Patentliteratur vor. Ohne Schwierigkeiten gelingt es, in diesen Verbindungen ebenfalls die 1,4-ständigen Hydroxy-Gruppen mit Aminen umzusetzen; z.B. zum *5,8-Bis-[4-methyl-anilino]-1,4-dihydroxy-9,10-anthrachinon*[4] bzw. *1,4-Bis-[4-isobutyl-anilino]-5,8-dihydroxy-9,10-anthrachinon* (gelbgrün)[5]. Diese Typen sind wertvolle grüne Farbstoffe für Synthetics oder – als Disulfonsäuren – für Wolle.

Durch etwas energischere Bedingungen sind auch die 1,4,5,8-Tetraamino-9,10-anthrachinone[6] gut zugänglich.

Alle diese Polyamino-9,10-anthrachinone sind leicht hydrolysierbar. So erhält man die *4,5,8-Triamino-1-hydroxy-9,10-anthrachinone* direkt durch Erhitzen der 1,4,5,8-Tetrahydroxy-dihydro-9,10-anthrachinone mit 24%-igem Ammoniak bzw. 20%-igen Monoalkylamin-Lösungen auf 120° (5 Stdn.)[7], da unter diesen Bedingungen das bei niederer Temperatur entstandene Tetraamin hydrolysiert wird.

Aufgrund des eingangs Ausgeführten kann man natürlich auch von den 4,8-Diamino-1,5-dihydroxy-9,10-anthrachinonen oder von den 1,4,5,8-Tetraamino-dihydro-9,10-anthrachinonen ausgehen.

Es hängt also wesentlich von den Versuchsbedingungen ab, welches Produkt man optimieren will.

5,8-Bis-[4-methyl-anilino]-1,2-dihydroxy-9,10-anthrachinon[8]:

1,2,5,8-Tetrahydroxy-9,10-anthrachinon (Reinigung): 250 g rohes 1,2,5,8-Tetrahydroxy-9,10-anthrachinon werden mit 1920 g konz. Schwefelsäure ~ 2 Stdn. auf 65° bis zur völligen Lösung erhitzt. Dann läßt man innerhalb von ~ 5 Stdn. 1270 g einer 64%-igen Schwefelsäure zufließen, wobei die Temp. auf 65° gehalten wird. Nach dem Abkühlen saugt man die Kristalle ab und wäscht mit einer 78%-igen Schwefelsäure nach.

Der Kristallkuchen wird anschließend mit heißem Wasser angeschlämmt, abgesaugt, neutral gewaschen und getrocknet; Ausbeute: 139 g (reines Chinon).

5,8-Bis-[4-methyl-anilino]-1,2-dihydroxy-9,10-anthrachinon: 700 g geschmolzenes p-Toluidin werden bei 70° mit 70 ml konz. Salzsäure verrührt und mit 48 g reinem 1,2,5,8-Tetrahydroxy-9,10-anthra-

[1] DRP. 595 472 (1931), I.G. Farb., Erf.: K. ZAHN u. W. SCHULTHEIS; Frdl. **20**, 1333.
[2] DRP. 537 023 (1930), I.G. Farb., Erf.: K. WEINAND; Frdl. **18**, 1274.
[3] DAS. 1 061 737 (1958), Farbf. Bayer, Erf.: R. NEEFF; C.A. **55**, 13 863i (1961).
[4] BIOS Final Rep. Nr. **1484**, 35 (1948), I.G. Farb. Leverkusen.
[5] DOS. 1 950 679 (1969), Farbf. Bayer, Erf.: G. GEHRKE, V. HEDERICH, R. NEEFF u. P. WEGNER; C.A. **75**, 37 909f (1971).
[6] DRP. 205 149 (1907), Farbw. Hoechst; Frdl. **9**, 724.
[7] DRP. 579 841 (1931), CIBA; Frdl. **20**, 1347.
[8] FIAT Final Rep. Nr. **1313 II**, 226 (1948), I.G. Farb. Leverkusen.
    DRP. 91 150 (1896), Farbf. Bayer, Erf.: R.E. SCHMIDT; Frdl. **4**, 316.

chinon versetzt. Bei 75° gibt man 20 g Zinkstaub zu, wobei die Temp. auf 82° ansteigt. Nach 15 Min. wird ein Gemisch aus 72 g 1,2,5,8-Tetrahydroxy-9,10-anthrachinon und 45 g Borsäure eingerührt und die Kondensation durch 5stdg. Erhitzen auf 92° zu Ende geführt. Nach dem Abkühlen auf 70° verdünnt man mit 750 *ml* Äthanol, saugt nach dem Erkalten ab und wäscht mit Äthanol und zum Schluß mit Wasser aus. Nach dem Trocknen resultieren 139 g (67% d. Th.) tief dunkelgrüne Kristalle.

Durch Sulfieren mit 6%-igem Oleum bei 25° entsteht daraus das *Alizarinviridin FF*.

5,8-Bis-[2-hydroxy-äthylamino]-1,4-dihydroxy-9,10-anthrachinon[1]:

5,8-Bis-[2-hydroxy-äthylamino]-1,4-dihydroxy-dihydro-9,10-anthrachinon: In ein Gemisch aus 300 *ml* Methanol und 300 *ml* Wasser werden unter Luftabschluß 120 g 1,4,5,8-Tetrahydroxy-dihydro-9,10-anthrachinon eingerührt, 8 g Natriumdithionit und 100 g Äthanolamin zugefügt, innerhalb 2 Stdn. zum Sieden erhitzt und weitere 90 Min. auf dieser Temp. gehalten.

Nachdem das Reaktionsgemisch langsam auf 25° abgekühlt ist, wird abgesaugt, mit Wasser neutral gewaschen und getrocknet; Ausbeute: 94% d. Th.

5,8-Bis-[2-hydroxy-äthylamino]-1,4-dihydroxy-9,10-anthrachinon: 40 g der Dihydro-Verbindung werden in 210 *ml* Nitrobenzol mit 5 *ml* Piperidin bei 100° verrührt und dann 2 Stdn. auf 150° erhitzt. Nach dem Abdestillieren des Nitrobenzols wird das weitgehend reine Chinon abgesaugt und getrocknet; Ausbeute: 36 g (90% d. Th.; *Cellitonechtblaugrün B*) (dieser Farbstoff ist besser aus 5,8-Dichlor-chinizarin herstellbar).

Hydrazin kann mit Chinizarin in verschiedenen Richtungen reagieren[2]. Mit zwei Molen Hydrazin in Pyridin bzw. in einem Äthanol/Wasser/Phenol-Gemisch[3] oder mit einem großen Überschuß Hydrazin in Wasser entsteht das in dunkelroten Nadeln kristallisierende *N,N'-Bis-[chinizarinyl-(2)]-hydrazin* (I). Läßt man auf Chinizarin einen Überschuß an Hydrazin in Wasser bei 90° unter Zusatz von Natriumdithionit einwirken, so erhält man in sehr guter Ausbeute das hellgelbe *9,10-Dihydroxy-2,3-dihydro-1,4-anthrachinon-bis-hydrazon* (II)[2].

2,3-Dihydro-chinizarin reagiert mit zwei Molen Phenylhydrazin zu einem gelben, kristallinen Produkt, das mit Luft in äthanolischer Natronlauge zum *1,4-Bis-[benzolazo]-9,10-anthrachinon* (III) oxidierbar ist (rotbraune Kristalle)[4].

I

II   III

2,3-Dihydro-chinizarin setzt sich mit Hydroxylamin zum *2-Amino-1,4-dihydroxy-9,10-anthrachinon* um (s.S. 185).

[1] BIOS Final Rep. Nr. **1484**, 59 (1948), I.G. Farb. Leverkusen.
  DRP. 499965 (1927), I.G. Farb., Erf.: F. BAUMANN et al.; Frdl. **17**, 1188.
[2] R. NEEFF, Farbf. Bayer, 1962.
[3] US.P. 2727045 (1952), American Cyanamid Corp., Erf.: J. A. McSHEEHY; C.A. **50**, 6058[i] (1956).
[4] DRP. 204411 (1907), Farbw. Hoechst; Frdl. **9**, 726.

γ) Herstellung von 1,4-Diamino- und 4-Amino-1-hydroxy-9,10-anthra-
chinonen durch reduktive Eliminierung 2-ständiger Sulfo-Gruppen
(mit anschließender Hydrolyse zu den 1,4-Dihydroxy-9,10-anthra-
chinonen)

Aus 9,10-Anthrachinon-2-sulfonsäuren, die in den 1,4-Stellungen beliebig durch Hy-
droxy- oder Amino-Gruppen substituiert sind, lassen sich die Sulfo-Gruppen leicht reduktiv eliminieren[1,2] (s. „Chinizarin-Komplex" S. 89 ff.). Gleichzeitig läßt sich damit auch
eine Hydrolyse der Amino-Gruppen verbinden.

Dieses Verfahren ermöglicht die Herstellung besonders reiner 1-Amino-4-alkyl-
amino- bzw. -4-arylamino-9,10-anthrachinone, da in der Bromaminsäure (4-
Brom-1-amino-9,10-anthrachinon-2-sulfonsäure) das Brom-Atom besonders leicht gegen Amino-Gruppen austauschbar ist.

Die Eliminierung der Sulfo-Gruppe wird in Gegenwart von Natriumcarbonat bzw.
Ammoniak oder Pyridin bei 80−95° durch portionsweise Zugabe von Natriumdithionit
vorgenommen, wobei darauf zu achten ist, daß keine löslichen „Küpen" bzw. „Dihydro-
Verbindungen" entstehen. Als Reduktionsmittel hat sich besonders Glucose in verdünnter Natriumhydroxid- bzw. Natriumcarbonat-Lösung bewährt[3].

1-Amino-4-methylamino-9,10-anthrachinon[3]: 10 g 1-Amino-4-methylamino-9,10-anthrachinon-2-sulfon-
säure, in 500 *ml* Wasser gelöst, werden zusammen mit 10 g Glucose auf 95° erhitzt. Dann rührt man langsam eine
Lösung von 20 g Kaliumcarbonat in 100 *ml* Wasser ein, wobei sich das 1-Amino-4-methylamino-9,10-anthra-
chinon in sehr reiner Form mit vorzüglicher Ausbeute abscheidet.

1-Amino-4-anilino-9,10-anthrachinon[2,4]: 42 g 1-Amino-4-anilino-9,10-anthrachinon-2-sulfonsäure werden in 500 *ml* Wasser unter Zusatz von 100 *ml* einer 20%-igen Natriumcarbonat-Lösung angeschlämmt. Bei 95°
gibt man solange (etwa die ber. Menge) Natriumdithionit portionsweise zu, bis die blaue Lösungsfarbe verschwunden ist. Dabei scheidet sich das reine 1-Amino-4-anilino-9,10-anthrachinon kristallin ab.

In analoger Weise können z.B. hergestellt werden: *1-Amino-4-methylamino-, -4-cyclo-
hexylamino-* bzw. *-4-dodecylamino-9,10-anthrachinon.*

So gelingt es auch, aus der 4,8-Diamino-1,5-dihydroxy-9,10-anthrachinon-2,6-disul-
fonsäure mit ~ 1 Mol Natriumdithionit zunächst eine und dann die zweite Sulfo-Gruppe
reduktiv zu entfernen[2]. R. E. Schmidt hat den Reaktionsverlauf in einem 40%-igen Pyri-
din/Wasser-Gemisch näher untersucht. Als erstes isolierbares Reduktionsprodukt entsteht die 2,3-Dihydro-monosulfonsäure und aus dieser beim Erwärmen unter Abspaltung
von Schwefliger Säure das *4,8-Diamino-1,5-dihydroxy-9,10-anthrachinon,* das bei ~ 80°
zu der beständigen Dihydro-Verbindung weiter reduziert wird.

Beim längeren Erhitzen der Dihydro-Verbindung in alkalischer Lösung mit Natriumdithionit[5] tritt eine totale Hydrolyse zum 1,4,5,8-Tetrahydroxy-dihydro-9,10-anthrachinon
ein. Analog läßt sich aus der 1,4-Diamino-9,10-anthrachinon-2-sulfonsäure Dihydro-chinizarin und aus der 1,4-Diamino-9,10-anthrachinon-2,6-disulfonsäure die *1,4-Dihydro-
xy-9,10-anthrachinon-6-sulfonsäure* herstellen[2].

Nach dem oben angegebenen Reaktionsmechanismus kann man aus der 4,8-Diamino-
1,5-dihydroxy-9,10-anthrachinon-2,6-disulfonsäure auch im sauren Bereich eine Sulfo-
Gruppe glatt abspalten (zum ®*Alizarinsaphirol SE*): man erhitzt die Disulfonsäure in
90%-iger Schwefelsäure in Gegenwart von Borsäure und einem Reduktionsmittel [z.B.
Zinn(II)-chlorid oder Phenol] auf 120−140°. Bereits ein Zusatz von 1−2% der Dihydro-
Verbindung genügt, um die Abspaltung zu katalysieren[6].

[1] DRP. 568760 (1925), I.G. Farb., Erf.: R.E. SCHMIDT; Frdl. **18,** 1277.
[2] DRP. 632911 (1932), I.G. Farb., Erf.: K. WEINAND u. C. BAMBERGER; Frdl. **21,** 1038.
[3] DRP. 511320 (1928/29) ≡ Brit. P. 322576 (1928), I.C.I., Erf.: F. LODGE u. W.W. TATUM; Frdl. **17,** 1191.
[4] Vgl. BIOS Final Rep. Nr. **1484,** 3 (1948), I.G. Farb. Leverkusen.
[5] DRP. 436526 (1925), I.G. Farb., Erf.: K. WEINAND; Frdl. **15,** 661.
[6] DRP. 190476 (1906), Farbf. Bayer, Erf.: R.E. SCHMIDT, O. UNGER u. A. JACOBI; Frdl. **9,** 712.

Diese leichte Überführbarkeit in Hydroxy-9,10-anthrachinone ermöglicht es in vielen Fällen, auf einfachste Weise festzustellen, welches Polyhydroxy-9,10-anthrachinon einem Säure- oder Dispersions-Farbstoff zugrunde liegt.

1,4,5,8-Tetrahydroxy-2,3-dihydro-9,10-anthrachinon[1] **und 1,4,5,8-Tetrahydroxy-9,10-anthrachinon:** In eine Lösung von 240 g 4,8-diamino-1,5-dihydroxy-9,10-anthrachinon-2,6-disulfonsaurem Natrium in 4,5 l Wasser, 1,12 kg 30%-iger Natronlauge und 150 g Natriumchlorid werden bei 96° portionsweise 350 g Natriumdithionit eingerührt; dann erhitzt man 30 Min. zum Sieden (die Abspaltung ist beendet, wenn eine Probe beim Lufteinleiten nicht mehr blauviolett, sondern braungelb wird). Nach dem Abkühlen auf 50° wird der Niederschlag abfiltriert, mit 600 ml Wasser angeschlämmt, mit 100 g 78%-iger Schwefelsäure angesäuert, erneut abgesaugt und mit Wasser neutral gewaschen. Nach dem Trocknen i. Vak. bei 60° resultieren 94,3 g reines Produkt (die Verbindung kann analog auch aus 1,4,5,8-Tetraamino-9,10-anthrachinon hergestellt werden).

1,4,5,8-Tetrahydroxy-dihydro-9,10-anthrachinon enthält oft noch reichlich 8-Amino-1,4,5-trihydroxy-dihydro-9,10-anthrachinon. Zur Reinigung[2] wird das Rohprodukt durch Erhitzen in Nitrobenzol unter Zusatz von Piperidin auf ~ 160° (s. S. 164) zunächst dehydriert, dann in konz. Schwefelsäure gelöst, filtriert und durch Wasser-Zugabe ohne Kühlung auf eine Konzentration von 82% eingestellt. In der Kälte scheidet sich das völlig unlösliche 1,4,5,8-Tetrahydroxy-9,10-anthrachinon ab. Aus dem Filtrat wird das rohe 8-Amino-1,4,5-trihydroxy-9,10-anthrachinon mit Wasser gefällt.

Führt man die Reduktion bei ~ 80° durch, so läßt sich das 8-Amino-1,4,5-trihydroxy-dihydro-9,10-anthrachinon abfangen (es gibt – dehydriert – in Schwefelsäure ohne Borsäure-Zusatz ein sehr scharfes Spektrum im Gegensatz zum 4,8-Diamino-1,5-dihydroxy-9,10-anthrachinon[2]).

δ) Herstellung von Amino- und Amino-hydroxy-9,10-anthrachinonen durch Austausch von Äther- gegen Amino-Gruppen

Äther-Gruppen, besonders α-ständige, lassen sich gegen Amino-Gruppen austauschen, wobei Aryloxy-Gruppen reaktionsfähiger sind als Alkoxy-Gruppen. In den unsubstituierten 9,10-Anthrachinonyl-äthern reagieren die Äther-Gruppen schwerer als Nitro-Gruppen oder Halogen-Atome. Die Reaktionsfähigkeit einer Äther-Gruppe wird jedoch durch eine p-ständige Amino-Gruppe stark erhöht (s. S. 171). Auch im 4-Nitro-1-methoxy-9,10-anthrachinon ist die Äther-Gruppe leichter austauschbar als die Nitro-Gruppe. Umgekehrt sind die Verhältnisse beim 1-Nitro-2-methoxy-9,10-anthrachinon (s. S. 184).

Im 4-Chlor-1-methoxy-9,10-anthrachinon ist die Methoxy-Gruppe etwa ebenso reaktionsfähig wie das Chlor-Atom. Im Chinizarin-dimethyläther desaktivieren sich die beiden Methoxy-Gruppen gegenseitig.

Im Laboratorium wird der Austausch der α-ständigen Alkoxy-Gruppen gegen Alkylamino-Gruppen zweckmäßig in Pyridin oder Äthanol und gegen Arylamino-Gruppen ohne Verdünnungsmittel durchgeführt.

So erhält man z. B. aus 1-Methoxy-9,10-anthrachinon durch 12stdg. Erhitzen mit einer 10%-igen Methylamin-Pyridin-Lösung auf 160° unter Druck das *1-Methylamino-9,10-anthrachinon*[3]. Läßt man 1-methoxy-9,10-anthrachinon-5-sulfonsaures Natrium mit einer 10%-igen wäßrigen Methylamin-Lösung bei 130° reagieren, so entsteht als Hauptprodukt *1-methylamino-9,10-anthrachinon-5-sulfonsaures Natrium* neben *1,5-Bis-[methylamino]-9,10-anthrachinon*[3].

1-Phenoxy-9,10-anthrachinon wird mit Methylamin in Pyridin-Lösung zu *1-Methylamino-9,10-anthrachinon* umgesetzt, 5stdg. Kochen mit Anilin führt zum *1-Anilino-9,10-anthrachinon*[4]. 1,5-Diphenoxy-9,10-anthrachinon reagiert mit einer 10%-igen Dimethylamin-Pyridin-Lösung bereits bei 110° zum *1,5-Bis-[dimethylamino]-9,10-anthrachinon*[4].

4,8-Dinitro-1,5-dimethoxy-9,10-anthrachinon wird durch Erhitzen mit 5%-igem Methylamin-Pyridin auf dem Wasserbad in das *1,5-Bis-[methylamino]-4,8-dinitro-9,10-an-*

[1] BIOS Final Rep. Nr. **1484**, 18 (1948), I. G. Farb. Leverkusen.
[2] R. E. Schmidt, Farbf. Bayer.
[3] DRP. 205 881 (1903), Farbf. Bayer; Frdl. **9**, 716.
[4] DRP. 165 728 (1903), Farbf. Bayer; Frdl. **8**, 289.

thrachinon[1] übergeführt. Unter schärferen Bedingungen entsteht *1,4,5,8-Tetrakis-[methylamino]-9,10-anthrachinon*[1]. Aus 4-Nitro-1-methoxy-9,10-anthrachinon und p-Toluidin bei 160—180° erhält man *1,4-Bis-[4-methyl-anilino]-9,10-anthrachinon*[2] und 3stdg. Erhitzen von 4,8-Dinitro-1,5-dimethoxy-9,10-anthrachinon mit Anilin unter Borsäure-Zusatz auf 160—170° führt zum *1,4,5,8-Tetraanilino-9,10-anthrachinon*[2].

Durch Kondensation von 4-Amino-1-methoxy-9,10-anthrachinon mit einer 15%-igen äthanolischen Methylamin-Lösung (3 Stdn. 130°) erhält man reines *1-Amino-4-methylamino-9,10-anthrachinon*[3]. Läßt man auf 4,8-Diamino-1,5-dimethoxy-9,10-anthrachinon bei ~ 130° eine 25%-ige äthanolische Methylamin-Lösung (völlig wasserfrei) einwirken, so entsteht weitgehend das *4,8-Diamino-5-methylamino-1-methoxy-9,10-anthrachinon* (F: 276°)[4]. Bei ~ 150—160° setzen sich weitere Gruppen um. Die anfallenden Gemische sind jedoch schwer zu trennen. Nach ~ 6 stdg. Reaktionsdauer bei 180° erhält man das *1,4,5,8-Tetrakis-[methylamino]-9,10-anthrachinon* (F: 310°)[4].

4-(3-Dimethylamino-propylamino)-1-(4-methyl-anilino)-9,10-anthrachinon[5]:

10 g 1-(4-Methyl-anilino)-4-methoxy-9,10-anthrachinon werden mit 25 g 3-Amino-1-dimethylamino-propan 6 Stdn. auf 80° erhitzt. Die nach dem Erkalten auskristallisierten Nadeln werden abgesaugt, mit Wasser neutral gewaschen und getrocknet; Ausbeute: 11 g (89% d. Th.) (reines Produkt).

ε) Herstellung von Amino-9,10-anthrachinonen durch Austausch von Halogen-Atomen gegen Amino-Gruppen

ε₁) *Allgemeines*

Eine breit anwendbare Methode zur Herstellung von Amino-9,10-anthrachinonen besteht in der Umsetzung von Halogen-9,10-anthrachinonen mit Ammoniak bzw. aliphatischen und aromatischen Aminen. Über die unterschiedlichen Reaktivitäten von Halogen-, Nitro- (s. ff. S.) und Äther-Gruppen s. S. 170.

Für den Halogen-Austausch kommen hauptsächlich folgende Verfahren in Betracht: Umsetzungen mit
- (a) Ammoniak bzw. wasserlöslichen aliphatischen Aminen in wäßriger Suspension oder äthanolischer Lösung (unter Druck),
- (b) mit aromatischen Aminen im Überschuß oder in Nitrobenzol-Lösung in Gegenwart schwach basischer Salze und katalytisch wirkenden Kupfer-Verbindungen,
- (c) mit Arylsulfamiden.

Die Reaktionsbedingungen für den Umsatz der Halogen-9,10-anthrachinone mit den Aminen hängen von den Reaktivitäten beider Komponenten ab. Am leichtesten reagieren Fluor- und am schwersten Jod-9,10-anthrachinone (s. S. 64). In der Reaktivität zwischen Chlor- und Brom-9,10-anthrachinonen besteht kein wesentlicher Unterschied. Letztere werden meist nur aufgrund ihrer leichteren Herstellbarkeit eingesetzt.

---

[1] DRP. 144634 (1901), Farbf. Bayer; Frdl. **7**, 201.
[2] DRP. 205881 (1903), Farbf. Bayer; Frdl. **9**, 716.
[3] DRP. 591170 (1932/33), CIBA; Frdl. **20**, 1345.
[4] A. WOLFRAM, I.G. Farb. Hoechst (1934).
[5] DBP. 1150652 (1955), Farbf. Bayer, Erf.: G. GEHRKE u. L. NÜSSLER; C. A. **54**, 1873[h] (1960).

Die Reaktivität eines Halogen-Atoms wird auch erheblich durch seine Stellung und durch andere Substituenten beeinflußt.

1,2,3,4-Tetrafluor-9,10-anthrachinon reagiert bereits mit flüssigem Ammoniak (s. S. 65) und 1-Fluor-9,10-anthrachinon mit aliphatischen Aminen bei ~ 20°, so daß auf diese Weise sogar das thermisch instabile *1-Äthylenimino-9,10-anthrachinon* hergestellt werden kann.

1-Chlor- oder 1-Brom-9,10-anthrachinon lassen sich mit aliphatischen Aminen meist erst oberhalb 120° kondensieren, 4-Brom-1-amino-9,10-anthrachinon hingegen bereits ab 40°.

Bei den Umsetzungen mit Aminen, die einen höheren Alkyl-Rest enthalten, sind Temperaturen oberhalb ~ 150° zu vermeiden, da sonst Olefin-Abspaltungen (s. S. 209) und mit Dimethylamin Entmethylierungen eintreten können. So sind z. B. die aus 2-Halogen-9,10-anthrachinonen und Dimethylamin oberhalb 200° hergestellten tert.-Amine sicher nicht einheitlich. Außerdem können mit Ammoniak und primären Aminen *9-Imino-anthrone-(10)* entstehen (s. S. 161 ff.), auf die nur in wenigen Publikationen hingewiesen wird.

ε₂) *α-Amino-9,10-anthrachinone aus α-Halogen-9,10-anthrachinonen*

Als Beispiele für die Umsetzungen von 1-Halogen-9,10-anthrachinonen mit freier 4-Stellung seien genannt:

1-Fluor-9,10-anthrachinon	+ Äthylenimin	$\xrightarrow{30°}$	*1-Äthylenimino-9,10-anthrachinon*[1]
1-Chlor-9,10-anthrachinon	+ 6-Amino-hexansäure	$\xrightarrow[\text{23 Stdn. 125°}]{\text{verd. NaOH}}$	*1-(5-Carboxy-pentylamino)-9,10-anthrachinon*[2]; 92 % d. Th.; F: 136–138°
1-Chlor-2-nitro-9,10-anthrachinon	+ Diäthylamin	$\xrightarrow{\text{30 Min. Sieden}}$	*1-Diäthylamino-2-nitro-9,10-anthrachinon*[3]; F: 145–146°
1-Chlor-2-trifluormethyl-9,10-anthrachinon	+ Ammoniak (28%-ig)	$\xrightarrow{\text{10 Stdn. 130°}}$	*1-Amino-2-trifluormethyl-9,10-anthrachinon*[4]
1-Chlor-2-amino-9,10-anthrachinon	+ Ammoniak	$\longrightarrow$	*1,2-Diamino-9,10-anthrachinon* (schlechte Ausbeute)

1,5- bzw. *1,8-Bis-[4-methyl-anilino]-9,10-anthrachinon* werden durch 10 stdg. Erhitzen von 1,5- bzw. 1,8-Dichlor-9,10-anthrachinon mit p-Toluidin auf 195° in Gegenwart von Natriumacetat oder Natriumcarbonat hergestellt[5]. Analog erhält man das *1,5-Bis-[tetralyl-(6)-amino]-9,10-anthrachinon*[6] (s. a. unter Anthrimiden S. 212).

1-Äthylenimino-9,10-anthrachinon[1]: 2 g fein gepulvertes 1-Fluor-9,10-anthrachinon werden mit 4 ml Äthylenimin in 12 ml 1,4-Dioxan bei 20° 36 Stdn. gerührt. Die orangefarbene, kristalline Masse wird scharf abgesaugt, mit 6 ml Methanol und dann mit 30 ml Wasser gewaschen und getrocknet. Man erhält 1,64 g (75% d. Th.) leuchtend gelbe Kristalle (F: 185–195°; Zers.). Nach dem Eindampfen der Mutterlauge i. Vak. können weitere 0,2 g (9% d. Th.) gewonnen werden; F: 187–197° (Zers.) (aus Chloroform/Petroläther).

1,5-Bis-[2-carboxy-anilino]-9,10-anthrachinon[7]: 1,5-Dichlor-9,10-anthrachinon setzt sich mit 2 Mol anthranilsaurem Kalium zweckmäßig in Gegenwart von Magnesiumoxid und Kupferoxid in einer wasserhaltigen Isobu-

---

[1] USSR.P. 172837 (1964), Inst. of Organic Chemistry, Siberian Dept., Academy of Science USSR, Erf.: V. V. u. S. A. Russkikh; C. A. **64**, 671ʰ (1966).

[2] USSR. P. 327217 (1969), Chem.-Techn. Inst. Ivanovo, Erf.: V. F. Borodkin u. N. A. Volkova; C. A. **77**, 21560ⁿ (1972).

[3] W. Bradley u. E. Leete, Soc. **1951**, 2139.

[4] J. B. Dickey et al., Ind. eng. Chem. **48**, 209 (1956).

[5] FIAT Final Rep. Nr. **1313 II**, 221 (1948), I. G. Farb. Leverkusen.

[6] DRP. 624782 (1933), I.G. Farb., Erf.: K. Zahn, H. Koch u. K. Weinand; Frdl. **22**, 1052.

[7] FIAT Final Rep. Nr. **1313 II**, 172 (1948), I.G. Farb. Ludwigshafen.
  F. Ullmann u. P. Ochsner, A. **381**, 9 (1911).

tanol-Lösung im Autoklaven bei 150° praktisch quantitativ zum 1,5-Bis-[2-carboxy-anilino]-9,10-anthrachinon um.

Durch Ringschluß mit einem Gemisch aus Schwefelsäure-Monohydrat und Chlorsulfonsäure bei ~ 25° erhält man daraus das 1,5-Bisacridon (®*Indanthrenviolett FFBN*).

Der partielle Umsatz von 1,5-Dichlor-9,10-anthrachinon mit Ammoniak zum *5-Chlor-1-amino-9,10-anthrachinon* gelingt optimal auf folgende Weise:

83 g 1,5-Dichlor-9,10-anthrachinon (95%-ig) werden mit 100 *ml* 25%-iger Ammoniak-Lösung und 300 *ml* Wasser 7 Stdn. im Autoklaven unter Rühren auf 210° erhitzt[1].
Es fallen 73,4 g eines Reaktionsgemisches an mit folgender Zusammensetzung:
53,7% *5-Chlor-1-amino-9,10-anthrachinon*
36,3% *1,5-Diamino-9,10-anthrachinon*
2% *1,5-Dichlor-9,10-anthrachinon*
Die Trennung kann leicht über die Benzoyl-Derivate erfolgen; da das 5-Chlor-1-benzoylamino-9,10-anthrachinon in Nitrobenzol am leichtesten löslich ist[1].

In analoger Weise und mit ungefähr der gleichen Ausbeute läßt sich aus 1,8-Dichlor-9,10-anthrachinon das *8-Chlor-1-amino-9,10-anthrachinon* gewinnen[1].

Im 1,4-Dichlor-9,10-anthrachinon besitzen die Chlor-Atome etwa die gleiche Reaktionsfähigkeit wie im 1-Chlor-9,10-anthrachinon. Sobald jedoch ein Chlor-Atom gegen eine Amino-Gruppe ausgetauscht ist, wird das zweite besonders reaktionsfähig.

Trotzdem gelingt es, weitgehend einheitliche 4-Chlor-1-amino-9,10-anthrachinone herzustellen, wenn man unter ~ 150° arbeitet und ein Lösungsmittel wählt, in dem das 1,4-Dichlor-9,10-anthrachinon gut und die 4-Chlor-1-amino-Verbindung möglichst schwer löslich ist[1]. Dies trifft z. B. für die Umsetzung von 1,4-Dichlor-9,10-anthrachinon mit p-Toluidin zu. Erhitzt man die Komponenten 8 Stdn. unter Rückfluß in 1,2-Dichlorbenzol, so scheidet sich das *4-Chlor-1-(4-methyl-anilino)-9,10-anthrachinon* (F: 206°) während der Kondensation in 90%-iger Ausbeute kristallin ab[2]. Unter vergleichbaren Bedingungen wird mit Cyclohexylamin unter Zusatz von Kaliumcarbonat und einer katalytischen Menge Kupferoxid weitgehend einheitliches *4-Chlor-1-cyclohexylamino-9,10-anthrachinon*[3] erhalten. Auch bei der Umsetzung mit anthranilsaurem Natrium in siedendem Pentanol entzieht sich das unlösliche *4-Chlor-1-(2-carboxy-anilino)-9,10-anthrachinon* der Weiterkondensation[4].

Abweichend von dieser Arbeitsweise wird durch 12stdg. Erhitzen von 5,8-Dichlor-1,4-dihydroxy-9,10-anthrachinon mit tert.-Butylamin in Nitrobenzol im Autoklaven auf 150° das *8-Chlor-5-tert.-butylamino-1,4-dihydroxy-9,10-anthrachinon* in sehr guter Ausbeute erhalten[5].

1,4-Dichlor-9,10-anthrachinone dürften zur Herstellung von 1,4-Diamino-9,10-anthrachinonen im allgemeinen nicht in Frage kommen, da diese aus Dihydro-chinizarinen einfacher zugänglich sind (s. S. 164ff). Zu den Ausnahmen gehört das 5,8-Dichlor-1,4-dihydroxy-9,10-anthrachinon, aus dem *5,8-Bis-[4-methyl-anilino]-1,4-dihydroxy-9,10-anthrachinon* (*Alizarincyaningrün 5 G-Base*) wirtschaftlicher als aus 1,4,5,8-Tetrahydroxy-2,3-dihydro-9,10-anthrachinon hergestellt werden kann (s. a. S. 168).

5,8-Bis-[4-methyl-anilino]-1,4-dihydroxy-9,10-anthrachinon[6]: 20 g 5,8-Dichlor-1,4-dihydroxy-9,10-anthrachinon, 100 g p-Toluidin und 20 g gepulvertes, wasserfreies Natriumacetat werden 8 Stdn. bei einer von 120

[1] DOS. 2620372 (1976), Bayer AG, Erf.: D.-I. SCHÜTZE u. H.-S. BIEN; C. A. **88**, 62224[b] (1978).
[2] DRP. 665922 (1936), I.G. Farb., Erf.: F. ROEMER; Frdl. **25**, 731.
[3] DAS. 1205550 (1963) ≡ Fr.P. 1405673 (1964), BASF, Erf.: W. BRAUN u. M. RUSKE; C. A. **63**, 15020[d] (1965).
   DOS. 1768392 (1968) ≡ Fr. P. 2008169 (1969), BASF, Erf.: E. SCHEFCZIK; C. A. **74**, 3439[p] (1971).
   Fr.P. 2010767 (1968/69), BASF; C. A. **73**, 121562[a] (1970).
[4] F. ULLMANN u. G. BILLIG, A. **381**, 20 (1911).
[5] Brit. P. 1081390 (1965/66), Farbf. Bayer, Erf.: H.-S. BIEN et al.; C. A. **67**, 65423[t] (1967).
[6] K. ZAHN, Farbw. Hoechst (1922); s. dazu das gleichlautende USSR.P. 319584 (1968), Y. B. SHTEINBERG u. V. L. LOBENSKAYA; C. A. **76**, 46005[c] (1972).

bis auf 180° kontinuierlich ansteigenden Temp. gerührt. Dann werden die dunkelgrünen Kristalle bei ~ 50° abgesaugt, mit Äthanol ausgewaschen und mit Wasser ausgekocht. Falls erforderlich, kann aus Chlorbenzol umkristallisiert werden; Ausbeute: 25,5 g (87% d. Th.).

1,4-Dichlor-9,10-anthrachinon-6-sulfonsaures Natrium setzt sich bei 70–80° mit einer 10%-igen wäßrigen Methylamin-Lösung in Gegenwart von Kupfer zum *1,4-bis-[methylamino]-9,10-anthrachinon-6-sulfonsaurem Natrium* um[1].

ε₃) β-Amino-9,10-anthrachinone aus β-Halogen-9,10-anthrachinonen

Erheblich vermindert ist die Reaktionsfähigkeit β-ständiger Halogen-Atome. So vollziehen sich die Umsetzungen von 2-Chlor-9,10-anthrachinon mit ~ 30%-igem Ammoniak zum *2-Amino-* oder mit einer 33%-igen wäßrigen Dimethylamin-Lösung zum *2-Dimethylamino-9,10-anthrachinon* (F: 185–186°) erst ab 190°[2]. Die Kondensation mit 6-Amino-hexansäure in alkalischer Lösung erfordert 30 stdg. Erhitzen auf 140°; die Ausbeute an *2-(5-Carboxy-pentylamino)-9,10-anthrachinon* beträgt 82% d. Th.[3].

Erhitzt man ein 1,6-/1,7-Dichlor-9,10-anthrachinon-Gemisch in Toluol mit 75 Tln. flüssigem Ammoniak und 75 Tln. Wasser auf ~ 195°, so setzt sich nur das 1-Chlor-Atom um, und es resultiert ein 84%-iges *6-/7-Chlor-1-amino-9,10-anthrachinon*-Gemisch[4].

Aus 1,2-Dichlor-9,10-anthrachinon lassen sich weder das *2-Chlor-1-amino-* noch das *1,2-Diamino-9,10-anthrachinon* mit guten Ausbeuten herstellen.

Durch 8stdg. Erhitzen der 2-Chlor-9,10-anthrachinon-6- bzw. -7-sulfonsäure mit einer 33%-igen wäßrigen Dimethylamin-Lösung auf 190° soll die *2-Dimethylamino-9,10-anthrachinon-6* (bzw. -7)-sulfonsäure[5] entstehen und aus 2,7-Dichlor-9,10-anthrachinon mit Dimethylamin und Kupferpulver in Pentanol (8 Stdn. im Autoklaven bei 220°) das *2,7-Bis-[dimethylamino]-9,10-anthrachinon*(!)[5].

Aus 2-Chlor-9,10-anthrachinon-3-sulfonsäure-diäthylamid entsteht durch 12stdg. Erhitzen mit 25%-igem Ammoniak auf 160° das *2-Amino-9,10-anthrachinon-3-sulfonsäure-diäthylamid*[6].

Die Herstellung von *2-Anilino-9,10-anthrachinon* aus 2-Halogen-9,10-anthrachinon gelingt auch mit Anilin-Natrium nur sehr schlecht[4]. Ohne Schwierigkeiten lassen sich jedoch Anthranilsäure in Pentanol oder 2-Amino-9,10-anthrachinone in siedendem Nitrobenzol damit kondensieren (s. S. 212).

2-Amino-9,10-anthrachinon[7-9]: Nach einer älteren techn. Vorschrift werden 1,9 kg 2-Chlor-9,10-anthrachinon, 6,4 kg 25%-iges Ammoniak, 1,6 l Wasser und 86 g 80%-ige Arsensäure ~ 22 Stdn. auf 207–217° erhitzt. Es resultieren 1,73 kg eines 88%-igen Produktes (87% d. Th. an 100%-igem Produkt).

Die wesentlichen Nebenprodukte dürften 2-Amino-9,10-anthrachinon-monoimin und Dianthrimid neben unverändertem Ausgangsmaterial sein.

Die Reinigung kann durch Vakuumsublimation (250–300°/2–3 Torr) erfolgen, wobei ein ~ 97%-iges 2-Amino-9,10-anthrachinon mit einer Beimengung von ~ 2% 2-Chlor-9,10-anthrachinon anfällt. Auch die fraktionierte Abscheidung aus Schwefelsäure führt zu einem weitgehend reinen Produkt.

3-Chlor-2-amino-9,10-anthrachinon[10]: 220 g umgepastetes 2,3-Dichlor-9,10-anthrachinon und 870 ml

[1] DRP. 216773 (1908), Farbf. Bayer; Frdl. **9**, 714.
[2] W. BRADLEY u. E. LEETE, Soc. **1951**, 2143.
[3] USSR.P. 327217 (1969), Chem.-Techn. Inst. Ivanovo, Erf.: V. F. BORODKIN u. N. A. VOLKOVA; C. A. **77**, 21560ⁿ (1972).
[4] DOS. 2604830 (1976), Bayer AG, Erf.: D.-I. SCHÜTZE u. H.-S. BIEN; C. A. **87**, 119265ᵇ (1977).
[5] D. C. R. JONES u. A. MASON, Soc. **1934**, 1813.
[6] DRP. 627744 (1934), I.G. Farb., Erf.: G. RÖSCH; Frdl. **22**, 1029.
[7] DRP. 295624 (1912), BASF; Frdl. **13**, 398.
[8] FIAT Final Rep. Nr. **1313 II**, 28 (1948); BIOS Final Rep. Nr. **987**, 20ff. (1948), I.G. Farb. Ludwigshafen.
[9] s. a. P. H. GROGGINS u. H. P. NEWTON, Ind. eng. Chem. **21**, 369 (1929).
[10] Nach FIAT Final Rep. Nr. **1313 III**, 81 (1948), I.G. Farb. Ludwigshafen.
    s. a. FIAT Final Rep. Nr. **1313 II**, 30 (1948), I.G. Farb. Ludwigshafen.
    s. a. DRP. 553039 (1928), I.C.I.; Frdl. **17**, 1156.

25%-iges Ammoniak werden im Autoklaven 5 Stdn. auf 200° (80 atm) erhitzt, wobei die Temp. zum Schluß auf 218° ansteigt. Wenn eine Probe in 89%-iger Phosphorsäure bei 150° klar löslich ist, wird das Ammoniak abgeblasen, der Autoklaveninhalt abgesaugt, ausgewaschen und getrocknet; Ausbeute: 200 g (91%-ig) (91% d. Th.).

Das Rohprodukt wird durch Lösen in Schwefelsäure-Monohydrat und vorsichtiges Eintropfen von Wasser, bis eine 80%-ige Schwefelsäure entstanden ist, fraktioniert gefällt. Dabei scheidet sich das reine Sulfat ab, das über eine Glasfilternutsche abgesaugt und mit 80%-iger Schwefelsäure nachgewaschen wird. Die Hydrolyse zum freien Amin erfolgt durch Verrühren mit heißem Wasser.

Das 3-Chlor-2-amino-9,10-anthrachinon besteht aus gelbroten Kristallen (F: 304°).

In Gegenwart von Kupfer gelingt es, im 2,3-Dichlor-9,10-anthrachinon mit Ammoniak beide Chlor-Atome auszutauschen.

2,3-Diamino-9,10-anthrachinon[1]: 14 g 2,3-Dichlor-9,10-anthrachinon werden mit 315 g 28%-igem Ammoniak, 0,75 g Kaliumchlorat, 6 g Ammoniumnitrat und 1,25 g Kupfer(II)-oxid 30 Stdn. im Autoklaven auf 200° erhitzt; Rohausbeute: 11,5 g.

Durch fraktioniertes Fällen aus Schwefelsäure und Hydrolyse des Sulfats erhält man reines 2,3-Diamino-9,10-anthrachinon[2]; F: 353°.

ε₄) N-substituierte 1,4-Diamino-9,10-anthrachinone aus 4-Halogen-1-amino-9,10-anthrachinonen

Wegen der leichten Zugänglichkeit einiger 4-Brom-1-amino-9,10-anthrachinon-Derivate, der hohen Reaktivität des Brom-Atoms und den dadurch bedingten niederen Reaktionstemperaturen, bei denen die Amino-Gruppe nicht mitreagiert, ist dieses Verfahren zur Herstellung reiner, unterschiedlich substituierter 1,4-Diamino-anthrachinone besonders geeignet und wird auch technisch zur Herstellung einer Reihe von blauen Säure- und Dispersionsfarbstoffen angewandt.

2-Brom-1-amino-4-(4-methyl-anilino)-9,10-anthrachinon[3]: 240 g p-Toluidin und 11 g Natriumacetat werden durch vorübergehendes Erhitzen auf 140° entwässert. Bei 120° trägt man 40 g 2,4-Dibrom-1-amino-9,10-anthrachinon ein und erhitzt 5 Stdn. auf 185–190° (ohne Kupfer!).

Nach dem Abkühlen auf 70° gibt man 240 ml Methanol zu, saugt die Kristallmasse bei 20° ab und wäscht mit Methanol nach. Reste von p-Toluidin werden durch Digerieren mit verd. Salzsäure entfernt; Ausbeute: 34,2 g.

Analog wird das *1-Amino-4-(4-methyl-anilino)-2-methyl-9,10-anthrachinon* aus 4-Brom-1-amino-2-methyl-9,10-anthrachinon technisch hergestellt[4]. Im 4-Brom-1-amino-2-trifluormethyl-9,10-anthrachinon kann das Brom-Atom ebenfalls leicht mit Aminen umgesetzt werden[5]. Auch im 2,4-Dibrom-1-hydroxy-9,10-anthrachinon läßt sich das 4-ständige Brom-Atom selektiv gegen Amino-Gruppen austauschen[6].

1-Methylamino-4-butylamino-9,10-anthrachinon[7]: Eine Mischung aus 31,6 g 4-Brom-1-methylamino-9,10-anthrachinon, 1 g Kupferpulver, 15 g wasserfreiem Natriumacetat und 150 g Butylamin wird zum Sieden erhitzt, bis eine Probe halogenfrei ist. Nach dem Abkühlen wird der blaue Farbstoff abgesaugt und mit Methanol und Wasser gewaschen.

1-Methylamino-4-(3-dimethylamino-propylamino)-9,10-anthrachinon[8]: 10 g 4-Brom-1-methylamino-9,10-anthrachinon und 0,1 g Kupferacetat werden in 30 g 3-Amino-1-dimethylamino-propan eingetragen und bei 90–100° gerührt, bis die Farbe der Lösung nicht mehr blauer wird. Nun läßt man langsam soviel Wasser zulaufen, bis das Umsetzungsprodukt sich abzuscheiden beginnt. Nach dem Abkühlen werden die blauen Nadeln abgesaugt, mit Wasser neutral gewaschen und getrocknet; Ausbeute: 10 g (96% d. Th.).

---

[1] P. H. Groggins u. H. P. Newton, Ind. eng. Chem. **25**, 1032 (1933).
[2] DRP. 607539 (1933), I.G. Farb., Erf.: P. Nawiasky u. P. Roth; Frdl. **21**, 1040.
[3] In Anlehnung an BIOS Final Rep. Nr. **1484**, 38 (1948), I.G. Farb. Leverkusen.
  DRP. 126392 (1899), Farbf. Bayer, Erf.: O. Unger; Frdl. **6**, 360.
  S. a. DRP. 481617 (1926), British Dyestuffs Corp.; Frdl. **16**, 1260.
[4] DRP. 131528 (1901), BASF; Frdl. **6**, 404.
[5] J. B. Dickey et al., Ind. eng. Chem. **48**, 209 (1956).
[6] DRP. 127532 (1900), BASF; Frdl. **6**, 368.
[7] Brit. P. 447088 (1935), I.G. Farb.; C. **1937 I**, 198.
[8] DAS. 1150652 (1955), Farbf. Bayer, Erf.: G. Gehrke u. L. Nüssler; C. A. **54**, 1873[h] (1960).

In ähnlicher Weise wird aus 4-Brom-1-methylamino-9,10-anthrachinon (24 Stdn. bei 70–80°) das *1-Methylamino-4-(5-cyan-pentylamino)-9,10-anthrachinon* (F: 134°) erhalten[1].

1-Methylamino-4-(4-methyl-anilino)-9,10-anthrachinon[2]: 20 g 4-Brom-1-methylamino-9,10-anthrachinon, 12 g p-Toluidin, 45 g Kaliumacetat, 0,5 g Kupferacetat und 10 *ml* Wasser werden 16 Stdn. auf 110–120° erhitzt, dann mit 200 *ml* verd. Salzsäure aufgekocht und filtriert. Die Rohbase wird durch Lösen in konz. Schwefelsäure und Herunterstellen auf eine 63%-ige Schwefelsäure gereinigt, wobei sich das reine Diamin abscheidet; Ausbeute: ~90% d. Th.

Weiterhin wurden erhalten:

4-Brom-1-cyclohexylamino-9,10-anthrachinon	+ Amino-diaryl-äther	$\xrightarrow{\text{Pentanol}\atop\text{24 Stdn., ~ 140°}}$	*1-Cyclohexylamino-4-(aryloxy-arylamino)-9,10-anthrachinone*[3]
8-Brom-5-isopropylamino-1-hydroxy-9,10-anthrachinon	+ Cyclohexylamin	$\xrightarrow{\text{6 Stdn., 100°}}$	*5-Isopropylamino-8-cyclohexyl-amino-1-hydroxy-9,10-anthrachinon*[4]
	+ 4-Methoxy-anilin	$\xrightarrow{\text{180°}}$	*5-Isopropylamino-8-(4-methoxy-anilino)-1-hydroxy-9,10-anthrachinon*[4]

Die 4-Brom-1-[butyl-(2)-amino]-9,10-anthrachinon-5-sulfonsäure läßt sich in wäßriger Lösung glatt mit Aminen umsetzen[5].

Die hohe Reaktivität des Brom-Atoms im 4-Brom-1-methylamino-9,10-anthrachinon ermöglicht sogar die Kondensation mit dem polymerisationsfreudigen Äthylenimin in Gegenwart von Kaliumcarbonat und Kupferpulver durch 5stdg. Erwärmen auf 30–40° zum *1-Methylamino-4-äthylenimino-9,10-anthrachinon*[6].

Unter den 4-Brom-1-amino-9,10-anthrachinonen kommt der Bromaminsäure (4-Brom-1-amino-9,10-anthrachinon-2-sulfonsäure) eine besondere Bedeutung zu, da diese in mehrfacher Weise zu hochwertigen Farbstoffen umgewandelt werden kann. So ist das Brom-Atom außerordentlich leicht gegen Amino-Gruppen aller Art austauschbar, wodurch sehr echte blaue, saure Farbstoffe entstehen[7], die in ihren Nuancen und ihrem coloristischen Verhalten Unterschiede aufweisen. Aus diesen läßt sich die 2-ständige Sulfo-Gruppe nicht nur sehr leicht reduktiv eliminieren (s. S. 169), sondern auch gegen Äther-, Thioäther-, Cyan-Gruppen und Brom-Atome austauschen.

Wie Bromaminsäure verhält sich auch die 4-Brom-1-amino-5-acetylamino-9,10-anthrachinon-2-sulfonsäure, die bei 50° mit Cyclohexylamin in Gegenwart verdünnter Natronlauge und Kupfer(I)-hydroxid zur *1-Amino-4-cyclohexylamino-5-acetylamino-9,10-anthrachinon-2-sulfonsäure* kondensiert wird (®*Alizarinbrillantblau G*)[8].

Die Umsetzungen mit Bromaminsäure werden bei möglichst niederen Temperaturen in wäßriger Lösung zwischen 60–100° in Gegenwart von Natriumacetat bzw. -carbonat und Kupfer(II)-Salzen vorgenommen. Man muß die Versuchsbedingungen so wählen, daß möglichst keine Hydrolyse zur 4-Amino-1-hydroxy-9,10-anthrachinon-3-sulfonsäure eintritt.

In einigen Fällen, z. B. bei der Kondensation mit 1-Amino-4-acetylamino-benzol[9], erhält man nur dann hohe Ausbeuten, wenn man die konzentrierten Pasten bei ~45° miteinander reagieren läßt.

---

[1] US.P. 2 359 381 (1941), DuPont, Erf.: M. A. PERKINS u. J. DEINET; C. A. **39**, 818[4] (1945).
[2] Brit. P. 308 049 (1928), British Dyestuffs Corp., Erf.: A. SHEPHERDSON; C. **1929 II**, 2103.
[3] DAS. 1 049 992 (1954/55), Geigy, Erf.: P. HINDERMANN et al.; C. A. **54**, 25 854[h] (1960).
[4] DOS. 1 932 647 (1969), Farbf. Bayer, Erf.: W. HOHMANN et al.; C. A. **74**, 143 321[u] (1971).
[5] DOS. 1 952 536 (1969), Farbf. Bayer, Erf.: K. WUNDERLICH u. H.-S. BIEN; C. A. **75**, 65 292[q] (1971).
[6] Fr.P. 1 503 443 (1965/66), Sandoz AG., Erf.: H. v. TOBEL u. H. MOSER; C. A. **70**, 48 621[a] (1969).
[7] DRP. 280 646 (1913), Agfa, Erf.: W. HERZBERG; Frdl. **12**, 453.
[8] BIOS Final Rep. Nr. **1484**, 28 (1948), I.G. Farb. Leverkusen.
[9] BIOS Final Rep. Nr. **987**, 136 (1948), I.G. Farb. Leverkusen.

Technisch wird Bromaminsäure u. a. mit folgenden Aminen umgesetzt[1]:

Methylamin[2]
Cyclohexylamin[3]
1-Amino-3-dimethylamino-propan[4]
2-Methyl-4,6-diäthyl-anilin[5]
Anilin mit höheren Alkyl-Gruppen im Ring[6]
4-Methoxy-anilin[7]

4-Acetylamino-anilin[1]
3-Amino-benzoesäure[1]
3-Amino-benzolsulfonsäure-bis-[2-hydroxy-äthyl]-amid[8]
4-Trifluormethyl-anthranilsäure[9]
2-(3-Amino-4-methyl-benzyl)-benzoesäure-äthylester[10]

Ein chromierbarer Farbstoff wird aus Bromaminsäure und dem Sulfon I erhalten[11]:

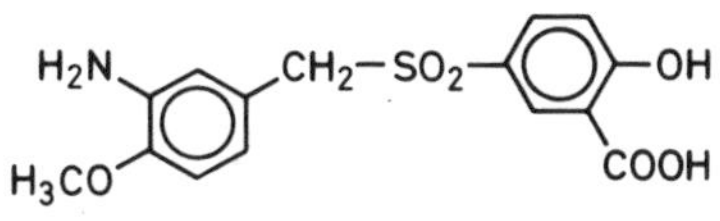

$$H_2N-\text{(Ring)}(OCH_3)-CH_2-SO_2-\text{(Ring)}(COOH)-OH$$

I

Die Kondensationsprodukte mit Anthranilsäuren lassen sich mit ~23%-igem Oleum bei 20° zu Akridonen cyclisieren[12]; z. B.:

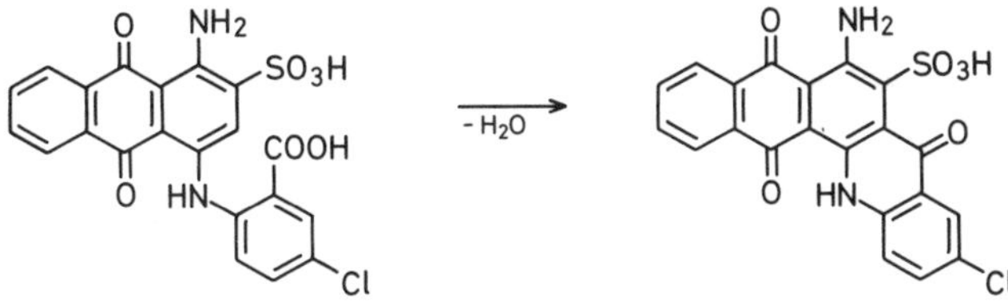

$$\xrightarrow{-H_2O}$$

Als Typ eines Reaktivfarbstoffes auf Bromaminsäure-Basis sei der folgende Farbstoff genannt[13]:

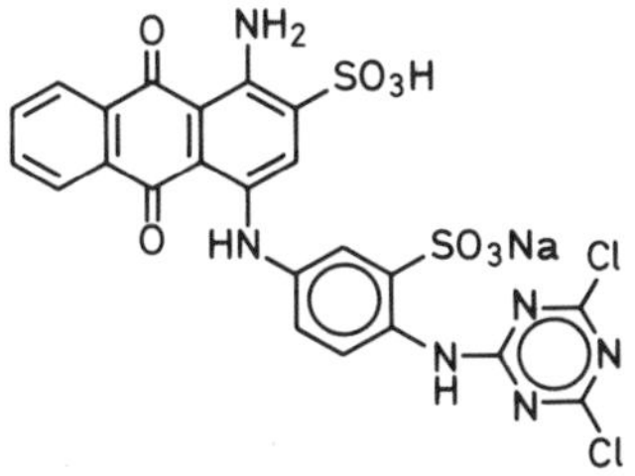

[1] s. BIOS Final Rep. Nr. **987**, 133–139 (1948), I.G. Farb. Leverkusen.
[2] BIOS Final Rep. Nr. **1484**, 7 (1948), I.G. Farb. Leverkusen.
[3] BIOS Final Rep. Nr. **1484**, 30 (1948), I.G. Farb. Leverkusen.
[4] US.P. 2716655 (1954), DuPont, Erf.: S. N. BOYD; C. A. **50**, 2182^e (1956).
[5] Fr.P. 1509724 (1967), Sandoz AG, Erf.: J. GUENTHARD; C. A. **70**, 79158^j (1969).
[6] DRP. 642726 (1934/35), I.C.I.; Frdl. **23**, 941.
[7] BIOS Final Rep. Nr. **1493**, 34 (1948), I.G. Farb. Hoechst.
[8] FIAT Final Rep. Nr. **1313** II, 228 (1948), I.G. Farb. Hoechst.
[9] BIOS Final Rep. Nr. **1484**, 3 (1948), I.G. Farb. Hoechst.
[10] BIOS Final Rep. Nr. **987**, 149 (1948), I.G. Farb. Hoechst.
FIAT Final Rep. Nr. **1313** II, 230 (1948), I.G. Farb. Hoechst.
[11] FIAT Final Rep. Nr. **1313** II, 238 (1948), I.G. Farb. Hoechst.
[12] DRP. 287614 (1914), BASF; Frdl. **12**, 477.
[13] US.P. 3096141 (1959/60), I.C.I., Erf.: G. A. BENNETT, W. CLARKE u. J. STIRLING; C. A. **56**, 14501^a (1962).

Der Farbstoff aus zwei Molekülen Bromaminsäure und 2,2-Bis-[4-amino-phenyl]-pro-pan[1] ist als *Supranolblau 2G* im Handel.

Die reinste *1,4-Diamino-9,10-anthrachinon-2-sulfonsäure* wird aus Bromaminsäure und flüssigem Ammoniak erhalten.

1,4-Diamino-9,10-anthrachinon-2-sulfonsäure[2]: 60 g Bromaminsäure werden im Autoklaven mit 0,5 g Kupferoxid, 30 g trockenem Kaliumacetat und 360 g flüssigem Ammoniak 8 Stdn. auf 70–75° erhitzt. Nach dem Ablassen des Ammoniaks wird das Reaktionsprodukt in heißem Wasser gelöst, filtriert und die 1,4-Diamino-9,10-anthrachinon-2-sulfonsäure mit Schwefelsäure ausgefällt und abgesaugt. Der Filterkuchen wird mit einer 5%-igen Natriumchlorid-Lösung säurefrei gewaschen und getrocknet. Er enthält noch ~8% Salz.

Die Ausbeute an reiner Säure beträgt 95% d. Th.

1-Amino-4-anilino-9,10-anthrachinon-2-sulfonsäure[3]: 200 g Bromaminsäure (auf 100%-ig ber.), 1,9 l Wasser, 68 g Natriumcarbonat, 182 g Anilin und 11 g Kupfersulfat werden auf 65° und anschließend innerhalb 3 Stdn. auf 95° erwärmt. Nach 30 Min. wird auf 50° abgekühlt und abgesaugt.

Der blaue Nutschkuchen wird dann in 4 l Wasser, dem 2 g Natriumcarbonat, 20 g Aktivkohle und 20 g Kieselgur zugesetzt wurden, gelöst. Dann wird filtriert und vorsichtig ausgesalzt. Bei 80° wird wieder abfiltriert und mit einer Lösung von 45 g Natriumchlorid und 45 g Natriumcarbonat in 800 *ml* Wasser nachgewaschen.

Bromaminsäure-Farbstoffe lassen sich auch – allerdings weniger rein – aus 2,4-Dibrom-1-amino-9,10-anthrachinonen durch Austausch des 4-ständigen Brom-Atoms mit einem Amin und anschließender Umsetzung mit Natriumsulfit herstellen[4].

ε₅) *1-Pyridinio-9,10-anthrachinon-halogenide und deren Überführung in 1-Amino-9,10-anthrachinone*

Ein interessantes Verfahren zur Umwandlung von Halogen-9,10-anthrachinonen in Amino-9,10-anthrachinone führt über die entsprechenden Pyridinium-halogenide (z. B. I–III). Diese werden aus den 1-Halogen-9,10-anthrachinonen durch Einwirkung von Pyridin und Aluminiumchlorid bei 130–230° erhalten[5].

Die wasserlöslichen Pyridinium-Verbindungen werden durch kurzes Erhitzen mit Anilin oder wäßrigem Piperidin glatt in die Amino-9,10-anthrachinone aufgespalten (II–III)[5].

I   II   III

Die Herstellung des *5,8-Bis-[pyridinio]-1,4-dihydroxy-9,10-anthrachinon-dichlorids* gelingt mit ~90% Ausbeute auch ohne Aluminiumchlorid-Zusatz durch 16stdg. Kochen des 5,8-Dichlor-chinizarins in Pyridin. Das wasserlösliche Salz wird leicht durch verdünnte Natronlauge zum *5,8-Diamino-1,4-dihydroxy-9,10-anthrachinon* hydrolysiert[6].

Pyridinio-hydroxy-9,10-anthrachinon-bromide entstehen auch durch Einwirkung von Brom in Pyridin auf einige Polyhydroxy-9,10-anthrachinone (s. S. 122).

[1] FIAT Final Rep. Nr. **1313** II, 230 (1948), I.G. Farb. Leverkusen.
    DRP. 596 757 (1933), I.G. Farb., Erf.: E. HONOLD; Frdl. **21**, 1052.
[2] DBP. 1 142 174 (1959), 1 155 786 (1960), BASF, Erf.: K. MAIER; C. A. **58**, 11 300ʰ (1963); **60**, 2873ʰ (1964).
[3] BIOS Final Rep. Nr. **1484**, 41 (1948), I.G. Farb. Leverkusen.
[4] DRP. 288 878 (1914), Farbf. Bayer; Frdl. **12**, 453.
    DRP. 642 726 (1934/35), I.C.I.; Frdl. **23**, 941.
[5] DRP. 593 671, 592 202 (1932), I.G. Farb., Erf.: W. MIEG et al.; Frdl. **20**, 1310–16.
[6] Fr.P. 2 149 480 (1971/72), I.C.I.; C. A. **79**, 80 338ᵏ (1973).

Erhitzt man 1-Amino-9,10-anthrachinon mit Eisen(III)-chlorid in Pyridin unter Druck auf ~ 150°, so entsteht das *1-Amino-4-pyridinio-9,10-anthrachinon-chlorid*[1,2].

ε_6) *Amino- und Halogen-amino-9,10-anthrachinone aus Halogen-9,10-anthrachinonen und Toluolsulfamid (Ullmann-Verfahren)*

Die Herstellung von Amino-9,10-anthrachinonen aus Halogen-9,10-anthrachinonen durch Kondensation mit Toluolsulfamidnatrium und anschließende Hydrolyse[3] umgeht im Laboratorium das Arbeiten mit Ammoniak unter Druck und ermöglicht weit selektiver als dieses einen partiellen Halogen-Austausch in Di- und Poly-halogen-9,10-anthrachino-nen.

Dieses Verfahren ist nicht auf Halogen-9,10-anthrachinone beschränkt, sondern läßt sich auch auf die Halo-gen-Derivate von Chinonen höherkondensierter Ringsysteme, ja praktisch auf alle aromatischen Verbindungen anwenden, die ein bewegliches Halogen-Atom enthalten.

Auch die Toluolsulfamide aus aliphatischen und aromatischen Aminen lassen sich mit α-Halogen-9,10-anthrachinonen umsetzen[3], allerdings mit schlechteren Ausbeuten. In der β-Reihe gewinnt man die Monoalkylamino-9,10-anthrachinone durch nachträgliches Alkylieren der β-Tosylamino-9,10-anthrachinone[4] (s. S. 208) – Anstelle von Toluolsulf-amid kann auch Phthalimid verwendet werden[5].

Die Kondensationen werden je nach Reaktivität des Halogen-Atoms innerhalb einiger Stunden in Pentanol, Cyclohexanol oder in Nitrobenzol unter Rückflußsieden vorgenom-men. Normalerweise setzt man einen Überschuß von Toluolsulfamid (evtl. auch ohne Lö-sungsmittel) ein, verwendet Kaliumacetat oder Natriumcarbonat als Halogenwasserstoff-bindende Mittel und geringe Mengen Kupfer(II)-Salz als Katalysator. Die Ausbeuten sind meist vorzüglich.

Die Spaltung der Tosylamino-9,10-anthrachinone gelingt meist ohne Schwierigkeiten durch kurzes Erwärmen mit 92–95%-iger Schwefelsäure auf dem Wasserbad.

So wurden u. a. erhalten:

1-Amino-2-trifluormethyl-9,10-anthrachinon[6]; F: 153–155°
2-Amino-9,10-anthrachinon-1-carbonsäure[7]
4-Amino-1-hydroxy-9,10-anthrachinon[8]
4-Amino-1-hydroxy-3-methyl-9,10-anthrachinon[9]; F: 257°
1-Amino-5-nitro-9,10-anthrachinon[10]

Auf die Aufzählung der zahlreichen Amino-9,10-anthrachinone, die auf andere Weise erheblich einfacher zugänglich sind, soll hier verzichtet werden.

Reaktionsfähige Halogen-Atome in 9,10-Anthrachinon-sulfonsäuren bzw. -carbonsäu-ren setzen sich bereits beim Kochen in wäßriger Lösung mit Toluolsulfamid-natrium um[11]; z. B.:

4-Brom-1-amino-9,10-anthrachinon-2-sulfonsäure → *1,4-Diamino-9,10-anthrachinon-2-sulfonsäure*
4,8-Dibrom-1,5-dihydroxy-9,10-anthrachinon-2,6-disulfonsäure → *4,8-Diamino-1,5-dihydroxy-9,10-anthrachinon-2,6-disulfonsäure*

[1] DRP. 593671, 592202 (1932), I.G. Farb., Erf.: W. MIEG et. al.; Frdl. **20**, 1310–16.
[2] DRP. 593672 (1932), I.G. Farb., Erf.: W. MIEG; Frdl. **20**, 1313.
[3] DRP. 224982, 227324 (1909), F. ULLMANN; Frdl. **10**, 586, 587.
   F. ULLMANN u. O. FODOR, A. **380**, 317 (1911).
[4] F. ULLMANN u. R. MEDENWALD, B. **46**, 1798 (1913).
[5] Brit. P. 214765 (1923), Scottish Dyes Ltd., Erf.: H. A. E. DRESCHER u. J. THOMAS; C. **1925 I**, 2514.
[6] FIAT Final Rep. Nr. **1313 I**, 320 (1948), I.G. Farb. Hoechst.
[7] A. SCHAARSCHMIDT, A. **405**, 116 (1914).
[8] F. ULLMANN u. A. CONIZETTI, B. **53**, 834 (1920).
[9] F. ULLMANN u. W. SCHMIDT, B. **52**, 2112 (1919).
[10] Schweiz. P. 186545 (1936), CIBA; C. **1936 II**, 1452.
[11] DRP. 293100 (1914), Agfa; Frdl. **12**, 445.

1-Amino-5-nitro-9,10-anthrachinon[1]: In eine Schmelze aus 300 g p-Toluolsulfamid, 52 g entwässertem Natriumacetat, 1 g Kupferacetat und 1 g Kupferbronze werden bei 135–145° 100 g 1-Chlor-5-nitro-9,10-anthrachinon eingerührt; man erhitzt 2 Stdn. auf 160–165°. Hierauf wird die Schmelze mit 5 l Wasser verdünnt, kochend filtriert und der Rückstand zur Entfernung des überschüssigen p-Toluolsulfamids mit kochendem Wasser gewaschen. Die Hydrolyse zum 1-Amino-5-nitro-9,10-anthrachinon (F: 285°) erfolgt durch kurzes Erwärmen in konz. Schwefelsäure.

8-Amino-5-isopropylamino-1-hydroxy-9,10-anthrachinon[2]: 36 g 8-Brom-5-isopropylamino-1-hydroxy-9,10-anthrachinon werden bei 150° in 108 g geschmolzenes p-Toluolsulfamid eingetragen; dann rührt man ein Gemisch aus 25 g Kaliumacetat und 0,7 g Kupferacetat ein. In exothermer Umsetzung steigt die Temp. auf 165° an. Nach ~ 30 Min. kühlt man auf~ 80° ab, verdünnt mit 150 ml Methanol, saugt das grobkristallin abgeschiedene Kondensationsprodukt ab und wäscht so lange mit heißem Methanol nach, bis das Filtrat klarblau abläuft. Anschließend werden die Salze mit heißem Wasser ausgewaschen. Nach dem Trocknen erhält man 33,7 g 5-Isopropylamino-8-tosylamino-1-hydroxy-9,10-anthrachinon. Dieses wird durch kurzes Erwärmen mit 70%-iger Schwefelsäure auf 60–65° verseift.

1-Amino-4-tosylamino-9,10-anthrachinon-2-sulfonsäure[3]: 250 g Bromaminsäure (auf 100%-ig ber.) werden in 7,5 l Wasser gelöst, mit 190 g krist. Natriumacetat, 125 g p-Toluolsulfamid und 4 g krist. Kupfersulfat versetzt und 4 Stdn. auf 98° erhitzt. Bei 25° wird abgesaugt und mit einer 2%-igen Natriumchlorid-Lösung ausgewaschen. Nach dem Trocknen erhält man 275 g salzhaltiges Produkt (90% d. Th.).

Das *1,2-Diamino-9,10-anthrachinon* ist auch nach der Ullmann-Methode aus 1-Chlor-2-amino-(bzw. -acetylamino)-9,10-anthrachinon nur mit schlechter Ausbeute erhältlich.

In der Literatur ist die Umsetzung eines unreinen 1,4,5,8-Tetrachlor-9,10-anthrachinons mit Toluolsulfamid bei 210° beschrieben[4]. Die bei 100° durchgeführte Spaltung des 1,4,5,8-Tetratosylamino-9,10-anthrachinons mit konz. Schwefelsäure dürfte jedoch mit einer Teilhydrolyse der Amino-Gruppen verbunden sein.

Der Austausch von nur einem Halogen-Atom in Dihalogen-9,10-anthrachinonen erfordert keine besonderen Vorsichtsmaßnahmen, wenn es sich um Halogen-Atome unterschiedlichen Reaktionsvermögens handelt. So läßt sich aus 1,3-Dibrom-9,10-anthrachinon mit Toluolsulfamid in Pentanol mit 90%-iger Ausbeute das *3-Brom-1-amino-9,10-anthrachinon*[5] (F: 243°) herstellen. Auf ähnliche Weise erhält man aus 2,4-Dibrom-1-amino-9,10-anthrachinon das *2-Brom-1,4-diamino-9,10-anthrachinon*[6] (F: 234°) bzw. aus 1,3-Dibrom-2-amino-9,10-anthrachinon das *3-Brom-1,2-diamino-9,10-anthrachinon*[7] (F: 312°). Aus den entsprechenden Tetrahalogen-9,10-anthrachinonen lassen sich leicht die 3,7-Dihalogen-1,4-diamino-[8,9], 3,6-Dihalogen-1,8-diamino-[8,9] sowie die 6,7-Dihalogen-1,4-diamino-9,10-anthrachinone[10] gewinnen.

3-Brom-1,2-diamino-9,10-anthrachinon[7]:
3-Brom-2-amino-1-tosylamino-9,10-anthrachinon: 15 g 1,3-Dibrom-2-amino-9,10-anthrachinon, 9 g p-Toluolsulfamid, 4,5 g wasserfreies Kaliumacetat und 0,2 g Kupferacetat werden in 120 ml Pentanol 2 Stdn. unter Rückfluß erhitzt, wobei das Ausgangsmaterial mit rotbrauner Farbe in Lösung geht. Nach dem Erkalten werden die abgeschiedenen Kristalle abgesaugt, mit Äthanol ausgewaschen und mit Wasser ausgekocht. Durch Umkristallisieren aus 250 ml Chlorbenzol werden 14,1 g (76% d. Th.) erhalten; gelbbraune Kristalle; F: 237,5°.
3-Brom-1,2-diamino-9,10-anthrachinon: 5 g des vorstehenden Produktes werden in 30 ml konz. Schwefelsäure heiß gelöst und nach dem Abkühlen tropfenweise mit Wasser versetzt, bis sich das violette Sulfat abscheidet. Dieses wird in der Kälte abgesaugt und mit Wasser hydrolysiert. Ausbeute: ~ 2,5 g (74% d. Th.). Dunkelrote irisierende Kristalle (F: 312°) aus Pyridin.

[1] Schweiz. P. 186545 (1936), CIBA; C. **1936 II**, 1452.
[2] DOS. 1932646 (1969), Farbf. Bayer, Erf.: W. Hohmann et al.; C. A. **75**, 50421ᵍ (1971).
[3] FIAT Final Rep. Nr. **1313 II**, 203 (1948), I.G. Farb. Leverkusen.
[4] Fr.P. 831228 (1937), Rhodiaceta, Erf.: P. Bludow; C. **1938 II**, 4313.
[5] F. Ullmann u. O. Eiser, B. **49**, 2157 (1916).
[6] F. Ullmann u. O. Eiser, B. **49**, 2166 (1916).
[7] F. Ullmann u. W. Junghans, A. **399**, 338 (1913).
[8] K. Kuppe, I.G. Farb. Leverkusen (1933).
[9] H. Hopff, J. Fuchs u. K. H. Eisenmann, A. **585**, 178, 180 (1954).
[10] DAS. 935669 (1953), Farbf. Bayer, Erf.: F. Baumann; C. A. **53**, 7127ᶠ (1959).

2-Chlor-1-amino-9,10-anthrachinon[1]: In eine siedende Lösung von 60 g 1,2-Dichlor-9,10-anthrachinon in 300 g 1,2-Dichlor-benzol werden 46 g Kaliumcarbonat und 0,6 g Kupfer(II)-acetat eingerührt. Dann trägt man innerhalb 3 Stdn. 60 g p-Toluolsulfamid ein und erhitzt anschließend noch 15 Stdn. auf ~175°. Man saugt bei ~80° ab, wäscht mit 1,2-Dichlor-benzol nach und entfernt aus dem Nutschkuchen das Lösungsmittel mit Wasserdampf. Das mit Wasser ausgewaschene und getrocknete Rohprodukt wird kalt in 350 g Schwefelsäure-Monohydrat gelöst und 1 Stde. auf 100° erhitzt. Anschließend tropft man bei 80° soviel Wasser ein, bis eine 80%-ige Schwefelsäure entstanden ist. Dabei scheiden sich Kristalle des Ausgangsmaterials ab, die abfiltriert werden. Durch Eingießen des Filtrats in Wasser resultiert weitgehend reines 2-Chlor-1-amino-9,10-anthrachinon mit einer Gesamtausbeute von ~90% d. Th.

Beabsichtigt man, in einem Dihalogen-9,10-anthrachinon mit etwa gleich reaktionsfähigen Halogen-Atomen nur eines auszutauschen, dann muß man ~1Mol Toluolsulfamid anwenden und in einem möglichst niedrigsiedenden Lösungsmittel arbeiten, in welchem das Monokondensationsprodukt unlöslich ist und sich so der weiteren Umsetzung entzieht. So läßt sich durch Erhitzen von 1,4- bzw. 1,5-Dichlor-9,10-anthrachinon mit ~1 Mol p-Toluolsulfamid in Gegenwart von Kaliumcarbonat und Kupferacetat in siedendem 1,2-Dichlor-benzol in ~80%-iger Ausbeute das *4- (bzw. 5-)-Chlor-1-amino-9,10-anthrachinon* gewinnen[2].

ζ) Herstellung von Amino-9,10-anthrachinonen durch Austausch von Sulfo- gegen Amino-Gruppen

Der Austausch von Sulfo-Gruppen gegen Amino-Gruppen mittels Ammoniak bzw. primären aliphatischen Aminen gelingt sowohl mit α-[3] als auch mit β-ständigen[4] Sulfonsäuren. Letztere reagieren allerdings etwas schwerer.

Dieses Verfahren ist von besonderer technischer Bedeutung, da das 1-Amino-9,10-anthrachinon mit seinen Folgeprodukten noch weitgehend auf dieser Basis hergestellt wird. Um reine Produkte und hohe Ausbeuten zu erzielen, muß man Oxidationsmittel, z. B. Arsen(V)-oxid, Mangandioxid, Kaliumchlorat[5] oder 3-Nitro-benzolsulfonsäure[6], zusetzen, da diese das abgespaltene Sulfit zerstören, das sonst zu Nebenreaktionen führt. So entsteht bei der Umsetzung von 9,10-Anthrachinon-1-sulfonsäure mit Ammoniak ohne Zusatz eines Oxidationsmittels auch *1-Amino-9,10-anthrachinon-2-sulfonsäure*. Auch ein Zusatz von Bariumchlorid wirkt sich günstig aus, da das Sulfit als schwerlösliches Bariumsalz unschädlich gemacht wird[7].

1-Amino-9,10-anthrachinon[8]: Eine ~35%-ige wäßr. Paste von 9,10-anthrachinon-1-sulfonsaurem Kalium (entsprechend 250 g 100%-igem Produkt), wird mit 65 g 3-nitro-benzolsulfonsaurem Natrium und 750 *ml* 30%-igem Ammoniak im Autoklaven innerhalb 6 Stdn. auf 175° (~30 at) erhitzt. Man läßt bei dieser Temp. weitere 60 Stdn. reagieren.

Nach dem Erkalten wird der Autoklaveninhalt mit heißem Wasser herausgespült, abgesaugt, neutral gewaschen und getrocknet; Ausbeute: 144 g (97%-ig = 82% d. Th.); F: ~242°.

Durch Sublimation i. Vak. (3 Torr) bei 230–350° erhält man ein 99%-iges 1-Amino-9,10-anthrachinon; dunkelrote Kristalle mit metallischem Glanz; F: 245°.

1-Methylamino-9,10-anthrachinon[9]: 450 g 9,10-anthrachinon-1-sulfonsaures Kalium (auf 100%-iges Prod. ber.), 75 g 3-nitro-benzolsulfonsaures Natrium, 112 g Kupfersulfat und 2,4 *l* Methylamin werden in einem 10 *l* Autoklaven durch Wasser-Zusatz auf ein Gesamtvol. von 7,3 *l* gebracht. Innerhalb 6 Stdn. erhitzt man auf 128° und hält anschließend diese Temp. 6–7 Stdn. bei.

---

[1] Brit. P. 391209 (1931), I.C.I., Erf.: R. F. Thomson u. R. J. Loveluck; C. **1933 II**, 1765.

[2] DRP. 584706 (1931), I.C.I.; Frdl. **20**, 1306.

[3] DRP. 175024 (1902) (Monosulfonsäure); 181722 (1903) (Disulfonsäure), Farbf. Bayer; Frdl. **8**, 283, 284.

[4] H. R. v. Perger, B. **12**, 1567 (1879).

[5] DRP. 256515 (1911), BASF, Erf.: C. Rampini; Frdl. **11**, 551.

[6] DRP. 391073 (1921), CIBA; Frdl. **14**, 847.
 K. Lauer, J. pr. **135**, 10 (1932).

[7] DRP. 267212 (1912), Farbw. Hoechst; Frdl. **11**, 552.

[8] In Anlehnung an die Betriebsvorschrift der I.G. Farb. Leverkusen, FIAT Final Rep. Nr. **1313 II**, 23 (1948).

[9] Nach BIOS Final Rep. Nr. **1484**, 18 (1948), I.G. Farb. Leverkusen.

Nach dem Abkühlen wird der Ansatz abgesaugt, mit heißem Wasser gewaschen, der Filterkuchen mit verd. Salzsäure ausgekocht, nochmals abgesaugt, heiß ausgewaschen und getrocknet; Ausbeute: 352 g ($\sim$ 100% d. Th.).

2-Brom-9,10-anthrachinon-5-sulfonsäure wird mit 25%-igem Ammoniak bei 145° zu *6-Brom-1-amino-9,10-anthrachinon* umgesetzt[1].

1,5-Diamino-9,10-anthrachinon[2]: 220 g 9,10-anthrachinon-1,5-disulfonsaures Natrium (auf 100%-iges Prod. ber.), 110 g 3-nitro-benzolsulfonsaures Natrium und 530 *ml* 25%-iges Ammoniak werden $\sim$ 48 Stdn. im Autoklaven auf 175° (30 at) erhitzt. Hierauf wird mit Wasser verdünnt, abgesaugt und solange mit heißem Wasser nachgewaschen, bis das Filtrat farblos abläuft.

Die Ausbeute beträgt nach dem Trocknen $\sim$ 62% d. Th. Die Reinigung erfolgt durch Vakuumsublimation zwischen 250–400° (2–3 Torr) und liefert ein 99% reines Produkt (dunkelrote, irisierende Kristalle).

Der partielle Umsatz zur 1-Amino-9,10-anthrachinon-5-sulfonsäure gelingt nur mit schlechter Ausbeute.

Aus 9,10-anthrachinon-1,5-disulfonsaurem Kalium wird mit einer 5%-igen wäßrigen Methylamin-Lösung bei 140° die *1-Methylamino-9,10-anthrachinon-5-sulfonsäure*[3], mit 10%-igem Methylamin bei 160° das *1,5-Bis-[methylamino]-9,10-anthrachinon*[3] und in einer Schmelze mit p-Toluidin bei 170° das *1,5-Bis-[4-methyl-anilino]-9,10-anthrachinon*[3] erhalten.

1-Isopropylamino-9,10-anthrachinon-5-sulfonsäure[4]: 136 g 9,10-anthrachinon-1,5-disulfonsaures Natrium werden mit 44 g Isopropylamin, 54 g 3-nitro-benzol sulfonsaurem Natrium, 16 g Magnesiumoxid, 1,6 g Kupfersulfat (krist.) und 500 *ml* Wasser im Autoklaven 48 Stdn. bei 130° gerührt. Nach dem Erkalten gibt man 3,8 *l* Wasser zu und stellt mit Salzsäure auf p_H : 3 ein; anschließend fügt man weitere 280 g konz. Salzsäure zu und erhitzt zum Sieden. Man saugt heiß ab und wäscht den Rückstand (6 g *1,5-Bis-[isopropylamino]-9,10-anthrachinon*) mit einer heißen Mischung aus 800 *ml* Wasser und 5 g konz. Salzsäure aus. Aus dem heißen Hauptfiltrat wird das *1-isopropylamino-9,10-anthrachinon-5-sulfonsaure Natrium* mit 270 g Natriumchlorid ausgesalzen. Man läßt unter Rühren erkalten, saugt ab, wäscht mit einer 5%-igen Natriumchlorid-Lösung neutral und trocknet. Man erhält 85 g tiefrote Nadeln. Das Produkt enthält 95,8% reine Verbindung und 4,1% Natriumchlorid.

1,2-Diamino-9,10-anthrachinon[5]: 80 g 1-amino-9,10-anthrachinon-2-sulfonsaures Natrium (auf 100%-iges Prod. ber.) werden mit 1,1 *l* 25%-igem Ammoniak, 17 g 3-nitro-benzolsulfonsaurem Natrium, 19 g (100%-ig) Arsensäure und 25 g krist. Kupfersulfat $\sim$ 30–35 Stdn. auf 200° erhitzt. Das anfallende Rohprodukt ist $\sim$ 70%-ig. Die Ausbeute auf 100%-iges Produkt bezogen beträgt $\sim$ 56% d. Th. Reines 1,2-Diamino-9,10-anthrachinon wird durch Fraktionieren des Rohproduktes aus Schwefelsäure gewonnen (orangerote Kristalle).

2,6-Diamino-9,10-anthrachinon[6]: 120 g 9,10-anthrachinon-2,6-disulfonsaures Natrium werden im Autoklaven mit 120 *ml* Wasser, 120 g (100%-ig) Arsensäure und 480 g 25%-igem Ammoniak $\sim$ 24 Stdn. auf 200° ($\sim$ 35 at) erhitzt.

Nach dem Erkalten wird der Autoklaveninhalt herausgespült, abgesaugt, mit heißem Wasser ausgewaschen und getrocknet; Ausbeute: $\sim$ 75% d. Th.

Unter milderen Bedingungen entstehen beträchtliche Mengen an 2-Amino-9,10-anthrachinon-6-sulfonsäure. Wie auch im vorhergehenden Beispiel werden optimale Ausbeuten nur unter Zusatz von Arsensäure erzielt.

Der Austausch von β-ständigen Sulfo-Gruppen gegen aromatische Amine gelingt nicht. So entsteht aus 9,10-Anthrachinon-2-sulfonsäure beim Erhitzen mit p-Toluidin eine gut kristallisierende Sulfonsäure, in der eine Carbonyl- durch die 4-Methyl-phenylimino-Gruppe ersetzt ist[7] (vgl. S. 287).

Auch mit Anilin-kalium erhält man nur minimale Ausbeuten an *2-Anilino-9,10-anthrachinon* (F: 234–236°).

[1] US.P. 2 100 527 (1936), DuPont, Erf.: M. S. WHELEN; C. **1938 I**, 2954.
[2] Nach BIOS Final Rep. Nr. **1484**, 14 (1948), I.G. Farb. Leverkusen.
[3] DRP. 181 722 (1903), Farbf. Bayer; Frdl. **8**, 284.
[4] DOS. 1 768 152 (1968), Farbf. Bayer, Erf.: K. WUNDERLICH u. H.-S. BIEN; C. A. **76**, 87 169ᶜ (1972).
[5] FIAT Final Rep. Nr. **1313** II, 98 (1948), I.G. Farb. Ludwigshafen.
[6] Nach BIOS Final Rep. Nr. **1484**, 14 (1948), I.G. Farb. Ludwigshafen.
   DRP. 135 634 (1901), Farbf. Bayer; Frdl. **6**, 305.
[7] DRP. 136 872 (1901), Farbf. Bayer; Frdl. **7**, 162.

η) Herstellung von α-Amino-9,10-anthrachinonen aus α-Nitro-9,10-anthrachinonen durch Kondensation mit Aminen

In α-Nitro-9,10-anthrachinonen sind die Nitro-Gruppen etwa so reaktionsfähig wie die Halogen-Atome in den entsprechenden Halogen-9,10-anthrachinonen. Da die bei den Kondensationen abgespaltene Salpetrige Säure ein Mol Amin zerstört, ist dieses Verfahren für Umsetzungen mit teuren Aminen nicht zu empfehlen. Zur Herstellung von Di-anthrimiden und für Umsetzungen mit 1-Amino-4-nitro-9,10-anthrachinonen ist das Verfahren ungeeignet. Im letzteren Falle muß man vom 1-Acetylamino-4-nitro-9,10-anthrachinon ausgehen[1].

Die Umsetzung von α-Nitro-9,10-anthrachinonen gelingt mit Ammoniak oft erheblich besser als die von α-Halogen-9,10-anthrachinonen, wie dies z.B. beim 1-Nitro-9,10-anthrachinon der Fall ist.

Da in den 1-Halogen-4-nitro-9,10-anthrachinonen beide Substituenten etwa gleich reaktionsfähig sind, lassen sich z. B. aus 1,5-Dichlor-4,8-dinitro-9,10-anthrachinon einheitlich nur die Tetraamino-9,10-anthrachinone bei 160–180° herstellen. Im 2-Chlor-1-nitro-9,10-anthrachinon reagiert dagegen eindeutig zuerst die Nitro-Gruppe.

In den 1,6- bzw. 1,7-Dinitro-9,10-anthrachinonen können die α-ständigen Nitro-Gruppen glatt partiell ausgetauscht werden[2, 3]. Der halbseitige Austausch in den 1,5- und 1,8-Dinitro-9,10-anthrachinonen gelingt besonders mit sekundären Aminen recht gut – besser als mit den entsprechenden Dihalogen-9,10-anthrachinonen.

Von besonderem technischem Interesse ist die Umsetzung von 1-Nitro-9,10-anthrachinon mit Ammoniak. Diese läßt sich mit ~25%-igem Ammoniak bei ~190° durchführen. Einfacher läßt sich jedoch der Austausch mit Ammoniak durch ~3stdg. Erhitzen in Xylol[4] auf ~170° bewerkstelligen. Dabei entsteht praktisch quantitativ ein Gemisch aus 92% *1-Amino-9,10-anthrachinon* und ~5% *1-Amino-9,10-anthrachinon-monoimin*. Letzteres wird durch Erhitzen mit Wasser unter Druck zum 1-Amino-9,10-anthrachinon hydrolysiert[4].

Aus 1-Nitro-9,10-anthrachinonen wurden u. a. hergestellt:

1. mit prim. Aminen

1-Methylamino-9,10-anthrachinon (F: 167°) (10stdg. Erhitzen mit einer 10%-igen äthanolischen Methyl-amin-Lösung[5] bzw. mit gasförmigem Methylamin in Tetramethylensulfon bei 140° (98% d. Th.)[6]

1-Isopropylamino-9,10-anthrachinon[6]

1-Benzylamino-9,10-anthrachinon (wasserfrei bei ~95°)[5]

1-(2-Amino-äthylamino)-9,10-anthrachinon (Basenüberschuß bei 60°)[7] (schlechte Ausbeute)

1-Methylamino-9,10-anthrachinon-6-sulfonsäure (mit 10%-iger wäßr. Methylamin-Lösung bei 95°)[5]

1-Cyclohexylamino-9,10-anthrachinon-6-(bzw. -7)-sulfonsäure (Gemisch)[8]

1-Methylamino-5-anilino-9,10-anthrachinon (aus 1-Anilino-5-nitro-9,10-anthrachinon in 5%-iger Methylamin/Pyridin-Lösung bei 100°)[5]

1-Methylamino-5-(4-methyl-anilino)-9,10-anthrachinon (aus 1-Dimethylamino-5-nitro-9,10-anthrachinon durch 2stdg. Erhitzen auf 180° in p-Toluidin)[9]

[1] DRP. 148767 (1903), Farbf. Bayer; Frdl. **7**, 210.

[2] DOS. 2334991 (1973), Bayer AG, Erf.: W. AUGE, K.-W. THIEM u. R. NEEFF; C. A. **83**, 30051^y (1975).

[3] DOS. 2300544, 2307591 (1973), Bayer AG, Erf.: W. HOHMANN, H. HERZOG u. H.-S. BIEN; C. A. **81**, 171346^u (1974); **82**, 45043^a (1975).

[4] DOS. 2410310 (1974), Bayer AG, Erf.: W. AUGE et al.; C. A. **84**, 6495^w (1976).

[5] DRP. 144634 (1901), Farbf. Bayer; Frdl. **7**, 201.

[6] DOS. 2541663 (1974/75), Ciba-Geigy, Erf.: Z. SEHA; C. A. **85**, 48269^b (1976).

[7] DAS. 1082916 (1956), Farbf. Bayer, Erf.: E. BRÜNING u. F. MIETZSCH; C. A. **56**, 4703^e (1962).

[8] BIOS Final Rep. Nr. **1484**, 28 (1948), I.G. Farb. Leverkusen.

[9] DRP. 139581 (1900), Farbf. Bayer; Frdl. **7**, 207.

2. mit sek. aliphatischen Aminen

1-Dimethylamino-9,10-anthrachinon (F: 138°) (10stdg. Rückflußsieden mit 10%-iger äthanolischer Dimethylamin-Lösung)[1]

1-Piperidino-9,10-anthrachinon[1]

Vorsicht! Die als Nebenprodukte entstehenden Nitrosamine sind sehr cancerogen!

Durch partiellen Austausch in den 1,5- und 1,8-Dinitro-9,10-anthrachinonen lassen sich durch Erwärmen mit einer 5%-igen Methylamin/Pyridin-Lösung auf 50° *1-Methyl-amino-5-(bzw.-8)-nitro-9,10-anthrachinon* gut herstellen[2]. *1-tert.-Butylamino-5-nitro-9,10-anthrachinon* wird mit >90% Ausbeute durch Erwärmen der Komponenten in Nitrobenzol erhalten. Analog entsteht das *1-(4-Methyl-anilino)-5-nitro-9,10-anthrachinon*[3] durch 1stdg. Rückflußsieden der Komponenten in Pyridin-Lösung.

Durch energischere Reaktionsbedingungen können beide Nitro-Gruppen ausgetauscht werden; z.B. zum *1,5(bzw. 1,8)-Bis-[methylamino]-anthrachinon* (8 Stdn. in Pyridin bei 100°[2] oder in Tetramethylensulfon bei 145°); beide Verbindungen sind auch ausgehend von 1-Nitro-9,10-anthrachinon-5-(bzw. -8)-sulfonsäure zugänglich.

Besonders reaktionsfähig ist die 4-Nitro-1-hydroxy-9,10-anthrachinon-2-sulfonsäure. Diese setzt sich mit p-Toluidin bereits in 50%-iger Essigsäure bei 95° zur *4-(4-Methyl-anilino)-1-hydroxy-9,10-anthrachinon-2-sulfonsäure* um[4].

Aus 4,5-Dinitro-1,8-dihydroxy-9,10-anthrachinon entsteht durch Erhitzen (4 Stdn. 150°) mit überschüssigem p-Toluidin unter Borsäure-Zusatz vorwiegend das *5,8-Bis-[4-methyl-anilino]-4-nitro-1-hydroxy-9,10-anthrachinon*[5].

In 4,8-(bzw. 4,5)-Dinitro-1,5-(bzw. 1,8)-dihydroxy-9,10-anthrachinonen werden durch Anilin in Gegenwart von Triisopropylamin bei 150° vorwiegend beide Nitro-Gruppen ausgetauscht[6].

1-Dimethylamino-2-methoxy-9,10-anthrachinon[7]: In ein Gemisch aus 12,7 g 1-Nitro-2-methoxy-9,10-anthrachinon und 63,5 g Tetramethylensulfon wird bei 145° innerhalb von 2 Stdn. gasförmiges Dimethylamin eingeleitet, derart, daß das Reaktionswasser überdestillieren kann. Anschließend werden das entstandene N-Nitroso-dimethylamin (**Vorsicht!** cancerogen) und das Tetramethylensulfon i. Vak. abdestilliert. Der verbliebene Rückstand ist weitgehend reines 1-Dimethylamino-2-methoxy-9,10-anthrachinon.

In analoger Weise wird 1,5-Dinitro-9,10-anthrachinon zum *1,5-Bis-[methylamino]-9,10-anthrachinon* (98% d.Th.) umgesetzt.

ϑ) Herstellung von Amino-9,10-anthrachinonen durch Abbau von Carbonamid-Gruppen

Die Hofmann-Reaktion läßt sich auch mit 9,10-Anthrachinon-carbonsäureamiden durchführen. So wird durch Einwirkung von Natriumhypochlorit und Natronlauge auf 9,10-Anthrachinon-1-carbonsäureamid zw. 70–104° das *1-Amino-9,10-anthrachinon* in guter Ausbeute erhalten[8].

Eine präparative Bedeutung hat dieses Verfahren nicht. Es kann gelegentlich für einen Konstitutionsbeweis nützlich sein, wie z.B. zur Überführung des 1,8-Dihydroxy-3-methoxy-anthrachinon-6-carbonsäureamids in das *6-Amino-1,8-dihydroxy-3-methoxy-9,10-*

[1] DRP. 136777 (1900), Farbf. Bayer; Frdl. **6**, 374.
[2] DRP. 144634 (1901), Farbf. Bayer; Frdl. **7**, 201.
[3] DRP. 126542 (1900), Farbf. Bayer; Frdl. **6**, 300.
[4] DRP. 127438 (1899), Farbf. Bayer, Erf.: R. E. SCHMIDT u. A. JACOBI; Frdl. **6**, 371.
[5] DAS. 1277475 (1963), Farbf. Bayer; Erf.: G. GEHRKE; C.A. **65**, 9066b (1966).
s.a. DOS. 2651975 (1976), BASF, Erf.: G. EPPLE u. W. ELSER.
[6] DAS. 1065959 (1954/55), CIBA, Erf.: P. GROSSMANN et al.; C.A. **51**, 10918e (1957).
[7] DOS. 2541663 (1974/75), Ciba-Geigy, Erf.: Z. SEHA; C.A. **85**, 48269b (1976).
[8] DOS. 2222857 (1972), BASF, Erf.: H. HOCH u. H. EILINGSFELD; C.A. **80**, 61067a (1974).

anthrachinon (Rohausbeute: ~40% d. Th.)[1]. Vielleicht ist dieses Verfahren brauchbar, um das schwer zugängliche *1,2-Diamino-9,10-anthrachinon* besser aus dem 1-Nitro-9,10-anthrachinon-2-carbonamid[2] optimal herstellen zu können.

4. Herstellung von Amino-9,10-anthrachinonen durch direkte Einführung von Amino-Gruppen

Nach dem Verfahren von Dé Turski[3] gelingt es, durch Erhitzen von 9,10-Anthrachinon mit Hydroxylamin in 90%-iger Schwefelsäure in Gegenwart von Eisen(II)-sulfat oder von Vanadin(V)-oxid[4] direkt Amino-Gruppen in das 9,10-Anthrachinon einzuführen. Man erhält aber stets Gemische von *1*- und *2-Amino*- und *Diamino-9,10-anthrachinonen*. Aus 2,3,6,7-Tetrachlor-9,10-anthrachinon entsteht so ein Gemisch aus *2,3,6,7-Tetrachlor-1,4*- und *-1,5-diamino-9,10-anthrachinon*[5].

Ungewöhnlich verläuft die Umsetzung von Hydroxylamin mit Chinizarin in konzentrierter Natronlauge, die zum *2-Amino-1,4-dihydroxy-9,10-anthrachinon* führt[6].

2-Amino-1,4-dihydroxy-9,10-anthrachinon[6]: 28,8 g Chinizarin werden mit 18 g Hydroxylamin-Hydrochlorid und 66 g 40%-iger Natronlauge 10 Stdn. auf 100° erhitzt. Nach dem Erkalten wird das 2-Amino-1,4-dihydroxy-9,10-anthrachinon durch Ansäuern ausgefällt.

In das 1-Amino-9,10-anthrachinon lassen sich im stark alkalischen Bereich Amino-Gruppen einführen. So erhält man durch Erhitzen mit 25%-igem Ammoniak in Gegenwart von 2–2,5 Mol Arsensäure bei 200–220° das *1,2-Diamino-9,10-anthrachinon* in ~55%-iger Reinausbeute. Die Derivate des 1-Amino-9,10-anthrachinons und das 2-Amino-9,10-anthrachinon reagieren praktisch nicht[7].

Auch Anilin läßt sich in Gegenwart von Anilin-natrium bei ~60° an 1-Amino-9,10-anthrachinone anlagern[8]. Ein einheitliches Produkt entsteht jedoch nur aus 1-Amino-2-methyl-9,10-anthrachinon (*1-Amino-4-anilino-2-methyl-9,10-anthrachinon*)[8].

5. Kernsubstitutionen von Amino-9,10-anthrachinonen

α) Herstellung von Halogen-amino-9,10-anthrachinonen

α₁) *Durch Chlorierung von Amino-9,10-anthrachinonen*

Einleitend sei darauf hingewiesen, daß die Brom-amino-9,10-anthrachinone meist in besseren Ausbeuten und höherer Reinheit als die entsprechenden Chlor-Verbindungen anfallen; z. B. das *2,4-Dibrom-1-amino-9,10-anthrachinon*[9], die *Bromaminsäure* und besonders die 4-Brom-1-alkylamino-9,10-anthrachinone (Näheres s. S. 188 ff.).

Als chlorierende Mittel kommen praktisch nur Chlor oder Sulfurylchlorid in Betracht. Je nach Reaktionsmedium gelingt es, bei den α-Amino-9,10-anthrachinonen die Chlor-Atome in verschiedene Stellungen zu dirigieren.

Zur Herstellung von Mono- oder Dichlor-amino-9,10-anthrachinonen verwendet man vorteilhaft Sulfurylchlorid in Nitrobenzol oder in Essigsäure im Temperaturbereich von

---

[1] R. Eder u. F. Hauser, Helv. **8**, 133 (1925).

[2] USSR.P. 574439 (1975), V. I. Rogovik u. L. A. Kozhunova; C.A. **88**, 50552ᵘ (1978).

[3] DRP. 287756 (1914), J. F. dé Turski; Frdl. **12**, 120.

[4] A. C. Robson u. S. Coffey, Soc. **1954**, 2373.

[5] N. S. Dokunikhin, Z. Z. Moiseeva u. V. A. Mayatnikova, Ž. org. Chim. **2**, 1292 (1966); engl.: 1289.

[6] DAS. 1085993 (1957/58) ≡ US.P. 2899438 (1957), CIBA, Erf.: W. Jenny; C.A. **54**, 3979ᵈ (1960). C. Marschalk, Bl. [4] **4**, 632 (1937).

[7] DRP. 523523 (1929), I. G. Farb., Erf.: O. Unger u. K. Roth; Frdl. **17**, 1155.

[8] DRP. 360530 (1919), BASF; Frdl. **14**, 854.

[9] FIAT Final Rep. Nr. **1313 II**, 224 (1948), I. G. Farb. Leverkusen.

40–80°. In einigen Fällen – besonders, wenn man Monochlor-Derivate herstellen will – ist es zweckmäßig, von den Acylamino-9,10-anthrachinonen auszugehen.

4-Chlor-1-amino-2-methyl-9,10-anthrachinon[1] wird durch Chlorieren von 1-Amino-2-methyl-9,10-anthrachinon mit Sulfurylchlorid in Nitrobenzol bei 50° erhalten.

Die Monochlorierung von 1-Amino-9,10-anthrachinonen in Form ihrer Dimethyl-formamidinium-Verbindungen (s. S. 217) führt zu reinen *4-Chlor-1-amino-9,10-anthra-chinonen*[2]. Die Monochlorierung wird zweckmäßig in Schwefelsäure-Monohydrat oder schwachem Oleum mit der berechneten Menge Chlor in Gegenwart von Jod bei 10° vorgenommen. Man erhält so das *4-Chlor-1-amino-9,10-anthrachinon* in 86%-iger Ausbeute. Die analoge Monobromierung erfordert Temperaturen bis zu 90°.

Auf diese Weise lassen sich aus den Chlor-1-amino-9,10-anthrachinonen mit freier 4-Stellung herstellen[2]:

4,5-Dichlor-1-amino-9,10-anthrachinon	97% d.Th.	F: 231–233°
4,8-Dichlor-1-amino-9,10-anthrachinon		F: 248°
4,5,8-Trichlor-1-amino-9,10-anthrachinon	95% d.Th.	F: 300–302°
4-Chlor-1-amino-5-nitro-9,10-anthrachinon		F: 287–289°

4-Chlor-1-benzoylamino-9,10-anthrachinon[3]: 350 g 1-Amino-9,10-anthrachinon werden in 600 ml Nitrobenzol auf 125° erwärmt; dann läßt man innerhalb 90 Min. 180 ml Benzoylchlorid unter Rühren hinzutropfen. Wenn die Chlorwasserstoff-Abspaltung beendet ist, wird 1 Stde. nacherhitzt.

Nach dem Abkühlen auf 30° fügt man 20 ml konz. Schwefelsäure und innerhalb 1 Stde. 1 kg Sulfurylchlorid hinzu. Dann wird die Temp. innerhalb 3 Stdn. auf 60° erhöht und 20 Stdn. konstant gehalten. Nach dem Abkühlen wird über einer Glasfritte abgesaugt, mit Äthanol ausgewaschen und i.Vak. getrocknet; Ausbeute: 410 g (87%-ig = 65% d.Th.).

In analoger Weise wird aus 8-Chlor-1-benzoylamino-9,10-anthrachinon das *4,8-Dichlor-1-benzoylamino-9,10-anthrachinon* erhalten[4].

Das *2,3-Dichlor-1,4-diamino-9,10-anthrachinon* entsteht aus dem 1,4-Diamino-9,10-anthrachinon ebenfalls durch Chlorieren mit Sulfurylchlorid in Nitrobenzol. Zweckmäßig ist es jedoch, das 1,4-Diamino-2,3-dihydro-9,10-anthrachinon mittels Sulfurylchlorid bei 35–45° zu chlorieren[5].

Chloriert man den 1,4-Diamino-9,10-anthrachinon-Borsäure-Komplex in 30%-igem Oleum bei 60°, so resultiert das *5,8-Dichlor-1,4-diamino-9,10-anthrachinon* (F: 279–280°)[6].

1-Chlor-2-amino-9,10-anthrachinon[7]: Durch Chlorieren von 2-Amino-9,10-anthrachinon in Nitrobenzol mit Sulfurylchlorid (bei 15°, zum Schluß 30°) entsteht das Hydrochlorid des 1-Chlor-2-amino-9,10-anthrachinons, das mit verd. Natronlauge zerlegt wird; Ausbeute: 87% (auf 100%-iges Material ber.).

Das anfallende Rohprodukt (F: 225–232°) enthält ~4% 1,3-Dichlor-2-amino-9,10-anthrachinon. Durch Umkristallisieren aus Nitrobenzol oder über die Acetyl-Verbindung[8] erhält man reines 1-Chlor-2-amino-9,10-anthrachinon (F: 235°).

In analoger Weise kann das *1,5-Dichlor-2,6-diamino-9,10-anthrachinon* hergestellt werden[8].

Führt man die Chlorierung des 2-Amino-9,10-anthrachinons mit der doppelten Menge Sulfurylchlorid bei ~70° durch, so läßt sich das *1,3-Dichlor-2-amino-9,10-anthrachinon* in reiner Form als Acetyl-Derivat isolieren[8].

[1] FIAT Final Rep. Nr. **1313** II, 224 (1948), I.G. Farb. Leverkusen.
[2] DAS. 1228274 (1965), Farbf. Bayer, Erf.: H. LEISTER, H. VOLLMANN u. H.-S.BIEN; C.A. **66**, 86602ᵛ (1967).
[3] Nach FIAT Final Rep. Nr. **1313** II, 33 (1948), I.G. Farb. Leverkusen.
[4] Schweiz. P. 164842 (1932), CIBA; C. **1934 II**, 519.
[5] BIOS Final Rep. Nr. **1493**, 18 (1948), I.G. Farb. Leverkusen.
    DRP. 484357 (1926), British Dyestuffs Corp.; Frdl. **16**, 1256.
[6] DAS. 1199279 (1963), Farbf. Bayer, Erf.: H.-S. BIEN et al.; C.A. **63**, 3088ᶜ (1965).
[7] Nach BIOS Final Rep. Nr. **987**, 27 (1948) u. FIAT Final Rep. Nr. **1313** II, 35 (1948), I.G. Farb. Ludwigshafen.
[8] DRP. 559332 (1931), I.G. Farb., Erf.: F. KAČER; Frdl. **19**, 1941.

Die Tetrachlorierung der Diamino-9,10-anthrachinone durch Chlor oder Sulfurylchlorid führt zu unreineren Produkten als die Tetrabromierung.

Bei der Chlorierung von α-Amino-9,10-anthrachinonen in Oleum werden die Chlor-Atome in den aminogruppenfreien Kern dirigiert. So lassen sich u. a. mit guten Ausbeuten herstellen[1]:

5,8-Dichlor-1-amino-9,10-anthrachinon (aus 1-Amino-9,10-anthrachinon)
4,5,8-Trichlor-1-amino-9,10-anthrachinon (F: 300–302°) (aus 4-Chlor-1-amino-9,10-anthrachinon)
3,5,8-Trichlor-1-amino-9,10-anthrachinon (F: 294°) (aus 3-Chlor-1-amino-9,10-anthrachinon)

5,8-Dichlor-1-amino-9,10-anthrachinon[1]: 225 g 1-Amino-9,10-anthrachinon werden in 2 *l* 1%-igem Oleum bei 35° gelöst und mit 10 g Jod als Katalysator versetzt. Hierauf leitet man Chlor in feiner Verteilung ein, wobei die Temp. bis auf 40° ansteigen darf. Die Chlorierung wird bei dieser Temp. solange durchgeführt (~2–3 Stdn.), bis eine Gewichtszunahme von 73 g erfolgt ist. Nach dem Austragen in Wasser und der üblichen Aufarbeitung erhält man ein ~80%-iges 5,8-Dichlor-1-amino-9,10-anthrachinon mit einem Durchschnitts-Chlorgehalt von 23,6% (theoretisch für 2 Cl-Atome: 24,2%) (in 40%-igem Oleum mit grünblauer Farbe löslich).

Eine Reinigung kann durch Fraktionieren aus Schwefelsäure oder durch Umkristallisieren aus Chlorbenzol erfolgen (F: 209–214°).

Ein bemerkenswerter Effekt wird erzielt, wenn man 1-Amino-9,10-anthrachinon in Chlorbenzol in Gegenwart von Tetramethylharnstoff (2,25:10:1) bei −5 bis −10° chloriert. Dabei entsteht einheitlich das *2,3,4-Trichlor-1-amino-9,10-anthrachinon* (F: 257,5°)[2].

Geht man von 1,3-Dichlor-2-amino-9,10-anthrachinon aus, so erhält man *1,3,5,8-Tetrachlor-2-amino-9,10-anthrachinon* (F: 230–232°).

α₂) Spezielle Herstellungsverfahren für Chlor-amino-9,10-anthrachinone

Da einige Diamino-9,10-anthrachinone gut monodiazotierbar sind (s.S. 221), lassen sich diese in Halogen-amino-9,10-anthrachinone überführen. In Halogen-diamino-9,10-anthrachinonen kann eine Amino-Gruppe entweder gegen ein Wasserstoff- oder ein Halogen-Atom ausgetauscht werden.

So gelingt es z.B., 2,3-Dichlor-1,4-diamino-9,10-anthrachinon in *2,3-Dichlor-1-amino-9,10-anthrachinon* (F: 219–221°) bzw. in *2,3,4-Trichlor-1-amino-9,10-anthrachinon* (F: 244°) überzuführen[3].

2,3,4-Trichlor-1-amino-9,10-anthrachinon[3]: 20 g 2,3-Dichlor-1,4-diamino-9,10-anthrachinon werden in 200 g konz. Schwefelsäure gelöst und durch Zugabe der ber. Menge Natriumnitrit oder Nitrosylschwefelsäure monodiazotiert. Die Diazoverbindung wird durch Eintragen von 400 g Eis abgeschieden, scharf abgesaugt, dann in eine Lösung von 20 g Kupfer(I)-chlorid in 200 *ml* konz. Salzsäure eingerührt und zum Schluß auf dem Wasserbad nacherhitzt. Nach dem Verdünnen mit Wasser wird abgesaugt und neutral gewaschen. Das so erhaltene 2,3,4-Trichlor-1-amino-9,10-anthrachinon kristallisiert aus Essigsäure in braungelben Nadeln (F: 244°); Ausbeute: über 80% d.Th.

Monodiazotierte Diamino-9,10-anthrachinon-sulfonsäuren (s.S. 221) können in Halogen-amino-9,10-anthrachinon-sulfonsäuren übergeführt werden[4]; z.B.:

1,5-Diamino-9,10-anthrachinon-2-sulfonsäure	→ *5-Halogen-1-amino-9,10-anthrachinon-2-sulfonsäure*
1,5-Diamino-9,10-anthrachinon-2,6-disulfonsäure	→ *5-Chlor-1-amino-9,10-anthrachinon-2,6-disulfonsäure*
2,6-Diamino-9,10-anthrachinon-3,7-disulfonsäure	→ *6-Halogen-2-amino-9,10-anthrachinon-3,7-disulfonsäure*

---

[1] DAS. 1 151 517, 1 154 490 (1962), Farbf. Bayer, Erf.: H. VOLLMANN, W. HOHMANN u. F. BAUMANN; C.A. **60**, 481[f], 4283[h] (1964).
[2] DOS. 2 154 125 (1971), Ciba-Geigy, Erf.: H.R. RICKENBACHER; C.A. **79**, 32 702[c] (1973).
[3] DRP. 534 305 (1926), I.G. Farb., Erf.: W. ALBRECHT; Frdl. **18**, 1243.
[4] DRP. 620 908 (1933), I.G. Farb., Erf.: G. KRÄNZLEIN u. E. DIEFENBACH; Frdl. **22**, 1028.

Die Herstellung von Halogen-amino-9,10-anthrachinonen durch partiellen Halogen-Austausch in Polyhalogen-9,10-anthrachinonen

a) mit Aminen ist auf S. 173 ff. und
b) mit Toluolsulfamid auf S. 180 ff.

beschrieben.

Die erschöpfende Chlorierung von 1- oder 2-Amino-9,10-anthrachinon mit Chlor in Essigsäure-Salzsäure führt zu Pentachlor-oxo-Derivaten, die sich in die *2,3,4-Trichlor-1-* bzw. *1,3,4-Trichlor-2-hydroxy-9,10-anthrachinone* überführen lassen (s. S. 173).

Durch Einwirkung eines großen Überschusses von Kaliumchlorat auf 1,4-Diamino-9,10-anthrachinon in konzentrierter Salzsäure bei 5° soll das *2,3-Dichlor-1,4;9,10-anthradichinon* (I) und aus 4,8-Diamino-1,5-dihydroxy-9,10-anthrachinon das *Tetrachlor-1,4;5,8;9,10-anthratrichinon* (II) entstehen[1].

I   II

α₃) Herstellung von Brom-amino-9,10-anthrachinonen durch Bromierung von Amino-9,10-anthrachinonen

Die Bromierungen von Amino-9,10-anthrachinonen sind weit unproblematischer und selektiver durchführbar als die entsprechenden Chlorierungen.

1-Alkylamino-9,10-anthrachinone werden in starken Säuren in 4-Stellung bromiert. Die Dibromierung von α- und β-Amino-9,10-anthrachinonen kann praktisch in allen Medien, wie z.B. in konzentrierter Schwefelsäure oder als Paste in verdünnter Salzsäure, durchgeführt werden. Die technisch wichtigen 4-Brom-1-alkylamino-9,10-anthrachinone fallen einheitlich durch Bromieren in konzentrierter Salzsäure an. Durch Bromieren in ~ 10%-iger Salzsäure sind so u.a. zugänglich[2]:

4-Brom-1-methylamino-9,10-anthrachinon (F: 194°)
4-Brom-1-methylamino-5-nitro-9,10-anthrachinon
4-Brom-1-methylamino-9,10-anthrachinon-5- und *-6-sulfonsäuren* (bei ~ 95°)

Anscheinend ist es noch günstiger, die Bromierung in para-Stellung von 1-Alkylamino-9,10-anthrachinonen in 28%-iger Salzsäure bei ~ 40° vorzunehmen; so wurden u.a. hergestellt[3]:

4-Brom-1-methylamino-9,10-anthrachinon	F: 193–195°
4-Brom-1-isopropylamino-9,10-anthrachinon	F: 113–116°
4-Brom-1-(2-hydroxy-äthylamino)-9,10-anthrachinon	
4-Brom-1-cyclohexylamino-9,10-anthrachinon	F: 143–145°
4,8-Dibrom-1,5-bis-[methylamino]-9,10-anthrachinon	Zers. P.: 215°

Letzteres fällt ebenfalls weitgehend in reiner Form an, wenn die Bromierung in Pyridin bei 90° vorgenommen wird[2].

Aus den 1-Dimethylamino-9,10-anthrachinonen entstehen sowohl in Chloroform als auch in ~ 10%-iger Salzsäure bei 20–30° die 4-Brom-1-dimethylamino-9,10-an-

[1] DRP. 258556 (1911), Farbw. Hoechst; Frdl. **11**, 549.
[2] DRP. 164791 (1901), Farbf. Bayer; Frdl. **8**, 280.
[2] DAS. 1176668 (1962), CIBA, Erf.: P. SUTTER; C.A. **60**, 10623ᵇ (1964).

thrachinon-perbromide[1], aus denen durch Behandeln mit Natriumhydrogensulfit das locker gebundene Brom eliminiert wird. U. a. wurden so *4-Brom-1-dimethylamino-9,10-anthrachinon* (F: 178°) und *4,8-Dibrom-1,5-bis-[dimethylamino]-9,10-anthrachinon* (F: 236°) hergestellt. Beide Verbindungen sind in verdünnter Salzsäure löslich.

4-Brom-1-methylamino-9,10-anthrachinon[2]: 250 g 1-Methylamino-9,10-anthrachinon, aus Schwefelsäure umgepastet und säurefrei gewaschen, werden mit 1 *l* Wasser, 1,5 kg Eis und 75 g 30%-iger Salzsäure verrührt. Dazu fließt bei 10° langsam eine Lösung von 114 g Brom in 500 g 30%-iger Salzsäure, die mit Wasser auf 1,6 *l* aufgefüllt wurde. Hierauf werden 30 g Chlor und 10 g Brom in 50 g 30%-iger Salzsäure zugegeben, um aus dem entstandenen Bromwasserstoff das Brom zu regenerieren.

Überschüssiges Halogen wird durch Zugabe von Natriumhydrogensulfit entfernt. Dann erhitzt man auf 80°, saugt ab, wäscht neutral und trocknet bei 70°; Ausbeute: 328 g (98% d. Th.); F: 194°.

4-Brom-1-cyclohexylamino-9,10-anthrachinon[3]: Zu einer Suspension von 100 g feinverteiltem 1-Cyclohexylamino-9,10-anthrachinon in 2,3 kg 28%-iger Salzsäure wird bei 20° eine Lösung von 57 g Brom in 460 g 28%-iger Salzsäure eingerührt und dann innerhalb 30 Min. auf 40–45° erwärmt. Nach weiteren 15 Min. trägt man in eine Lsg. von 100 g 40%-igem Natriumhydrogensulfit in 10 *l* Eiswasser aus und saugt nach ~ 20 Stdn. ab, wäscht säurefrei und trocknet i. Vak. unterhalb 70°. Man erhält praktisch reines 4-Brom-1-cyclohexylamino-9,10-anthrachinon; Ausbeute: 120 g (96% d. Th.); F: 143–145°.

Reines *4-Brom-1-amino-9,10-anthrachinon* ist auf folgendem Wege zugänglich:

4-Brom-1-amino-9,10-anthrachinon[4]: 157 g N,N-Dimethyl-N'-[9,10-anthrachinonyl-(1)]-formamidiniumchlorid (Herstellungsvorschrift s. S. 217) werden in 1 *l* 3%-igem Oleum gelöst und mit 5 g Jod versetzt. Bei 20–25° läßt man 80 g Brom zutropfen, rührt 2 Stdn. bei 60° und 10 Stdn. bei 100° nach.

Nach dem Erkalten trägt man die Schmelze in ~ 30 *l* Wasser aus, dem etwas Natriumhydrogensulfit zugesetzt ist, hydrolysiert durch 3stdgs. Erwärmen auf 80–90°, saugt dann bei 50° ab und wäscht neutral; Ausbeute: 142 g (94% d. Th.) (praktisch rein); F: 172–175°.

In analoger Weise ist das *4,8-Dibrom-1,5-diamino-9,10-anthrachinon* (98% d. Th.) zugänglich (es enthält ~ 3% der Tribrom-Verbindung).

Ein sehr wichtiges Zwischenprodukt für saure blaue Wollfarbstoffe ist die *4-Brom-1-amino-9,10-anthrachinon-2-sulfonsäure* (sog. *Bromaminsäure*), in der das Brom-Atom besonders leicht in wäßriger Phase gegen Amino-Gruppen austauschbar ist[5] (s. S. 176). Die Bromierung muß sorgfältig erfolgen, da sonst auch die 2-ständige Sulfo-Gruppe durch Brom ersetzt wird.

4-Brom-1-amino-9,10-anthrachinon-2-sulfonsäure, Natrium-Salz[6]: 180 g 1-amino-9,10-anthrachinon-2-sulfonsaures Natrium werden in 1,8 *l* Wasser bei 95° gelöst und mit A-Kohle geklärt. Das Filtrat wird mit 300 g Natriumchlorid versetzt. Dann rührt man bei 0–3° eine Lösung von 50,5 g Brom in 300 *ml* konz. Salzsäure und 300 *ml* Wasser innerhalb 30 Min. ein.

Hierauf regeneriert man das Brom aus dem Bromwasserstoff durch langsame Zugabe von 220 *ml* Natriumhypochlorit-Lösung (5,45%-ig an aktivem Chlor) und reduziert restliches Halogen durch Zugabe von Natriumhydrogensulfit.

Der orangerote Kristallbrei wird abgesaugt, mit einer Lösung von 370 g Natriumchlorid in 6 *l* Wasser ausgewaschen und in 4 *l* 90° warmem Wasser unter Neutralisation mit Natriumcarbonat gelöst. Nach dem Filtrieren hinterbleibt ein kleiner Rückstand, bestehend aus 2,4-Dibrom-1-amino-9,10-anthrachinon. Aus dem Filtrat wird bei 50° das Natrium-4-brom-1-amino-9,10-anthrachinon-2-sulfonat ausgesalzen, scharf abgesaugt und getrocknet; Ausbeute: 194 g (86% d. Th., auf 100%-ig ber.).

Analog wird die *4,8-Dibrom-1,5-diamino-9,10-anthrachinon-2,6-disulfonsäure* hergestellt[7].

---

[1] DRP. 146 691 (1900), Farb. Bayer; Frdl. **7**, 170.
[2] BIOS Final Rep. Nr. **1484**, 19 (1948), I. G. Farb. Leverkusen.
[3] DAS. 1 176 668 (1962), CIBA, Erf.: P. SUTTER; C. A. **60**, 10 623[b] (1964).
[4] DAS. 1 228 274 (1965), Farbf. Bayer, Erf.: H. LEISTER, H. VOLLMANN u. H.-S. BIEN; C. A. **66**, 86 602[v] (1967).
[5] DRP. 280 646 (1913), Agfa, Erf.: W. HERZBERG; Frdl. **12**, 453.
[6] FIAT Final Rep. Nr. **1313** II, 214 (1948), I. G. Farb. Leverkusen.
[7] DRP. 126 393 (1899), Farbf. Bayer; Frdl. **6**, 326.

Die *4-Brom-1-amino-5-acetylamino-9,10-anthrachinon-2-sulfonsäure*[1] ist auf folgendem Weg technisch zugänglich:

1,5-Diamino-9,10-anthrachinon-2-sulfonsäure wird bei 30–60° mit einem Essigsäureanhydrid/Pyridin-Gemisch monoacetyliert und bei 2° mit einer Lösung von Brom in Pyridin bromiert.
Die Kondensation mit Aminen wird wie bei der Bromaminsäure vorgenommen[2].

Mit der berechneten Menge Brom entsteht aus 1-Amino-9,10-anthrachinon in Essigsäure bei 95° vorwiegend das *2-Brom-1-amino-9,10-anthrachinon* (F: 181°); analog erhält man aus 1-Amino-5-nitro-9,10-anthrachinon das *2-Brom-1-amino-5-nitro-9,10-anthrachinon*[3].

Diese o-Bromierungen verlaufen anscheinend noch besser in einer Harnstoff-Aluminiumchlorid-Schmelze[4]; u. a. wurden so *2-Brom-1-amino-* und *2-Brom-1,5-diamino-9,10-anthrachinon* hergestellt. Den gleichen Effekt erzielt man auch in einem Natriumchlorid/Aluminiumchlorid/Pyridin-Gemisch bei 80°[5]. Der Reaktionsverlauf beruht wahrscheinlich auf einer Brom-Übertragung aus dem primär entstandenen 1-Amino-2,4-dibrom-9,10-anthrachinon.

2-Brom-1-amino-9,10-anthrachinon[4]: In 60 g Harnstoff werden portionsweise 200 g Aluminiumchlorid eingerührt, wobei unter Wärmeentwicklung eine Schmelze entsteht.
Nach dem Abkühlen auf 25° rührt man 25 g 1-Amino-9,10-anthrachinon ein und tropft – sobald Lösung eingetreten ist – 19,7 g Brom zu. Man rührt einige Stdn. bei 25° und erwärmt dann auf 40–45°, bis kein Brom mehr vorhanden ist.
Nach dem Austragen in verd. Salzsäure saugt man den Niederschlag ab, wäscht neutral und trocknet. Man erhält so weitgehend einheitliches 2-Brom-1-amino-9,10-anthrachinon; F: 181°.

Von den Monohalogen-2-amino-9,10-anthrachinonen sind nur das *1-Chlor-2-amino-* und das *2-Brom-3-amino-9,10-anthrachinon* leicht in reiner Form zugänglich; letzteres weil im 1,3-Dibrom-2-amino-9,10-anthrachinon das Brom-Atom in 1-Stellung „übertragbar" ist. So reagiert dieses mit einem Mol 2-Amino-9,10-anthrachinon durch Erhitzen in Schwefelsäure (78%-ig) auf 180° zu 2 Mol *3-Brom-2-amino-9,10-anthrachinon*[6].

4-Brom-1-amino- und 1-Brom-2-amino-9,10-anthrachinon lagern sich bei 180° mit Phosphorsäure oder Schwefelsäure (78%-ig) in *2-Brom-1-amino-* bzw. *3-Brom-2-amino-9,10-anthrachinon* um[7].

In den 2-Amino-1,3-dibrom- und 1-Amino-2,4-dibrom-9,10-anthrachinonen können die reaktionsfähigen α-ständigen Halogen-Atome durch Reduktionsmittel leicht eliminiert werden[8]; s. S. 65.

3-Brom-2-amino-9,10-anthrachinon[6]: 223 g (1 Mol) 2-Amino-9,10-anthrachinon, in 2 kg konz. Schwefelsäure gelöst, werden mit 400 *ml* Wasser versetzt, wobei die Temp. auf ~ 80° ansteigt. Bei dieser Temp. tropft man unter Rühren langsam 170 g Brom (1,1 Mol) ein, wobei sofort die Halogenierung unter Bromwasserstoff-Entwicklung einsetzt. Nach ~ 90 Min. ist ein Gemisch der verschiedenen Bromierungsstufen (neben unverändertem Ausgangsmaterial) entstanden. Um diese umzulagern, fügt man weitere 100 *ml* Wasser zu und erhitzt noch ~ 4 Stdn. auf 140°, saugt nach dem Erkalten das auskristallisierte Sulfat ab und hydrolysiert dieses mit warmem Wasser. Man erhält so direkt reines 3-Brom-2-amino-9,10-anthrachinon; Ausbeute: ~ 275 g (92% d. Th.); F: 302–304°.

Durch vollständige Bromierung von Amino-9,10-anthrachinonen sind u. a. in vorzüglichen Ausbeuten zugänglich:

---

[1] BIOS Final Rep. Nr. **1484**, 29 (1948), I. G. Farb. Leverkusen.
[2] DRP. 602904 (1933), I. G. Farb., Erf.: K. WEINAND, K. BAMBERGER u. H. UTSCH; Frdl. **21**, 1056.
[3] DRP. 160169 (1904), Farbf. Bayer; Frdl. **8**, 279.
[4] DBP. 878647 (1951), BASF, Erf.: W. BRAUN; C. A. **50**, 4230[a] (1956).
[5] US. P. 2650928 (1950), General Aniline and Film Corp., Erf.: G. R. GENTER; C. A. **48**, 10774[i] (1954).
[6] DRP. 261270/71 (1911), BASF; Frdl. **11**, 558, 559.
[7] DRP. 275299 (1912), Farbf. Bayer; Frdl. **12**, 414.
[8] DRP. 236604 (1909), Farbf. Bayer; Frdl. **10**, 581.

2,4-Dibrom-1-amino-9,10-anthrachinon[1]
1,3-Dibrom-2-amino-9,10-anthrachinon[1]
2,4,6,8- (bzw. *2,4,5,7*)-*Tetrabrom-1,5-* (bzw. *-1,8*)-*diamino-9,10-anthrachinon*[2]
1,3,5,7- (bzw. *1,3,6,8*)-*Tetrabrom-2,6-* (bzw. *-2,7*)-*diamino-9,10-anthrachinon*[3]
2,4-Dibrom-1-amino-5-nitro-9,10-anthrachinon[4]

Ebenso leicht gelingt die Bromierung von 3,7-Dichlor-1,5-diamino- bzw. 3,6-Dichlor-1,8-diamino-9,10-anthrachinon zu *3,7-Dichlor-2,4,6,8-tetrabrom-1,5-diamino-* bzw. *3,6-Dichlor-2,4,5,7-tetrabrom-1,8-diamino-9,10-anthrachinon*[5].

2,4-Dibrom-1-amino-9,10-anthrachinon[6]**:** 200 g 1-Amino-9,10-anthrachinon werden bei 40° in 160 *ml* konz. Schwefelsäure und 180 *ml* 20%-igem Oleum gelöst, auf 25° abgekühlt und in 3,2 *l* Eis-Wasser eingerührt.

In diese Suspension werden bei 25° 159 g Brom eingetropft und innerhalb 7 Stdn. 65 g Chlor eingeleitet, um aus dem Bromwasserstoff Brom zu regenerieren. Anschließend erwärmt man innerhalb von 3 Stdn. auf 50°, hält diese Temp. 2 Stdn. konstant und erhitzt dann innerhalb 3 Stdn. auf 70–80°.

Ein Überschuß von Brom wird durch Zugabe von Natriumhydrogensulfit weggenommen. Nach dem Abfiltrieren, Auswaschen und Trocknen erhält man 332 g (97% d. Th.) praktisch reines 2,4-Dibrom-1-amino-9,10-anthrachinon.

Eine weitere Herstellungsvorschrift findet sich auf S. 204.

2,4,6,8-Tetrabrom-1,5-diamino-9,10-anthrachinon[7]**:** 1 Tl. verpastetes 1,5-Diamino-9,10-anthrachinon wird mit 3 Tln. Brom in 30 Tln. verd. Salzsäure bei 20° einige Stdn. verrührt. Man saugt ab, wäscht mit hydrogensulfithaltigem und dann mit reinem Wasser aus. Ausbeute: quantitativ.

α_4) *Hinweise auf weitere Herstellungsverfahren für Brom-amino-9,10-anthrachinone*

Außer der Bromierung von Amino-9,10-anthrachinonen gibt es noch einige weitere Verfahren zur Herstellung von Brom-amino-9,10-anthrachinonen.

Die Möglichkeiten, die das Sandmeyer-Verfahren – ausgehend von monodiazotierten Diamino-9,10-anthrachinonen – auch zur Herstellung von Brom-amino-9,10-anthrachinonen bietet, sind auf S. 221 beschrieben.

Ein weiteres Herstellungsverfahren für Brom-amino-9,10-anthrachinone beruht auf der leichten Verdrängung der Sulfo-Gruppen in Amino-anthrachinon-o-sulfonsäuren. So entstehen z. B. aus Bromaminsäure oder aus 2-Amino-anthrachinon-3-sulfonsäure durch Brom-Einwirkung bereits bei 30° glatt *2,4-Dibrom-1-amino-* bzw. *1,3-Dibrom-2-amino-9,10-anthrachinon* (s. S. 59).

β) Herstellung unsubstituierter Amino-9,10-anthrachinon-sulfonsäuren

Eine Reihe von Amino-9,10-anthrachinon-sulfonsäuren läßt sich durch direkte Sulfierung von Amino-9,10-anthrachinonen – ohne Schutz-Gruppen – herstellen. So wird *1-Amino-9,10-anthrachinon-2-sulfonsäure* am besten mittels Chlorsulfonsäure in Lösungsmitteln erhalten[8]. Nach der auf S. 193 angegebenen Vorschrift werden in analoger Weise durch o-Sulfierung erhalten:

5-Chlor-1-amino-9,10-anthrachinon-2-sulfonsäure
1-Amino-9,10-anthrachinon-2,5-disulfonsäure
1-Amino-9,10-anthrachinon-2,8-disulfonsäure

[1] F. Ullmann u. W. Junghans, A. **399**, 330 (1913).
[2] Fr.P. 292271 (1899), Farbf. Bayer.
[3] DRP. 137783 (1898), BASF; Frdl. **6**, 312.
[4] DRP. 151512 (1903), Farbf. Bayer; Frdl. **7**, 211.
[5] K. Kuppe, I.G. Farb. Leverkusen (1933).
[6] In Anlehnung an BIOS Final Rep. Nr. **1484**, 6 (1948), I.G. Farb. Leverkusen.
[7] R. Scholl, F. Eberle u. W. Tritsch, M. **32**, 1055 (1911).
[8] US.P. 2135346 (1937), DuPont, Erf.: H. R. Lee u. D. X. Klein; C. A. **33**, 1155[2] (1939).

Die 1-Amino-9,10-anthrachinon-2,4-disulfonsäure läßt sich nicht durch Sulfieren herstellen, ist jedoch durch Umsetzung von Bromaminsäure mit Natriumsulfit zugänglich.

Bei der Einwirkung von Oleum auf 1-Amino-9,10-anthrachinon entstehen neben der *1-Amino-9,10-anthrachinon-2-sulfonsäure* auch die *-4-sulfonsäure* und die *-2,4-disulfonsäure*, aus denen während des Prozesses die 4-ständigen Sulfo-Gruppen weitgehend wieder abgespalten werden (mit verdünnter Schwefelsäure gelingt dies bereits bei 90°).

Die *1-Amino-9,10-anthrachinon-4-sulfonsäure* läßt sich gut aus dem 1-Hydroxyoxalylamino-4-nitro-9,10-anthrachinon durch Umsetzung der Nitro-Gruppe mit Natriumsulfit oder durch Oxidation des 1-Amino-9,10-anthrachinon-4-sulfenylchlorids[1] herstellen. Analog sind auch die 1-Amino-9,10-anthrachinon-4-sulfonsäuren mit Substituenten in 2- oder in 5- bzw. 8-Stellung zugänglich.

1-Amino-9,10-anthrachinone liefern mit dem Sulfitradikalanion unter Bestrahlen in guten Ausbeuten 1-Amino-9,10-anthrachinon-2-sulfonsäuren[2].

1-Amino-9,10-anthrachinon-2-sulfonsäuren; allgemeine Herstellungsvorschrift[2]: 1,5 mMol eines 1-Amino-9,10-anthrachinons und 15 mMol Natriumsulfit in 400 *ml* Pyridin/Wasser (1 : 1) werden 24 Stdn. bei 23° unter schwacher Kühlung mit einer 400 W Hochdrucklampe bestrahlt.

Aus 1-Amino-9,10-anthrachinon wird so in 92,6%-iger Ausbeute bei 75,2% Umsatz das Natriumsalz der *1-Amino-9,10-anthrachinon-2-sulfonsäure* erhalten. In analoger Weise entstehen:

4-Chlor-1-amino-9,10-anthrachinon-2-sulfonsäure; 100% d.Th. (94,7% Umsatz)
5-Chlor-1-amino-9,10-anthrachinon-2-sulfonsäure; 96,5% d.Th. (85,4% Umsatz).

Eine Sulfierung in 4-Stellung tritt nicht ein; auch nicht beim 1-Amino-2-methyl-9,10-anthrachinon.

Es sei auch an dieser Stelle darauf hingewiesen, daß bei der Umsetzung von 9,10-Anthrachinon-1- bzw. -2-sulfonsäure mit Ammoniak durch Wiederanlagerung des abgespaltenen Sulfits nicht unbedeutende Mengen an Amino-9,10-anthrachinon-sulfonsäuren entstehen, falls man das Sulfit nicht unschädlich macht (s. S. 181).

Durch Nitrieren von 9,10-Anthrachinon-sulfonsäuren und anschließende Reduktion mit Dinatriumsulfid können in reiner Form gewonnen werden:

1-Amino-9,10-anthrachinon-5-sulfonsäure[3]
1-Amino-9,10-anthrachinon-8-sulfonsäure[3] (s. S. 58)
1-Amino-9,10-anthrachinon-6-sulfonsäure
1-Amino-9,10-anthrachinon-7-sulfonsäure (s. S. 78)

Die *1-Amino-9,10-anthrachinon-2,6-disulfonsäure* stellt man zweckmäßig aus 1-Nitro-9,10-anthrachinon-6-sulfonsäure durch Einwirkung von Natriumsulfid und Oxidation der so entstandenen 1-Amino-2-mercapto-9,10-anthrachinon-6-sulfonsäure her (s. S. 194).

Die *1,4-Diamino-9,10-anthrachinon-2-sulfonsäure* wird wegen der Hydrolyse-Empfindlichkeit aller Substituenten durch Sulfierung nur in sehr unreiner Form erhalten. Mit Oleum entsteht aus 1,4-Diamino-9,10-anthrachinon in vorzüglicher Ausbeute der cyclische 1,9;4,10-Bis-sulfimidester (s. S. 196). Die reinste 1,4-Diamino-9,10-anthrachinon-2-sulfonsäure wird aus Bromaminsäure gewonnen (s. S. 178).

1,5-Diamino-9,10-anthrachinon-2-sulfonsäure wird durch Sulfieren des Diamins mit 20%-igem Oleum (~ 4stdg. Erhitzen auf 90→145°) hergestellt[4]. Durch Weitersulfierung geht sie in das *1,5-Diamino-9,10-anthrachinon-2,6/2,7-disulfonsäure*-Gemisch über.

[1] DRP. 594169 (1932), I.G. Farb., Erf.: W. MIEG; Frdl **20**, 1318.
[2] J. O. MORLEY, Chem. Commun. **1976**, 88.
[3] R. E. SCHMIDT, B. **37**, 71 (1904).
    DRP. 164293 (1903), Farbf. Bayer; Frdl. **8**, 233.
[4] BIOS Final Rep. Nr. **1484**, 28 (1948), I.G. Farb. Leverkusen.

Andere einheitliche Amino-9,10-anthrachinon-sulfonsäuren sind durch Austausch geeigneter Substituenten zugänglich, z. B. durch Umsetzung von Dihydro-chinizarin-5- und -6-sulfonsäuren mit Aminen oder durch partielle Umsetzung von 9,10-Anthrachinon-disulfonsäuren mit Aminen (s. S. 182). Zur Herstellung von N-substituierten Amino-9,10-anthrachinon-sulfonsäuren ist man auf diese Verfahren angewiesen.

Aus dem Borsäure-Komplex des 2,3-Dichlor-1,4-diamino-9,10-anthrachinons und dessen -6-sulfonsäure entstehen mit Natriumsulfit sehr leicht die *1,4-Diamino-9,10-anthrachinon-2,3-di-*[1] bzw. *-2,3,6-trisulfonsäuren*[2] (s. S. 194).

Durch die Verwendung des Borsäure-Komplexes werden nicht nur die Chlor-Atome aktiviert, sondern es wird auch die teilweise Hydrolyse der Amino-Gruppen vermieden.

Weiterhin können mit Natriumsulfit umgesetzt werden:

5,8-Dichlor-1-amino-9,10-anthrachinon-2-
sulfonsäure

→ *1-Amino-9,10-anthrachinon-2,5,8-trisulfonsäure*[3];
91% d. Th.

5,6,7,8-Tetrachlor-1-amino-9,10-anthra-
chinon-2-sulfonsäure

→ *6,7-Dichlor-1-amino-9,10-anthrachinon-2,5,8-tri-
sulfonsäure*

5,8-Dichlor-4-brom-1-amino-9,10-
anthrachinon-2-sulfonsäure

→ *1-Amino-9,10-anthrachinon-2,4,5,8-tetrasulfonsäure*

Die leicht herstellbaren 1-Amino-4-arylamino-9,10-anthrachinone, z. B. 2-Brom-1-amino-4-arylamino- und 1-Amino-4-arylamino-2-methyl-9,10-anthrachinone (s. S. 175), sowie die 1,4-Bis-[arylamino]-9,10-anthrachinone werden primär nicht im 9,10-Anthrachinon-Ringsystem, sondern im Aryl-Kern sulfiert (mit schwachem Oleum bei max. 25°). Erst wenn in jeden Aryl-Rest eine Sulfo-Gruppe eingetreten ist, erfolgt die Weitersulfierung an einem Anthrachinon-C-Atom. Auf diesem Wege wird eine große Zahl saurer Farbstoffe hergestellt, die in diesem Abschnitt nicht berücksichtigt werden. So erhält man durch Sulfieren die klassischen Handelsmarken:

1-Amino-4-anilino-2-methyl-9,10-anthrachinon → *„Cyananthol"*
2-Brom-1-amino-4-anilino-9,10-anthrachinon → *„Alizarinreinblau"*
1-Methylamino-4-anilino-9,10-anthrachinon → *„Alizarinastrol"*
1,4-Dianilino-9,10-anthrachinon → *„Alizarincyaningrün"*
1,5-Dianilino-9,10-anthrachinon → *„Anthrachinonviolett"*

Aus 2-Amino-9,10-anthrachinon erhält man einheitlich die *2-Amino-9,10-anthrachinon-3-sulfonsäure* entweder mit Oleum oder durch „Verbacken" des 2-Amino-9,10-anthrachinon-hydrogensulfates (s. S. 194). Erst mit 40%-igem Oleum bei 145–150° erfolgt Weitersulfierung zu einem Gemisch aus *2-Amino-9,10-anthrachinon-3,6-* und *-3,7-disulfonsäure*[4]. Durch Sulfieren mittels Oleum sind auch die *2,6-* (bzw. *2,7*)-*Diamino-9,10-anthrachinon-3,7-* (bzw. *-3,6*)-*disulfonsäuren* zugänglich.

1-Amino-9,10-anthrachinon-2-sulfonsäure[5]: 410 g 1-Amino-9,10-anthrachinon und 2,1 l Nitrobenzol werden – um Spuren von Wasser zu entfernen – zunächst auf 120° erhitzt. Nach dem Abkühlen werden innerhalb 30 Min. 308 g Chlorsulfonsäure bei 80–85° eingerührt; dann erhitzt man 3 Stdn. auf 130°. Zweckmäßigerweise arbeitet man im schwachen Vak., um den Chlorwasserstoff zu entfernen (Vorsicht!, dabei kann bei höherer Temp. eine **explosions**artige Zersetzung eintreten).

Nach dem Abkühlen gibt man 60 g Natriumcarbonat zu und destilliert das Nitrobenzol i. Vak. ab; Ausbeute: praktisch quantitativ.

Zwecks Reinigung wird das Natriumsalz der 1-Amino-9,10-anthrachinon-2-sulfonsäure in der 10fachen Menge Wasser auf 95° erhitzt, mit A-Kohle geklärt und dann ausgesalzen.

---

[1] DRP. 579323 (1932), I.G. Farb., Erf.: F. BAUMANN; Frdl. **20**, 1328.
[2] DRP. 589638 (1932), I.G. Farb., Erf.: F. BAUMANN; Frdl. **20**, 1329.
[3] DAS. 1444757 (1963), Farbf. Bayer, Erf.: H.-S. BIEN, W. HOHMANN u. H. VOLLMANN; C. A. **63**, 1756[e] (1965).
[4] DRP. 631400 (1933), I.G. Farb., Erf.: G. KRÄNZLEIN et al.; Frdl. **21**, 1043.
[5] FIAT Final Rep. Nr. **1313** II, 214 (1948), I.G. Farb. Leverkusen.

1,5-Diamino-9,10-anthrachinon-2-sulfonsäure[1]: 200 g 1,5-Diamino-9,10-anthrachinon werden innerhalb 3 Stdn. in 340 g 20%-iges Oleum unterhalb 90° eingetragen. Dann wird innerhalb 2,5 Stdn. die Temp. auf 145° gesteigert und 3 Stdn. konstant gehalten. Nach dem Abkühlen auf 100° gibt man 50 g Schwefelsäure-Monohydrat und in weiteren 2,5 Stdn. 350 g 78%-ige Schwefelsäure zu. Anschließend wird die Lösung in 5 l Wasser, die mit 300 g Natriumchlorid versetzt sind, ausgetragen. Das auskristallisierte Salz wird abgesaugt, mit einer Lösung von 200 g Natriumchlorid in 8 l Wasser angeschlämmt und erneut abgesaugt. Man löst es in 3 l ammoniakhaltigem Wasser bei 95°, filtriert, fällt die Säure mit Salzsäure aus, läßt mehrere Stdn. bei 40° stehen, saugt dann ab und wäscht mit wenig Wasser nach; Ausbeute: 150 g (56% d. Th.) reine Sulfonsäure.

1-Amino-9,10-anthrachinon-2,5,8-trisulfonsäure[2]: 37,2 g 5,8-Dichlor-1-amino-9,10-anthrachinon-2-sulfonsäure werden in 600 ml Wasser suspendiert und nach Zugabe von 50 g Natriumsulfit auf 102° erwärmt. Bereits nach 30 Min. ist eine klare Lösung entstanden. Nach 2,5 Stdn. ist chromatographisch kein Ausgangsmaterial mehr nachzuweisen (Fließmittel: Essigsäureethylester/Pyridin/Wasser 38 : 33 : 29).

Anschließend gibt man 12,5 g Natriumchlorid zu. Beim Erkalten scheidet sich die 1-Amino-9,10-anthrachinon-2,5,8-trisulfonsäure in Form orangefarbener Kristalle ab. Bei 25° wird abgesaugt, mit ges. Natriumchlorid-Lösung ausgewaschen und bei 100° getrocknet. Das so erhaltene Produkt enthält ~ 40% Natriumchlorid; Ausbeute (auf 100%-ige 1-Amino-9,10-anthrachinon-2,5,8-trisulfonsäure berechnet): 42 g (91% d. Th.).

Durch Lösen in 80%-iger Schwefelsäure und anschließendes Verdünnen mit Wasser auf eine 30%-ige Schwefelsäure wird die salzfreie Trisulfonsäure erhalten, die mit Essigsäure und Methanol säurefrei gewaschen wird.

1,4-Diamino-9,10-anthrachinon-2,3-disulfonsäure[3]: 80 g Borsäure werden langsam in 800 ml schwach siedendes Essigsäureanhydrid eingetragen. Nach einiger Zeit gibt man 120 g 2,3-Dichlor-1,4-diamino-9,10-anthrachinon hinzu und erhitzt so lange, bis sich das Ausgangsmaterial gelöst hat. Währenddessen beginnt bereits die Abscheidung des Borsäure-Komplexes in Form blauer Nadeln (in Schwefelsäure mit roter Farbe und starker Fluoreszenz löslich). Nach dem Erkalten wird abgesaugt, mit Essigsäureanhydrid nachgewaschen und getrocknet.

Man trägt den Borsäure-Komplex in eine 95° heiße Lösung von 360 g krist. Natriumsulfit in 4 l Wasser ein, wobei sofort Lösung eintritt. Nach wenigen Min. hat sich der Austausch der Chlor-Atome gegen die Sulfo-Gruppe vollzogen. Anschließend wird der Borsäure-Komplex durch Zugabe von Natronlauge bei 60° zerlegt, wobei die Farbe von oliv nach blau umschlägt. Die 1,4-Diamino-9,10-anthrachinon-2,3-disulfonsäure wird durch Natriumchlorid-Zugabe in reiner Form als Natriumsalz abgeschieden (Lösung in Schwefelsäure gelb, nach Formaldehyd-Zugabe grün).

2-Chlor-1,4-diamino-9,10-anthrachinon-3-sulfonsäure[4]: 23 g 2-Chlor-1,4-diamino-3-natriummercapto-9,10-anthrachinon werden in 1 l Wasser gelöst und unter Rühren bei 20° mit 40 g 30%-igem Hydrogenperoxid versetzt. Nach einigen Stdn. wird die blaue, leicht lösliche 2-Chlor-1,4-diamino-9,10-anthrachinon-3-sulfonsäure ausgesalzen.

1-Amino-2-mercapto-9,10-anthrachinon-6-sulfonsäure und 1-Amino-9,10-anthrachinon-2,6-disulfonsäure[5]: 100 g 1-Nitro-9,10-anthrachinon-6-sulfonsaures Natrium (~94%-ig) werden in eine Lösung aus 250 g krist. Dinatriumsulfid, 50 ml 40%-iger Natronlauge und 300 ml Wasser eingerührt und auf 90° erwärmt. Nach weiterem 3stdg. Erwärmen auf 95° geht die braunrote Suspension der Amino-sulfonsäure mit rein blauer Farbe in Lösung.

Das so entstandene Natriumsalz der *1-Amino-2-mercapto-9,10-anthrachinon-6-sulfonsäure* wird ausgesalzen und abgesaugt. Nach dem Lösen in 1 l Wasser bei 40° wird eine (~ 1,3–1,4 l) Natriumhypochlorit-Lösung (13% aktives Chlor) zugegeben, bis ein bleibender Überschuß vorhanden ist, wobei ein Temperaturanstieg auf ~ 80° erfolgt und die blaue Farbe nach tiefrotbraun umgeschlagen ist. Man läßt langsam erkalten.

Das kristallin abgeschiedene *Dinatrium-1-amino-9,10-anthrachinon-2,6-disulfonat* wird bei 20° abgesaugt und mit einer 5%-igen Natriumchlorid-Lösung neutral gewaschen; Ausbeute: 108 g (~ 4,2% natriumchloridhaltig) (88,5% d. Th.).

2-Amino-9,10-anthrachinon-3-sulfonsäure:

V e r f a h r e n Ⓐ[6]: 100 g 2-Amino-9,10-anthrachinon werden unter Zusatz von 20 g Borsäure mit 400 ml 20%-igem Oleum auf dem Wasserbad so lange erwärmt, bis eine Probe klar in heißem Wasser löslich ist. Nach dem Erkalten rührt man Eis ein, bis die Abscheidung der Amino-sulfonsäure beginnt. Diese wird abgesaugt und mit 10%-iger Salzsäure ausgewaschen (Ausbeute: 85% d. Th.).

V e r f a h r e n Ⓑ („Backverfahren")[7]: 100 g 2-Amino-9,10-anthrachinon werden mit einem Gemisch aus 50 g Schwefelsäure-Monohydrat und 35 ml Wasser vermahlen. Der so erhaltene Brei des sauren Sulfates

[1] BIOS Final Rep. Nr. **1484**, 28 (1948), I.G. Farb. Leverkusen.

[2] DAS. 1 444 757 (1963), Farbf. Bayer, Erf.: H.-S. BIEN, W. HOHMANN u. H. VOLLMANN; C. A. **63**, 1756ᵉ (1965).

[3] DRP. 579 323 (1932), I.G. Farb., Erf.: F. BAUMANN; Frdl. **20**, 1328.

[4] DRP. 563 201 (1931), I.G. Farb., Erf.: B. STEIN u. E. HONOLD; Frdl. **19**, 1997.

[5] DAS. 1 226 598 (1964), Farbf. Bayer, Erf.: F. BAUMANN, H. VOLLMANN u. H.-J. SCHULZ; C. A. **65**, 12 317ᵍ (1966).

[6] DRP. 138 134 (1899), BASF; Frdl. **6**, 1307.
  Vgl. F. ULLMANN u. R. MEDENWALD, B. **46**, 1803 (1913).

[7] DRP. 277 393 (1913), Griesheim Elektron; Frdl. **11**, 553.

wird getrocknet (hygroskopisch), anschließend 10 Stdn. i. Vak. auf 240–250° erhitzt und dann in 4 l heißem Wasser gelöst. Die orangefarbige Lösung wird filtriert und heiß mit ~ 200 g Natriumchlorid versetzt. Dabei scheidet sich bereits in der Hitze das goldfarbige Natriumsalz der 2-Amino-9,10-anthrachinon-3-sulfonsäure aus, das kalt abgesaugt wird.

Die freie Sulfonsäure kann leicht aus der wäßr. Lösung mit 10%-iger Salzsäure abgeschieden werden.

γ) Herstellung von Amino-nitro-9,10-anthrachinonen durch Nitrieren von Amino-9,10-anthrachinonen

Die Nitrierung von Amino-9,10-anthrachinonen muß unter Schutz der Amino-Gruppe vorgenommen werden, da sonst Nitramine und Oxidationsprodukte gebildet werden. Über die Nitrierung des 2-Amino-9,10-anthrachinons s. Lit.[1,2]

Eine Ausnahme machen die 1-Alkylamino-9,10-anthrachinone, die sich bereits mit mäßig konzentrierter Salpetersäure nitrieren lassen[3]. Dabei entstehen vorwiegend die p-Nitro-Verbindungen, von denen sich die o-Isomeren leicht abtrennen lassen. So wurden u. a. erhalten:

1-Methylamino-4-nitro-9,10-anthrachinon; F: 250° (mit 48%-iger Salpetersäure unter 60°)
1,5-Bis-[methylamino]-4,8-dinitro-9,10-anthrachinon
1-Methylamino-4,8-dinitro-9,10-anthrachinon (aus 1-Methylamino-8-nitro-9,10-anthrachinon)

Es ist bemerkenswert, daß aus dem 1-Dimethylamino-9,10-anthrachinon mit ~ 70%-iger Salpetersäure in Essigsäure bei 95° das *1-Methylamino-4-nitro-9,10-anthrachinon* (Abspaltung einer Methyl-Gruppe!) und in konzentrierter Schwefelsäure bei ~ 50° ein Gemisch aus *1-Dimethylamino-5-* und *-8-nitro-9,10-anthrachinon* anfällt[3]. Sowohl aus 1-Methylamino- als auch aus 1-Dimethylamino-9,10-anthrachinon entsteht durch längeres Erhitzen mit konzentrierter Salpetersäure auf ~ 90° das *1-Methylamino-2,4-dinitro-9,10-anthrachinon*[3].

Durch Nitrieren des 1-(N-Methyl-acetylamino)-9,10-anthrachinons (F: 213°) mit Mischsäure bei ~ 5° entsteht ein Gemisch, aus dem sich das *1-(N-Methyl-acetylamino)-5-nitro-9,10-anthrachinon* (F: 275°) leicht durch Umkristallisieren aus Chlorbenzol isolieren läßt[4].

Von allen 1-Acylamino-9,10-anthrachinonen liefern die Hydroxyoxalylamino-Derivate (Oxamidsäuren) die optimalsten Ausbeuten an 4-Nitro-Verbindungen. Ob die Nitrierung des N,N-Dimethyl-N'-[9,10-anthrachinonyl-(1)]-formamidinium-chlorids zu noch einheitlicheren p-Nitro-Derivaten führt, ist nicht bekannt.

So kann aus dem 1-Hydroxyoxalylamino-9,10-anthrachinon durch Nitrieren in konzentrierter Schwefelsäure bei 20° das *1-Amino-4-nitro-9,10-anthrachinon*, aus dem 1,5-Bis-[hydroxyoxalylamino]-9,10-anthrachinon das *1,5-Diamino-4,8-dinitro-9,10-anthrachinon* erhalten werden[5].

Die Äthoxycarbonylamino-9,10-anthrachinone lassen sich dinitrieren. Beim Erwärmen mit konzentrierter Schwefelsäure auf 80° zerfallen die Urethane in Kohlendioxid, Äthanol und die Amino-anthrachinone[6]. So erhält man auf diese Weise *1-Amino-2,4-dinitro-* und *1,5-Diamino-2,4,6,8-tetranitro-9,10-anthrachinon*[7].

Nitriert man 1,4-Bis-[acylamino]-9,10-anthrachinone mit Salpetersäure in Nitrobenzol, so erhält man nach der Verseifung reines *1,4-Diamino-2-nitro-9,10-anthrachinon*[8]. In

[1] R. Scholl, B. 37, 4427 (1904).
[2] Die Angaben im DRP. 290814 (1914); Frdl. 12, 418 sind unrichtig.
[3] DRP. 156759 (1901), Farbf. Bayer; Frdl. 8, 293.
[4] DRP. 292395 (1914), Farbw. Hoechst; Frdl. 13, 400.
[5] DRP. 158076 (1900), Farbw. Hoechst; Frdl. 7, 776.
[6] DRP. 167410 (1904), Farbf. Bayer; Frdl. 8, 297.
[7] DRP. 171588 (1904), Farbf. Bayer; Frdl. 8, 299.
[8] DRP. 267445 (1912), Farbf. Bayer; Frdl. 11, 562.

Oleum hingegen bildet sich aus 1,4-Diamino-9,10-anthrachinon das cyclische Schwefelsäure-Derivat, wodurch die Nitro-Gruppe in die 5-Stellung dirigiert wird[1]. Analog ist das *2,3-Dichlor-1,4-diamino-5-nitro-9,10-anthrachinon* zugänglich[2].

Die Nitrierung von 2-Acylamino-9,10-anthrachinonen führt zu Isomeren-Gemischen[3]. Durch Einwirkung von 99%-iger Salpetersäure auf 2-Acetylamino-9,10-anthrachinon bei ~ 15° können ~ 54% d. Th. *2-Acetylamino-1-nitro-9,10-anthrachinon* (F: 277°) isoliert werden. In gleicher Weise läßt sich das 2-Äthoxycarbonylamino-9,10-anthrachinon nitrieren. Aus dem Gemisch lassen sich ~ 20% d. Th. an *2-Äthoxycarbonylamino-3-nitro-9,10-anthrachinon* (F: 225°) als schwerer löslicher Anteil abtrennen[3].

1,4-Diamino-2-nitro-9,10-anthrachinon[4]:

1,4-Bis-[benzoylamino]-2-nitro-9,10-anthrachinon: 10 g 1,4-Bis-[benzoylamino]-9,10-anthrachinon werden in 50 *ml* Nitrobenzol bei 90° langsam mit 12 g konz. Salpetersäure versetzt. Der immer dicker werdende Kristallbrei wird einige Stdn. bei 90–95° gerührt, dann abgesaugt und mit Methanol ausgewaschen; Ausbeute: praktisch quantitativ.

1,4-Diamino-2-nitro-9,10-anthrachinon: Durch kurzes Erhitzen des Acylamins mit 93%-iger Schwefelsäure auf 90° tritt Verseifung ein. Nach dem Abkühlen wird das Sulfat durch vorsichtige Wasser-Zugabe abgeschieden, abgesaugt und durch Digerieren mit warmem Wasser hydrolysiert. Das 1,4-Diamino-2-nitro-9,10-anthrachinon bildet grünblaue Nadeln. Lösungsfarbe in konz. Schwefelsäure: farblos; nach Borsäure-Zusatz kornblumenblau.

Nach der gleichen Arbeitsweise entstehen aus 1,5-Bis-[benzoylamino]-9,10-anthrachinon uneinheitliche Produkte, wobei auch Nitro-Gruppen in die Benzoyl-Reste eintreten.

1,5-Diamino-4,8-dinitro-9,10-anthrachinon und dessen Reduktion zum 1,4,5,8-Tetraamino-9,10-anthrachinon[5]:

1,5-Diamino-4,8-dinitro-9,10-anthrachinon: 250 g 1,5-Diamino-9,10-anthrachinon werden mit 500 g Oxalsäure solange bei ~ 150° verschmolzen, bis alles Diamin umgesetzt ist.

Nach dem Erkalten wird die Schmelze mit Wasser ausgekocht und das gelbbraune 1,5-Bis-[hydroxyoxalylamino]-9,10-anthrachinon getrocknet.

350 g dieses Diamids werden unterhalb 35° durch 10stdg. Rühren in 3,85 kg 100%-iger Schwefelsäure gelöst. Dann werden bei 5° innerhalb von 4 Stdn. 300 g Mischsäure (52%-ig an Salpetersäure) eingerührt. Nach 10 Stdn. gießt man auf Eis, saugt ab und wäscht neutral. Zur Verseifung der Amid-Gruppen wird der orangegelbe Preßkuchen in 4 *l* Wasser angeschlämmt und mit 780 g 35%-iger Natronlauge auf 70° erhitzt.

1,4,5,8-Tetraamino-9,10-anthrachinon: Zur Reduktion der Nitro-Gruppen trägt man langsam bei 70–80° 350 g Dinatriumsulfid (60%-ig) ein, wobei ein Schäumen vermieden werden muß. Nach 1stdg. Sieden wird mit Wasser verdünnt, abgesaugt und mit 60° warmem Wasser nachgewaschen; Ausbeute: 71% d. Th.

Das Tetraamino-anthrachinon ist nicht einheitlich (vgl. S. 167).

1,4-Diamino-5-nitro-9,10-anthrachinon[6] und dessen Reduktion zum 1,4,5-Triamino-9,10-anthrachinon:

1,4-Diamino-5-nitro-9,10-anthrachinon (IV):

---

[1] DRP. 268592 (1912), Farbf. Bayer; Frdl. **11**, 569.

[2] DRP. 268984 (1912), Farbf. Bayer; Frdl. **11**, 563.

[3] F. ULLMANN u. R. MEDENWALD, B. **46**, 1805 (1913).

[4] DRP. 267445 (1912), Farbf. Bayer; Frdl. **11**, 562.

[5] BIOS Final Rep. Nr. **1484**, 53 (1948), I.G. Farb. Ludwigshafen.

[6] BIOS Final Rep. Nr. **1484**, 20 (1948), I.G. Farb. Leverkusen.

100 g 1,4-Diamino-9,10-anthrachinon (I) werden unterhalb 40° in 500 g 65%-iges Oleum eingetragen, weitere 200 g 65%-iges Oleum zugegeben und 4–6 Stdn. bei 60–65° gerührt. Nach der Bildung des cycl. Bis-sulfimids II kühlt man auf ~0° ab und tropft unter Kühlen 293 g 78%-ige Schwefelsäure unterhalb 10° zu. Hierauf werden 120 g Mischsäure (28%-ig an HNO₃) innerhalb 4 Stdn. zugegeben. Anschließend verdünnt man unterhalb 10° mit weiteren 330 g einer 38%-igen Schwefelsäure und fügt 20 g Harnstoff zu. Nach 1 Stde. wird das 5-Nitro-bis-sulfimid III abgesaugt, neutral gewaschen und getrocknet.

Dieses besitzt die unter III angegebene Konstitution, da II (s. S. 196) und III sich völlig wie 1,4-Chinon-bis-imine verhalten und zahlreiche Additionsreaktionen eingehen.

Die Aufspaltung des cycl. Sulfimids III erfolgt durch Erhitzen mit konz. Schwefelsäure.

250 g werden mit 1,65 kg konz. Schwefelsäure und 4 g Harnstoff auf 115° erhitzt. Nach dem Abkühlen auf 30° gibt man 960 ml Wasser hinzu, saugt ab und schlämmt den Filterkuchen mit 6 l Wasser bei 80° an. Nach erneutem Absaugen wird neutral gewaschen und i. Vak. getrocknet; Ausbeute: 88 g (74% d.Th.).

1,4,5-Triamino-9,10-anthrachinon: Die Reduktion erfolgt analog wie beim 1,4,5,8-Tetraamino-9,10-anthrachinon (s. S. 160) beschrieben.

Zum Schutz α-ständiger Amino-Gruppen bei Nitrierungen in konzentrierter Schwefelsäure hat sich in vielen Fällen auch Formaldehyd bewährt[1].

1-Amino-4-nitro-2-methyl-9,10-anthrachinon[1]: In eine Lösung von 100 g 1-Amino-2-methyl-9,10-anthrachinon in 1 kg 2%-igem Oleum werden bei 10° 20 g Paraformaldehyd eingerührt. Nach 1 Stde. kühlt man auf −5° ab und tropft ein Gemisch aus der ber. Menge Salpetersäure in ~5%-igem Oleum zu. Nach ~30 Min. trägt man in Wasser aus, saugt ab, wäscht neutral, trocknet und kristallisiert aus Trichlorbenzol um.

In analoger Weise entsteht aus 1-Amino-9,10-anthrachinon ein Gemisch aus *1-Amino-2-* und *-4-nitro-9,10-anthrachinon* bzw. aus 4-Chlor-1-amino-9,10-anthrachinon das *4-Chlor-1-amino-2-nitro-9,10-anthrachinon*.

Die analoge Herstellung der *1-Amino-4-nitro-9,10-anthrachinon-2-carbonsäure* ist auf S. 266 beschrieben.

Weitgehend einheitliche 1-Amino-4-nitro-9,10-anthrachinone werden durch Nitrieren der aus 1-Amino-9,10-anthrachinonen, Dimethylformamid und Thionylchlorid herstellbaren N,N-Dimethyl-N′-[9,10-anthrachinonyl-(1)]-formamidinium-chloride (s. S. 217) erhalten[2].

1-Amino-4-nitro-9,10-anthrachinon[2]: 31,4 g des N,N-Dimethyl-N′-[9,10-anthrachinonyl-(1)]-formamidiniumchlorids werden bei 0° in 120 ml 98%-ige Salpetersäure eingerührt. Nach ~3 Stdn. fällt man das 4-Nitro-Derivat durch Zugabe von 1 l Wasser aus und saugt es ab.

Zur Verseifung der Amidin-Gruppe wird der Nutschkuchen in einem Gemisch aus 500 ml Wasser und 30 ml konz. Salzsäure 1 Stde. auf 80–90° erhitzt. Dann wird das Hydrolyseprodukt erneut abgesaugt und ausgewaschen; Ausbeute: 24 g (89% d.Th.) sehr reines 1-Amino-4-nitro-9,10-anthrachinon (F: 295°).

Die Nitrierung läßt sich auch in Schwefelsäure-Monohydrat durchführen.

In analoger Weise wird ein weitgehend isomerenfreies *1,5-Diamino-4,8-dinitro-9,10-anthrachinon* erhalten.

Aus 2-Amino-9,10-anthrachinon soll reines *2-Amino-1-nitro-9,10-anthrachinon*[2] resultieren.

1,5-Diamino-4,8-dinitro-9,10-anthrachinon[2]: In eine Lösung von 42 g N,N′-(Anthrachinon-1,5-diyl)-bis-[N″-N″-dimethyl-formamidinium-chlorid] in 120 ml Schwefelsäure-Monohydrat läßt man 28 g eines Gemisches aus 9 Tln. 100%-iger Salpetersäure und 1 Tl. konz. Schwefelsäure bei 20° eintropfen und rührt 3 Stdn. nach. Bei 0° fügt man dann unter Kühlen ein Gemisch aus 40 ml 65%-iger Salpetersäure und 320 ml Wasser zu. Nach einigen Stdn. wird das unlösliche Nitrat abgesaugt und mit Aceton ausgewaschen.

Die Verseifung erfolgt durch 1stdgs. Erhitzen auf 90° mit verd. Schwefelsäure (40 ml konz. Schwefelsäure in 1,2 l Wasser); Ausbeute an 1,5-Diamino-4,8-dinitro-9,10-anthrachinon: 28 g (86% d.Th.).

[1] DRP. 279866 (1913), BASF; Frdl. **12**, 419.
[2] DAS. 1221240 (1964), BASF, Erf.: H. Eilingsfeld; C. A. **65**, 15297ᵇ (1966).

δ) Einführung von Hydroxymethyl-, Dialkylaminomethyl- und Methyl-Gruppen in Amino-9,10-anthrachinone (Marschalk-Reaktion)[1]

Ebenso wie in Hydroxy-9,10-anthrachinone (s. S. 131 ff.) lassen sich auch in α-Amino-9,10-anthrachinone durch Verküpen in Gegenwart von Formaldehyd Methyl-Gruppen in die o-Stellungen einführen[1]. Diese Kondensationen verlaufen wesentlich besser als mit den α-Hydroxy-9,10-anthrachinonen.

1-Amino-2-methyl-9,10-anthrachinon[2]: 20 g verpastetes 1-Amino-9,10-anthrachinon werden mit Wasser und 45 ml 45%-iger Natronlauge auf ein Volumen von 900 ml gebracht. Unter Stickstoff verküpt man bei 40° mit 25 g Natriumdithionit und versetzt die klare, orangerote Küpe mit einer Lösung von 11 ml 30%-igem Formaldehyd in 90 ml Wasser. Innerhalb von 20 Min. wird gleichmäßig auf 70° und in weiteren 10 Min. auf 80° erwärmt. Nach ~ 3 Min. gibt man bei 80° schnell ungefähr 170 ml Natriumhypochlorit-Lösung zu, wobei die Temp. bis auf 92–93° ansteigt (angesäuertes Jodkalium-Stärkepapier muß deutlich blau gefärbt werden).
Das 1-Amino-2-methyl-9,10-anthrachinon fällt meist feinkristallin an; Ausbeute: 21 g (98,5% d. Th.).
Das Verfahren wurde technisch ausgeübt.

In analoger Weise lassen sich auch das *6-Chlor-1-amino-2-methyl-9,10-anthrachinon* (F: 183–185°) und das *1,5-Diamino-2,6-dimethyl-9,10-anthrachinon* herstellen[2].
Das 1,4-Diamino-9,10-anthrachinon ist nicht methylierbar, da es bei der Reaktion zur Dihydroverbindung reduziert wird. Hingegen läßt sich das *1-Amino-4-benzoylamino-2-methyl-9,10-anthrachinon*[2,3] gut herstellen.

1-Amino-4-benzoylamino-2-methyl-9,10-anthrachinon[2]: Man verküpt unter Stickstoff 2730 g einer Paste aus 62 g 1-Amino-4-benzoylamino-9,10-anthrachinon, 130 g 40%-iger Natronlauge und 2,54 l Wasser bei 30° innerhalb 15 Min. mit 50 g Natriumdithionit und setzt dann 22 g 30%-igen Formaldehyd zu. Nachdem man in 20 Min. auf 70° und weiteren 10 Min. auf 80° erhitzt hat, oxidiert man mit etwa 400 g Natriumhypochlorit-Lösung und saugt das in blauen Nädelchen ausgefallene Reaktionsprodukt ab. Das 1-Amino-4-benzoylamino-2-methyl-9,10-anthrachinon kristallisiert aus Nitrobenzol in blauen Nadeln (F: 284–285°). Die violettrote Lösung in konz. Schwefelsäure schlägt auf Zusatz von Formaldehyd nach grün um. Die Ausbeute beträgt ~80% d. Th.

In gleicher Weise wie in α-Hydroxy-9,10-anthrachinone (s. S. 131 ff.) lassen sich auch in α-Amino-9,10-anthrachinone – wenn auch schwerer – Hydroxymethyl- und Dialkylaminomethyl-Gruppen einführen.
Ausgehend von den Aminen ist nur die Herstellung von *1,8-Diamino-2-hydroxymethyl-9,10-anthrachinon* (60% d. Th.) und *1,8-Diamino-2,7-bis-[hydroxymethyl]-9,10-anthrachinon* (60% d. Th.) beschrieben[4].
Weit besser gelangt man zum Ziel, wenn man von den 1-Amino-9,10-anthrachinon-2-sulfonsäuren ausgeht, wobei die Sulfo-Gruppen durch Hydroxymethyl-Gruppen ersetzt werden[4–6]. So entsteht in glatter Reaktion das *1-Amino-2-hydroxymethyl-9,10-anthrachinon*, das in Anwesenheit von Dimethylamin sofort zum *1-Amino-2-(dimethylaminomethyl)-9,10-anthrachinon* weiterreagiert[6].

1-Amino-2-hydroxymethyl-9,10-anthrachinon[6]: Zu einer Lösung von 30,3 g (0,1 Mol) 1-Amino-9,10-anthrachinon-2-sulfonsäure in 1 l 0,1 n Natronlauge gibt man unter Rühren und unter Stickstoff 43 ml (0,5 Mol) 35%-ige Formaldehyd-Lösung und dann eine Lösung von 26,4 g (0,1 Mol) Natriumdithionit in 200 ml 0,1 n Natronlauge.
Aus der tiefroten Lösung scheidet sich alsbald ein rotbrauner Niederschlag ab, der nach 1 Stde. abgesaugt, ausgewaschen und getrocknet wird. Ausbeute: 24,2 g (95% d. Th.); F: 198° (aus Aceton, F: 200–201°).

[1] F. KOENIG u. C. MARSCHALK, Bl. [4] **53**, 656 (1933).
C. MARSCHALK, F. KOENIG u. N. OUROUSSOFF, Bl. [5] **3**, 1555 (1936).
DRP. 583871 (1931), 586515 (1932), Etablissement Kuhlmann; Frdl. **20**, 1299, 1302.
K. BREDERECK, L. BANZHAF u. E. KOCH, B. **105**, 377, 1062 (1972).
[2] R. NEEFF, Bayer AG.
[3] DBP. 938435 (1953), Farbf. Bayer, Erf.: R. NEEFF u. H. W. SCHWECHTEN; C. A. **50**, 17462ᵃ (1956).
[4] K. BREDERECK et al., A. **1975**, 972, 984.
[5] Fr.P. 1530985 (1966/67), I.C.I.; C. A. **71**, 114151ʷ (1969).
[6] K. BREDERECK, L. BANZHAF u. E. KOCH, B. **105**, 1070 (1972).

Analog sind *4-Brom-1-amino-2-hydroxymethyl-* und *1,4-Diamino-2-hydroxymethyl-9,10-anthrachinon*[1] zugänglich.

1-Amino-2-(dimethylaminomethyl)-9,10-anthrachinon[2,3]: 30 g (0,1 Mol) 1-Amino-9,10-anthrachinon-2-sulfonsäure werden mit Natronlauge in 1 *l* Wasser gelöst und auf p_H: 10–11 eingestellt. Unter Stickstoff gibt man bei 25° 56 *ml* einer 40%-igen Dimethylamin-Lösung (0,5 Mol) und 39 *ml* einer 35%-igen Formaldehyd-Lösung (0,5 Mol) und anschließend 31 g Natriumdithionit, in 300 *ml* 0,1 n Natronlauge gelöst, zu. Nach 1 Stde. wird der Niederschlag abgesaugt, ausgewaschen und aus Aceton umkristallisiert; Ausbeute: 26 g (94% d.Th.); F: 122°.

Mit den 1-Amino-2-hydroxymethyl-9,10-anthrachinonen lassen sich die gleichen Umsetzungen wie mit den 1-Hydroxy-2-hydroxymethyl-9,10-anthrachinonen durchführen (Lit. s. S. 134).

So wurde durch Kondensation mit Phenol in Gegenwart von 10 Gew.-% einer 98%-igen Schwefelsäure bei 70° das *1-Amino-2-(4-hydroxy-benzyl)-9,10-anthrachinon* erhalten[4].

Zur Kondensation mit aromatischen Kohlenwasserstoffen wird zweckmäßig Zinn(IV)-chlorid oder Aluminiumchlorid bei 100° verwendet[5]. Aus der großen Zahl der so mit Ausbeuten von ~90% hergestellten 1-Amino-2-arylmethyl-9,10-anthrachinone seien nur genannt[5]:

1-Amino-2-benzyl-9,10-anthrachinon	F: 189°
4-Brom-1-amino-2-benzyl-9,10-anthrachinon	F: 199°
1,8-Diamino-2-benzyl-9,10-anthrachinon	F: 184°

6. Spezielle Verfahren zur Herstellung von Amino-hydroxy-9,10-anthrachinonen und deren Derivaten

Die Beschreibung der Verfahren zur Herstellung von Amino-hydroxy-9,10-anthrachinonen läßt sich nicht gesondert durchführen, da es zahlreiche gegenseitige Umwandlungsmöglichkeiten gibt, die nicht aus den methodischen Zusammenhängen herausgelöst werden können. Es wurde daher bereits auf S. 12 darauf hingewiesen, daß Amino-hydroxy-9,10-anthrachinone sowohl unter „Hydroxy-" als auch unter „Amino-9,10-anthrachinonen" zu suchen sind. Im folgenden werden lediglich eine Reihe spezieller Verfahren zur Herstellung von Amino-hydroxy-9,10-anthrachinonen beschrieben.

α) Herstellung von 4-Amino-1-hydroxy- bzw. 1,4-Dihydroxy-9,10-anthrachinonen und Folgeprodukten aus α-Nitro-9,10-anthrachinonen durch Reduktion unter Umlagerungsbedingungen (Oleum/Schwefel)[6]

Durch Einwirkung von Schwefel, der in 30–45%-igem Oleum gelöst ist (sog. „Schwefelsesquioxyd"), auf ein Gemisch aus 1,5- und 1,8-Dinitro-naphthalin entsteht *Naphthazarin* [*5,8-Dihydroxy-naphthochinon-(1,4)*][7]. Wendet man dieses Agens auf 1,5- oder 1,8-Dinitro-9,10-anthrachinon an, dann verläuft die Reaktion praktisch in der gleichen Richtung.

Schwefel in Oleum kann je nach dem Redoxpotential der entstandenen Zwischenstufen sowohl als Oxidations- als auch als Reduktionsmittel wirken (ebenso wie der Schwefel im Natriumpolysulfid bei der Herstellung von Schwefelfarbstoffen aus Indophenolen).

---

[1] K. Bredereck et. al., A. **1975**, 972, 984.

[2] K. Bredereck, L. Banzhaf u. E. Koch, B. **105**, 1070 (1972).

[3] DOS. 2055111 (1970), K. Bredereck u. L. Banzhaf; C. A. **77**, 103337^j (1972).

[4] Brit. P. 1254488 (1969), I.C.I., Erf.: C. W. Greenhalgh u. D. F. Newton; C. A. **76**, 73750^y (1972).

[5] S. A. M. Metwally, J. appl. Chem. Biotechnol. **26**, 1 (1976).

[6] s. a. den Abschnitt „Hydroxyamino- und Nitroso-9,10-anthrachinone", S. 220ff.

[7] DRP. 71386 (1892), Farbf. Bayer, Erf.: R. E. Schmidt; Frdl. **3**, 271.
    DRP. 81694 (1893), Farbf. Bayer; Frdl. **4**, 302.

Läßt man Schwefel in 30–45%-igem Oleum auf 1,5-Dinitro-9,10-anthrachinon (I) zwischen 40 und 140° einwirken, so werden zunächst die Nitro-Gruppen zu Hydroxyamino-Gruppen (s. II) reduziert. In dem sauren Medium findet sofort eine Umlagerung zum *4,8-Diamino-1,5-dihydroxy-9,10-anthrachinon* (III) (wahrscheinlich auch z.T. in die o-Stellungen) statt[1]. Das Chinon wird anschließend zum reaktionsfähigen Chinonimin IV oxidiert, das dann – wiederum in Redoxprozessen – mit Wasser und Schwefliger Säure reagiert (V, VI). Als Endprodukt ist in der Schmelze *2,6-Dihydroxy-1,4;5,8;9,10-anthratrichinon-1,5-bis-imin-3,7-disulfonsäure* (VI) enthalten. – Der Vorgang verläuft nicht einheitlich.

Gießt man die Schmelze des Bis-imins VI in Eiswasser, so erhält man zunächst eine violette Lösung. Nach kurzem Stehen erfolgt Hydrolyse zur *2,6-Dihydroxy-1,4;5,8;9,10-anthratrichinon-3,7-disulfonsäure* (VIII).

Durch anschließende Einwirkung von Schwefliger Säure wird VIII glatt zur *1,2,4,5,6,8-Hexahydroxy-9,10-anthrachinon-3,7-disulfonsäure* (IX) reduziert.

Das Chinon VI läßt sich als Dikaliumsalz isolieren, wenn man die auf 0° abgekühlte Oleumschmelze vorsichtig in eine auf −10° gekühlte 20%-ige Kaliumchlorid-Lösung einrührt. Gießt man jedoch die Schmelze in natriumhydrogensulfithaltiges Eiswasser, so tritt sofort Reduktion zur *1,5-Diamino-2,4,6,8-tetrahydroxy-9,10-anthrachinon-3,7-disulfonsäure* (VII) ein.

Verdünnt man die Oleumschmelze des Chinons VI bis auf einen Gehalt von ~ 62% Schwefelsäure und erhitzt kurze Zeit auf 140°, so werden nicht nur die Chinonimino-Gruppen hydrolysiert (zum Chinon VIII), sondern auch die Sulfo-Gruppen abgespalten zum *2,6-Dihydroxy-1,4;5,8;9,10-anthratrichinon* (X)[2]. Nach dem Einrühren in schwefeldioxidhaltiges Wasser resultiert schließlich das *1,2,4,5,6,8-Hexahydroxy-9,10-anthrachinon* (XI) in guter Ausbeute[1].

---

[1] Der Reaktionsmechanismus ist ausführlich im DRP. 105 567 (1897), Farbf. Bayer, Erf.: R. E. Schmidt; Frdl. **5**, 277, beschrieben und mit exakten Beispielen belegt.
[2] DRP. 121 315 (1898), BASF; Frdl. **6**, 338.

In analoger Weise wird aus dem Gemisch der 1-Nitro-9,10-anthrachinon-6- und -7-sul-
fonsäuren in guter Ausbeute die *1,4-Dihydroxy-9,10-anthrachinon-6-sulfonsäure* erhalten. Sollte dabei in die 2- bzw. 3-Stellung z. Tl. noch eine Sulfo-Gruppe eintreten, so läßt
sich diese mit Natriumdithionit leicht eliminieren.

Für das Gelingen der Reaktion müssen von Fall zu Fall die günstigsten Bedingungen ermittelt werden. Zu Beginn sollte man unterhalb 40° arbeiten, da sonst ein Teil des Schwe-
fels durch Oxidation zu Schwefeldioxid der Reaktion entzogen wird. Ein Borsäure-Zusatz
kann sich günstig auswirken, weil dadurch eine langsamere Hydroxylierung erfolgt und
eine zu starke Sulfierung vermieden wird.

1,2,4,5,6,8-Hexahydroxy-9,10-anthrachinon-3,7-disulfonsäure (IX)

(aus 1,5-Dinitro-9,10-anthrachinon; I)[1]: Man löst 10 g Schwefel unterhalb 40° in 1 kg 45%-igem Oleum und rührt bei 30° portionsweise 50 g 1,5-Dinitro-9,10-anthrachinon ein. Durch Kühlen wird die Temp. auf 35–40° eingestellt. Wenn die Reaktion abgeklungen ist, erwärmt man 30 Min. auf 50° und anschließend noch 2 Stdn. auf 120–130°, wobei viel Schwefeltrioxid abdampft. Die Umsetzung ist beendet, wenn die Schmelze nicht mehr blau wird. Nach kurzem Nacherhitzen auf 150° läßt man erkalten und saugt nach 15 Stdn. die abgeschiedenen Kristalle des *2,6-Dihydroxy-1,4;5,8;9,10-anthratrichinon-3,7-disulfonsäure-1,5-bis-imins* (VI) ab, die mit 3%-igem Oleum nachgewaschen werden. Anschließend erhitzt man den sauren Filterkuchen mit 5 l Wasser, wobei Hydrolyse zur *2,6-Dihydroxy-1,4;5,8;9,10-anthratrichinon-3,7-disulfonsäure* (VIII) eintritt.

Unter Einleiten von Schwefeldioxid wird nach einigen Stdn. zum Sieden erhitzt. Durch Zugabe von Ammoniumsulfat wird das *Ammoniumsalz* der *Hexahydroxy-9,10-anthrachinon-3,7-disulfonsäure* (IX) in groben Kristallen abgeschieden. Nach dem Erkalten und Absaugen wäscht man mit einer 2%-igen Ammoniumsulfat-Lösung nach. Zur Reinigung wird das Salz in Wasser gelöst, erneut mit Ammoniumsulfat ausgesalzen und mit einer 2%-igen Ammoniumsulfat-Lösung ausgewaschen; Ausbeute: 33 g (39% d. Th.).

Am Beispiel der 4,8-Dinitro-1,5-dihydroxy-9,10-anthrachinon-2,6-disulfonsäure (XII) konnte ein einheitlicher Reaktionsablauf festgestellt werden. Bei kurzzeitiger Einwirkung von Schwefel in 20%-igem Oleum bei 40° läßt sich in guter Ausbeute die *4,8-Bis-[hydroxyamino]-1,5-dihydroxy-9,10-anthrachinon-2,6-disulfonsäure* (XIII) isolieren[2]. Gibt man nun zur Oleumschmelze wasserhaltige Schwefelsäure, dann entsteht unter Wasser-Abspaltung das *1,4;5,8;9,10-Anthratrichinon-2,6-disulfonsäure-1,5-bis-imin* (XIV). Rührt man die schwefelsaure Lösung des Chinon-imins XIV in eine verdünnte Natrium-hydrogensulfit-Lösung, so entsteht glatt die *1,5-Diamino-4,8-dihydroxy-9,10-anthrachinon-3,7-disulfonsäure* (XV). Ohne den Zusatz eines Reduktionsmittels wird das Chinon-imin XIV durch Erwärmen mit verdünnter Säure leicht zur *1,4;5,8;9,10-Anthratrichinon-2,6-disulfonsäure* (XVI) hydrolysiert, die durch nachträgliche Zugabe von Hydrogensulfit zur *1,4,5,8-Tetrahydroxy-9,10-anthrachinon-2,6-disulfonsäure* (XVII) reduziert wird[3].

Aus 1,8-Dinitro-9,10-anthrachinon läßt sich mit Schwefel/Oleum recht gut das *4-Amino-5-nitro-1-hydroxy-9,10-anthrachinon* herstellen. Das 1,5-Dinitro-9,10-anthrachinon hingegen liefert uneinheitliche Produkte, wird jedoch durch 30%-iges Oleum (ohne Schwefel-Zusatz) mit über 50% Ausbeute in das *4-Nitroso-8-nitro-1-hydroxy-9,10-anthrachinon* umgelagert (s. S. 220).

Durch Reduktion von 1-Nitro-9,10-anthrachinon in Schwefelsäure-Monohydrat bei 100° mit etwas mehr als für die Hydroxylamin-Stufe erforderlichen Menge Eisen(II)-sulfat entsteht in ~80%-iger Ausbeute ein Gemisch, das zu etwa 60% aus *4-Amino-1-hydroxy-9,10-anthrachinon* und zu 40% aus *1-Amino-2-hydroxy-9,10-anthrachinon* besteht. Die Verbindungen lassen sich leicht trennen, da nur die 2,1-Isomere in 1%-iger Natronlauge löslich ist. Aus 1-Nitro-2-methyl-9,10-anthrachinon wird das *1-Amino-2-methyl-4-hydroxy-9,10-anthrachinon* erhalten[4].

Läßt man auf 4-Chlor-1-nitro-9,10-anthrachinone Schwefel in Oleum unter Zusatz von Borsäure einwirken, so erfolgt zunächst Reduktion zu den *4-Chlor-1-amino-9,10-anthrachinonen*, da sich die Hydroxylamin-Stufe nicht umlagern kann. Anschließend können diese (im Eintopfverfahren) zu 1-Amino-4-hydroxy-9,10-anthrachinonen hydrolysiert werden.

8-Chlor-4-amino-1-hydroxy-9,10-anthrachinon[5]:

2 kg 30–33%-iges Oleum und 80 g Borsäure werden auf 70° bis zur vollständigen Lösung erhitzt. Dann werden bei 18° 47 g Schwefel und anschließend 200 g 1,8-Dichlor-4-nitro-9,10-anthrachinon unterhalb 30° eingetragen. Es wird solange auf 99° erhitzt, bis unter dem Mikroskop kein Ausgangsmaterial mehr erkennbar ist. Bei 25° fließen 935 g 78%-ige Schwefelsäure und anschließend 1295 ml Wasser zu, wobei die Temp. nicht über 50° ansteigen soll. Man saugt über ein Glasfilter ab, schlämmt den

[1] Ergänzte Vorschrift nach DRP. 105 567 (1897), Farbf. Bayer; Frdl. **5**, 277.
[2] DRP. 119 229 (1900), Farbf. Bayer, Erf.: R. E. Schmidt; Frdl. **6**, 352.
[3] DRP. 113 724 (1899), Farbf. Bayer, Erf.: R. E. Schmidt; Frdl. **6**, 348.
[4] DOS. 1 593 780 (1967), BASF, Erf.: H.-J. Sturm u. G. Steinhoff; C. A. **73**, 46 670[d] (1970).
[5] Nach BIOS Final Rep. Nr. **1493**, 44 (1948), I.G. Farb. Leverkusen.

Filterkuchen mit 2,1 kg 45%-iger Schwefelsäure an und saugt erneut ab. Anschließend erhitzt man mit $\sim 5\,l$ Wasser auf 95°, filtriert und wäscht neutral; Ausbeute: 122 g; F: 252–255°.

β) Herstellung von Amino-hydroxy-9,10-anthrachinonen aus Halogen-amino-9,10-anthrachinonen

In den p-Halogen-amino-9,10-anthrachinonen läßt sich – ebenso wie in den p-Halogen-hydroxy-9,10-anthrachinonen (s. S. 100) – das Halogen mittels Borsäure/Schwefelsäure (Oleum) leicht gegen die Hydroxy-Gruppe austauschen[1]; z. B.:

2,4-Dibrom-1-amino-9,10-anthrachinon	→ *3-Brom-4-amino-1-hydroxy-9,10-anthrachinon*
4-Chlor-1-amino-2-methyl-9,10-antrachinon	→ *4-Amino-1-hydroxy-3-methyl-9,10-anthrachinon*
4,5,8-Trichlor-1-amino-9,10-anthrachinon	→ *5,8-Dichlor-4-amino-1-hydroxy-9,10-anthrachinon;* F: 281°
4-Brom-1-amino-9,10-anthrachinon-2-sulfonsäure	→ *4-Amino-1-hydroxy-9,10-anthrachinon-3-sulfonsäure*

[1] DRP. 203083 (1906), Farbf. Bayer, Erf.: BERCHELMANN; Frdl. **9**, 681.

3-Brom-4-amino-1-hydroxy-9,10-anthrachinon[2]: (Zweckmäßig nimmt man die Dibromierung des 1-Amino-9,10-anthrachinons und die Hydrolyse in einem Eintopfverfahren vor). 100 g feingepulvertes 1-Amino-9,10-anthrachinon werden bei 20° in 625 g 75%-ige Schwefelsäure eingerührt und 150 g Brom zugegeben. Anschließend erhitzt man ~ 2 Stdn. auf 100–110° und läßt innerhalb von 10 Min. 1750 g 24%-iges Oleum zufließen, gibt dann 67 g Borsäure zu und erhitzt noch 4 Stdn. auf 125°. Das Reaktionsgemisch wird dann in 3 l Wasser ausgetragen und die Suspension erst nach 30 Min. Rühren abgesaugt, neutral gewaschen und getrocknet; Ausbeute: 140 g (97%-ig) (95% d. Th.).

In den 1-Halogen-2-acetylamino-9,10-anthrachinonen sind die Halogen-Atome so reaktionsfähig, daß sie durch mehrstündiges Erhitzen mit trockenem Kaliumacetat in Nitrobenzol gegen die Acetoxy-Gruppe ausgetauscht werden[2]; z. B.:

1-Chlor-2-acetylamino-9,10-anthrachinon   →   *2-Acetylamino-1-acetoxy-9,10-anthrachinon*
1,3-Dibrom-2-diacetylamino-9,10-anthrachinon   →   *3-Brom-2-diacetylamino-1acetoxy-9,10-anthrachinon*

Die Verseifung zu den Amino-hydroxy-9,10-anthrachinonen gelingt leicht durch kurzes Erwärmen mit 94%-iger Schwefelsäure.

γ) Herstellung von Halogen-amino-hydroxy-9,10-anthrachinonen durch Halogenierung

Über die Eintrittsstelle von Halogen-Atomen in Amino-hydroxy-9,10-anthrachinone lassen sich keine sicheren Voraussagen machen. Diese ist nicht nur von der Stellung der Substituenten, sondern auch vom Reaktionsmedium und dem Halogenierungsmittel abhängig (vgl. dazu die Halogenierung von Amino-anthrachinonen S. 185 und von Hydroxy-anthrachinonen S. 120 ff.).

Durch Bromierung von 4-Amino-1-hydroxy-9,10-anthrachinon[3] in organischen Lösungsmitteln oder in verdünnter Schwefelsäure bzw. konzentrierter Salzsäure entsteht das *3-Brom-4-amino-1-hydroxy-9,10-anthrachinon*. Führt man die Bromierung in 10%-igem Oleum unter Jod-Katalyse 6 Stdn. bei 50° durch[3], so entsteht das *2-Brom-4-amino-1-hydroxy-9,10-anthrachinon* (F: 277–279°), das sich durch Verdünnen des Ansatzes mit Wasser bei 80° als Sulfat in reiner Form abscheiden läßt. Bromiert man in gleicher Weise das 3-Brom-4-amino-1-hydroxy-9,10-anthrachinon, dann wird das *2,3-Dibrom-4-amino-1-hydroxy-9,10-anthrachinon* erhalten[3].

Beim Chlorieren von 5-Amino-1-hydroxy-9,10-anthrachinon in schwachem Oleum unter Borsäure-Zusatz bei 5° entsteht ein Gemisch aus *2-* (bzw. *4*)-*Chlor-5-amino-1-hydroxy-9,10-anthrachinon* und *2,4-Dichlor-5-amino-1-hydroxy-9,10-anthrachinon*[4]. Ähnlich verhält sich 8-Amino-1-hydroxy-9,10-anthrachinon.

8-Brom-5-isopropylamino-1-hydroxy-9,10-anthrachinon[5]: 100 g 5-Isopropylamino-1-methoxy-9,10-anthrachinon werden mit 200 ml 70%-iger Schwefelsäure auf 120–125° erhitzt. Die Ätherspaltung ist erfolgt, wenn in einer Probe kein Ausgangsmaterial chromatographisch mehr nachweisbar ist.

Nach dem Abkühlen werden 500 ml 30%-ige Salzsäure zugegeben und bei 15° 65 g Brom eingerührt. Sobald chromatographisch nur noch weniger als 5% des Ausgangsmaterials nachweisbar sind, gießt man den Ansatz in ~ 5 l Wasser, reduziert das überschüssige Brom durch Zugabe einer gerade ausreichenden Menge Natriumhydrogensulfit, saugt ab, wäscht neutral und trocknet; Ausbeute: ~ 120 g (98% d. Th.).

Durch Bromieren von 5-Amino-1-hydroxy-9,10-anthrachinon in 30%-iger Salzsäure bei ~ 50° entsteht das *6,8-Dibrom-5-amino-1-hydroxy-9,10-anthrachinon*. Einheitliches *8-Brom-5-amino-1-hydroxy-9,10-anthrachinon* läßt sich auf folgendem Wege gewinnen (näheres s. S. 188):

[1] DAS. 2713575 (1977), BASF, Erf.: J. REDECKER, H. HILLER u. E. SPOHLER.
[2] DRP. 401727 (1921), E. KOPETSCHNI; Frdl. **14**, 849.
[3] DAS. 1184879 (1962), Farbf. Bayer, Erf.: K. KLEMM u. G. GEHRKE; C. A. **62**, 9276[a] (1965).
[4] DOS. 1493739 (1965), Farbf. Bayer, Erf.: W. HOHMANN et al.; C. A. **68**, 40981[f] (1968).
[5] DOS. 1932646 (1969), Farbf. Bayer, Erf.: W. HOHMANN et al.; C. A. **75**, 50421[g] (1971).

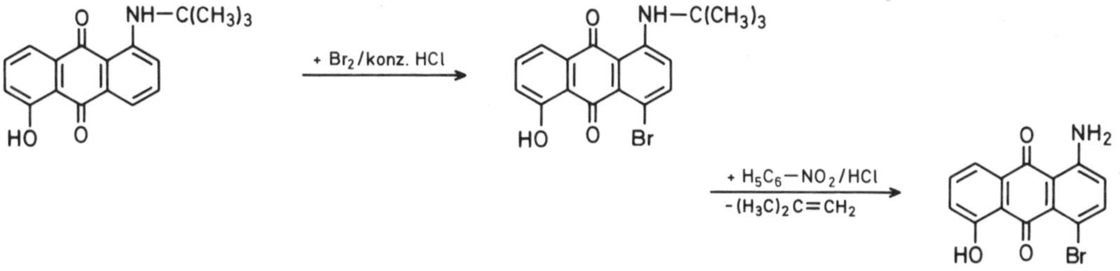

Auch das 5-Amino-1,4-dihydroxy-9,10-anthrachinon wird in konzentrierter Salzsäure durch Brom in das *6,8-Dibrom-5-amino-1,4-dihydroxy-9,10-anthrachinon* übergeführt[1].

6,8-Dibrom-5-amino-1,4-dihydroxy-9,10-anthrachinon[1]: In 360 g 33%-ige Salzsäure werden 51 g (0,2 Mol) feingemahlenes 5-Amino-chinizarin (~90%-ig) portionsweise eingerührt. Zur vollständigen Hydrochlorid-Bildung wird noch ~2 Stdn. auf 40–50° erwärmt.

Nach dem Abkühlen auf 0–5° werden innerhalb 1 Stde. 112 g Brom (0,7 Mol = 175% d. Th.) zugetropft. Dann läßt man die Temp. auf ~25° ansteigen, rührt weitere 3 Stdn., steigert anschließend gleichmäßig die Temp. in 4–5 Stdn. auf 70–75° und läßt so noch 6 Stdn. nachreagieren. Hierauf wird die Reaktionsmasse noch heiß in ~1,8 l Wasser eingerührt, überschüssiges Brom mit Natriumsulfit reduziert und wie üblich aufgearbeitet; Ausbeute: 73,3 g (85%-ig; 84% d. Th.).

Oxidiert man 4-Amino-1-hydroxy-9,10-anthrachinon zunächst zum Chinonimin (z.B. mit Mangandioxid in Schwefelsäure) und lagert an dieses Chlorwasserstoff an, so entsteht je nach Säurekonzentration das *2-(bzw.3)-Chlor-4-amino-1-hydroxy-9,10-anthrachinon*[2]:

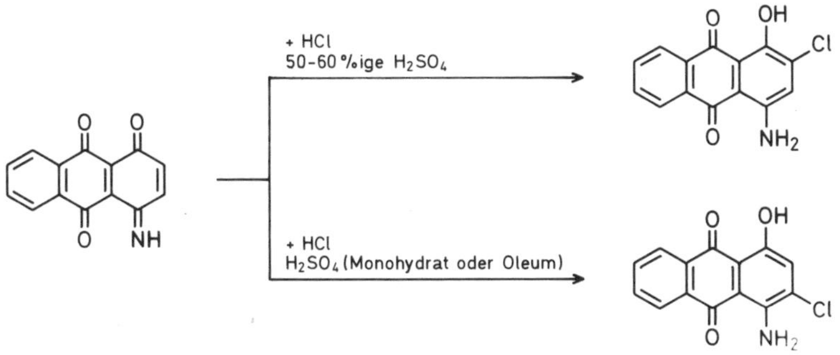

4-Anilino-1-hydroxy-9,10-anthrachinon wird beim Bromieren in Nitrobenzol oder Schwefelsäure zuerst im Anilin-Rest tribromiert[3].

δ) Spezielle Herstellungsverfahren für Amino-hydroxy-9,10-anthrachinon-sulfonsäuren

Amino-hydroxy-9,10-anthrachinon-sulfonsäuren sind nach zahlreichen Verfahren zugänglich, die an mehreren Stellen dieses Handbuches beschrieben sind. Hier werden lediglich einige Ergänzungen angegeben.

Durch 6–10stdg. Erhitzen von 2 Tln. Bromaminsäure mit einer Lösung von 1 Tl. Borsäure in 18 Tln. 7%-igem Oleum auf 120° wird die *4-Amino-1-hydroxy-9,10-anthrachinon-3-sulfonsäure*[4] erhalten. Durch Sulfieren von 4-Amino-1-hydroxy-9,10-anthrachinon mit Borsäure/Oleum entsteht ein Gemisch aus *4-Amino-1-hydroxy-9,10-anthrachinon-6-* und *-7-sulfonsäure*. Aus diazotierter Bromaminsäure erhält man die reine *4-Brom-1-hydroxy-9,10-anthrachinon-2-sulfonsäure* (s.S. 120), die sich leicht mit Aminen

[1] W. Hohmann, Bayer AG.
[2] Fr.P. 1 380 962 (1963/64), Farbf. Bayer, Erf.: G. Gehrke et al.; C.A. **62**, 10 571[b] (1965).
[3] US.P. 3 106 438 (1959), Eastman-Kodak Co., Erf.: G.F. Converse et al.; C.A. **60**, 6964[f] (1964).
[4] Fr.P. 1 108 206 (1953/54), Sandoz AG; C. **1957**, 2337.

in N-substituierte 4-Amino-1-hydroxy-9,10-anthrachinon-2-sulfonsäuren überführen läßt.

Setzt man 4,8-Dibrom-1,5-dihydroxy-9,10-anthrachinon-2,6-disulfonsaures Natrium bei 30–40° mit 20%-igem Ammoniak – katalysiert durch Kupfer – um, dann entsteht in guter Ausbeute das *4,8-diamino-1,5-dihydroxy-9,10-anthrachinon-2,6-disulfonsaure Natrium*[1].

Der Austausch der 4-ständigen Sulfo-Gruppe in der 1-Hydroxy-9,10-anthrachinon-2,4-disulfonsäure[2] und der Nitro-Gruppe in der 4-Nitro-1-hydroxy-9,10-anthrachinon-2-sulfonsäure[3] gegen Amino-Gruppen führt zu wenig reinen Produkten.

Bei der Umsetzung von einheitlichen 2-(bzw. 3)-Brom-4-amino-1-hydroxy-9,10-anthrachinonen mit Natriumsulfit entstehen stets Gemische der 2- und 3-Sulfonsäuren. Das deutet darauf hin, daß die Reaktion über das Chinonimin verläuft.

ε) Kernarylierung von 4,8-Diamino-1,5-dihydroxy-9,10-anthrachinonen

Die einzigen 9,10-Anthrachinone, die sich im Kern arylieren lassen, dürften die 4,8-Diamino-1,5-dihydroxy-9,10-anthrachinon-2-sulfonsäure und -2,6-disulfonsäure[4–6] sowie das unsulfierte Chinonimin[7] sein.

So reagieren Phenol oder Anisol bei ~ 10° in konzentrierter Schwefelsäure, jedoch nur in Gegenwart von Borsäure, mit der Disulfonsäure in folgender Weise[7]:

4,8-Diamino-1,5-dihydroxy-3-
(4-methoxy-phenyl)-9,10-anthrachinon

[1] DRP. 195139 (1907), Farbf. Bayer; Frdl. **9**, 713.
[2] DRP. 142154 (1902), Farbf. Bayer, Erf.: R.E. SCHMIDT u. A. JACOBI; Frdl. **7**, 209.
[3] DRP. 127438 (1897), Farbf. Bayer, Erf.: R.E. SCHMIDT u. A. JACOBI; Frdl. **6**, 371.
[4] DRP. 445269, 446563, 456235 (1925), I. G. Farb., Erf.: R. E. SCHMIDT u. A. JAKOBI; Frdl. **15**, 671–675.
[5] M. C. CLARK, T. J. MARLEY u. P. A. LOWE, J. appl. Chem. Biotechnol. **24**, 343 (1974).
[6] I.-M. ADAM, P. HINDERMANN u. T. WINKLER, Helv. **59**, 2999 (1976).
[7] Reaktionsmechanismus nach R. NEFF Leverkusen.

Durch Zusatz von Borsäure zu der gelben Lösung des Anthrachinon-Derivats I in konz. Schwefelsäure bilden sich die Borsäure-Komplexe II bzw. III, wobei die Lösung tief blau wird. Die 1,4-chinoide Form III reagiert mit Anisol zu dem labilen Addukt IV (gelb), das bereits beim Erhitzen in Wasser eine Sulfo-Gruppe unter Bildung der blauen Monosulfonsäure V abspaltet. Entfernt man die Sulfo-Gruppe in der 7-Stellung, z.B. durch Reduktion mit Glucose oder Natriumdithionit in alkalischer Lösung, so resultiert VI.

Die Gesamtausbeute beträgt ∼70% d.Th. Zur Arylierung mit m-Kresol s. Lit.[1].

Die Monosulfonsäure wird im Sulfo-Gruppen freien Kern aryliert. Das 4,8-Diamino-1,5-dihydroxy-9,10-anthrachinon reagiert nicht unter diesen Bedingungen[2]. An dessen Chinonimin läßt sich jedoch bereits bei −25° in Schwefelsäure-Monohydrat Anisol anlagern[3].

Ein anderer Weg führt zu einem Isomeren des Chinons VI[4]:

[1] I.-M. ADAM, P. HINDERMANN u. T. WINKLER, Helv. 59, 2999 (1976).
[2] M.C. CLARK, T.J. MARLEY u. P.A. LOWE, J. appl. Chem. Biotechnol. 24, 343 (1974).
[3] DAS. 1228734 (1963), Farbf. Bayer, Erf.: K. KLEMM u. G. GEHRKE; C.A. 64, 3739^f (1966).
[4] DAS. 1222188 (1962), Farbf. Bayer, Erf.: K. WUNDERLICH, H.S. BIEN u. F. BAUMANN; C.A. 60, 12148^a (1964).
Zur Struktur vgl. E.D. PANDHARE, U.B. PATIL, A.V. RAMA RAO u. K. VENKATARAMAN, Indian J. Chem. 9, 1060 (1971).

7. Herstellung von N-Derivaten der Amino-9,10-anthrachinone aus Amino-9,10-anthrachinonen

α) N-Alkylierungen

Eine besondere Bedeutung kommt der N-Alkylierung von Amino-9,10-anthrachinonen nicht zu, da die meisten dieser Reaktionsprodukte auf einfachere und eindeutigere Weise zugänglich sind.

Die Methylierung von α-Amino-9,10-anthrachinonen erfolgt am einfachsten durch Erhitzen mit Methanol in konzentrierter Schwefelsäure auf 130–170°. Dabei entstehen hauptsächlich die Methylamino-9,10-anthrachinone[1].

Durch Erhitzen von 1,4-Diamino-9,10-anthrachinon in 96%-iger Schwefelsäure mit Methanol auf ~130° erhält man ein Gemisch der verschiedenen Methylierungsstufen[2], das als solches zum Färben von Acetatseide besonders geeignet ist.

Eine glatte, vollständige Alkylierung der α-Amino-9,10-anthrachinone wird erzielt, indem man diese mit etwa der 3fachen Menge Toluolsulfonsäure-methylester ohne Zusatz eines säurebindenden Mittels auf 170° erhitzt und nach einer Wasserdampfdestillation aus der filtrierten wäßrigen Lösung das tertiäre Amin mittels Natronlauge ausfällt[3]. So erhält man u.a.

1-Dimethylamino-9,10-anthrachinon
2-Brom-1-dimethylamino-9,10-anthrachinon; F: 139°
1-Dimethylamino-2-methyl-9,10-anthrachinon; F: 112°.

Unter den gleichen Bedingungen entstehen aus den β-Amino-9,10-anthrachinonen die quaternären Ammonium-Verbindungen[3].

Zu einheitlichen β-Monoalkylamino-9,10-anthrachinonen führt die Alkylierung der Toluolsulfamido-Verbindungen[4]. So erhält man z.B. aus dem 2-Toluolsulfamido-9,10-anthrachinon-Natriumsalz mit Dimethylsulfat in wäßriger Phase bei 40° *2-Methylamino-9,10-anthrachinon* (rubinrote Kristalle, F: 226°) und analog bei 140° mit 1,2-Dibrom-äthan *1,2-Bis-[9,10-anthrachinonyl-(2)-amino]-äthan* (F: ~400°).

Analog lassen sich die entsprechenden Sulfaminsäuren umsetzen. Einfacher führt man hier jedoch die Monoalkylierung in einem Eintopfverfahren durch: die Amino-9,10-anthrachinone werden mit Pyridin-Schwefeltrioxid bei 115° in die N-Sulfo-Derivate übergeführt und diese in Gegenwart von Natronlauge bei 50° mit Dimethylsulfat methyliert[5]. Die Sulfamido-Gruppe wird durch Erwärmen mit verdünnter Salzsäure leicht wieder abgespalten. Auf diese Weise wurde z.B. *2-Methylamino-9,10-anthrachinon* hergestellt.

Auch die Alkalimetallsalze der β-Acylamino- und die der o-substituierten α-Acylamino-9,10-anthrachinone (s.S. 216) lassen sich mit Toluolsulfonsäureestern und Natriumcarbonat oder mit Dimethylsulfat in verdünnter Natronlauge glatt alkylieren[6]. So erhält man z.B.:

2,6-Bis-[methylamino]-9,10-anthrachinon
2-Methylamino-1-nitro-9,10-anthrachinon
4-Chlor-2-methyl-1-methylamino-9,10-anthrachinon
4-Brom-1-methylamino-9,10-anthrachinon-2-sulfonsäure

Aus 1,4-Bis-[benzoylamino]-2-methoxy-9,10-anthrachinon ist so das *1-Amino-4-methylamino-3-methoxy-9,10-anthrachinon* zugänglich.

---

[1] DRP. 288825 (1914), Farbf. Bayer, Erf.: M. KUGEL; Frdl. **12**, 414.
[2] FIAT Final Rep. Nr. **1313** II, 205 (1948), I.G. Farb. Leverkusen.
[3] H. SCHEYER, I.G. Farb. Mainkur (1931).
[4] F. ULLMANN u. R. MEDENWALD, B. **46**, 1801 (1913).
[5] Brit.P. 319805 (1928); DRP. 565321 (1929/32), Scottish Dyes Ltd.; C. **1930 I**, 596; Frdl. **19**, 1930.
[6] DRP. 513025 (1927), I.G. Farb., Erf.: M. KUGEL; Frdl. **17**, 1209.

Die Knoevenagel-Alkylierungsmethode – Erhitzen von Aminen mit Alkoholen in Gegenwart von Jod – ist auf solche α-Amino-9,10-anthrachinone anwendbar, die nicht o-substituiert sind, und führt vorwiegend zu Monoalkylamino-Derivaten. Benzylalkohol reagiert bereits zwischen 120 und 160° und Dodecanol bei 200°. Besonders leicht läßt sich 1,8-Diamino-9,10-anthrachinon alkylieren, aus dem beim Erhitzen mit Benzylalkohol in Gegenwart von ~1% Jod bei 150° das *1-Benzylamino-8-dibenzylamino-9,10-anthrachinon* erhalten wird[1]. Aus 1,4-Diamino-9,10-anthrachinon entsteht so das *1,4-Bis-[benzylamino]-9,10-anthrachinon*[2].

An α-Amino-9,10-anthrachinone sind auch Äthylenoxid[3], Epichlorhydrin[4] und reaktive Vinyl-Verbindungen angelagert worden. Die Anlagerung von Butenon an α-Amino-9,10-anthrachinone erfolgt in ~75%-iger Schwefelsäure[5]. Durch 3stdg. Erhitzen auf 70° lagert sich 1 Mol Nitroäthylen an 1-Amino-9,10-anthrachinon zum *1-(2-Nitro-äthylamino)-9,10-anthrachinon* (F: 193°) an; die Ausbeute soll 91% betragen[6] (2-Amino-9,10-anthrachinon reagiert nicht). In den meisten Fällen dürften die Reaktionsprodukte uneinheitlich sein.

Auch die N-Methylierung von Amino-9,10-anthrachinonen durch Formaldehyd und Ameisensäure ist möglich[7].

Ein einheitliches Produkt wird aus Alizarinsaphirol B (s.S. 128) durch Einwirkung von Formaldehyd (2,5 Mol pro Amino-Gruppe) in Gegenwart verdünnter Mineralsäuren erhalten. Es entsteht so die *4,8-Bis-[methylamino]-1,5-dihydroxy-9,10-anthrachinon-2,6-disulfonsäure*[8].

Recht einfach sind aus den Amino-9,10-anthrachinonen die N-Sulfomethyl-Verbindungen erhältlich durch Einwirkung von Formaldehyd, Natriumhydrogensulfit und Salzsäure bei 60–100°[9].

β) Entalkylierung von Alkylamino-9,10-anthrachinonen

Es sind zahlreiche Einzelfälle bekannt geworden, die zeigen, daß sich Alkylamino-9,10-anthrachinone sowohl der α- als auch der β-Reihe wesentlich leichter als N-Alkyl-Derivate der Arylamine entalkylieren lassen. Am leichtesten werden natürlich sekundäre und tertiäre Alkyl-Gruppen abgespalten.

1,4-Bis-[methylamino]-9,10-anthrachinon wird durch Schwefelsäure-Monohydrat bei 180–200° und in Gegenwart von Borsäure bereits bei 130° völlig entmethyliert[10]. Auch bei den Anthrimid-Kondensationen von 1-Chlor-9,10-anthrachinonen mit Methylamino-9,10-anthrachinonen werden die Methyl-Gruppen weitgehend eliminiert[11].

1-Chlor-9,10-anthrachinon setzt sich mit N-Äthyl-anilin zu einem Gemisch aus *1-(N-Äthyl-anilino)-* und *1-Anilino-9,10-anthrachinon* um[12].

---

[1] R. Zell, I.G. Farb. Ludwigshafen (1937).

[2] Brit.P. 999 127 (1963/64), BASF, Erf.: F. Graser u. D. Weiser; C.A. **62**, 13 282^b (1965).

[3] DRP. 235 312 (1910), Farbf. Bayer; Frdl. **10**, 589.

[4] DRP. 218 571 (1908), Farbf. Bayer; Frdl. **9**, 714.
   BIOS Final Rep. Nr. **1484**, 43 (1948), I.G. Farb. Leverkusen.

[5] DRP. 696 421 (1936), 695 033 (1937) ≡ Fr. P. 828 581 (1937), I.G. Farb.; C. **1938 II**, 3465.

[6] H. Hopff u. M. Capaul, Helv. **43**, 1898 (1960).

[7] DRP. 156 056 (1901), Farbf. Bayer; Frdl. **8**, 288.
   DRP. 489 863 (1927), CIBA; Frdl. **16**, 1275.

[8] DRP. 443 585 (1925), I.G. Farb., Erf.: R.E. Schmidt u. W. Trautner; Frdl. **15**, 670.
   vgl. dazu DRP. 571 841 (1928), Sandoz; Frdl. **18**, 1275.

[9] DRP. 112 115 (1899), Farbf. Bayer, Erf.: R.E. Schmidt; Frdl. **6**, 356.
   DRP. 462 041 (1925/26), 478 280 (1924/25), British Dyestuffs Corp.; Frdl. **16**, 1264, 1259.

[10] Brit. P. 291 814 (1926), British Dyestuffs Corp., Erf.: A. Shepherdson, W.W. Tatum u. F. Lodge; C. **1928 II**, 2067.

[11] W. Bradley et al., Soc. **1951**, 2152, 2156.
   W. Bradley u. R.F. Maisey, Soc. **1954**, 247.

[12] N.S. Dokunikhin u. T.N. Kurdiumova, Ž. obšč. Chim. **28**, 1979 (1958); engl.: 2021.

Es liegt eine Reihe von Beobachtungen vor, wonach bei Umsetzungen mit 1-Dimethyl-amino-9,10-anthrachinonen eine Methyl-Gruppe abgespalten wird.

So entsteht beim Erhitzen von 5-Brom-1-dimethylamino-9,10-anthrachinon mit p-Toluidin (2 Stdn. auf 180°) das *1-Methylamino-5-(4-methyl-anilino)-9,10-anthrachinon*[1]. In analoger Weise erhält man aus 4-Chlor-1-dimethylamino-9,10-anthrachinon das *1-Methylamino-4-(4-methyl-anilino)-9,10-anthrachinon* neben *1,4-Bis-[4-methyl-anilino]-9,10-anthrachinon*[1].

Durch Nitrieren von 1-Dimethylamino-9,10-anthrachinon mit Salpetersäure bei ~90° entsteht das *1-Methylamino-4-nitro-9,10-anthrachinon* (s. S. 195).

1-Dimethylamino-9,10-anthrachinon wird durch längeres Kochen mit Dimethylform-amid teilweise entmethyliert, während Pyridin ohne Einwirkung ist[2]. Bei längerem Erhitzen von 1-Methylamino-9,10-anthrachinon in Nitrobenzol wird ein Teil der Methyl-Gruppen zu Formaldehyd oxidiert.

1-Amino-4-cyclohexylamino-3-cyan-9,10-anthrachinon spaltet beim Erwärmen mit konzentrierter Schwefelsäure auf 100° quantitativ Cyclohexen ab und geht dabei in *1,4-Diamino-2-aminocarbonyl-9,10-anthrachinon* über[3].

Die Eliminierung des Cyclohexyl-Restes erfolgt bei den 1,5-Bis-[cyclohexylamino]-9,10-anthrachinonen in der Aluminiumchlorid-Harnstoff-Schmelze schon bei 40°[4]. Läßt man auf 1-Cyclohexylamino-9,10-anthrachinon-5-sulfonsäure Oleum bei 120° einwirken, so entsteht glatt die *1-Amino-9,10-anthrachinon-2,5-disulfonsäure*[4]. Tertiäre N-Alkyl-Gruppen können auch thermisch abgespalten werden[5]. Infolge ihrer leichten Abspaltbar-keit können verzweigte Alkyl-Reste als Schutz-Gruppen dienen (s. a. S. 205)..

8-Chlor-5-amino-1,4-dihydroxy-9,10-anthrachinon[5]: In eine Lösung von 6 g 8-Chlor-5-tert.-butylamino-1,4-dihydroxy-9,10-anthrachinon in 50 ml Nitrobenzol wird bei 180° Chlorwasserstoff eingeleitet, bis nach ~30 Min. das Ausgangsmaterial nicht mehr nachweisbar ist. Nach dem Erkalten verdünnt man mit Methanol, saugt die Kristalle ab und wäscht mit Methanol aus; Ausbeute: 3,9 g (93% d.Th.) (chromatographisch rein).

Durch Erhitzen von 1-tert.-Butylamino-9,10-anthrachinon mit Benzoylchlorid entsteht das *1-Benzoylamino-9,10-anthrachinon*.

γ) N-Arylierung von Amino-9,10-anthrachinonen

Die N-Arylierung von Amino-9,10-anthrachinonen läßt sich meist recht gut durch Kondensation mit reaktionsfähigen Halogen-aromaten durchführen[6].

Eingehend untersucht wurde die Kondensation von 1-Amino-9,10-anthrachinon mit 2-Chlor-naphthalin; dabei wurde gefunden, daß unter Zusatz von Natriumacetat und 0,5% Kupfer(I)-chlorid (pro Amino-Gruppe) mit 85%-iger Ausbeute das *1-[Naphthyl-(2)-amino]-9,10-anthrachinon* entsteht. Erhöht man jedoch den Kupferchlorid-Zusatz auf 10%, so erhält man in gleich guter Ausbeute das *1-{Bis-[naphthyl-(2)]-amino}-9,10-anthrachinon*[7].

Das *1-(2-Nitro-phenylamino)-9,10-anthrachinon* (F: 293°) kann sowohl aus 1-Amino-anthrachinon und o-Chlor-nitrobenzol als auch aus 1-Chlor-anthrachinon und o-Ni-tranilin mit vorzüglicher Ausbeute hergestellt werden[8].

---

[1] DRP. 139581 (1900), Farbf. Bayer, Erf.: R.E. Schmidt; Frdl. **7**, 207.
[2] W.M. Lord u. A.T. Peters, Soc. C **1968**, 783; Chem. & Ind. **1973**, 227.
[3] M. Kugel, I.G. Farb. Leverkusen (1929).
[4] DAS. 1205550 (1963), BASF, Erf.: W. Braun u. M. Ruske; C.A. **63**, 15020^d (1965).
[5] Brit. P. 1081390 (1965/66), Farbf. Bayer, Erf.: H.-S. Bien et al.; C.A. **67**, 65423^t (1967).
[6] s.u.a. DRP. 175069 (1905), Farbf. Bayer; Frdl. **8**, 291.
    DRP. 220579 (1909), BASF; Frdl. **9**, 756; E. Laubé, B. **40**, 3562 (1907).
[7] FIAT Final Rep. Nr. **1313** III, 83 (1948), W. Mieg u. F. Wieners, I.G. Farb. Leverkusen.
[8] F. Ullmann u. O. Fodor, A. **380**, 327 (1911).

Mit sekundären aromatischen Aminen setzen sich Halogen-9,10-anthrachinone nicht um. Eine Ausnahme macht verständlicherweise das Carbazol. Allerdings ist hierfür ein Zusatz von 10–20% Kupfersalz erforderlich[1].

Es gibt einige Sonderfälle, bei denen Amino-Gruppen in ungewöhnlicher Weise glatt aryliert werden.

Erhitzt man z.B. 1 Tl. 2-Amino-9,10-anthrachinon in 12 Tln. Nitrobenzol mit 2 Tln. Kaliumhydroxid auf 90°, so entsteht mit ~80%-iger Ausbeute das *2-(4-Nitro-anilino)-9,10-anthrachinon*[2] (F: 325°) neben der Azoverbindung. Diese Kondensation ist praktisch auf 2-Amino-9,10-anthrachinon beschränkt (Carbazol reagiert in analoger Weise bei 50° mit ~70%-iger Ausbeute zum N-(4-Nitro-phenyl)-carbazol[3].

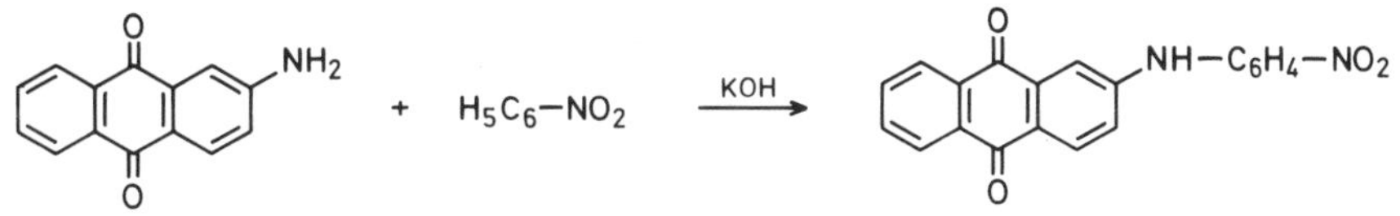

Zur N-Arylierung von α-Amino-9,10-anthrachinonen durch Anlagerung an Benzanthron, Anthanthron oder 1,2-(1,3-Thiazolo)-9,10-anthrachinon mit Kaliumhydroxid in Pyridin bei 20–50° s. Bd. IV/1b, S. 39.

Im folgenden Fall werden intramolekulare N-Arylierungen durch Umlagerung eines reaktionsfähigen Phenyläthers bewirkt: 1-Amino-2-aryloxy-9,10-anthrachinone, die in 4-Stellung noch eine Hydroxy-, Amino- oder Äther-Gruppe enthalten, werden durch Kaliumhydroxid in polaren Lösungsmitteln, besonders gut in Dimethylsulfoxid, in die 1-Arylamino-2-hydroxy-9,10-anthrachinone umgelagert[4]; z.B.:

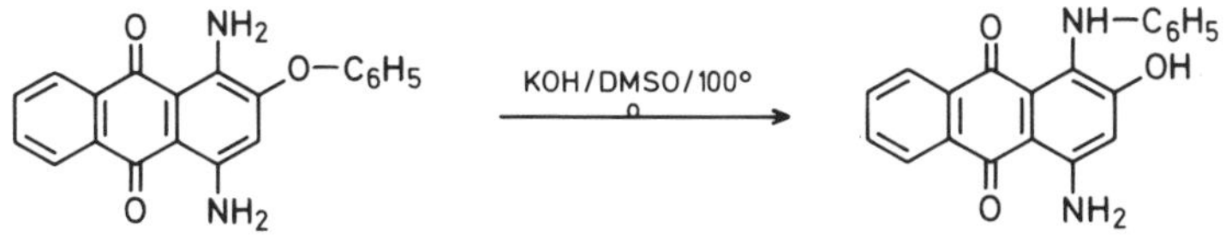

4-Amino-1-anilino-2-hydroxy-9,10-anthrachinon

In gleicher Weise wurden u.a. hergestellt:

4-Anilino-1,3-dihydroxy-9,10-anthrachinon
1,4-Dianilino-2-hydroxy-9,10-anthrachinon
4-(4-Nitro-anilino)-1,3-dihydroxy-9,10-anthrachinon
4-Amino-1-anilino-2-hydroxy-9,10-anthrachinon-3-sulfonsäure
4-Amino-1-anilino-2-hydroxy-3-phenoxy-9,10-anthrachinon (aus 1,4-Diamino-2,3-diphenoxy-9,10-anthrachinon)

Bemerkenswert ist, daß aus 1-Amino-4-anilino-3-phenoxy-9,10-anthrachinon beim Erwärmen mit Kaliumacetat in Dimethylsulfoxid bei 40° das *1-Amino-4-diphenylamino-3-hydroxy-9,10-anthrachinon* (F: 285°) entsteht:

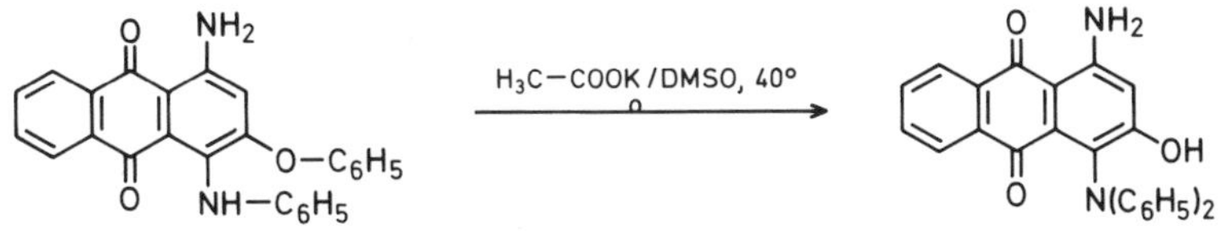

[1] DRP. 430884 (1922), I.G. Farb., Erf.: W. Mieg; Frdl. **15**, 667.
[2] FIAT Final Rep. Nr. **1313** III, 82 (1948), I.G. Farb. Ludwigshafen.
[3] G. u. M. de Montmollin, Helv. **6**, 96 (1923).
[4] DOS. 2019427 (1970), Farbf. Bayer, Erf.: V. Hederich u. G. Gehrke; C.A. **76**, 101224ª (1972).

14*

δ) Herstellung von Di- und Poly-anthrimiden und deren Umwandlungen

Als (Di-)Anthrimide werden in der Fachliteratur Verbindungen bezeichnet, die an einem Stickstoff-Atom zwei 9,10-Anthrachinonyl-Reste tragen. Tertiäre Trianthrimide sind nicht bekannt. Unter Trianthrimiden versteht man Verbindungen, in denen drei 9,10-Anthrachinonyl-Reste über zwei Stickstoff-Atome verknüpft sind; entsprechendes gilt für die Poly-anthrimide.

Im einfachsten Fall sind drei isomere Dianthrimide möglich: die 1,1'-, 1,2'- und 2,2'-Derivate. Letztere spielen keine Rolle. Die 1,1'-Derivate besitzen in Form ihrer Leukoverbindungen keine Affinität zur pflanzlichen Faser, während die 1,2'-Dianthrimide echte, aber farbschwache Küpenfarbstoffe sind.

Die Herstellung der Anthrimide[1] erfolgt durch Kondensation eines Halogen-9,10-anthrachinons mit einem Amino-9,10-anthrachinon in siedendem Nitrobenzol in Gegenwart von Alkalimetall-Salzen schwacher Säuren und einer Kupfer-Verbindung wie Kupferacetat, Kupferacetessigsäure-äthylester oder einem Gemisch aus Kupferbronze und Jod u. ä.[2], wobei man mit den reaktionsträgeren 2-Halogen-9,10-anthrachinonen oft bessere Ausbeuten als mit den reaktionsfähigeren 1-Halogen-9,10-anthrachinonen erhält[1].

Das *2,6-Bis-[9,10-anthrachinonyl-(1)-amino]-9,10-anthrachinon* wird zweckmäßig durch Kondensation von 1 Mol 2,6-Dichlor-9,10-anthrachinon mit 2 Mol 1-Amino-9,10-anthrachinon hergestellt *(Indanthrenorange 7 RK)*[3].

2,2'-Di-anthrimid {*Bis-[9,10-anthrachinonyl-(2)]-amin*} wird nur in sehr schlechter Ausbeute bei 270° durch „Verbacken" eines Gemisches aus 2-Chlor- und 2-Amino-9,10-anthrachinon und Kaliumcarbonat, das mit Nitrobenzol verpastet ist, erhalten[4].

1,4-Bis-[9,10-anthrachinonyl-(1)-amino]-9,10-anthrachinon[5]: 2,4 l Nitrobenzol werden unter Rühren mit 337 g 1-Chlor-9,10-anthrachinon, 76 g Natriumacetat sowie 73 g Natriumcarbonat versetzt und auf 200–205° erhitzt. Dann trägt man innerhalb 5 Stdn. ein Gemenge aus 157 g 1,4-Diamino-9,10-anthrachinon und 5 g Kupferpulver ein. Nach einigen Stdn. wird heiß abgesaugt, mit heißem Nitrobenzol und dann mit Benzol nachgewaschen. Nach dem Trocknen wird das Trianthrimid mit verd. Salzsäure ausgekocht, abgesaugt, säurefrei gewaschen und getrocknet; Ausbeute: 351 g (82% d. Th.).

Alle anderen Anthrimide werden praktisch in analoger Weise hergestellt, z. B. *1,5-Bis-[9,10-anthrachinonyl-(1)-amino]-9,10-anthrachinon* aus 1 Mol 1,5-Dichlor-9,10-anthrachinon und 2 Mol 1-Amino-9,10-anthrachinon[6].

4,5'-Bis-[benzoylamino]-1,1'-dianthrimid wird zweckmäßig durch Kondensation von 1-Amino-5-benzoylamino-9,10-anthrachinon mit 1-Chlor-4-benzoylamino-9,10-anthrachinon[7] synthetisiert.

Das *Bis-[4-amino-9,10-anthrachinonyl-(1)]-amin* wird technisch durch Nitrieren von 1,1'-Dianthrimid in ∼6%-igem Oleum in Gegenwart von Borsäure bei 25° und anschließender Reduktion hergestellt[8].

Aus der Fülle der Polyanthrimide seien nur einige der technisch hergestellten aufgezählt:

Das Kondensationsprodukt aus Dibrom-anthanthron und 2 Mol 1-Amino-4-benzoyl-

[1] DRP. 162 824 (1903), 174 699 (1905), Farbf. Bayer, Erf.: O. UNGER u. M. KUGEL; Frdl. **8**, 363, 365.
[2] Die katalytische Wirkung des Kupfers beim Austausch von Halogen-Atomen gegen Amino-Gruppen wurde Jahre vor F. ULLMANN bei der Herstellung von 3,3'-Dibrom-indanthron durch Kondensation von 2 Mol 1,3-Dibrom-2-amino-9,10-anthrachinon von M. KUGEL erkannt [DRP. 158 287, 158 474 (1903), Farbf. Bayer; Frdl. **8**, 341, 342].
[3] DRP. 197 554 (1907), BASF; Frdl. **9**, 765.
[4] W. BRADLEY u. E. LEETE, Soc. **1951**, 2138.
[5] FIAT Final Rep. Nr. **1313** II, 102 (1948), I. G. Farb. Leverkusen.
[6] FIAT Final Rep. Nr. **1313** II, 182 (1948), I. G. Farb. Hoechst.
[7] FIAT Final Rep. Nr. **1313** II, 107 (1948), I. G. Farb. Leverkusen.
[8] FIAT Final Rep. Nr. **1313** II, 136 (1948), I. G. Farb. Leverkusen.

amino-9,10-anthrachinon (*Indanthrengrau BG*)[1]; das Kondensationsprodukt aus Tetra-brom-pyranthron und ~2 Mol 1-Amino-9,10-anthrachinon und ~2 Mol Amino-violan-thron (*Indanthrendirektschwarz RB*)[2] und das aus 1,4,5,8-Tetrachlor-9,10-anthrachinon und 4 Mol 1-Amino-9,10-anthrachinon {*1,4,5,8-Tetrakis-[9,10-anthrachinonyl-(1)-ami-no]-9,10-anthrachinon*; s.S. 215}. Auch das gemischte Anthrimid aus 1-Amino-9,10-an-thrachinon und Bz1-Brom-benzanthron ist leicht herstellbar[3] {*Bz1-[9,10-Anthrachino-nyl-(1)-amino]-benzanthron*}. Dieses wird durch eine Alkalimetallhydroxid-Schmelze zum *Indanthrenolivgrün B* cyclisiert (s. Bd. IV/1b, S. 41).

Einige Anthrimide lassen sich auch nach Art einer Indamin-Kondensation unter Einhal-tung eng begrenzter Versuchsbedingungen herstellen. So entsteht durch Oxidation von fein verteiltem 1-Amino-9,10-anthrachinon mit Mangandioxid in 45%-iger Schwefel-säure bei 20° ein schwarzer Kristallbrei eines Chinonimins[4], das sich mittels Hydrochinon oder Zinn(II)-chlorid zum Chinon I reduzieren läßt[4]:

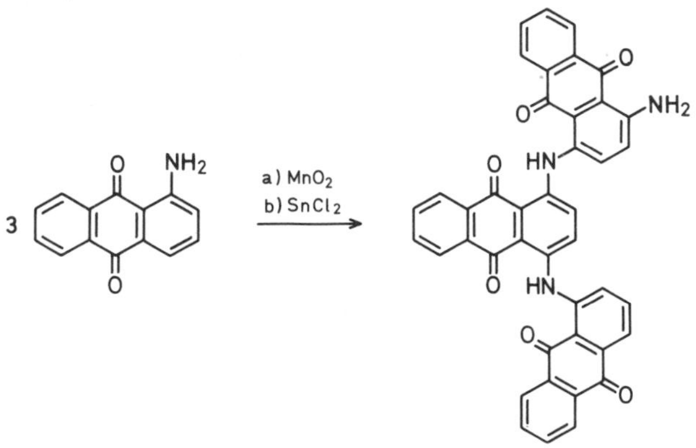

4-[9,10-Anthrachinonyl-(1)-amino]-1-[4-amino-
9,10-anthrachinonyl-(1)-amino]-9,10-anthrachinon

Dieses enthält ferner homologe Polyanthrimide[5].

Oxidiert man in analoger Weise, aber in einer ~85%-igen Schwefelsäure, ein molekula-res Gemisch aus 1-Amino-9,10-anthrachinon und 1,4-Diamino-9,10-anthrachinon, so tritt weitgehend Kondensation zum *Bis-[4-amino-9,10-anthrachinonyl-(1)]-amin* ein[6]:

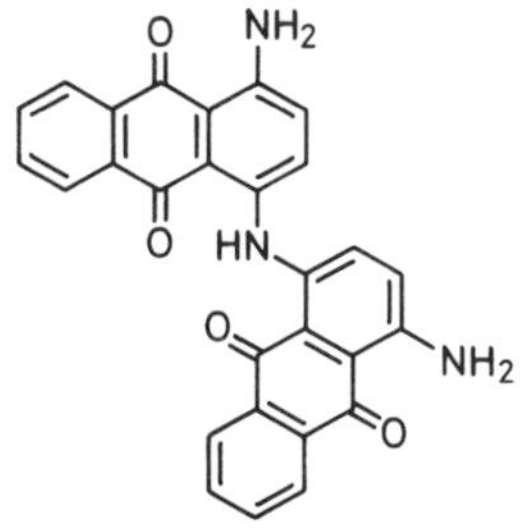

Dieses wird auch in glatter Reaktion durch Kondensation von 1,4;9,10-Anthradichinon-1,4-diimin mit 1-Amino-9,10-anthrachinon in konzentrierter Schwefelsäure erhalten[6].

[1] BIOS Final Rep. Nr. **1493**, 23 (1948), I.G. Farb. Leverkusen.
[2] FIAT Final Rep. Nr. **1313** II, 118 (1948), I.G. Farb. Leverkusen.
[3] BIOS Final Rep. Nr. **987**, 71 (1948), I.G. Farb. Leverkusen.
[4] Brit.P. 368789 (1930/31) ≡ DRP. 555937 (1930), I.G. Farb., Erf.: R.E. SCHMIDT u. C. BAMBERGER; C. **1932** II, 2377.
[5] Schweiz. P. 332488 (1958), CIBA, Erf.: E. MÖRGELI u. M. GRÉLAT; C.A. **54**, 3978ᶜ (1960).
[6] R.E. SCHMIDT, ~1925.

4-[9,10-Anthrachinonyl-(1)-amino]-1-[4-amino-9,10-anthrachinonyl-(1)-amino]-9,10-anthrachinon(I)[1]:
22,3 g 1-Amino-9,10-anthrachinon, in 408 g 98%-iger Schwefelsäure gelöst, werden durch Zugabe von 592 *ml*
Wasser in eine feinverteilte Form gebracht und bei 18° mit einer Suspension von 12 g Naturbraunstein (85%-ig
an Mangandioxid) in 100 g 40%-iger Schwefelsäure verrührt, wobei die Temp. auf 23° ansteigt. Dabei geht das
Ausgangsmaterial in Lösung und es scheidet sich das Chinonimin I in Form schwarzer Kristalle ab. Nach
~ 20 Min. wird eine Lösung von 20 g Zinn(II)-chlorid in 75 g konz. Salzsäure zugegeben, wobei die Reduktion zu
dem gut kristallisierten graugrünen Trianthrimid II erfolgt. Nach dem Absaugen wird mit einer 40%-igen Schwefelsäure und dann mit Wasser ausgewaschen. Die Ausbeute ist praktisch quantitativ. – Löslich in konz. Schwefelsäure mit grüner Farbe, die in der Wärme nach Borsäure-Zusatz nach blau umschlägt.
Der Konstitutionsbeweis wurde durch Synthese erbracht[2].

Die 1,1'-Anthrimide lassen sich leicht zu Carbazol-Derivaten ringschließen; so erhält
man z.B. aus dem Trianthrimid III das Carbazol IV (*Indanthrenbraun BR*)[3]:

III   IV

Derartige Kondensationen werden am besten durch Erwärmen mit Aluminiumchlorid
in Pyridin-Lösung[4] bei 100–135° vorgenommen.

Überraschend leicht vollziehen sich die Carbazol-Ringschlüsse bei solchen Dianthrimi-
den, die in den 4- oder 5-Stellungen Benzoylamino-Gruppen (R[1] bis R[4]) enthalten. Hier
genügt bereits einfaches Lösen in Schwefelsäure-Monohydrat bei 25°[5].

Zunächst entsteht aus dem Dianthrimid unter Wasserstoff-Verschiebung eine alkaliunlösliche Dihydro-Verbindung des Carbazols, die man leicht durch Zugabe von Mangandioxid oder Natriumnitrit oder durch Eingießen in Wasser, das Natriumdichromat enthält,
oder in wässriger Suspension mit Natriumhypochloritlösung dehydrieren kann.

[1] Brit. P. 368 789 (1930/31) ≡ DRP. 555 937 (1930), I. G. Farb., Erf.: R. E. Schmidt u. C. Bamberger; C. **1932**
II, 2377.
[2] R. E. Schmidt, ~ 1925.
[3] DRP. 240 080 (1910), Farbw. Hoechst, Erf.: R. Uhlenhut; Frdl. **10**, 639.
[4] DRP. 451 495 (1925), I. G. Farb., Erf.: W. Mieg; Frdl. **16**, 1345.
FIAT Final Rep. Nr. **1313** II, 102 (1948), I. G. Farb. Leverkusen.
Zur Kondensation von 1-Amino-9,10-anthrachinonen und Amino-anthrimiden mit Aluminiumchlorid-Pyri-
din s.a.: A. K. Wick, Helv. **49**, 1748, 1755 (1966); **50**, 377 (1967); **51**, 85 (1968); **53**, 819 (1970); **54**, 769
(1971).
[5] DRP. 239 544 (1910), Farbf. Bayer, Erf.: P. Fischer u. W. Mieg; Frdl. **10**, 638.

R^3;R^4 = H;   R^1;R^2 = NH-CO-C$_6$H$_5$; *Indanthrenoliv* R^1
R^2;R^4 = H;   R^1;R^3 = NH-CO-C$_6$H$_5$; *Indanthrenbraun* R^2
R^1;R^2 = H;   R^3;R^4 = NH-CO-C$_6$H$_5$; *Indanthrengoldorange 3G*^{3}

Aus der Fülle der Polyanthrimide sei noch das Pentanthrimid aus 1 Mol 1,4,5,8-Tetrachlor-9,10-anthrachinon und 4 Mol 1-Amino-9,10-anthrachinon erwähnt {*1,4,5,8-Tetrakis-[9,10-anthrachinonyl-(1)-amino]-9,10-anthrachinon*}, das durch eine Aluminiumchlorid-Natriumchlorid-Schmelze^{4,5} bei 130–170° carbazoliert wird. *(Indanthrenkhaki 2G.)*

ε) Herstellung von Acylamino-9,10-anthrachinonen

Die Acylierung von Amino-9,10-anthrachinonen läßt sich sehr glatt mit Carbonsäure-chloriden bzw. -anhydriden – meist in organischen Lösungsmitteln – ohne Zusatz von säurebindenden Stoffen durchführen. Von technischer Bedeutung als Küpenfarbstoffe sind nur die 1-Aroylamino-9,10-anthrachinone. Die 2-Acylamino-Verbindungen sind sehr farbschwach und bilden auch Alkalimetallsalze (s. S. 153).

In der Farbstoffindustrie ist eine große Zahl von Carbonsäure-chloriden mit 1-Amino-9,10-anthrachinonen umgesetzt worden. Als technisch wertvoll haben sich u. a. erwiesen die Carbonsäure-amide aus: Benzoylchlorid, Biphenyl-4-carbonsäure-chlorid, Isophthaloyldichlorid, Oxalylchlorid, das gelbe 1,9-(1,2-Thiazolo)-anthron-(10)-2-carbonsäure-chlorid (s. S. 340) und als wertvolle (chlorechte!) Rotkomponente das 1-Amino-9,10-anthrachinon-2-carbonsäure-chlorid.

Aus der großen Zahl der als Küpenfarbstoffe im Handel befindlichen Aroylamino-9,10-anthrachinone^6 seien erwähnt: *N,N′-Bis-[5-benzoylamino-9,10-anthrachinonyl-(1)]-oxalsäurediamid (Indanthrengelb 3GF)*^{7} und *1,5-Bis-[4-methoxy-benzoylamino]-4,8-dihydroxy-9,10-anthrachinon (Indanthrenbrillantviolett R)*^{6}.

Bei den Acylierungen von o-Diamino-, o-Amino-hydroxy- und o-Amino-mercapto-9,10-anthrachinonen können leicht Ringschlüsse zu den Imidazolo- bzw. (1,3-Oxazolo)- und (1,3-Thiazolo)-9,10-anthrachinonen eintreten^6; z.B. bei der Kondensation von 1-Amino-9,10-anthrachinon-2-carbonsäure-chlorid mit 3-Amino-2-hydroxy-9,10-anthrachinon:

---

^{1} FIAT Final Rep. Nr. **1313** II, 139 (1948), I. G. Farb. Leverkusen.
^{2} FIAT Final Rep. Nr. **1313** II, 107 (1948), I. G. Farb. Leverkusen.
^{3} FIAT Final Rep. Nr. **1313** II, 120 (1948), I. G. Farb. Leverkusen.
^{4} DRP. 262788 (1911), Farbw. Hoechst; Frdl. **11**, 618.
^{5} FIAT Final Rep. Nr. **1313** II, 129–133 (1948), I. G. Farb. Hoechst.
^{6} s. *Ullmann*, 3. Aufl., Bd. 3, 698 ff. (1953).
^{7} DRP. 448286 (1924), I. G. Farb., Erf.: M. KUGEL; Frdl. **15**, 685.

Indanthrenrot F2B[1]

Wertvolle Küpenfarbstoffe erhält man auch aus 2 Mol gleicher oder verschiedener Amino-9,10-anthrachinone und 1 Mol Cyanurchlorid[2] in Nitrobenzol zwischen 120 und 200°, wobei die Halogen-Atome sehr differenziert reagieren. Das dritte Chlor-Atom wird meist gegen Anilin ausgetauscht oder hydrolysiert beim Färben.

α- Und β-Acetyl- bzw. -Benzoyl-amino-9,10-anthrachinone verhalten sich gegenüber äthanolischen Alkalihydroxiden (bei $\sim 50°$) sehr unterschiedlich, denn nur die β-Acylamino-9,10-anthrachinone bilden lösliche Alkalimetallsalze. Die α-Derivate hingegen reagieren nicht[3], mit Ausnahme solcher, die in o-Stellung durch Methyl-, Halogen- oder Methoxy-Gruppen flankiert sind. Die Alkalimetallsalze der letzteren sind gegen Natriumhydroxid in Äthanol auffallend beständig. Diese Eigenschaften ermöglichen eine gute Trennung von α- und β-Amino-9,10-anthrachinonen, eine leichte Alkylierung (s. S. 208) der Alkalimetallsalze und eine beim Erhitzen in Wasser glatte partielle Verseifung. So erhält man z. B. aus 1,4-Bis-[benzoylamino]-2-methyl-9,10-anthrachinon das *4-Amino-1-benzoylamino-2-methyl-9,10-anthrachinon*; analog entsteht *3-Brom-1-amino-4-benzoylamino-9,10-anthrachinon*[4].

1-[Biphenoyl-(4)-amino]-9,10-anthrachinon[5]: 64 g 1-Amino-9,10-anthrachinon, 64 g Biphenyl-4-carbonsäure und 280 *ml* 1,2-Dichlor-benzol werden auf 118° erhitzt. Unter Rühren läßt man 48 g frisch destilliertes Thionylchlorid eintropfen. Man rührt $\sim$ 30 Min. bei 125° nach, bis die Chlorwasserstoff-Abspaltung beendet ist. Nach dem Abkühlen saugt man die gelben Kristalle ab, wäscht mit 1,2-Dichlor-benzol nach und trocknet; Ausbeute: 100 g (88% d. Th.).

Auf analoge Weise kann man auch das *1-(2-Hydroxy-benzoylamino]-9,10-anthrachinon* herstellen. Die Monobenzoylierung des 1,5-Diamino-9,10-anthrachinons läßt sich nicht einheitlich durchführen, im Gegensatz zu der des 1,4-Diamino-9,10-anthrachinons, die bereits bei 45° mit über 90%-iger Ausbeute erfolgt[6].

1-Amino-5-benzoylamino-9,10-anthrachinon[6, 7]: Man erhitzt 110 g 1,5-Diamino-9,10-anthrachinon in 1,2 *l* Nitrobenzol auf 155°, rührt 88 g Natriumcarbonat ein und läßt dann ein Gemisch aus 85 *ml* Benzoylchlorid und 170 *ml* Nitrobenzol eintropfen (nur bei einem Benzoylchlorid-Überschuß geht das Ausgangsmaterial restlos in Lösung). Nach 2–3 Stdn. wird bei 130° abgesaugt und mit 120° heißem Nitrobenzol nachgewaschen. Nach dem Einengen des Filtrates auf $\sim$ 500 *ml* kristallisieren $\sim$ 95 g *1-Amino-5-benzoylamino-9,10-anthrachinon* aus.

Aus dem Filtrat hinterbleibt nach dem völligen Abdestillieren des Nitrobenzols ein Rückstand, der nach dem Zerreiben mit Benzol aus praktisch reinem *1,5-Bis-[benzoylamino]-9,10-anthrachinon* (75 g) besteht, das leicht verseift und wieder in den Prozeß zurückgeführt werden kann.

Bei manchen Umsetzungen von Amino-9,10-anthrachinonen ist es erforderlich, beide Wasserstoff-Atome an der Amino-Gruppe zu schützen. Dies geschieht zweckmäßig durch

[1] DRP. 475 687 (1926), I.G. Farb., Erf.: M. A. Kunz et al.; Frdl. **16**, 1341.
   DRP. 604 279 (1932), I.G. Farb., Erf.: P. Nawiasky et al.; Frdl. **21**, 1091.
[2] DRP. 390 201 (1922), CIBA; Frdl. **14**, 878.
   DRP. 419 727 (1924), 444 984 (1925), CIBA; Frdl. **15**, 691, 695.
[3] DRP. 513 025 (1927), I.G. Farb., Erf.: M. Kugel; Frdl. **17**, 1209.
[4] M. Kugel, I.G. Farb. Leverkusen (1929).
[5] DRP. 565 426 (1930), I.G. Farb., Erf.: O. Bayer; Frdl. **19**, 2013.
   BIOS Final Rep. Nr. **1493**, 52 (1948), I.G. Farb. Leverkusen.
[6] BIOS Final Rep. Nr. **1484**, 4 (1948), I.G. Farb. Leverkusen.
[7] DRP. 522 787 (1926), I.G. Farb., Erf.: H. Buchloh et al.; Frdl. **17**, 1208.

Kondensation mit Phthalsäureanhydrid. Auf diese Weise gelingt z. B. die Verknüpfung von zwei Molekülen 1-Chlor-2-amino-9,10-anthrachinon mittels Kupfer zum *2,2'-Diamino-1,1'-bi-(9,10-anthrachinonyl)* (technische Flavanthron-Synthese).

Dieses Verfahren ist dem von der Benzyliden-Verbindung ausgehenden überlegen[1].

1-Chlor-2-phthalimino-9,10-anthrachinon[2]: 445 g 1-Chlor-2-amino-9,10-anthrachinon, 130 g Phthalsäureanhydrid und 5 g Eisen(III)-chlorid werden mit 300 g 1,3,5-Trichlorbenzol 7 Stdn. unter Durchleiten eines schwachen Stickstoff-Stromes auf 230° erhitzt, wobei das Reaktionswasser mit einem Teil des Lösungsmittels überdestilliert. Die Kondensation ist beendet, sobald eine Probe bei 285–290° schmilzt. Dann wird bei 100° mit ~ 200 *ml* Chlorbenzol verdünnt, abgesaugt und mit Methanol ausgewaschen.

1,5-Bis-[formylamino]-9,10-anthrachinon ist leicht aus 1,5-Diamino-9,10-anthrachinon und konzentrierter Ameisensäure durch 90 min. Rückflußkochen erhältlich.

Potentielle Formylamino-9,10-anthrachinone sind die vielfältig verwendbaren Formamidiniumchloride (s. S. 197), z. B. das aus 1-Amino-9,10-anthrachinone, Dimethylformamid und Thionylchlorid leicht erhältliche *N,N-Dimethyl-N'-[9,10-anthrachinonyl-(1)]-formamidinium-chlorid*[3]:

Diese sind auch bei mäßig erhöhter Temperatur in konzentrierter Schwefelsäure, Oleum oder Chlorsulfonsäure beständig und dirigieren die erste Nitro-Gruppe (s. S. 197) bzw. das erste Halogen-Atom (s. S. 186) in die p-Stellung. Die Hydrolyse zu den freien Aminen wird zweckmäßig durch Erhitzen in verdünnter Schwefelsäure (1–4 Stdn. bei 80°) vorgenommen.

Beabsichtigt man, die oft leicht löslichen quaternären Salze zu isolieren, dann können diese in Form ihrer schwerlöslichen Nitrate abgeschieden werden[4].

N,N-Dimethyl-N'-[9,10-anthrachinonyl-(1)]-formamidinium-chlorid[3,4]: 45,5 g 1-Amino-9,10-anthrachinon, 21 g DMF und 31 g Thionylchlorid werden in 200 *ml* Chlorbenzol 2 Stdn. auf 50° erwärmt. Nach dem Erkalten wird die abgeschiedene Kristallmasse abgesaugt, mit Chlorbenzol und anschließend mit Aceton ausgewaschen; Ausbeute: 56 g (84% d. Th.) (braungelbe Kristalle); F: 246–248°.

Die Acetylamino-9,10-anthrachinone werden zweckmäßig aus den Aminen durch Einwirkung von Essigsäureanhydrid in 15%-igem Oleum bei 30° hergestellt[5]. Beim Erhitzen mit Essigsäureanhydrid auf höhere Temperaturen können besonders in o-substituierten Amino-9,10-anthrachinonen zwei Acetyl-Gruppen eintreten.

Bei Di- und Polyamino-9,10-anthrachinonen führt das Erhitzen mit Essigsäureanhydrid in Gegenwart geringer Mengen Natriumacetat meist zu Monoacetylamino-Derivaten. Beim Vorliegen von o-ständigen Amino-Gruppen können leicht Ringschlüsse zu Imidazol-Derivaten erfolgen.

3-Chlor-2-acetylamino-9,10-anthrachinon[6]: Man löst 300 g 3-Chlor-2-amino-9,10-anthrachinon in 1,8 kg 15%-igem Oleum und läßt unterhalb 40° 300 g Essigsäureanhydrid zutropfen. Nach 1–2 Stdn. wird in Eiswasser

[1] F. ULLMANN u. W. JUNGHANS, A. **399**, 343 (1913).
[2] FIAT Final Rep. Nr. **1313** II, 174 (1948), I.G. Farb. Ludwigshafen.
   DRP. 558474 (1930), I.G. Farb., Erf.: P. NAWIASKY et al.; Frdl. **19**, 2053.
[3] Belg.P. 540870 (Beispiel 14) (1955), Farbf. Bayer.
[4] DAS. 1228274 (1965), Farbf. Bayer, Erf.: H. LEISTER, H. VOLLMANN u. H. S. BIEN; C. A. **66**, 86602ᵛ (1967).
[5] DRP. 211958 (1908), BASF; Frdl. **9**, 707.
[6] BIOS Final Rep. Nr. **987**, 11 (1948), I.G. Farb. Ludwigshafen.

eingerührt, abgesaugt und neutral gewaschen. Um eine Verseifung beim Trocknen zu vermeiden, wird der Filterkuchen mit sehr verd. Ammoniak nochmals angeschlämmt; Ausbeute: 330 g (94% d.Th.); F: ~260°.

Durch Einwirkung von Diketen auf in Essigsäure suspendierte Amino-9,10-anthrachinone (2–3 Stdn. bei ~65°) werden die Acetoacetylamino-Derivate in guten Ausbeuten erhalten[1]; z. B.:

1-Acetoacetylamino-9,10-anthrachinon   90% d.Th.; F: 163–165°
2-Acetoacetylamino-9,10-anthrachinon   72% d.Th.; F: 156–158°
1,5-Bis-[acetoacetylamino]-9,10-anthrachinon   76% d.Th.; F: 181°

An 1,4-Diamino-9,10-anthrachinon läßt sich das cyclische Anhydrid der 3-Sulfo-propionsäure zum *1,4-Bis-[3-sulfo-propionylamino]-9,10-anthrachinon* anlagern[2]:

Von Bedeutung sind ferner die Oxalsäuremonoamide der α-Amino-9,10-anthrachinone. Bei Nitrierungen wirkt die Hydroxyoxalyl-Gruppe nicht nur als Schutz-Gruppe, sondern sie dirigiert auch die Nitro-Gruppen weitgehend in die p-Stellung (s. S. 195). Die Hydroxyoxalylamino-9,10-anthrachinone werden durch ~20stdges. Erhitzen der Amino-9,10-anthrachinone mit der 3–5fachen Gewichtsmenge kristallisierter Oxalsäure – evtl. in Nitrobenzol – auf 140–160° erhalten[3]. So erhält man z. B.:

1-Hydroxyoxalylamino-9,10-anthrachinon[4]
1,5-Bis-[hydroxyoxalylamino]-9,10-anthrachinon[5]; Zers.F.: ~300° (s. S. 196)

Die Urethane der Anthrachinon-Reihe erhält man durch Erhitzen der Amine mit Kohlensäure-äthylester-chlorid in Nitrobenzol[6]. Aus 2-Amino-9,10-anthrachinonen und Phosgen kann man je nach den Reaktionsbedingungen glatt die Carbamidsäurechloride oder die 2-Isocyanato-9,10-anthrachinone (*2-Isocyanato-9,10-anthrachinon*; F: 173°) herstellen[7]. 1-Amino-anthrachinone führen zu anderen, nicht definierten Produkten[8].

ζ) Herstellung von Sulfamino-9,10-anthrachinonen

Die N-(9,10-Anthrachinonyl)-sulfamidsäuren sind aus den α- und β-Amino-9,10-anthrachinonen in Pyridin mit Chlorsulfonsäure leicht herstellbar.

1-Sulfamino-4-benzoylamino-9,10-anthrachinon[9]: In 120 g wasserfreies Picolin rührt man unter Kühlen unterhalb 5° 23 g Chlorsulfonsäure ein. Anschließend fügt man portionsweise 34 g 1-Amino-4-benzoylamino-

[1] DAS. 926 130 (1951/52) ≡ Brit. P. 723 057 (1951), Durand u. Huguenin AG, Erf.: H. Schenkel u. M. Aeberli; C. A. **50**, 4210ᵃ (1956).
[2] US.P. 2 330 713 (1940), DuPont, Erf.: G. E. Holbrook u. L. Spiegler; C. A. **38**, 1377[1] (1944).
[3] DRP. 158 076 (1900), Farbw. Hoechst; Frdl. **7**, 776.
   E. Noelting u. W. Wortmann, B. **39**, 642 (1906).
[4] DRP. 224 808 (1908), Farbf. Bayer; Frdl. **10**, 642.
[5] FIAT Final Rep. Nr. **1313** II, 207 (1948).
[6] DRP. 167 410 (1904), Farbf. Bayer; Frdl. **8**, 297.
   F. Ullmann u. R. Medenwald, B. **46**, 1805 (1913).
[7] DRP. 224 490 (1909), Farbw. Hoechst; Frdl. **10**, 658.
   W. Siefken, A. **562**, 75 (1949).
[8] O. Bayer, Leverkusen.
[9] Fr.P. 1 270 593 (1960), Comp. Francaise des Matières Colorantes, Erf.: G. R. Mingasson, G. Kremer u. R. F. Sureau; C. A. **57**, 15 284ᶠ (1962).

9,10-anthrachinon hinzu und erhitzt 1 Stde. auf 60°. Die Reaktion wird abgebrochen, sobald eine Probe in verd. warmer Natriumcarbonat-Lösung klar löslich ist. Dann rührt man in 1 *l* Wasser, in dem 50 g Natriumcarbonat gelöst sind, ein, wobei das Natriumsalz des 1-Sulfamino-4-benzoylamino-9,10-anthrachinon auskristallisiert.

Arylsulfonylamino-9,10-anthrachinone (fast farblose Verbindungen) entstehen z. B. als Zwischenstufen bei dem Austausch von Halogen-Atomen gegen Amino-Gruppen mittels p-Toluolsulfamid-natrium (s. S. 179). Sie können aber auch direkt durch schwaches Erwärmen von Amino-9,10-anthrachinonen mit 1 Mol p-Toluolsulfochlorid in Gegenwart von Pyridin quantitativ erhalten werden[1]. Durch Erhitzen mit überschüssigem Sulfochlorid entstehen vor allem in der β-Reihe leicht die N,N-Disulfo-Derivate. Die Abspaltung des Toluolsulfonsäure-Restes vollzieht sich glatt durch 30 min. Erwärmen mit 93%-iger Schwefelsäure auf 30–80°. Bei leicht sulfierbaren 9,10-Anthrachinonen kann die Hydrolyse im Labormaßstab mit 98%-iger Flußsäure[2] bei 0–5° oder durch Erwärmen mit einer Lösung von Aluminiumchlorid in Nitrobenzol[2] durchgeführt werden.

4,8-Diamino-1,5-dihydroxy-9,10-anthrachinon wurde mit 2 Mol Salicylsäure-5-sulfochlorid in Nitrobenzol unter Zusatz von Natriumacetat bei 120° in das *4,8-Bis-[4-hydroxy-3-carboxy-benzolsulfonylamino]-1,5-dihydroxy-9,10-anthrachinon* übergeführt[3].

h) Herstellung und Umwandlung von Hydroxyamino-, Nitroso-, Diazonium-, Nitrosamino-, Azo-, Hydrazino- und Azido-9,10-anthrachinonen

1. Herstellung von Hydroxyamino-9,10-anthrachinonen

Die bei der Reduktion von α-Nitro-9,10-anthrachinonen mit Dinatriumsulfid auftretenden blaugrün gefärbten Zwischenstufen sind die Alkalimetall-Salze der Hydroxyamino-9,10-anthrachinone[4].

Unter Anwendung schwacher bzw. entsprechend dosierter Reduktionsmittel gelingt es, die Hydroxyamino-Derivate zu fassen. Besonders bewährt haben sich Hydrazine, Schwefelwasserstoff in Pyridin[5] oder in Dimethylformamid bei 0°, Hydrochinon in äthanolischer Natronlauge oder Natriumstannit[4].

Die Hydroxyamino-9,10-anthrachinone sind gut kristallisierende Verbindungen. Durch Einwirkung von konzentrierter Schwefelsäure lagern sie sich leicht in Amino-hydroxy-9,10-anthrachinone, vorwiegend in die 1,4-Verbindungen, um (s. S. 200, 202).

1-Hydroxyamino-9,10-anthrachinon[6]: Eine Paste aus 12,7 g 1-Nitro-9,10-anthrachinon wird mit einer Lösung aus 2,5 g Hydrazin-Hydrat in 150 g einer 5%-igen Natronlauge bei 20° gerührt, innerhalb 1 Stde. auf 50° erwärmt und diese Temp. noch 4 Stdn. beibehalten. Die Isolierung erfolgt durch Einrühren in verd. Schwefelsäure, Absaugen und Trocknen; Ausbeute: 89% d. Th..

Analog werden aus 1,5-(bzw. 1,8)-Dinitro-9,10-anthrachinon die *1-Nitro-5-(bzw.8)-hydroxyamino-9,10-anthrachinone* erhalten[7].

5-Nitro-1-hydroxyamino-9,10-anthrachinon[7]: 10 g feinverteiltes 1,5-Dinitro-9,10-anthrachinon werden in 200 *ml* Äthanol mit 50 g Phenylhydrazin unter Rückfluß erhitzt, wobei sofort eine starke Stickstoff-Entwicklung eintritt. Sobald diese nachgelassen hat, wird unverändertes Ausgangsmaterial abfiltriert. Beim Erkalten kristallisiert das 5-Nitro-1-hydroxyamino-9,10-anthrachinon aus (mit grüner Farbe in verd. Natronlauge löslich).

[1] F. ULLMANN u. R. MEDENWALD, B. **46**, 1800 (1913).
[2] DBP. 824493 (1949), CIBA, Erf.: E. MOERGELI; C. **1952**, 3088.
[3] DRP. 405643 (1922/23), British Dyestuffs Corp.; Frdl. **14**, 857.
[4] Fr.P. 224740 (1892), Farbf. Bayer, Erf.: R. E. SCHMIDT.
[5] W. H. BEISLER u. L. W. JONES, Am. Soc. **44**, 2304 (1922).
[6] DOS. 2452413 (1974), BASF, Erf.: G. EPPLE; C. A. **85**, 77946ª (1976).
[7] R. E. SCHMIDT u. L. GATTERMANN, B. **29**, 2941 (1896).

Es wird in Aceton aufgenommen, worin das in geringer Menge mitentstandene 1,5-Bis-[hydroxyamino]-9,10-anthrachinon unlöslich ist.

Analog kann das *8-Nitro-1-hydroxyamino-9,10-anthrachinon* erhalten werden.

Auch durch Einwirkung von Hydroxylamin und Kaliumhydroxyd auf 1-Nitro-9,10-anthrachinon in Methanol (2 Stdn. bei 40°) werden gute Ausbeuten an *1-Hydroxyamino-9,10-anthrachinon* erzielt[1].

1,5-Bis-[hydroxyamino]-9,10-anthrachinon[2]: 20 g aus Schwefelsäure-Monohydrat umgepastetes 1,5-Dinitro-9,10-anthrachinon werden in 500 *ml* Wasser mit einer Lösung von 60 g Zinn(II)-chlorid in 200 *ml* Wasser und 200 g 28%-iger Natronlauge versetzt, wobei alsbald eine tiefblaue Lösung entsteht. Nach dem Verdünnen mit 1 *l* Wasser wird vom unveränderten Ausgangsmaterial abfiltriert und in 1 *l* Wasser und 1 *l* konz. Salzsäure eingerührt, wobei sich braunrote Flocken abscheiden.

Nach dem Abfiltrieren wird ausgewaschen, mit kaltem Aceton extrahiert und der Rückstand in heißem Pyridin gelöst. Nach Zusatz von wenig Methanol scheidet sich das 1,5-Bis-[hydroxyamino]-9,10-anthrachinon in braunroten, grünlich-metallisch schimmernden Kristallen ab, die in verd. Natronlauge mit rein blauer Farbe löslich sind.

Nach einer neueren Variante wird in 250 g DMF bei 0° Schwefelwasserstoff eingeleitet, bis die Gewichtszunahme 20 g beträgt, und dann portionsweise 15 g feingepulvertes 1,5-Dinitro-9,10-anthrachinon eingerührt. Nach 4stdg. Reaktionsdauer bei 0° trägt man in Eiswasser aus und saugt den Niederschlag ab. Der Nutschkuchen wird in 500 *ml* einer 3%-igen Natronlauge unter Stickstoff gelöst, filtriert und in 70 g 35%-ige Salzsäure, verdünnt mit 500 *ml* Wasser, eingerührt. Nach vorsichtiger Aufarbeitung[3] resultieren 13 g (95% d. Th.).

2. Herstellung von Nitroso-9,10-anthrachinonen

Durch Oxidation alkalischer Lösungen der α-Hydroxyamino-9,10-anthrachinone mit Luftsauerstoff werden die α-Nitroso-9,10-anthrachinone in ~50%-iger Ausbeute erhalten[4].

Zweckmäßiger werden diese jedoch durch Oxidation von α-Amino-9,10-anthrachinonen mit Perschwefelsäure in verdünnter Schwefelsäure hergestellt[5] (s. S. 79); z. B.:

1-Nitroso-9,10-anthrachinon[4]; F: 243°
4-Chlor-1-nitroso-9,10-anthrachinon[4]; Zers.-P. 240°
1-Nitroso-9,10-anthrachinon-2-sulfonsäure[6]

Ein bemerkenswertes Verhalten zeigt das 1,5-Dinitro-9,10-anthrachinon: bei 60° entsteht in 30%-igem Oleum (ohne Reduktionsmittel) in 50–60%-iger Ausbeute reines, kristallisiertes *4-Nitroso-8-nitro-1-hydroxy-9,10-anthrachinon*[7].

Das 1-Nitroso-9,10-anthrachinon wird durch 100%-ige Schwefelsäure vorwiegend in das *1,4;9,10-Anthradichinon-1-imin* umgelagert[8].

3. Herstellung und Umwandlung von 9,10-Anthrachinon-diazonium-Verbindungen

Die Amino-9,10-anthrachinone lassen sich leicht diazotieren[9]. Dazu läßt man Natriumnitrit entweder auf ein verpastetes Amin in mineralsaurer Suspension oder auf ein in konzentrierter Schwefelsäure gelöstes Amin einwirken, wobei die Diazotierung erst nach dem

[1] Jap. P.A. 7803−429 (1976), Sumitomo Chemical Co.; C. A. **88**, 190465ᵗ (1978).
[2] R. E. Schmidt u. L. Gattermann, B. **29**, 2935 (1896).
    DRP. 81694 (1893), Farbf. Bayer., Erf.: R. E. Schmidt; Frdl. **4**, 302.
[3] DOS. 1793387 (1968), BASF, Erf.: H. Weidinger u. M. Eisert.
[4] W. H. Beisler u. L. W. Jones, Am. Soc. **44**, 2296, 2305 (1922).
[5] DRP. 363930 (1914), E. Kopetschni; Frdl. **14**, 850.
[6] DRP. 571651 (1928/29), Scottish Dyes Ltd.; Frdl. **19**, 1943.
[7] DRP. 104282 (1898), Farbf. Bayer, Erf.: R. E. Schmidt; Frdl. **5**, 276.
[8] DRP. 411531 (1923), E. Kopetschni; Frdl. **15**, 666.
[9] H. Roemer, B. **15**, 1786 (1882); **16**, 363 (1883).
    DRP. 131538 (1900), Farbf. Bayer; Frdl. **6**, 311.

Verdünnen, etwa bei einer Schwefelsäure-Konzentration von 80%, eintritt. Anschließend wird der Diazotierungsansatz entweder auf wenig Eis ausgetragen, wobei sich das Diazoniumsalz kristallin abscheidet, oder man versetzt ihn vorsichtig mit Eis, wobei das Diazoniumsalz ebenfalls gut kristallisiert ausfällt. Aus wäßrigen Lösungen kann man die Diazoniumsalze durch Aussalzen abscheiden.

9,10-Anthrachinon-diazoniumsalze sind verhältnismäßig stabile Verbindungen. Durch eine besondere Beständigkeit zeichnet sich das *1-Hydroxy-9,10-anthrachinon-4-diazoniumsulfat* aus.

Die früher techn. durchgeführte Chinizarin-Herstellung durch Oxidation von 9,10-Anthrachinon in konz. Schwefelsäure in Gegenwart von Borsäure und Quecksilber(I)-sulfat mit Natriumnitrit nimmt einen ungewöhnlichen Verlauf. Erhitzt man die Schmelze nur auf 120–150°, so kann man in guter Ausbeute das *1-Hydroxy-9,10-anthrachinon-4-diazoniumsulfat* isolieren, das erst beim Erhitzen mit konz. Schwefelsäure auf 180° in Chinizarin übergeführt wird[1].

Diamino-9,10-anthrachinone, bei denen eine Amino-Gruppe durch eine o-ständige Sulfo-Gruppe[2] oder ein Halogen-Atom[3] abgeschirmt ist, wie z. B. die 1,4-Diamino-9,10-anthrachinon-2-sulfonsäure, lassen sich leicht monodiazotieren. Aber auch einige andere Diamino-9,10-anthrachinone können in die Mono-diazoniumsalze übergeführt werden.

Mit den 9,10-Anthrachinon-diazoniumsalzen können – meist mit guten Ausbeuten – alle bekannten „Sandmeyer-Reaktionen" durchgeführt werden; so z. B. der Austausch gegen: Halogen (s. S. 54, 60), Wasserstoff (s. S. 60), die Cyan- (s. S. 240), Hydroxy- (s. S. 103), Thiocyanat- (s. S. 226) und Azid-Gruppe[4] (s. S. 223).

Beim Kochen von isoliertem *2,6-Dibrom-9,10-anthrachinon-1,5-bis-[diazoniumsulfat]* in schwach schwefelsäurehaltigem Wasser scheiden sich grüne, metallisch glänzende Kristalle ab, denen wahrscheinlich die Konstitution eines Bis-[1,2,3-oxadiazolo]-Derivats zukommt[5]:

Über die Diazoamino-Verbindungen der α-Reihe s. Lit.[6]

Durch Oxidation von 9,10-Anthrachinon-1-diazoniumsulfat mit Chlorlauge in wäßriger Lösung bei 0° erhält man in guter Ausbeute das *Natriumsalz* des *1-Nitramino-9,10-anthrachinons*, das sich in gelben Nadeln abscheidet. Durch Einwirkung von Kohlendioxid wird daraus das Nitramin[7] (Zers.P. 117°) in Freiheit gesetzt. In gleicher Weise ist das *1,5-Bis-[nitramino]-9,10-anthrachinon* (Zers.P. 203°) herstellbar.

Die Umsetzung der 9,10-Anthrachinon-diazonium-Verbindungen mit Aromaten führt zu Aryl-9,10-anthrachinonen (s. S. 51). Mit 1,1-Dichlor-äthylen erhält man aus 9,10-Anthrachinon-1-diazoniumsulfat die *[9,10-Anthrachinonyl-(1)]-essigsäure* (s. S. 50).

[1] DRP. 161954 (1904), Farbf. Bayer; Erf.: R. E. SCHMIDT; Frdl. **8**, 252.
[2] DRP. 479163 (1926), I.G. Farb., Erf.: G. KRÄNZLEIN u. F. ROEMER; Frdl. **16**, 1247.
[3] DRP. 534305 (1926), I.G. Farb., Erf.: W. ALBRECHT; Frdl. **18**, 1243.
[4] DRP. 580647 (1931), I.G. Farb., Erf.: P. NAWIASKY u. B. STEIN; Frdl. **20**, 1307.
[5] R. SCHOLL u. W. FRITSCH, M. **32**, 1051 (1911).
[6] L. WACKER, B. **35**, 2593, 3920 (1902).
[7] DRP. 156803 (1904), Farbw. Hoechst; Frdl. **8**, 286.

4. Herstellung von Nitrosamino-9,10-anthrachinonen

1-Alkylamino- und 1-Arylamino-9,10-anthrachinone lassen sich leicht nitrosieren. Zu diesem Zweck rührt man in eine ~50° warme Suspension des Amins in Essigsäure soviel Natriumnitrit ein, bis in einer mit Wasser gefällten Probe kein Ausgangsmaterial mehr nachzuweisen ist. Die (N-Nitroso-alkylamino)-9,10-anthrachinone spalten bereits beim Erhitzen die Nitroso-Gruppe wieder ab. Wegen ihrer Instabilität lassen sich daraus z. B. durch Reduktion auch keine Hydrazine herstellen.

Auch aus 1-Dimethylamino-9,10-anthrachinon entsteht glatt unter Eliminierung einer Methyl-Gruppe das *1-(N-Nitroso-methylamino)-9,10-anthrachinon*.

Das ebenfalls gut herstellbare *1-(N-Nitroso-4-methyl-anilino)-9,10-anthrachinon* wird beim Erhitzen in das *1-(2-Nitroso-4-methyl-anilino)-9,10-anthrachinon* umgelagert. Nimmt man die Nitrosierung bei ~70° mit einem Überschuß an Natriumnitrit vor, so entsteht direkt unter Weiteroxidation das *1-(2-Nitro-4-methyl-anilino)-9,10-anthrachinon*[1].

5. Herstellung von 9,10-Anthrachinon-azo-Verbindungen

Hydroxy- bzw. Amino-9,10-anthrachinone lassen sich nicht mit Diazoniumsalzen zu Azofarbstoffen kuppeln. Dies gelingt auch nicht mit den entsprechenden 9,10-Leuko-Derivaten.

Diazotierte Amino-9,10-anthrachinone kuppeln normal[2]. Die so herstellbaren Azofarbstoffe sind jedoch wegen ihrer meist trüben Nuancen und ungenügenden Lichtechtheiten ohne Interesse.

Durch Oxidation von 1- oder 2-Amino-9,10-anthrachinon in Form einer ~3%-igen Paste mit Calciumhypochlorit bei ~70° entstehen *1,1'-* bzw. *2,2'-Azo-anthrachinon-(9,10)*, die nach dem Umkristallisieren aus Nitrobenzol mit etwa 40%-iger Ausbeute in reiner Form erhalten werden[3]. Bei der Oxidation des 2-Amino-9,10-anthrachinons fällt als Nebenprodukt das Dehydro-indanthron an.

6. Herstellung von 9,10-Anthrachinonyl-hydrazinen

9,10-Anthrachinonyl-hydrazine lassen sich nach den üblichen Verfahren herstellen.

Die 9,10-Anthrachinon-diazoniumsulfate werden durch Erwärmen mit Natriumhydrogensulfit-Lösung zu den Hydrazin-sulfonsäuren reduziert, die durch Erhitzen mit konzentrierter Salzsäure zu den Hydrazinen hydrolysiert werden[4]. So wurden in guten Ausbeuten erhalten:

1-Hydrazino-9,10-anthrachinon (Beispiel s. S. 342)
4-Hydrazino-1-hydroxy-9,10-anthrachinon (violett löslich in Pyridin)
1,5-Bis-[hydrazino]-9,10-anthrachinon (rotbraune Nadeln, blaurot löslich in Pyridin)

Die 1-Hydrazino-9,10-anthrachinone sind auch durch Umsetzung von 1-Halogen-9,10-anthrachinonen bzw. von 9,10-Anthrachinon-1-sulfonsäuren mit Hydrazin gut zugänglich[5]; z. B.:

1-Hydrazino-9,10-anthrachinon, F: 191°
5-Chlor-1-hydrazino-9,10-anthrachinon, F: 227°
1,5-Bis-[hydrazino]-9,10-anthrachinon, F: 258°

[1] DRP. 442312 (1924), A. Job u. H. Tesche; Frdl. **15**, 663.
[2] s. z. B. L. Gattermann u. H. Rolfes, A. **425**, 152 (1921).
[3] DRP. 247352 (1909), Farbw. Hoechst; Frdl. **10**, 692.
[4] DRP. 163447 (1904), Farbf. Bayer, Erf.: R. E. Schmidt; Frdl. **8**, 301.
[5] R. Möhlau, B. **45**, 2244 (1912).

Zur Umsetzung des 2-Chlor-9,10-anthrachinons muß man ~ 8 Stdn. auf 170° erhitzen und erhält dabei das *2-Hydrazino-9,10-anthrachinon* (F: 228–229°) nur in 20%-iger Ausbeute. Das *2,6-Bis-[hydrazino]-9,10-anthrachinon* entsteht analog in noch schlechterer Ausbeute.

In der α-Reihe führt die Umsetzung von Halogen- bzw. Sulfo-9,10-anthrachinonen mit Hydrazin vielfach direkt zu den *1,9-Pyrazolo-anthronen-(10)* (s. S. 341).

5-Chlor-1-hydrazino- und 1,5-Bis-[hydrazino]-9,10-anthrachinon[1]: 11 g 1,5-Dichlor-9,10-anthrachinon werden mit 6 g Hydrazin-Hydrat in 190 *ml* Pyridin ~ 1 Stde. zum Sieden erhitzt. Nach dem Erkalten scheiden sich aus der dunkelroten Lösung braune Kristalle ab, die abfiltriert und mehrmals mit Benzol ausgekocht werden; Ausbeute an *5-Chlor-1-hydrazino-9,10-anthrachinon*: ~ 80% d. Th.; F: 227°.

Erhitzt man den gleichen Ansatz 8 Stdn. im Autoklaven auf 145°, so fällt in ~ 60%-iger Ausbeute das *1,5-Bis-[hydrazino]-9,10-anthrachinon* (F: 258°) an.

7. Herstellung und Umwandlung von Azido-9,10-anthrachinonen (9,10-Anthrachinon-1,9-anthranile)

9,10-Anthrachinon-diazoniumsalze setzen sich mit Natriumazid in wäßriger Lösung unter Stickstoff-Abspaltung zu *Azido-9,10-anthrachinonen* I um[2]. Die 1-Azido-Derivate sind unbeständig und gehen beim Erwärmen unter Stickstoff-Abspaltung in die verhältnismäßig stabilen sogenannten 9,10-Anthrachinon-1,9-anthranile II über[2]:

O   N$_3$

$\xrightarrow{-N_2}$ O–N

O   O

I   II, gelbe Kristalle

In der Literatur sind eine ganze Reihe von Derivaten[3,4], auch 1,4- und 1,5-Dianthranile, beschrieben.

Bemerkenswert beständig ist die aus dem 2-Sulfo-9,10-anthrachinon-1-diazoniumsalz erhältliche *1-Azido-9,10-anthrachinon-2-sulfonsäure*[3], die sich sogar mit Chlorat und Salzsäure in das *2-Chlor-1-azido-9,10-anthrachinon* überführen läßt[5] (s. S. 59), das erst oberhalb 140° Stickstoff abspaltet.

Das *2-Azido-9,10-anthrachinon* (F: 162°) ist ebenfalls verhältnismäßig stabil.

Sicherlich gefahrloser lassen sich 9,10-Anthrachinon-1,9-anthranil und *2-Azido-9,10-anthrachinon* aus den Diazoniumsalzen[3] und Hydrazin oder aus den 3-Hydroxy-1-[9,10-anthrachinonyl-(1)]-triazenen[4,6] herstellen.

9,10-Anthrachinon-1,9-anthranil[3]: Eine wäßr. Lösung von 5 g trockenem 9,10-Anthrachinon-1-diazoniumsulfat wird mit 50 *ml* Äthanol und sofort mit einer warmen konz. wäßr. Lösung von 4 g Hydrazinsulfat versetzt. Man erhitzt zum Sieden bis die Stickstoff-Entwicklung beendet ist und saugt den orangeroten Niederschlag ab (braune Nadeln aus Xylol).

Durch Erwärmen des Anthranils in konz. Schwefelsäure entsteht hauptsächlich *4-Amino-1-hydroxy-9,10-anthrachinon*[3,7] und durch Einwirkung von Dinatriumsulfid *1-Amino-9,10-anthrachinon*[3].

[1] R. MÖHLAU, B. **45**, 2244 (1912).
[2] A. SCHAARSCHMIDT, B. **49**, 1632 (1916).
[3] L. GATTERMANN u. H. ROLFES, A. **425**, 135 (1921).
[4] L. GATTERMANN u. R. EBERT, B. **49**, 2117 (1916).
[5] DRP. 580647 (1931), I. G. Farb., Erf.: P. NAWIASKY u. B. STEIN; Frdl. **20**, 1307.
[6] L. WACKER, B. **35**, 3923 (1902).
[7] K. BRASS u. O. ZIEGLER, B. **58**, 755 (1925).

Das *2-Azido-9,10-anthrachinon*[1] läßt sich in vollkommen analoger Weise herstellen. Das unter den Reaktionsbedingungen stabile Azid fällt in hellgelben Nadeln aus (F: 162°, aus Äthanol).

Ein weiterer Weg zu den Aziden der α- und β-Reihe führt über die 3-Hydroxy-1-[9,10-anthrachinonyl-(1)]-triazene (III)[1,2], die bereits bei 20–30° nach Zugabe von Essigsäureanhydrid in Pyridin in die Azide übergehen[2]:

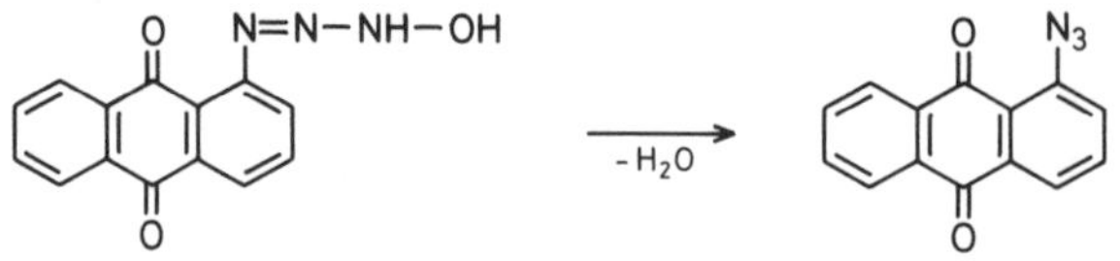

III

Die 3-Hydroxy-1-[9,10-anthrachinonyl-(1)]-triazene (III)[1,2] lassen sich auch durch Einwirkung von Formaldehyd auf ihre Alkalisalze[1] in die Azide überführen. Das primäre Kondensationsprodukt IV spaltet bereits beim gelinden Erwärmen wieder Formaldehyd ab unter Bildung von *1-Azido-9,10-anthrachinon*:

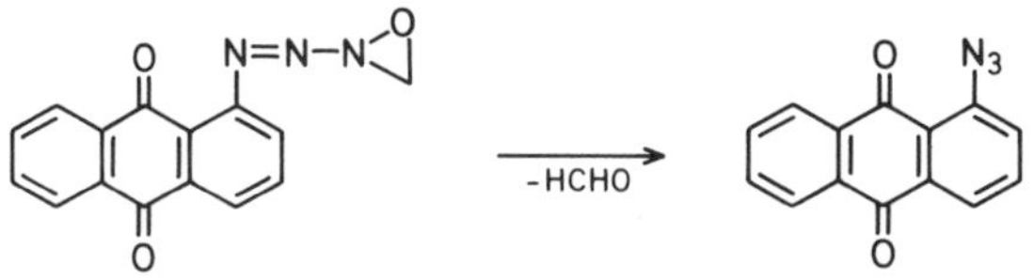

IV

Durch diese Variante können zahlreiche Azide hergestellt werden.

4-Chlor-1-azido-9,10-anthrachinon[3]: Das aus 13 g 4-Chlor-1-amino-9,10-anthrachinon in der üblichen Weise hergestellte Diazoniumsulfat wird in 900 *ml* kaltem Wasser gelöst und mit einer wäßr. Lösung von 4 g Hydroxylamin-Hydrochlorid versetzt. Nach 12 Stdn. wird der rote voluminöse Niederschlag abfiltriert, ausgewaschen und abgepreßt.

2 g (Trockengewicht) des so erhaltenen noch feuchten 3-Hydroxy-1-[4-chlor-9,10-anthrachinonyl-(1)]-triazens werden in 20 *ml* Pyridin gelöst, mit 10 *ml* Wasser ausgefällt und hierauf 15 *ml* 40%-ige Formaldehyd-Lösung und 15 *ml* 1%-ige Natronlauge zugegeben.

Die zunächst auftretende tief blauviolette Farbe schlägt sehr bald nach rötlichgelb um.

Der gelbe Niederschlag wird abgesaugt und – noch feucht – vorsichtig aus Methanol umkristallisiert. Das 4-Chlor-1-azido-9,10-anthrachinon zersetzt sich besonders leicht und geht dabei in das 4-Chlor-1,9-anthranilo-9,10-anthrachinon über.

Die α- und β-Azide lassen sich mit guten Ausbeuten auch aus den Diazoniumperbromiden und Ammoniak herstellen[4].

i) Herstellung von Schwefel-Derivaten des 9,10-Anthrachinons

In diesem Abschnitt wird die Herstellung der Mercaptane, Thioäther, Disulfide, Sulfensäurechloride, Sulfoxide, Sulfone und Rhodanide (Thiocyanate) des Anthrachinons beschrieben. Da die einzelnen Verbindungsklassen weitgehend nach konventionellen Methoden in guten Ausbeuten herstellbar sind, kann die Beschreibung auf die wichtigsten Typen beschränkt werden.

---

[1] L. GATTERMANN u. H. ROLFES, A. **425**, 143 (1921).
[2] L. GATTERMANN u. R. EBERT, B. **49**, 2117 (1916).
[3] L. GATTERMANN u. H. ROLFES, A. **425**, 148 (1921).
[4] K. BRASS u. O. ZIEGLER, B. **58**, 755 (1925).

1. Herstellung von Mercapto-9,10-anthrachinonen

α) Allgemeines

Die Wasserstoffbrückenbindungen sind in den 1-Mercapto-9,10-anthrachinonen erheblich schwächer ausgebildet als in den 1-Hydroxy-9,10-anthrachinonen. Infolgedessen sind die 1-Mercapto-9,10-anthrachinone saurer, ihre Alkali-Salze stärker ionisiert und daher mit tieferer Farbe in Wassr löslich als die der entsprechenden 1-Hydroxy-9,10-anthrachinone. Im folgenden sind die Lösungsfarben einiger Mercapto-9,10-anthrachinone in verdünnter Natronlauge angegeben:

1-Mercapto-9,10-anthrachinon: violett
2-Mercapto-9,10-anthrachinon: blaurot
1,4-Dimercapto-9,10-anthrachinon: grün
1,5-Dimercapto-9,10-anthrachinon: violett
1-Hydroxy-4-mercapto-9,10-anthrachinon: reinblau
1-Amino-4-mercapto-9,10-anthrachinon: reinblau

Die α-Mercapto-9,10-anthrachinone sind außerordentlich oxidable Verbindungen. Sogar beim Lösen in kalter, konzentrierter Schwefelsäure erfolgt Oxidation zum *Bis-[9,10-anthrachinonyl-(1)]-disulfan*. Die β-Mercaptane sind etwas stabiler.

β) Herstellung von Mercapto-9,10-anthrachinonen aus Halogen-9,10-anthrachinonen

Die Umsetzung von Halogen-9,10-anthrachinonen mit Alkalimetallsulfiden zu Mercapto-9,10-anthrachinonen gelingt im allgemeinen sehr leicht[1].

Es werden jedoch nicht, wie man erwarten sollte, mit Natriumhydrogensulfid die besten Ausbeuten erzielt, sondern mit einem Überschuß an Dinatriumsulfid in wäßrig-äthanolischer Suspension.

α-Halogen-9,10-anthrachinone setzen sich bei 90–100° innerhalb einer Stunde um; β-Halogen-9,10-anthrachinone hingegen reagieren erst bei 120–130°. Oft ist es zweckmäßig, mit Dinatriumdisulfan oder bei Umsetzungen in wasserhaltigem Glykol – der besseren Löslichkeit wegen – mit Dinatriumtrisulfan zu arbeiten.

Falls die autoxidablen Mercapto-9,10-anthrachinone nicht direkt in ihren alkalischen Lösungen weiterverarbeitet werden, empfiehlt es sich, diese durch Lufteinleiten oder mit Kaliumhexacyanoferrat (III) zu den Disulfanen zu oxidieren, die in Gegenwart verdünnter Natronlauge leicht wieder reduktiv gespalten werden können, z. B. mit Glucose oder Dinatriumsulfid.

1-Mercapto-9,10-anthrachinon[2]

Bis-[9,10-anthrachinonyl-(1)]-disulfan: In eine siedende Suspension von 48 g 1-Chlor-9,10-anthrachinon in 480 *ml* Äthanol rührt man eine Lösung von Dinatriumdisulfan – bestehend aus 48 g krist. Dinatriumsulfid, 9 g Schwefel und 48 *ml* Wasser – ein. Nach 30 min. Kochen trägt man in Wasser aus und saugt vom Ausgefallenen ab. Der Filterrückstand wird mit Essigsäure ausgekocht, heiß filtriert, ausgewaschen und getrocknet.

1-Mercapto-9,10-anthrachinon: 10 g des oben erhaltenen Disulfans werden mit 200 *ml* Äthanol, 600 *ml* Wasser und 5 g Glucose auf dem Wasserbad langsam mit 80 *ml* einer 2n Natronlauge versetzt. Nach weiteren 10 Min. filtriert man die tief violettfarbige Lösung unter Stickstoff und läßt in verd. Salzsäure einlaufen, wobei sich das 1-Mercapto-9,10-anthrachinon in orangegelben Kriställchen abscheidet (F: 187°).

2-Amino-1-mercapto-9,10-anthrachinon[3]:
In einer Schmelze aus krist. Dinatriumsulfid (entspr. 136 g 100%-ig. Na₂S) werden 15 g Schwefel gelöst. Dann gibt man 1,5 *l* Wasser und 100 g 1-Chlor-2-amino-9,10-anthrachinon zu und erhitzt unter Rühren 16 Stdn. auf ~ 105°. Anschließend wird die filtrierte Lösung in eine konz.

---
[1] DRP. 204772 (1907), 206536 (1908), Farbf. Bayer; Frdl. **9**, 702, 703.
[2] K. Fries u. G. Schürmann, B. **52**, 2176 (1919).
[3] In Anlehnung an die techn. Vorschrift in BIOS Final Rep. Nr. **987**, 19 (1948), I.G. Farb. Ludwigshafen.

Natriumhydrogensulfit-Lösung eingerührt. Nach einigen Stdn. ist der restliche Schwefel in Lösung gegangen. Nach dem Absaugen, Auswaschen und Trocknen resultieren 82 g (83% d. Th.) 2-Amino-1-mercapto-9,10-anthrachinon.

Aus dem 1,5-Dichlor-2,6-diamino-9,10-anthrachinon wird das 2,6-Diamino-1,5-dimercapto-9,10-anthrachinon auf ähnliche Weise gewonnen[1], nur daß man hier in einer äthanolisch-wäßrigen Lösung (1:1) unter Druck arbeitet.

1-Amino-5-mercapto-9,10-anthrachinon[2]: 100 g 5-Chlor-1-amino-9,10-anthrachinon werden mit 1,5 *l* Äthanol, 400 g einer 25%-ig. wäßr. Dinatriumdisulfan-Lösung 16 Stdn. unter Rühren und Rückflußsieden erhitzt. Nach dem Erkalten saugt man das Natriumsalz des 1-Amino-5-mercapto-9,10-anthrachinons ab und wäscht es mit Äthanol aus; Ausbeute: ~90% d. Th.

Auf analoge Weise erhält man aus

2-Brom-1-amino-4-anilino-9,10-anthrachinon	→ *1-Amino-4-anilino-2-mercapto-9,10-anthrachinon*[3]
2,3-Dichlor-1,4-diamino-9,10-anthrachinon	→ *2-Chlor-1,4-diamino-3-mercapto-9,10-anthrachinon*[4]

Im folgenden Beispiel werden die besten Ausbeuten mit Natriumhydrogensulfid erzielt.

1,4-Dianilino-2,3-dimercapto-9,10-anthrachinon[2]: 138 g 2,3-Dichlor-1,4-dianilino-9,10-anthrachinon werden mit 1,5 *l* Äthanol und 225 g einer 30%-ig. wäßrigen Lösung von Natriumhydrogensulfid 5 Stdn. unter Rückfluß gerührt. Nach dem Erkalten und Filtrieren läßt man die dunkelgrüne Lösung in verd. Salzsäure unter einem Abzug einfließen. Die abfiltrierte Dimercapto-Verbindung wird nach dem Auswaschen zweckmäßig in Pastenform weiterverarbeitet.

Das *2-Amino-3-mercapto-9,10-anthrachinon* läßt sich durch Umsetzung von 3-Chlor-2-amino-9,10-anthrachinon mit Dinatriumtrisulfan in wasserhaltigem Glykol bei 130° in 95%-iger Ausbeute gewinnen[5].

Die o-Halogen-acylamino-9,10-anthrachinone sind zur Herstellung von Amino-mercapto-9,10-anthrachinonen nicht geeignet, da hier außerordentlich leicht 1,3-Thiazol-Ringschlüsse eintreten. So wird durch Erhitzen von 1-Chlor-2-formylamino-9,10-anthrachinon mit Dinatriumdisulfan in äthanolischer Lösung in Gegenwart von Magnesiumsulfat glatt das *1,2-(1,3-Thiazolo)-9,10-anthrachinon* erhalten[6]:

γ) Herstellung von Mercapto-9,10-anthrachinonen aus Amino-9,10-anthrachinonen über die Diazothiocyanate (Diazorhodanide)

α-Amino-9,10-anthrachinone lassen sich leicht durch Diazotieren, Umsetzen mit Kaliumthiocyanat (Kaliumrhodanid) und Spaltung der Thiocyanate mit äthanolischer Natronlauge in die α-Mercapto-9,10-anthrachinone überführen[7]:

[1] DRP. 260 905 (1911), BASF; Frdl. **11**, 637.
[2] DRP. 638 150 (1935/36), I.C.I.; Frdl. **23**, 948.
[3] DRP. 841 313 (1945), CIBA, Erf.: P. GROSSMANN.
[4] Brit. P. 387 765 (1931/32) ≡ DRP. 563 201 (1931), I.G. Farb., Erf.: B. STEIN u. E. HONOLD; Frdl. **19**, 1997.
[5] H. BERTHOLD, I.G. Farb. Ludwigshafen (1936).
[6] H. SCHEYER, I.G. Farb. Mainkur (1935).
[7] L. GATTERMANN, A. **393**, 132 ff. (1912).

Auf ähnliche Weise lassen sich 9,10-Anthrachinonyl-diazoniumsalze auch mit Kalium-xanthogenat zu den Xanthogensäureestern umsetzen, die ebenfalls mit äthanolischem Kaliumhydroxid zu den Mercapto-9,10-anthrachinonen gespalten werden können[1].

Über die Thiocyanate sind aus den entsprechenden Aminen u.a. zugänglich[2]:

1-Mercapto-9,10-anthrachinon
4-Methoxy-1-mercapto-9,10-anthrachinon
4-Amino-1-mercapto-9,10-anthrachinon
4-Dimethylamino-1-mercapto-9,10-anthrachinon
4-Hydroxy-1-mercapto-9,10-anthrachinon
3,4-Dihydroxy-1-mercapto-9,10-anthrachinon
1,4- (1,5- und *1,8)-Dimercapto-9,10-anthrachinon*
5-Chlor-1-mercapto-9,10-anthrachinon
5-Amino-1-mercapto-9,10-anthrachinon
5-Piperidino-1-mercapto-9,10-anthrachinon
1-Mercapto-9,10-anthrachinon-4-carbonsäure
1-Mercapto-9,10-anthrachinon-5- (bzw- *6-, 7-* und *8)-sulfonsäure*
1-Mercapto-4-phenylmercapto-9,10-anthrachinon[3]

Bemerkenswert ist, daß aus 1-Halogen- oder 1-Nitro-9,10-anthrachinon-4-diazonium-salzen beim Verkochen in überschüssiger Kaliumthiocyanat-Lösung das *1,4-Bis-[thiocya-nato]-9,10-anthrachinon* entsteht[4].

Thiocyanato- und Mercapto-9,10-anthrachinone; allgemeine Herstellungsvorschrift[5, 6]:

a) Thiocyanato-9,10-anthrachinone: Das in üblicher Weise in konz. Schwefelsäure diazotierte Amino-9,10-anthrachinon (1 Tl.) wird durch Einrühren in Eis abgeschieden, kalt abgesaugt und mit einer kalten Natriumsulfat-Lösung nachgewaschen, so daß der größte Teil der anhaftenden Schwefelsäure entfernt wird.

Dann löst man das Diazoniumsulfat in kaltem Wasser, filtriert erforderlichenfalls und versetzt mit einer Lösung aus 1 Tl. Kaliumthiocyanat in ~ 4 Tln. Wasser. Dabei scheidet sich das tieffarbige Diazoniumthiocyanat kristallin aus. Dann erwärmt man die Suspension langsam (ohne Kupfer-Zusatz), wobei unter Schäumen die Stickstoff-Abspaltung erfolgt.

Zum Schluß wird auf 90° erhitzt, wodurch der gelbe Niederschlag gut filtrierbar wird. Falls das Diazoniumsalz in Wasser zu schwer löslich ist, kann man die Zersetzung auch in Suspension durchführen; Ausbeuten: ~ 90% d. Th.

b) Mercapto-9,10-anthrachinone[6, 7]: 1 Tl. des Thiocyanato-9,10-anthrachinons wird mit einer Lösung aus 10 Tln. Kaliumhydroxid, 5 Tln. Wasser und 90 Tln. Äthanol langsam zum Sieden erhitzt, wobei zum Schluß die blaue bis grüne Farbe des Mercaptids auftritt. Normalerweise ist die Hydrolyse in wenigen Min. beendet (eine Probe muß sich klar in Wasser lösen). Die Spaltung von Thiocyanato-9,10-anthrachinon-sulfonsäuren gelingt leicht durch Erhitzen mit Kalilauge.

Das Reaktionsgemisch wird durch Wasser-Zugabe in Lösung gebracht und vom Ausgangsmaterial bzw. dem mitentstandenen Disulfan abfiltriert.

Die Mercaptan-Lösungen werden meist als solche weiterverarbeitet; Ausbeuten: 70–80% d.Th.

Die Bildung des *2-Thiocyanato-9,10-anthrachinons* vollzieht sich erst nach 24stdg. Stehen. Bei seiner Zersetzung entsteht auch 2-Hydroxy-9,10-anthrachinon. Das *2-Mercapto-9,10-anthrachinon* (F: 206°) wird daher besser aus dem 2-Chlor-9,10-anthrachinon hergestellt.

---

[1] K. Fries u. G. Schürmann, B. **52**, 2173 (1919).
[2] L. Gattermann, A. **393**, 132 ff. (1912)
[3] L. Gattermann, A. **393**, 188 (1912).
[4] L. Gattermann, A. **393**, 165 (1912).
[5] DRP. 206054 (1907), Farbf. Bayer, Erf.: L. Gattermann; Frdl. **9**, 700.
[6] L. Gattermann, A. **393**, 113–197, 134 (1912).
[7] DRP. 208640 (1907), Farbf. Bayer, Erf.: L. Gattermann; Frdl. **9**, 701.

δ) Herstellung von Mercapto-9,10-anthrachinonen aus 9,10-Anthrachinon-sulfonsäuren
und durch Reduktion von 9,10-Anthrachinon-sulfonsäurechloriden

Der direkte Austausch einer α-ständigen Sulfo-Gruppe gegen eine Mercapto-Gruppe gelingt bei weitem nicht so glatt wie der eines Halogen-Atoms.

Werden 15 g 9,10-anthrachinon-1-sulfonsaures Kalium mit 100 g einer 28%-igen Natriumhydrogensulfid-Lösung und 100 ml Äthanol 24 Stdn. rückfließend gekocht, dann entsteht das *Natriumsalz* des *1-Mercapto-9,10-anthrachinons*[1].

Aus Anthrachinon-α- und -β-sulfonsäurechloriden entstehen durch Kochen mit einer wäßrigen Dinatriumsulfid-Lösung die Mercapto-9,10-anthrachinone[2]. Bleibt man mit der Temperatur unter 40°, so führt die Reduktion nur bis zu den Sulfinsäuren[3]. Läßt man Natriumdithionit auf die Suspension eines Sulfonsäurechlorids in einer 10%-igen Natrium-carbonat-Lösung bis max. 50° einwirken, so erhält man die Bis-[9,10-anthrachinonyl]-di-sulfane[4]. Eine präparative Bedeutung kommt der Sulfonsäurechlorid-Reduktion nicht zu.

ε) Herstellung von 1-Amino-2-mercapto-9,10-anthrachinonen
durch Anlagerung von Dinatriumsulfid an 1-Amino-9,10-anthrachinone

1-Amino-9,10-anthrachinone lagern beim Erhitzen mit einer konzentrierten wäßrigen Dinatriumsulfid-Lösung in guten Ausbeuten Dinatriumsulfid an[5], wobei 1-Amino-2-mer-capto-9,10-anthrachinone entstehen; z.B.:

1-Amino-2-mercapto-9,10-anthrachinon[5]: 100 g verpastetes 1-Amino-9,10-anthrachinon werden mit 2 kg krist. Dinatriumsulfid ~ 4 Stdn. im Autoklaven auf 130° erhitzt. Nach dem Erkalten wird die blaue Schmelze mit 4 l Wasser ausgekocht, das unveränderte Ausgangsmaterial abfiltriert und das Natriummercaptid ausgesalzen. Es ist verhältnismäßig stabil; das rote, freie 1-Amino-2-mercapto-9,10-anthrachinon ist dagegen autoxidabel; Ausbeute: ~ 70% d. Th.

In analoger Weise entsteht aus 1,5-Diamino-9,10-anthrachinon ein Gemisch aus *1,5-Diamino-2-mercapto-9,10-anthrachinon* und *1,5-Diamino-2,6-dimercapto-9,10-anthra-chinon*. Über die analoge Herstellung der *1-Amino-2-mercapto-9,10-anthrachinon-6-sul-fonsäure* bei 95° s. S. 192.

Läßt man auf die *1-Amino-9,10-anthrachinon-5-sulfonsäure* wie im obigen Beispiel bei 130−140° Dinatriumsulfid einwirken, so findet neben der Einführung der Mercapto-Gruppe in 2-Stellung auch ein Austausch der Sulfo-Gruppe statt[6], so daß das *1-Amino-2,5-dimercapto-9,10-anthrachinon* anfällt. Analog ist auch das *1-Amino-2,8-dimercap-to-9,10-anthrachinon* herstellbar.

[1] DRP. 212857 (1908), Farbf. Bayer; Frdl. **9**, 704
[2] DRP. 281102 (1913), Farbf. Bayer; Frdl. **12**, 440.
[3] DRP. 263340 (1912), Farbw. Hoechst; Frdl. **11**, 543.
[4] DRP. 292457 (1914), Farbw. Hoechst; Frdl. **13**, 394.
[5] DRP. 290084 (1914), Griesheim-Elektron; Frdl. **12**, 439.
[6] DRP. 609618 (1932/33), I.C.I.; Frdl. **21**, 1078.

2. Herstellung von 9,10-Anthrachinonyl-thioäthern

α) aus Halogen-9,10-anthrachinonen und Mercaptanen

Das einfachste Verfahren zur Herstellung von Arylthio-9,10-anthrachinonen ist die Kondensation von Halogen-9,10-anthrachinonen mit Arylmercaptanen.

Die α-Halogen-9,10-anthrachinone werden in der Regel mit Arylmercaptanen in Äthanol unter Zusatz von Kaliumhydroxid bei 80–100°, die β-Halogen-9,10-anthrachinone bei 130° (im Autoklaven) oder in Butanol und die Halogen-9,10-anthrachinon-sulfonsäuren in verdünnter Natronlauge umgesetzt.

Natürlich gelingt die Umsetzung auch mit aliphatischen Mercaptanen. Diese Reaktion ist jedoch nicht zu empfehlen, da die Alkylmercaptane schwieriger herstellbar sind und sie außerdem sehr übel riechen (Ausnahmen machen die nichtflüchtigen Mercaptane, wie Dodecylmercaptan und 2-Mercapto-äthanol). Nach Möglichkeit wird man deshalb Alkylmercapto-9,10-anthrachinone durch Alkylierung von Mercapto-9,10-anthrachinonen herstellen.

1-Amino-2-methyl-4-(4-methyl-phenylmercapto)-9,10-anthrachinon[1]: Ein Gemisch aus 136 g 4-Chlor-1-amino-2-methyl-9,10-anthrachinon, 31 g Kaliumhydroxid in 2 *l* Äthanol und 63 g 4-Methyl-phenylmercaptan wird mehrere Stdn. rückfließend erhitzt, bis das Ausgangsmaterial verschwunden ist. Nach dem Erkalten wird abgesaugt und ausgewaschen; Ausbeute: ~ 110 g (61% d. Th.).

Auf analoge Weise wurden u. a. hergestellt:

4-Amino-1-hydroxy-3-(4-methyl-phenylmercapto)-9,10-anthrachinon[1]
1-Methylamino-4-(4-methyl-phenylmercapto)-9,10-anthrachinon[1]
1,4-Diamino-2,3-bis-[4-methyl-phenylmercapto]-9,10-anthrachinon[1]
1-Amino-4-anilino-2-phenylmercapto-9,10-anthrachinon[2]

Ferner erhält man aus 2,4-Dibrom-1-amino-9,10-anthrachinon das *1-Amino-2,4-bis-[phenylmercapto]-9,10-anthrachinon*.

Weitere Beispiele s. Lit.[2]

1,4-Bis-[4-methyl-anilino]-6-(4-methyl-phenylmercapto)-9,10-anthrachinon[3]: Ein Gemisch aus 45 g 6-Chlor-1,4-bis-[4-amino-anilino]-9,10-anthrachinon, 10 g 4-Methyl-phenylmercaptan, 8 g gepulvertem Kaliumhydroxid und 300 *ml* Pentanol wird einige Stdn. bei ~ 130° gerührt, bis kein Ausgangsmaterial mehr nachweisbar ist. Die Aufarbeitung erfolgt wie oben. Es resultieren blaugrüne Nadeln[3].

Als Ausgangsmaterialien für Thioxanthone sind zahlreiche Arylthio-9,10-anthrachinone mit einer o-ständigen Cyan-Gruppe hergestellt worden[4]: *2-Phenylmercapto-1-cyan-9,10-anthrachinon* entsteht durch einstündiges Erhitzen von 2-Brom-1-cyan-9,10-anthrachinon mit Phenylmercaptan in siedendem Pentanol in Gegenwart von Kaliumcarbonat. Analog wurde *2-[9,10-Anthrachinonyl-(1)-mercapto]-1-cyan-9,10-anthrachinon* hergestellt. Durch Kondensation von 2 Mol 2-Brom-1-cyan-9,10-anthrachinon mit 1,5-Dimercapto-9,10-anthrachinon erhält man das *1,5-Bis-[1-cyan-9,10-anthrachinonyl-(2)-mercapto]-9,10-anthrachinon*. Anstelle der Mercaptane lassen sich in allen Fällen mit gutem Erfolg auch die entsprechenden Thiocyanate einsetzen.

Durch Kondensation von α-Halogen-9,10-anthrachinonen mit 2-Mercapto-1,3-benzothiazol wurden zahlreiche α-[1,3-Benzothiazolyl-(2)-mercapto]-9,10-anthrachinone hergestellt, vorwiegend durch Erhitzen in Butanol unter Zusatz von Kaliumcarbonat und einem Kupfersalz[5]. Durch Kondensation von 1,4,5,8-Tetrachlor-9,10-anthrachinon mit 4 Mol 2-Mercapto-1,3-benzothiazol (3 Stdn. in Dimethylformamid bei 130°

[1] DRP. 251 115 (1911), BASF; Frdl. **11**, 600.
[2] Belg. P. 609 673 (1960/61), CIBA; C. A. **57**, 13 934[b] (1962).
[3] DRP. 646 499 (1935), I.G. Farb., Erf.: B. Stein u. W. Kühne; Frdl. **24**, 806.
[4] A. Schaarschmidt, A. **409**, 59 (1915).
[5] Fr. P. 1 412 058 (1963/64), Sandoz Ltd., Erf.: A. Peter u. F. Müller; C. A. **63**, 13 457[g] (1965).

und Kaliumcarbonat) läßt sich sogar das *1,4,5,8-Tetrakis-[1,3-benzothiazolyl-(2)-mercapto]-9,10-anthrachinon* mit 90% Ausbeute gewinnen[1].

Gemischte Bis-[9,10-anthrachinonyl]-sulfide sind durch Kondensationen von Mercapto-9,10-anthrachinonen mit Halogen-9,10-anthrachinonen zugänglich; z. B. durch Kondensation von 2 Mol 2-Mercapto-9,10-anthrachinon mit 1 Mol 1,5-Dichlor-9,10-anthrachinon in äthanolischer Natronlauge bei 130°[2] oder von 1 Mol 2-Mercapto-9,10-anthrachinon mit 1 Mol 1-Chlor-9,10-anthrachinon-5-sulfonsäure in Gegenwart verdünnter Natronlauge (4 Stdn. bei 120°)[3].

Aus Bromaminsäure und 4-Chlor-phenylmercaptannatrium entsteht durch Erhitzen in wäßriger Lösung die *1-Amino-4-(4-chlor-phenylmercapto)-9,10-anthrachinon-2-sulfonsäure*, die sich durch Aussalzen leicht abscheiden läßt[4]. Diese färbt Wolle in blauroten Tönen an.

Die Umsetzung von Bromaminsäure mit 2-Mercapto-1,3-benzothiazol zur *1-Amino-4-[1,3-benzothiazolyl-(2)-mercapto]-9,10-anthrachinon-2-sulfonsäure* vollzieht sich ebenfalls glatt in Wasser unter Zusatz von Natriumcarbonat und einer Kupfer-Verbindung durch 14stdg. Kochen[5].

1,4-Bis-[4-methyl-phenylmercapto]-9,10-anthrachinon-6-sulfonsäure[6]: 100 g 1,4-Dichlor-9,10-anthrachinon-6-natriumsulfonat, 4 l Wasser, 250 g 25%-ige Natronlauge und 65 g 4-Methyl-phenylmercaptan werden 10 Stdn. auf 80–90° erhitzt, wobei bereits ein Teil des Kondensationsproduktes auskristallisiert. Dieses wird abgesaugt und der Rest aus dem Filtrat ausgesalzen. Die erhaltene Sulfonsäure färbt Wolle in rotorangen Tönen an.

Analog erhält man u. a.

1-(4-Methyl-phenylmercapto)-9,10-anthrachinon-5-sulfonsäure
1,5-Diamino-4,8-bis-[4-methyl-phenylmercapto]-9,10-anthrachinon-2,6-disulfonsäure

Die Herstellung von symmetrischen Bis-[9,10-anthrachinonyl]-sulfiden aus zwei Mol eines Halogen-9,10-anthrachinons und Dinatriumsulfid gelingt, wenn die Kondensation unter Ausschluß von Wasser durchgeführt wird, da sonst Mercaptane bzw. Disulfane entstehen.

So wird das *Bis-[9,10-anthrachinonyl-(1)]-sulfid* mit ~ 85% Ausbeute erhalten, wenn man in eine entwässerte Schmelze aus 70 Tln. Kaliumacetat, 83 Tln. krist. Natriumacetat bei 140–145° ein Gemisch aus 6,6 Tln. 67%-ig. Dinatriumsulfid und 25 Tln. 1-Chlor-9,10-anthrachinon einrührt und ~ 2–4 Stdn. bei dieser Temp. reagieren läßt[7].

Auf analoge Weise sind ferner zugänglich: *Bis-[1-amino-9,10-anthrachinonyl-(2)]-sulfid* (aus 2-Brom-1-amino-9,10-anthrachinon) und *Bis-[4-benzoylamino-9,10-anthrachinonyl-(1)]-sulfid*.

Nach einem älteren Verfahren setzt man anstelle von Dinatriumsulfid Kaliumxanthogenat ein[8–10].

Bis-[9,10-anthrachinonyl-(2)]-sulfid[8]: 60 g 2-Chlor-9,10-anthrachinon, 60 g Kaliumxanthogenat, 1 g Kupferpulver und 600 ml Pentanol werden 16 Stdn. unter Rühren rückfließend erhitzt. Während dieser Zeit werden in Abständen von je 4 Stdn. 4mal 5 g 2-Chlor-9,10-anthrachinon zugegeben. Dann wird abgesaugt, mit Wasser ausgewaschen und aus dem trockenen Rückstand das Ausgangsmaterial mit Benzol extrahiert. Nach dem Umkristallisieren aus Xylol resultieren 30,8 g (54% d. Th.) Sulfid (F: 291°).

[1] DOS. 2360875 (1973), Bayer AG, Erf.: R. NEEFF u. H. D. JORDAN; C. A. **83**, 165688 (1975).
[2] DRP. 259560 (1909), Farbw. Hoechst; Frdl. **11**, 610.
[3] DRP. 272300 (1912), Farbf. Bayer; Frdl. **11**, 607.
[4] Fr.P. 668871 (1928/29), I.G. Farb.; C. **1930** I, 2018.
[5] Fr.P. 1412058 (1963/64), Sandoz Ltd., Erf.: A. PETER u. F. MÜLLER; C. A. **63**, 13457g (1965).
[6] DRP. 250273 (1911), BASF; Frdl. **11**, 599.
[7] Fr.P. 1092009 (1953/54) ≡ DBP. 925892 (1953), BASF, Erf.: G. TREUGE u. W. BRAUN; C. **1955**, 7555.
[8] DRP. 255591 (1910), F. ULLMANN; Frdl. **11**, 604.
[9] A. G. PERKIN u. W. G. SEWELL, Soc. **1923**, 3032.
[10] DRP. 272298 (1911), Farbf. Bayer, Erf.: P. THOMASCHEWSKI; Frdl. **11**, 605.

Durch Oxidation mit kalter Salpetersäure entsteht das Sulfoxid und mit Chrom(VI)-oxid in siedender Essigsäure glatt das Sulfon.

Analoge Umsetzungen gelingen auch mit einigen α-Halogen-9,10-anthrachinonen[1].
Durch Kondensation von Halogen-9,10-anthrachinonen mit höheren Alkylmercaptanen sind so zugänglich[2]:

4-Brom-1-methylamino-9,10-anthrachinon
+ Cetylmercaptan

$\xrightarrow{\text{Pyridin, 32\%ige NaOH, } \triangledown}$

1-Methylamino-4-cetylmercapto-9,10-anthrachinon

2-Chlor-1,4-diamino-3-benzylmercapto-9,10-anthrachinon
+ Dodecylmercaptan

$\longrightarrow$

1,4-Diamino-2-dodecylmercapto-3-benzylmercapto-9,10-anthrachinon

β) Herstellung von 1-Arylmercapto-9,10-anthrachinonen aus 1-Nitro-9,10-anthrachinonen

Während Nitro-9,10-anthrachinone durch Dinatriumsulfid reduziert werden, setzen sie sich mit Arylmercaptanen glatt zu Arylmercapto-9,10-anthrachinonen um, ohne daß in nennenswertem Umfang die Mercaptane zu Disulfanen oxidiert werden. Mit Alkylmercaptanen hingegen laufen beide Reaktionen nebeneinander ab.

Im einfachsten Falle entsteht durch 30 min. Kochen einer Suspension von 1-Nitro-9,10-anthrachinon mit Phenylmercaptan in äthanolischer Kalilauge glatt das *1-Phenylmercapto-9,10-anthrachinon*[3,4] (F: 185°; gelbrote Kristalle). Analog erhält man aus 1,5-Dinitro-9,10-anthrachinon das *1,5-Bis-[phenylmercapto]-9,10-anthrachinon* (F: 250°).

Auf diese Weise wurde eine große Zahl von Arylmercapto-9,10-anthrachinonen, meist mit vorzüglichen Ausbeuten, hergestellt[3-5]; z. B.:

1-Amino-4-phenylmercapto-9,10-anthrachinon[4]; ~ 90% d. Th.; F: 201°
1-Amino-4-(2-carboxy-phenylmercapto)-9,10-anthrachinon (Reaktionsdauer ~ 6 Stdn.)
1-Phenylmercapto-9,10-anthrachinon-5 (bzw. -6; -8)-*sulfonsäure*[4] (die Umsetzungen sind in wenigen Min. beendet).

4,8-Dinitro-1,5-dihydroxy-9,10-anthrachinon setzt sich mit Phenylmercaptan beim 2stdgn. Erhitzen in Äthanol in Gegenwart von Kaliumhydroxid zum *1,5-Dihydroxy-4,8-bis-[phenylmercapto]-9,10-anthrachinon*[5] und mit 2-Mercapto-1,3-benzothiazol in Dimethylformamid bei ~ 130° unter Zusatz von Kaliumcarbonat zum *1,5-Dihydroxy-4,8-bis-[1,3-benzothiazolyl-(2)-mercapto]-9,10-anthrachinon* in 89%-iger Ausbeute um[6] (blauviolettes Pigment).

Beim 4,5-Dinitro-1,8-dihydroxy-9,10-anthrachinon gelingt es, nur eine Nitro-Gruppe mit Thiophenol zum *4-Nitro-1,8-dihydroxy-5-phenylmercapto-9,10-anthrachinon* umzusetzen, indem man die Kondensation in Glykol-Suspension in Gegenwart von Triäthylamin bei 20° durchführt[7].

Bei der Umsetzung einiger Chlor-nitro-9,10-anthrachinone mit Phenylmercaptan lassen sich bevorzugt zunächst die Nitro-Gruppen austauschen[5].

1-Chlor-5-phenylmercapto-9,10-anthrachinon[5]: In eine Lösung von 22 g Phenylmercaptan und 12 g Kaliumhydroxid in 750 *ml* 96%-igem Äthanol rührt man 57,6 g 1-Chlor-5-nitro-9,10-anthrachinon ein und erhitzt

---

[1] DRP. 272 298 (1911), Farbf. Bayer, Erf.: P. Thomaschewski; Frdl. **11**, 605.
[2] DRP. 638 150 (1935/36), I. C. I.; Frdl. **23**, 948.
[3] DRP. 116 951 (1899), Farbf. Bayer; Frdl. **6**, 425.
[4] L. GATTERMANN, A. **393**, 183 ff. (1912).
[5] Belg. P. 609 673 (1960/61), CIBA; C. A. **57**, 13 934[b] (1962).
[6] DOS. 2 360 875 (1973), Bayer A.G., Erf.: R. NEEFF u. H. D. JORDAN; C. A. **83**, 165 688[g] (1975).
[7] DAS. 1 201 933 (1962) ≡ Fr.P. 1 377 007 (1963), Farbf. Bayer, Erf.: H.-S. BIEN, K. WUNDERLICH u. F. BAUMANN; C. A. **62**, 13 282[f] (1965);
  s. a. DAS. 1 258 816 (1960), BASF, Erf.: W. BRAUN, E. SPOHLER u. R. KRALLMANN; C. A. **68**, 88 162[s] (1968).

2 Stdn. unter Rückfluß. Nach dem Erkalten werden die gelben Kristalle des 1-Chlor-5-phenylmercapto-9,10-anthrachinons abgesaugt und mit Äthanol ausgewaschen.

In analoger Weise lassen sich *1-Chlor-8-phenylmercapto-* und *1,4-Dichlor-5-phenyl-mercapto-9,10-anthrachinon* herstellen.

Setzt man ein Amino-nitro-9,10-anthrachinon zunächst mit einem Arylmercaptan um und wandelt anschließend die Amino-Gruppe in eine Thiocyanato-Gruppe um, so lassen sich gemischte Bis-[arylmercapto]-9,10-anthrachinone herstellen.

γ) Herstellung von 1-Alkylmercapto-9,10-anthrachinonen aus 9,10-Anthrachinon-1-sulfonsäuren

9,10-Anthrachinon-1-sulfonsäuren lassen sich nur mit Alkylmercaptiden zu 1-Alkylmercapto-9,10-anthrachinonen umsetzen[1,2]. 9,10-Anthrachinon-2-sulfonsäuren reagieren nicht mit Mercaptiden.

Die Umsetzungen der 9,10-Anthrachinon-1-sulfonsäuren werden in ~5%-igen wäßrigen Lösungen der Alkylmercaptane in Gegenwart von Natronlauge durch mehrstündiges Kochen erreicht. Wenn man schon von diesem Verfahren Gebrauch macht, dann sollte man der besseren Löslichkeit wegen und um Geruchsbelästigungen zu mindern im Autoklaven bei ~120° arbeiten.

1-Butylmercapto-9,10-anthrachinon-5-sulfonsäure[2]: 300 g (0,61 Mol) 9,10-Anthrachinon-1,5-dinatriumsulfonat (mit 5 Mol Kristallwasser), 36 g (0,9 Mol) Natriumhydroxid, 120 g (75%-ig; 1 Mol) Butylmercaptan und 4,5 l Wasser werden 11 Stdn. rückfließend erhitzt. Nach dem Erkalten saugt man die Kristalle ab und wäscht sie mit Wasser aus. Nach dem Trocknen wird das mitentstandene 1,5-Bis-[butylmercapto]-9,10-anthrachinon (~4 g) mit Benzol extrahiert.

Die Ausbeute an 1-butylmercapto-9,10-anthrachinon-5-sulfonsaurem Natrium (goldgelbe Kristalle) beträgt 95% d. Th.

Diese hohe Ausbeute der Mono-butylmercapto-Verbindung wird durch ihre schwere Löslichkeit erreicht.

Mit einem größeren Überschuß an Mercaptan und im Autoklaven bei 130° kann man das *1,5-Bis-[butylmercapto]-9,10-anthrachinon* (F: 159,5°) als Hauptprodukt herstellen.

Bei der 9,10-Anthrachinon-1,8-disulfonsäure ist es etwas schwieriger, die Kondensation auf der 1:1-Stufe abzustoppen, da diese gut löslich ist.

Aus 1-Chlor-4-nitro-9,10-anthrachinon-8-sulfonsäure und Äthylmercaptan resultiert bei 95° die *1,4-Bis-[äthylmercapto]-9,10-anthrachinon-8-sulfonsäure*[1].

δ) Herstellung von Alkylmercapto-9,10-anthrachinonen durch Alkylieren von Mercapto-9,10-anthrachinonen

Die Herstellung von Alkylmercapto-9,10-anthrachinonen erfolgt am besten durch Alkylierung von Mercapto-9,10-anthrachinonen. Diese kann mit einer wäßrigen Suspension der Natriummercaptide oder in verdünnter Natronlauge (evtl. unter Zusatz von Äthanol oder Pyridin) meist glatt durchgeführt werden. Als Alkylierungsmittel kommen zur Anwendung: Dimethylsulfat, Toluolsulfonsäurealkylester, Alkylbromide, 1,2-Dibromäthan, 2-Chlor-äthanol, Chloressigsäure, Chloracetylamino-9,10-anthrachinone[3], 2-Chlor-äthansulfonsäure[4], Benzylchlorid u. a. mehr.

Mit gleich gutem Erfolg kann man auch von den Thiocyanato-9,10-anthrachinonen ausgehen, wenn man die Alkylierungen mit Kaliumhydroxid in siedendem Äthanol durchführt.

[1] DRP. 224589 (1908), Farbf. Bayer; Frdl. **10**, 597.
[2] E. E. REID, C. M. MACKALL u. G. E. MILLER, Am. Soc. **43**, 2104 (1921).
   W. S. HOFFMAN u. E. E. REID, Am. Soc. **45** 1831 (1923).
[3] DRP. 213960 (1908), Farbf. Bayer; Frdl. **9**, 749.
[4] DRP. 630340 (1934), I.G. Farb., Erf.: F. BAUMANN; Frdl. **23**, 977.

Von den zahlreichen Möglichkeiten seien folgende aufgeführt: Man erhält aus

1,4-Diamino-2,3-bis-[benzylmer-capto]-9,10-anthrachinon; F: 197°

2-Chlor-1,4-diamino-3-dode-cylmercapto-9,10-anthrachinon[1]

1-Amino-5-dodecylmercapto-9,10-anthrachinon[1]

1-Natriummercapto-9,10-anthrachinon setzt sich mit einem Überschuß an 1,2-Di-brom-äthan zum *1-(2-Brom-äthylmercapto)-9,10-anthrachinon* um, aus dem durch Einwirkung von Alkalimetallhydroxid das tiefrotbraunfarbige *1-Vinylmercapto-9,10-anthrachinon* erhalten wird[2]. Dieses kann durch Anlagerung von zwei Brom-Atomen und anschließende Einwirkung von Kaliumäthanolat in das rote *1-Äthinylmercapto-9,10-anthrachinon* übergeführt werden[2].

1-Amino-2-natriummercapto-9,10-anthrachinon läßt sich als wäßrige Paste mit 2-Chlor-äthanol (20 Min. bei 95°) alkylieren[3] und das Kondensationsprodukt durch 15%-iges Oleum bei 80° zum Thiomorpholin-Derivat cyclisieren[4].

3,2-Dihydro-1H-⟨anthraceno-[2,1-b]-1,4-thiazin⟩-7,12-chinon

[1] DRP. 638150 (1934/35), I.C.I.; Frdl. **23**, 948.
[2] L. GATTERMANN, A. **393**, 141 ff. (1912).
[3] DRP. 455639 (1925), I. G. Farb., Erf.: G. KRÄNZLEIN u. M. CORELL; Frdl. **16**, 1233.
[4] DRP. 462799 (1925), I.G. Farb., Erf.: G. KRÄNZLEIN u. M. CORELL; Frdl. **16**, 1313.

ε) Herstellung von 9,10-Anthrachinonyl-thioäthern durch Anlagerung von Mercaptanen an 1,4;9,10-Anthradichinone

1,4;9,10-Anthradichinone bzw. deren 1,4-Bis-imine lagern ebenso wie 1,4-Naphtho-chinone Mercaptane an. Eine präparative Bedeutung kommt jedoch dieser Variante zur Herstellung von Thioäthern nicht zu. – Vielfach ist auch das Oxidationspotential des 1,4-Chinons so hoch, daß beträchtliche Mengen Mercaptan zum Disulfan oxidiert werden.

Das *1,4-Dihydroxy-2-phenylmercapto-9,10-anthrachinon* (F: 205,5°) entsteht in guter Ausbeute aus Phenylmercaptan und Chinizarinchinon in Essigsäure bei 50°[1]. Es läßt sich auch direkt aus Chinizarin herstellen, indem man letzteres in N-Methyl-2-pyrrolidon mit Natriummethanolat in das Dinatriumsalz überführt, bei 20° einen Teil des Phenylmercaptans zutropft, dann Luft einleitet und anschließend den Rest des Phenylmercaptans zugibt[2].

Auch an den cyclischen 9,10-Dihydroxy-1,4-anthrachinon-bis-imin-schwefelsäure-amidester (s. S. 196) lassen sich Mercaptane anlagern.

3. Herstellung von 9,10-Anthrachinon-sulfoxiden und -sulfonen

Durch Lösen von Alkylmercapto- oder Arylmercapto-9,10-anthrachinonen in einer ~80%-igen Salpetersäure unterhalb 20° entstehen meist glatt die Sulfoxide.

Sogar die [9,10-Anthrachinonyl-(1)-mercapto]-essigsäure läßt sich so in die *[9,10-Anthrachinonyl-(1)-sulfoxy]-essigsäure* überführen[3], ohne daß die aktivierte Methylen-Gruppe in Mitleidenschaft gezogen wird.

Zur Oxidation bis zur Sulfon-Stufe ist jedoch Salpetersäure weniger zu empfehlen, da bei längerem Erhitzen von 1-Alkylmercapto-9,10-anthrachinonen mit 80%-iger Salpetersäure die 9,10-Anthrachinon-1-sulfonsäure und aus 1,5-Bis-[butylmercapto]-9,10-anthrachinon ein Gemisch aus *1,5-Bis-[butylsulfonyl]-9,10-anthrachinon* und *1-Butylsulfonyl-9,10-anthrachinon-5-sulfonsäure* entstehen[4]. Das Mittel der Wahl zur Oxidation von Thioäthern zu den 9,10-Anthrachinonyl-sulfonen ist Chrom(VI)-oxid in siedender Essigsäure.

Den breitesten Zugang zu den 9,10-Anthrachinonyl-sulfonen ermöglicht die Umsetzung von Halogen- oder Nitro-9,10-anthrachinonen mit Sulfinaten.

1-Halogen-9,10-anthrachinone setzen sich mit Alkan- und Aren-sulfinaten meist glatt zu den 9,10-Anthrachinonyl-sulfonen um. Zweckmäßig erhitzt man die Ausgangsmaterialien 1–2 Stdn. in Dimethylformamid auf ~120–130°[5]. In der ersten Publikation[6] über diese Umsetzungen werden weniger günstige Reaktionsbedingungen angegeben.

Auch die Umsetzungen von Nitro-9,10-anthrachinonen mit den Natriumsulfinaten werden in Dimethylformamid bei 120–130° (1–2 Stdn.) durchgeführt. Hergestellt wurden so u. a.[5]:

1,8-Bis-[äthylsulfonyl]-9,10-anthrachinon; 74% d.Th.; F: 214–216°
1,5-Bis-[p-tolylsulfonyl]-9,10-anthrachinon; 69% d.Th.; F: 297–299°
1-Amino-8-äthylsulfonyl-9,10-anthrachinon; 85% d.Th.; F: 260–262°
1-Benzoylamino-5-p-tolylsulfonyl-9,10-anthrachinon; 83% d.Th.; F: 245–246°

---

[1] O. DIMROTH, L. KRAFT u. K. AICHINGER, A. **545**, 136 (1940).
[2] DAS. 1 190 123 (1962) ≡ Fr.P. 1 371 626 (1963), Farbf. Bayer; Erf.: H.-S. BIEN, K. WUNDERLICH u. F. BAUMANN; C. A. **62**, 16 420[h] (1965).
[3] L. GATTERMANN, A. **393**, 140 (1912).
[4] E. E. REID, C. MACKALL u. G. E. MILLER, Am.Soc. **43**, 2104 (1921).
   W. S. HOFFMAN u. E. E. REID, Am. Soc. **45**, 1831 (1923).
[5] Fr.P. 1 402 324 (1963/64), Farbw. Hoechst; C. A. **63**, 15 021[b] (1965).
[6] E. KLINGSBERG, J. Org. Chem. **24**, 1001 (1959).
   US.P. 2 995 584 (1958), American Cyanamid Co., Erf.: E. KLINGSBERG; C. A. **58**, 10 333[e] (1963).

Aus β-Halogen-9,10-anthrachinonen und Natriumsulfinaten wurden durch Sieden in Dimethylsulfoxid (2 Stdn.) oder in Dimethylformamid (4 Stdn.) erhalten[1,2]:

2-Methylsulfonyl-9,10-anthrachinon; 86°/₀ d.Th.; F: 236–237° (farblose Kristalle)
2-Phenylsulfonyl-9,10-anthrachinon; 81°/₀ d.Th.; F: 223–224°
1-Amino-6-phenylsulfonyl-9,10-anthrachinon (9 Stdn. Sieden in DMF); 75°/₀ d.Th.
1,4-Diamino-2-phenylsulfonyl-9,10-anthrachinon; 88°/₀ d.Th.
1-Amino-4-anilino-2-äthylsulfonyl-9,10-anthrachinon[3]
1-Amino-2,4-bis-[phenylsulfonyl]-9,10-anthrachinon (6 Stdn. Sieden in DMF); 89°/₀ d.Th.; F: 255°
1,4-Diamino-2,3-bis-[phenylsulfonyl]-9,10-anthrachinon (11 Stdn. Sieden in DMF); 71°/₀ d.Th.

Über die Herstellung von Alkylsulfonyl-9,10-anthrachinonen durch Alkylierung von 9,10-Anthrachinon-sulfinsäuren ist nichts bekannt. Letztere sind zwar durch Reduktion der Sulfonsäurechloride mit Natriumsulfit zugänglich, neigen aber anscheinend zur Disproportionierung zu 9,10-Anthrachinon-disulfanen und -sulfonsäuren[4].

Sehr leicht gelingt die Anlagerung von aromatischen Sulfinsäuren an das aus 4,8-Diamino-1,5-dihydroxy-9,10-anthrachinon durch Oxidation mit Mangandioxid in konzentrierter Schwefelsäure bei 20° herstellbare 1,4;9,10-Anthradichinon-1,4-bis-imin (s. S. 92). Läßt man z. B. 4-chlor-benzolsulfinsaures Natrium und wasserfreies Natriumacetat in Essigsäure einige Stunden bei ~40° einwirken, so entsteht mit ~92°/₀-iger Ausbeute ein Gemisch aus *4,8-Diamino-1,5-dihydroxy-2- (und -3)-(4-chlor-phenylsulfonyl)-9,10-anthrachinon*[5].

4. Herstellung und Umwandlung von 9,10-Anthrachinon-sulfensäuren und ihren Derivaten

Läßt man auf eine Suspension von feinverteiltem Bis-[9,10-anthrachinonyl-(1)]-disulfan in siedendem Chloroform Brom oder Chlor einwirken, so entstehen glatt die sehr reaktionsfähigen 9,10-Anthrachinon-sulfensäurehalogenide[6];

9,10-Anthrachinon-1-sulfensäurechlorid   F: 224°
9,10-Anthrachinon-1-sulfensäurebromid   F: 214°
(beides orangefarbige Kristalle)

Analog wird Bis-[4-amino-9,10-anthrachinonyl-(1)]-disulfan mit Brom in das *1-Amino-9,10-anthrachinon-4-sulfensäurebromid*[7], mit Chlor hingegen in das *2-Chlor-1-amino-9,10-anthrachinon-4-sulfonsäurechlorid*[7] übergeführt. Aus Bis-[4-hydroxy-9,10-anthrachinonyl-(1)]-disulfan wird so das *1-Hydroxy-9,10-anthrachinon-4-sulfonsäurechlorid*[7] erhalten. Aus dem polymeren 9,10-Anthrachinon-1,4-disulfan läßt sich nach der Chlorierung und Hydrolyse die *9,10-Anthrachinon-1,4-disulfensäure* gewinnen[8].

[1] DAS. 1266902 (1963), Farbw. Hoechst, Erf.: O. FUCHS et al; C. A. **69**, 28600 ᵘ (1968);
   vgl. dazu DAS. 1198781 (1960), Farbw. Hoechst, Erf.: O. FUCHS et al.; C. A. **58**, 1569ᵇ (1963).
[2] DBP. 1644578 (1964), Farbf. Bayer, Erf.: R. NEEFF; C. A. **64**, 12853ᵉ (1966).
[3] Belg. P. 647171 (1963), Farbw. Hoechst; C. A. **63**, 13457ᵃ (1965).
[4] K. FRIES, B. **45**, 2972 (1912).
   K. FRIES u. G. SCHÜRMANN, B. **47**, 1195 (1914).
[5] DAS. 1293363 (1964), Farbf. Bayer, Erf.: R. NEEFF et al.; C. A. **65**, 2390ᶠ (1966).
[6] K. FRIES, B. **45**, 2965 (1912).
[7] K. FRIES u. G. SCHÜRMANN, B. **52**, 2182 (1919).
[8] T. C. BRUICE u. R. T. MARKIW, Am. Soc. **79**, 3150 (1957).

Auf einfache Weise lassen sich die *1-Amino-9,10-anthrachinon-4-sulfensäurechloride* durch Einwirkung von Dichlordisulfan auf 1-Amino-9,10-anthrachinone herstellen[1].

1-Amino-9,10-anthrachinon-4-sulfensäurechlorid[1]: 10 g 1-Amino-9,10-anthrachinon, 20 g Dichlordisulfan und 0,3 g Jod werden in 150 *ml* Nitrobenzol unter Ausschluß von Feuchtigkeit gerührt und die Temp. langsam auf ~ 90° erhöht. Nach 6stdg. Reaktionsdauer bei dieser Temp. hat sich das Hydrochlorid des Amino-sulfensäurechlorids als braungelber Kristallbrei abgeschieden, der abgesaugt und mit Benzol ausgewaschen wird.

Mit verd. Natronlauge entsteht das Natriumsalz der 1-Amino-9,10-anthrachinon-4-sulfensäure (tiefgrüne Lösung).

Analog sind zugänglich[1]:

1-Methylamino-9,10-anthrachinon-4-sulfensäurechlorid
1-Amino-2-methyl-9,10-anthrachinon-4-sulfensäurechlorid
5-Chlor-1-amino-9,10-anthrachinon-4-sulfensäurechlorid

In der β-Reihe sind die Sulfensäurehalogenide ebenfalls herstellbar[2] – jedoch nicht die β-Sulfensäuren.

Die 9,10-Anthrachinon-2-sulfensäurehalogenide sind noch reaktionsfähiger und unbeständiger als die α-Isomeren[2,3].

9,10-Anthrachinon-1-sulfensäurehalogenide setzen sich mit Methanol zu den **Sulfensäureestern** um. Bei der Hydrolyse dieser Sulfensäurehalogenide mit Alkalihydroxiden hingegen tritt vorwiegend eine Disproportionierung zum Disulfan und der Sulfinsäure ein[3].

Die **Salze** der Anthrachinon-1-sulfensäure sind nur durch Verseifung des Methylesters erhältlich. Die Alkalimetall-Salze sind in Äthanol mit intensiv grüner und in Wasser mit blauer Farbe löslich. Die 9,10-Anthrachinon-1-sulfensäure ist eine schwache, leuchtend rote Säure[3,4].

9,10-Anthrachinon-1-sulfensäure-methylester;
F: 189° (orangerote Kristalle)

KOH/C₂H₅OH/H₂O

Ein anderes Herstellungsverfahren für *9,10-Anthrachinon-1-sulfensäure* geht von dem 1-Mercapto-9,10-anthrachinon aus, das mit Pyridin/Schwefeltrioxid bei 180° in die Thiosulfonsäure übergeführt wird, die durch kurzes Erwärmen mit verdünnter Kalilauge in 25%-iger Ausbeute zur Sulfensäure hydrolysiert wird[5].

Durch Erwärmen der 9,10-Anthrachinon-1- und -2-sulfensäurehalogenide mit einer wäßrigen Dinatriumsulfid-Lösung entstehen die Mercaptide. Anthrachinon-1-sulfensäurehalogenide setzen sich mit Ammoniak zu 1(S),9(N)-Thiazolanthron-(10) und mit Anilin zu den 9,10-Anthrachinon-1-sulfensäure-aniliden um[2].

Über die Kondensation des 9,10-Anthrachinon-1-sulfensäurechlorids mit Natrium-acetessigsäure-äthylester zum *2'-Acetyl-1(S),9-thiopheno-anthron-(10)*[2] s. S. 339.

---

[1] DRP. 594169 (1932), I.G. Farb., Erf.: W. MIEG; Frdl. **20**, 1318.
[2] K. FRIES u. G. SCHÜRMANN, B. **52**, 2170 (1919).
[3] K. FRIES, B. **45**, 2965 (1912).
[4] Über die Struktur der 9,10-Anthrachinon-1-sulfensäure: P. N. RYLANDER, J. Org. Chem. **21**, 1296 (1956).
[5] A. DORNOW, B. **72**, 568 (1939).

Die 1-Sulfensäurehalogenide reagieren leicht mit 2-Naphthol oder Resorcin zu gemischten Thioäthern[1-4]. Das Anthrachinon-1- und -2-sulfensäurechlorid läßt sich auch mit Benzol unter Zusatz von Aluminiumchlorid zu den *1-* bzw. *2-Phenylmercapto-9,10-anthrachinonen* kondensieren[1,5].

k) Herstellung von Cyan-9,10-anthrachinonen

Die α- und β-Cyan-9,10-anthrachinone sind in großer Zahl nach den üblichen Verfahren zugänglich. Es sind stabile Verbindungen, die vor allem zur Herstellung von 9,10-Anthrachinon-carbonsäuren und -carbonsäureamiden (s. S. 240 u. 255) dienen.

Auffallend ist die intensiv blaue bis blaugrüne Küpenfarbe aller α-Cyan-9,10-anthrachinone, während die Küpen der β-Cyan-9,10-anthrachinone braun bis braunrot sind.

1. Herstellung von Cyan-9,10-anthrachinonen aus Halogen-9,10-anthrachinonen

Die Überführung von Halogen- in Cyan-9,10-anthrachinone wird praktisch nur mit Kupfer(I)-cyanid vorgenommen[6]. Wichtig für das Gelingen ist ein frisch gefälltes und vorsichtig getrocknetes Cyanid und ein geeignetes Reaktionsmedium wie z. B. Pyridin[6], Chinolin, Dimethylformamid, Acetonitril[7] und vor allem Phenylacetonitril[7], das anscheinend einen besonders reaktionsfähigen und gut löslichen Komplex mit dem Kupfer(I)-cyanid bildet. Die Reaktionstemperaturen liegen zwischen 60 und 230°.

β-Ständige Halogen-Atome, die nicht durch benachbarte Gruppen aktiviert sind, setzen sich verhältnismäßig schlecht um[8].

Aus den entsprechenden Chlor-Verbindungen wurden durch Umsetzung in Phenylacetonitril bei 230° u. a. hergestellt:

1-Cyan-9,10-anthrachinon[7]; 95% d. Th.; F: 245–247° (blaue Küpe)
1,4-Dicyan-9,10-anthrachinon[7]
1,5-Dicyan-9,10-anthrachinon[7]; 95% d. Th.
1,8-Dicyan-anthrachinon[9]; ~75% d. Th.
2,3-Dimethyl-1,4-dicyan-9,10-anthrachinon[10]; ~75% d. Th.

Durch Einsatz geringerer Mengen Kupfer(I)-cyanid (48,5 g) und Phenylacetonitril (300 g) wird aus 1,8-Dichlor-9,10-anthrachinon (100 g) das *1-Chlor-8-cyan-9,10-anthrachinon* (F: 310°) erhalten[10]. Aus 1,4,5,8-Tetrachlor-9,10-anthrachinon entsteht das *8-Chlor-1,4,5-tricyan-9,10-anthrachinon* und bei langer Reaktionsdauer und mit einem großen Überschuß an Phenylacetonitril das *1,4,5,8-Tetracyan-9,10-anthrachinon* (küpt mit grüner Farbe)[7].

Bei Dihalogen-9,10-anthrachinonen mit unterschiedlich reaktionsfähigen Halogen-Atomen gelingt es leicht nur eines auszutauschen.

Einige Beispiele – ausgehend von den entsprechenden Dibrom-Verbindungen – sind im folgenden aufgeführt:

[1] K. FRIES u. G. SCHÜRMANN, B. **52**, 2170 (1919).
[2] K. FRIES, B. **45**, 2965 (1912).
[3] K. FRIES, B. **45**, 2972 (1912).
[4] K. FRIES u. G. SCHÜRMANN, B. **52**, 2193 (1919).
[5] R. PANICO u. J. KLEIN, Bl. **1966**, 2942.
[6] DRP. 271790 (1913), Farbw. Hoechst; Frdl. **11**, 593.
[7] DRP. 484663 (1925), I.G. Farb., Erf.: K. SCHIRMACHER u. L. VAN ZÜTPHEN; Frdl. **16**, 1252.
[8] DRP. 275517 (1913), Farbw. Hoechst; Frdl. **12**, 444.
[9] H. WALDMANN u. A. OBLATH, B. **71**, 370 (1938).
[10] H. WALDMANN u. R. STENGL, B. **83**, 167 (1950).

3-Brom-2-amino-1-cyan-9,10-anthrachinon[1] (in Pyridin, 6 Stdn. sieden)
2-Brom-1-amino-4-cyan-9,10-anthrachinon[2] (in Pyridin bei 100°); ~80%d.Th.; F: 270°
1-Amino-2,4-dicyan-9,10-anthrachinon (in Pyridin bei 200°); ~33% d.Th.; Zers.P.: 325°
3-Brom-2-hydroxy-1-cyan-9,10-anthrachinon[1]
2-Brom-1,4-dicyan-9,10-anthrachinon[2] (in Phenylacetonitril bei 130°); ~80% d.Th.
1,5-Diamino-3,7-dicyan-9,10-anthrachinon[2] (in Pyridin bei 190°); ~35° d.Th.
1,8-Diamino-3,6-dicyan-9,10-anthrachinon[2] ; ~ 40° d.Th.

In der β-Reihe wurden aus den entsprechenden Brom-Verbindungen erhalten:

2-Cyan-9,10-anthrachinon[3] (in Pyridin bei 190°); ~50% d.Th.; Küpe: braun
1-Amino-3-cyan-9,10-anthrachinon[2] (in Pyridin bei 190°); 41% d.Th.; F: 263–264°

Aus 2-Chlor-9,10-anthrachinon-3-carbonsäure-methylester fällt der *2-Cyan-9,10-anthrachinon-3-carbonsäure-methylester* (F: 248°) nur dann mit guter Ausbeute an, wenn man die Umsetzung mit Kupfercyanid in Phenylacetonitril in der Siedehitze sofort unterbricht, sobald völlige Lösung eingetreten ist[4]. Längeres Erhitzen führt unter Mitwirkung von Phenylacetonitril zu Ringschlüssen.

1,5-Dicyan-9,10-anthrachinon[5]: 27 g 1,5-Dichlor-9,10-anthrachinon, 18 g Kupfer(I)-cyanid und 130 g Phenylacetonitril werden unter Rühren erhitzt, bis eine exotherme Reaktion einsetzt. Die Umsetzung ist beendet, wenn alles in Lösung gegangen ist.

Nach dem Erkalten kristallisiert der entstandene Kupfer-Komplex aus, der abgesaugt und mit Benzol ausgewaschen wird. Durch mehrmaliges Digerieren mit heißer 2n Salpetersäure wird dieser aufgespalten, das 1,5-Dicyan-9,10-anthrachinon abgesaugt und ausgewaschen; Ausbeute: ~90% d.Th.

Das *1,5-Dicyan-9,10-anthrachinon* läßt sich aus Nitrobenzol umkristallisieren; Zers. P.: >380°; Küpenfarbe: grün.

Hohe Ausbeuten sollen generell erzielt werden, wenn man Komplex-Verbindungen des Kupfer(I)-cyanids entstehen läßt, die im Reaktionsmedium (vorzugsweise Nitrobenzol) mit dem Halogen-9,10-anthrachinon homogen löslich sind und die sich nach erfolgter Umsetzung als Cyan-9,10-anthrachinon/Kupfer(I)-cyanid/Amin- bzw. Nitril-Komplexe unlöslich abscheiden[6]. Als Komplexbildner haben sich bewährt: Cyclohexylamin, Pyridin, Chinolin und Phenylacetonitril, die mit ~1 Mol pro Mol Kupfer(I)-cyanid zum Einsatz kommen.

Die Reaktionstemperaturen liegen zwischen 130 und 190°, die Ausbeuten meist um 90% d.Th. So wurden umgesetzt[6]:

2-Brom-1-amino-9,10-anthrachinon	→ *1-Amino-2-cyan-9,10-anthrachinon*
3-Brom-1-amino-9,10-anthrachinon	→ *1-Amino-3-cyan-9,10-anthrachinon*
2,4-Dibrom-1-amino-9,10-anthrachinon	$\xrightarrow{135°}$ *1-Amino-2-brom-4-cyan-9,10-anthrachinon*
4-Chlor-1-amino-9,10-anthrachinon	$\xrightarrow{160°}$ *1-Amino-4-cyan-9,10-anthrachinon*
5-Chlor-1-amino-9,10-anthrachinon	→ *1-Amino-5-cyan-9,10-anthrachinon*
8-Chlor-1-amino-9,10-anthrachinon	→ *1-Amino-8-cyan-9,10-anthrachinon*
1-Brom-2-amino-9,10-anthrachinon	→ *2-Amino-1-cyan-9,10-anthrachinon*
1-Chlor-8-nitro-9,10-anthrachinon	→ *8-Nitro-1-cyan-9,10-anthrachinon*
2-Chlor-3-benzoyl-9,10-anthrachinon	$\xrightarrow{180°}$ *3-Benzoyl-2-cyan-9,10-anthrachinon*
1-Chlor-9,10-anthrachinon-2-carbonsäure	$\xrightarrow{165°}$ *9,10-Anthrachinon-1,2-dicarbonsäureimid*
3-Brom-2-hydroxy-9,10-anthrachinon	→ *2-Hydroxy-3-cyan-9,10-anthrachinon*

2-Amino-1-cyan-9,10-anthrachinon[6]: Ein Gemisch aus 500 g 1-Chlor-2-amino-9,10-anthrachinon, 200 g Kupfer(I)-cyanid, 230 g Cyclohexylamin und 2400 g Nitrobenzol erhitzt man solange auf 160–165°, bis eine Probe eine rein blaue Küpe liefert, was nach einigen Stdn. der Fall ist. Nach dem Erkalten saugt man ab, wäscht den Rückstand mit Nitrobenzol, anschließend mit Methanol, dann mit verd. Salzsäure und Wasser aus. Man erhält so das 2-Amino-1-cyan-9,10-anthrachinon in ~90%-iger Ausbeute (gelbrote Nadeln; blaue Küpe).

[1] DRP. 271790 (1913), Farbw. Hoechst; Frdl. **11**, 593.
[2] H. HOPFF, J. FUCHS u. K. H. EISENMANN, A. **585**, 161 (1954).
[3] DRP. 275517 (1913), Farbw. Hoechst; Frdl. **12**, 444.
[4] DRP. 675818 (1936), I.G. Farb., Erf.: F. BAUMANN u. H.-W. SCHWECHTEN; Frdl. **25**, 745.
[5] DRP. 484663 (1925), I.G. Farb., Erf.: K. SCHIRMACHER u. L. VAN ZÜTPHEN; Frdl. **16**, 1252.
[6] DRP. 728948 (1936) ≡ Fr.P. 828202 (1936/37). I.G. Farb., Erf.: W. BRAUN u. K. KÖBERLE; C. **1938** II, 3159.

2-Acetylamino-3-cyan-9,10-anthrachinon[1]: Ein Gemisch aus 500 g 3-Brom-2-acetylamino-9,10-anthrachinon, 2500 g Nitrobenzol, 126 g Pyridin und 143 g Kupfer(I)-cyanid wird 2 Stdn. auf 185–190° erhitzt. Nach dem Abkühlen saugt man den entstandenen Komplex ab, wäscht mit Methanol, starker Salzsäure und schließlich mit Wasser nach; Ausbeute: 95% d. Th.; F: 320–321°.

2. Herstellung von Cyan-9,10-anthrachinonen aus 9,10-Anthrachinon-sulfonsäuren

In den 9,10-Anthrachinon-sulfonsäuren läßt sich die Sulfo-Gruppe im allgemeinen nicht gegen die Cyan-Gruppe austauschen. Eine Ausnahme machen praktisch nur die 1,4-Diamino-9,10-anthrachinon-2-sulfonsäuren[2], die mit Kaliumcyanid die Sulfo-Gruppe leicht gegen die Cyan-Gruppe austauschen und außerdem noch ein weiteres Molekül Cyanwasserstoff in 3-Stellung anlagern können. Am Beispiel der 1-Amino-4-alkyl-amino-9,10-anthrachinon-2-sulfonsäuren konnte der Reaktionsablauf aufgeklärt werden[2].

Erhitzt man eine 1-Amino-4-alkylamino-9,10-anthrachinon-2-sulfonsäure mit einer wäßrigen Lösung von Kaliumcyanid – möglichst unter Luftausschluß – und sorgt für eine nicht ganz vollständige Umsetzung, so entsteht einheitlich das *1-Amino-4-alkylamino-2-cyan-9,10-anthrachinon*.

Bei vollständigem Umsatz und einer etwas größeren Kaliumcyanid-Menge und unter Luftzutritt wird das *1-Amino-4-alkylamino-2,3-dicyan-9,10-anthrachinon* zum Hauptprodukt. Dieses spaltet bei ~110° Cyanwasserstoff ab und führt zu einem Gemisch aus *1-Amino-4-alkylamino-2-* und *-3-cyan-9,10-anthrachinon*. Das 3-Isomere wandelt sich beim Erhitzen mit einer Kaliumcyanid-Lösung auf ~120° z. Tl. in das 2-Isomere um[3]:

Dabei spielen sich eine Reihe von Redoxvorgängen ab, z. T. unter Bildung von Dihydro-Verbindungen.

Aus der 1,4-Diamino-9,10-anthrachinon-2-sulfonsäure[3] und der -2,3-disulfonsäure[4] (15 Min. bei 95°) läßt sich das *1,4-Diamino-2,3-dicyan-9,10-anthrachinon* leicht herstellen.

Die 1-Amino-4-arylamino-9,10-anthrachinon-2-sulfonsäuren setzen sich schwerer mit Kaliumcyanid um. Da der Eintritt einer zweiten Cyan-Gruppe nur sehr schwer gelingt, fallen einheitliche 1-Amino-4-arylamino-2-cyan-9,10-anthrachinone an[3].

In analoger Weise wird aus der 1,4-Dihydroxy-9,10-anthrachinon-2-sulfonsäure beim Erhitzen mit einer ~2%-igen wäßrigen Kaliumcyanid-Lösung auf 90° das *1,4-Dihydroxy-2,3-dicyan-9,10-anthrachinon* erhalten[5]. Die 4,8-Diamino-1,5-dihydroxy-9,10-an-

---

[1] DRP. 728948 (1936) ≡ Fr.P. 828202 (1936/37), I.G. Farb., Erf.: W. Braun u. K. Köberle; C. **1938** II, 3159.
[2] DRP. 536998 (1930), I.G. Farb., Erf.: M. Kugel; Frdl. **18**, 1257.
  Ausführlicher ist das Verfahren im entsprechenden US.P. 1938029 (1929/30), General Aniline Works, Inc.; C. **1932** II, 1975 beschrieben.
[3] DRP. 536998 (1930), I.G. Farb., Erf.: M. Kugel; Frdl. **18**, 1257.
[4] DBP. 935669 (1953), Farbf. Bayer, Erf.: F. Baumann; C. A. **53**, 7127ᶠ (1959).
[5] C. Marschalk, Bl. [5] **2**, 1816 (1935).

thrachinon-2,6-disulfonsäure liefert mit Kaliumcyanid keine analogen Umsetzungsprodukte[1].

1-Amino-4-methylamino-2-cyan-9,10-anthrachinon[2, 3]: 675 g 1-Amino-4-methylamino-9,10-anthrachinon-2-sulfonsäure werden mit 165 g Kaliumcarbonat in 9,5 l Wasser gelöst und mit 263 g Natriumcyanid und 75 g Ammoniumhydrogencarbonat versetzt. Dann wird im Autoklaven 6 Stdn. auf 127° erhitzt (~ 3 at).

Nach dem Abkühlen wird abgesaugt und mit heißem Wasser ausgewaschen; Ausbeute: 542 g (das Filtrat muß durch Kochen mit Natriumtetrasulfan entgiftet werden!).

256 g des Rohproduktes werden 1 Stde. mit 1,5 l einer 95%-ig. Schwefelsäure bei 20° gerührt, um Verunreinigungen und das Isomere zu lösen. Dann wird abgesaugt, mit einer 90%-ig. Schwefelsäure nachgewaschen und der Filterkuchen mit Eiswasser digeriert; Reinausbeute: ~ 200 g.

Es löst sich: in Pyridin grünblau, in konz. Schwefelsäure braungelb, unter Zusatz eines Tropfens Formaldehyd-Lösung grünblau.

Die Verseifung zum *Carbonsäureamid* wird mit Schwefelsäure-Monohydrat zwischen 30 und 40° innerhalb von 3–4 Stdn. durchgeführt (*„Cellitonechtblau FFB"*).

1,4-Diamino-2,3-dicyan-9,10-anthrachinon[4]: 140 g 1,4-Diamino-9,10-anthrachinon-2-sulfonsäure, 32 g krist. Natriumacetat und 3 g Ammoniumvanadat werden in 7,5 l Wasser gelöst. Unter Rühren gibt man 180 g Natriumcyanid zu. Innerhalb 1 Stde. wird auf 90° erhitzt und diese Temp. weitere 4 Stdn. beibehalten. Von Anfang an werden 28 l/Stde. Luft durch das Reaktionsgemisch geleitet, wobei sich das Reaktionsprodukt allmählich kristallin abscheidet. Es wird heiß abgesaugt und mit heißem Wasser ausgewaschen; Ausbeute: 122 g (96% d. Th.).

Eine genaue Verfahrensbeschreibung zur Herstellung von *1-Amino-4-(2-methoxy-äthylamino)-2,3-dicyan-9,10-anthrachinon* aus 1-Amino-4-(2-methoxy-äthylamino)-9,10-anthrachinon-2-sulfonsäure mit 55% Ausbeute findet sich in Lit.[5].

1,4-Diamino-9,10-anthrachinon-2,3-dicarbonsäureimid[6]: 10 g 1,4-Diamino-9,10-anthrachinon-2-carbonsäureamid und 10 g Natriumcyanid werden in 50 g DMF unter Zusatz von ~ 0,5 g Ammoniumvanadat und Luftdurchleiten ~ 1 Stde. auf 90° erhitzt.

Nach dem Erkalten rührt man in 400 *ml* Wasser ein, saugt ab und trocknet; Ausbeute: 8,5 g.

1,4-Diamino-9,10-anthrachinon-2,3-dicarbonsäureimid kann auch aus dem 1,4-Diamino-2,3-dicyan-9,10-anthrachinon durch Erhitzen mit konzentrierter Schwefelsäure auf 50–70° hergestellt werden[7]. Durch Erhitzen mit schwachem Oleum auf 150° entsteht das *1,4-Diamino-9,10-anthrachinon-2,3-dicarbonsäureanhydrid*.

3. Herstellung von Cyan-9,10-anthrachinonen aus Amino-9,10-anthrachinonen durch die Sandmeyer-Reaktion

Aus Amino-9,10-anthrachinonen lassen sich eine große Zahl von Nitrilen nach dem Sandmeyer-Verfahren herstellen. Die Ausbeuten sind jedoch meist mäßig und die anfallenden Produkte unrein.

Die Cyanierungen werden zweckmäßig bei p_H: 6–7 durchgeführt, um die reduzierende Wirkung des Kupfer(I)-cyanids zurückzudrängen. Herstellbar sind u. a.:

2-Brom-1-cyan-9,10-anthrachinon[8]
2,4-Dibrom-1-cyan-9,10-anthrachinon[9]; 49% d. Th.; F: 267–269°
1,5-Dicyan-9,10-anthrachinon[10].

[1] M. KUGEL, I.G. Farb. Leverkusen (1928).
[2] BIOS Final Rep. Nr. **1484**, 55 (1948), I.G. Farb. Mainkur.
[3] DRP. 536998 (1930), I.G. Farb., Erf.: M. KUGEL; Frdl. **18**, 1257.
[4] DAS. 1108704 (1959), BASF, Erf.: W. BRAUN u. M. RUSKE; C. A. **56**, 8657ᵃ (1962).
[5] US.P. 2573732 (1949), Celanese Corp. of America, Erf.: V. S. SALVIN u. J. R. ADAMS; C. A. **46**, 2304ᶜ (1952).
[6] DAS. 1250031 (1963), BASF, Erf.: E. HARTWIG u. W. BRAUN; C. A. **66**, 86604ˣ (1967).
[7] US.P. 2628963 (1951), DuPont, Erf.: J. F. LAUCIUS u. S. B. SPECK; C. A. **47**, 11743ᵉ (1953).
[8] A. SCHAARSCHMIDT, A. **405**, 115 (1914).
[9] H. HOPFF, J. FUCHS u. K. H. EISENMANN, A. **585**, 173 (1954).
[10] R. SCHOLL, S. HASS u. K. H. MEYER, B. **62**, 109 (1929).

Besonders schlechte Ausbeuten werden aus 1-Chlor-9,10-anthrachinon-2-diazonium-sulfat[1] und 2-Methyl-9,10-anthrachinon-1-diazoniumsulfat erhalten. Letzteres wird z. T. zum 2-Methyl-9,10-anthrachinon reduziert[2]. *2,4-Dimethyl-1-cyan-9,10-anthrachinon* (F: 225–226°) hingegen fällt mit 62%-iger Ausbeute an[3].

Keine Nitrile lassen sich u. a. aus o-Hydroxy-, o-Amino- und o-Amino-cyan-9,10-anthrachinonen herstellen.

2-Brom-1-cyan-9,10-anthrachinon[4]: 101 g 2-Brom-1-amino-9,10-anthrachinon werden in 600 *ml* konz. Schwefelsäure gelöst. Bei 20–25° rührt man portionsweise 25 g feingepulvertes Natriumnitrit ein. Nach ~ 30 Min. gibt man einige Eisstückchen zu, um die Diazotierung zu vollenden. Sobald eine mit Wasser versetzte Probe farblos ist, wird der Ansatz in ~ 2 kg Eis und 0,5 kg Natriumsulfat ausgetragen, nach ~ 30 Min. das Diazonium-sulfat abgesaugt, mit 400 *ml* kalter, gesättigter Natriumsulfat-Lösung ausgewaschen und abgepreßt. Nach dem Anschlämmen in ~ 2 *l* Wasser rührt man in eine 40–50° warme Lösung ein, die aus 150 g krist. Kupfersulfat in 600 *ml* Wasser und 165 g Kaliumcyanid in 300 *ml* Wasser, bereitet wurde. Dann erhitzt man noch kurz auf 95°, saugt den Niederschlag heiß ab, wäscht mit heißem Wasser und anschließend mit verd. Salpetersäure aus; Ausbeute: 66 g (63% d. Th.).

Wegen der reduzierenden Nebenwirkung des Kupfer(I)-cyanids kristallisiert man das Rohprodukt aus Essigsäure, dem etwas Chrom(VI)-oxid zugefügt ist, um.

Rosa Kristalle (F: 302°), küpt mit intensiv blauer Farbe.

In analoger Weise wird das *2,4-Dibrom-1-cyan-9,10-anthrachinon* (49% d. Th.; F: 267–269°) erhalten[5].

Das Sandmeyer-Verfahren leistet jedoch zur Herstellung von Cyan-9,10-anthrachinon-sulfonsäuren gute Dienste. So sind leicht zugänglich:

1-Cyan-9,10-anthrachinon-2-sulfonsäure[6]
1-Cyan-9,10-anthrachinon-5-, -6-, -7- bzw. -8-sulfonsäure
2-Cyan-9,10-anthrachinon-3-sulfonsäure
2-Cyan-9,10-anthrachinon-6- und -7-sulfonsäure
1,5-Dicyan-9,10-anthrachinon-2-sulfonsäure

die sich mit Kaliumchlorat und Salzsäure glatt in die Chlor-cyan-9,10-anthrachinone überführen lassen[6] (s. a. S. 59), z. B. in

2-Chlor-1-cyan-9,10-anthrachinon	F: 284°
3-Chlor-2-cyan-9,10-anthrachinon	F: 284°
6-Chlor-1-cyan-9,10-anthrachinon	
6-Chlor-2-cyan-9,10-anthrachinon	F: 304–306°
2-Chlor-1,5-dicyan-9,10-anthrachinon	

l) Herstellung und Umwandlung von Hydroxyalkyl-9,10-anthrachinonen

Für die Herstellung von Hydroxyalkyl-9,10-anthrachinonen gibt es eine Reihe – meist nicht allgemein anwendbarer – Verfahren:

(a) Die Anlagerung von Formaldehyd an Polyhydroxy-9,10-anthrachinone (s. S. 131)
(b) Die Einwirkung von Formaldehyd auf die Leuko-Derivate der 1-Amino- und 1-Hydroxy-9,10-anthrachinone oder deren -2-sulfonsäuren zu 1-Amino- (bzw. 1-Hydroxy)-2-hydroxymethyl-9,10-anthrachinonen (s. S. 131 ff., 198).
(c) Die Oxidation von β-Methyl-9,10-anthrachinonen mit Mangandioxid in Oleum zu β-Hydroxymethyl-9,10-anthrachinon-schwefelsäureestern (s. S. 242)

[1] F. ULLMANN u. H. BINCER, B. **49**, 735 (1916).
[2] F. MAYER et al., B. **63**, 1469 (1930).
[3] R. SCHOLL et al., A. **512**, 128 (1934).
[4] A. SCHAARSCHMIDT, A. **405**, 115 (1914).
[5] H. HOPFF, J. FUCHS u. K. H. EISENMANN, A. **585**, 173 (1954).
[6] DRP. 570859 (1931), I.G. Farb., Erf.: B. STEIN; Frdl. **19**, 1922.

(d) Sekundäre Alkohole sind durch Reduktion der 1- bzw. 2-Acyl-9,10-anthrachinone mit Natriumboranat zugänglich[1]. So lassen sich 1- und 2-Acetyl-9,10-anthrachinon in einem alkalischen Wasser-1,4-Dioxan-Gemisch bei 55°, wobei die Leuko-Verbindungen entstehen, reduzieren[1] zu

1-(1-Hydroxy-äthyl)-9,10-anthrachinon (F: 144°) bzw.
2-(1-Hydroxy-äthyl)-9,10-anthrachinon (F: 115–117°).

(e) Die Hydrolyse von Bromalkyl-9,10-anthrachinonen kommt praktisch nicht in Betracht, da diese direkt nur schwer herstellbar sind.

Bei der Oxidation von 1-Methyl-9,10-anthrachinonen in wasserhaltiger Schwefelsäure entsteht auch mit einem Unterschuß an Mangandioxid stets ein Gemisch aus Ausgangsmaterial, 1-Hydroxymethyl- und 1-Formyl-9,10-anthrachinon (s. S. 246).

Läßt man dagegen auf 2-Methyl-9,10-anthrachinone in 10%-igem Oleum getrocknetes Mangandioxid einwirken, so gelingt es glatt, die Carbinol-Stufe in Form des Schwefelsäurehalbesters abzufangen[2].

2-Hydroxymethyl-9,10-anthrachinon-schwefelsäurehalbester[2]: 200 g 2-Methyl-9,10-anthrachinon werden mit 110% der erforderlichen Menge trockenem Mangandioxid gemischt und unter Kühlen in 2 kg 10%-iges Oleum zwischen 20–25° langsam eingerührt. Dann läßt man die Temp. auf 60° ansteigen, bis eine Probe wasserlöslich geworden ist und rührt in Eiswasser ein, in dem 90 g Kaliumchlorid gelöst sind. Der scharf abgesaugte Filterkuchen wird in heißem Wasser gelöst, dann wird filtriert. Durch Aussalzen mit Kaliumchlorid scheidet sich das Kaliumsalz des 2-Hydroxymethyl-9,10-anthrachinon-schwefelsäurehalbesters in 85%-iger Ausbeute ab.

Durch Erhitzen mit 10%-iger Schwefelsäure erhält man das *2-Hydroxymethyl-9,10-anthrachinon* (F: 189–191°).

In gleicher Weise sind u. a. herstellbar[2]:

1-Chlor-2-hydroxymethyl-9,10-anthrachinon	85% d. Th.; F: 202–203°
3-Chlor-2-hydroxymethyl-9,10-anthrachinon	60% d. Th.; F: 215–216°
4-Chlor-2-hydroxymethyl-9,10-anthrachinon	13% d. Th.; F: 176–178°
1,4-Dichlor-2-hydroxymethyl-9,10-anthrachinon	55% d. Th.; F: 169–171°

Das Verfahren versagt bei solchen 2-Methyl-9,10-anthrachinonen, die eine Nitro-, Amino- oder Diazonium-Gruppe in 1-Stellung tragen.

Die 2-Hydroxymethyl-9,10-anthrachinone sind (als potenzielle Allylalkohole) äußerst reaktionsfähig. In der Kälte entstehen aus ihnen mit Thionylchlorid die 2-Chlormethyl-9,10-anthrachinone[2] und in konzentrierter Schwefelsäure erfolgt momentane Veresterung.

Die Umsetzung von 1-Chlor-2-chlormethyl-9,10-anthrachinon mit Natriumhydrogensulfit führt zur *1-Chlor-9,10-anthrachinonyl-(2)-methansulfonsäure*[3].

Die leichte Kondensierbarkeit der 1-Hydroxy-2-hydroxymethyl- und 2-Amino-1-hydroxymethyl-9,10-anthrachinone mit Aromaten ist auf den S. 134, 199 beschrieben.

m) Herstellung von 9,10-Anthrachinon-aldehyden und -carbonsäuren

1. Allgemeines

α) über 9,10-Anthrachinon-aldehyde

Sowohl die α- als auch die β-Formyl-9,10-anthrachinone verhalten sich bei Kondensationsreaktionen wie aromatische Aldehyde. Die β-Aldehyde sind stabile und anscheinend nicht autoxidable Verbindungen. Die α-Aldehyde hingegen werden bereits durch Alka-

---

[1] G. MANECKE u. W. STORCK, B. **94**, 3244 (1961).
   A. ÉTIENNE et al., C.r. **256**, 2429 (1963).
[2] DRP. 526800 (1930), I.G. Farb., Erf.: W. ALBRECHT; Frdl. **18**, 1232.
[3] DRP. 622311 (1934), I.G. Farb., Erf.: B. BIENERT; Frdl. **22**, 1049.

lien verändert und durch konzentrierte Schwefelsäure zu dimeren Verbindungen kondensiert. Sie sind erheblich leichter zu Carbonsäuren zu oxidieren als die β-Aldehyde.

Charakteristisch für alle α-Aldehyde ist die kornblumenblaue Farbe, die in Essigsäure
beim Erwärmen mit einem Tropfen Anilin auftritt. Außerdem rufen sie auf der Haut eine
Rotfärbung hervor.

Während die Küpenfarbe der 9,10-Anthrachinone-α-aldehyde rotbraun ist, sind die
Küpen aller β-Aldehyde intensiv grün. Das gleiche gilt für die Ketone.

Wahrscheinlich reagieren die α-Aldehyde in verschiedenen isomeren Formen, etwa:

Die Oxidation von Methyl-9,10-anthrachinonen zu 9,10-Anthrachinon-carbonsäuren
durchläuft die Hydroxymethyl- und Aldehyd-Stufen. Sind die Methyl-Gruppen schwer
oxidierbar, dann müssen energisch wirkende Oxidationsmittel eingesetzt werden, die direkt bis zur Endstufe führen. Die Verfahren, welche die Herstellung der Aldehyde ermöglichen, führen meist bei größerem Einsatz an Oxidationsmitteln oder bei erhöhten Temperaturen ebenfalls zu Carbonsäuren, so daß die Herstellung von Anthrachinon-carbonsäu-
ren oft zusammen mit der von Aldehyden beschrieben werden muß.

β) Allgemeines über 9,10-Anthrachinon-carbonsäuren

Die 9,10-Anthrachinon-carbonsäuren besitzen keine hervorstechenden Eigenschaften.
Die Alkalimetall-Salze der α-Carbonsäuren sind leichter löslich als die vergleichbarer β-
Carbonsäuren. Um schwer lösliche Carbonsäuren zu lösen, empfiehlt es sich, die freien
Carbonsäuren mit einer Wasser-Pyridin- oder Wasser-Triäthanolamin-Lösung zu erhit-
zen.

Alle 9,10-Anthrachinon-carbonsäuren verküpen mit rotbrauner Farbe.

Die α-ständigen Carboxy-Gruppen reagieren bei Kondensationsreaktionen z. Tl. nicht
einheitlich, da sie im Gleichgewicht mit den Lacton-Formen stehen (s. S. 266, 269):

Der Eintritt von Substituenten in 9,10-Anthrachinon-carbonsäuren erfolgt im carb-
oxy-gruppenfreien Kern. Sonst sind die Reaktionsbedingungen praktisch die gleichen wie
für das 9,10-Anthrachinon und seine Substitutionsprodukte. In den 9,10-Anthrachinon-
carbonsäuren und -nitrilen können Substituenten, wie Halogen-Atome, Nitro- und Sulfo-Gruppen, in der üblichen Weise ausgetauscht werden.

Es erübrigt sich daher, allzu ausführlich auf die Herstellung von substituierten 9,10-An-
thrachinon-carbonsäuren einzugehen.

Die Substituenten weisen natürlich eine stark erhöhte Reaktivität auf, wenn sie in o-
oder p-Stellung zur Carboxy-Gruppe stehen. Da die Carboxy-Gruppen als Alkalimetall-
oder Pyridin-Salze Umsetzungen in wäßrigen Lösungen ermöglichen, sind die Reaktions-

zeiten meist kürzer, die Ausbeuten höher und die Reinigungsverfahren einfacher durchzu-führen, als bei den 9,10-Anthrachinonen ohne löslichmachende Gruppen.

Die Herstellung der Carbonsäuren durch Oxidation der Aldehyde oder durch Hydro-lyse von Cyan-9,10-anthrachinonen wird ebenfalls nur knapp abgehandelt, da sich diese Reaktionen in praktisch allen Fällen glatt durchführen lassen.

Zur Reinigung von 9,10-Anthrachinon-carbonsäuren ist das Umkristallisieren aus kon-zentrierter Salpetersäure zu empfehlen.

α-Ständige Carboxy-Gruppen spalten bei erheblich niedrigeren Temperaturen Kohlen-dioxid ab als β-ständige. So entsteht aus 9,10-Anthrachinon-1,3-dicarbonsäure beim Schmelzen glatt *9,10-Anthrachinon-2-carbonsäure*[1]. 1-Chlor-9,10-anthrachinon-4-car-bonsäure wird nach einer speziellen Arbeitsweise – Erhitzen in N-Methyl-2-pyrrolidon unter Zusatz von Kupfer(I)-oxid – bereits bei 150° decarboxyliert[2].

Im übrigen wird die thermische Stabilität einer 9,10-Anthrachinon-carbonsäure auch stark durch Substituenten beeinflußt. So tritt z. B. bei der Oxidation von 1,8-Dichlor-2,7-dimethyl-9,10-anthrachinon mit Mangandioxid in konzentrierter Schwefelsäure bei 100° eine vollständige Decarboxylierung ein[3].

2. Herstellung von 9,10-Anthrachinon-β-aldehyden durch Oxidation von β-Methyl-9,10-anthrachinonen mit Nitrobenzol und schwachen Alkalien

Erhitzt man 2-Methyl-9,10-anthrachinon in Nitrobenzol mit Kaliumcarbonat, Natri-umacetat u. ä. in Gegenwart von Anilin, so entsteht mit guter Ausbeute das *2-(Phenylimi-no-methyl)-9,10-anthrachinon*[4] (Schiff'sche Base des 9,10-Anthrachinon-2-aldehyds), das leicht hydrolytisch gespalten werden kann (s. Bd. VII/1, S. 155):

In gleicher Weise lassen sich eine Reihe von Derivaten herstellen[4].

1-Amino-2-formyl-9,10-anthrachinon[4]: 100 g 1-Amino-2-methyl-9,10-anthrachinon werden mit 700 *ml* Ni-trobenzol, 50 *ml* Anilin und 50 g Kaliumcarbonat 6 Stdn. unter Rückflußsieden kräftig gerührt. Aus der heiß fil-trierten Lösung scheiden sich beim Erkalten dunkelrote Kristalle ab, die abgesaugt und mit Chlorbenzol nachge-waschen werden (F: 212°).

Das so in einer Ausbeute von ∼ 65% d. Th. erhaltene *1-Amino-2-(phenylimino-methyl)-9,10-anthrachinon* küpt mit intensiv grüner Farbe und ist durch Erwärmen mit 90%-ig. Schwefelsäure leicht zum *1-Amino-2-for-myl-9,10-anthrachinon* hydrolysierbar.

Verstärkt man die Alkalität z. B. durch Anwendung von Calciumoxid oder Bariumoxid (ohne Anilin-Zusatz), dann entstehen bei ∼ 120° bereits Gemische aus den Aldehyden und Carbonsäuren. Erhitzt man z. B. 1-Amino-2-methyl-9,10-anthrachinon mit Kalium-hydroxid in Nitrobenzol auf 90°, so wird es in 85%-iger Ausbeute zur *1-Amino-9,10-an-thrachinon-2-carbonsäure* oxidiert.

---

[1] O. Bayer (1930).

[2] DOS. 2329036 (1973), BASF, Erf.: H. Eilingsfeld u. M. Patsch; C. A. **82**, 125181ʲ (1975).

[3] R. Scholl u. K. Ziegs, B. **67**, 1749 (1934).

[4] DRP. 343064, 346188 (1915), 359138 (1916), L. Cassella u. Co., Erf.: G. Kalischer; Frdl. **13**, 395/96, **14**, 862.

1-Amino-4-benzoylamino-2-(phenylimino-methyl)-9,10-anthrachinon[1]:   50 g   1-Amino-2-methyl-4-benzoylamino-9,10-anthrachinon werden unter Rühren mit 300 *ml* Nitrobenzol, 10 *ml* Anilin und 25 g Kaliumcarbonat so lange unter Sieden erhitzt, bis sich eine Probe reinblau in Pyridin löst. Nach dem Absaugen des heißen Reaktionsgemisches kristallisiert die Schiff'sche Base in dunkelblauen Prismen aus (blaugrüne Schwefelsäure-Formaldehyd-Reaktion); Ausbeute: ~ 70% d. Th.

Für die meisten Kondensationsreaktionen kann man direkt von dem Anil ausgehen. Die Spaltung zum 1,4-Diamino-2-formyl-9,10-anthrachinon gelingt nicht mit Schwefelsäure, da in diesem Fall Weiterkondensation erfolgt.

In gleicher Weise sind die Anile zugänglich aus:

1-Amino-5-benzoylamino-2-formyl-9,10-anthrachinon[1]
6-Chlor-1-amino-2-formyl-9,10-anthrachinon[1]
1,4-Diamino-2-formyl-9,10-anthrachinon[2]

3. Wahlweise Herstellung von 9,10-Anthrachinon-aldehyden oder von 9,10-Anthrachinon-carbonsäuren

α) durch Oxidation von Hydroxymethyl-9,10-anthrachinonen

Die Oxidation von Hydroxymethyl-9,10-anthrachinonen zu den entsprechenden Aldehyden und Carbonsäuren läßt sich unter Verwendung geeigneter Oxidationsmittel erheblich leichter durchführen als die der Methyl-9,10-anthrachinone. Als Ausgangsmaterialien kommen praktisch nur die 1-Hydroxy-2-hydroxymethyl- und 1-Amino-2-hydroxymethyl-9,10-anthrachinone in Betracht, die durch Formaldehyd-Kondensationen zugänglich sind. Für deren Oxidation zu den Aldehyden dürfte das schonende und für Allylalkohol spezifische Oxidationsmittel – aktives Mangandioxid in Benzol – besonders geeignet sein. Auf diese Weise wurde aus 1,3-Dihydroxy-2-hydroxymethyl-9,10-anthrachinon das *1,3-Dihydroxy-2-formyl-9,10-anthrachinon* erhalten[3].

Das 1,3,5,7-Tetrahydroxy-2,6-bis-[hydroxymethyl]-9,10-anthrachinon läßt sich durch Eintragen in überschüssige 63%-ige Salpetersäure und allmähliches Erwärmen auf 90° – bis die Entwicklung nitroser Gase beendet ist – zum *1,3,5,7-Tetrahydroxy-2,6-diformyl-9,10-anthrachinon* oxidieren[4]. Dessen Reinigung erfolgt durch Erwärmen mit verdünnter Natriumcarbonat-Lösung, wobei sich ein schwerlösliches Natriumsalz abscheidet, das mit verdünnter Salzsäure hydrolysiert wird. Beim Erhitzen mit Essigsäureanhydrid entsteht das *1,3,5,7-Tetraacetoxy-2,6-diformyl-9,10-anthrachinon-tetraacetat* (F: 223°).

Das in einem Pyridin/Wasser-Gemisch etwas lösliche 1-Amino-2-hydroxymethyl-9,10-anthrachinon wird durch Kaliumpermanganat in Pyridin/Wasser bei 70° unter Zusatz von Natriumcarbonat mit 85%-iger Ausbeute zur *1-Amino-9,10-anthrachinon-2-carbonsäure* (F: 285–288°) oxidiert[5].

1,2,4-Trihydroxy-3-hydroxymethyl-9,10-anthrachinon läßt sich in Schwefelsäure/Borsäure mit Salpetriger Säure bei 145° zur *1,2,4-Trihydroxy-9,10-anthrachinon-3-carbonsäure* (~60% d. Th.)[6] oxidieren.

---

[1] DRP. 938 435 (1953), Farbf. Bayer, Erf.: R. NEEFF u. H.-W. SCHWECHTEN; C. A. **50**, 17 462[a] (1956).
[2] DBP. 892 224 (1948), CIBA, Erf.: P. GROSSMANN u. W. KERN; C. A. **45**, 2677[f] (1951).
[3] N. R. AYYANGAR u. K. VENKATARAMAN, J. sci. Ind. Research (India) **15 B**, 359 (1956).
[4] US.P. 2 200 957 (1938/39), I.G. Farb. und General Aniline & Film Corp., Erf.: G. KRÄNZLEIN u. F. ROEMER; C. A. **34**, 6455[5] (1940).
[5] DOS. 2 130 699 (1970/71), Ciba-Geigy, Erf.: M. GRELAT et al.; C. A. **76**, 59 316[e] (1972).
[6] R. HILL u. D. RICHTER, Soc. **1936**, 1714.

β) durch Oxidation von Methyl-9,10-anthrachinonen mit Mangandioxid [Vanadin(V)-oxid] in Schwefelsäure

Das geeignetste Mittel, um Methyl-Gruppen in 9,10-Anthrachinonen zu Aldehyd- oder Carboxy-Gruppen zu oxidieren, ist Mangandioxid in Schwefelsäure. Hierbei zeigte sich, daß α-ständige Methyl-Gruppen erheblich leichter oxidierbar sind als β-ständige.

Bei der Oxidation von 1-Methyl-9,10-anthrachinon in konzentrierter Schwefelsäure mit Mangandioxid bei $\sim 70°$ entsteht die dimere Verbindung I[1], wobei eine starke violett-rote Färbung auftritt.

Nach der Verminderung der Schwefelsäure-Konzentration kann das Dimere I durch Mangandioxid zur *9,10-Anthrachinon-1-carbonsäure* weiteroxidiert werden. Durch Chrom(VI)-oxid in Essigsäure entsteht das Diketon II[2]. Das gleiche Verhalten zeigen alle α-Methyl-9,10-anthrachinone.

Oxidiert man die α-Methyl-9,10-anthrachinone in einer wasserhaltigen Schwefelsäure, in der sie gerade noch in Lösung bleiben, dann treten diese Dimerisierungen nicht ein, sondern es entstehen direkt die 1-Formyl-9,10-anthrachinone[3] bzw. die 9,10-Anthrachinon-1-carbonsäuren[3].

1-Formyl-9,10-anthrachinon[3]: Zu 50 g 1-Methyl-9,10-anthrachinon, die in 2,2 kg konz. Schwefelsäure gelöst sind, läßt man 410 *ml* Wasser hinzutropfen. Nach dem Abkühlen auf 45° erfolgt eine geringe Kristallabscheidung. Innerhalb von 20 Min. rührt man nun unter mäßiger Kühlung 80 g synth. Mangandioxid ($\sim 60\%$-ig) ein, wobei man die Temp. bei 48–52° hält. Die Oxidationsmasse bleibt hellgelb. Dann rührt man noch 1 Stde. nach, trägt in Eiswasser aus, saugt den völlig farblosen Niederschlag ab und wäscht säurefrei.

Zur Herstellung von v ö l l i g r e i n e m 1-Formyl-9,10-anthrachinon wird die feuchte Paste 3mal mit je 1,3 *l* einer $\sim 3\%$-ig. Natriumhydrogensulfit-Lösung ausgekocht. Nach dem Ansäuern der heißen, hellgelben Lösung mit Salzsäure scheidet sich der Aldehyd in farblosen Flocken ab, die sich leicht am Licht röten; Ausbeute: 31,4 g (60% d. Th.); F: 180–183°; aus Toluol, F: 183–185°.

Der in der Natriumhydrogensulfit-Lösung unlösliche Rückstand ist monomolekular und besteht im wesentlichen aus dem 1-Hydroxymethyl-9,10-anthrachinon; Ausbeute: 14,1 g (aus wasserhaltiger Essigsäure, F: 182–186°).

Unter Berücksichtigung dieses Zwischenproduktes, das bei der nächsten Operation wieder eingesetzt werden kann, beträgt die Ausbeute an 1-Formyl-9,10-anthrachinon $\sim 85\%$ d. Th.

Für die Herstellung größerer Mengen 1-Formyl-9,10-anthrachinon dürfte es einfacher sein, die Mangandioxid-Menge so zu bemessen, daß als Nebenprodukt $\sim 20\%$ Carbonsäure entstehen, die mit einer verd. Natriumcarbonat-Lösung leicht abgetrennt werden können.

4-Chlor-1-formyl-9,10-anthrachinon[3]: In 50 g 4-Chlor-1-methyl-9,10-anthrachinon, die in 2,2 kg konz. Schwefelsäure gelöst sind, werden 275 *ml* Wasser und 175 *ml* Essigsäure eingetropft. Nach dem Abkühlen auf 50°, wobei gerade eine Kristallabscheidung einsetzt, rührt man innerhalb 20 Min. 80 g synth. Mangandioxid ($\sim 60\%$-ig) ein und hält die Temp. durch gelinde Kühlung auf 48–53°. Nach ~ 1 Stde. wird auf Eis gegossen, abgesaugt und ausgewaschen. Mit verd. Natriumcarbonat-Lösung werden 4,5 g 1-Chlor-9,10-anthrachinon-4-carbonsäure herausgelöst. Das zurückbleibende farblose 4-Chlor-1-formyl-9,10-anthrachinon ist $\sim 85\%$-ig; Ausbeute: 45 g; F: 190–197°.

Das reine 4-Chlor-1-formyl-9,10-anthrachinon schmilzt bei 215–216°. Da dessen Hydrogensulfit-Verbindung wenig löslich ist, läßt sich der Aldehyd nur umständlich reinigen.

---

[1] DRP. 481 291 (1925), I.G. Farb., Erf.: B. STEIN; Frdl. **16**, 1269.
[2] DRP. 482 840 (1925), I.G. Farb., Erf.: B. STEIN; Frdl. **16**, 1271.
[3] DRP. 539 100 (1930), I.G. Farb., Erf.: O. BAYER; Frdl. **18**, 1229.

In analoger Weise sind außerdem zugänglich:

3-Methyl-1-formyl-9,10-anthrachinon[1]
4-Methyl-1-formyl-9,10-anthrachinon[1,2]
4-Chlor-3-methyl-1-formyl-9,10-anthrachinon[2]
2,4-Dichlor-1-formyl-9,10-anthrachinon[1]
2-Methoxy-1-formyl-9,10-anthrachinon[3]; F: 242°

Mit einer größeren Menge Mangandioxid entstehen meist mit 90%-iger Ausbeute die entsprechenden Carbonsäuren, wobei man von Anfang an in einer ~90%-igen Schwefelsäure arbeiten kann[2].

Am Beispiel des 1,4-Dimethyl-9,10-anthrachinons wurde gezeigt[2], daß sich die Oxidation in folgender Reihenfolge vollzieht:

4-Methyl-9,10-anthra-
chinon-1-carbonsäure;
F: 233°

4-Formyl-9,10-anthra-
chinon-1-carbonsäure

9,10-Anthrachinon-
1,4-dicarbonsäure

Je nach der angewandten Menge Mangandioxid kann man die Herstellung einer dieser Verbindungen optimieren.

Die leichtere Oxidierbarkeit α-ständiger Methyl-Gruppen ermöglicht die glatte Herstellung von *3-Methyl-9,10-anthrachinon-1-carbonsäure*[2], Zers. P.: 276°, und von *4-Chlor-3-methyl-9,10-anthrachinon-1-carbonsäure*[2].

Mit sehr guten Ausbeuten lassen sich die β-ständigen Methyl-Gruppen mit Mangandioxid in Schwefelsäure zu den β-Aldehyden oxidieren, da in konzentrierter Schwefelsäure diese Oxidation leichter verläuft als die Weiteroxidation zu den Carbonsäuren.

Beim *2-Formyl-9,10-anthrachinon* gelangt man nur dann zu einem weitgehend einheitlichen Produkt, wenn man in einer ~93%-igen Schwefelsäure unter Zusatz von Vanadin(V)-oxid arbeitet[4] (s. a. Bd. VII/1, S. 139). Dieses ist das eigentliche Oxidationsmittel.

Zur Herstellung der Aldehyde verwendet man zweckmäßig synthetisches Mangandioxid und zur Gewinnung der Carbonsäuren natürlichen Braunstein.

2-Formyl-9,10-anthrachinon[4]: Zu 50 g 2-Methyl-9,10-anthrachinon, die in 350 g konz. Schwefelsäure gelöst sind, läßt man eine heiße Lösung von 2 g Vanadin(V)-oxid in 15 *ml* Wasser/50 g konz. Schwefelsäure einlaufen. Bei ~40° wird dazu eine Anschlämmung von 100 g synth. Mangandioxid (75%-ig) in 750 g konz. Schwefelsäure langsam unter zeitweiliger Außenkühlung derart eingerührt, daß die Temp. zum Schluß 80–90° beträgt. Die Zugabe von Mangandioxid wird solange fortgesetzt, bis eine in Wasser gegossene Probe sich gerade in verd. heißer Natriumhydrogensulfit-Lösung löst. Die gelbe, breiige Oxidationsmasse wird hierauf noch heiß in vorgelegte 7 *l* Wasser und 10 *ml* Hydrogensulfit-Lösung gegeben. Nach dem Erkalten wird der farblose 2-Aldehyd abfiltriert und ausgewaschen. Er ist bis auf eine Beimengung von wenig 9,10-Anthrachinon-2-carbonsäure völlig rein; F: 186° (188°?). Die Ausbeute beträgt ~85% d.Th.

Das 2-Formyl-9,10-anthrachinon küpt mit rein grüner Farbe.

---

[1] DRP. 539 100 (1930), I. G. Farb., Erf.: O. Bayer; Frdl. **18**, 1229.
[2] O. Bayer (1929), I. G. Farb. Mainkur.
[3] C. Marschalk, Bl. [5] **6**, 659 (1939).
[4] DRP.-Anm. I. 39 248 (1929), I.G. Farb., Erf.: O. Bayer.

In analoger Weise lassen sich herstellen:

1-Chlor-2-formyl-9,10-anthrachinon[1]
2-Chlor-3-formyl-9,10-anthrachinon[1]
2-Methyl-3-formyl-9,10-anthrachinon[1]
1,4-Dichlor-2-formyl-9,10-anthrachinon[1]
2,6-Diformyl-9,10-anthrachinon[1]
2-Formyl-9,10-anthrachinon-6-carbonsäure[1]

Mit sehr schlechten Ausbeuten werden nach diesem Verfahren *1-Nitro-2-formyl-9,10-anthrachinon* und *1-Chlor-3-formyl-9,10-anthrachinon* erhalten[1].

Mit überschüssigem Naturbraunstein (synthetisches Mangandioxid entwickelt zuviel Sauerstoff) in Gegenwart von Vanadin(V)-oxid werden glatt die Carbonsäuren erhalten[2]; z. B.:

9,10-Anthrachinon-2-carbonsäure
1-Chlor-9,10-anthrachinon-2-carbonsäure; 90% d. Th.; F: 260–265°
2-Chlor-9,10-anthrachinon-3-carbonsäure
1,4-Dichlor-9,10-anthrachinon-2-carbonsäure; F: 245°
5,6,7,8-Tetrachlor-9,10-anthrachinon-2-carbonsäure
9,10-Anthrachinon-1,2-dicarbonsäure
9,10-Anthrachinon-1,3-dicarbonsäure
9,10-Anthrachinon-2,3-dicarbonsäure

Aus 1,8-Dichlor-2,7-dimethyl-9,10-anthrachinon entsteht durch Oxidation mit Mangandioxid in konzentrierter Schwefelsäure bei ~60° die *1,8-Dichlor-9,10-anthrachinon-2,7-dicarbonsäure* (~70% d. Th.). Bei 100° erfolgt vollständige Decarboxylierung[3].

9,10-Anthrachinon-2,3-dicarbonsäure[2]: 30 g 2,3-Dimethyl-9,10-anthrachinon werden in 1 kg 95%-ig. Schwefelsäure gelöst. Unter Rühren gibt man 7 g Ammoniumvanadat in 50 *ml* Wasser zu, erwärmt auf 80° und trägt portionsweise 100 g 85%-ig. Naturbraunstein so ein, daß die Temp. zum Schluß auf 100° ansteigt. Sobald die Oxidation beendet ist, wird in Wasser ausgetragen, abfiltriert und ausgewaschen. Nach dem Lösen in verd. Natronlauge wird die noch vorhandene Aldehyd-carbonsäure mit Kaliumpermanganat nachoxidiert. Reinausbeute: 80% d. Th.

Erheblich leichter sind die 2,6- und 2,7-Dimethyl-9,10-anthrachinone zu 9,10-Anthrachinon-2,6- bzw. -2,7-dicarbonsäuren zu oxidieren.

3-Methyl-9,10-anthrachinon-1-carbonsäure und **9,10-Anthrachinon-1,3-dicarbonsäure**[2]: 50 g 1,3-Dimethyl-9,10-anthrachinon werden in 2 kg 85%-iger Schwefelsäure gelöst und bei 60° mit 100 g ~70%-igem synth. Mangandioxid oxidiert.

Die so in vorzüglicher Ausbeute entstehende *3-Methyl-9,10-anthrachinon-1-carbonsäure* läßt sich nun nach Zugabe von 7 g Vanadin(V)-oxid und Erhöhung der Schwefelsäure-Konzentration auf 94% mit weiteren 120 g Naturbraunstein, der in 500 g konz. Schwefelsäure angeschlämmt wird, glatt in die *9,10-Anthrachinon-1,3-dicarbonsäure* überführen.

γ) Herstellung von Dihalogenmethyl- und Trihalogenmethyl-9,10-anthrachinonen und deren Hydrolyse zu Aldehyden und Carbonsäuren

Eine einheitliche Monohalogenierung der β-Methyl-9,10-anthrachinone in den Methyl-Gruppen gelingt nicht (die 2-Halogenmethyl-9,10-anthrachinone sind jedoch aus den 2-Hydroxymethyl-9,10-anthrachinonen mit Thionylchlorid, s. S. 242, leicht erhältlich).

Dagegen sind die β-Dihalogenmethyl-9,10-anthrachinone mit Ausbeuten von über 90% d. Th. zugänglich. So entsteht durch Bromierung des 2-Methyl-9,10-anthrachinons in Nitrobenzol bei ~145° glatt das *2-Dibrommethyl-9,10-anthrachinon*.

[1] DRP.-Anm. I. 39248 (1929), I.G. Farb., Erf.: O. Bayer.
[2] O. Bayer (1929), I.G. Farb. Mainkur.
[3] R. Scholl u. K. Ziegs, B. **67**, 1749 (1934).

1-Nitro-2-methyl-9,10-anthrachinon wird auf analoge Weise durch Einwirkung von Chlor bei ~ 170° vorwiegend in das *1-Chlor-2-dichlormethyl-9,10-anthrachinon* überführt (s. S. 62).

Die Weiterchlorierung der β-Dichlormethyl- zu den β-Trichlormethyl-9,10-anthrachinonen verläuft erheblich langsamer und ist besonders bei o-substituierten β-Methyl-9,10-anthrachinonen mit Ausbeute-Verlusten verbunden. Die besten Ausbeuten werden in 1,2-Dichlor-benzol (1:1) bei 170° erzielt[1].

Auf diese Weise wurden hergestellt[1]:

2-Trichlormethyl-9,10-anthrachinon	90% d.Th.; F: 156–158°
1-Chlor-2-trichlormethyl-9,10-anthrachinon	F: 209°
2-Chlor-3-trichlormethyl-9,10-anthrachinon	* F: 236°
1,4-Dichlor-2-trichlormethyl-9,10-anthrachinon	F: 190°
5,8-Dichlor-2-trichlormethyl-9,10-anthrachinon	90% d.Th.; F: 146–148°

Das schwer angreifbare 1,3-Dichlor-2-methyl-9,10-anthrachinon läßt sich mit guten Ausbeuten nur bis zur Dichlormethyl-Stufe chlorieren. Um zur Carbonsäure zu gelangen, hydrolysiert man in konzentrierter Schwefelsäure bei 105° zum Aldehyd und oxidiert diesen nach der Entfernung des Chlorwasserstoffs durch Zugabe von Nitrosylschwefelsäure. Man erhält so die *1,3-Dichlor-9,10-anthrachinon-2-carbonsäure* in einer Gesamtausbeute von ~ 85% d.Th.[2].

2-Dibrommethyl-9,10-anthrachinon[3]: In 177,5 g 2-Methyl-9,10-anthrachinon in 180 g Nitrobenzol werden bei 145° (Ölbadtemp.) unter kräftigem Rühren langsam 384 g Brom (150% d.Th.) eingetropft. Nach einigen Stdn. wird die Temp. auf 160° erhöht. Die Reaktionsdauer beträgt insgesamt ~ 7 Stdn., während der sich das Reaktionsprodukt kristallin abgeschieden hat. Nach dem Erkalten wird mit Äthanol verdünnt, abgesaugt, mit Äthanol ausgewaschen und der Filterkuchen mit heißem Äthanol digeriert; Rohausbeute: 277,7 g (91,5% d.Th.); F: 208–218°.

Reines 2-Dibrommethyl-9,10-anthrachinon (F: 228–229°) wird durch Umkristallisieren aus Toluol erhalten.

9,10-Anthrachinon-β-aldehyde bzw. -β-carbonsäuren lassen sich durch Erhitzen der entsprechenden β-Dichlormethyl- bzw. β-Trichlormethyl-9,10-anthrachinone mit konzentrierter Schwefelsäure auf ~ 130° gewinnen[4]. Zur Aldehyd-Herstellung geht man jedoch besser von den Dibrommethyl-Derivaten aus, die bereits durch 2 stdg. Erhitzen in Essigsäure unter Zusatz von Eisen(III)-chlorid hydrolysiert werden[5].

Zur Herstellung von Carbonsäuren empfiehlt es sich generell, nur ~ 2,7 Chlor-Atome einzuführen[1] und nach der Hydrolyse in Schwefelsäure mit Chrom(VI)-oxid nachzuoxidieren (vgl. S. 255).

2-Äthyl- bzw. 2-Isopropyl-9,10-anthrachinone lassen sich mit radikalisch induzierten Halogenen in den Alkyl-Gruppen monohalogenieren[6].

2-(1-Brom-äthyl)-9,10-anthrachinon[6]: 25 g 2-Äthyl-9,10-anthrachinon, 19,1 g N-Brom-succinimid und 0,15 g Dibenzoylperoxid werden in 375 *ml* wasserfreiem Tetrachlormethan langsam bis zum Rückflußsieden gebracht. Nach 30 Min. gibt man weitere 50 mg Dibenzoylperoxid zu und kocht weitere 90 Min. Das abgeschiedene Succinimid wird heiß abgesaugt, mit Tetrachlormethan nachgewaschen und das Lösungsmittel i. Vak. abdestilliert. Nach dem Umkristallisieren aus Benzol/Methanol wird die reine Verbindung erhalten (F: 154–155°).

α-Methyl-9,10-anthrachinone können zwar auch in den Methyl-Gruppen halogeniert werden, doch sind die sehr hydrolyseanfälligen α-Halogenmethyl-9,10-anthrachinone[1], die z. T. in den tautomeren Form vorliegen, z. B.:

---

[1] DRP. 713745 (1940), I.G. Farb., Erf.: O. SCHERER; FIAT Final Rep. Nr. **1313** I, 315ff. (1948), I.G. Farb. Hoechst.

[2] DAS. 1162351 (1960), BASF, Erf.: A. SCHUHMACHER u. A. EHRHARDT; C. A. **60**, 13206[b] (1964).

[3] F. ULLMANN u. K. L. KLINGENBERG, B. **46**, 718 (1913).

[4] DRP. 174984 (1905), BASF, Erf.: M. H. ISLER; Frdl. **8**, 307.

[5] DRP. 361043 (1920), Farbw. Hoechst, Erf.: K. WILKE; Frdl. **14**, 858.

[6] G. MANECKE u. W. STORCK, B. **94**, 3245 (1961).

nicht zur Herstellung von Aldehyden geeignet.

Anhang: Herstellung von 2-Trifluormethyl-9,10-anthrachinonen

Die Umwandlung der 2-Trichlormethyl- in 2-Trifluormethyl-9,10-anthrachinone gelingt leicht durch 3–5stdg. Erhitzen mit wasserfreiem Fluorwasserstoff auf 120–150° im Autoklaven unter Ausschluß von Eisen[1]. Im Laboratorium läßt man den Ansatz mehrmals erkalten, um den abgespaltenen Chlorwasserstoff abzulassen. Auf diese Weise sind zugänglich[1]:

2-Trifluormethyl-9,10-anthrachinon	F: 148°
1-Chlor-2-trifluormethyl-9,10-anthrachinon	F: 209°
1-Chlor-3-trifluormethyl-9,10-anthrachinon	F: 159–161°
2-Chlor-3-trifluormethyl-9,10-anthrachinon	F: 208–210°
1,4-Dichlor-2-trifluormethyl-9,10-anthrachinon	F: 140–142°
5,8-Dichlor-2-trifluormethyl-9,10-anthrachinon	F: 191°

1-Trichlormethyl-9,10-anthrachinone liefern teerige Massen.

Die Trifluormethyl-Gruppe ist äußerst stabil und läßt sich daher auch nicht zu einer Carboxy-Gruppe hydrolysieren. In Farbstoffen verschiebt sie den Farbton nach der gelben Seite des Spektrums.

δ) 9,10-Anthrachinon-2-aldehyde, -2-ketone und 2-carbonsäuren aus 1-Nitro-2-alkyl-9,10-anthrachinonen (über die 1,2-Oxazole)

Durch Einwirkung von 65%-igem Oleum auf 1-Nitro-2-alkyl-9,10-anthrachinone vollzieht sich ein intramolekularer Redoxvorgang, wobei in guter Ausbeute die 1,2-Oxazole II entstehen[2]; z. B.:

III; *1-Amino-2-formyl-9,10-anthrachinon*

IV; *1-Amino-9,10-anthrachinon-2-carbonsäure*

[1] DRP. 713 745 (1940), I.G. Farb., Erf.: O. SCHERER; FIAT Final Rep. Nr. **1313 I**, 315 ff. (1948), I.G. Farb. Hoechst.
[2] DRP. 360 422 (1918), Farbw. Hoechst, Erf.: K. WILKE; Frdl. **14**, 860.
Ein kontinuierliches Verfahren ist beschrieben in DOS. 2 052 783 (1970), BASF, Erf.: E. STEINGRUBER u. A. SCHUHMACHER; C. A. **77**, 103 333^e (1972).

Diese Reaktion ist auch mit den Derivaten des 1-Nitro-2-methyl-9,10-anthrachinons durchführbar. So läßt sich z. B. das Bis-1,2-oxazolo-Derivat aus 1,5-Dinitro-2,6-dime-thyl-9,10-anthrachinon[1] und aus 1-Nitro-2-äthyl-9,10-anthrachinon das *1,2-[5-Methyl-1,2-oxazolo-(3,4)]-9,10-anthrachinon*[2] herstellen.

Durch Erhitzen mit Alkoholen entstehen aus den 1,2-Oxazolo-Derivaten der 1-Nitro-2-methyl-9,10-anthrachinone die *1-Amino-9,10-anthrachinon-2-carbonsäureester*[2], mit verdünnter Natronlauge die *1-Amino-9,10-anthrachinon-2-carbonsäuren* IV[3] und durch Reduktion (z. B. durch Verküpen) glatt die *1-Amino-2-formyl-9,10-anthrachinone* III[4].

1-Amino-2-formyl-9,10-anthrachinon[4]:

1,2-[1,2-Oxazolo-(3,4)]-9,10-anthrachinon: Unter starker Kühlung werden 100 g 1-Nitro-2-me-thyl-9,10-anthrachinon innerhalb 1 Stde. in 600 g 65%-iges Oleum eingerührt. Hierauf wird mit 1 kg 90%-iger Schwefelsäure verdünnt, wobei die Temp. nicht über 40° ansteigen soll. Nach dem Austragen in ~ 10 l Eiswasser wird zum Sieden erhitzt, abfiltriert, neutral gewaschen und die Paste weiterverarbeitet; Rohausbeute: 80 g.

1-Amino-2-formyl-9,10-anthrachinon: Durch 1stdg. Kochen der Paste mit einer 10%-igen Ei-sen(II)-sulfat-Lösung entsteht das *1-Amino-2-formyl-9,10-anthrachinon* (intensiv grüne Küpe). Da dieses durch eine heiße Natriumhypochlorit-Lösung nicht verändert wird, können damit trübfärbende Nebenprodukte zer-stört werden.

1-Amino-2-acetyl-9,10-anthrachinon[4]: In gleicher Weise wie im vorabstehenden Beispiel beschrieben wird aus 1-Nitro-2-äthyl-9,10-anthrachinon das 1,2-[5-Methyl-1,2-oxazolo-(3,4)]-9,10-anthrachinon erhalten, das als wäßrige Paste durch Kochen mit einer Eisen(II)-sulfat-Lösung mit 90%-iger Ausbeute zum 1-Amino-2-ace-tyl-9,10-anthrachinon reduziert wird; aus 1,2-Dichlor-benzol blaurote Kristalle (F: 221°).

Durch Oleum-Einwirkung auf 1-Nitro-2-isopropyl-9,10-anthrachinon entsteht ein Re-aktionsgemisch, aus dem sich mit ~ 50% Ausbeute eine einheitliche Verbindung isolieren läßt. Diese wird durch Dinatriumsulfid zu 1-Amino-2-methyl-9,10-anthrachinon redu-ziert[5].

Durch Einwirkung einer Stickoxide enthaltenden 65%-igen Salpetersäure auf 1,2-[1,2-Oxazolo-(3,4)]-9,10-anthrachinon bei 20° erfolgt Nitrierung und Oxidation. In schlechter Ausbeute entsteht das *1-Nitroso-4-nitro-2-formyl-9,10-anthrachinon*. Gute Ausbeuten an Oxidationsprodukten werden hingegen aus 1,2-[5-Methyl-1,2-oxazolo-(3,4)]-9,10-anthrachinon erhalten[6]:

1,4-Dinitro-2-acetyl-9,10-anthrachinon[6]: 200 g feingepulvertes 1,2-[5-Methyl-1,2-oxazolo-(3,4)]-9,10-an-thrachinon werden bei 20° in eine 65%-ige, nitrose Gase enthaltende Salpetersäure eingerührt. Dabei tritt vor-übergehende Lösung ein, aus der sich bald Kristalle abscheiden. Nach deren Absaugen, Auswaschen und Trock-nen beträgt die Ausbeute 85 g; F: 263° (aus Trichlorbenzol; gelbliche Nadeln).

[1] DRP. 497908 (1926), I.G. Farb., Erf.: K. WILKE u. J. STOCK; Frdl. **17**, 1184.
[2] DRP. 510453, 524104 (1926), I.G. Farb., Erf.: K. WILKE; Frdl. **17**, 1168/69.
[3] DRP. 464863 (1926), I.G. Farb., Erf.: K. WILKE; Frdl. **16**, 1229.
[4] DRP. 533249 (1926), I.G. Farb., Erf.: K. WILKE; Frdl. **18**, 1246.
[5] N. S. DOKUNIKHIN u. L. V. GALITSYNA, Doklady Akad. SSSR **179**, 1099 (1968); engl.: 321.
[6] Fr.P. 1069241 (1952). Dieses ist wesentlich ausführlicher als das ursprüngliche DBP. 1029359 (1952), BASF, Erf.: F. EBEL u. W. RUPP; C. A. **50**, 410^b (1956).

1,4-Dinitro-9,10-anthrachinon-2-carbonsäure[1]: 100 g einer 26,3%-igen wäßr. Paste von 1,2-[5-Methyl-1,2-oxazolo-(3,4)]-9,10-anthrachinon werden in 2 kg 50%-iger Salpetersäure, die Stickoxide enthält, einge-rührt. Dann erhitzt man auf 110°, wobei unter Stickoxid-Entwicklung Lösung erfolgt. Bereits nach 15 Min. be-ginnt eine Kristallabscheidung. Man hält diese Temp. noch 1 Stde., saugt nach dem Erkalten ab, wäscht zunächst mit einer 40%-igen Salpetersäure und dann mit Wasser aus; Ausbeute: 27,4 g (80% d.Th.); F: 285°.

4. Herstellung von 9,10-Anthrachinon-carbonsäuren

α) durch Ringschluß-Reaktionen

Phthalsäureanhydride lassen sich nicht mit Benzoesäuren kondensieren. Nur wenn man von Benzol-1,2,x-tricarbonsäuren ausgeht, sind 9,10-Anthrachinon-carbonsäuren auf dem klassischen Syntheseweg (s.S. 31 ff.) direkt zugänglich. So läßt sich aus der 1-Chlor-benzol-2,4,5-tricarbonsäure und Benzol in der Natriumchlorid-Aluminiumchlorid-Schmelze bei 100° und anschließendem Ringschluß mit Oleum die *2-Chlor-9,10-anthra-chinon-3-carbonsäure* und mit p-Xylol die *6-Chlor-1,4-dimethyl-9,10-anthrachinon-7-carbonsäure*[2] herstellen. Analog erhält man aus dem 1-Hydroxy-benzol-2,4,5-tricarbon-säure-4,5-anhydrid und Benzol die *2-Hydroxy-9,10-anthrachinon-3-carbonsäure* (aller-dings mit schlechter Ausbeute)[3].

Die 2-Benzoyl-benzoesäuren mit einer zusätzlichen Carboxy-Gruppe sind leicht durch Oxidation von 2-(Methyl-benzoyl)-benzoesäuren (vgl. S. 253 ff.) in großer Zahl zugäng-lich. Die Einführung der Carboxy-Funktion bereits in den 2-Benzoyl-benzoesäuren bietet gegenüber der Oxidation von Methyl-Gruppen im 9,10-Anthrachinon-Molekül mehrere Vorteile. So kann man mit Kaliumpermanganat in wäßrig-alkalischer Lösung arbeiten, wobei sterische Einflüsse, welche die Angreifbarkeit der Methyl-Gruppe erschweren, kaum ins Gewicht fallen, empfindliche Substituenten besser zu schützen sind und die Ring-schlüsse sich meist glatt vollziehen, ohne daß Sulfierungen zu befürchten sind.

Wie erst in neuerer Zeit festgestellt wurde, entstehen bei den Ringschlüssen zu substitu-ierten 9,10-Anthrachinon-carbonsäuren, die eigentlich eindeutig verlaufen sollten, auch die Isomeren[4] infolge der durch die Einwirkung von Schwefelsäure auch hier erfolgenden Hayashi-Umlagerung (s.S. 37); z.B.:

2-Fluor-9,10-anthrachinon-7-carbonsäure

2-Fluor-9,10-anthrachinon-6-carbonsäure

[1] Fr.P. 1069241 (1952). Dieses ist wesentlich ausführlicher als das ursprüngliche DBP. 1029359 (1952), BASF, Erf.: F. EBEL u. W. RUPP; C.A. **50**, 410ᵇ (1956).
[2] DRP. 701464 (1936), I.G. Farb., Erf.: W. ECKERT u. H. SIEBER.
[3] DRP. 659638 (1936), I.G. Farb., Erf.: W. ECKERT u. K. SCHILLING; Frdl. **24**, 786.
[4] DOS. 2138864 (1970/71), Allen u. Hanburys Ltd., Erf.: A.W. OXFORD u. G.E. GYMER; C.A. **76**, 140339ᵐ (1972).

In der folgenden Übersicht sind die Schmelzpunkte einiger Halogen-9,10-anthrachinon-carbonsäuren, die
a) über die 2-Benzyl-benzoesäuren und
b) über die entsprechenden 2-Benzoyl-benzoesäuren hergestellt wurden, gegenübergestellt[1]:

F [°C]	5-Chlor-	6-Chlor-	7-Chlor-	8-Chlor-	6-Fluor-	7-Fluor-
			…-9,10-anthrachinon-2-carbonsäure			
a	320	354–355,5	305–307	313–315	323–324	300–302
b	~308	~334	336–339	323–324	282–284	292–294

Im einfachsten Fall gelangt man, ausgehend von der 2-(4-Methyl-benzoyl)-benzoesäure, durch Oxidation mit Kaliumpermanganat leicht zur *9,10-Anthrachinon-2-carbonsäure*[2].

9,10-Anthrachinon-2-carbonsäure[3]:

Benzophenon-2,4'-dicarbonsäure: 750 g 2-(4-Methyl-benzoyl)-benzoesäure werden in 6,8 l Wasser und 1,3 l 30%-iger Natronlauge gelöst und bei 85° mit 1,075 kg Kaliumpermanganat oxidiert; Ausbeute: 88% d. Th.

9,10-Anthrachinon-2-carbonsäure: Der Ringschluß erfolgt mit der 3fachen Menge 5%-igem Oleum innerhalb 4 Stdn. bei 110–120°; Ausbeute: praktisch quantitativ.

Da das Natriumsalz der 9,10-Anthrachinon-2-carbonsäure sehr schwer löslich ist, kann die Säure, falls erforderlich, über das Pyridinium-Salz gereinigt werden. Dessen ~3%-ige Lösung wird bei 90° mit Chlorlauge und Essigsäure versetzt und zum Schluß kongosauer gestellt. Dabei fällt die Carbonsäure in kristalliner Form an (F: 290°). Zum Umkristallisieren der Carbonsäure ist konz. Salpetersäure besonders geeignet.

Ausgehend von halogenierten Phthalsäureanhydriden und Toluol sind u. a. einheitlich zugänglich:

1,4-Dichlor-9,10-anthrachinon-6-carbonsäure
2,3-Dichlor-9,10-anthrachinon-6-carbonsäure
1,2,3,4-Tetrachlor-9,10-anthrachinon-6-carbonsäure

Auch Methoxy-Gruppen enthaltende 2-(Methyl-benzoyl)-benzoesäuren können mit Kaliumpermanganat oxidiert werden. So sind z. B. mit guten Ausbeuten aus den entsprechenden Methyl-Verbindungen herstellbar[4]: 2-(2-Methoxy-4-carboxy-benzoyl)-benzoesäure (F: 249–250°) und 2-(5-Chlor-2-methoxy-4-carboxy-benzoyl)-benzoesäure (I). Durch Erhitzen mit Borsäure und 5%-igem Oleum auf ~140° oder mit ~20–40%-igem Oleum auf 100° lassen sich diese Säuren unter Äther-Spaltung cyclisieren[5]. Auf diese Weise sind z. B. zugänglich:

1-Hydroxy-9,10-anthrachinon-3-carbonsäure; F: 282–284°
4-Chlor-1-hydroxy-9,10-anthrachinon-3-carbonsäure (II); F: 198–199°
1,4-Dihydroxy-9,10-anthrachinon-2-carbonsäure (III); F: 250°

---

[1] DOS. 2 138 864 (1970/71), Allen u. Hanburys Ltd., Erf.: A. W. Oxford u. G. E. Gymer; C. A. **76**, 140339[m] (1972).
[2] DRP. 80 407 (1894), Farbw. Hoechst; Frdl. **4**, 335.
[3] BIOS Final Rep. Nr. **1484**, 8, 12 (1948), I.G. Farb. Leverkusen.
[4] DRP. 517 478 (1929), I. G. Farb., Erf.: S. Gassner u. B. Bienert; Frdl. **17**, 511.
[5] DRP. 519 541 (1929), I. G. Farb., Erf.: S. Gassner u. B. Bienert; Frdl. **17**, 1175.

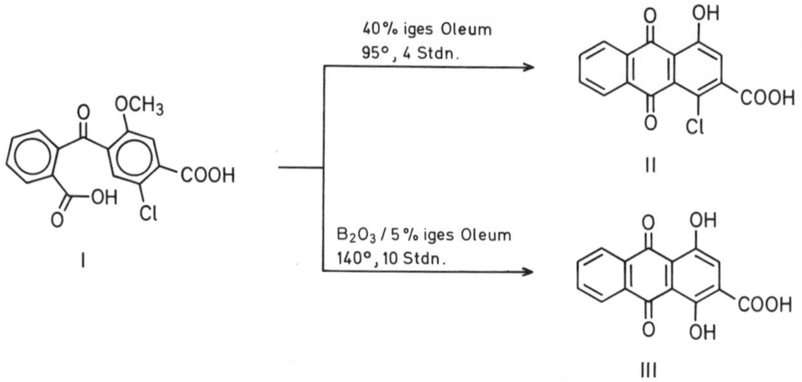

40%iges Oleum
95°, 4 Stdn.

B$_2$O$_3$ / 5% iges Oleum
140°, 10 Stdn.

I

II

III

Auch die durch Nitrieren der 2-(4-Methyl-benzoyl)-benzoesäure, Reduktion, Acetylieren und Oxidation mit Kaliumpermanganat gut zugängliche 2-(3-Amino-4-carboxy-benzoyl)-benzoesäure läßt sich mit 10%-igem Oleum bei 180° zu einem Gemisch aus ∼75% *2-Amino-9,10-anthrachinon-3-carbonsäure* und ∼25% *1-Amino-9,10-anthrachinon-2-carbonsäure* ringschließen, dessen Trennung leicht gelingt, da das Natriumsalz der 1-Amino-2-carbonsäure erheblich leichter löslich ist als das der 2-Amino-3-carbonsäure[1].

2-Chlor-9,10-anthrachinon-3-carbonsäure[2]:

2-(3-Chlor-4-methyl-benzoyl)-benzoesäure: In eine Lösung von 480 g 2-(4-Methyl-benzoyl)-benzoesäure und 5 g Jod in 1 l 89%-iger Schwefelsäure werden bei 30° 83 g Chlor eingeleitet (evtl. unter Druck). Nach dem Einrühren in Eiswasser erhält man 540 g 2-(3-Chlor-4-methyl-benzoyl)-benzoesäure (F: 169–171°). Diese ist nach dem Umkristallisieren aus Essigsäure völlig rein (F: 178–179°); Ausbeute: ∼85% d. Th.

2-Chlor-9,10-anthrachinon-3-carbonsäure: Die Oxidation zur 2-(3-Chlor-4-carboxy-benzoyl)-benzoesäure (F: 228–230°) wird in der gleichen Weise wie auf S. 253 beschrieben mit Kaliumpermanganat vorgenommen. Der Ringschluß erfolgt glatt durch 6stdg. Erhitzen auf 90° mit der 3fachen Gewichtsmenge 10%-igem Oleum. Die so entstandene 2-Chlor-9,10-anthrachinon-3-carbonsäure (F: 278–279°) wird durch Umkristallisieren aus Essigsäure von dem zu ∼15% mitentstandenen leichter-löslichen Isomeren abgetrennt[3].

Folgendes Beispiel demonstriert, wie man durch Substitution von 2-Benzyl-benzoesäuren zu sonst nur schwer zugänglichen 9,10-Anthrachinon-carbonsäuren gelangen kann.

1,4-Dichlor-9,10-anthrachinon-2-carbonsäure[4]:

(Formelschema s. S. 41)

2-(2,5-Dichlor-4-methyl-benzyl)-benzoesäure: 100 g 2-(4-Methyl-benzyl)-benzoesäure werden in 400 *ml* 1,3,5-Trichlor-benzol unter Zusatz von 2 g Jod bei 20–30° chloriert, bis 2 Atome Chlor aufgenommen sind (F: ∼130°).

Nach dem Abkühlen wird abgesaugt und aus Benzol umkristallisiert; Ausbeute: 65% d. Th.; F: 135–136°.

1,4-Dichlor-9,10-anthrachinon-2-carbonsäure: Durch Oxidation mit Kaliumpermanganat in alkalischer Lösung wird die erhaltene Carbonsäure praktisch quantitativ in 2-(2,5-Dichlor-4-carboxy-benzoyl)-benzoesäure überführt. Diese wird in 10 Gew.-Tln. Schwefelsäure-Monohydrat gelöst. Dann rührt man bei 156° innerhalb 40 Min. 110% der für die Wasser-Abspaltung ber. Menge Schwefeltrioxid in Form von 20%-igem Oleum ein. Nach dem Erkalten verdünnt man ohne Kühlung bis auf eine Schwefelsäure-Konzentration von 80%, saugt bei ∼60° die Carbonsäure ab und wäscht sie säurefrei. Es resultieren gelbliche Kristallnadeln (F: 238–242°); (F: 244–246°[5] nach Umlösen aus 1,2-Dichlor-benzol); Ausbeute: ∼80% d. Th.

Man kann auch zu 9,10-Anthrachinon-mono- und di-carbonsäuren gelangen, indem man Di- und Trimethyl-benzophenone, in denen eine Methyl-Gruppe in 2-Stellung stehen muß, oxidiert. Hierzu ist jedoch Kaliumpermanganat schlecht geeignet. Es empfiehlt sich in diesen Fällen, zunächst mit Salpetersäure bis zur Alkalilöslichkeit anzuoxidieren und

[1] DRP. 248838 (1911), Agfa; Frdl. **10**, 604.
[2] DRP. 540408 (1930), I. G. Farb., Erf.: K. ZAHN u. K. BILLIG; Frdl. **18**, 540.
[3] DRP. 556161 (1930), I. G. Farb., Erf.: K. SCHIRMACHER u. K. BILLIG; Frdl. **19**, 1916.
[4] DRP. 610319 (1933), I. G. Farb., Erf.: B. BIENERT u. R. HELD; Frdl. **21**, 332.
[5] DRP. 611112 (1933), I. G. Farb., Erf.: B. BIENERT u. R. HELD; Frdl. **21**, 1032.

dann die restlichen Methyl-Gruppen alkalisch mit Kaliumpermanganat in Carboxy-Gruppen überzuführen. So erhält man aus 2,4,5-Trimethyl-benzophenon durch ~60stdg. Kochen mit 20%-iger Salpetersäure ein Gemisch von Mono- und di-carbonsäuren, das mit Kaliumpermanganat glatt zur Benzophenon-2,4,5-tricarbonsäure weiteroxidiert werden kann[1]. Diese läßt sich durch Erhitzen mit Benzoylchlorid und katalytischen Mengen Schwefelsäure zum *9,10-Anthrachinon-2,3-dicarbonsäureanhydrid* ringschließen[1].

Zum gleichen Ziel führt auch die Photochlorierung dieser Di- und Trimethyl-benzophenone. Die Hydrolyse der so erhaltenen Bis- bzw. Tris-[trichlormethyl]-benzophenone läßt sich mit Schwefelsäure bei 95° durchführen, wobei gleichzeitig der 9,10-Anthrachinon-Ringschluß erfolgt[2,3] [bessere Ausbeuten erhält man jedoch, wenn man die Methyl-Gruppen nicht völlig durchchloriert, sondern stattdessen in der Schwefelsäure-Lösung nach Vertreiben des Chlorwasserstoffs mit Chrom(VI)-oxid nachoxidiert; s.S. 249]:

F: 182°

In analoger Weise wurden umgesetzt:

2-Chlor-benzoylchlorid + p-Xylol → *1-Chlor-9,10-anthrachinon-7-carbonsäure*
4-Chlor-benzoylchlorid + m-Xylol → *2-Chlor-9,10-anthrachinon-7-carbonsäure*
2,6-Dimethyl-1,5-dibenzoyl-naphthalin → ⟨*Dibenzo-[b;h]-chrysen*⟩-*5,16;8,13-bis-chinon*[4]

β) Herstellung von 9,10-Anthrachinon-carbonsäuren und -carbonsäureamiden aus Cyan-9,10-anthrachinonen

Das Verfahren zur Herstellung von 9,10-Anthrachinon-carbonsäuren mit der größten Variationsbreite ist die Hydrolyse der Cyan-9,10-anthrachinone, da diese in großer Vielfalt zugänglich sind.

Cyan-9,10-anthrachinone werden durch ~30 min. Erwärmen in konzentrierter Schwefelsäure auf 40–80° im allgemeinen nur bis zur Carbonsäureamid-Stufe verseift.

Bei α-Cyan-9,10-anthrachinonen ist die fortschreitende Verseifung an dem Verschwinden der grünblauen und dem Auftreten der rotbraunen Küpenfarbe des Carbonsäureamids zu erkennen. In der β-Reihe stoppt man die Hydrolyse, wenn sich aus einer abgeschiedenen Probe mit Pyridin/Wasser geringe Mengen Carbonsäure extrahieren lassen.

Die vollständige Hydrolyse der Cyan-9,10-anthrachinone zu den 9,10-Anthrachinon-carbonsäuren erfolgt durch mehrstündiges Erhitzen mit 90–100%-iger Schwefelsäure auf 100–130°.

γ) Herstellung von 9,10-Anthrachinon-carbonsäuren durch Direktoxidation von Methyl-9,10-anthrachinonen

Aufgrund der großen Stabilität des 9,10-Anthrachinon-Kerns lassen sich sehr energisch wirkende Oxidationsmittel zur direkten Überführung von Alkyl-Gruppen in Carboxy-Gruppen anwenden. Das älteste und meist vorzügliche Ausbeuten liefernde Agenz ist ver-

[1] E. CLAR, B. **81**, 67 (1948).
[2] DRP. 267271 (1912), Agfa; Frdl. **11**, 201.
[3] DRP. 583562 (1931), I.G. Farb., Erf.: G. KRÄNZLEIN, M. CORELL u. E. DIEFENBACH; Frdl. **20**, 1297.
[4] DRP. 595025 (1932), I.G. Farb., Erf.: G. KRÄNZLEIN, M. CORELL u. E. DIEFENBACH; Frdl. **20**, 1419.

dünnte Salpetersäure[1]. Diese ist jedoch zur Herstellung größerer Mengen (**Explosionsgefahr** und Korrosion des Autoklavenmaterials) weniger gut geeignet. Auch entstehen im geringen Umfang Nitrocarbonsäuren. Empfehlenswerter ist daher Mangandioxid in Schwefelsäure (s.S. 246ff.).

Die Salpetersäure-Oxidation erfolgt zweckmäßig mit der 10–20fachen Menge einer ~20%-igen Salpetersäure durch mehrstündiges Erhitzen auf 190–210° unter Druck.

Aus der großen Zahl der auf diese Weise hergestellten Carbonsäuren seien genannt:

9,10-Anthrachinon-1- und *-2-carbonsäure*[1]
9,10-Anthrachinon-1,3-(1,4-, 2,3- bzw. 2,6)-dicarbonsäure[2]
9,10-Anthrachinon-1,3,5,7-tetracarbonsäure[3]
9,10-Anthrachinon-2,3,5,6-tetracarbonsäure[4]
1-Chlor-9,10-anthrachinon-4-carbonsäure[5]
1,4-Dichlor-9,10-anthrachinon-2,3-dicarbonsäure[6]
1,4-Dichlor-9,10-anthrachinon-5,8-dicarbonsäure[6]

Das 4-Nitro-1-methyl-9,10-anthrachinon wurde mit 47%-iger Salpetersäure bei 170° zur *1-Nitro-9,10-anthrachinon-4-carbonsäure* (80% d.Th.) oxidiert[7].

Einheitliche *9,10-Anthrachinon-1,4,5,8-tetracarbonsäure* resultiert aus 1,4-Dimethyl-5,8-dicyan-9,10-anthrachinon durch Erhitzen mit 20%-iger Salpetersäure auf 210°[3].

Zur direkten Oxidation von Methyl-Gruppen zu Carboxy-Gruppen leistet auch Chrom(VI)-oxid gute Dienste. Die gebräuchlichsten Ausführungsformen sind Chrom(VI)-oxid in Essigsäure oder in wasserhaltiger Schwefelsäure. Besonders wirksam ist Chrom(VI)-oxid in siedender 62%-iger Salpetersäure (Vorsicht bei größeren Ansätzen!)[8].

1,6,8-Triacetoxy-3-methyl-9,10-anthrachinon wurde durch Chrom(VI)-oxid in wasserfreier Essigsäure bei ~55° in ~70%-iger Ausbeute zur *1,6,8-Triacetoxy-9,10-anthrachinon-3-carbonsäure* (F: 210–211°) oxidiert[9].

Methyl-9,10-anthrachinone lassen sich auch mit Natriumdichromat in Wasser bei höheren Temperaturen oxidieren. So wurde das ebenfalls schwer oxidierbare 2,3-Dimethyl-1,4-diphenyl-9,10-anthrachinon durch 18stdg. Erhitzen mit einer 10%-igen wäßrigen Lösung von Natriumdichromat (100% Überschuß) auf 250° (~41 at) mit 75%-iger Ausbeute in die *1,4-Diphenyl-9,10-anthrachinon-2,3-dicarbonsäure* überführt[10].

1-Nitro-9,10-anthrachinon-2-carbonsäure[11]: Unter Rühren wird eine Suspension aus 8,575 kg 80%-ig. Schwefelsäure und 1 kg verpastetem 1-Nitro-2-methyl-9,10-anthrachinon auf 55° erhitzt. Innerhalb 30 Min. trägt man dann 1,295 kg Chrom(VI)-oxid ein. Dann erhöht man die Temp. auf 65° und läßt bei dieser Temp. innerhalb 7 Stdn. 5,9 kg 96%-ige Schwefelsäure zufließen. Zur Vervollständigung der Reaktion wird das Gemisch noch 4 Stdn. bei ~70° weitergerührt. Dann wird mit 15 l Wasser verdünnt, abgesaugt, das Filtergut mit Wasser gewaschen und in 3 l 5%-iger Natronlauge unter Zugabe von 150 g Natriumcarbonat 2 Stdn. bei 50–60° digeriert. Nach dem Abfiltrieren von 60 g Ausgangsmaterial wird aus dem alkalischen Filtrat die 1-Nitro-9,10-anthrachinon-2-carbonsäure unter Rühren durch Ansäuern mit 75%-iger Schwefelsäure ausgefällt. Nach dem Absaugen, Waschen und Trocknen resultieren 952 g (91% d.Th.); F: 284–286°.

1,5-Dinitro-9,10-anthrachinon-2,6-dicarbonsäure[12]: 15 g 1,5-Dinitro-2,6-dimethyl-9,10-anthrachinon werden bei 55° in 500 ml 98%-iger Salpetersäure gelöst. Innerhalb 30 Min. rührt man 20 g Chrom(VI)-oxid ein. Schon bald beginnt eine Kristallabscheidung. Man rührt noch 2 Stdn. bei 55–60° weiter, trägt in Wasser aus,

[1] K. ELBS, J. pr. **41**, 1, 8, 21, 41, 126, 144 (1890).
[2] C. SEER, M. **32**, 163 (1911).
[3] R. SCHOLL, K. MEYER u. A. KELLER, A. **513**, 297 (1934).
[4] US.P. 3702318 (1971), U.S.A. Secretary of the Air Force, Erf.: C.E. BROWNING; C.A. **78**, 85072[h] (1973).
[5] G. HELLER u. K. SCHÜLKE, B. **41**, 3636 (1908).
[6] US.P. 2533193 (1947), General Aniline & Film Corp., Erf.: F. MAX u. D.I. RANDALL; C.A. **45**, 3163[g] (1951).
[7] USSR. Anm. 137523 (1960), Erf.: V.Y. FAIN; C.A. **56**, 433[a] (1962).
[8] DRP. 229394 (1909), BASF; Frdl. **10**, 601.
[9] R. EDER u. F. HAUSER, Helv. **8**, 128 (1925).
[10] L. CHARDONNENS u. F. SCHORDERET, Helv. **55**, 1624 (1972).
[11] DOS. 2242643 (1972), BASF, Erf.: A. SCHUHMACHER, R. KOHLHAUPT u. H. HILLER; C.A. **81**, 27207[g] (1974). Vgl. a. BIOS Final Rep. Nr. **987**, 13 (1948), I.G. Farb. Ludwigshafen.
[12] H. HOPFF, J. FUCHS u. K.H. EISENMANN, A. **585**, 177 (1954).

saugt den Niederschlag ab und wäscht ihn aus. Um die Chromsalze zu entfernen, wird der Niederschlag mit heißer konz. Salzsäure behandelt. Dann wird mit Wasser verdünnt, abgesaugt und neutralgewaschen. Die Reinigung erfolgt über das Natriumsalz; Ausbeute: 16,9 g (95% d.Th.) reine Dicarbonsäure.

Analog wurde die *1,8-Dinitro-9,10-anthrachinon-2,7-dicarbonsäure* hergestellt[1].

Kaliumpermanganat ist zur Oxidation von wasserunlöslichen Methyl-9,10-anthrachinonen ungeeignet. Dagegen lassen sich Methyl-9,10-anthrachinone mit hydrophilen Gruppen in der üblichen Weise mit Kaliumpermanganat glatt oxidieren; z.B. 2-Methyl-9,10-anthrachinon-4-carbonsäure in 2%-iger Natronlauge zur *9,10-Anthrachinon-1,3-dicarbonsäure*[2].

Die vollständige Oxidation von Polymethyl-9,10-anthrachinonen ist mit maximalen Ausbeuten durchführbar, wenn zunächst die α-ständigen Methyl-Gruppen mit Mangandioxid in wasserhaltiger Schwefelsäure zu den α-Carbonsäuren (s.S. 246ff.) und anschließend die übrigen Methyl-Gruppen z.B. mit Kaliumpermanganat in wäßrig-alkalischer Lösung nachoxidiert werden.

Im speziellen Falle der 2-Methyl- und 2,3-Dimethyl-chinizarine ist Nitrosylschwefelsäure ein spezifisches Oxidationsmittel. So wird der Borsäure-Komplex des 2-Methyl-chinizarins in konzentrierter Schwefelsäure bei 150° mit Nitrosylschwefelsäure zur *1,4-Dihydroxy-9,10-anthrachinon-2-carbonsäure* (F: 244–246°) oxidiert[3], die über das Pyridinium-Salz gereinigt werden muß[4]. Die Ausbeute an reinem Produkt beträgt ~65% d.Th. Aus 2,3-Dimethyl-chinizarin wird analog die *1,4-Dihydroxy-9,10-anthrachinon-2,3-dicarbonsäure* mit ~40%-iger Ausbeute erhalten.

Die Chinizarin-2-carbonsäure läßt sich mit Mangandioxid in konzentrierter Schwefelsäure bei 5° glatt zur *3-Hydroxy-1,4;9,10-anthradichinon-2-carbonsäure* weiteroxidieren[5], die mit Natriumhydrogensulfit zur *1,2,4-Trihydroxy-9,10-anthrachinon-3-carbonsäure* reduziert wird. Diese sogenannte *Purpurincarbonsäure* bildet besonders klare und lichtechte rote Aluminiumlacke.

δ) Herstellung von 9,10-Anthrachinon-carbonsäuren durch Oxidation von 9,10-Anthrachinon-aldehyden

Die Aufgabe, 9,10-Anthrachinon-aldehyde zu 9,10-Anthrachinon-carbonsäuren zu oxidieren, stellt sich praktisch nicht, da ja bei der Herstellung von 9,10-Anthrachinon-carbonsäuren aus Methyl-9,10-anthrachinonen stets die Aldehyd-Stufe durchlaufen wird. Die dabei angewandten Oxidationsmittel sind daher – unter erheblich milderen Bedingungen – auch geeignet, um isolierte Aldehyde weiterzuoxidieren.

9,10-Anthrachinon-2-aldehyde lassen sich auch nach einem speziellen Verfahren in die -2-carbonsäuren überführen:

Beim Erwärmen von 2-Formyl-9,10-anthrachinon mit einer verdünnten wäßrig-äthanolischen Kaliumcyanid-Lösung erfolgt eine innere Cannizzaro-Reaktion, wodurch die Küpe der *9,10-Anthrachinon-2-carbonsäure* entsteht[6]. Diese Disproportionierung ist wahrscheinlich verallgemeinerungsfähig und dürfte das mildeste Verfahren zur Überführung eines 9,10-Anthrachinon-β-aldehyds in die entsprechende Carbonsäure sein.

[1] H. Hopff, J. Fuchs u. K.H. Eisenmann, A. **585**, 177 (1954).
[2] R. Scholl, J. Donat u. O. Böttger, A. **512**, 127 (1934).
[3] DRP. 273341 (1913), Farbf. Bayer; Frdl. **12**, 436.
s.a. DRP. 502554 (1928), I.G. Farb., Erf.: P. Nawiasky u. A. Krause; Frdl. **17**, 1173.
[4] F. Ullmann u. W. Schmidt, B. **52**, 2111 (1919).
[5] DRP. 272301 (1913), Farbf. Bayer; Frdl. **11**, 592.
[6] DRP. 495100 (1928), I.G. Farb., Erf.: K. Wilke; Frdl. **16**, 1206.

ε) Herstellung von 9,10-Anthrachinon-carbonsäuren durch Aboxidation anellierter Ringe

9,10-Anthrachinone mit einem anellierten Ring lassen sich oxidativ zu 9,10-Anthrachinon-carbonsäuren abbauen.

So wird aus 1,2-Benzanthrachinon mit Chrom(VI)-oxid in siedender Essigsäure in mittlerer Ausbeute die *9,10-Anthrachinon-1,2-dicarbonsäure* erhalten[1]. Leichter können die aus Phthalsäureanhydrid und Tetralin herstellbaren 1,2- und 2,3-Cyclohexeno-9,10-anthrachinone zu *9,10-Anthrachinon-1,2-* bzw. *-2,3-dicarbonsäure* oxidiert werden[2].

9,10-Anthrachinon-1,2-dicarbonsäure[2]: 26 g 1,2-Cyclohexeno-9,10-anthrachinon werden mit 150 g 25%-iger Salpetersäure im Rührautoklaven mehrere Stdn. auf 180° erhitzt, wobei zwischendurch die Stickoxide abgelassen werden (bei größeren Ansätzen muß im Strömungsrohr gearbeitet werden, um eine **Explosion** auszuschließen).

Nach dem Erkalten wird mit Wasser verdünnt, abfiltriert und durch Umlösen aus einer Natriumcarbonat-Lösung gereinigt; Ausbeute: ~90% d. Th.

Es ist bemerkenswert, daß man an 9,10-Anthrachinon anellierte Cycloalken-Ringe mit Kaliumpermanganat in Pyridin-Wasser bei 90° zu α-Oxo-carbonsäuren oxidieren kann; z. B.:

2-Hydroxyoxalyl-9,10-anthrachinon-3-carbonsäure[3]

Aus Benzanthron entsteht durch Einwirkung starker Oxidationsmittel in ~55%-iger Ausbeute die *9,10-Anthrachinon-1-carbonsäure*. Bei der leichten Zugänglichkeit des Ausgangsmaterials bietet sich dieser Weg zur Herstellung größerer Mengen an.

9,10-Anthrachinon-1-carbonsäure[4]: 50 g Benzanthron werden in 1 kg konz. Schwefelsäure gelöst und unter heftigem Rühren durch Eingießen in 300 g Eis verpastet. Dann erwärmt man die Suspension auf 70° und fügt portionsweise 200 g Chrom(VI)-oxid zu. Nach 12stdg. Reaktionsdauer wird mit Wasser verdünnt, abgesaugt und ausgewaschen. Um das Chrom(III)-salz zu entfernen, wird der Filterkuchen mit heißer konz. Salzsäure behandelt. Man saugt erneut ab und wäscht neutral. Zur Reinigung löst man die Carbonsäure in verd. Ammoniak, filtriert die Verunreinigungen ab, fällt die Carbonsäure erneut aus und trocknet sie.

Durch Umkristallisieren aus 65%-iger Salpetersäure erhält man ~50% d. Th. an 9,10-Anthrachinon-1-carbonsäure.

In der Literatur sind zahlreiche Beispiele aufgeführt, wonach man durch Oxidation von Benzanthron-Derivaten mittels Chrom(VI)-oxid (z. T. auch mit Chlorat und Salzsäure) zu substituierten 9,10-Anthrachinon-1-carbonsäuren gelangt[5]:

8-Chlor-benzanthron	→ *1-Chlor-9,10-anthrachinon-8-carbonsäure*
4-Methyl-benzanthron	→ *9,10-Anthrachinon-1,4-dicarbonsäure*[6]
2,6-Dimethyl-benzanthron	→ *2,6-Dimethyl-9,10-anthrachinon-1-carbonsäure*; F: 234°[7]

2,2'-Bi-benzanthronyl wird durch Chrom(VI)-oxid in kochender verdünnter Schwefelsäure zu *1,1'-Dicarboxy-2,2'-bi-(9,10-anthrachinonyl)* oxidiert[8].

Präparativ ist jedoch der Abbau von substituierten Benzanthronen ohne Bedeutung, da

[1] DRP. 241624 (1910), R. Scholl; Frdl. **10**, 599.
[2] DRP. 408117 (1921), Tetralin GmbH, Erf.: G. Schroeter; Frdl. **14**, 844.
[3] R. Robl, I. G. Farb. Ludwigshafen (1935).
[4] E. de Barry Barnett et al., B. **57**, 1777 (1924) (abgeänderte Vorschrift).
[5] Zusammenfassende Beschreibung: G. Charrier, Chimicae Ind. **20**, 658–663 (1938).
[6] G. Charrier u. E. Ghigi, B. **69**, 2216 (1936).
[7] E. Clar in R. Scholl u. K. Meyer, B. **65**, 1406 (1932).
[8] US.P. 2063634 (1934/35), I.C.I.; C. A. **31**, 884⁶ (1937).

diese meist nur schwer zugänglich sind und die Ausbeuten an Carbonsäuren unter 50% d. Th. liegen (s. a. S. 335). Die so erhältlichen substituierten 9,10-Anthrachinon-1-carbonsäuren können fast alle auf andere Weise einfacher hergestellt werden.

9,10-Anthrachinon-1- bzw. -2-carbonsäuren und -1,5-dicarbonsäure sind auch leicht durch energische Oxidation der entsprechenden Acetyl-anthracene (s. S. 269) zugänglich.

5. Herstellung von speziellen Derivaten der 9,10-Anthrachinon-carbonsäuren

α) Herstellung von Halogen-9,10-anthrachinon-carbonsäuren

Zu den als Synthesematerialien wichtigen Halogen-9,10-anthrachinon-carbonsäuren kann man auf vielen Wegen gelangen.

So führt die Hydrolyse der Halogen-cyan-9,10-anthrachinone (s. S. 241) zu einer Reihe von Halogen-9,10-anthrachinon-carbonsäuren.

Man kann aber auch von den Cyan-9,10-anthrachinon-sulfonsäuren ausgehen, die mit verdünnter Natronlauge zu den Sulfo-9,10-anthrachinon-carbonsäuren hydrolysiert und dann mit Chlorat und Salzsäure (s. S. 59) in die Chlor-9,10-anthrachinon-carbonsäuren übergeführt werden. Auf diese Weise wurden hergestellt:

2-Chlor-9,10-anthrachinon-1-carbonsäure[1]
2-Chlor-4-brom-9,10-anthrachinon-1-carbonsäure[1]
2-Chlor-9,10-anthrachinon-3-carbonsäure[2]
3,7-Dichlor-9,10-anthrachinon-2,6-dicarbonsäure[2]

Zahlreiche Chlor-9,10-anthrachinon-carbonsäuren sind auch durch Oxidation von Chlor-methyl-9,10-anthrachinonen (s. S. 245 ff.) oder durch Ringschluß-Reaktionen (s. S. 252 ff.) gut zugänglich.

Zur Oxidation von Dihalogen-benzanthron-Bz1-sulfonsäuren zu *Dihalogen-9,10-anthrachinon-1-carbonsäuren* s. Lit.[3]

Aus den Amino-9,10-anthrachinon-carbonsäuren lassen sich nach Sandmeyer die Halogen-9,10-anthrachinon-carbonsäuren herstellen und in den Halogen-amino-9,10-anthrachinon-carbonsäuren kann die Amino-Gruppe entweder durch ein Halogen- oder ein Wasserstoff-Atom ersetzt werden, z. B.:

1-Brom-9,10-anthrachinon-3-carbonsäure

1,4-Dibrom-9,10-anthrachinon-2-carbonsäure

1-Brom-9,10-anthrachinon-3-carbonsäure[4]: Das durch Bromieren von 1-Amino-9,10-anthrachinon-2-carbonsäure leicht zugängliche 4-Brom-Derivat wird in der üblichen Weise bei 60° in Schwefelsäure diazotiert, dann in Eiswasser ausgetragen, mit Äthanol versetzt und 2 Stdn. auf 80° erhitzt. Nach dem Erkalten wird abgesaugt, heiß ausgewaschen und mit Wasser angeschlämmt. Die als Nebenprodukt entstandene 1-Hydroxy-9,10-anthrachinon-3-carbonsäure wird durch Zugabe von Natriumhypochlorit zerstört.

[1] DRP. 495335 (1927), I. G. Farb., Erf.: G. KRÄNZLEIN et al.; Frdl. **16**, 1205.
[2] DRP. 506440 (1927), I. G. Farb., Erf.: G. KRÄNZLEIN et al.; Frdl. **17**, 1167.
[3] DRP. 564435 (1930), I. G. Farb., Erf.: G. KRÄNZLEIN u. H. CORELL; Frdl. **19**, 1920.
[4] Laborvorschrift der Farbf. Bayer AG.

17*

Zur weiteren Reinigung wird die 1-Brom-9,10-anthrachinon-3-carbonsäure aus Pyridin umkristallisiert; Ausbeute: ~ 80% d. Th.

Durch Kombination der oben erwähnten Methoden lassen sich z. B. aus dem 1-Amino-5-cyan-9,10-anthrachinon eine Reihe von **Halogen-9,10-anthrachinon-carbonsäuren** herstellen; z. B.[1]:

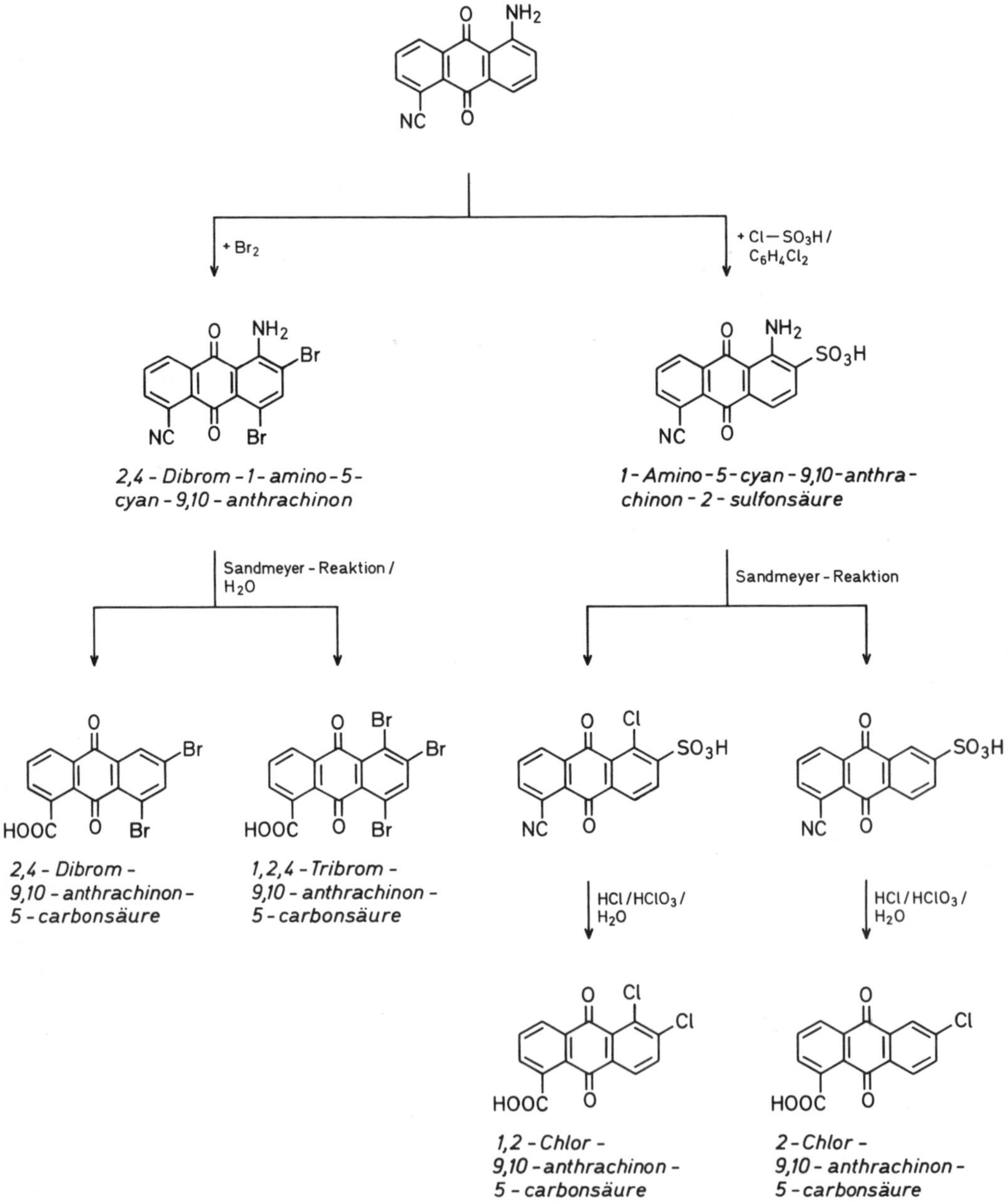

2,4 - Dibrom -1- amino - 5-
cyan - 9,10 - anthrachinon

1- Amino - 5- cyan - 9,10 - anthrachinon - 2 - sulfonsäure

2,4 - Dibrom -
9,10 - anthrachinon -
5 - carbonsäure

1,2,4 - Tribrom -
9,10 - anthrachinon -
5 - carbonsäure

1,2 - Chlor -
9,10 - anthrachinon -
5 - carbonsäure

2 - Chlor -
9,10 - anthrachinon -
5 - carbonsäure

Alle 9,10-Anthrachinon-carbonsäuren lassen sich in 10%-igem Oleum mit der berechneten Menge Chlor (+ Jod) bei 40° in den α-Stellungen des carboxygruppenfreien Kerns dichlorieren[2]. Die Arbeitsweise ist die gleiche, wie sie für die Herstellung der 1,4-Di-

[1] US.P. 2 180 336 (1938), DuPont, Erf.: E.C. Buxbaum; C. **1940 II**, 558.
[2] DRP. 255 121 (1912), Farbf. Bayer; Frdl. **11**, 596.

chlor-9,10-anthrachinon-6-sulfonsäure angewandt wird (s.S. 62). Es sind so in ~75%-iger Reinheit zugänglich:

1,4-Dichlor-9,10-anthrachinon-5-carbonsäure
1,4-Dichlor-9,10-anthrachinon-6-carbonsäure
1,4-Dichlor-9,10-anthrachinon-5,8-dicarbonsäure
1,4-Dichlor-9,10-anthrachinon-6,7-dicarbonsäure

Aus der 2-Chlor-9,10-anthrachinon-3-carbonsäure entsteht entsprechend die *1,4,6-Trichlor-9,10-anthrachinon-7-carbonsäure*. Die Reinigung kann durch Fraktionieren aus Schwefelsäure, worin die Isomeren leichter löslich sind, oder durch Umkristallisieren aus konzentrierter Salpetersäure erfolgen.

Über die Herstellung von Fluor-9,10-anthrachinon-carbonsäuren s.S. 252.

β) Herstellung von Hydroxy-9,10-anthrachinon-carbonsäuren

Die Herstellung von Hydroxy-9,10-anthrachinon-carbonsäuren wurde nicht eingehend bearbeitet, da diese coloristisch ohne Interesse sind, mit Ausnahme der *Purpurin-carbonsäure* und der *Carmin-Säure* (s.S. 150), deren Synthese man früher anstrebte, da diese als Farblacke sehr echte und klare Färbungen ergeben.

Die ringsynthetischen Verfahren zur Herstellung von Hydroxy-9,10-anthrachinon-carbonsäuren beschränken sich nur auf einige Beispiele, z.B. die der *2-Hydroxy-9,10-anthrachinon-3-carbonsäure* aus 1-Hydroxy-benzol-2,4,5-tricarbonsäure-4,5-anhydrid (s.S. 252).

Die Carboxylierung von Hydroxy-9,10-anthrachinonen mittels Kohlendioxid gelingt nicht.

Einige Hydroxy-9,10-anthrachinon-carbonsäuren können durch Oxidation der entsprechenden Hydroxy-methyl-9,10-anthrachinone mittels Nitrosylschwefelsäure hergestellt werden; z. B. die *1,4-Dihydroxy-9,10-anthrachinon-2-carbonsäure* (s. S. 117). Diese läßt sich mittels Mangandioxid in Schwefelsäure zur *1,2,4-Trihydroxy-9,10-anthrachinon-3-carbonsäure* (s. S. 114) hydroxylieren[1]. Analog kann die 1,4-Dihydroxy-9,10-anthrachinon-5,8-dicarbonsäure in die *1,2,4-Trihydroxy-9,10-anthrachinon-5,8-dicarbonsäure* übergeführt werden[1].

Alle o- und p-Chlor-9,10-anthrachinon-carbonsäuren werden durch Erwärmen mit verdünnter Natronlauge leicht hydrolysiert. Auf diese Weise sind u. a. die *1-Hydroxy-9,10-anthrachinon-2-carbonsäure* und die *2-Hydroxy-9,10-anthrachinon-3-carbonsäure* zugänglich. Durch Verkochen der aus den Amino-9,10-anthrachinon-carbonsäuren erhältlichen Diazonium-Verbindungen ist ebenfalls eine große Zahl von Hydroxy-9,10-anthrachinon-carbonsäuren herstellbar.

Die Hydrolyse von α-Halogen-9,10-anthrachinon-carbonsäuren mittels Borsäure/Schwefelsäure (s. S. 101) wurde an folgenden Beispielen durchgeführt:

1,4-Dichlor-9,10-anthrachinon-5,8-dicarbonsäure $\xrightarrow{\text{H}_2\text{SO}_4/\text{B}_2\text{O}_3,\ 180°}$ *1,4-Dihydroxy-9,10-anthrachinon-5,8-dicarbonsäure* (Dimethylester F: 230−231°)[1]

4-Chlor-1-amino-9,10-anthrachinon-2-carbonsäure $\xrightarrow[\text{B}_2\text{O}_3,\ 160°]{\text{Oleum (5\%ig)/}}$ *4-Amino-1-hydroxy-9,10-anthrachinon-3-carbonsäure*; F: 322°[2]

Über die Möglichkeiten der Herstellung der 1,4-Dihydroxy-9,10-anthrachinon-2,3-dicarbonsäure s.S. 239

---

[1] G. Rösch, I.G. Farb. Leverkusen (1933).
[2] USSR.P. 281 479 (1968), Erf.: Y. B. Shteinberg u. L. M. Slavutskaya; C. A. **75**, 5574ʸ (1971).

γ) Herstellung von Amino-9,10-anthrachinon-carbonsäuren

Unter den Amino-9,10-anthrachinon-carbonsäuren kommt nur der *1-Amino-9,10-anthrachinon-2-carbonsäure* (beidseitige Wasserstoffbrücken-Bindungen) eine technische Bedeutung zu, da sie die Grundlage für einige rote Indanthrenfarbstoffe ist. So entsteht durch Cyclisieren des 1,2-Bis-[1-amino-9,10-anthrachinon-2-carbonyl]-hydrazids (I) das *Indanthrenrot F3B* (II)[1]:

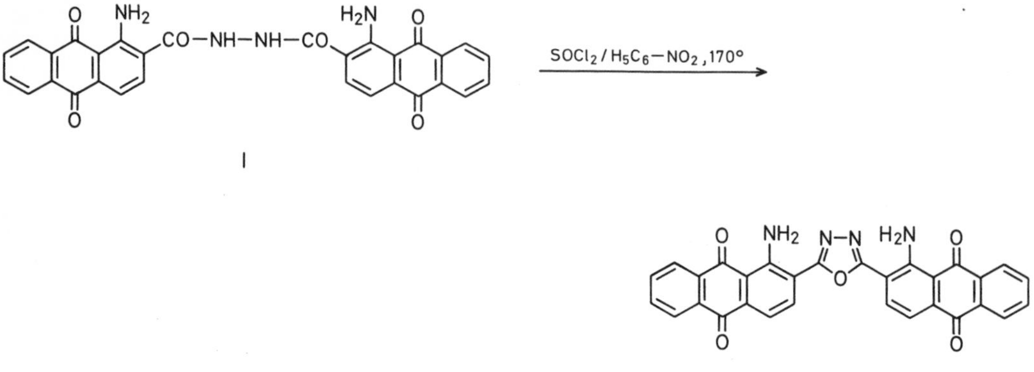

Ein weiteres Beispiel findet sich auf S. 216.

Zu der 1-Amino-9,10-anthrachinon-2-carbonsäure und ihren N-Derivaten führen zahlreiche Wege; z. B. das technische Verfahren der Oxidation von 1-Nitro-2-methyl-9,10-anthrachinon (s. S. 256).

In der 1-Chlor-9,10-anthrachinon-2-carbonsäure läßt sich das Chlor-Atom besonders leicht gegen Amino-Gruppen austauschen. So setzt sie sich bereits unterhalb 100° mit Ammoniak oder aliphatischen Aminen um[2]. Aromatische Amine werden zweckmäßig in siedendem Butanol unter Zusatz von Kaliumacetat und katalytischen Mengen Kupfer kondensiert.

Besonders leicht reagiert die 1-Nitro-9,10-anthrachinon-2-carbonsäure – z. B. mit ~50%-igem Methylamin in Gegenwart von Natriumhydrogencarbonat bereits bei 60° – zur *1-Methylamino-9,10-anthrachinon-2-carbonsäure*[3].

Beim Erhitzen von 1-Chlor- (oder 1-Nitro)-9,10-anthrachinon-2-carbonsäure mit 2-Amino-naphthalin in 1,2-Dichlor-benzol tritt leicht Ringschluß zum Acridon ein[4]:

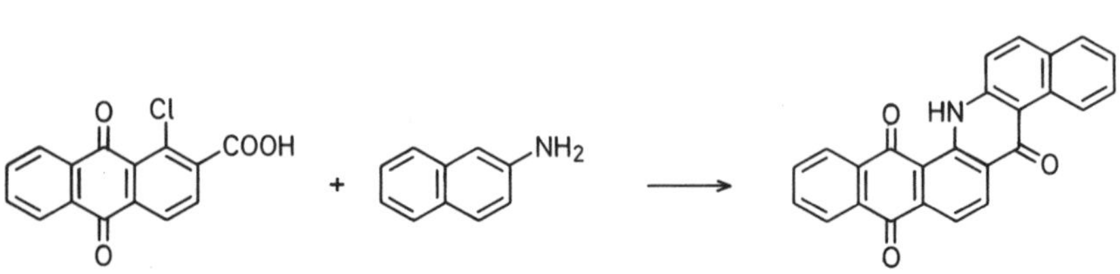

Indanthrenrot RK

Die *1-Amino-9,10-anthrachinon-3-carbonsäure* lässt sich auf folgendem Wege herstellen[5]:

[1] US.P. 2464831 (1947), DuPont, Erf.: F. B. Stilmar; C. A. 43, 4484ᵃ (1949).
    DBP. 825111 (1949), I.G. Farb., Erf.: H.-W. Schwechten u. J. Singer; C. A. 49, 630ᵃ (1955).
[2] DRP. 247411 (1911), BASF; Frdl. 10, 602.
[3] DRP. 605595 (1933), I.G. Farb., Erf.: P. Nawiasky et al.; Frdl. 21, 1058.
[4] BIOS Final Rep. Nr. 1493, 41 (1948), I.G. Farb. Ludwigshafen.
[5] DBP. 834248 (1950), BASF, Erf.: O. Schlichting, E. Jutz u. W. Rohland; C. A. 47, 1744ᵉ (1953).

Die 2-Chlor-9,10-anthrachinon-3-carbonsäure setzt sich mit 20%-igem Ammoniak in Gegenwart von Spuren Kupfer bei 140° (1 Stde.) glatt zur *2-Amino-9,10-anthrachinon-3-carbonsäure* um[1]. Diese ist auch durch Ringschlußreaktion gut zugänglich (s. S. 254).

Die *2-Methylamino-9,10-anthrachinon-1-carbonsäure* wird aus 2-Brom-1-cyan-9,10-anthrachinon und Methylamin in Pentanol bei 180° und anschließender Hydrolyse erhalten[2].

Auch durch Austausch von Halogen-Atomen gegen die Tosylamino-Gruppe (s. S. 79) und anschließende Hydrolyse sind zahlreiche Amino-9,10-anthrachinon-carbonsäuren hergestellt worden, z. B.:

2-Chlor-9,10-anthrachinon-3-carbonsäure	→	*2-Amino-9,10-anthrachinon-3-carbonsäure*[3]
3-Brom-1-amino-9,10-anthrachinon-2-carbonsäure	→	*1,3-Diamino-9,10-anthrachinon-2-carbonsäure*[4]
1,3-Dibrom-4-cyan-9,10-anthrachinon	→	*3-Brom-1-amino-9,10-anthrachinon-4-carbonsäure*[5]
4-Brom-1-amino-9,10-anthrachinon-2-carbonsäureamid	→	*1,4-Diamino-9,10-anthrachinon-2-carbonsäureamid*[6]

Außer den oben beschriebenen Verfahren gibt es noch weitere, zum Teil ungenutzte Herstellungsmöglichkeiten für Amino-9,10-anthrachinon-carbonsäuren; z. B. die Oxidation der nach Marschalk leicht zugänglichen 1-Amino-2-methyl- bzw. 1-Amino-2-hydroxymethyl-9,10-anthrachinone (s. S. 198), die Redoxumwandlung von 1-Nitro-2-methyl-9,10-anthrachinonen in die 1,2-Oxazole (s. S. 250), die Herstellung von *1,4-Diamino-9,10-anthrachinon-2-carbonsäuren* und *-2,3-dicarbonsäure* auf Bromaminsäure-Basis (s. S. 239) und die noch wenig untersuchten Nitrierungen von Dimethyl-9,10-anthrachinonen, von 9,10-Anthrachinon-mono- und -dicarbonsäuren.

Auf die gute Zugänglichkeit zahlreicher substituierter Amino-cyan-9,10-anthrachinone wurde bereits hingewiesen. Über die Herstellung von *4-Amino-1,2-dimethyl-3-cyan-9,10-anthrachinon* durch Diensynthese s. S. 28.

In einer umfassenden Veröffentlichung[7] ist die Herstellung von Amino- und Diamino-9,10-anthrachinon-dicarbonsäuren beschrieben:

---

[1] BIOS Final Rep. Nr. **1493**, 19 (1948), I.G. Farb. Leverkusen.
[2] A. Schaarschmidt, A. **405**, 117 (1914).
[3] DRP. 293 100 (1914), Agfa; Frdl. **12**, 445.
[4] A. Locher u. H. E. Fierz-David, Helv. **10**, 666 (1927).
[5] H. Hopff, J. Fuchs u. K. H. Eisenmann, A. **585**, 176 (1954).
[6] DRP. 605 595 (1933), I.G. Farb., Erf.: P. Nawiasky et al.; Frdl. **21**, 1058.
[7] H. Hopff, J. Fuchs u. K. H. Eisenmann, A. **585**, 161 (1954).

1-Amino-9,10-anthrachinon-
2,4-dicarbonsäure; F: 323−325°

2-Amino-9,10-anthrachinon-
1,4-dicarbonsäure; 88% d. Th.

1,2-Diamino-9,10-anthrachinon-
4-carbonsäure; 61% d. Th.

(vgl. S. 256)

1,5-Diamino-9,10-anthrachinon-
2,6-dicarbonsäure

1,5-Diamino-9,10-anthrachinon-3,7-dicarbonsäure

3,7-Diamino-9,10-anthrachinon-1,5-dicarbonsäure; 70% d.Th.

Analog erhält man aus

1,8-Dinitro-2,7-dimethyl-9,10-anthrachinon $\xrightarrow{\begin{array}{l}1.\,CrO_3\\2.\,Na_2S_2O_4\end{array}}$ *1,8-Diamino-9,10-anthrachinon-2,7-dicarbonsäure* (auch über die Bis-1,2-oxazole; s. S. 250)

3,6-Dibrom-1,8-diamino-9,10-anthrachinon $\xrightarrow{\begin{array}{l}1.\,CuCN\\2.\,H_2SO_4\end{array}}$ *1,8-Diamino-9,10-anthrachinon-3,6-dicarbonsäure*

1,3,6,8-Tetrabrom-9,10-anthrachinon $\xrightarrow{\begin{array}{l}1.\,CuCN\\2.\,H_2SO_4\\3.\,NH_3\end{array}}$ *3,6-Diamino-9,10-anthrachinon-1,8-dicarbonsäure; 65% d.Th.*

Die 1-Amino-2-acyl-9,10-anthrachinone und die 1-Amino-9,10-anthrachinon-2-carbonsäure dirigieren weitere Substituenten in die 4-Stellungen. So läßt sich *4-Brom-1-amino-9,10-anthrachinon-2-carbonsäure* am besten durch Bromieren in konzentrierter Schwefelsäure bei 80° herstellen[1]. Das 1-Amino-9,10-anthrachinon-2-carbonsäureamid wird mit Brom in konzentrierter Salzsäure in das *4-Brom-1-amino-9,10-anthrachinon-2-carbonsäure-amid* und das 1-Amino-2-acetyl-9,10-anthrachinon analog in das *4-Brom-1-amino-2-acetyl-9,10-anthrachinon* übergeführt[2].

[1] DOS. 1668870 (1968), BASF, Erf.: K. MAIER; C. A. 72, 100369ᵍ (1970).
[2] DRP. 605595 (1933), I.G. Farb., Erf.: P. NAWIASKY et al.; Frdl. 21, 1058.

Die Nitrierung der 1-Amino-9,10-anthrachinon-2-carbonsäure erfolgt in Schwefel-säure zweckmäßig unter Schutz der Amino-Gruppe durch Paraformaldehyd bei $-5°$[1,2].

1-Amino-4-nitro-9,10-anthrachinon-2-carbonsäure[2]:

In eine Lösung von 53,4 g 1-Amino-9,10-anthrachinon-2-carbonsäure in 570 g konz. Schwefelsäure werden bei 13–15° 8,2 g Paraformaldehyd eingerührt und nach 30 Min. bei $-5°$ innerhalb 45 Min. 26 g einer 52%-igen Nitriersäure. Man läßt 1 Stde. bei $-5°$ nachreagieren. Dann trägt man 6,5 g Hydrazinsulfat ein und rührt weitere 30 Min. bei $-5°$. Anschließend wird ein Gemisch aus 115 *ml* Wasser und 66 g einer 38%-igen Natriumhydrogensulfit-Lösung so zugetropft, daß die Temp. 30° nicht übersteigt. Nach 2 Stdn. saugt man ab, wäscht mit einer 75%-igen Schwefelsäure und dann mit Wasser aus.

Zur Hydrolyse erhitzt man den Filterkuchen mit 24 g Natriumcarbonat in 800 *ml* Wasser 2 Stdn. auf 70° bis zur völligen Lösung. Nach dem Fällen mit 75%-iger Schwefelsäure resultieren 46,3 g ($\sim$ 75% d. Th.) 1-Amino-4-nitro-9,10-anthrachinon-2-carbonsäure mit einem Reinheitsgrad von 95,4%.

6. Herstellung von 9,10-Anthrachinon-carbonsäure-estern und -chloriden und deren Umwandlungsprodukten

Die Veresterung der 9,10-Anthrachinon-carbonsäuren erfolgt nach den üblichen Methoden. Diese ist mit niederen Alkoholen wegen der geringen Löslichkeit der Carbonsäuren oft schwierig durchzuführen. Es empfiehlt sich, in solchen Fällen unter Druck zu arbeiten. Es ist auch vorgeschlagen worden, die Natriumsalze mit Benzylchlorid umzusetzen. Eine verhältnismäßig einfache Veresterungsmethode beruht auf der Anwendung von Methylhydrogensulfat. 9,10-Anthrachinon-carbonsäureester lassen sich auch durch Erhitzen der Nitrile in Alkoholen unter Zusatz von Schwefelsäure oder aus den Carbonsäure-chloriden gewinnen.

Die Methylester können leicht umgeestert und auch in üblicher Weise umgesetzt werden. Infolge ihrer guten Löslichkeiten werden sie auch zur Identifizierung und Reinigung der Carbonsäuren herangezogen.

9,10-Anthrachinon-2-carbonsäure-methylester[3]: 100 g 9,10-Anthrachinon-2-carbonsäure werden mit 300 g Schwefelsäure-monomethylester unter Rühren $\sim$ 30 Min. auf 130–140° erwärmt. Nach dem Austragen in Eiswasser wird der Niederschlag abgesaugt, ausgewaschen und mit einer 3%-igen wäßrigen Piperidin-Lösung zwecks Entfernung geringer Mengen Ausgangsmaterial (das Na-salz ist sehr schwer löslich) digeriert; Ausbeute: $\sim$ 100% d. Th.; F: 170°.

Im Gegensatz zu den Carbonsäure-chloriden liegen die 9,10-Anthrachinon-α-carbonsäureester nur in der normalen Form vor[4].

Die 9,10-Anthrachinon-α-carbonsäuren werden durch kurzes Kochen in Essigsäureanhydrid in gemischte Anhydride übergeführt, denen wahrscheinlich die Lacton-Struktur (z. B. I) zukommt, da aus 9,10-Anthrachinon-2-carbonsäuren auf diese Weise keine Anhydride entstehen[5].

I; F: 285–287°

[1] FIAT Final Rep. Nr. **1313** II, 70 (1948), I.G. Farb. Ludwigshafen.
[2] DOS. 2348557 (1973), BASF, Erf.: A. SCHUHMACHER u. G. SCHWANTJE; C. A. **83**, 114083^y (1975).
    s. a.DOS. 2247347 (1972), BASF, Erf.: G. SCHWANTJE u. A. SCHUHMACHER; C. A. **81**, 105973^w (1974).
[3] DRP. 609401 (1932), I.G. Farb., Erf.: P. NAWIASKY u. R. ROBL; Frdl. **21**, 1031.
[4] Über die Ester und Carbonsäurechloride der 9,10-Anthrachinon-α-carbonsäuren s. R. SCHOLL u. J. DONAT, B. **62**, 1295 (1929).
[5] R. SCHOLL, S. HASS u. H. K. MEYER, B. **62**, 107 (1929).

Aus 9,10-Anthrachinon-1,5-dicarbonsäure wird analog ein „Bis-anhydrid" erhalten[1].

Von den Umwandlungsprodukten der 9,10-Anthrachinon-α-carbonsäuren sind deren Reduktionsprodukte interessant (s. S. 281, 282).

Reduziert man den 1-Phenylester mit Zinkstaub in siedender Essigsäure, dann läßt sich das *9,10-Dihydroxy-anthracen-1-carbonsäure-lacton* (rote Kristalle; Struktur A) fassen, das sich in verdünntem Ammoniak mit intensiv blauer Farbe löst[2] (B).

A
rot

B
blaue Salze

Erheblich leichter läßt sich der Lacton-Ringschluß ausgehend von einem beliebigen Ester der 2-Methyl-9,10-anthrachinon-1-carbonsäure durchführen[2].

Das 9,10-Dihydroxy-anthracen-1,5-dicarbonsäure-bis-lacton wird am einfachsten erhalten durch Lösen der 9,10-Anthrachinon-1,5-dicarbonsäure in konzentrierter Schwefelsäure und Zugabe von Kupferbronze bei 20°[3].

Die Durchführung der oben beschriebenen Umsetzungen mit der 9,10-Anthrachinon-1,4-dicarbonsäure verlaufen etwas komplizierter[4].

Die *9,10-Anthrachinon-2-carbonsäure-chloride* lassen sich ohne Schwierigkeiten in der üblichen Weise herstellen. Auch die 1-Amino- bzw. 1-Hydroxy-9,10-anthrachinon-2-carbonsäuren sind ohne Schutzgruppe durch Erhitzen mit Thionylchlorid in Nitrobenzol auf 100° in die Carbonsäurechloride überführbar[5]. Auf diese Weise sind u. a. zugänglich:

1-Amino-9,10-anthrachinon-2-carbonsäure-chlorid
1-Amino-4-nitro-9,10-anthrachinon-2-carbonsäure-chlorid; F: 238–239°
1-Amino-4-tosylamino-9,10-anthrachinon-2-carbonsäure-chlorid
4-Nitro-1-hydroxy-9,10-anthrachinon-2-carbonsäure-chlorid; F: 227–228°

Auch aus anderen 9,10-Anthrachinon-β-carbonsäuren mit α-ständigen Hydroxy-Gruppen lassen sich die entsprechenden Carbonsäure-chloride mittels Thionylchlorid anscheinend ohne Schwierigkeiten herstellen; so z. B. das *1,8-Dihydroxy-3-methoxy-9,10-anthrachinon-6-carbonsäure-chlorid*[6]. β-Ständige Hydroxy-Gruppen hingegen gehen Kondensationsreaktionen ein. So ist es nicht gelungen, die 1,3,8-Trihydroxy-9,10-anthrachinon-6-carbonsäure in das Carbonsäure-chlorid überzuführen[6].

Das *9,10-Anthrachinon-2-carbonsäure-chlorid* kann dazu benutzt werden, um primäre und sekundäre Alkohole aus Gemischen abzutrennen bzw. zu charakterisieren. Die Umsetzungen erfolgen in trockenem Benzol unter Pyridin-Zusatz. Nach diesem Verfahren wurden zahlreiche 9,10-Anthrachinon-2-carbonsäure-e s t e r hergestellt[7].

Die 9,10-Anthrachinon-1-carbonsäure-chloride, die z. T. in der tautomeren Form vorliegen, sind auf S. 269 beschrieben.

[1] R. SCHOLL, S. HASS u. H. K. MEYER, B. **62**, 107 (1929).
[2] R. SCHOLL u. F. RENNER, B. **62**, 1278 (1929).
[3] R. SCHOLL u. L. WANKA, B. **62**, 1426 (1929).
    vgl. a. R. SCHOLL, O. BÖTTGER u. S. HASS, B. **62**, 616 (1929).
[4] R. SCHOLL u. O. BÖTTGER, B. **63**, 2128 (1930).
[5] DRP. 580012 (1929), I.G. Farb., Erf.: P. NAWIASKY u. A. KRAUSE; Frdl. **19**, 2006.
[6] R. EDER u. F. HAUSER, Helv. **8**, 130, 132 (1925).
[7] T. REICHSTEIN, Helv. **9**, 803 (1926).

n) Herstellung von 9,10-Anthrachinonyl-Ketonen

9,10-Anthrachinone, auch wenn sie durch Hydroxy- oder Amino-Gruppen substituiert sind, lassen sich nicht mit Carbonsäure-chloriden im Kern acylieren.

Zur Herstellung von Acyl-9,10-anthrachinonen ist man daher gezwungen, von den 9,10-Anthrachinon-carbonsäure-chloriden auszugehen. Die Synthesen mit 9,10-Anthrachinon-β-carbonsäure-chloriden gelingen leicht, da sie sich wie aromatische Carbonsäure-chloride kondensieren lassen. Auf diese Weise sind zahlreiche β-Aroyl- und β,β'-Diaroyl-9,10-anthrachinone herstellbar[1], sogar solche aus 1-Amino-9,10-anthrachinon-2-carbonsäure-chloriden.

β-Acetyl-9,10-anthrachinone werden aus den durch Kondensation der Anthrachinon-β-carbonsäure-chloride mit Acetessigsäure-äthylester entstandenen α-(9,10-Anthrachinonyl-(2)-carbonyl)-acetessigsäure-äthylestern (z.B. I) durch Säurespaltung erhalten[2]. Die Spaltung erfolgt leicht durch Erwärmen mit 78%-iger Schwefelsäure bei 90°:

I   II

Nach dieser Methode können z. B. *2-Acetyl-* (II) (70% d.Th.; F: 114°) und *2-Chlor-3-acetyl-9,10-anthrachinon* (64% d.Th.; F 154–156°) hergestellt werden[2]. Analoge Kondensationen lassen sich auch mit Magnesiummalonsäure-diester durchführen[3]; erhältlich sind so z. B. in 80%-iger Ausbeute *1-Nitro-2-acetyl-* und *1,4-Dichlor-6-acetyl-9,10-anthrachinon*; F: 235°.

β-Ständige Äthyl-Gruppen lassen sich in Acetyl-Gruppen überführen, wenn man bei 20° mit Chrom(VI)-oxid in Essigsäure oxidiert. Auf diese Weise wurde aus 2-Äthyl-9,10-anthrachinon das *2-Acetyl-9,10-anthrachinon* (F: 144°) in 64%-iger Ausbeute erhalten[4].

1-Nitro-2-acetyl-9,10-anthrachinon[5]: 4,6 g (16,4 mMol) 1-Nitro-2-äthyl-9,10-anthrachinon, 2,64 g (26,4 mMol) Chrom(VI)-oxid, 100 ml Essigsäure und 12 ml konz. Schwefelsäure werden 16 Stdn. bei 20° gerührt. Dann wird das ausgeschiedene 1-Nitro-2-acetyl-9,10-anthrachinon abgesaugt, mit Äthanol ausgewaschen und aus 300 ml Essigsäure umkristallisiert (F: 266–267°); Ausbeute: 50% d.Th.

1-Nitro-2-acetyl-9,10-anthrachinon läßt sich in das *1-Amino-2-acetyl-* und in das *1-Brom-2-acetyl-9,10-anthrachinon* überführen[5].

Zur Herstellung von *1-Amino-2-acetyl-9,10-anthrachinon* aus 1-Methyl-2-äthyl-9,10-anthrachinon über das 1,2-Oxazol s. S. 250ff. Da 9,10-Anthrachinon-1-carbonsäure-chloride auch in ihrer tautomeren Form reagieren[1],

[1] A. SCHAARSCHMIDT, B. **48**, 831 (1915).
[2] DRP. 627250 (1934), I.G. Farb., Erf.: P. NAWIASKY u. W. EICHHOLZ; Frdl. **22**, 1035.
[3] DRP. 628558 (1935), I.G. Farb., Erf.: P. NAWIASKY u. W. EICHHOLZ; Frdl. **22**, 1038.
[4] Fr.P. 1336713 (1962), L'Air Liquide S. A., Erf.: A. ÉTIENNE, G. ARDITTI u. A. CHMELEVSKY; C. A. **60**, 2874^d (1964).
[5] US.P. 3211754 (1962), American Cyanamid Co., Erf.: E. KLINGSBERG; C. A. **64**, 849e (1966).

entsteht bei der Kondensation mit Benzol und Aluminiumchlorid unterhalb 50° zu ~60% das *1-Benzoyl-9,10-anthrachinon* und zu ~20% das Lacton I. Letzteres läßt sich durch Erhitzen mit 10%-igem methanolischem Kaliumhydroxid in Lösung bringen (II)[1,2]:

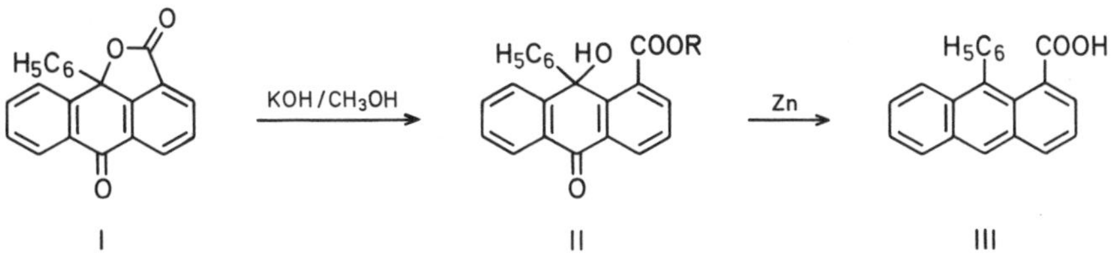

Durch Zinkstaub wird das Chinol II in wäßrig-alkalischer Lösung zur 9-Phenyl-anthracen-1-carbonsäure (III) reduziert[2].

Kondensiert man 9,10-Anthrachinon-1,4-dicarbonsäure-dichlorid mit Benzol — zweckmäßig in Gegenwart von Eisen(III)-chlorid —, so entsteht vorwiegend das Lacton IV neben *1,4-Dibenzoyl-9,10-anthrachinon* (V)[3,4].

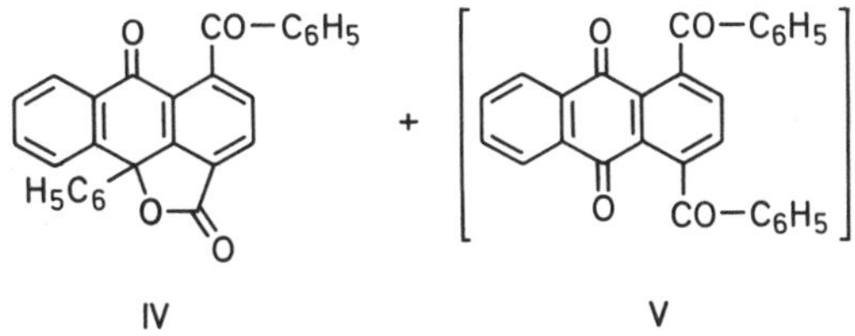

Das 1-Benzoyl-9,10-anthrachinon (F: 227°) kann auch durch Oxidation von Bz1-Phenyl-benzanthron mit Chrom(IV)-oxid in Essigsäure bei 100° hergestellt werden[5].

1-Alkanoyl-9,10-anthrachinone lassen sich auch aus Anthracen-Derivaten herstellen, z. B. wurde 1-Cyan-anthracen mit Grignard-Verbindungen umgesetzt[6]. Aus Anthracen-α-carbonsäure-chloriden sind Ketone nach den üblichen Verfahren zugänglich[7]. Durch Kondensation von Anthracen mit aliphatischen Carbonsäure-chloriden sind 1- und 2-Acyl-anthracene[7,8] herstellbar. Die Alkanoyl-anthracene lassen sich dann mit Chrom(VI)-oxid gut zu den 1- bzw. 2-Alkanoyl-9,10-anthrachinonen oxidieren. Auf diese Weise wurden u. a. hergestellt: *1-* und *2-Acetyl-, 1,5-Diacetyl-* (F: 318–319°)[7] und *1-Propanoyl-9,10-anthrachinon*[6].

Durch Einwirkung von Acetylchlorid in Gegenwart von Aluminiumchlorid auf Anthracen in Trichlormethan-Lösung läßt sich die Bildung von 9-Acetyl- und 1,5-Diacetyl-anthracen (81% d. Th.; F: 213°) optimieren[9]. 1,5-Diacetyl-anthrachinon wird in verpasteter Form durch Erhitzen mit Natriumhypochlorit zur *9,10-Anthrachinon-1,5-dicarbonsäure* oxidiert[9].

Durch Kondensation von einem Mol Diphenylmethan mit zwei Mol Phthalsäureanhydrid und anschließender Oxidation mit Chrom(VI)-oxid wird das 4,4′-Bis-[2-carboxy-

[1] A. SCHAARSCHMIDT, B. **48**, 831 (1915).
[2] R. SCHOLL u. J. DONAT, A. **512**, 10 (1934).
[3] R. SCHOLL u. K. MEYER, A. **512**, 112 (1934).
[4] Weitere Mitteilungen über analoge Keton/Lacton-Bildungen s. R. SCHOLL et al., A. **512**, 30, 112, 124 (1934); **513**, 295 (1934).
[5] DRP. 487254 (1925), I.G. Farb., Erf.: B. STEIN, W. TRAUTNER u. R. BERLINER; Frdl. **16**, 1303.
[6] H. WALDMANN u. A. OBLATH, B. **71**, 370 (1938).
[7] DRP. 499588 (1926), I.G. Farb., Erf.: A. LÜTTRINGHAUS u. F. KAČER; Frdl. **17**, 1152.
[8] DRP. 492247, 493688 (1926), I.G. Farb., Erf.: A. LÜTTRINGHAUS u. F. KAČER; Frdl. **16**, 1195, 1197.
[9] H. F. BASSILIOS, M. SHAWKY u. A. Y. SALEM, R. **81**, 679 (1962).

benzoyl]-benzophenon erhalten, das sich durch Erhitzen mit Schwefelsäure-Monohy-
drat/Borsäure auf 190° zum *Bis-[9,10-anthrachinonyl-(2)]-keton* (schlechte Ausbeute; F:
302–303°) cyclisieren läßt[1].

Die 1-Acyl-9,10-anthrachinone werden in konzentrierter Schwefelsäure durch Aluminium leicht unter Molekül-Verdoppelung reduziert[2]. Es entstehen dabei ähnliche Produkte wie bei der Oxidation der 1-Methyl-9,10-anthrachinone (s. S. 246).

1-Acyl-9,10-anthrachinone küpen mit brauner und 2-Acyl-Verbindungen mit grüner
Farbe.

B. Umwandlungen der 9,10-Anthrachinone an den Carbonyl-Gruppen[3] bzw. Herstellung funktioneller 9,10-Anthrachinon-Derivate

I. Umwandlung durch Reduktion[3-6]

a) Allgemeines

Von allen Umwandlungsmöglichkeiten der 9,10-Anthrachinone an den Carbonyl-
Gruppen ist die Reduktion die wichtigste. Diese kann je nach den Versuchsbedingungen
folgende Stufen durchlaufen, die alle isoliert werden können:

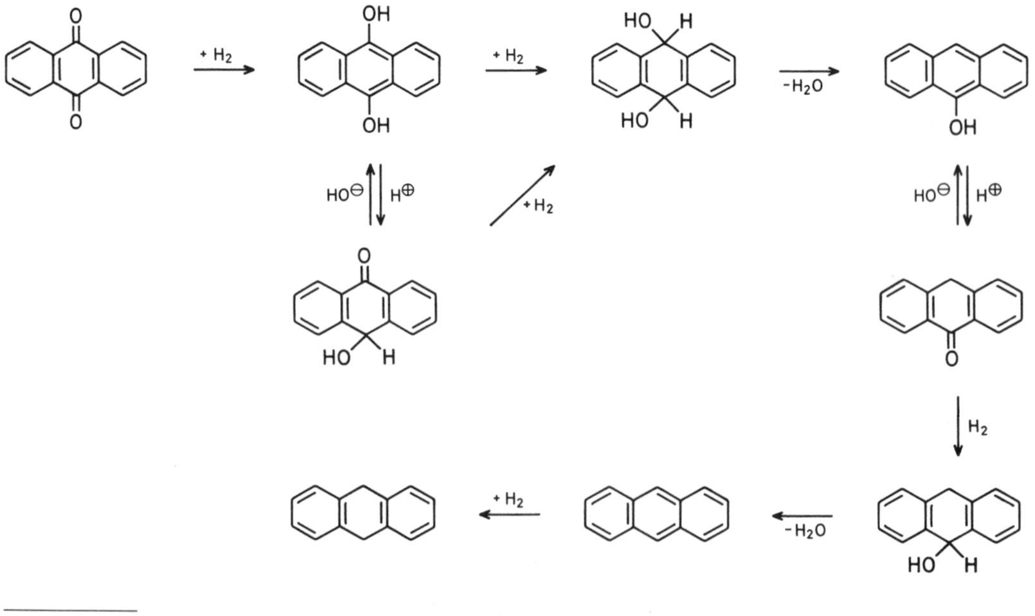

[1] US.P. 2 225 088 (1939), DuPont, Erf.: J. M. TINKER u. V. M. WEINMAYR; C. A. **35**, 2157[7] (1941).
[2] A. SCHAARSCHMIDT, B. **48**, 973 (1915).
[3] J. HOUBEN, *Das Anthracen und die Anthrachinone*, S. 147 ff.; 159 ff., G. Thieme Verlag, Leipzig 1929.
[4] Klassische Arbeit über die Anthrachinonreduktion: C. LIEBERMANN, A. **212**, 1 (1882).
[5] K. H. MEYER, A. **379**, 37 (1911).
[6] K. H. MEYER u. A. SANDER, A. **396**, 133 (1913).

b) Reduktion von 9,10-Anthrachinonen zu 9,10-Dihydroxy-anthracenen (Anthrahydrochinonen)

Zur Herstellung von 9,10-Dihydroxy-anthracenen ist folgendes zu bemerken: Durch Einwirkung eines starken Reduktionsmittels (wie Zinkstaub oder Natriumdithionit) auf die Suspension eines 9,10-Anthrachinons in verdünnter Natronlauge bei wenig erhöhter Temperatur tritt zunächst eine grüne Lösungsfarbe auf, die rasch nach rotbraun umschlägt (Liebermann-Reaktion). Aufgrund verschiedenartiger physikalischer Messungen darf angenommen werden, daß sich dabei folgender Vorgang abspielt (s. S. 13):

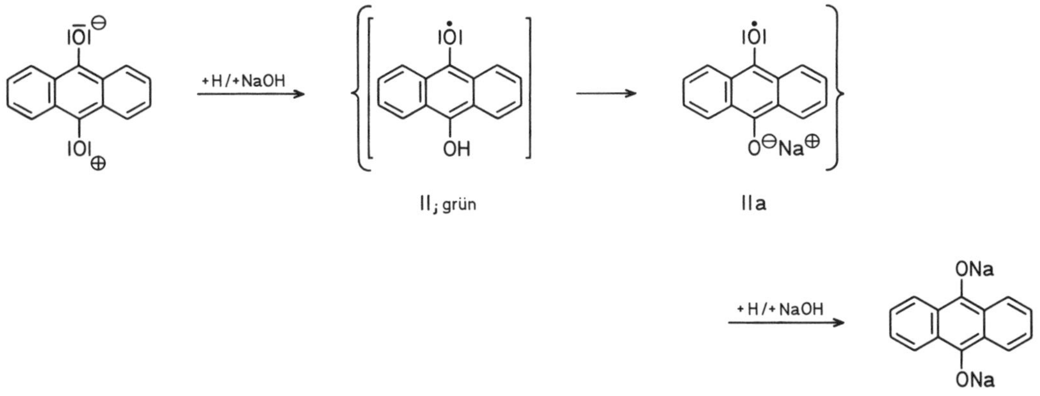

II; grün   IIa

III

Zunächst entsteht das Semichinon II, das jedoch nur als Ion (IIa) existenzfähig ist. Durch weiteren Hinzutritt eines Elektrons stabilisiert sich dieses zum *9,10-Dihydroxy-anthracen* (III), das als Natriumsalz in Lösung vorliegt (die sogenannte Leuko-Verbindung oder Küpe) und durch Sauerstoff zum 9,10-Anthrachinon rückoxidiert wird. Primär bildet sich dabei das Peroxid IV, das sofort in 9,10-Anthrachinon und Dihydroperoxid zerfällt. Auf diese Weise wird heute hochprozentiges Dihydroperoxid [unter Verwendung von 2-tert.-Butyl- oder 2-tert.-Pentyl-9,10-anthrachinon] großtechnisch hergestellt[1].

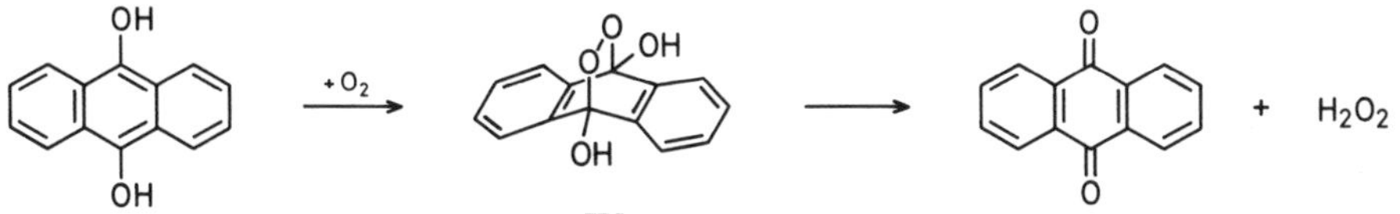

IV

Außer dem allgemein gebräuchlichen Natriumdithionit ist auch Natriumboranat[2] zum Verküpen gut geeignet. Lithiumalanat in Äther führt zum *9,10-Dihydroxy-9,10-dihydro-anthracen*[3]. Nicht verküpbar sind z. B. 1,4- und 1,5-Dimethyl-, 1,3,5,7- und 1,4,5,8-Tetramethyl-9,10-anthrachinon; diese sind jedoch katalytisch in normaler Weise hydrierbar. Aus α-Halogen-9,10-anthrachinonen werden beim Verküpen teilweise die Halogen-Atome eliminiert. Über das abweichende Reduktionsverhalten der 1,4-Dihydroxy- und 1,4-Diamino-9,10-anthrachinone s. S. 89.

[1] s. ULLMANN, 3. Aufl., Bd. 13, S. 208ff. (1962).
   KIRK-OTHMER, 2. Aufl., Bd. XI, S. 397ff. (1966).
[2] Intern. Dyer 140, 599 (1968).
[3] E. BOYLAND u. D. MANSON, Soc. 1951, 1837.

Auf der leichten Überführbarkeit von polycyclischen Chinonen mittels Natriumdithionit und Natronlauge in leicht lösliche Leuko-Verbindungen, die an der Luft wieder zu den unlöslichen Chinonen zurückoxidiert werden, beruht das Prinzip der Küpenfärberei. Als Küpenfarbstoffe, an die höchste Echtheitsansprüche gestellt werden, kommen jedoch einfache 9,10-Anthrachinone (mit Ausnahme der α-Aroylamino-9,10-anthrachinone) nicht in Betracht, sondern nur solche mit anellierten Ringen oder Chinone höher kondensierter Ringsysteme.

In der Laboratoriumspraxis benutzt man wäßr. Lösungen von 9,10-Anthrachinon-2-sulfonsäure in Gegenwart von Natriumdithionit und Natronlauge, um Spuren von Sauerstoff aus Gasen zu entfernen. Dieses Reagenz[1] ist wirksamer als das früher dazu verwendete Pyrogallol.

Da einige 9,10-Anthrachinone von Schwefelwasserstoff reduziert werden, läßt sich dieser nach dem Stredford-Process aus Gasen durch Behandeln mit einer 2%-igen wäßr. Lösung eines Gemisches aus 9,10-Anthrachinon-2,6- und -2,7-disulfonsäure bei p_H : 9 entfernen. Bei einem höheren Schwefelwasserstoff-Gehalt wird Vanadat zugesetzt. In kontinuierlicher Arbeitsweise wird die entstandene Leuko-Verbindung mit Luft oxidiert und der abgeschiedene Schwefel abfiltriert[2].

Beim Ansäuern der alkalischen Lösungen der 9,10-Dihydroxy-anthracene lagern sich diese leicht in die alkaliunlöslichen *9-Hydroxy-10-anthrone* (VI) um[3], die beim Erwärmen mit verdünnter Natronlauge unter Rückbildung des 9,10-Dihydroxy-anthracens wieder in Lösung gehen[4].

V   VI

Läßt man auf feinverteiltes Anthracen in einem Aceton/Wasser-Gemisch bei 0° Brom einwirken, so entsteht in ~60%-iger Ausbeute das *9-Hydroxy-10-anthron*[5].

Durch Erhitzen mit äthanolischer Salzsäure disproportioniert das 9,10-Dihydroxy-anthracen zu einem Gemisch aus *9,10-Anthrachinon, 10-Anthron* und *9,9'-Dihydroxy-9,9'-bi-[10-anthronyl]*[3].

c) Herstellung von Derivaten der 9,10-Dihydroxy-anthracene

Die Alkylierung der alkalischen Zinkstaub-Küpe des 9,10-Anthrachinons verläuft uneinheitlich[6].

Mit Dimethylsulfat in verdünnter Natronlauge bei 20° entsteht vorwiegend das autoxidable *9-Hydroxy-10-methoxy-anthracen* (F: 164°) und in Gegenwart einer 20%-igen Natronlauge das *9,10-Dimethoxy-anthracen* (F: 202°, stark blau fluoreszierende Kristalle).

Die Äthylierung des 9,10-Dihydroxy-anthracens mit Äthylbromid liefert ein Gemisch, das hauptsächlich aus *9-Hydroxy-9-äthyl-10-anthron* und *9,10-Diäthoxy-anthracen* (F: 107°) besteht.

Sehr leicht lassen sich die O,O'-Diacetyl-Verbindungen der 9,10-Dihydroxy-anthracene herstellen, indem man unter völligem Wasser- und Essigsäure-Ausschluß auf die 9,10-Anthrachinone Zinkstaub und Essigsäureanhydrid in Gegenwart von Pyridin[7], Triäthylamin[8] oder Natriumacetat[9] einwirken läßt. Sind noch Hydroxy- oder Amino-Gruppen vorhanden, so werden auch diese acetyliert.

---

[1] US.P. 2170596 (1935), D. Quiggle; C. A. **34**, 913[6] (1940).

[2] Chem. Age London **84**, 664 (1960).

[3] K. H. Meyer, A. **379**, 37, 61 (1911).

[4] Über die Enol-Keton-Umlagerungen der Leuko-Verbindungen von Küpenfarbstoffen der 9,10-Anthrachinon-Reihe s. J. Müller, Melliand Textilb. **28**, 136, 273 (1947).

[5] K. H. Meyer, A. **379**, 77 (1911).

[6] K. H. Meyer, A. **379**, 47 (1911).

[7] E. de Barry Barnett et al., Soc. **1934**, 1227.

[8] G. Manecke u. W. Storck, B. **94**, 3246 (1961).

[9] C. Liebermann, B. **21**, 1172 (1888).

9,10-Diacetoxy-anthracen[1]: In eine siedende Lösung von 21 g 9,10-Anthrachinon in 100 *ml* völlig wasserfreiem Pyridin und 40 *ml* Essigsäureanhydrid werden portionsweise 10 g Zinkstaub eingetragen. Nach dem Einrühren in Wasser und Umkristallisieren aus Essigsäure fällt das 9,10-Diacetoxy-anthracen (F: 270°) praktisch quantitativ an.

Auf analoge Weise werden ferner erhalten:

1-Chlor-9,10-diacetoxy-anthracen[1]
1,5-Dichlor-9,10-diacetoxy-anthracen[1]; Zers.P. 310°
1,8-Dichlor-9,10-diacetoxy-anthracen[1]; F: 249°
1,2,9,10-Tetraacetoxy-anthracen[2]
9,10-Diacetoxy-2-vinyl-anthracen[3]

Die wichtigsten Derivate der 9,10-Dihydroxy-anthracene (und der Leuko-Küpenfarbstoffe) sind deren Schwefelsäurehalbester. Diese sind als Alkalimetallsalze in wäßriger Lösung auch in der Hitze völlig stabil[4]. Beim Ansäuern und in Gegenwart eines Oxidationsmittels (z. B. Natriumnitrit oder Natriumdichromat) werden sie jedoch momentan unter Rückbildung des Chinons gespalten[4]. Auf diese Weise lassen sich praktisch alle Küpenfarbstoffe in stabile, wasserlösliche Derivate überführen, die als „Indigosole", „Anthrasole", „Soledone" usw. eine wertvolle Bereicherung der Farbstoffsortimente darstellen[5], da man so Küpenfarbstoffe wie substantive Farbstoffe aus wäßriger Phase applizieren kann. Von den zahlreichen Herstellungsverfahren hat sich das der Scottish Dyes Ltd. besonders bewährt, wonach das Chinon in Pyridin/Schwefeltrioxid oder Chlorsulfonsäure in Gegenwart von Kupferbronze umgesetzt wird[6].

Die technischen Herstellungsvorschriften für zahlreiche Küpenfarbstoffsole finden sich in BIOS Final Reports[7]; s. a. Lit.[5]. Aus der Reihe der einfachen Leuko-anthrachinonschwefelsäurehalbester hat der des 3-Chlor-2-amino-9,10-anthrachinons eine besondere technische Bedeutung erlangt, da er sich nach dem Verfahren von K. Schirmacher[8] mit Blei(IV)-oxid in verdünnter Natronlauge bei 72° glatt zum Tetraester des gelben Dichlorindanthronazins oxidieren läßt[9], mit dem klare Indanthrenblaufärbungen auf der Faser erzeugt werden können *(Anthrasolblau IBC)*:

---

[1] E. de Barry Barnett et al., Soc. **1934**, 1227.
[2] H. Brockmann u. G. Budde, B. **86**, 432 (1953).
[3] G. Manecke u. W. Storck, B. **94**, 3246 (1961).
[4] Herstellung: DRP. 424981 (1921); Coloristische Anwendung: DRP. 418487 (1921/22), Durand u. Huguenin AG, Erf.: M. Bader u. C. Sunder; Frdl. **15**, 592, 915.
[5] M. Bader, *Indigosole*, Chem. Ztg. **61**, 741, 763 (1937).
   Leukoküpenfarbstoffe: Ullmann, 3. Aufl., Bd. 11, S. 696 (1960).
[6] DRP. 547083 (1927/28), Scottish Dyes Ltd.; Frdl. **17**, 1158.
[7] BIOS Final Rep. Nr. **960**, S. 1ff., Nr. **1493**, S. 60ff. (1948); FIAT Final Rep. Nr. **1313** II, S. 193ff. (1948).
[8] DRP. 470809 (1926), I.G. Farb., Erf.: K. Schirmacher, W. Schaich u. A. Wolfram; Frdl. **16**, 1316.
[9] DRP. 580013 (1932), I.G. Farb., Erf.: J. Haller; Frdl. **20**, 1379.
   BIOS Final Rep. Nr. **960**, 26 (1948), I.G. Farb. Hoechst.

2-Amino-9,10-dihydroxy-anthracen-dischwefelsäureester[1]: 50 g des Adduktes aus Pyridin und Schwefeltrioxid werden bei 80° in 100 *ml* wasserfreiem Pyridin gelöst. Dann werden 20 g feingepulvertes 2-Acetylamino-9,10-anthrachinon eingerührt und innerhalb von 30 Min. 16 g Kupferpulver eingetragen. Nach weiterer 3stdg. Reaktionsdauer bei 80° wird auf 30° abgekühlt, in eine Lösung von 34 g Natriumcarbonat in 250 *ml* Wasser ausgetragen und das Pyridin mit Wasserdampf abgeblasen. Nach dem Filtrieren wird die Abspaltung der Acetyl-Gruppe nach Zugabe von 7,5 g Natriumhydroxid durch 30min. Erhitzen auf 85° vorgenommen. Der 2-Amino-9,10-dihydroxy-anthracen-di-schwefelsäureester kann als Kaliumsalz ausgesalzen werden; Ausbeute: ∼90% d. Th.

Auf analoge Weise wird der Dischwefelsäureester des *3-Chlor-2-amino-9,10-dihydroxy-anthracens* technisch hergestellt. Dieser kann auch durch katalytische Hydrierung von 3-Chlor-2-acetylamino-9,10-anthrachinon in Chlorbenzol/N,N-Dimethyl-anilin zwischen 40–60°, anschließender Veresterung mit Chlorsulfonsäure und Abspaltung der Acetyl-Gruppe erhalten werden[2].

Die Veresterung von 1-[Biphenoyl-(4)-amino]-9,10-anthrachinon wird in Pyridin/Chlorsulfonsäure durch Elektrolyt-Eisen bei 45° vorgenommen („*Anthrasolgelb V*")[3].

Die β-Amino-9,10-dihydroxy-anthracen-di-schwefelsäureester bzw. deren N-Sulfonsäuren können ohne Schwierigkeiten diazotiert und mit Phenolen gekuppelt werden, ohne daß die Ester-Gruppen oxidativ abgespalten werden[4,5].

Andere Azo-Indigosole lassen sich aus dem 2-Acetoacetylamino-9,10-dihydroxy-anthracen-dischwefelsäureester (aus dem 2-Amino-ester und Diketen) als Kupplungskomponente herstellen[6].

Ein Äther/Ester-Derivat des 9,10-Dihydroxy-anthracens entsteht durch eine Redox-Addition von Trimethylphosphit an 9,10-Anthrachinon. Durch 24stdg. Erhitzen der Komponenten auf 95° entsteht in guter Ausbeute das *10-Methoxy-9-(dimethoxyphosphoryloxy)-anthracen* (F: 74–75°)[7,8]:

d) Katalytische Hydrierung der 9,10-Anthrachinone

Besonders die sich sehr leicht vollziehende katalytische Hydrierung der 9,10-Anthrachinone ermöglicht es, 9,10-Dihydroxy-anthracene und Anthrone herzustellen. So wird das 2-tert.-Butyl-9,10-anthrachinon mittels eines Palladium- oder Platin-Katalysators bei 20° quantitativ zum *9,10-Dihydroxy-2-tert.-butyl-anthracen* hydriert. Will man die 9,10-Dihydroxy-anthracene isolieren, dann führt man die Hydrierungen zweckmäßig in Tetrahydrofuran durch.

[1] DRP. 567635 (1930/32), I.C.I.; Frdl. **19**, 1937.
[2] BIOS Final Rep. Nr. **1493**, 60, Nr. **960**, 26 (1948), I.G. Farb. Hoechst.
[3] BIOS Final Rep. Nr. **1493**, 73 (1948), I.G. Farb. Hoechst.
[4] DRP. 579840 (1929), I.C.I.; Frdl. **20**, 1132.
[5] DRP. 537021 (1930), I.G. Farb., Erf.: J. HALLER u. G. RÖSCH; Frdl. **18**, 1281.
[6] Schweiz.P. 281126 (1950), CIBA; C. A. **48**, 7062[i] (1954).
[7] F. RAMIREZ et al., J. Org. Chem. **33**, 20 (1968).
[8] J. S. MEEK u. L. L. KOH, J. Org. Chem. **33**, 2942 (1968).

Der weitere Hydrierverlauf ist im wesentlichen von der Temperatur abhängig. Arbeitet man mit Nickel-Katalysatoren in Dekalin[1] oder mit Platin in Essigsäure/konzentrierter Salzsäure[2] im Temperaturbereich von 60−80°, so können je nach der angebotenen Wasserstoffmenge 9,10-Dihydroxy-tetrahydro- und -octahydro-anthracene hergestellt werden.

Oberhalb von ~ 120°, zweckmäßig bei 160−180°, nimmt die Hydrierung einen anderen Verlauf[3]. Es entsteht zunächst quantitativ *10-Anthron*[3], das bei der langsamer erfolgenden Weiterhydrierung teils zu *Di-*, *Tetra-*, *Octa-* und *Perhydro-anthracen*, teils zu *9-Hydroxy-tetrahydro-* und *-9-Hydroxy-octahydro-anthracen* hydriert wird. Ebenso verhalten sich die Methyl-9,10-anthrachinone[4].

Verwendet man bei den 9,10-Anthrachinon-Hydrierungen typische Sauerstoff eliminierende Katalysatoren, wie z. B. Kupferchromit bei 180°, dann führt die Hydrierung zum 9,10-Dihydro-anthracen.

Über die Hydrierung der Hydroxy-9,10-anthrachinone[5] s. S. 279.

9,10-Dihydroxy-2-[2-methyl-butyl-(2)]-anthracen[6]: Eine Lösung von 290 g 2-[2-Methyl-butyl-(2)]-9,10-anthrachinon in 355 g Diisobutylcarbinol und 355 g einer C_9-Alkyl-benzol-Fraktion wird in Gegenwart von Raney-Nickel oder Palladium unter schwachem Überdruck bei 35° hydriert, bis fast 1 Mol Wasserstoff aufgenommen ist.

Das so praktisch quantitativ entstandene 9,10-Dihydroxy-Derivat kann nach dem Abfiltrieren des Katalysators unter Luftausschluß auf verschiedene Weisen aufgearbeitet werden, sei es durch Eindampfen, Veräthern oder Verestern mit Essigsäureanhydrid bzw. Pyridin/Schwefeltrioxid.

Obiges Lösungsmittelgemisch ist so gewählt, daß nach Einleiten von Sauerstoff Dihydroperoxid mit optimaler Ausbeute entsteht, das mit Wasser extrahiert wird. Das Dihydroperoxid fällt als 31%-ige Lösung an in einer Ausbeute von 92% (auf Wasserstoff bezogen).

Das Verfahren wird als Kreisprozeß durchgeführt. Um Verluste durch eine zu weitgehende Hydrierung zu vermeiden, werden in der Technik nur etwa 50% des Alkyl-9,10-anthrachinons in das Dihydro-Derivat übergeführt.

e) Reduktion von 9,10-Anthrachinonen zu 10-Anthronen[7, 8]

1. Allgemeines Verhalten der 10-Anthrone

In der Reduktionskette 9,10-Anthrachinone → Anthracene sind die 10-Anthrone verhältnismäßig stabile Zwischenstufen, die bei geeigneter Reaktionsführung meist mit vorzüglicher Ausbeute isoliert werden können.

Das *10-Anthron* liegt im festen Zustand in der Oxo-Form vor (F: 155°; 163−165°?). Beim Erwärmen mit verdünnter Natronlauge geht es jedoch als Enolat mit gelber Farbe in Lösung, aus der es mit Säuren als *10-Hydroxy-anthracen (10-Anthranol)* (F: unscharf

[1] A. Skita, B. **60**, 2526 (1927).
[2] A. Skita, B. **58**, 2692 (1925).
[3] J. v. Braun u. O. Bayer, B. **58**, 2667 (1925).
[4] J. v. Braun, O. Bayer u. L. F. Fieser, A. **459**, 287 (1927).
[5] K. Zahn, B. **67**, 2069 (1934).
[6] DOS. 2013299 (1969/70), Solvay u. Cie. S. A., Erf.: J. L. Denaeyer u. P. Godfrine; C. A. **74**, 143941^w (1971).
[7] Die Herstellung von Anthronen durch Cyclisierung von Diphenylmethan-o-carbonsäuren ist auf S. 39ff. beschrieben.
[8] In diesem Abschnitt werden alle Anthrone mit der gebräuchlichsten Nomenklatur als 10-Anthrone beziffert:

120°) ausgefällt wird. Im festen Zustand lagert sich dieses wieder in die stabile Oxo-Form um[1,2].

Mit den 10-Anthronen lassen sich daher die typischen Reaktionen sowohl der Phenole als auch der Ketone durchführen. Bei Umsetzungen in alkalischer Lösung ist zu beachten, daß die 10-Anthranole autoxidabel sind und daß dabei auch Umlagerungen eintreten können (s. S. 278).

Die Umsetzungen mit der Enol-Form nimmt man zweckmäßig in Pyridin vor, in welchem das 10-Anthron zuvor kurz aufgekocht wurde.

Das *10-Methoxy-anthracen* (F: 97–98°) wird am besten durch Methylierung von 10-Anthron mit Toluolsulfonsäuremethylester in äthanolischer Natronlauge hergestellt (Ausbeuten: ~60% d. Th.)[3]. Durch Erhitzen mit höheren Alkoholen in Benzol in Gegenwart katalytischer Mengen Toluolsulfonsäure läßt es sich leicht umäthern[4].

2. Allgemeine Verfahren zur Reduktion von 9,10-Anthrachinonen zu 10-Anthronen

Zur Herstellung größerer Mengen *10-Anthron* empfiehlt sich die katalytische Hydrierung des 9,10-Anthrachinons mit einem nicht sehr aktiven Nickel-Katalysator. Sonst reduziert man meist mit Zinn oder Zinn(II)-chlorid in einem Gemisch aus Essigsäure und konzentrierter Salzsäure[5]. Auch Eisen, Aluminium[6] und Kupfer[6] in konzentrierter Schwefelsäure bei ~30° liefern gute Ausbeuten an 10-Anthronen (s. unter Benzanthron-Synthesen, S. 306ff.).

Die Einwirkung von Eisen auf eine Suspension von 1-Chlor-9,10-anthrachinon in einer wäßrigen Lösung von Eisen(II)-chlorid im Autoklaven bei ~200° ermöglicht die einheitliche Herstellung des *1-Chlor-10-anthrons*[7].

10-Anthron (durch katalytische Hydrierung von 9,10-Anthrachinon)[8]: Zu einem Gemisch aus 1 Mol 9,10-Anthrachinon, 1,2 *l* Dekalin oder Xylol und 15 g eines Nickel-Katalysators preßt man bei 140° etwas mehr als 2 Mol Wasserstoff bei einem Druck von 20–40 at derart auf, daß die Temp. der mit großer Geschwindigkeit verlaufenden Hydrierung nicht über 170° ansteigt. Nach dem Ablassen des Wasserstoffs und Wasserdampfes wird nach dem Erkalten der Kristallbrei abgesaugt und in heißem Äthanol gelöst, wobei der Katalysator und etwas unverändertes 9,10-Anthrachinon zurückbleiben. Die Ausbeute des in reiner Form auskristallisierten 10-Anthrons (F: 163–165°) beträgt ~90% d. Th.

Nicht so glatt läßt sich die Hydrierung von 1-Methyl- und 1,3-Dimethyl-9,10-anthrachinon auf der Anthron-Stufe abstoppen[9,10]. Anscheinend führt die Hydrierung zu einheitlichen Anthronen, deren Konstitution aber nicht exakt bewiesen ist. Aufgrund ihrer schweren Überführbarkeit in Enolate ist jedoch anzunehmen, daß es sich um *4-Methyl-* (F: 126–127°) und *2,4-Dimethyl-10-anthron* (F: 119,5°) handelt[9]. Aus 1,4-Dimethyl-9,10-anthrachinon entsteht zu ~75% d. Th. das *1,4-Dimethyl-10-anthron*[10] (F: 113°) und aus 2-Methyl-9,10-anthrachinon das Gemisch der *2-* und *3-Methyl-10-anthrone*[10].

[1] K. H. Meyer, A. **379**, 37 (1911).
[2] Physikalische Eigenschaften s. Beilstein, Bd. VII, S. 473 u. Erg. Werke.
     Dipolmomente: M. J. Aroney et al., Soc. **1971** B, 82.
[3] K. H. Meyer u. H. Schlösser, A. **420**, 126 (1920).
     E. de Barry Barnett, J. W. Cook u. M. A. Matthews, Soc. **123**, 2002 (1923).
[4] W. E. Barnett u. L. L. Needham, J. Org. Chem. **36**, 4135 (1971).
[5] C. Liebermann u. A. Gimbel, B. **20**, 1854 (1887).
     K. H. Meyer, A. **379**, 55 (1911).
[6] DRP. 201542 (1907), Farbf. Bayer; Frdl. **9**, 682.
[7] DRP. 249124 (1910), Griesheim-Elektron, Erf.: F. Singer; Frdl. **10**, 575.
[8] J. v. Braun u. O. Bayer, B. **58**, 2675 (1925).
[9] J. v. Braun u. O. Bayer, B. **59**, 914 (1926).
[10] J. v. Braun, O. Bayer u. L. F. Fieser, A. **459**, 287 (1927).

10-Anthrone; allgemeine Arbeitsvorschrift zur Reduktion von 9,10-Anthrachinonen mit Zinn[1]: 0,5 Mol eines 9,10-Anthrachinons werden mit 100 g Zinn in 750 *ml* Essigsäure rückfließend erhitzt. Dazu tropft man innerhalb von 2 Stdn. 250 *ml* konz. Salzsäure. Wenn das Anthrachinon völlig in Lösung gegangen ist, wird filtriert. Nach dem Erkalten kristallisiert das 10-Anthron aus; Ausbeuten: ~80% d. Th.

Durch vorsichtigen Wasser-Zusatz können evtl. noch weitere Mengen gewonnen werden.

In den meisten Fällen kann man auch mit Zinn(II)-chlorid reduzieren.

Die Reduktion von 9,10-Anthrachinonen zu 10-Anthronen kann auch auf folgende Weise vorgenommen werden[2], wobei allerdings ein weniger reines 10-Anthron entsteht.

10-Anthrone[2]: In eine Suspension von 10 g eines 9,10-Anthrachinons in 1 *l* Wasser und 100 *ml* 35%-ig. Natronlauge werden bei 95° portionsweise 40−50 g Natriumdithionit eingerührt, bis die anfänglich braunrote Küpenfarbe nach braun umgeschlagen ist. Erforderlichenfalls wird heiß filtriert und anschließend angesäuert; Ausbeuten: ~70% d. Th.

Bei der Reduktion eines 9,10-Anthrachinons mittels Natriumboranat läßt sich die Zwischenstufe des 9,10-Dihydroxy-9,10-dihydro-anthracens fassen. Durch portionsweise Zugabe von ~0,4 Mol Natriumboranat zu einer Suspension von 0,1 Mol eines 9,10-Anthrachinons in Methanol (in 2−4 Stdn. bei 0−5°) entsteht glatt das *9,10-Dihydroxy-9,10-dihydro-anthracen*[3], das mit Wasser ausgefällt und durch 3−6stdg. Erhitzen mit 5n Salzsäure zum *10-Anthron* dehydratisiert wird.

3. Herstellung spezieller 10-Anthrone

α) Herstellung von Alkyl-, Aryl- und Halogen-10-anthronen

Durch Reduktion von mono- bzw. unsymmetrisch di-substituierten 9,10-Anthrachinonen entstehen meist beide isomeren 10-Anthrone nebeneinander. Einheitliche Produkte entstehen dann, wenn sich zwischen einem Substituenten in α-Stellung und der benachbarten Carbonyl-Gruppe eine starke Wasserstoffbrücken-Bindung ausbilden kann, was zur Folge hat, daß die ungeschützte Carbonyl-Gruppe bevorzugt reduziert wird (s. S. 278). Die Konstitutionsbeweise werden direkt oder indirekt durch Synthesen aus substituierten Diphenylmethan-o-carbonsäuren oder durch Benzanthron-Synthesen erbracht (s. S. 41 u. 306).

Die Reduktion von 2-Methyl-9,10-anthrachinon mit Zinn und Salzsäure[4] in Essigsäure führt zu einem Gemisch (F: 80−84°), das zu ~75% aus *2-Methyl-* (F: 101°) und zu ~25% aus *3-Methyl-10-anthron* (F: 103°) besteht (im gleichen Verhältnis entsteht auch aus 2-Methyl-9,10-anthrachinon ein Gemisch aus *2-Methyl-* und *6-Methyl-benzanthron*, s. S. 306). Das einheitliche *3-Methyl-10-anthron*[5] und das *2-Methyl-10-anthron*[6] wurden durch Ringschlüsse hergestellt.

Die katalytische Hydrierung von Methyl-9,10-anthrachinonen zu Methyl-10-anthronen ist auf S. 276 beschrieben.

Die Herstellung des *2,3,6,7-Tetramethyl-* (F: 271°) und des *6,7-Dichlor-2,3-dimethyl-10-anthrons* (F: 295°) gelingt durch Reduktion der entsprechenden 9,10-Anthrachinone mit Aluminium in Schwefelsäure[7].

Am Beispiel des 1-Chlor-9,10-anthrachinons wurde gezeigt, daß das Isomerenverhältnis der Chlor-10-anthrone auch von dem Reduktionsverfahren abhängig sein kann. Redu-

[1] K. H. MEYER, A. **379**, 55 (1911).
[2] M. BATTEGAY u. HUEBER, Bl. [4] **33**, 1094 (1923).
[3] T. R. CRISWELL u. B. H. KLANDERMAN, J. Org. Chem. **39**, 770 (1974).
[4] C. LIEBERMANN u. L. MAMLOCK, B. **38**, 1792 (1905) (keine Angaben über Isomere).
[5] K. LIMPRECHT, A. **314**, 241 (1901).
  L. F. FIESER u. H. HEYMANN, Am. Soc. **64**, 378 (1942).
[6] F. A. VINGIELLO et al., J. Org. Chem. **23**, 1786 (1958).
[7] E. DE BARRY BARNETT et al., B. **66**, 1876 (1933).

ziert man 1-Chlor-9,10-anthrachinon mit Aluminium in Schwefelsäure, so entsteht vorwiegend das *4-Chlor-10-anthron* (F: 118°[1]; 103°–105°[2]).

Bei der Benzanthron-Synthese aus 1-Chlor-9,10-anthrachinon entstehen jedoch Isomeren-Gemische, die zu ~50% aus *8-Chlor-benzanthron*[2] (über 1-Chlor-10-anthron; s. S. 307) bestehen. In der Literatur finden sich darüber z. T. widersprüchliche Angaben.

Zum *1-Chlor-10-anthron* gelangt man am besten durch mehrstündiges Erhitzen von verpastetem 1-Chlor-9,10-anthrachinon in Wasser mit Eisenfeile und Eisen(II)-chlorid im Autoklaven auf ~200°[2,3]. Das Reduktionsprodukt besteht zu ~85% aus dem 1-Chlor-10-anthron (F: 142°)[2].

Auf diese Weise wurden außerdem hergestellt:

1-Chlor-3-methyl-10-anthron[4]
1,6- und *1,7-Dichlor-10-anthron*[4]

4-Chlor-10-anthron[5]: In eine Lösung von 112 g 1-Chlor-9,10-anthrachinon in 750 *ml* konz. Schwefelsäure wird innerhalb 7 Stdn. ein Gemisch aus 60 g Natriumsulfat und 22 g Aluminiumpulver bei 36–39° eingerührt, bis der Farbton nach gelb umgeschlagen ist. Nach dem Austragen in Eiswasser wird abgesaugt, ausgewaschen und i. Vak. bei ~50° getrocknet. Das Produkt besteht vorwiegend aus dem 4-Chlor-10-anthron.

Überraschend ist, daß sich das *4-Chlor-10-anthron* beim Lösen in verdünnter Natronlauge und Wiederausfällen mit Säuren glatt in das *1-Chlor-10-anthron* umlagert[2].

Aus 1,3-Dichlor-9,10-anthrachinon entsteht durch Reduktion mit Aluminium in konzentrierter Schwefelsäure vorwiegend das *2,4-Dichlor-10-anthron* (F: 194°)[6].

Praktisch nicht zu 10-Anthronen reduzierbar sind 2,3-Dichlor- und 2,3,6,7-Tetrachlor-9,10-anthrachinon (wahrscheinlich deshalb, weil diese selbst in konzentrierter Schwefelsäure völlig unlöslich sind)[6].

Aus 2-Chlor-9,10-anthrachinon entsteht durch Reduktion mit Zinn in Essigsäure/Salzsäure hauptsächlich das *2-Chlor-10-anthron*[7,8]. Unter analogen Bedingungen erhält man aus 1-Phenyl-9,10-anthrachinon *4-Phenyl-10-anthron* (F: 196–197,5°)[9], und aus 1,8-Diphenyl-9,10-anthrachinon das *4,5-Diphenyl-10-anthron* (F: 166–167,5°)[9].

β) Herstellung von Hydroxy-10-anthronen

β₁) aus Hydroxy-9,10-anthrachinonen

α- und β-Hydroxy-9,10-anthrachinone verhalten sich gegenüber Reduktionsmitteln sehr unterschiedlich.

So lassen sich β-Hydroxy-9,10-anthrachinone normal – über alle Zwischenstufen hinweg – bis zu den β-Hydroxy-anthracenen reduzieren.

α-Hydroxy-9,10-anthrachinone hingegen werden nur bis zur 10-Anthron-Stufe reduziert, wobei einheitliche Hydroxy-10-anthrone entstehen. Stets wird nur das Sauerstoff-Atom eliminiert, das nicht durch eine Wasserstoffbrücken-Bindung aus einer gegenüberstehenden Hydroxy-Gruppe stabilisiert ist; z. B.:

[1] E. DE BARRY BARNETT u. M. A. MATTHEWS, Soc. **123**, 2549, 2553 (1923); z. T. nicht übereinstimmend mit Lit.[2].
[2] P. NAWIASKY, I.G. Farb. Ludwigshafen (1925).
[3] DRP. 249124 (1910), Griesheim-Elektron, Erf.: F. SINGER; Frdl. **10**, 575.
[4] s. DRP. 598476 (1932), I.G. Farb., Erf.: H. NERESHEIMER et al.; Frdl. **21**, 1045.
[5] FIAT Final Rep. Nr. **1313** II, 105 (1948), I.G. Farb. Mainkur.
[6] E. DE BARRY BARNETT et al., B. **66**, 1876 (1933).
[7] E. DE BARRY BARNETT u. M. A. MATTHEWS, Soc. **123**, 2549 (1923).
   F. A. VINGIELLO et al., J. Org. Chem. **23**, 1786 (1958).
[8] E. DE BARRY BARNETT u. J. L. WILTSHIRE, Soc. **1928**, 1823.
[9] H. O. HOUSE, D. G. KOEPSELL u. W. J. CAMPBELL, J. Org. Chem. **37**, 1010 (1972).

Die nachfolgenden Hydroxy-10-anthrone wurden vorwiegend durch Reduktion mit Zinn in Essigsäure/Salzsäure nach der Vorschrift auf S. 277 hergestellt:

4-Hydroxy-10-anthron[1] (F: 137,5°)
3-Hydroxy-10-anthron
1,5-Dihydroxy-10-anthron
2,6-Dihydroxy-10-anthron
2,7-Dihydroxy-10-anthron
4,5-Dihydroxy-10-anthron (F: 178–179°)
Polyhydroxy-10-anthrone[2]
4,5-Dihydroxy-10-anthron-2-carbonsäure[3]
4-Hydroxy-3-methyl-10-anthron[1] (94% d.Th.; F: 136,5°)
4-Hydroxy-2-methyl-10-anthron (85% d.Th.; F: 158,5°)
4-Hydroxy-1-methyl-10-anthron (94% d.Th.; F: 167,5°)

Mit gutem Erfolg läßt sich das Zinn auch durch Zink ersetzen, z. B. zur Gewinnung von *4-Hydroxy-* und *4,5-Dihydroxy-10-anthron*[4].

Auch mit Zinn(II)-chlorid in Salzsäure (evtl. unter Zusatz von Essigsäure[5, 6]) oder mit amalgamiertem Aluminium in Ammoniak[5] lassen sich gute Anthron-Ausbeuten erzielen.

Durch katalytische Hydrierung von 1-Hydroxy-9,10-anthrachinon bei ~ 170° mit einem Nickel-Katalysator geringer Aktivität läßt sich quantitativ 4-Hydroxy-10-anthron (F: 134–136°) herstellen. Völlig abweichend verhalten sich die 1,4-Dihydroxy-9,10-anthrachinone, die sowohl chemisch (s. S. 90) als auch katalytisch leicht in die sog. „Dihydroverbindungen" überführt werden. So wurde z. B. aus 1,4,5-Trihydroxy-9,10-anthrachinon(I) in Triäthanolamin/Wasser (3:2) mit Raney-Nickel bei 20° und 1 atm Wasserstoff das *5,9,10-Trihydroxy-2,3-dihydo-1,4-anthrachinon* (II) erhalten[7].

Auch in der β-Reihe lassen sich weitgehend einheitliche 10-Anthrone herstellen, denn durch Einwirkung von Zinkstaub in verdünntem Ammoniak auf 2-Hydroxy-9,10-anthrachinon wurde nur das *2-Hydroxy-10-anthron*[8] (F: 202–206°) (neben dem 9,9'-Bi-[10-anthron-yl]-Derivat[9]) isoliert, welches sich von dem *3-Hydroxy-10-anthron* (F: 221°) unter-

[1] A. STEYERMARK u. J. H. GARDNER, Am. Soc. **52**, 4887 (1930).
[2] Y. HIROSÉ, B. **45**, 2474 (1912).
[3] Schweiz. P. 283 418 (1950), Sandoz AG; C. A. **48**, 12 177ᵃ (1954).
[4] DRP. 296 091 (1915); 301 452 (1916), Farbf. Bayer; Frdl. **13**, 391, 392.
[5] J. HALL u. A. G. PERKIN, Soc. **123**, 2029, 2039 (1923).
    E. J. CROSS u. A. G. PERKIN, Soc. **1930**, 296.
[6] F. L. GOODALL u. A. G. PERKIN, Soc. **125**, 470 (1924).
[7] R. FLÜGEL u. W. MÜLLER, A. **751**, 173 (1971).
[8] C. LIEBERMANN, A. **212**, 28 (1882).
[9] A. G. PERKIN u. T. W. WHATTAM, Soc. **121**, 289 (1922).

scheidet, das durch Ringschluß der 4-Hydroxy-diphenylmethan-2'-carbonsäure mit konzentrierter Schwefelsäure bei 30° erhalten wird[1].

Alizarin wird im sauren Bereich zum *3,4-Dihydroxy-10-anthron* und im alkalischen vorwiegend zum *1,2-Dihydroxy-10-anthron* reduziert[2]. Mit Aluminium und Ammoniak kann es sogar zum *1,2-Dihydroxy-anthracen* (F: 160–162°) reduziert werden.

β₂) α-Hydroxy- (und α-Acetoxy)-10-anthrone durch Reduktion von α-Acetoxy-9,10-anthrachinonen

Im Gegensatz zu den α-Hydroxy-9,10-anthrachinonen wird bei den α-Acetoxy-9,10-anthrachinonen die der Acetoxy-Gruppe benachbarte Carbonyl-Gruppe reduziert[3,4] (s. a. die reduzierende Acetylierung von Hydroxy-9,10-anthrachinonen S. 272, 284).

So entsteht durch katalytische Reduktion des 1-Acetoxy-9,10-anthrachinons mit Nickel bei ~85° oder durch Einwirkung von Natriumdithionit in 50%-iger Essigsäure bei 65° in ~90%-iger Ausbeute unter Abspaltung von Essigsäure direkt das *1-Hydroxy-10-anthron* (F: 239–240°)[5].

Diese auffallend leichte Abspaltung des Acetyl-Restes ist wahrscheinlich durch eine zunächst auftretende Acyl-Wanderung bedingt[6]:

Dieser Reaktionsmechanismus würde auch die einheitliche Bildung des *1-Hydroxy-8-acetoxy-10-anthrons* (F: 247–248°) bei der Hydrierung des 1,8-Diacetoxy-9,10-anthrachinons erklären.

1,2-Dihydroxy-10-anthron[3]: 10 g O,O'-Diacetyl-alizarin werden in 100 *ml* Essigsäure gelöst und mit einer Lösung von 40 g krist. Zinn(II)-chlorid in 100 *ml* 33%-iger Salzsäure versetzt und solange zum Sieden erhitzt, bis nahezu Farblosigkeit eingetreten ist.
Nach dem Erkalten kristallisiert das 1,2-Dihydroxy-10-anthron aus; Ausbeute: ~75% d. Th.

In analoger Weise lassen sich 1,8-Diacetoxy-9,10-anthrachinon in *1,8-Dihydroxy-10-anthron* (F: 293–295°) und 1,2,5,6-Tetraacetoxy-9,10-anthrachinon in *1,2,5,6-Tetrahydroxy-10-anthron* überführen[7].

[1] A. Bistrzycki u. D. W. Yssel de Schepper, B. **31**, 2790 (1898).
[2] Brit.P. 353479 (1930), I.C.I., Erf.: A. G. Perkin u. E. J. Cross; C. **1933 I**, 3244.
  Diese Ergebnisse wurden auch von anderen Bearbeitern bestätigt.
[3] E. J. Cross u. A. G. Perkin, Soc. **1930**, 292.
  Brit.P. 353479 (1930), I.C.I.; C. **1933 I**, 3244.
[4] H. Brockmann u. G. Budde, B. **86**, 435 (1953).
[5] K. Zahn, B. **67**, 2063 (1934).
  DRP. 501089 (1928), I.G. Farb.; Frdl. **17**, 1163.
[6] Formulierung des Verfassers.
[7] P. Boldt, B. **99**, 2332 (1966).

Auch aus dem 1,4-Diacetoxy-9,10-anthrachinon wird sowohl durch chemische als auch durch katalytische Reduktion mit 90%-iger Ausbeute ein Produkt erhalten, das nur noch eine Acetyl-Gruppe enthält. K. Zahn bezeichnete dieses als 1-Hydroxy-4-acetoxy-10-anthron[1]. Doch dürfte hier das *1,4-Dihydroxy-10-acetoxy-anthracen* vorliegen[2,3], denn durch Eisen(III)-chlorid in Essigsäure/Salzsäure wird es glatt zu einem Chinon[1] oxidiert, das Diensynthesen eingeht[1]. Diesem dürfte daher die Konstitution des 10-Hydroxy-1,4-anthrachinon zukommen[2,3]:

$$HO \quad H \quad O-CO-CH_3 \xrightarrow{\text{Reduktion}} H_3C-CO-O \quad OH \xrightarrow{[o]} OH \quad O$$

1,4-Dihydroxy-10-acetoxy-anthracen[1] und 1,4-Dihydroxy-10-anthron: 30 g Diacetyl-chinizarin (F: 202°) werden in 200 ml Essigsäure heiß gelöst und unter schnellem Rühren durch Zugabe von 200 ml Wasser in feine Verteilung gebracht. Bei 65° werden dann 20 g Natriumdithionit rasch und weitere 20 g portionsweise eingetragen, wobei sich aus der braungelben Lösung gelbe Kristalle ausscheiden. Nach einiger Zeit wird abgesaugt und mit heißem Wasser ausgewaschen; Ausbeute: ~80–90% d. Th. (leicht löslich in verd. Natronlauge mit gelber Farbe; darin autoxidabel).

Durch Lösen in der 20fachen Menge konz. Schwefelsäure und Wasser-Zugabe tritt unter Selbsterwärmung auf 90° Verseifung zum *1,4-Dihydroxy-10-anthron* ein. Aus Chlorbenzol umkristallisiert, braungelbe Kristalle; Zers. P.: 227° (in Lösung sehr autoxidabel). Es läßt sich zum 1,4,10-Triacetoxy-anthracen (F: 211–212°) verestern.

γ) Herstellung weiterer substituierter 10-Anthrone aus 9,10-Anthrachinon-Derivaten

Aus 1-Methoxy-9,10-anthrachinon entsteht nur das *1-Methoxy-10-anthron* und aus 1,5-Dimethoxy-9,10-anthrachinon mit Zinn(II)-chlorid in Essigsäure/Salzsäure das *4-Hydroxy-8-methoxy-10-anthron*[4].

Die Gruppe der Amino-10-anthrone ist wenig bearbeitet. 1-Amino- und 1,5-Diamino-9,10-anthrachinon werden durch Aluminium in Schwefelsäure[5] zum *4-Amino-* bzw. *1,5-Diamino-10-anthron* reduziert. Aus 2-Amino-9,10-anthrachinon erhält man unter diesen Bedingungen ein Gemisch aus *2-* und *3-Amino-10-anthron*[5]. Aus 1-Acetylamino-9,10-anthrachinon entsteht ebenfalls ein Gemisch der Amino-10-anthrone[5].

10-Anthron-α- und -β-sulfonsäuren werden durch Reduktion der entsprechenden 9,10-Anthrachinon-mono- und di-sulfonsäuren mit Eisen in verdünnter, siedender Salzsäure erhalten[6].

Die Reduktion der 9,10-Anthrachinon-1,4-dicarbonsäure zur *10-Anthron-1,4-dicarbonsäure* läßt sich in kochender 6%-iger Natronlauge mit Natriumdithionit gut durchführen[7]. Erhitzt man diese Anthron-dicarbonsäure in Essigsäureanhydrid, so entsteht das *1-Carboxy-anthracen-4,10-carbolacton*:

[1] K. Zahn, B. **67**, 2063 (1934).
    DRP. 501089 (1928), I.G. Farb.; Frdl. **17**, 1163.
[2] Formulierung des Verfassers.
[3] s. a. H. Muxfeld u. V. Koppe, B. **91**, 838 (1958).
[4] J. W. Cook u. P. L. Pauson, Soc. **1949**, 2726.
[5] DRP. 201542 (1907), Farbf. Bayer; Frdl. **9**, 682.
[6] E. de Barry Barnett u. M. A. Matthews, Soc. **125**, 1079 (1924).
[7] R. Scholl u. O. Böttger, B. **63**, 2440 (1930).

vgl. a. Lit.[8]

f) Reduktion von 9,10-Anthrachinonen und 10-Anthronen zu Anthracenen

1. von 9,10-Anthrachinonen

Die Baeyer -Zinkstaubdestillation[1], durch die sauerstoffhaltige Polycyclen zu den Kohlenwasserstoffen reduziert werden und mit deren Hilfe C. Graebe und C. Liebermann den Nachweis erbrachten, daß dem Alizarin das Anthracen zugrunde liegt, ist in ihren zahlreichen Abwandlungen bzw. Verfeinerungen die wichtigste Methode zur Herstellung von Anthracen-Derivaten geworden.

Praktisch in allen Fällen führt das von-Perger-Verfahren[2] zum Ziel, wonach man 9,10-Anthrachinone mit Zinkstaub und katalytischen Mengen Kupfer(II)-sulfat in verdünntem Ammoniak reduziert. Man beginnt die Reduktion bei ~ 50° und führt diese dann durch mehrstündiges Erwärmen auf 80−90° zu Ende, wobei die Wasser-Abspaltung aus dem entstandenen 9-Hydroxy-9,10-dihydro-anthracen eintritt.

Die Ausbeuten sind meist sehr gut. – Anstelle von Zinkstaub kann auch amalgamiertes Aluminium verwendet werden.

Bei 9,10-Anthrachinonen mit sehr reaktionsfähigen Substituenten muß man darauf achten, daß diese nicht eliminiert werden. Über das Verhalten der Hydroxy-9,10-anthrachinone s. S. 278.

Aus der großen Zahl der durch Zinkreduktion von 9,10-Anthrachinonen in verdünntem wäßrigen Ammoniak hergestellten Anthracene seien die folgenden Beispiele aufgeführt (dabei wurde festgestellt, daß die α-substituierten 9,10-Anthrachinone schwerer als die entsprechenden β-Derivate reduzierbar sind):

1-Methyl-anthracen (F: 86°)[3]
2-Methyl-anthracen (F: 207°)[4]
1,3-Dimethyl-anthracen (F: 83°)[3]
1,4-Dimethyl-anthracen (F: 74°)[3]
1-Phenyl-anthracen (F: 114−115°)[5]
1,8-Diphenyl-anthracen (F: 191,5−193°)[5]
1-Chlor-anthracen (F: 82°)[6]
2-Chlor-anthracen (F: 217°)[6]
1,5-Dichlor-anthracen (F: 185°)[6]

1,8-Dichlor-anthracen (F: 156°)[6]
1,4,5,8-Tetrachlor-anthracen[6]
Anthracen-1-carbonsäure[7, 8]
Anthracen-2-carbonsäure[7]
1-Chlor-anthracen-8-carbonsäure (F: 264,5°)[9]
2-Chlor-anthracen-3-carbonsäure (F: 285°)[10]
1,4-Dichlor-anthracen-5,8-dicarbonsäure[11]
2,6-Dichlor-anthracen-3,7-dicarbonsäure[12]

[1] A. Baeyer, A. **140**, 295 (1860).
[2] H. R. v. Perger, J.pr. **41**, 137 (1881).
[3] J. v. Braun u. O. Bayer, B. **59**, 914 (1926).
[4] s. Beilstein, Bd. V, S. 674.
[5] H. O. House, D. G. Koepsell u. W. J. Campbell, J. Org. Chem. **37**, 1010 (1972).
[6] H. Schilling, B. **46**, 1066 (1913).
[7] E. de Barry Barnett et al., B. **57**, 1775 (1924).
[8] Über die Reduktionen von Anthrachinon-α-carbonsäuren, die zu Lactonen aus den 9,10-Dihydroxy-anthracen-α-carbonsäuren führen, s. R. Scholl et al., B. **62**, 616, 1278, 1424 (1929); **63**, 2128, 2432 (1930). s. a. S. 267.
[9] H. Waldmann u. R. Stengl, B. **83**, 170 (1950).
[10] DRP. 547352 (1930), I.G. Farb., Erf.: L. Sander u. S. Gassner; Frdl. **18**, 1219.
[11] G. Rösch, I.G. Farb. Leverkusen (1931).
[12] DRP. 604280 (1932), I.G. Farb., Erf.: G. Kränzlein, M. Corell u. W. Schaid; Frdl. **21**, 1028.

Anthracen-1-sulfonsäure[1, 2]   2,3-Dimethoxy-anthracen (F: 204°)[4]
Anthracen-2-sulfonsäure[1]   1-Amino-anthracen (F: 127°)[5]
Anthracen-1,5- und -1,8-disulfonsäure[1]   2-Amino-anthracen (F: 234—236°)[5]
2-Hydroxy-anthracen[3]

(Brom-9,10-anthrachinone werden teilweise enthalogeniert; ebenso das wegen seiner Unlöslichkeit schwer reduzierbare 2,3-Dichlor-9,10-anthrachinon)

Da sich die α-Hydroxy-9,10-anthrachinone nicht bis zu den α-Hydroxy-anthracenen reduzieren lassen, stellt man diese zweckmäßig durch eine Alkalimetallhydroxid-Schmelze der Anthracen-α-sulfonsäuren her. Bemerkenswert ist, daß sich die α-Hydroxy-anthracene bereits bei 50° mit Methanol und Salzsäure veräthern lassen[6, 7].

Mit amalgamiertem Aluminium wurden in guten Ausbeuten erhalten:

2-Hydroxy-anthracen[7]   2,7-Dihydroxy-anthracen (F: 162°)[7]
2,6-Dihydroxy-anthracen (F: 297°)[7]   1,2,7-Trimethoxy-anthracen (F: 95°)[8]

In einigen Fällen, z. B. bei der Reduktion des 2-Amino-9,10-anthrachinons kann man auch statt Ammoniak ~ 5%-ige Natronlauge verwenden. Durch Erhitzen von 9,10-Anthrachinon mit einer 10%-igen Natronlauge und Zinkstaub im Autoklaven auf ~ 160° entstehen allerdings reichliche Mengen *10,10'-Dihydroxy-9,9'-bi-anthryl*[9].

In siedendem Pyridin gelöste 9,10-Anthrachinone werden durch Zinkstaub unter langsamer Zugabe von wasserhaltiger Essigsäure zu den Anthracenen reduziert[10]. So wurde z. B. das *1,2,4-Trimethyl-anthracen* (F: 62—63°) erhalten[11].

Energischer wirkt Zinkstaub in Äthylendiamin, das wenig Wasser enthält. Auch hier ist die Reduktion in wenigen Minuten beendet und führt zu Gemischen aus Anthracenen und deren 9,10-Dihydro-Derivaten[12]. So wurden u. a. erhalten:

Anthracen-1,2-dicarbonsäure   1,5-Dimethoxy-anthracen (40% d. Th.)
1-Methoxy-anthracen (53% d. Th.)   2-Amino-anthracen (85% d. Th.)

Der stärkste Reduktionseffekt wird mit Zinkstaub in einer wasserhaltigen Zinkchlorid-Schmelze zwischen 220 und 280°[13] oder in einer Natriumchlorid-Aluminiumchlorid-Zinkstaub-Schmelze unter Zusatz von Ammoniumchlorid bei 130—180° erzielt[14].

Diese beiden letzteren Varianten kommen zur Herstellung von Anthracenen kaum in Betracht. Sie leisten jedoch gute Dienste, um polycyclische Chinone in die entsprechenden Kohlenwasserstoffe überzuführen[13], z. B.:

Violanthron → *Violanthren* (85% d. Th.)
Anthanthron → *Anthanthren*

[1] E. LAMPE, B. **42**, 1413 (1909).
[2] FIAT Final Rep. Nr. **1313** I, 314 (1948), I.G. Farb. Leverkusen.
[3] J. v. BRAUN u. O. BAYER, A. **472**, 105 (1929).
[4] K. LAGODZINSKI, A. **341**, 104 (1905).
[5] J. v. BRAUN u. O. BAYER, A. **472**, 90 (1929).
[6] s. a. DRP. 609 478 (1932), I.G. Farb., Erf.: G. KRÄNZLEIN u. E. RUNNE; Frdl. **21**, 1028.
[7] J. HALL u. A. G. PERKIN, Soc. **123**, 2029 (1923).
[8] A. MACMASTER u. A. G. PERKIN, Soc. **1927**, 1308.
[9] DRP. 223 209 (1908), Kinzlberger u. Co.; Frdl. **10**, 575.
   H. MEYER, B. **42**, 143 (1909); M. **30**, 166 (1909).
   s. BEILSTEIN, Bd. VII, S. 846 u. Erg. Werke.
[10] E. CLAR, B. **81**, 71 (1948).
[11] W. CARRUTHERS u. R. E. PERRY, Soc. **1968**, 2405.
[12] H. COLOMBARA u. F. WIENERS, I.G. Farb. Leverkusen (1930).
[13] E. CLAR, B. **72**, 1645 (1939).
[14] DBP. 919 228 (1952), BASF, Erf.: W. BRAUN; C. A. **50**, 7141c (1956).

Längeres Erhitzen von 9,10-Anthrachinonen in 1-Methoxy-2-(2-methoxy-äthoxy)-äthan (Diglyme) mit Natriumboranat in Gegenwart von Bortrifluorid oder Aluminium-chlorid führt zu einem Gemisch aus Anthracenen und 9,10-Dihydro-anthracenen[1].

Konzentrierte Jodwasserstoffsäure/roter Phosphor[2] oder amalgamiertes Zink/Salzsäure[3] können über die 9,10-Dihydro-Verbindungen zu einem Gemisch höherhydrierter Anthracene führen.

1,5-Dichlor-anthracen[4] (normales Reduktionsverfahren): 100 g feingepulvertes 1,5-Dichlor-9,10-anthrachinon werden in 1,5 l 10%-igem Ammoniak kräftig gerührt und unter Luftausschluß bei 80° innerhalb 1 Stde. mit 350 g Zinkstaub versetzt. Die Temp. wird ~5 Stdn. bei ~90° gehalten.

Nach dem Absaugen und Auswaschen behandelt man den Rückstand mit heißer ~10%-iger Salzsäure, saugt erneut ab, wäscht aus und digeriert mit verd. Natronlauge und Natriumdithionit, um evtl. noch vorhandene sauerstoffhaltige Reduktionsprodukte zu entfernen. Nach der Sublimation i. Hochvak. resultieren ~61 g (68% d. Th.) 1,5-Dichlor-anthracen (F: 185–186°; gelbe Kristallnadeln).

2-Chlor-anthracen-3-carbonsäure[5]: 216 g 2-Chlor-9,10-anthrachinon-3-carbonsaures Natrium werden mit ~1,8 l 6%-igem Ammoniak unter Zusatz von 20 g Ammoniumchlorid angeschlämmt; dann rührt man portionsweise 270 g Zinkstaub ein. Die Temp. soll zunächst nicht über 45° ansteigen.

Dann erhitzt man 6–8 Stdn. auf 87°, verdünnt evtl. mit heißem Wasser, filtriert, läßt in verd. Salzsäure einlaufen und erhitzt 2 Stdn. auf 90° (muß zum Schluß noch kongosauer sein).

Nach dem Absaugen wird mit dest. Wasser nachgewaschen; Ausbeute: 152 g (85% d. Th.) (auf 100%-ig ber.). Die weitere Reinigung erfolgt über das Kaliumsalz, das durch Aussalzen abgeschieden wird.

Die folgende Arbeitsweise hat sich besonders bei reduktiv schwer angreifbaren 9,10-Anthrachinonen bewährt[6].

Anthracen-Derivate; allgemeine Herstellungsvorschrift[6]: 1 Tl. des 9,10-Anthrachinons wird in einem Rührautoklaven mit ~15 Tln. 8%-igem Ammoniak, evtl. unter Zusatz von Pyridin, vorgelegt und ein Reagenzglas gefüllt mit ~1,5–3 Tln. Zinkstaub dazugestellt. Dann wird auf ~80° angeheizt und das Rührwerk in Gang gebracht. Sofort setzt eine stürmische Reaktion unter Temperaturanstieg auf ~150° ein (evtl. Druck ablassen). Nach kurzer Zeit ist die Reduktion beendet (diese Arbeitsweise ist nur bei kleinen Ansätzen anwendbar. Zur Reduktion größerer Mengen 9,10-Anthrachinon muß der Zinkstaub als wäßr. Paste kontinuierlich unter entsprechender Kühlung eingepumpt werden).

Es entsteht meist ein Gemisch aus dem Anthracen und dessen 9,10-Dihydro-Verbindung, das nach dem Auskochen mit verd. Salzsäure getrocknet und unter Zusatz von etwas Kupferbronze auf ~260°, evtl. bis zum Sieden, erhitzt wird, wobei glatte Dehydrierung eintritt.

Die weitere Aufarbeitung erfolgt durch Umkristallisieren oder Vakuumsublimation. Die Ausbeuten betragen meist 80–90% d. Th.

1-Amino-anthracen[7]: 50 g des schwer reduzierbaren 1-Amino-9,10-anthrachinons, feingepulvert und mit Pyridin angenetzt, werden mit ~400 ml 10%-igem Ammoniak in einem Autoklaven auf 70° angeheizt und dazu unter starkem Rühren drucklos, jedoch unter Stickstoff, portionsweise eine Mischung aus 100 g Zinkstaub/2g Kupferbronze ohne Kühlung eingetragen.

Nach ~1 Stde. gibt man weitere 75–100 g Zinkstaub zu und verschließt den Autoklaven. Meist ist anfängliches Erwärmen nicht erforderlich, denn die Temp. steigt bald auf 120–150° an. Durch mehrmaliges Druckablassen sollte dafür gesorgt werden, daß 30 at nicht überschritten werden. Nach ~20 Min. Reaktionsdauer wird abgekühlt, mit Wasser verdünnt, abgesaugt und ausgewaschen.

Der Rückstand wird mehrmals mit warmem Aceton digeriert und die Extrakte eingedampft. Es hinterbleibt eine gelbliche Kristallmasse, die im wesentlichen aus dem 1-Amino-9,10-dihydro-anthracen (F: 85°) besteht. Diese wird nach Zugabe von etwas Kupferbronze ~15 Min. zum Sieden erhitzt, wobei Wasserstoff entweicht. Anschließend destilliert man i. Hochvak. Falls erforderlich kristallisiert man aus Benzol-Ligroin um; Reinausbeute: 34 g (~80% d. Th.) (stark grüngelb fluoreszierend); F: 127°.

[1] K. VENKATARAMAN et al., Indian J. Chem. **1**, 19 (1963).
s. a. T. R. CRISWELL u. B. H. KLANDERMAN, J. Org. Chem. **39**, 770 (1974).
[2] C. LIEBERMANN, A. **212**, 1 (1882).
C. LIEBERMANN u. L. MAMLOCK, B. **38**, 1784 (1905).
[3] E. C. CLEMMENSEN, B. **47**, 684 (1914).
[4] H. SCHILLING, B. **46**, 1066 (1913).
[5] FIAT Final Rep. Nr. **1313** I, 345 (1948), I.G. Farb. Leverkusen.
[6] J. v. BRAUN u. O. BAYER, A. **472**, 112 (1929).
[7] O. BAYER (1925). Abgeänderte Vorschrift nach A. **472**, 112 (1929).

Die Einwirkung von Zinkstaub und Essigsäureanhydrid auf 9,10-Anthrachinone (s. S. 272), die unter völligem Ausschluß von Wasser bzw. Essigsäure die 9,10-Diacetoxy-anthracene liefert, führt unter Zusatz von Essigsäure bei einigen Di- und Polyhydroxy-9,10-anthrachinonen bis zur Anthracen-Stufe[1]; z. B.:

1,2-Diacetoxy-9,10-anthrachinon   → *1,2-Diacetoxy-anthracen* (F: 155–156°)
1,2,8-Triacetoxy-9,10-anthrachinon → *1,2,8-Triacetoxy-anthracen* (Zers.P.: ~223°)

Analog entstehen

1,4,5-Triacetoxy-anthracen (F: 199–200°)
1,2,5,8-Tetraacetoxy-anthracen (F: 198–199°)
1,4,5,8-Tetraacetoxy-anthracen (Zers.P.: ~270°)

Behandelt man 1,8-Diacetoxy-9,10-anthrachinon in gleicher Weise, so entsteht *1,8,10-Triacetoxy-anthracen*[1]; die Reduktion des 1,2,5,6-Tetraacetoxy-9,10-anthrachinons stoppt bereits beim *1,2,5,6,9,10-Hexaacetoxy-anthracen* (Zers.P. ~270°)[2].

1,2-Diacetoxy-anthracen[1]: 1 g Diacetyl-alizarin wird mit 50 *ml* Essigsäure, 50 *ml* Essigsäureanhydrid, 0,5 g Natriumacetat und 2 g Zinkstaub kurz aufgekocht, die farblose Lösung filtriert und mit Wasser zersetzt; Ausbeute: 0,9 g (98% d. Th.); F: 155–156° (mehrmals aus verd. Essigsäure umkristallisiert).

2. Reduktion von 10-Anthronen zu Anthracenen

Leichter noch als die 9,10-Anthrachinone lassen sich die 10-Anthrone (mit Ausnahme der α-Hydroxy-10-anthrone) durch Zinkstaub und Ammoniak zu Anthracenen reduzieren.

Diese Variante bietet in einigen Fällen Vorteile vor der Direktreduktion der 9,10-Anthrachinone; z. B. wenn substituierte 10-Anthrone leichter herstellbar sind als die entsprechenden 9,10-Anthrachinone. So wurden aus den entsprechenden 10-Anthronen hergestellt:

2-Äthyl-anthracen (F: 150–151°)[3]
2-Isopropyl-anthracen (F: 154–155°)[3]
2-Fluor-anthracen[4]

Das *1-Phenyl-anthracen* (F: 116–117°) entsteht in 94%-iger Rohausbeute durch 43stdg. Rückflußkochen des 1-Phenyl-10-anthron mit 2n Natronlauge, Toluol und Zinkstaub[5]. *1,2,5,6-*, (F: 204°) und *1,2,7,8-Tetramethyl-anthracen* (F: 140–141°) wurden durch mehrtägiges Erhitzen der entsprechenden 10-Anthrone mit Zinkstaub in 1n Natronlauge und Äthanol (2:1) erhalten[6]. Außerdem gelingt es leicht, die α-Hydroxy-10-anthrone in Form ihrer O-Acetyl-Derivate zu den *α-Hydroxy-anthracenen* zu reduzieren.

Durch Reduktion von 9-Alkyl- bzw. 9-Aryl-10-anthronen kann man zu den in 9-Stellung entsprechend substituierten Anthracenen gelangen[7,8]. So wird das 1:1-Anthron-Acrylnitril-Addukt durch Zinkstaub in Ammoniak mit 90% Ausbeute zur *3-Anthryl-(9)-propansäure* (F: 190–193°) reduziert[9].

Besonders leicht lassen sich 9,10-Dihydroxy-9,10-dialkyl- bzw. -9,10-diaryl-9,10-dihydro-anthracene III (s. S. 290) und 9,9,10-trisubstituierte 10-Hydroxy-9,10-dihydro-anthracene reduzieren[8].

[1] H. BROCKMANN u. G. BUDDE, B. **86**, 432 (1953).
[2] P. BOLDT, B. **99**, 2322 (1966).
[3] H. WALDMANN u. E. MARMORSTEIN, B. **70**, 107 (1937).
[4] E. D. BERGMANN, J. Org. Chem. **26**, 3211 (1961).
[5] S. C. DICKERMAN, D. DE SOUZA u. P. WOLF, J. Org. Chem. **30**, 1984 (1965).
[6] J. C. NICHOL u. R. B. SANDIN, Am. Soc. **69**, 2256 (1947).
[7] C. LIEBERMANN, A. **212**, 65 (1882).
[8] E. DE BARRY BARNETT u. M. A. MATTHEWS, B. **59**, 769 (1926).
[9] G. H. DAUB u. W. C. DOYLE, Am. Soc. **74**, 4449 (1952).

HO R

HO R

I

Anthrone können auch mittels Aluminiumisopropanolat in die 9-Hydroxy-9,10-dihy-dro-anthracene übergeführt werden, die beim Erhitzen leicht Wasser abspalten[1].

II. Herstellung von funktionellen Halogen- und Sauerstoff-Derivaten der 9,10-Anthrachinone

Es ist bemerkenswert, daß das Bis-[dimethylacetal] des 9,10-Anthrachinons, das *9,9,10,10-Tetramethoxy-9,10-dihydro-anthracen*; F: 161–163°[2], existenzfähig ist. Es wird durch Umsetzung von 9,9,10,10-Tetrachlor-9,10-dihydro-anthracen mit Methanol in Ge-genwart von Natriumcarbonat erhalten. Analog entsteht das *9,9-Dimethoxy-10-anthron* aus 9,9-Dibrom-10-anthron (s. a. S. 299). Beide Verbindungen werden durch verdünnte Säuren sofort zum 9,10-Anthrachinon hydrolysiert.

Die Überführung von 9,10-Anthrachinon in *9,9,10,10-Tetrachlor-* bzw. *-Tetrabrom-9,10-dihydro-anthracen* gelingt anscheinend nicht. Ersteres kann jedoch durch Chlorieren von Anthracen in Chloroform bei 0° leicht erhalten werden[2].

Dagegen läßt sich *9,9,10,10-Tetrafluor-9,10-dihydro-anthracen* (F: 122°) durch 8stdg. Erhitzen äquivalenter Mengen 9,10-Anthrachinon und Schwefeltetrafluorid auf 255° mit 78%-iger Ausbeute gewinnen[3].

In ähnlicher Weise entsteht aus Chinizarin mit einem Überschuß von Schwefeltetrafluo-rid (20 Stdn. bei ~ 180°) ein Gemisch, das zu ~ 40% aus *1,4,9,9,10,10-Hexafluor-* und zu 17% aus *1,2,4,9,9,10,10-Heptafluor-9,10-dihydro-anthracen* besteht[4].

III. Herstellung von 9(10)-Stickstoff-Derivaten der 9,10-Anthrachinone

9,10-Anthrachinone reagieren im allgemeinen nicht mit den üblichen Ketonreagenzien, mit Ausnahme von Hydroxylamin.

Das *9,10-Anthrachinon-monoxim* (F: 238°) wird mit sehr guter Ausbeute durch 15stdg. Erhitzen von 9,10-Anthrachinon mit einem großen Überschuß Hydroxylamin-Hydro-chlorid unter Zusatz von Zinkchlorid in Butanol[5] erhalten. Wahrscheinlich kommt die Oxim-Bildung nicht direkt, sondern über einen Redox-Vorgang zustande, an dem drei Moleküle Hydroxylamin beteiligt sind.

Leichter als 9,10-Anthrachinon bilden die α-Halogen-9,10-anthrachinone Oxime[5]. Aus 1,5-Dichlor-9,10-anthrachinon kann man sogar das *1,5-Dichlor-9,10-anthrachi-non-9,10-bis-oxim* herstellen[6, 7]. Das *cis-1-Chlor-9,10-anthrachinon-9-oxim* (I) läßt sich

[1] N. CAMPBELL u. A. A. WOODHAM, Soc. **1952**, 846.
[2] K. H. MEYER u. K. ZAHN, A. **396**, 178 (1913).
[3] W. R. HASEK, W. C. SMITH u. V. A. ENGELHARDT, Am. Soc. **82**, 543, 550 (1960).
[4] B. G. OKSENENKO u. V. D. SHTEINGARTS, Ž. org. Chim. **9**, 1761 (1973); engl.: 1789.
[5] H. NERESHEIMER u. W. RUPPEL, I.G. Farb. Ludwigshafen (1932).
[6] M. FREUND u. F. ACHENBACH, B. **43**, 3251 (1910).
[7] H. N. RYDON, N. H. P. SMITH u. D. WILLIAMS, Soc. **1957**, 1900.

durch Erwärmen mit verdünnter Natronlauge leicht zum *1(O),9(N)-Isoxazoloanthron-(10)* (II; F: 292°) cyclisieren[1]:

Aus dem Gemisch der drei stereoisomeren 1,5-Dichlor-9,10-anthrachinon-9,10-bis-oxime kann die *cis-cis*-Verbindung in gleicher Weise in das *1(O),9(N); 5(O),10(N)-Bis-[isoxazolo]-9,10-dihydro-anthracen* (III) übergeführt werden[2].

Phenylhydrazin ist mit 9,10-Anthrachinonen nicht zu den Phenylhydrazonen zu kondensieren. Eine Ausnahme machen jedoch die 1-Methoxy-9,10-anthrachinone, die sich beim Erhitzen mit Phenylhydrazin in Essigsäure glatt in die *1-Methoxy-9,10-anthrachinon-9-phenylhydrazone* überführen lassen[3].

1-Methoxy-9,10-anthrachinon-9-phenylhydrazon (orangegelbe Kristalle, F: 197°) wird durch Essigsäure/Salzsäure in 1-Methoxy-9,10-anthrachinon zurückverwandelt und durch äthanolisches Kaliumhydroxid bei 110° zum *N¹-Phenyl-1,9-pyrazoloanthron-(10)* cyclisiert[3].

Auch aus den 1,4- und 1,5-Dimethoxy-9,10-anthrachinonen entstehen die 9-Monohydrazone.

Über die Herstellung von Chinoniminen, Oximen und Hydrazonen aus Anthronen s. S. 300 ff.

Der Austausch der Carbonyl- gegen Imino-Gruppen gelingt oft überraschend leicht. So wird im einfachsten Fall durch Erhitzen von 9,10-Anthrachinon mit p-Toluidin und Borsäure (45 Min. bei 220°) das *9,10-Anthrachinon-9-(4-methyl-phenylimin)* erhalten (rote Kristalle, F: 165°; mit äthanolischer Salzsäure leicht hydrolysierbar[4]).

Beim Erhitzen von 9,10-Anthrachinon-2-sulfonsäure mit Anilin auf ∼ 190° wird nicht die Sulfo-Gruppe ausgetauscht, sondern es entsteht die *9,10-Anthrachinon-9-phenyl-imin-2(3)-sulfonsäure* und unter Borsäure-Zusatz die *9,10-Anthrachinon-bis-[phenyl-imin]-2-sulfonsäure*[5], welche mit Natriumdithionit zur *9,10-Bis-[anilino]-anthracen-2-sulfonsäure* reduziert wird[6].

Sogar bei der Umsetzung von 1-Nitro-9,10-anthrachinon mit Ammoniak im organischen Lösungsmittel bei ∼ 170° entstehen — neben dem 1-Amino-9,10-anthrachinon als Hauptprodukt — etwa 5⁰/₀ des *1-Amino-9,10-anthrachinon-10-imins* (s. S. 183).

Besonders leicht entstehen die 9-(10)-Imine bzw. -Phenylimine der Hydroxy-9,10-anthrachinone (s. S. 162).

9,10-Anthrachinon (1 Tl.) und Anilin (10 Tle.) werden durch Aluminiumchlorid (2 Tle.) bei 60° zum *9,10-Anthrachinon-bis-[phenylimin]* (gelbe Kristalle, F: 201−202°) kondensiert. In Gegenwart von Zinkstaub (bei 100°) entsteht direkt das *9,10-Dianilino-anthracen* (F: 317°)[6, 7], dessen Lösungen ungewöhnlich stark grüngelb fluoreszieren. — Das Bis-[phenylimin] (Dianil) ist mit dem aus 9,9,10,10-Tetrachlor-9,10-dihydro-anthracen und Anilin in siedendem Äthanol erhaltenen Produkt identisch[8].

[1] M. FREUND u. F. ACHENBACH, B. **43**, 3251 (1910).
[2] H. N. RYDON, N. H. P. SMITH u. D. WILLIAMS, Soc. **1957**, 1900.
[3] F. BAUMANN, I.G. Farb. Leverkusen (1933).
[4] H. LIEBERMANN, A. **513**, 173 (1934).
[5] DRP. 136872 (1901), 148079 (1902), Farbf. Bayer; Frdl. **7**, 162−164.
[6] U.S.P. 1917801 (1928/31), I.G. Farb., Erf.: M. A. KUNZ, R. STROH u. H. DIMROTH; C. **1933 II**, 2199.
[7] FIAT Final Rep.Nr. **1313** III, 356 (1948), I.G. Farb. Ludwigshafen.
[8] K. H. MEYER u. K. ZAHN, A. **396**, 179 (1913).

Erhitzt man jedoch Anthrachinon ~ 3 Stdn. mit Anilin/Anilin-Hydrochlorid zum Sieden, so erfolgt Kondensation zum *9,10-Bis-[4-amino-phenyl]-anthracen*[1] (ist tetrazotierbar!):

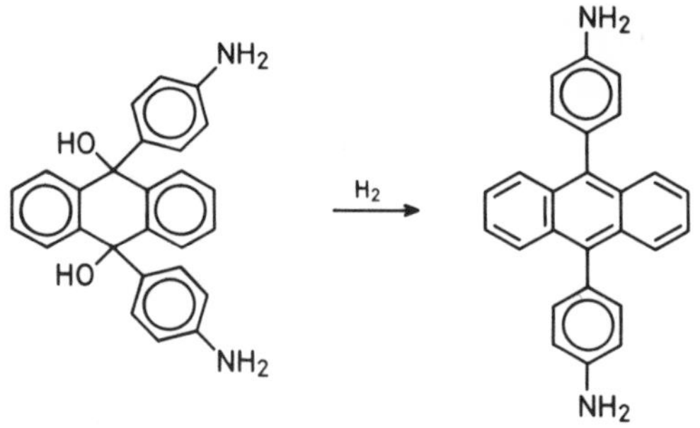

Durch mehrstündiges Kochen von 9,10-Anthrachinon mit einem Überschuß von Formamid vollzieht sich eine Leuckhard'sche reduzierende Aminierung und es entsteht mit einer Ausbeute von ~ 75% d. Th. das *9,10-Bis-[formylamino]-anthracen* (F: 435°)[2, 3]. Dieses (2 Tle.) läßt sich durch Erhitzen mit Kaliumhydroxid (3 Tle.) in Methanol (10 Tle.), dem nach kurzer Zeit eine Ammoniumchlorid (1 Tl.)-Wasser (2 Tle.)-Lösung zugefügt wird, zum *9-Amino-10-formylamino-anthracen*[2, 3] (F: 292°) und durch Einwirkung einer ~ 40%-igen methanolischen Kaliumhydroxid-Lösung zum *9,10-Diamino-anthracen* (rote Kristalle, F: 196°) verseifen[2, 3]. Letzteres ist autoxidabel. Durch Erwärmen mit verd. Mineralsäuren entsteht 9,10-Anthrachinon.

Beim Erhitzen von 9,10-Bis-[formylamino]-anthracen mit Essigsäureanhydrid entsteht glatt das *9,10-Bis-[diacetyl-amino]-anthracen* (F: 273°)[2, 3]. Erhitzt man das 9,10-Bis-[formylamino]-anthracen ~ 30 Min. mit Anilin, dem etwas Anilin-Hydrochlorid zugefügt ist, zum Sieden, so entsteht das *9,10-Dianilino-anthracen*[2], das mit dem aus 9,10-Dichlor-anthracen und Anilinnatrium bei ~ 160° mit guter Ausbeute erhältlichen Kondensationsprodukt[4] identisch ist.

Anhang: Herstellung funktioneller O- und N-9,10-Anthrachinon-Derivate aus 9-Nitro-anthracen

Einige 9,10-Sauerstoff- und Sauerstoff-Stickstoff-Derivate des 9,10-Anthrachinons lassen sich auch aus dem leicht zugänglichen 9-Nitro-anthracen herstellen[5].

9-Nitro-anthracen[6] (III):

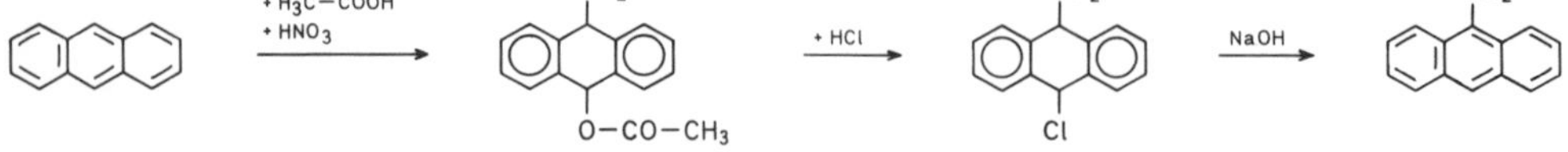

In eine Suspension aus 50 g fein gepulvertem Anthracen in 200 *ml* Essigsäure wird die äquimolare Menge (20 *ml*. 63%-ige) Salpetersäure eingerührt, wobei die Temp. nicht über 30–35° ansteigen darf. Nach ~ 15 Min. ist unter

[1] DRP. 488612, 489849, 491090 (1925–26), I.G. Farb., Erf.: K. SCHIRMACHER, B. STEIN u. K. STENGER; Frdl. **16**, 1297–99.

[2] US.P. 1917801 (1928/31), I.G. Farb., Erf.: M. A. KUNZ, R. STROH u. H. DIMROTH; C. **1933 II**, 2199.

[3] B. SCHIED, J. pr. [2] **157**, 214 (1941).

[4] DRP. 650432 (1934), I.G. Farb., Erf.: A. WOLFRAM u. W. SCHNURR; Frdl. **24**, 785.

[5] J. MEISENHEIMER, A. **323**, 205, 226 (1902).

[6] O. DIMROTH, B. **34**, 221 (1901).

Bildung des 9-Nitro-10-acetoxy-9,10-dihydro-anthracens (I) völlige Lösung eingetreten. Nun gibt man ein Gemisch aus 50 *ml* konz. Salzsäure und 50 *ml* Essigsäure zu, worauf die Masse bald zu einem Kristallbrei (II) erstarrt. Nach dem Absaugen und Auswaschen mit Äthanol wird der feuchte Filterkuchen mit 10%-iger Natronlauge zunächst bei 20°, dann unter Erwärmen bei 45° digeriert, wobei sich die Suspension gelb färbt. Der abgesaugte und neutral gewaschene Niederschlag wird aus Essigsäure umkristallisiert; Ausbeute: ~ 60% d. Th.; F: 146° (gelbe Kristalle)

Auch durch Nitrieren in Pyridin soll das *9-Nitro-anthracen* gut herstellbar sein[1].

Durch Einwirkung von Brom auf 9-Nitro-anthracen in Pyridin entsteht das Pyridinium-Salz IV, das durch Einwirkung von zwei Mol Methylamin in Methanol bei 20° zum *9-Amino-10-nitro-anthracen* (V) abgebaut wird[2]:

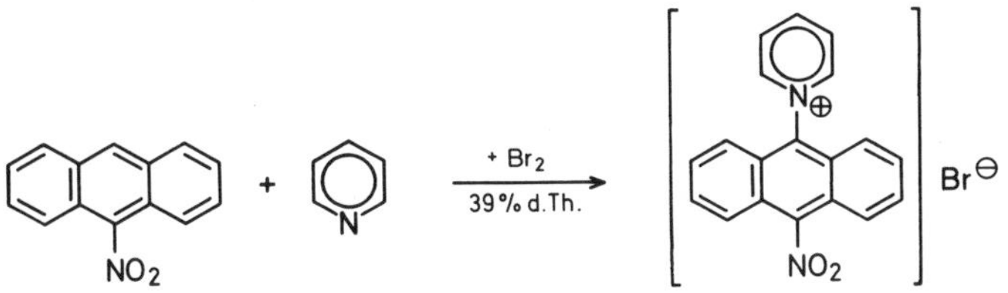

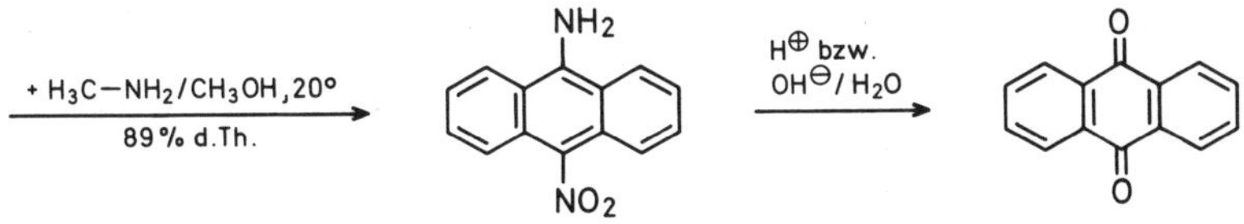

Durch längere Einwirkung von 5%-igem methanolischem Kaliumhydroxid auf 9-Nitro-anthracen bei 20° entsteht das Methoxy-Derivat VI, das ebenso wie das 9-Nitro-anthracen durch Kochen mit einer ~ 8%-igen Kaliumhydroxid-Lösung in Methanol in das Kaliumsalz des *9,9-Dimethoxy-10-anthron-oxims* (VII) umgewandelt wird, aus dessen wäßriger Lösung das freie Oxim (F: 171°) durch Einleiten von Kohlendioxid gefällt wird[3]. Oxidiert man die verdünnte alkalische Lösung des Oxims VII mit Kaliumhexacyanoferrat(III) bei 0°, so entsteht das *9,9-Dimethoxy-10-anthron* (VIII; F: 129°)[3]:

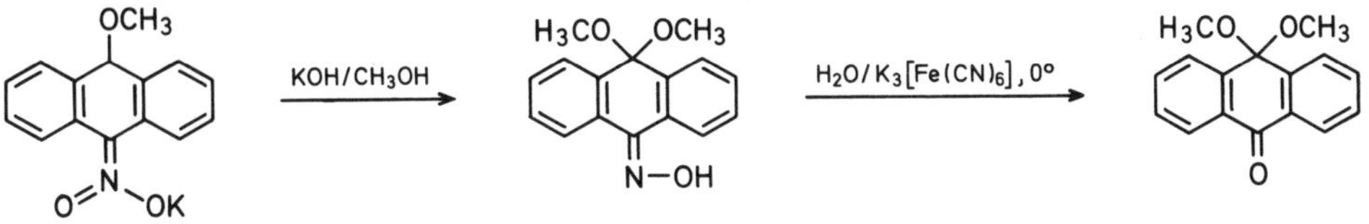

9-Nitro-anthracen wird durch Zinn(II)-chlorid in einem siedenden Essigsäure-Salzsäure-Gemisch zum *9-Amino-anthracen* reduziert[4,5]. Dieses kuppelt mit Diazoniumsalzen und läßt sich auch mit N,N-Dimethyl-4-nitroso-anilin zu einem 9,10-Anthrachinon-bisimin kondensieren[5].

Durch Einwirkung von konzentrierter Salpetersäure (D: 1,4) auf Anthracen in einem Nitrobenzol-Methanol-Gemisch bei ~ 40° entsteht das *10-Nitro-9-methoxy-9,10-dihy-*

[1] M. Battegay u. P. Brandt, Bl. [4] **31**, 910 (1922).
[2] S. Hünig u. K. Requardt, Ang. Ch. **68**, 152 (1956).
[3] J. Meisenheimer, A. **323**, 205, 226 (1902).
[4] J. Meisenheimer, B. **33**, 3549 (1900).
[5] F. Kaufler u. W. Suchannek, B. **40**, 526 (1907).

dro-anthracen (IX), das mit 10%-igem methanolischem Kaliumhydroxid behandelt in *9-Methoxy-10-anthron* (X; F: 102,5°) übergeführt wird[1].

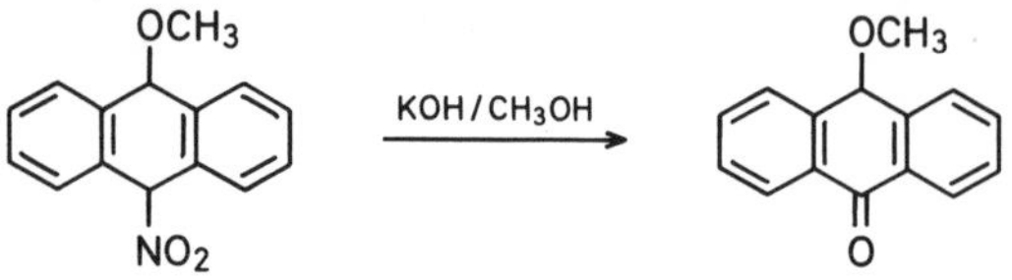

IV. Einführung von Kohlenstoffgruppen in die 9- und 9,10-Stellungen der 9,10-Anthrachinone

Die Einführung von Alkyl- und Aryl-Gruppen in die 9- bzw. 9,10-Stellungen der 9,10-Anthrachinone geschieht hauptsächlich durch Umsetzung der Carbonyl-Gruppen mit metallorganischen Verbindungen[2].

9,10-Anthrachinon selbst setzt sich mit einem Mol einer Grignard-Verbindung zu einem Gemisch aus den Verbindungen II und III neben unverändertem Chinon I um:

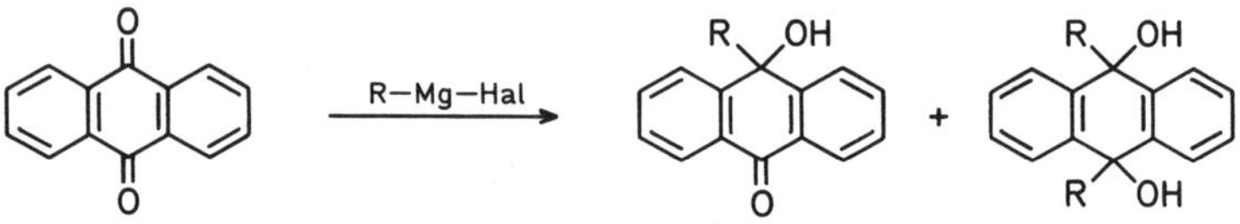

Um das Chinol II in guter Ausbeute zu erhalten, muß man 3–4 Mol Grignard-Reagenz einsetzen und durch Zugabe eines Lösungsvermittlers für eine bessere Löslichkeit der 9,10-Anthrachinone sorgen, da sonst Nebenreaktionen wie

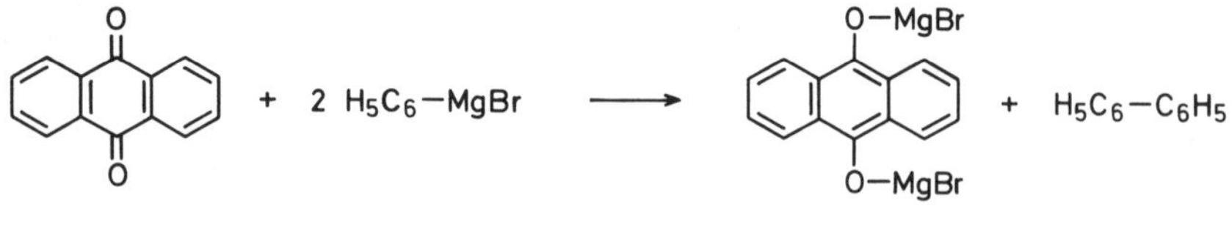

in den Vordergrund treten.

Auf diese Weise sind eine Reihe von 9,10-Dihydroxy-9,10-dialkyl- und -diaryl-9,10-dihydro-anthracenen hergestellt worden. Von ersteren wurden auch Konformationsbestimmungen durchgeführt[3,4], wobei die bemerkenswerte Feststellung gemacht wurde, daß bei der Umsetzung von 9,10-Anthrachinon mit Grignard-Verbindungen aus verzweigten oder höheren Alkylhalogeniden zu ~25% auch 9-Hydroxy-2,9-dialkyl-10-anthrone entstehen[3].

[1] J. MEISENHEIMER, A. **323**, 205, 226 (1902).
[2] A. HALLER u. A. GUYOT, Bl. [3] **31**, 795 (1904); C. r. **138**, 327, 1251 (1904).
[3] D. COHEN, L. HEWITT u. T. MILLAR, Soc. **1969** C, 2266 (ältere Lit. dort zitiert).
[4] M. MONTEBRUNO et al., Bl. **1974**, 283.

Die 9,10-disubstituierten 9,10-Dihydroxy-9,10-dihydro-anthracene lassen sich außerordentlich leicht veräthern, z. B. mit Methanol bei 20° in Gegenwart katalytischer Mengen Schwefelsäure[1].

Die Reduktion des 9,10-Dihydroxy-9,10-diphenyl-9,10-dihydro-anthracens zum *9,10-Diphenyl-anthracen* gelingt leicht, z. B. durch Erhitzen mit Phenylhydrazin[2].

9,10-Dihydroxy-9,10-diphenyl-9,10-dihydro-anthracen[3, 4]: Eine aus 12 g Magnesium, 84 g Brombenzol und 250 ml Diäthyläther in der üblichen Weise hergestellte Grignard-Lösung wird zur Hälfte eingedampft und mit 120 ml Benzol wieder aufgefüllt.

Diese Lösung läßt man langsam zu einer Suspension von 24 g feingepulvertem 9,10-Anthrachinon in 180 ml Benzol fließen. Nach 12stdg. Rühren gießt man in angesäuertes Eiswasser. In der organischen Phase findet sich das nebenbei entstandene Biphenyl. Aus dem Rückstand wird zunächst das unveränderte 9,10-Anthrachinon herausgeküpt; dann wird er getrocknet, mit ~ 40 ml Äther digeriert und aus Essigsäure-äthylester umkristallisiert; Ausbeute: ~ 33 g (~ 80% d. Th.) *trans*-Diol; F: 263°.

Als Nebenprodukt entsteht ferner 9,10-Diphenyl-anthracen[4].

Sogar 1,4- und 1,5-Dichlor-9,10-anthrachinon lassen sich mit Phenyl-magnesiumbromid umsetzen, ohne daß die Chlor-Atome in Mitleidenschaft gezogen werden[5].

Gut bewährt hat sich auch eine Arbeitsweise, bei der man auf die siedende Grignard-Lösung einen Soxhletextraktor setzt, in welchem sich das 9,10-Anthrachinon befindet. Auf diese Weise wurde das 9,10-Dihydroxy-9,10-dimethyl-9,10-dihydro-anthracen (Zers.P.: ~ 185°) mit ~ 80%-iger Ausbeute erhalten[1].

Auch mit Phenyl-lithium erhält man gute Ausbeuten an *9,10-Dihydroxy-9,10-diphenyl-9,10-dihydro-anthracen*[6]. Aus 1,4-Diphenyl-9,10-anthrachinon wurde so das *9,10-Dihydroxy-1,4,9,10-tetraphenyl-9,10-dihydro-anthracen* hergestellt[7].

Durch Addition von Äthinyl-magnesium-Verbindungen an 9,10-Anthrachinon entstehen die *trans*-9,10-Dihydroxy-9,10-diäthinyl-9,10-dihydro-anthracene[8].

Natriumacetylenid setzt sich mit 9,10-Anthrachinon in flüssigem Ammoniak in ~ 60%-iger Ausbeute zum *9,10-Dihydroxy-9,10-diäthinyl-9,10-dihydro-anthracen* (Zers.P.: 199°) um, das zum *9,10-Dihydroxy-9,10-diäthyl-9,10-dihydro-anthracen* (F: 170°) hydriert werden kann[9]. Analog wurden auch substituierte 9,10-Anthrachinone äthinyliert[10].

Über die Kondensationen von 9,10-Anthrachinon mit Propargyl-organischen Verbindungen s. Lit.[11].

Bei der Kondensation von 9,10-Anthrachinon mit Phenol in Gegenwart von Zinn(IV)-chlorid bei 135° entsteht in mäßiger Ausbeute ein 1:2-Kondensationsprodukt[12].

Dimethylsulfoxid lagert sich an 9,10-Anthrachinon in Gegenwart von Natriumhydrid zum *9-Hydroxy-9-(methylsulfinylmethyl)-10-anthron* (I) an, das mit Kaliumhydroxid zum *9-Formyl-10-hydroxy-anthracen* (II) gespalten wird (gelbe Kristalle, F: 194–195°, mit gelber Farbe in verd. Natronlauge löslich)[13]:

[1] W. E. Bachmann u. J. M. Chemerdes, J. Org. Chem. **4**, 583 (1939).
[2] K. J. Clark, Soc. **1956**, 1511.
[3] C. Dufraisse u. A. Étienne, Bl. [5] **14**, 1042 (1947).
[4] E. de Barry Barnett et al., Soc. **1927**, 1724.
[5] B. P. Fedorov, Izv. Akad. SSSR **1947**, 397; C. A. **42**, 1585[b] (1948).
[6] A. Willemart, Bl. [5] **9**, 83 (1942).
[7] S. C. Dickerman, D. de Souza u. P. Wolf, J. Org. Chem. **30**, 1985 (1965).
[8] W. Chodkiewicz, Bl. **1961**, 663.
[9] W. Ried u. H. J. Schmidt, B. **90**, 2553 (1957).
[10] W. Ried u. H. Lukas, B. **93**, 589 (1960).
[11] M. Gaudemar, A.ch. [13] **1**, 161 (1956).
    R. Skowronski u. W. Chodkiewicz, C. r. **251**, 547 (1960).
[12] W. Scharwin et al., B. **36**, 2020 (1903); **37**, 3616 (1904).
[13] DBP. 1 232 567 (1965), Cassella Farbwerke Mainkur AG., Erf.: E. Schwamberger u. H. v. Brachel; C. A.
    66, 66 741[m] (1967).

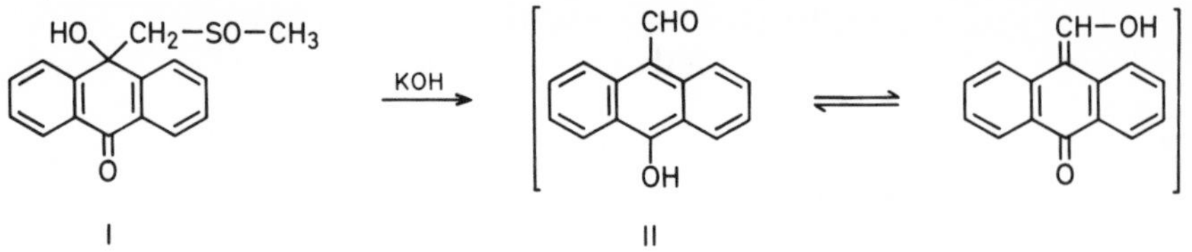

In diesem Zusammenhang soll noch auf zwei Anthracen-Derivate mit zwei Acyl-Gruppen in den 9,10-Stellungen hingewiesen werden. – Erhitzt man Anthracen in überschüssigem Benzoylchlorid unter portionsweiser Zugabe von geringen Mengen Kupferpulver 4 Stdn. zum Sieden, so entsteht glatt das *9,10-Dibenzoyl-anthracen* (F: >300°)[1].

Durch Dehydrohalogenierung von 9,10-Dihydro-anthracen-9,10-dicarbonsäure-dichlorid mit Triäthylamin in Benzol bei 20° läßt sich ein Diketen des Anthracens *(9,10-Bis-[carbonylen]-9,10-dihydro-anthracen)* gewinnen (orangerote Kristalle, die sehr unbeständig sind und heftig mit Sauerstoff, Wasser, Alkoholen u. ä. reagieren)[2]:

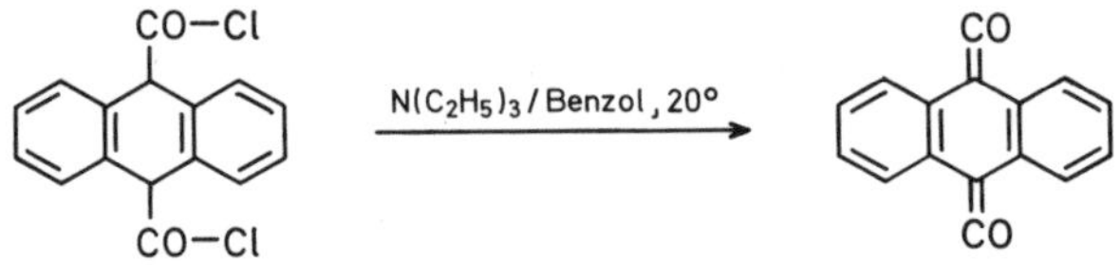

C. Umwandlung der 10-Anthrone

I. Einführung von Kohlenstoffgruppen in die 9-Stellung von 10-Anthronen

a) Herstellung von 9-Alkyl- und 9-Aryl-10-anthronen

Anthron verhält sich gegenüber Alkylierungsmitteln ähnlich wie Acetessigsäure-äthylester. Je nach den Versuchsbedingungen und dem Alkyl-Rest finden entweder Verätherungen (s. S. 276) oder C-Alkylierungen oder beide Reaktionen nebeneinander statt[3]. Außerdem können in die 9-Stellung direkt zwei Alkyl-Reste eingeführt werden.

Mit Methyljodid und Natriumäthanolat in abs. Äthanol soll hauptsächlich das *9-Methyl-10-anthron*[4] (F: 65°) und mit Methyljodid und Kalilauge das *10-Methoxy-9-methyl-anthracen*[3,5] entstehen. Bei der Alkylierung von Anthron mit Äthyljodid und Kalilauge wurde dagegen ein Gemisch aus *9,9-Diäthyl-10-anthron* (F: 136°) und *10-Äthoxy-9-äthyl-anthracen* (F: 84°) erhalten[3,6].

Durch Einwirkung von Benzylchlorid auf Anthron in Gegenwart 20%-iger Kalilauge entsteht in mäßiger Ausbeute das *9,9-Dibenzyl-10-anthron* (F: 217°)[7].

[1] Farbf. Bayer, ~ 1925
[2] A. T. BLOMQUIST u. C. MEINWALD, Am. Soc. **79**, 2021 (1957).
  s. a. ds. Handb., Bd. VII/4, S. 97.
[3] K. H. MEYER u. H. SCHLÖSSER, A. **420**, 126 (1920).
[4] W. E. BACHMANN u. J. M. CHEMERDAES, J. Org. Chem. **4**, 583 (1939).
[5] H. HEYMANN u. L. TROWBRIDGE, Am. Soc. **72**, 84 (1950).
[6] F. GOLDMANN, B. **21**, 1180 (1888).
[7] F. HALLGARTEN, B. **21**, 2509 (1888).
  s. z. B. auch E. DE BARRY BARNETT et al., B. **66**, 1883 (1933).

Zur Herstellung von 9,9-Dialkyl-10-anthronen wurden auch die Metallierungsprodukte aus einem Mol 10-Anthron und zwei Molen Lithiummethanolat eingesetzt. Diese reagieren mit

Methyljodid → *9,9-Dimethyl-10-anthron*[1], 64% d.Th.; F: 96,5–98°
Benzylchlorid → *9,9-Dibenzyl-10-anthron*[1]; (mäßige Ausbeute)
Allylbromid → *9,9-Diallyl-10-anthron*[2]; F: 85–86°

10-Anthrone gehen auch leicht Michael-Additionen ein. Maleinsäureanhydrid lagert sich glatt beim Erhitzen der Komponenten auf 170° an (s. S. 309). Die Anlagerungen von Verbindungen mit reaktiven Doppelbindungen werden meist in Methanol/Piperidin vorgenommen, wie z. B. die von Butenon und von Acroleinen (näheres s. unter Benzanthron-Synthesen, S. 308ff.).

Mit Benzyliden-malonsäure-dimethylester, Benzyliden-acetophenon (Chalkon), α-Benzylidenacetessigsäure-äthylester entstehen die folgenden Verbindungen[3]:

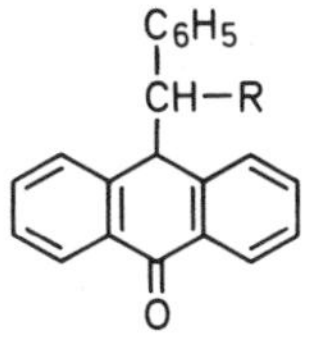

$$R = -CH(COOCH_3)_2$$
$$= -CH_2-CO-C_6H_5$$
$$= -CH(CO-CH_3)-COOC_2H_5$$

10-Anthron addiert in Gegenwart von z. B. Ammoniumbasen auch außerordentlich leicht zwei Mole Acrylnitril[4]. Das 1:1 Addukt [*9-(2-Cyan-äthyl)-10-anthron*][5] wird erhalten, indem man das 10-Anthranol-kalium in tert. Butanol mit einem Mol Acrylnitril reagieren läßt[5]. Läßt man auf Anthron in Toluol-Lösung in Gegenwart von Zinkstearat bei 180° und 20 at ein Acetylen-Stickstoff-Gemisch einwirken, so entsteht in ~80%-iger Ausbeute das *10-Vinyloxy-anthracen* (F: 47°; Kp₄: 175–185°)[6].

In den meisten Fällen dürfte es vorteilhaft sein, die 9-Alkyl- und 9-Aryl-10-anthrone durch Ringschluß-Reaktionen herzustellen; z. B.[7]:

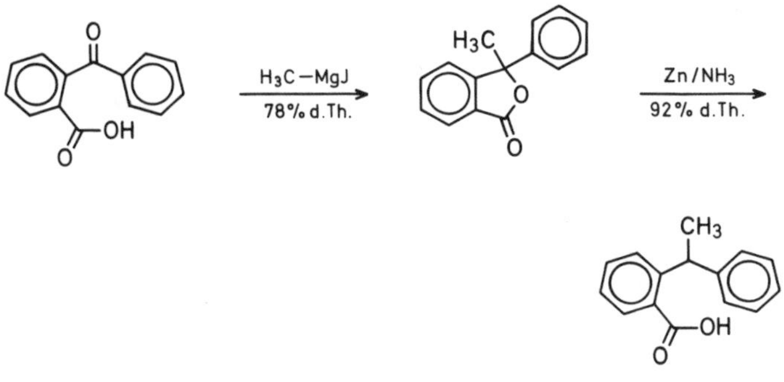

9-Methyl-10-anthron;
F: 64,5–65,5°

[1] D. Y. Curtin, R. C. Tuites u. D. H. Dybvig, J. Org. Chem. **25**, 155 (1960).
[2] D. Y. Curtin u. W. H. Richardson, Am. Soc. **81**, 4725 (1959).
[3] H. Meerwein, J.pr. [2] **97**, 285 (1918).
[4] H. A. Bruson, Am. Soc. **64**, 2457 (1942).
[5] G. H. Daub u. W. C. Doyle, Am. Soc. **74**, 4449 (1952).
[6] W. Reppe et al., A. **601**, 104 (1956).
[7] H. Heymann u. L. Trowbridge, Am. Soc. **72**, 84 (1950).

Dieser Weg wurde zuerst zur Synthese des *3-Methyl-9-cyclohexyl-10-anthrons* (F: 112–113,5°) eingeschlagen[1]. Auf diese Weise wurde auch das *1,4-Dimethoxy-9-methyl-10-anthron* (F: 138–139°) hergestellt[2].

Das Vorbild für diese Reaktionsfolge war die Herstellung des *9-Phenyl-10-anthrons*[3]:

b) Herstellung von Kondensationsprodukten aus 10-Anthronen und Carbonyl-Verbindungen

10-Anthrone lassen sich leicht mit aromatischen Aldehyden kondensieren[4]; z. B. zu:

9-Benzyliden-10-anthron (in Pyridin + Piperidin), F: 126–127°
9-(3-Dimethylamino-benzyliden)-10-anthron[5]; F: 173° (rote Kristalle)
9-(4-Dimethylamino-benzyliden)-10-anthron[6] (unreines Produkt, durch 10stdg. Sieden in Essigsäure-anhydrid)

Die Kondensation mit Zimtaldehyd wird zweckmäßig in 85%-iger Schwefelsäure bei 40° vorgenommen (Ausbeute fast 100%)[7] (s. S. 309). Das *9-[3-Phenyl-propen-(2)-yliden]-10-anthron* löst sich mit tiefblauer Farbe in konzentrierter Schwefelsäure.

Aliphatische Aldehyde lassen sich im allgemeinen mit Anthronen nicht zu definierten Produkten kondensieren. Ausnahmen machen der Formaldehyd, das Glyoxal und das 3,3-Dichlor-acrolein[8] (in Methanol bei 85°).

9-[3,3-Dichlor-propen-(2)-yliden]-10-anthron;
F: 142° (dunkelgrüne Nadeln aus Essigsäure)

Mit Chloral entsteht in Essigsäure das gleiche Produkt wie mit Glyoxal, neben Dian-thron[9].

α,β-Ungesättigte aliphatische Aldehyde reagieren primär vorwiegend mit der C=C-Doppelbindung (s. S. 308 unter Benzanthron-Synthesen).

Das aus Formaldehyd und Anthron leicht zugängliche *9-Methylen-10-anthron* (Herstellung s. S. 314) – es reagiert als Dien (s. S. 312) – und das durch Erhitzen von Anthron mit

[1] A. T. Martschewski u. M. I. Uschakow, Ž. obšč. Chim. **10**, 1369 (1940); C. **1942** II, 1904.
[2] M. Gates u. C. L. Dickinson jr., J. Org. Chem. **22**, 1398 (1957).
[3] A. Baeyer, A. **202**, 54 (1880).
[4] H. Haller u. R. Padova, C. r. **141**, 857 (1905).
[5] E. Weitz, A. **418**, 31 (1919).
[6] S. Hünig, H. Schweeberg u. H. Schwarz, A. **587**, 145 (1954).
[7] DRP. 489284 (1925), I.G. Farb., Erf.: R. Berliner, B. Stein u. W. Trautner; Frdl. **16**, 1281.
[8] A. Roedig, R. Manger u. S. Schödel, B. **93**, 2296 (1960).
[9] E. Clar, B. **72**, 2134 (1939).

Glyoxalsulfat in Essigsäure anfallende *1,2-Bis-[10-anthron-9-yliden]-äthan*[1] sind interessante Synthesematerialien (s. S. 296).

Aromatische Ketone reagieren nicht mit 10-Anthronen. Das sog. *Anthrafuchson* (I; rubinrote Kristalle)

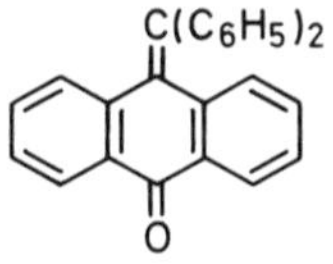

I

wurde aus Diphenyl-dichlor-methan und Anthron durch Erhitzen in Xylol erhalten[2]. Ähnliche Verbindungen wurden analog hergestellt.

Durch mehrstündiges Erhitzen von 4,4'-Bis-[dimethylamino]-benzophenon mit Phosphorylchlorid entsteht ein reaktionsfähiges Kondensationsprodukt, das durch 20stdg. Rückflußkochen mit Anthron in Benzol in ~62%-iger Ausbeute das *9-(Bis-[4-dimethylamino-phenyl]-methylen)-10-anthron* (II; F: 264–265°, rote Kristallnadeln) liefert[3]:

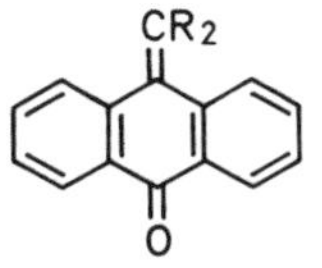

II

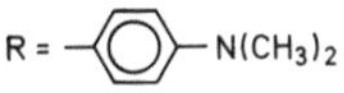

$$R = \text{—}\langle\bigcirc\rangle\text{—}N(CH_3)_2$$

10-Anthron läßt sich in der Aluminiumchlorid-Schmelze bei 190° mit Phthalsäureanhydrid zu dem Phthalid III kondensieren[4]; das mit intensiv roter Farbe sowohl in konzentrierter Schwefelsäure als auch in äthanolischer Kalilauge löslich ist:

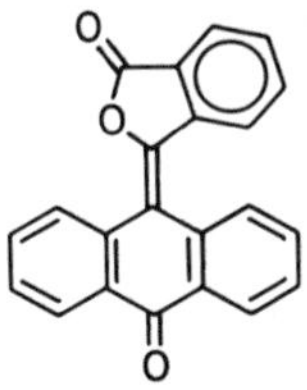

III

Durch Einwirkung von Schwefelkohlenstoff und Kalilauge auf 10-Anthron und anschließende Alkylierung mit Dimethylsulfat in Dimethylsulfoxid[5] entsteht mit 72% Ausbeute das *9-(Di-methylmercapto-methylen)-10-anthron* (F: 174°):

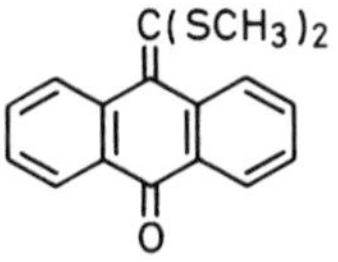

[1] DRP. 453768 (1925), I.G. Farb., Erf.: R. BERLINER, B. STEIN u. W. TRAUTNER; Frdl. **16**, 1283.
[2] R. PADOVA, C. r. **143**, 121 (1906); s. a. **149**, 217 (1909).
   E. CLAR u. W. MÜLLER, B. **63**, 871 (1930).
[3] F. A. MASON, Soc. **123**, 1955 (1923).
[4] DRP. 615411 (1933), I.G. Farb., Erf.: H. SCHEYER; Frdl. **22**, 1144.
[5] R. GOMPPER, R. SCHMIDT u. E. KUTTER, A. **684**, 37 (1965).

Mit Anthron läßt sich auch die Vilsmeier-Aldehyd-Synthese durchführen. Durch Umsetzung mit N-Formyl-N-methyl-anilin und Phosphorylchlorid entsteht praktisch quantitativ das *9-Chlor-10-formyl-anthracen*[1] (F: 216°; Herstellung s. Bd. VII/1, S. 35).

Das *9-Methoxy-10-formyl-anthracen* (goldgelbe Kristalle, F: 165°) läßt sich aus 9-Methoxy-anthracen und Cyanwasserstoff in Benzol unter Einwirkung von Aluminiumchlorid und Chlorwasserstoff gut herstellen[2]. Analog entstehen mit aliphatischen bzw. aromatischen Nitrilen Ketimine, die sich zu den 9 - A c y l - 1 0 - a n t h r o n e n hydrolysieren lassen[2].

In diesem Zusammenhang sei darauf hingewiesen, daß 10-Anthron ein außerordentlich empfindliches Reagenz für Kohlenhydrate aller Art wie Cellulose, Stärke, Glucose, Fructose und auch Furfurol ist. Beim Erwärmen der Komponenten in etwas wasserhaltiger Schwefelsäure entstehen intensiv grün-blaue Färbungen[3].

c) Hinweise auf Synthesen polycyclischer Chinone aus 10-Anthronen

Das 10-Anthron ist ein ungewöhnlich vielseitiges Ausgangsmaterial zum Aufbau polycyclischer Chinone. In erster Linie sind hier die Benzanthrone und deren Kondensationsprodukte zu nennen.

Das aus 10-Anthron und Glyoxalsulfat leicht zugängliche *1,2-Bis-[10-anthron-9-yliden]-äthan* (I)[4]

ist ein gelber, lichtunechter Küpenfarbstoff (in konz. Schwefelsäure intensiv blaugrün löslich), der durch Erhitzen mit äthanolischem Kaliumhydroxid auf 120° zum *1,2-Bis-[10-anthron-9-yliden]-äthylen* (II) dehydriert wird (bordeauxroter Küpenfarbstoff, Küpe kirschrot[5]; s. a. Bd. IV/1b, S. 46). Durch Verschmelzen mit Natriumchlorid-Aluminiumchlorid

[1] DRP. 514415 (1927), I.G. Farb., Erf.: G. Kalischer, H. Scheyer u. K. Keller; Frdl. **17**, 564.
[2] K. Krollpfeiffer, B. **56**, 2360 (1923); A. **462**, 46, 63 (1928).
[3] R. Dreywood, Ind. eng. Chem. Anal. **18**, 499 (1946).
   R. M. McCready et al., Anal. Chem. **22**, 1156 (1950).
   L. Sattler u. F. W. Zerban, Am. Soc. **72**, 3814 (1950).
   T. Momose et al., Pharm. Bull. (Tokyo) **3**, 323 (1955); C. **1961**, 1544.
   Quantitative Bestimmung
      von Pentosen: R. R. Bridges, Anal. Chem. **24**, 2004 (1952).
      von Zuckern: R. J. Dimler et al., Anal. Chem. **24**, 1411 (1952).
      von Hexosen: R. Johanson, Anal. Chem. **26**, 1331 (1954).
[4] DRP. 453768 (1925), I.G. Farb., Erf.: R. Berliner, B. Stein u. W. Trautner; Frdl. **16**, 1283.
[5] DRP. 470501 (1926), I.G. Farb., Erf.: H. Scheyer; Frdl. **16**, 1283.

bei 140° wird es zum „*Acedianthron*"[1] (III) cyclisiert, dem Grundgerüst mehrerer brauner Indanthrenfarbstoffe. Technisch wird das *Dichlor-acedianthron* direkt aus 4-Chlor-10-anthron, Glyoxalsulfat und einem Gemisch aus 70% Schwefeltrioxid und 30% Chlorsulfonsäure bei 135° hergestellt[1-3].

9-Methylen-10-anthron wird durch 1stdg. Kochen mit 10%-iger methanolischer Schwefelsäure mit 90% Ausbeute in ein Dimeres (F: 254°) umgewandelt[4], dem – entgegen der Auffassung von H. Scheyer – die Konstitution des Chinonmethids IVa[5] oder IVb[6] zukommen dürfte (s. a. S. 303):

IV   IVa   IVb

Aus den Chinon-methiden IVa bzw. IVb entsteht beim Erhitzen mit Essigsäureanhydrid/Schwefelsäure die Acetyl-Verbindung von IVb[5]. Das dimere 9-Methylen-10-anthron wird durch Verschmelzen mit Aluminiumchlorid/Natriumchlorid bei 140° zu V kondensiert, das durch stärkeres Erhitzen unter Äthylen-Abspaltung in das polycyclische Chinon VI –, ein sehr lichtunechter Küpenfarbstoff – übergeht[7]:

IV   V   VI

Trägt man das Methid IV bei 20° in Sulfurylchlorid ein, so erfolgt Chlorwasserstoff-Entwicklung, und es scheiden sich farblose Kristalle der Dichlor-Verbindung VII ab[8], die sich durch äthanolisches Kaliumhydroxid zu einem violetten Küpenfarbstoff VIII verschmelzen läßt (sehr schwer lösliche Küpensalze)[9] (s. a. S. 303), dessen Konstitution nicht bewiesen ist.

IV   VII   VIII

[1] DRP. 550712 (1930), I.G. Farb., Erf.: H. Scheyer; Frdl. **19**, 2149.
[2] DRP. 576466 (1931), I.G. Farb., Erf.: H. Scheyer; Frdl. **20**, 1426.
[3] FIAT Final Rep. Nr. **1313** II, 104 (1948), I.G. Farb. Mainkur.
[4] DRP. 571523 (1930), I. G. Farb., Erf.: H. Scheyer; Frdl. **19**, 2146.
[5] K. Hirakawa u. S. Nakazawa, J.Org.Chem. **43**, 1804 (1978).
[6] R. Neeff, Bayer AG, Leverkusen.
[7] DRP. 566518, 568034 (1930), I. G. Farb., Erf.: H. Scheyer; Frdl. **19**, 2145–2149.
[8] DRP. 580010 (1931), I.G. Farb., Erf.: H. Scheyer; Frdl. **20**, 1421.
[9] DRP. 577560 (1931), I.G. Farb., Erf.: H. Scheyer; Frdl. **20**, 1423.

Die zahlreichen polycyclischen Chinone, die durch Dienadditionen des 9-Methylen-10-anthrons zugänglich sind, werden auf S. 312ff. beschrieben.

Erhitzt man Anthron mit 1,4-Benzochinon, so entsteht in ~20%-iger Ausbeute ein blaugrüner (rotviolett küpender) Farbstoff[1], dem die Konstitution IX zukommen dürfte[2]:

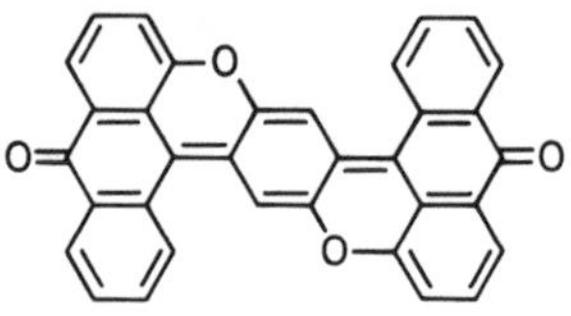

IX

Die Ausbeute steigt auf ~60% an, wenn man 9,9'-Bi-10-anthronyl mit ~4 Mol Benzochinon 18 Stdn. rückfließend in Chlorbenzol erhitzt[3].

II. Oxidative Umwandlung der 10-Anthrone

Die Oxidation der 10-Anthrone kann je nach dem angewandten Oxidationsverfahren in verschiedenen Richtungen verlaufen. Energisch wirkende Mittel führen zu den 9,10-Anthrachinonen. In vielen Fällen wurden die sog. „Dihydro-dianthrone" (z. B. II) als Zwischenstufen nachgewiesen. Diese können aus 10-Anthronen durch sogenannte „Einelektronenoxidationsmittel", wie z. B. Eisen(III)-chlorid (eine konz. wäßrige Lösung in siedender Essigsäure[4]) glatt hergestellt werden:

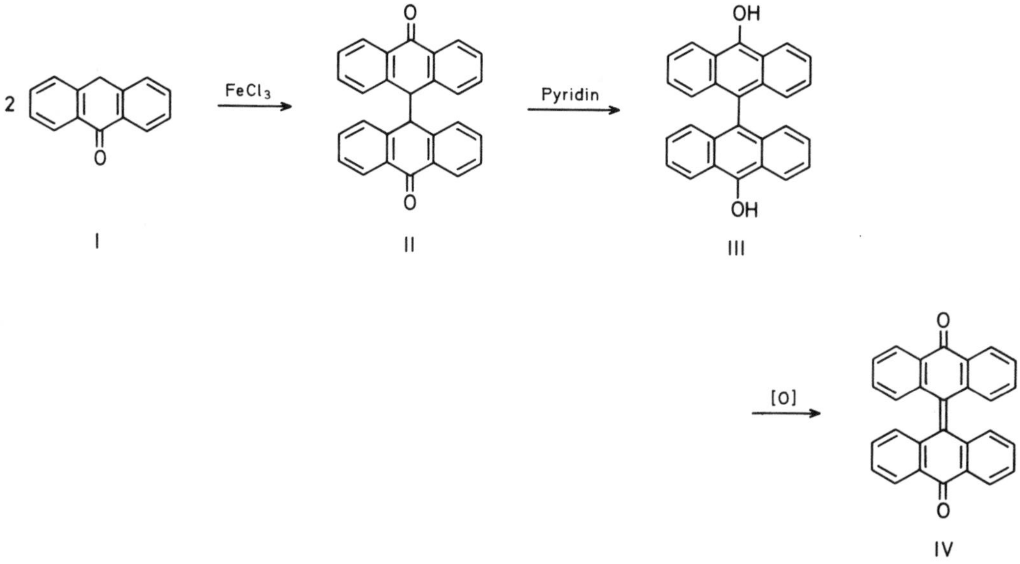

[1] DRP. 251020 (1911), Farbw. Hoechst, Erf.: A. Schmidt u. G. Kränzlein; Frdl. **11**, 711.
[2] Formulierung des Verfassers (1934).
[3] DRP. 618045 (1933), I.G. Farb., Erf.: W. Eckert u. E. Fischer; Frdl. **22**, 1154.
[4] O. Dimroth, B. **34**, 223 (1901).

Vor allem A. G. Perkin u. E. de Barry Barnett et al.[1] haben zahlreiche Verbindungen vom Typ II synthetisiert. Über die Herstellung von *9,9'-Bi-10-anthronyl* (II) aus Anthracen s. S. 19.

9,9'-Bi-10-anthronyl (II) ist eine sehr beständige Verbindung, die sich direkt nur schwer zum *9,9'-Bi-10-anthronyliden* (IV) oxidieren läßt. Um 9,9'-Bi-10-anthronyl (II) umsetzen zu können, muß es zunächst in die Enol-Form III übergeführt werden, z. B. durch längeres Erhitzen in Pyridin, worin es dann mit Essigsäureanhydrid acetyliert und durch Brom zum 9,9'-Bi-10-anthronyliden (IV) dehydriert werden kann[2].

Das Alkalimetall-enolat aus III bildet sich durch Erhitzen von 9,9'-Bi-10-anthronyl(II) mit äthanolischem Alkalimetallhydroxid. Dieses kann nun, z. B. mit Kaliumperoxodisulfat[3] oder als freies Enol, durch Erhitzen mit 1,4-Benzochinon in Aceton[4] zum *9,9'-Bi-10-anthronyliden* (IV) dehydriert werden.

10-Anthron wird in Chloroform bei 20° mit einem Mol Brom glatt zum *9-Brom-10-anthron*[5,6] (F: 148°) oder mit zwei Molen Brom zum *9,9-Dibrom-10-anthron*[5] bzw. mit zwei Molen Chlor zum *9,9-Dichlor-10-anthron*[7] (F: 132–134°) halogeniert. In diesen 9,9-Dihalogen-10-anthronen sind die Halogen-Atome besonders leicht hydrolysierbar bzw. gegen andere Gruppen austauschbar[8] (s. S. 286).

Die Dibromierung von 9-Anthronen in Essigsäure ist eine sehr brauchbare Labormethode, um 9-Anthrone in 9,10-Anthrachinone überzuführen (s. S. 43).

9-Hydroxy-10-anthron[6]: Man erhitzt 5,4 g 9-Brom-10-anthron in 100 *ml* Wasser/Aceton (1:1) kurz zum Sieden, filtriert rasch und setzt 30 *ml* Wasser zu. Dabei kristallisieren 3,5 g (83% d. Th.) aus; farblose Kristalle (Zers.p.: 167°; unter Disproportionierung).

Aus 9-Brom-10-anthron und Kaliumacetat in Essigsäure entsteht das *9-Acetoxy-10-anthron*.

9-Alkyl-10-anthrone lassen sich unter sehr energischen Bedingungen zu 9,10-Anthrachinonen oxidieren (s. S. 43). Mit Dihydrogenperoxid in äthanolisch-wäßriger Natronlauge erhält man aus 9-Methyl-10-anthron leicht das *9-Hydroxy-9-methyl-10-anthron* (F: 146–148° und 153–155°) (2 Formen)[9].

III. Umsetzung von 10-Anthronen mit metallorganischen Verbindungen zu 9-Alkyl- bzw. 9-Aryl-anthracenen

Durch Einwirkung von ~ drei Mol Grignard-Reagenz auf Anthron entstehen zunächst die 9-Hydroxy-9-alkyl(aryl)-9,10-dihydro-anthracene, die unter Wasser-Abspaltung leicht in die 9-Alkyl(Aryl)-anthracene übergehen[10,11]:

[1] s. BEILSTEIN, Bd. VII, S. 846 u. Erg. Werke.
[2] E. DE BARRY BARNETT u. M. A. MATTHEWS, Soc. **1923**, 388.
[3] H. MEYER, R. BONDY u. A. ECKERT, M. **33**, 1447 (1912).
[4] A. SCHÖNBERG u. A. F. A. ISMAIL, Soc. **1944**, 307.
[5] F. GOLDMANN, B. **20**, 2437 (1887).
[6] K. H. MEYER, A. **379**, 62 (1911).
[7] F. GOLDMANN, B. **21**, 1176 (1888).
[8] E. DE BARRY BARNETT et al., Soc. **1922**, 2065; **1923**, 2007.
[9] H. HEYMANN u. L. TROWBRIDGE, Am. Soc. **72**, 84 (1950).
[10] F. KROLLPFEIFFER u. F. BRANSCHEID, B. **56**, 1617 (1923).
[11] A. SIEGLITZ u. R. MARX, B. **56**, 1619 (1923).

R = Alkyl , Aryl

So wurden u. a. erhalten:

9-Methyl-anthracen[1,2]; F: 81,5°

9-Äthyl-anthracen[1,2]; F: 59°

9-Propyl-anthracen[2]; F: 69–70°

9-Isopropyl-anthracen[3]; F: 76°

9-Butyl-anthracen[4]; F: 49°

9-Dodecyl-anthracen[4]; F: 34,5°

9-Phenyl-anthracen[1]; F: 151–152°

1,5-Dichlor-9-methyl-anthracen[3]; F: 115°

2-Chlor-9-äthyl-anthracen[5]; F: 79°

2-Chlor-9-benzyl-anthracen[5]; F: 132°

Analog lassen sich auch lithiumorganische Verbindungen umsetzen[6]. So wird aus 1-Phenyl-10-anthron und Phenyl-lithium durch 1stdg. Rückflußsieden in Benzol mit 82% Rohausbeute *1,10-Diphenyl-anthracen* (F: 175–176°, aus Aceton/Methanol) erhalten, analog das *2,10-Diphenyl-anthracen* (F: 173–174°, aus Äthanol) mit 75% Rohausbeute und das *1,9-Diphenyl-anthracen* (F: 183,5°).

Ausgehend von 9-Alkyl(Aryl)-10-anthronen lassen sich auch die 9,10-disubstituierten Anthracene – u. a. auch mit verschiedenen Resten[7] – und aus 9,9-disubstituierten 10-Anthronen die 9,9,10-trisubstituierten 10-Hydroxy-9,10-dihydro-anthracene herstellen, die bereits durch Äthanol und Schwefelsäure zu den Kohlenwasserstoffen reduziert werden können[3].

Durch längeres Sieden von 10-Hydroxy-10-methyl-9,9-dipropyl-9,10-dihydro-anthracen (F: 99–100°) in Benzol unter Zusatz katalytischer Mengen Jod entsteht unter Wasser-Abspaltung das *9,9-Dipropyl-10-methylen-9,10-dihydro-anthracen* (F: 60°)[8].

Über die Einwirkung von Methyl-magnesiumbromid auf 9-Acetoxy-10-anthrone, wobei beträchtliche Mengen *9,10-Dimethyl-anthracene* entstehen, s. Lit.[9].

IV. Einführung von stickstoffhaltigen Gruppen in die 9-Stellung von 10-Anthronen

Eine Reihe von 10-Anthronen, die in 9-Stellung durch eine stickstoffhaltige Gruppe substituiert sind, kann sowohl aus 10-Anthronen als auch aus Anthracenen oder 9,10-Anthrachinonen (s. S. 286) hergestellt werden. So läßt sich 10-Anthron leicht zum *9,10-Anthrachinon-monoxim* (s. a. S. 286, 288) nitrosieren.

9,10-Anthrachinon-monoxim[10]: Eine Lösung von 10 g Natrium in 500 *ml* Äthanol versetzt man bei 25° mit 50 g Amylnitrit und trägt dann unter Rühren 50 g feingepulvertes 10-Anthron ein, das rasch unter tiefer Braunfärbung und Temperaturanstieg auf 35° in Lösung geht. Nach ∼ 20 Min. gießt man in Eiswasser ein, filtriert erforderlichenfalls und fällt das Oxim mit Salzsäure aus; das praktisch reine Produkt fällt in ∼ 90%-iger Ausbeute an.

Analog läßt sich das *1,5-Dichlor-9,10-anthrachinon-monoxim* (Zers.p.: 220°) herstellen.

[1] F. KROLLPFEIFFER u. F. BRANSCHEID, B. **56**, 1617 (1923).

[2] A. SIEGLITZ u. R. MARX, B. **56**, 1619 (1923).

[3] E. DE BARRY BARNETT et al., B. **59**, 1436, 2863 (1926).

[4] R. W. SCHIESSLER et al., Am. Soc. **70**, 529 (1948).

[5] E. DE BARRY BARNETT u. J. L. WILTSHIRE, Soc. **1928**, 1824.

[6] S. C. DICKERMAN, D. DE SOUZA u. P. WOLF, J. Org. Chem. **30**, 1984 (1965).

[7] A. WILLEMART, Bl. [5] **4**, 1447 (1937).

[8] D. Y. CURTIN u. W. H. RICHARDSON, Am. Soc. **81**, 4726 (1959).

[9] L. F. FIESER u. H. HEYMANN, Am. Soc. **64**, 376 (1942).

[10] DRP. 598476 (1932), I.G. Farb., Erf.: H. NERESHEIMER et al., Frdl. **21**, 1043.

Auch durch Einwirkung von Amylnitrit auf 9-Äthoxy-anthracen in Essigsäure, der einige Tropfen Salzsäure zugesetzt sind, entsteht sofort das *9,10-Anthrachinon-monoxim* (F: 238°)[1].

10-Anthranol kuppelt in äthanolisch-alkalischer Lösung mit Diazonium-Verbindungen zu Azofarbstoffen (I)[2]; z. B.:

I   II
tiefblaues Alkalimetallsalz   braunrote Kristalle; F: 182–183°

Die Ketoform II ist das Monophenylhydrazon des 9,10-Anthrachinons. Durch Erhitzen mit Schwefelsäure in Äthanol wird dieses quantitativ in 9,10-Anthrachinon und Phenylhydrazin gespalten[2]. Durch Reduktion mit Zinkstaub in äthanolisch-alkalischer Lösung wird das *10-Hydroxy-9-amino-anthracen* nur sehr unrein erhalten: es ist außerordentlich leicht hydrolysierbar und autoxidabel[3].

10-Anthron kondensiert auch leicht mit 4-Nitroso-N,N-dimethyl-anilin[2].

Das *9-Anilino-10-hydroxy-anthracen*, das aus 9-Brom-10-anthron und Anilin zugänglich ist, läßt sich mit Kaliumhexacyanoferrat(III) in äthanolischer Kaliumhydroxid-Lösung zu dem tiefroten *9,10-Anthrachinon-phenylimin*[4] dehydrieren (F: 123–124°). Das *9,10-Anthrachinon-bis-[phenylimin]* (gelbe Blättchen, F: 201–202°) wird durch Kondensation von 9,9,10,10-Tetrachlor-9,10-dihydro-anthracen mit Anilin in Äthanol erhalten[5].

9,9-Dibrom-10-anthron reagiert mit überschüssigem Hydrazin-Hydrat in Äthanol zum *9,10-Anthrachinon-hydrazon* (I; 40% d. Th.; Zers.p.: 175°), das sich in Tetrahydrofuran mit Quecksilberoxid zum *9-Diazo-10-anthron* (II) dehydrieren läßt[6]. Erhitzt man das Hydrazon I zwei Tage in Benzol mit Kupferbronze, so entsteht ein Gemisch aus *9,9'-Bi-10-anthronyl* und *9,10-Anthrachinon-azin* (III; 46% d. Th.; orangefarbene Kristalle, F: 315°)[6]:

[1] K. H. MEYER u. H. SCHLÖSSER, A. **420**, 132 (1920).
[2] F. KAUFLER u. W. SUCHANNECK, B. **40**, 518 (1907).
    s. a. K. H. MEYER u. K. ZAHN, A. **396**, 152 (1913).
[3] K. H. MEYER u. A. SANDER, A. **396**, 133 (1913).
[4] K. H. MEYER u. A. SANDER, A. **396**, 147 (1913).
[5] K. H. MEYER u. K. ZAHN, A. **396**, 178 (1913).
[6] J. C. FLEMING u. H. SHECHTER, J. Org. Chem. **34**, 3962 (1969).

Die Nitrierung von 10-Anthron zum *9-Nitro-10-anthron* läßt sich wie folgt durchführen:

9-Nitro-10-anthron[1]: Zu einer Lösung von 20 g 10-Anthron in 300 *ml* Essigsäure wird bei 60° eine Lösung von 7 *ml* 96%-iger Salpetersäure in 50 *ml* Essigsäure eingerührt. Nach dem Abkühlen kristallisieren 15 g und nach Wasser-Zusatz weitere 6 g (80% d. Th.) 9-Nitro-10-anthron aus, die aus Benzol/Ligroin umkristallisiert werden (F: 136–137°).

9-Nitro-10-anthron entsteht auch durch Nitrieren von Anthracen[2].

Zur Herstellung von *2,7-Dinitro-9,10-anthrachinon* aus 9,9'-Bi-anthronyl (s.S.80).

D. Herstellung und Umwandlung von 1,9-Cyclo-10-anthronen

10-Anthrone, in denen die 1,9-Stellungen durch einen carbo- oder heterocyclischen Ring verknüpft sind, wurden in praktisch allen Kombinationsmöglichkeiten hergestellt.

I. Herstellung von 1,9-carbocyclischen 5-Ring-Anthronen-(10) [1,9-Aceanthrone-(10)]

Die Herstellung des 1,9-carbocyclischen 5-Ring-Anthrons-(10) I ist bis jetzt nicht gelungen. Auch die Cyclisierung des 1-Acetyl-9,10-anthrachinons und seiner die CH$_2$-Gruppe aktivierenden Derivate zum Keton III führte nicht zu dem gewünschten Ergebnis[3].

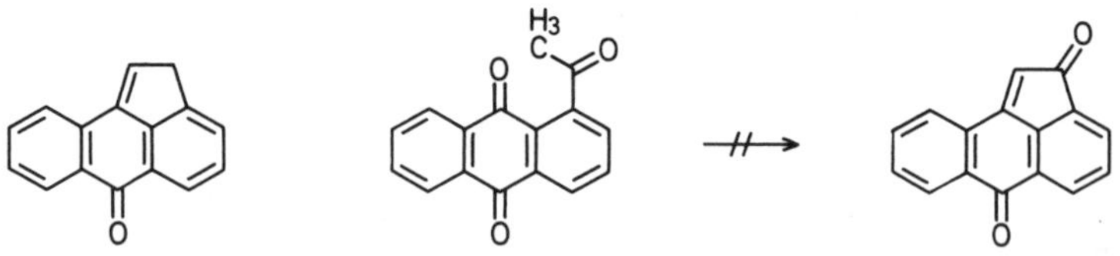

Läßt man jedoch auf das Keton II Dimethylsulfoxid und Trimethyl-benzyl-ammonium-hydroxid (Triton B) einwirken, so entsteht in ~50%-iger Ausbeute das *2'-Methoxy-1'-oxo-1,9-aceanthron-(10)*[4] (IV)[3]:

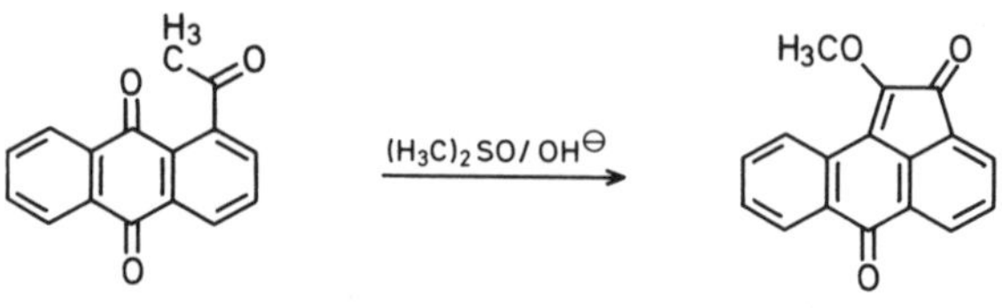

[1] K. H. MEYER u. A. SANDER, A. **396**, 150 (1913).
[2] J. MEISENHEIMER u. E. CONNERADE, A. **330**, 133 (1904).
    O. DIMROTH, B. **34**, 219 (1901).
[3] E. KLINGSBERG u. C. E. LEWIS, J. Org. Chem. **40**, 366 (1975).
[4] zur Bezifferung der Aceanthrone s. Bemerkungen zur Nomenklatur der Anthrone mit anellierten Heterocyclen
    S. 335.

Ein sehr stabiles Derivat von I ist das *Acedianthron* (s. S. 296), und dessen „Vorstufe" V, die auf folgende Weise zugänglich ist. Erhitzt man 9,10-Anthrachinon in konzentrierter Schwefelsäure mit Glyoxal eine Stunde auf 120–130°, so entsteht mit guter Ausbeute eine intensiv gelb-gefärbte Verbindung[1], der die Konstitution V[2] (F: 252°) zukommen soll. Sie löst sich in Schwefelsäure/Essigsäure mit intensiv roter Fluoreszenz und läßt sich mit Kaliumhydroxid zu einem violetten Küpenfarbstoff verschmelzen[2] (s. S. 297).

V; *1'-(10-Anthron-9-yliden)-acean-
thron*
(Formulierung von H. Scheyer; vgl. S. 297 Formel IVa und b)

II. Herstellung und Umwandlung von Benzanthronen

Allgemeines

Das Benzanthron ist weitaus das wichtigste 1,9-Cyclo-10-anthron.

Da zahlreiche Verfahren allgemeinere Bedeutung zur Herstellung von Benzanthronen haben, ist es zweckmäßig, diese an den Anfang zu stellen. Ihnen folgt ein Abschnitt über die für Benzanthrone typischen Reaktionen. Im Anschluß daran wird dann die Herstellung von Benzanthronen mit bestimmten Substituenten beschrieben. Falls die Synthese einiger dieser Benzanthrone bereits bei den allgemeinen Verfahren abgehandelt ist, wird auf diese verwiesen.

Benzanthrone mit angegliederten Ringsystemen, ebenso die durch Kondensation aus Benzanthron herstellbaren polycyclischen Chinone werden im vorliegenden Kapitel nicht berücksichtigt.

Zur Bezeichnung der Benzanthrone wurde die klassische Nomenklatur gewählt, da diese auch heute noch von den Fachspezialisten bevorzugt wird.

In über 90% der Benzanthron-Literatur wird die klassische Nomenklatur benutzt, ebenso im „Beilstein" VII, 1. und 2. Ergänzungswerk. Erst im 3. Ergänzungswerk zu Bd. VII, S. 2694ff. (1968) wird das Benzanthron als 7-Oxo-7H-benz[d,e]anthracen bezeichnet und die neue Zählweise angewandt. Zur Nomenklatur s. Beilstein VII, 2. Ergänzungswerk S. 468 (1948).

Die klassische Nomenklatur ist besonders anschaulich, da der angegliederte Benzol-Kern gesondert beziffert wird und die übrigen Stellungen identisch mit denen des Anthrachinons sind.

klassische Nomenklatur

neue Nomenklatur:
7-Oxo-7H-benz[d,e]anthracen

[1] DRP. 247187 (1911), J. Meyer; Frdl. **11**, 694.
[2] H. Scheyer, I.G. Farb. Mainkur (1931).

Das Benzanthron ist durch eine Reihe ungewöhnlicher Reaktionen ausgezeichnet, wodurch der Aufbau zahlreicher polycyclischer Chinone möglich ist, die als Küpenfarbstoffe von besonderem Wert sind.

Elektrophile Substituenten treten weitgehend in die Bz1- und in die 6-Stellung ein. Ist die Bz1-Stellung besetzt, so tritt ein weiterer Substituent vorwiegend in die 6-Stellung ein. Substituenten in der Bz1-Stellung verhalten sich praktisch wie die in der 1-Stellung des 9,10-Anthrachinons.

In Gegenwart von Alkalimetallhydroxiden ist im Benzanthron die 2-Stellung höchst reaktionsfähig.

Zur Herstellung von Benzanthron und seinen Derivaten kommen mehrere Ringschlußmöglichkeiten in Betracht, von denen A die wichtigste ist.

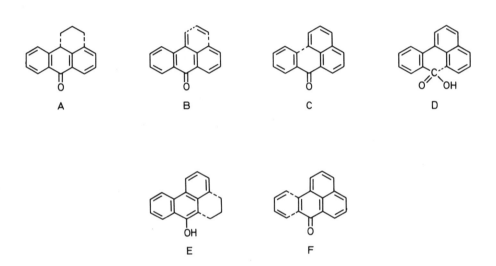

a) Allgemeine Herstellungsverfahren

1. aus 9,10-Anthrachinonen, Reduktionsmitteln, Glycerin (bzw. Acroleinen) und Schwefelsäure

Zu den klassischen Synthesen der organischen Chemie gehört neben der Skraup-Chinolin-Synthese auch deren carbocyclisches Analogon, die Benzanthron-Synthese aus Anthron, Glycerin und Schwefelsäure[1].

O. Bally (BASF) beobachtete 1904, daß bei der Herstellung des Chinolins aus 2-Amino-9,10-anthrachinon noch eine weitere Kondensationsreaktion stattfindet[2]. Um diese aufzuklären, setzte er 9,10-Anthrachinon in

---

[1] Der französische Chemiker Prud'homme (1877) ist durch Einwirkung von Glycerin und Schwefelsäure auf 3-Amino-alizarin unter Zusatz von 3-Nitro-alizarin zum Alizarinblau gelangt. Damit hat er in einem Verfahrensschritt einen Chinolin- und z. T. auch einen Benzanthron-Ringschluß durchgeführt. Er ist daher der „Erzvater" sowohl der Skraup-Chinolin- als auch der Bally-Benzanthron-Synthese.
[2] DRP. 171 939 (1904), BASF, Erf.: O. BALLY; Frdl. **8**, 369.

Gegenwart eines Reduktionsmittels mit Glycerin in Schwefelsäure um und erhielt mit vorzüglicher Ausbeute das *Benzanthron*[1], das zur Grundlage für viele hochwertige Küpenfarbstoffe geworden ist.

Historisch ist interessant, daß C. Liebermann[2] das erste Benzanthron-Derivat in Händen hatte. Durch Alkylierung von 9-Hydroxy-10-anthranol mit Isoamylbromid und anschließender Behandlung mit konz. Schwefelsäure bei 140° erhielt er einen gelben Körper, dessen Hauptbestandteil später[3] als *Bz₁,Bz₂-Dimethyl-benzanthron* identifiziert wurde.

Die Benzanthron-Synthese vollzieht sich folgendermaßen:

Anthrachinon wird zunächst zum Anthron reduziert, das sich an das aus Glycerin durch Wasser-Abspaltung entstehende Acrolein zum Anthron I anlagert (s. S. 308). Das Anthron I wird dann durch die Schwefelsäure zu einem Dihydro-benzanthron II cyclisiert, das durch 9,10-Anthrachinon zum Benzanthron dehydriert wird:

Anstelle von Glycerin kann man auch von Acrolein(acetal) ausgehen. Für diese Variante kommen besonders die leicht zugänglichen α-substituierten Acroleine in Betracht. Damit lassen sich praktisch alle **Bz2-Alkyl-benzanthrone** herstellen[4]; z. B. *Bz2-Methyl-benzanthron* (F: 150°) und *2,6-Dichlor-Bz2-methyl-benzanthron* (F: 252°). In manchen Fällen ist es vorteilhaft, nicht im „Eintopfverfahren" zu arbeiten, sondern von den isolierten Anthronen auszugehen (s. dazu S. 308ff.).

Eine weitere spezielle Ausführungsform der klassischen Benzanthron-Synthese besteht darin, die Alkalimetallsalze der Schwefelsäureester der 9,10-Leukoanthrachinone mit Acroleinen in Essigsäure/Essigsäureanhydrid und Piperidiniumacetat bei 100° zu kondensieren[5]. Aus α-Äthyl-acrolein wird so in guter Ausbeute das *Bz2-Äthyl-benzanthron* (F: 169°) erhalten.

Wenngleich dieses Verfahren auch recht aufwendig ist, so könnte es doch wegen seiner milden Reaktionsbedingungen (keine Sulfierung möglich) zur Herstellung spezieller Benzanthrone von Wert sein.

Benzanthron[6]: Man löst 1 kg 9,10-Anthrachinon in 7 kg konz. Schwefelsäure und fügt 670 *ml* Wasser zu, wodurch eine ~ 87%-ige Schwefelsäure entsteht. Dann wird bei 125° eine Paste aus 960 g Eisenpulver und 552 g Glycerin rasch eingerührt und durch Kühlen eine Reaktionstemp. von 132–137° eingehalten. Da die Reaktionsmasse stark schäumt, wird etwas Siliconöl zugegeben.

Die Reaktion ist nach 15–30 Min. – wenn eine Probe nicht mehr verküpbar ist – beendet. Dann wird rasch auf 70° abgekühlt und Wasser eingerührt. Nach ~ 1–2 Stdn., wenn sich das Eisen gelöst hat, saugt man ab, wäscht mit warmem Wasser neutral und digeriert anschließend mit verd. Natronlauge, evtl. unter Zugabe von etwas Natriumdithionit, um restliches Ausgangsmaterial herauszulösen. Es resultieren 1,15 kg 86%-iges Benzanthron, das nach der Hochvakuumsublimation zwischen 250 und 310° 990 g Reinprodukt (90% d. Th.) ergibt; F: 171–172°.

[1] DRP. 176018 (1904), BASF, Erf.: O. BALLY; Frdl. **8**, 372.
  O. BALLY, B. **38**, 195 (1905).
  O. BALLY u. R. SCHOLL, B. **44**, 1656 (1911).
  Zur Geschichte des Benzanthrons: R. SCHOLL u. H. K. MEYER, B. **69**, 154 (1936) (nicht ganz zutreffend; O. Bayer).
[2] A. **212**, 96, 120 (1882).
[3] E. GHIGI, B. **70**, 2469 (1937).
[4] DRP. 720467 (1939), I.G. Farb., Erf.: A. HRUBESCH u. O. SCHLICHTING; C. **1942 II**, 2088.
[5] DRP. 482839 (1925), I.G. Farb., Erf.: A. LÜTTRINGHAUS u. O. GROSSKINSKY; Frdl. **16**, 1427.
[6] FIAT Final Rep. Nr. **1313** II, 31 (1948), I.G. Farb. Ludwigshafen.

Das Benzanthron (gelbe Kristalle) ist in konz. Schwefelsäure mit brillanter orangeroter Farbe und starker olivgrüner Fluoreszenz löslich.

Die Benzanthronisierung der 9,10-Anthrachinon-Derivate wird praktisch unter den gleichen Bedingungen durchgeführt. Man verwendet eine 80–88%-ige Schwefelsäure (um Sulfierungen zu vermeiden) und reduziert zunächst bei 30–40° mit Aluminium, Kupferbronze oder Eisenpulver oder – was sich auch bewährt hat – mit Aniliniumsulfat zum Anthron, fügt dann das Glycerin zu und erhitzt einige Stunden auf 100–140°.

Die Überführung von Anthrachinon- in Benzanthron-Derivate verläuft meist mit schlechteren Ausbeuten; außerdem entstehen – wenn die Möglichkeit dazu besteht – Isomerengemische.

2-Methyl-9,10-anthrachinon liefert mit guter Ausbeute ein Gemisch aus vorwiegend *2-Methyl-* und *6-Methyl-benzanthron*[1]. Aus dem synthetisch hergestellten 3-Methyl-10-anthron entsteht weitgehend das *6-Methyl-benzanthron*[2].

Einheitlich entstehen aus den entsprechenden Dimethyl-9,10-anthrachinonen: *2,4-Dimethyl-* (F: 165°), *2,6-* und *2,7-Dimethyl-benzanthron*[3]. 1,4-Dimethyl-9,10-anthrachinon läßt sich nicht benzanthronisieren.

2- und 6-Methyl-benzanthron[4]:

2-Methyl-9,10-anthrachinon wird in analoger Weise wie Anthrachinon benzanthronisiert. Das Rohprodukt wird in der 4fachen Menge 1,2-Dichlor-benzol unter Zusatz von Kaliumcarbonat und Aktivkohle aufgekocht, heiß filtriert, das in der Kälte abgeschiedene *2-Methyl-benzanthron* (F: 198–201°) abgesaugt und mit Benzol ausgewaschen; Ausbeute: ~65% d.Th.

Aus dem Filtrat wird das Lösungsmittel mit Wasserdampf abgetrieben und der getrocknete Rückstand mit etwa der 6fachen Menge Benzol ausgekocht. Dabei bleibt das noch vorhandene 2-Methyl-benzanthron weitgehend ungelöst. Durch Einengen des Filtrates gewinnt man das *6-Methyl-benzanthron* (F: 170°).

Man kann aber auch das Rohprodukt i. Hochvak. sublimieren und aus dem Sublimat das 6-Isomere mit heißem Benzol herauslösen und den Rückstand aus 1,2-Dichlorbenzol umkristallisieren. Man erhält so ein 2-Methyl-benzanthron vom F: 202°.

1-Hydroxy-9,10-anthrachinon läßt sich in 40–50%-iger Ausbeute zum *4-Hydroxy-benzanthron* kondensieren[5]. Aus 1-Hydroxy-10-anthron resultiert dagegen das *8-Hydroxy-benzanthron*[6] (~20% d.Th.; F: 193°). Aus 2-Hydroxy-9,10-anthrachinon entsteht praktisch kein 2-Hydroxy-benzanthron, da auch die Hydroxy-Gruppe mit Acrolein reagiert.

Chinizarin, das nicht zu einem Anthron reduzierbar ist, liefert ebenfalls kein Benzanthron-Derivat.

Beim Benzanthronisieren von Alizarin entsteht ein Gemisch von *3,4-, 5,6-* und *7,8-Dihydroxy-benzanthron*. Die beiden letzteren lassen sich mit Äthanol extrahieren. Nach dem Umkristallisieren des Rückstandes aus Nitrobenzol erhält man das *3,4-Dihydroxy-benz-*

[1] DRP. 200335 (1905), BASF; Frdl. **9**, 817.
  s. a. R. Scholl u. C. Seer, A. **394**, 118, 147 (1912).
[2] Fr.P. 407593 (1909), CIBA.
[3] F. Mayer et al., B. **63**, 1471 (1930).
[4] Brit.P. 278496 (1926), Scottish Dyes Ltd., Erf.: R. F. Thomson u. J. Thomas; C. **1929** I, 306.
[5] DRP. 187495 (1904), BASF; Frdl. **9**, 816.
[6] H. Waldmann, B. **83**, 171 (1950).

anthron (F: 260°)[1]. Das Natriumsalz ist sehr schwer wasserlöslich (mit gelber Farbe). Auch die Reinigung über die Acetyl-Verbindungen ist möglich[2].

Aus 2,3-Dihydroxy-9,10-anthrachinon soll das *2,3-Dihydroxy-benzanthron* gut zugänglich sein (gelbbraune Nadeln; F: 316°)[2].

Außer diesen wurden noch andere Di- und Trihydroxy-9,10-anthrachinone mit Glycerin und Schwefelsäure kondensiert; aber selbst dort, wo einheitliche Polyhydroxybenzanthrone zu erwarten waren, entstanden nur unreine Produkte[3].

Aus Amino-9,10-anthrachinonen können praktisch keine Amino-benzanthrone gewonnen werden, da zuerst Chinolin-Ringschlüsse eintreten[vgl. 4].

Das Isomerengemisch der aus 1-Chlor-9,10-anthrachinon entstehenden Chlor-benzanthrone ist stark vom Reduktionsmittel abhängig. Kupfer in Schwefelsäure führt zu einem Gemisch, das zu ~50% aus *8-Chlor-benzanthron* (F: 177°)[5] besteht. Reduziert man dagegen mit Eisen/Eisen(III)-chlorid in wäßriger Suspension unter Druck bei 200°, dann entsteht weitgehend einheitliches 1-Chlor-10-anthron[1,6] (s. S. 278), das sich mit Glycerin und Schwefelsäure zum *8-Chlor-benzanthron* cyclisieren läßt[1]. In reiner Form kann dieses durch Umkristallisieren erhalten werden, oder indem man das Rohprodukt mit Toluolsulfamid umsetzt, wobei nur die mitentstandenen 4- und 5-Chlor-benzanthrone reagieren[1].

Aus dem 4-Chlor-1-methyl-9,10-anthrachinon entsteht ein einheitliches Produkt, wahrscheinlich das *8-Chlor-5-methyl-benzanthron* (F: 150°).

Zu einheitlichen Dichlor-benzanthronen führen in Ausbeuten von ~40–60% d.Th. die folgenden Benzanthronisierungen:

1,2-Dichlor-9,10-anthrachinon	→	*5,6-Dichlor-benzanthron*[1]; F: 168°
1,4-Dichlor-9,10-anthrachinon	→	*5,8-Dichlor-benzanthron*[7]; F: 160°
1,5-Dichlor-9,10-anthrachinon	→	*4,8-Dichlor-benzanthron*[7]; F: 154°
2,6-Dichlor-9,10-anthrachinon	→	*2,6-Dichlor-benzanthron*[8]

Die folgenden Benzanthronisierungen[1] verlaufen vorwiegend in Richtung:

1,6-Dichlor-9,10-anthrachinon	→	*2,5-Dichlor-benzanthron*; F: 212°
1,7-Dichlor-9,10-anthrachinon	→	*4,6-Dichlor-benzanthron*; F: 246°
		(+*2,8-Dichlor-benzanthron*)
1,8-Dichlor-9,10-anthrachinon	→	Gemische

Aus 2-Chlor-9,10-anthrachinon wird zu etwa 30% das am schwersten lösliche *2-Chlor-benzanthron* (F: 203°) neben *6-* und *7-Chlor-benzanthron* erhalten[1,9]; letztere sind praktisch nicht zu trennen. Einheitliches 6-Chlor-benzanthron (F: 190°) läßt sich ausgehend von der o-(4-Chlor-benzyl)-benzoesäure herstellen.

2,6-Dichlor-benzanthron[8]: 139 g 2,6-Dichlor-9,10-anthrachinon werden bei 130° in 4,1 kg konz. Schwefelsäure gelöst und dazu 415 *ml* Wasser eingerührt. Bei 130–135° trägt man innerhalb 30 Min. portionsweise eine

[1] P. NAWIASKY, I.G. Farb. Ludwigshafen (1925).
[2] H. WALDMANN, B. **83**, 173, 174 (1950).
[3] E. J. CROSS u. A. G. PERKIN, Soc. **1927**, 1297; **1930**, 301.
[4] Fr.P. 349531–4685 (1904/05), BASF.
  O. BALLY u. R. SCHOLL, B. **44**, 1658 (1911).
[5] T. MAKI u. A. KIKUCHI, B. **71**, 2036 (1938).
  Diese Angaben sind nicht in allen Teilen zutreffend.
[6] DRP. 249124 (1910), Griesheim-Elektron, Erf.: F. SINGER; Frdl. **10**, 575.
[7] DRP. 562388 (1929), I.G. Farb., Erf.: G. KRÄNZLEIN u. M. CORELL; Frdl. **19**, 2122.
[8] A. LÜTTRINGHAUS u. H. NERESHEIMER, A. **473**, 259 (1929).
[9] DRP. 205294 (1905), BASF; Frdl. **9**, 820.

Anschlämmung von 75 g Kupferbronze in 75 g Glycerin ein, rührt noch 30 Min. bei dieser Temp., kühlt auf 70° ab und verdünnt mit Wasser, bis eine ~ 35%-ige Schwefelsäure vorliegt. Der dunkelgrüne Niederschlag wird abgesaugt, neutral gewaschen, mit Wasser und dann mit verd. Natronlauge ausgekocht.

Dieses Rohprodukt (~ 150 g) wird aus der 10fachen Menge 1,2-Dichlor-benzol unter Zusatz von Aktivkohle umkristallisiert; Reinausbeute: 100 g (66% d. Th.); F: 234° (gelbe Nadeln).

Aus 2,7-Dichlor-9,10-anthrachinon erhält man ein Gemisch von *2,7-Dichlor-* (F: 275°) und *3,6-Dichlor-benzanthron* (F: 285°).

2. Benzanthrone aus 10-Anthronen und α, β-ungesättigten Carbonyl-Verbindungen

Aufgrund des Reaktionsverlaufes der Bally-Benzanthron-Synthese hätte man erwarten können, daß ausgehend von Anthron und einer α, β-ungesättigten Carbonyl-Verbindung viele Benzanthrone in guten Ausbeuten zugänglich sind. Das trifft jedoch nicht einmal für das Michael-Addukt aus Anthron und Acrolein zu, das schlechtere Ausbeuten an Benzanthron liefert als das Direktverfahren aus 9,10-Anthrachinon.

Die Addukte aus Anthron und Benzylidenmalonsäure-diestern, α-Benzyliden-acetessigsäureester oder Chalkon lassen sich zwar leicht herstellen[1], doch sind diese meist nur sehr schwer zum Ringschluß zu bringen[2,3], so daß es günstiger ist, Anthron direkt in ~ 80%-iger Schwefelsäure unter Zusatz von Essigsäure mit den α, β-ungesättigten Carbonyl-Verbindungen zu kondensieren. Die meist unbefriedigenden Ausbeuten sind wahrscheinlich darauf zurückzuführen, daß sich während der Kondensation das Enol-Keton-Gleichgewicht zu der Anthron-Form hin verlagert, die einen Ringschluß erheblich erschwert. Der ideale Reaktionsverlauf wäre etwa folgender:

Aus Anthron wurden u. a. durch Kondensation in ~ 80%-iger Schwefelsäure unter Zusatz von Essigsäure bei ~ 110° erhalten[2]: mit

Butenon	→	*Bz1-Methyl-benzanthron*; F: 164°
1-Phenyl-propenon	→	*Bz1-Phenyl-benzanthron*; F: 184°
Penten-(3)-on-(2)	→	*Bz1,Bz3-Dimethyl-benzanthron*; F: 115° (sehr schlechte Ausbeute)
1-Phenyl-buten-(2)-on-(1)	→	*Bz3-Methyl-Bz1-phenyl-benzanthron* F: 175° (schlechte Ausbeute)
1-Phenyl-buten-(1)-on-(3) (Benzyliden-aceton)	→	*Bz1-Methyl-Bz3-phenyl-benzanthron*; F: 176° (sehr schlechte Ausbeute)
Chalkon (Benzyliden-acetophenon)	→	*Bz1,Bz3-Diphenyl-benzanthron*; F: 195° (sehr schlechte Ausbeute)

Im Gegensatz zum Crotonaldehyd erhält man mit 2-Chlor-buten-(2)-al (α-Chlor-crotonaldehyd)[4] brauchbare Ausbeuten an *Bz3-Methyl-benzanthron* (F: 114°). Diese Kon-

[1] H. Meerwein, J. pr. [2] **97**, 284 (1918).
[2] DRP. 488608 (1926), I.G. Farb., Erf.: G. Kränzlein, H. Vollmann, H. Greune u. A. Wolfram; Frdl. **16**, 1429.
[3] H. Vollmann, Synthesen von Bz1-Derivaten des Benzanthrons, Dissertation, Frankfurt/M. (1931).
[4] DRP. 699771 (1938), I.G. Farb., Erf.: H. Greune u. K. Schneider; C. **1940 II**, 1215.

densation verläuft in 80%-iger Schwefelsäure unter Chlorwasserstoff-Abspaltung bei 20°; zum Schluß wird auf 70° erhitzt.

Bz1-Phenyl-benzanthron[1-3]: Anstelle des 1-Phenyl-propenon wird das aus 3-Chlor-propanoylchlorid und Benzol leicht erhältliche 3-Chlor-1-phenyl-propanon-(1) eingesetzt, wobei allerdings z. T. auch 2 Mol mit 1 Mol Anthron kondensieren.

200 g Anthron werden in 1 kg konz. Schwefelsäure gelöst. Nach dem Einrühren von 275 g Essigsäure werden bei 60° portionsweise 200 g 3-Chlor-1-phenyl-propanon-(1) eingetragen. Nach kurzem Erwärmen auf 105° ist die Chlorwasserstoff-Abspaltung praktisch beendet und die Farbe nach karminrot umgeschlagen. Nach ~ 1 Stde. kühlt man ab, verdünnt mit Wasser, bis eine ~ 40%-ige Schwefelsäure vorliegt, saugt die Kristalle ab, wäscht aus und trocknet. Die Reinigung erfolgt am besten durch Hochvakuumsublimation; Ausbeute: ~ 40–50% d. Th.; F: 184°.

Die Verbindung ist in konz. Schwefelsäure mit karminroter Farbe stark rot fluoreszierend löslich.

Die 3-Phenyl-3-(10-anthron-9-yl)-propansäure läßt sich auch über das Säurechlorid nicht zum Bz1-Hydroxy-Bz3-phenyl-benzanthron kondensieren, da der Ringschluß mit dem Phenyl-Rest unter Bildung des 9-[1-Oxo-indanyl-(3)]-10-anthrons erfolgt[4]. Erschwert man den Ringschluß zum Indanon-(1) durch Einführung einer Nitro-Gruppe, so läßt sich das 3-(4-Nitro-phenyl)-3-(10-anthron-9-yl)-propanoylchlorid überhaupt nicht mehr cyclisieren. Beim Erhitzen mit Schwefelsäure auf 150° wird in 9-Stellung eine Hydroxy-Gruppe eingeführt, wodurch ein Lacton[5] entsteht.

Aus Anthron und Acrylsäure[6] entsteht das *Bz1-Hydroxy-benzanthron* nur in sehr mäßiger Ausbeute. Maleinsäureanhydrid hingegen lagert sich glatt an Anthron – durch Erhitzen der Komponenten auf ~ 200° – zum Anthron-Derivat I an. Ringschluß und Dehydrierung zum *Bz1-Hydroxy-benzanthron* (II) lassen sich mit Aluminiumchlorid bei ~ 120° unter Kohlendioxid-Abspaltung mit ~ 50% Ausbeute durchführen[7]:

Bz1-Hydroxy-benzanthron[6]:
(10-Anthron-9-yl)-bernsteinsäureanhydrid: In 194 g geschmolzenes Anthron werden bei 170° portionsweise 100 g Maleinsäureanhydrid eingerührt, wobei eine Temperaturerhöhung eintritt. Zum Schluß erhitzt man noch ~ 15 Min. auf 200–220° und verdünnt dann mit 600 ml heißem Nitrobenzol. Nach dem Erkalten werden die farblosen Kristalle abgesaugt; Ausbeute: ~ 70% d. Th.; F: 215°.

Bz1-Hydroxy-benzanthron: 100 g des oben erhaltenen Adduktes werden bei 110° in 500 g einer Natriumchlorid-Aluminiumchlorid-Schmelze eingerührt; die Temp. wird auf 130° gesteigert, bis die Kohlendioxid-Entwicklung beendet ist.

Nach dem Eingießen in Wasser erhält man rotbraune Flocken, die abgesaugt, ausgewaschen, getrocknet und aus Nitrobenzol umkristallisiert werden; Ausbeute: ~ 50% d. Th.; F: 317° (orangerote Kristalle).

Das Bz1-Hydroxy-benzanthron löst sich in verd. Natronlauge mit rotvioletter Farbe, ebenso in konz. Schwefelsäure, jedoch mit intensiv roter Fluoreszenz.

Anders als die bisher besprochenen α,β-ungesättigten Carbonyl-Verbindungen reagiert Zimtaldehyd mit Anthron: durch Reaktion der Aldehyd- mit der Methylen-Gruppe des

[1] H. VOLLMANN, Dissertation, S. 49, Universität Frankfurt-M. 1931.
[2] DRP. 488608 (1926), I.G. Farb., Erf.: G. KRÄNZLEIN et al.; Frdl. **16**, 1429.
[3] vgl. auch C. F. H. ALLEN u. S. C. OVERBAUGH, Am. Soc. **57**, 1324 (1935).
[4] P. E. GAGNON u. L. GRAVEL, Canad. J. Res. **8**, 600 (1933).
[5] A. VACHON, P. E. GAGNON u. J. KANE, Canad. J. Res. **11**, 644 (1934).
[6] DRP. 552269 (1927), I.G. Farb., Erf.: G. KRÄNZLEIN et al.; Frdl. **18**, 1385.
[7] DRP. 550706 (1926), I.G. Farb., Erf.: G. KRÄNZLEIN u. H. VOLLMANN; Frdl. **18**, 1384.

Anthrons entsteht 9-Cinnamyliden-10-anthron (I)[1]. Dieses cyclisiert beim Erhitzen auf 260° in Abwesenheit von Kondensationsmitteln unter Dehydrierung in ~60%-iger Ausbeute zum *Bz1-Phenyl-benzanthron* (II; F: 181°)[2,3], das sich in der Natriumchlorid-Aluminiumchlorid-Schmelze bei 125° glatt zum *Bz2-Phenyl-benzanthron* (III; F: 200°) umlagert[4]:

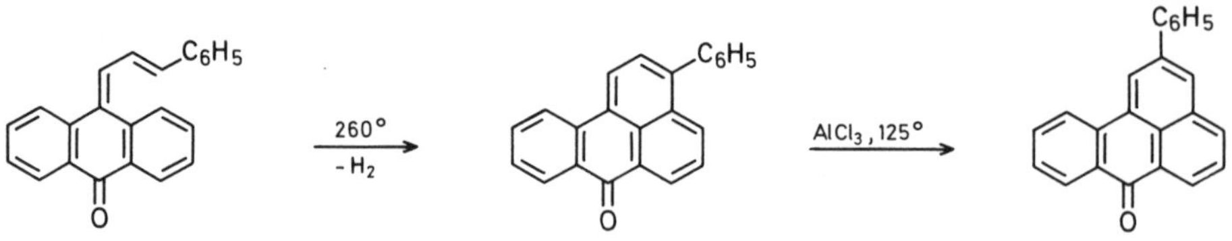

9-Benzyliden-10-anthron (IV) wird in der Natriumchlorid-Aluminiumchlorid-Schmelze bei 110–130° zum *Bz1,Bz2-Benzo-benzanthron*[5] (V; *8-Oxo-8H-⟨dibenzo-[a;d,e]-anthracen⟩* cyclisiert (F: >301°). Dieses ist blaurot mit starker gelber Fluoreszenz in konzentrierter Schwefelsäure löslich.

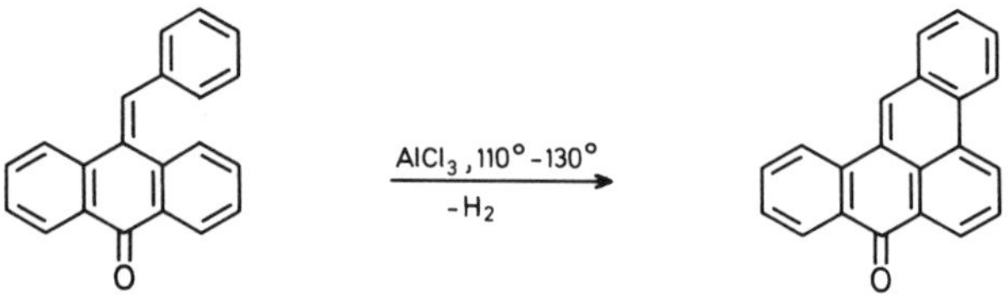

3. Benzanthrone aus 10-Anthronen und 1,3-Dicarbonyl- bzw. α-Hydroxymethylen-carbonyl-Verbindungen

1,3-Dicarbonyl-Verbindungen reagieren in der Enol-Form mit Anthronen. Die sogenannten α-Hydroxymethylen-carbonyl-Verbindungen liefern die entsprechenden Benzanthrone meist nur in schlechten Ausbeuten[6,7]. So entsteht aus Hydroxymethylen-aceton (3-Oxo-butanal) das *Bz1-Methyl-benzanthron* nur in ~20%-iger Ausbeute:

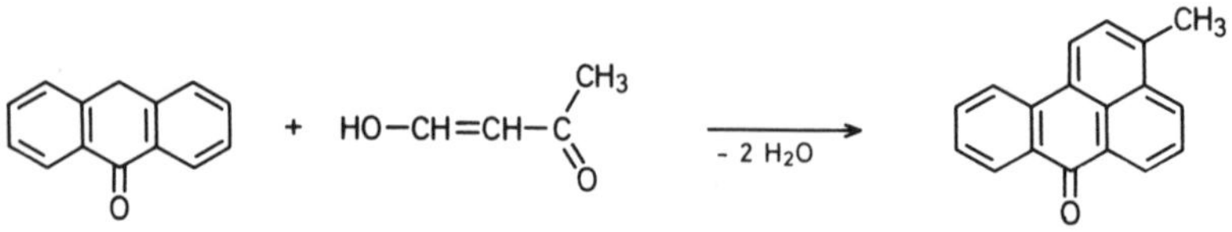

[1] DRP. 489 284 (1925), I.G. Farb., Erf.: R. BERLINER, B. STEIN u. W. TRAUTNER; Frdl. **16**, 1281.
[2] DRP. 488 607 (1925), I.G. Farb., Erf.: R. BERLINER, B. STEIN u. W. TRAUTNER; Frdl. **16**, 1434.
[3] C. F. H. ALLEN u. S. C. OVERBAUGH, Am. Soc. **57**, 1324 (1935).
[4] DRP. 491 973 (1925), I.G. Farb., Erf.: R. BERLINER, B. STEIN u. W. TRAUTNER; Frdl. **16**, 1436.
[5] DRP. 451 907 (1924), I.G. Farb., Erf.: R. E. SCHMIDT u. B. STEIN; Frdl. **16**, 1438.
[6] DRP. 488 608 (1926), I.G. Farb., Erf.: G. KRÄNZLEIN et al.; Frdl. **16**, 1429.
[7] H. VOLLMANN, Dissertation Frankfurt/M. (1931), S. 56.

Analog wurden mit Anthron kondensiert:

3-Hydroxymethylen-butanon-(2)   →   *Bz1, Bz2-Dimethyl-benzanthron;* ~ 35% d. Th.; F: 207°
2-Hydroxymethylen-pentanon-(3)   →   *Bz2-Methyl-Bz1-äthyl-benzanthron;* F: 142°
2-Hydroxymethylen-cyclohexanon   →   *Bz1, Bz2-Tetramethylen-benzanthron*[1]; ~ 40% d. Th.; F: 173°
Hydroxymethylen-phenyl-essigsäure-   →   *Bz1-Hydroxy-Bz2-phenyl-benzanthron;* ~ 60% d. Th.; F: 230°
    äthylester

α-Äthoxymethylen-acetessigsäureester kondensiert leicht mit Anthron zum Anthracen-Derivat I[2]:

In diesem vollzieht sich die Cyclisierung über die Ester-Gruppe, da die Enolisierung der Keton-Funktion sehr erschwert ist. Diese Kondensation zum *Bz1-Hydroxy-Bz2-acetyl-benzanthron* (II) erfolgt bereits durch kurzes Aufkochen der Komponenten in Chinolin mit 70%-iger Ausbeute[2].

Das Benzanthron II bildet gelbe Kristalle, die in konzentrierter Schwefelsäure mit stark gelbroter Fluoreszenz löslich sind.

Bz1-Hydroxy-Bz2-phenyl-benzanthron[2]: Man löst 194 g Anthron in 2 kg konz. Schwefelsäure, fügt 300 g Essigsäure zu, rührt dann 250 g Hydroxymethylen-phenyl-essigsäure-äthylester (Phenyl-malonaldehydsäure-äthylester) ein und erwärmt auf dem Wasserbad. Wenn die Farbe von gelb nach blau umgeschlagen ist, wird in Wasser ausgetragen.

Das harzige Reaktionsprodukt wird mit Äthanol digeriert, abfiltriert und aus Essigsäure umkristallisiert: Ausbeute: ~ 50% d. Th.; F: 230° (orangefarbene Nadeln; löslich in konz. Schwefelsäure sowie in verd. Natronlauge mit reinblauer Farbe).

Analog wird aus Äthoxymethylen-malonsäure-diestern das *Bz1-Hydroxy-Bz2-äthoxycarbonyl-benzanthron* (F: 205°) mit ~ 30% Ausbeute erhalten[1,2].

Aus dem leicht zugänglichen 1,2,3,3-Tetrachlor-propen, das durch Erhitzen mit Schwefelsäure glatt zum Chlor-malondialdehyd hydrolysiert wird, erhält man mit Anthron in konzentrierter Schwefelsäure bei 40–50° das *Bz2-Chlor-benzanthron* (~ 30% d. Th.; F: 191–192°)[3]:

Gut zugänglich sind auf diese Weise auch aus den entsprechenden Dichlor-10-anthronen *Bz2,5,8-Trichlor-* (75% d. Th.; F: 180–181°) und *Bz2,4,8-Trichlor-benzanthron* (60% d. Th.; F: 190–191°). Unter Verwendung von Brom-malondialdehyd entsteht unter Umlagerung *Bz1-Brom-benzanthron*[3].

---

[1] DRP. 488 608 (1926), I.G. Farb., Erf.: G. Kränzlein et al.; Frdl. **16**, 1429.
[2] Privatmitteilung von H. Vollmann, Leverkusen.
[3] J. M. Heilbron, R. N. Heslop u. F. Irving, Soc. **1936**, 781.

4. Benzanthrone aus 9-Methylen-10-anthron durch Diensynthesen

H. SCHEYER hat die überraschende Feststellung gemacht, daß sich das 9-Methylen-10-anthron wie ein reaktionsfähiges 1,3-Dien verhält und leicht Diensynthesen eingeht[1,2].

So erhält man mit Maleinsäureanhydrid in glatter Reaktion ein Addukt, das sich leicht – z. B. in siedendem Nitrobenzol oder mit Chloranil – zum *Benzanthron-Bz1,Bz2-dicarbonsäureanhydrid* dehydrieren läßt[1,2]:

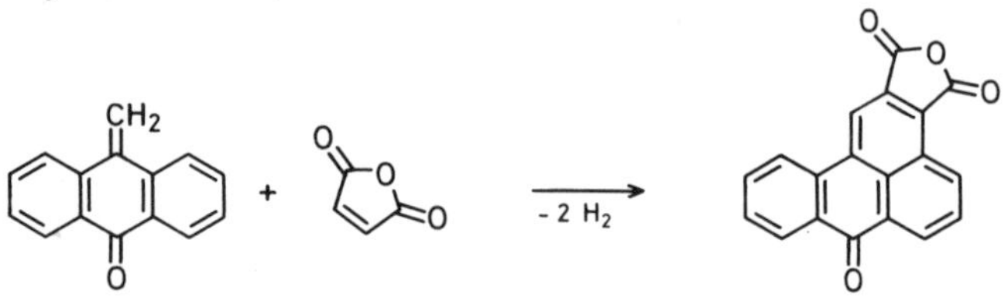

Ferner erhält man mit

Fumarsäure	→	*Benzanthron-Bz2-carbonsäure*[1,2]
Acrylsäureester	→	*Benzanthron-Bz1-carbonsäureester*[1]
Chalcon	→	*Bz2-Phenyl-Bz1-benzoyl-benzanthron*[1]
Zimtsäure	→	*Bz1-Phenyl-benzanthron*[1]

In analoger Weise lassen sich die Bz1-Aryl-benzanthrone bequem herstellen. Die Ausbeuten sind meist vorzüglich:

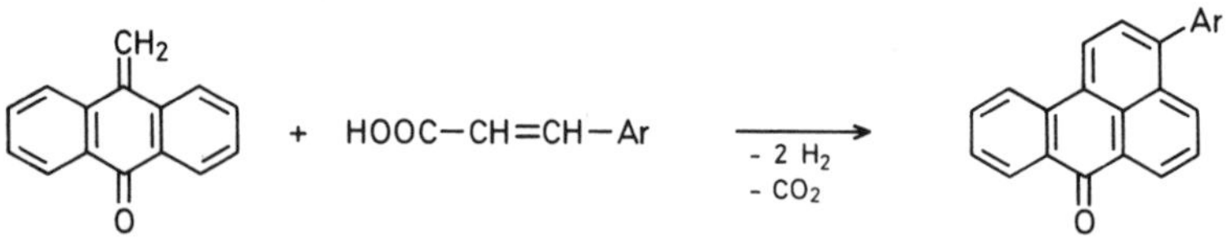

Aus 9-Benzyliden-10-anthron und Maleinsäureanhydrid entsteht das *Bz3-Phenyl-benzanthron-Bz1,Bz2-dicarbonsäure-anhydrid*[3] in schlechter Ausbeute.

Die Variationsbreite der Scheyer-Benzanthron-Synthese wird durch folgende Reaktionsfolge verdeutlicht[4]:

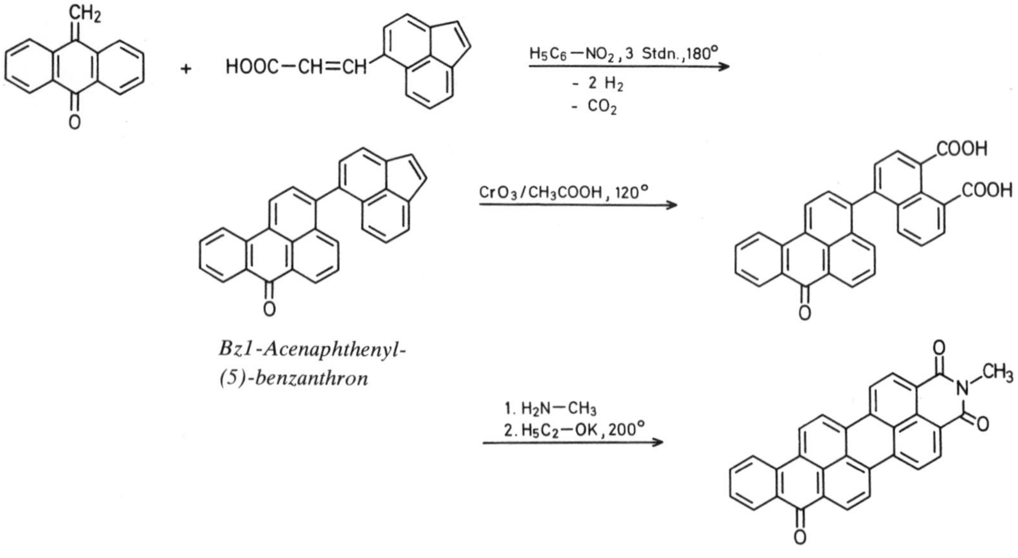

Bz1-Acenaphthenyl-(5)-benzanthron

(rotvioletter Küpenfarbstoff)

[1] DRP. 597325 (1932), I.G. Farb., Erf.: H. SCHEYER; Frdl. **21**, 1120.
[2] E. CLAR, B. **69**, 1686 (1936).
[3] DRP. 619246 (1934), E. CLAR; Frdl. **22**, 1146.
[4] DRP. 638602 (1935), I.G. Farb., Erf.: H. SCHEYER; Frdl. **23**, 1122.

Ähnliche Produkte lassen sich ausgehend von β-[(4-Naphthostyril-(1,8)]-acrylsäure [8-Amino-4-(2-carboxy-vinyl)-naphthalin-1-carbonsäure-lactam][1] oder von β-[1-Benzoylamino-9,10-anthrachinonyl-(2)]-acrylsäure[2] aufbauen:

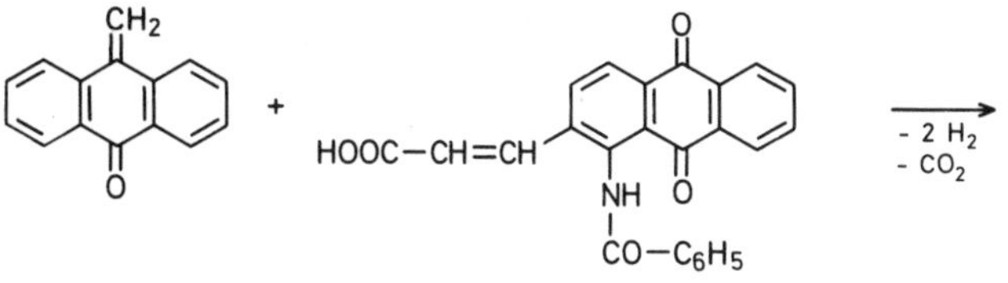

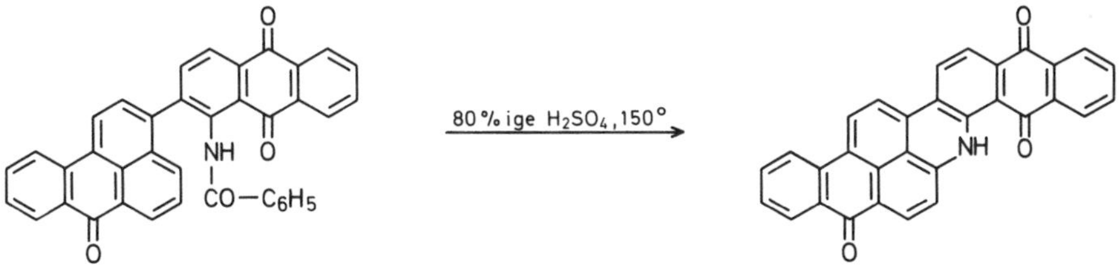

Bzl-[1-Benzoylamino-9,10-anthrachinonyl-(2)]-benzanthron

(olivgrüner Küpenfarbstoff)

Auch *2,Bzl-Bi-benzanthronyl* läßt sich in analoger Weise herstellen[3]:

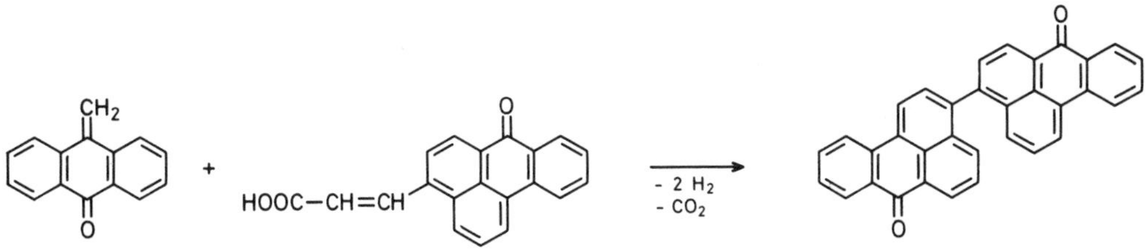

Durch Erhitzen von 9-Methylen-10-anthron mit reaktionsfähigen Chinonen, z. B. in Äthanol, entstehen ebenfalls leicht die dehydrierten Dienaddukte[4,5]; z. B.:

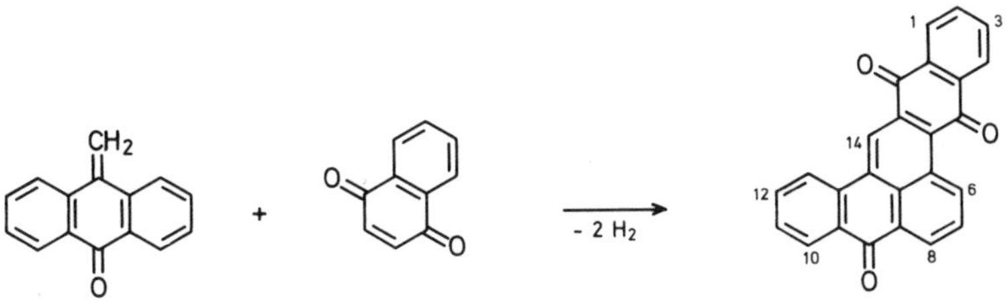

9-Oxo-9H-⟨dibenzo-[a;d,e]-tetracen⟩-5,15-chinon (I) ist identisch mit dem in schlechter Ausbeute aus Benzanthron und Phthalsäureanhydrid erhältlichen Kondensationsprodukt.

[1] DRP. 635802 (1934), I.G. Farb., Erf.: H. Scheyer; Frdl. **23**, 1113.
[2] DRP. 662461 (1936), I.G. Farb., Erf.: H. Scheyer u. J. Riedmair; Frdl. **25**, 795.
[3] US.P. 2136998 (1936), DuPont, Erf.: C. F. Belcher; C. A. **33**, 1348[7] (1939).
[4] DRP. 591496 (1932), I.G. Farb., Erf.: H. Scheyer; Frdl. **20**, 1423.
[5] E. Clar, B. **69**, 1686 (1936).

Benzanthron-Bz1,Bz2-dicarbonsäure-anhydrid:

9-Methylen-10-anthron[1]: 200 g Anthron und 2 l Äthanol werden mit etwas mehr als der theoretisch erfor-derlichen Menge einer 30–40%-igen Formaldehyd-Lösung versetzt und rückfließend zum Sieden erhitzt. Dann gibt man innerhalb ~ 30 Min. tropfenweise etwas Piperidin zu, bis völlige Lösung eingetreten ist (die Lösung muß farblos bleiben. Vorsicht vor Verharzung!) Die Abscheidung des in der Hitze bereits auskristallisierenden 9-Me-thylen-10-anthrons wird durch eine dosierte Wasser-Zugabe vervollständigt; Ausbeute: ~ quantitativ; F: 147–149°.

Benzanthron-Bz1,Bz2-dicarbonsäure-anhydrid[2]: 100 g 9-Methylen-10-anthron werden mit 100 g Maleinsäureanhydrid in 500 ml Nitrobenzol 2 Stdn. auf 180° erhitzt. Beim Abkühlen kristallisiert das dehy-drierte Addukt in Form gelber Kristalle aus, die abgesaugt und mit Äthanol ausgewaschen werden; Ausbeute: 90% d. Th.; F: > 300°.

Das Anhydrid ist in konz. Schwefelsäure mit gelber Farbe und gelber Fluoreszenz löslich. Beim Kochen mit verd. Natronlauge entsteht das intensiv grün fluoreszierende Salz.

Bz1-Benzoyl-benzanthron[3]: 52 g 9-Methylen-10-anthron (s. o.), 60 g 3-Chlor-1-phenyl-propanon-(1) und 60 g Kaliumacetat werden in 350 ml Nitrobenzol 2 Stdn. unter Rückfluß gerührt.

Nach dem Abkühlen wird die dunkle Schmelze mit 1,25 l Methanol versetzt, die Kristallmasse abgesaugt, mit Methanol und dann mit heißem Wasser ausgewaschen; Rohausbeute: 65 g (84% d. Th.); F: 192° (aus Chloro-form/Methanol).

5. Benzanthrone durch Cyclisierung von 1-(2-Carboxy-phenyl)-naphthalinen

Eine originelle Benzanthron-Synthese geht von dem aus diazotierter 3-Amino-benzoe-säure und α-Naphthylamin hergestellten Azofarbstoff I aus. In diesem wird zunächst die Amino-Gruppe durch Wasserstoff ersetzt; dann wird zur Hydrazo-Verbindung II redu-ziert und diese der Benzidin-Umlagerung zum Diamin III unterworfen. Durch Cyclisie-rung wird alsdann *Bz1,6-Diamino-benzanthron* (IV) erhalten[4]:

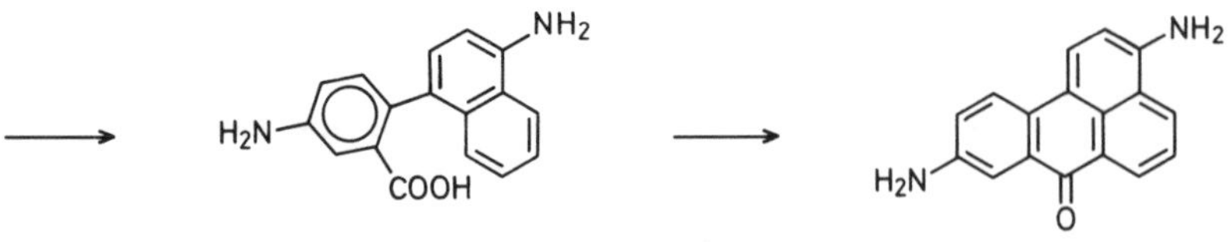

Behandelt man 4-Amino-3-methoxy-1-(4-amino-2-carboxy-phenyl)-naphthalin (V) mit einer 10%-igen Natronlauge bei 20°, so soll unter teilweiser Abspaltung von Methyl-amin ein Gemisch aus *Bz1,6-Diamino-Bz2-methoxy-benzanthron* (VI) und *6-Amino-Bz1,Bz2-epoxy-benzanthron* (VII)[5] entstehen.

[1] E. Clar, B. **69**, 1687 (1936).
  E. de Barry Barnett u. M. A. Matthews, B. **59**, 767 (1926).
[2] DRP. 597325 (1932), I.G. Farb., Erf.: H. Scheyer; Frdl. **21**, 1120.
[3] C. F. H. Allen et al., Am. Soc. **62**, 660 (1940).
[4] DRP. 426347 (1923), L. Cassella u. Co., Erf.: G. Kalischer, R. Müller u. F. Frister; Frdl. **15**, 716.
[5] Brit.P. 295213 (1927), Scottish Dyes Ltd., Erf.: I. B. Anderson, R. F. Thomson u. J. Thomas; C. **1929 I**, 306.

$$V \qquad\qquad VI \qquad\qquad VII$$

Durch „Sandmeyern" der Bis-diazonium-Verbindung des Diamins III entsteht glatt die entsprechende Dichlor-Verbindung, die durch Einwirkung von Chlorsulfonsäure leicht zum *Bz1,6-Dichlor-benzanthron* (F: 218–220°) cyclisiert wird[1]. Auf analoge Weise wurden u. a. *Bz1,4,6-Trichlor-* und *Bz1,6-Dihydroxy-benzanthron* hergestellt[1].

Bz1,6-Diamino-benzanthron (IV)[2]:

4-Amino-1-(4-amino-2-carboxy-phenyl)-naphthalin (III): Der durch Kuppeln von diazotierter 3-Amino-benzoesäure mit α-Naphthylamin erhaltene Azofarbstoff I [4-Amino-1-(3-carboxy-benzolazo)-naphthalin] wird diazotiert und die Diazonium-Gruppe durch Erhitzen mit Äthanol eliminiert.

48 g der so erhaltenen Azo-Verbindung (Na-Salz) werden mit 200 ml Äthanol angeschlämmt und in eine Lösung von 112 g Zinn(II)-chlorid in 360 ml konz. Salzsäure langsam eingerührt, so daß die Temp. 60° nicht übersteigt. Nach einiger Zeit kann das auskristallisierte 4-Amino-1-(4-amino-2-carboxy-phenyl)-naphthalin-Hydrochlorid (III) abgesaugt werden. Zur Reinigung wird es in heißem Wasser gelöst, filtriert und durch Zugabe von konz. Salzsäure wieder abgeschieden. Man löst es erneut in heißem Wasser und fügt gerade so viel Natronlauge zu, daß sich die freie Säure III abscheidet.

Bz1,6-Diamino-benzanthron (IV): Nach dem Absaugen, Auswaschen und Trocknen der Säure wird diese in die 7-fache Gew.-Menge Chlorsulfonsäure unterhalb 10° eingerührt. Nach ~ 1 Stde. trägt man in Eis aus, wobei sich ein Teil des schwefelsauren Salzes abscheidet. Durch Neutralisieren mit Natronlauge erhält man das Bz1,6-Diamino-benzanthron praktisch rein; Gesamtausbeute: ~ 50% d. Th.

Das Diamino-benzanthron ist ein violettes Pulver, das sich in konz. Schwefelsäure mit gelbbrauner, grün fluoreszierender Farbe löst.

Da die 1-(2-Carboxy-phenyl)-naphthaline nur äußerst umständlich zu erhalten sind, kommen sie für Benzanthron-Synthesen praktisch nicht in Frage[3].

6. Cyclisierende Dehydrierung von 1-Aroyl-naphthalinen zu Benzanthronen[4] und Hinweise auf die Umlagerung substituierter Benzanthrone

1-Benzoyl-naphthaline werden durch Erhitzen mit Aluminiumchlorid auf ~ 180° zu Benzanthronen cyclisierend dehydriert[4]. Auch unter den verbesserten Bedingungen der Natriumchlorid-Aluminiumchlorid-Schmelze unter Einleiten von Sauerstoff oder unter Zusatz von Mangandioxid ließ sich – im einfachsten Fall – die *Benzanthron*-Ausbeute nicht über 50% d. Th. steigern[5], da als Nebenreaktion eine Isomerisierung zum 2-Benzoyl-naphthalin und Ringschluß zum Benzo-[a]-fluorenon[6] erfolgt:

[1] DRP. 483902 (1924), L. CASSELLA u. Co., Erf.: G. KALISCHER, R. MÜLLER u. F. FRISTER; Frdl. **16**, 1443.

[2] DRP. 426347 (1923), L. CASSELLA u. Co., Erf.: G. KALISCHER, R. MÜLLER u. F. FRISTER; Frdl. **15**, 716.

[3] s. z. B. A. SCHAARSCHMIDT, B. **50**, 294 (1917).

    F. G. BADDAR u. F. L. WARREN, Soc. **1939**, 946.

[4] R. SCHOLL u. C. SEER, A. **394**, 111 (1912).

Die eingetretenen Isomerisierungen wurden in dieser Arbeit nicht beachtet. Außerdem sind die Ausbeuten zu hoch angegeben.

[5] Versuchsergebnisse aus den Laboratorien der ehem. I.G. Farbenindustrie.

[6] vgl.:

    H. E. FIERZ-DAVID u. G. JACCARD, Helv. **11**, 1046 (1928).

    F. MAYER et al., B. **63**, 1464 (1930).

    H. WALDMANN, B. **83**, 171 (1950).

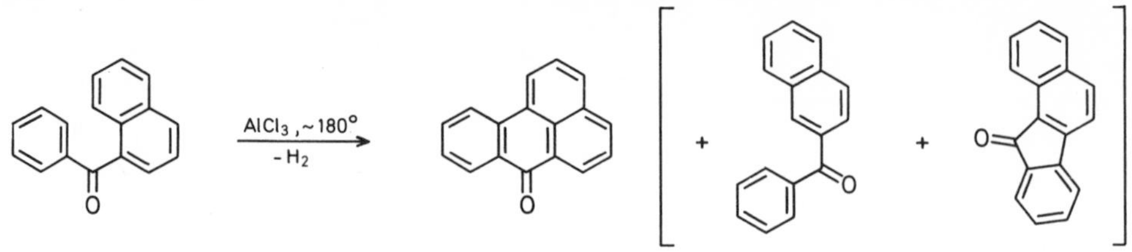

Da der Ringschluß zum Benzofluorenon beim 2-Hydroxy-1-benzoyl-naphthalin nicht eintreten kann, erhält man in diesem Fall bei 200° das *4-Hydroxy-benzanthron* (F: 179°) in ~50%-iger Rohausbeute[1].

Auch zur Herstellung von Alkyl- und Halogen-benzanthronen ist dieses Verfahren nur bedingt geeignet, da hierbei zusätzlich eine Wanderung der Substituenten auftreten kann.

Näher untersucht wurde die Einwirkung von Aluminiumchlorid auf 2-Chlor-1-benzoyl-naphthalin. Dabei zeigte sich, daß zunächst das Chlor-Atom in die 4-Stellung wandert und dann der Ringschluß zum *2-Chlor-benzanthron* (F: 203°) erfolgt, denn 4-Chlor-benzanthron läßt sich nicht umlagern[2].

Sowohl aus dem 4-Methyl-1-benzoyl- als auch aus dem 2-Methyl-1-benzoyl-naphthalin entsteht isomerenfreies *2-Methyl-benzanthron*[3].

Isomerisierungen können bei Benzanthron-Synthesen vor oder nach dem Ringschluß eintreten. Von den zahlreich beobachteten Umlagerungen von Benzanthron-Derivaten – hauptsächlich durch Aluminiumchlorid – seien im folgenden einige genannt:

Bz3-Methyl- (F: 115°) lagert sich in *Bz2-Methyl-benzanthron* (F: 164°)[4] und *5,7-Dimethyl-* bei 100° in *6,7-Dimethyl-benzanthron*[5] um.

Über die Umlagerung von *Bz2-Brom-* in *Bz1-Brom-benzanthron* s. S. 311. *Bz1-Phenyl-benzanthron* wird glatt in *Bz2-Phenyl-benzanthron* umgelagert (s. S. 310).

Die dehydrierende Cyclisierung gelingt nur dann gut, wenn in der 1. Stufe eine Isomerisierung zu der Hydroverbindung eines stabilen polycyclischen Chinons eintreten kann; z. B.:

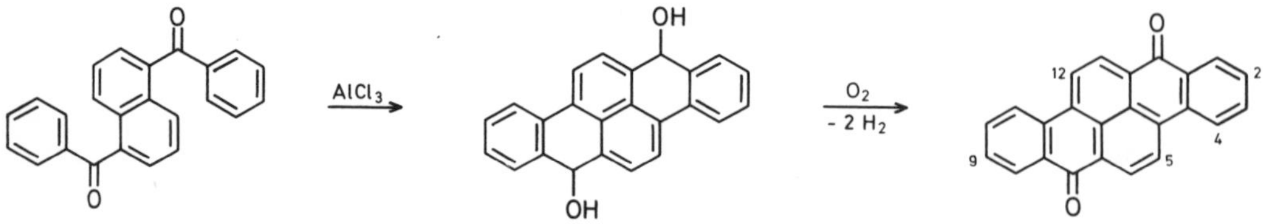

Dibenzo-[a;h]-pyrenchinon-(7,14)
(„Indanthrengoldgelb GK")

Aus diesem Grund verläuft auch die Cyclisierung des 4-Benzoyl-naphthalin-1,8-dicarbonsäureanhydrids mit Natriumchlorid/Aluminiumchlorid in Gegenwart von Sauerstoff bei 210° zum *Benzanthron-Bz1,2-dicarbonsäureanhydrid* befriedigend[6]:

[1] L. F. FIESER, Am. Soc. **53**, 3557 (1931).
[2] P. NAWIASKY, I.G. Farb. Ludwigshafen (1925).
    s. a. H. WALDMANN, B. **83**, 171 (1950).
[3] F. MAYER, E. FLECKENSTEIN u. H. GÜNTHER, B. **63**, 1464 (1930).
[4] F. G. BADDAR u. F. L. WARREN, Soc. **1939**, 948.
[5] N. S. DOKUNIKHIN, S. L. SOLODAR' u. A. V. REZNICHENKO, Ž. org. Chim. **11**, 1070 (1975); engl.: 1058.
[6] DRP. 494 111 (1927), I.G. Farb., Erf.: G. KRÄNZLEIN, H. GREUNE u. H. VOLLMANN; Frdl. **16**, 1441.

Technisch wird das *Dibenzo-[a;h]-pyrenchinon-(7,14)* (*„Indanthrengoldgelb GK"*) hergestellt durch Einrühren von z. B. 390 kg 1,5-Dibenzoyl-naphthalin in eine Schmelze aus 1600 kg Aluminiumchlorid (eisenfrei) und 385 kg Natriumchlorid bei 120° unter Einleiten von Sauerstoff und intensivem Rühren[1].

Dann wird die Temp. auf 160–170° gesteigert und unter Zugabe von weiteren 900 kg Aluminiumchlorid ~2,5 Stdn. weiter Sauerstoff eingeleitet. Die Ausbeute an Rohchinon beträgt 342 kg.

Der Benzanthron-Ringschluß von 1-Benzoyl-naphthalinen gelingt auch mit alkalischen Mitteln, wenn sich an einem der am Ringschluß beteiligten C-Atome ein Halogen-Atom befindet[2]; z. B.:

II; *4-Methyl-benzanthron*;
F: 127–128°

Analog wird aus dem 2,6-Dimethyl-1-(2-chlor-benzoyl)-naphthalin das *Bz2,4-Dimethyl-benzanthron* (F: 150°) erhalten. Die Ausbeuten dürften bei ~30% d.Th. liegen.

Der Ringschluß von 3-Chlor-4-benzoyl-⟨benzo-[k,l]-thioxanthen⟩ zum *8-Oxo-8H-⟨phenanthro-[10,1,2-j,k,l]-thioxanthen⟩* vollzieht sich bereits durch Erhitzen mit Toluolsulfamid-kalium in Dimethylformamid (10 Stdn. Sieden) mit guter Ausbeute[3].

(goldgelbe, fluoreszierende Kristalle)

7. Sonstige Herstellungsverfahren für Benzanthrone

Benzanthrone lassen sich auch aus dem gut zugänglichen 10-Chlor-9-formyl-anthracen (Anthron, N-Methyl-formanilid/Phosphoroxychlorid; s. Bd. VII/1, S. 34) herstellen, indem man dieses mit Malonsäure-diestern kondensiert, anschließend cyclisiert und das

[1] FIAT Final Rep.Nr. **1313** II, 123 (1948), I.G. Farb. Hoechst.
[2] US.P. 1 803 205 (1925/26) ≡ DRP. 512 717 (1925), I.G. Farb., Erf.: O. NICODEMUS u. W. BERNDT; C. **1931 I**, 2397.
[3] DOS. 2 607 966 (1976), Hoechst AG, Erf.: O. FUCHS u. H. TRÖSTER; C.A. **88**, 8497[e] (1978).

10-Chlor-Atom hydrolysiert[1] (wahrscheinlich ist dieses Verfahren auch mit Ketonen durchführbar):

Die *Bz1-Hydroxy-benzanthron-Bz2-carbonsäure* (F: 280°) ist in verd. Natronlauge mit violetter und in konz. Schwefelsäure mit violettroter Farbe und intensiv roter Fluoreszenz löslich.

Benzanthron entsteht auch durch Kondensation von 9-Hydroxy-phenanthren mit Glycerin und Schwefelsäure. Dieser Weg ist ohne Bedeutung, da, abgesehen von den schlechten Ausbeuten, substituierte Phenanthrole nur schwer zugänglich sind. Jedoch läßt sich analog das *8-Aza-benzanthron* (F: 162°) gut herstellen[2].

Dieses bildet ein Sulfat, verhält sich aber sonst wie Benzanthron.

5-Phenyl-benzanthron (F: 201–202°) wurde durch eine Diensynthese in 23%-iger Ausbeute erhalten[3]:

Zahlreiche Versuche wurden unternommen, auf Basis des leicht zugänglichen 1-Benzyl-naphthalins eine technische Benzanthron-Synthese zu gründen:

10H-Benzanthren (7H-Benzo-[d,e]-anthracen)

Die katalytische cyclisierende Dehydrierung von 1-Benzyl-naphthalin an oberflächenaktiven Stoffen setzt erst bei ~700° ein. Im günstigsten Fall fallen dabei ~40% 10H-

[1] DRP. 696637 (1936), I.G. Farb., Erf.: H. SCHEYER u. J. RIEDMAIR; C. **1941 I**, 1611.
[2] DRP. 600628 (1932), I.G. Farb., Erf.: M. KUNZ u. G. KOCHENDÖRFER; Frdl. **21**, 1158.
[3] N. CAMPBELL, R. F. NEALE u. R. A. WALL, Soc. **1959**, 1409.

Benzanthren(II) unter Zurückgewinnung von ~30% Ausgangsmaterial[1] an. Die Oxidation zum Benzanthron läßt sich in guter Ausbeute mit 50%-iger Salpetersäure in Toluol bei 70° durchführen[2].

b) Herstellung von Benzanthron-Derivaten aus Benzanthronen

1. Durch Einwirkung stark nucleophiler Agenzien

Die bemerkenswerteste Eigenschaft des Benzanthrons (I) ist seine hohe Reaktivität in 2-Stellung in Gegenwart von Alkalimetallhydroxiden, Alkanolaten oder Natriumamid. Über den Mechanismus derartiger Kondensationen ist nichts bekannt. Wahrscheinlich ist die hohe Alkalireaktivität des Benzanthrons durch eine der Grenzstrukturen II und III bedingt.

Es sind auch Fälle bekannt, bei denen in nicht unbeträchtlichem Ausmaße die 4-Stellung in Reaktion tritt (s. z. B. S. 320ff.). Hierfür können jedoch keine spezifischen Versuchsbedingungen angegeben werden. Einiges deutet darauf hin, daß durch die Anwesenheit von Sauerstoff die 4-Stellung begünstigt wird.

Bei der klassischen Benzanthron-Alkalimetallhydroxid-Schmelze werden zwei Moleküle Benzanthron zum *Violanthron-(5,10) (Dibenzanthron)* (I→V) kondensiert[3]. Später wurde dann gezeigt, daß diese Reaktion über das *2,2'-Bi-benzanthronyl* (IV) führt[4,5]:

Violanthron;
V

[1] DRP. 594564 (1932), I.G. Farb., Erf.: C. WULFF, E. ROELL u. A. KRAUSE; Frdl. **20**, 1399.
[2] Brit.P. 793585 (1956) ≡ DAS. 1040014 (1956/57), I.C.I., Erf.: G. SCOTT; C. A. **53**, 322[h] (1959).
[3] DRP. 185221 (1904), BASF, Erf.: O. BALLY u. M. H. ISLER; Frdl. **9**, 824.
[4] DRP. 407838 (1922), BASF, Erf.: A. LÜTTRINGHAUS, H. WOLFF u. H. NERESHEIMER; Frdl. **14**, 892.
[5] zusammenfassende Beschreibung: A. LÜTTRINGHAUS u. H. NERESHEIMER, A. **473**, 259–289 (1929).

2,2'-Bi-benzanthronyl (IV) entsteht bereits, wenn man auf Benzanthron in einer Benzol-Suspension bei 35° unter Luftausschluß Kaliumhydroxid in Isopropanol einwirken läßt (als Nebenprodukt entsteht 2-Hydroxy-benzanthron; Herstellungsvorschrift s. Bd. IV/1b, S. 38[1]) oder wenn man bei 40° Anilinnatrium in Anilin zur Einwirkung bringt[2].

Violanthron-(5,10) wird technisch durch Verschmelzen von Benzanthron mit einem Kaliumhydroxid-Natriumhydroxid-Gemisch unter Zusatz von Natriumacetat zwischen 180 und 225° hergestellt[3] (Herstellungsvorschrift s. Bd. IV/1b, S. 38). Nach einem modifizierten Verfahren führt man die Benzanthron-Verschmelzung mit Kaliumhydroxid in 2-Äthoxy-äthanol unter Zusatz von Natriumchlorat bei ~150–170° durch[4]. Ein erheblich reineres Produkt entsteht aus 2,2'-Bi-benzanthronyl durch oxidativen Ringschluß mit Arsensäure[3].

Die Alkalimetallhydroxid-Schmelze von Benzanthron unter Zusatz von Kaliumchlorat und Anthrachinon führt bei ~250° mit mittlerer Ausbeute zum *2-Hydroxy-benzanthron* (*2-Acetoxy-benzanthron*; F: 200°)[5,6]; daneben entsteht zu ~12% das *4-Hydroxy-benzanthron*[6] (F: 176–177°).

Das 2-Hydroxy-benzanthron wird durch konz. Ammoniak bei 220° weitgehend in *2-Amino-benzanthron* umgewandelt[5]. Umgekehrt wird das 2-Anilino-benzanthron durch Erhitzen mit konz. Salzsäure auf ~200° oder durch Erhitzen mit 50%-iger Kalilauge auf 250° zum *2-Hydroxy-benzanthron* hydrolysiert[7].

Bei der Verschmelzung von Benzanthron mit Anilinnatrium in Anilin bei ~40° lagert sich auch Anilin an das Benzanthronyl-Radikal an, und es entsteht etwa je zur Hälfte 2,2'-Bi-benzanthronyl und *2-Anilino-benzanthron*[8,9], F: 217°.

2-Anilino-benzanthron[9]: In eine Suspension von 46 g feingepulvertem Benzanthron in 150 *ml* Anilin werden unter Stickstoff 20 g feinverteiltes Natriumamid eingerührt. Dann erwärmt man langsam auf 90°, wobei die Reaktion unter Selbsterwärmen einsetzt und die Temp. auf ~110° ansteigt. Nach ~30 Min. wird die karminrote Lösung, die mit grünlich irisierenden Kristallen durchsetzt ist, in verd. Salzsäure eingerührt und der orangebraune Niederschlag abgesaugt und ausgewaschen. Mit Xylol extrahiert und umkristallisiert erhält man metallisch glänzende Nadeln (F: 217°, löslich in äthanolischer Natronlauge mit eosinroter Farbe); Ausbeute: ~50% d. Th.
Als Nebenprodukt entsteht etwa die gleiche Menge *2,2'-Bi-benzanthronyl*.

1'H-Chinolino-[2',3',4'-2,1,Bz1]-benzanthron[10]:

Erhitzt man eine Suspension von 100 g Benzanthron in 500 g Anilin mit 150–200 g Kaliumhydroxid unter Zusatz von ~30 g Nitrobenzol auf 100°, dann tritt ebenfalls eine exotherme Reaktion ein (Temperaturanstieg auf ~170°), wobei bereits eine Kristallabscheidung erfolgt; Ausbeute: gut; F: 211–212° (orangerote Nadeln).

Beim Erhitzen von Benzanthron in Piperidin mit Natriumamid auf 100° unter Durchleiten von Sauerstoff bildet sich unter anderem das *2-Piperidino-benzanthron*[11]. Erhitzt man

[1] FIAT Final Rep. Nr. **1313** II, 83 (1948), I.G. Farb. Ludwigshafen.
[2] DRP. 407838 (1922), BASF, Erf.: A. Lüttringhaus, H. Wolff u. H. Neresheimer; Frdl. **14**, 892.
[3] FIAT Final Rep. Nr. **1313** II, 108 (1948), I.G. Farb. Ludwigshafen.
[4] US.P. 2872459 (1956), DuPont, Erf.: A. A. Baum; C. A. **53**, 12264[g] (1959).
[5] A. G. Perkin u. G. D. Spencer, Soc. **121**, 476 (1922).
[6] W. Bradley u. G. V. Jadhav, Soc. **1937**, 1792.
[7] A. Lüttringhaus u. H. Neresheimer, A. **473**, 275 (1929).
[8] A. Lüttringhaus u. H. Neresheimer, A. **473**, 274 (1929).
    W. Bradley u. F. K. Sutcliffe, Soc. **1954**, 710.
[9] DRP. 501610 (1927), I.G. Farb., Erf.: G. Kränzlein u. H. Vollmann; Frdl. **17**, 1321.
[10] US.P. 1909386 (1929), DuPont, Erf.: A. J. Wuertz; C. **1933 II**, 943.
[11] W. Bradley, Soc. **1937**, 1095.

mit Natriumamid in N,N-Dimethyl-anilin, ebenfalls in Gegenwart von Sauerstoff, so setzt bei 70° eine exotherme Reaktion ein, wobei u. a. auch *4-Amino-benzanthron* entsteht[1].

Auch 1-Amino-9,10-anthrachinone lassen sich in Pyridin und Kaliumhydroxid bei 20–50° mit Benzanthron kondensieren[2]. Besonders leicht gelingt so aus 1-Amino-5-benzoylamino-9,10-anthrachinon die Herstellung des *2-[5-Benzoylamino-9,10-anthrachinonyl-(1)-amino]-benzanthron* (s. Bd. IV/1b, S. 39). Geht man von Bz1-Brom-benzanthron aus, so wird das Brom-Atom nicht eliminiert.

Durch Kondensation von zwei Molekülen Bz1-Brom-benzanthron in der Alkalimetallhydroxid-Schmelze entsteht neben *Violanthron* vorwiegend *Isoviolanthron*[3], das in reiner Form am besten durch Verschmelzen des Di-(Bz1-benzanthronyl)-sulfids (techn. Verfahren)[4,5] erhalten wird:

$$C_2H_5OK, 140° \quad -H_2S$$

Isoviolanthron
(Isodibenzanthron)

Gemischte polycyclische, besonders lichtechte Küpenfarbstoffe werden auch aus den Kondensationsprodukten von Bz1-Brom-benzanthron und 1-Amino-anthrachinon bzw. 1,9-Pyrazoloanthron-(10) (s. S. 344) und anschließender Kaliumhydroxid-Schmelze erhalten, wobei ebenfalls die Verknüpfungen in den 2-Stellungen erfolgen (s. Bd. IV/1b, S. 40).

Benzanthron läßt sich auch auffallend leicht mit einigen CH-aciden Verbindungen bzw. reaktionsfähigen Enolen kondensieren[6], so z. B. mit Aceton und seinen Homologen, Phenylacetonitril und Acetophenon; z. B.:

$$+ \quad H_3C-CO-CH_3 \quad \xrightarrow[-H_2]{KOH} \quad CH_2-CO-CH_3$$

Cyanessigsäureester führen praktisch nicht zu dem gewünschten Adduct.

2-(2-Oxo-propyl)-benzanthron[6]: In eine Anschlämmung von 100 g Benzanthron und 400 g feingepulvertem Kaliumhydroxid in 3 *l* Benzol rührt man unter sorgfältigem Luft-Ausschluß bei 20° 200 g Aceton ein. Nach 3

---

[1] W. BRADLEY, Soc. **1948**, 1178.
[2] DRP. 644537 (1935), I.G. Farb., Erf.: H. SCHEYER u. E. SCHWAMBERGER; Frdl. **23**, 1060.
[3] DRP. 194252 (1906), BASF, Erf.: O. BALLY u. H. WOLFF; Frdl. **9**, 826.
[4] DRP. 448262 (1924), I.G. Farb., Erf.: O. BRAUNSDORF, P. NAWIASKY u. E. HOLZAPFEL; Frdl. **15**, 728.
[5] Neues technisches „Eintopfverfahren": DOS. 2704964 (1977), BASF, Erf.: W. S. SCHWECKENDIEK, A. SCHUHMACHER u. H. HILLER.
[6] DRP. 499320 (1927), 501082 (1928), I.G. Farb., Erf.: A. LÜTTRINGHAUS, H. NERESHEIMER u. H. J. EMMER, Frdl. **17**, 1308, 1310.

Stdn. ist die Farbe von braungelb nach blaugrün umgeschlagen. Hierauf wird Eis zugegeben und mit verd. Salzsäure unter Kühlen angesäuert (die Dehydrierung ist bereits während des Prozesses eingetreten). Aus der abgetrennten und getrockneten Benzol-Phase kristallisiert nach dem Einengen das Keton aus; Ausbeute: ~50% d. Th.; F: 189–190° (goldgelbe Nadeln, löslich in äthanolischer Alkalimetallhydroxid-Lösung mit intensiv rotstichig blauer Farbe).

In analoger Weise wird aus Phenylacetonitril das *2-(α-Cyan-benzyl)-benzanthron*[1] (F: 208–210°) erhalten, das sich in äthanolischem Kaliumhydroxid mit intensiv rotstichig blauer Farbe löst.

Ersetzt man in obigem Beispiel das Aceton durch Acetophenon, so erhält man in ~60%-iger Ausbeute das *2-(2-Oxo-2-phenyl-äthyl)-benzanthron*[1] (F: 205–206°). Durch eine scheinbar nur geringfügige Änderung der Reaktionsbedingungen – mit in Pyridin feinstgemahlenem Kaliumhydroxid (1:1) bei 20° – entsteht in guter Ausbeute weitgehend das *4-(Phenylacetyl)-benzanthron*[2] (F: 222–223°). Erhöht man die Pyridin-Mengen, dann bilden sich beide Isomere und bei 70° nur die 2-Verbindung. Beim Kochen mit Salzsäure bleibt letztere unverändert, während das 4-Derivat in Lösung geht (cyclisches Oniumsalz?).

Aus obigen Kondensationsprodukten sind auch weitere 2-substituierte Benzanthrone gut zugänglich. So wird das 2-(α-Cyan-benzyl)-benzanthron durch Chrom(VI)-oxid zum *2-Benzoyl-benzanthron*[3] oxidiert und das 2-(2-Oxo-propyl)-benzanthron durch Erhitzen mit Natronlauge glatt zum *2-Methyl-benzanthron* (F: 200°) gespalten[4]. Analog lassen sich auch dessen Homologe herstellen.

Beim Verschmelzen von Benzanthron und β-Naphthol mit Kaliumhydroxid bei 200° entsteht in guter Ausbeute das *2-[2-Hydroxy-naphthyl-(1)]-benzanthron*[5].

Durch Verbacken von 2-Methyl-benzanthron mit Schwefel bei 240° entsteht ein echter blaugrüner Küpenfarbstoff[6] (*Cibanonblaugrün B*), dessen Hauptbestandteil die Konstitution III zukommt. In reinerer Form wird dieser aus Bz1-(Carboxymethylsulfinyl)-benzanthron (I) erhalten.

Das Sulfoxid I cyclisiert leicht beim Erhitzen mit 65%-iger Kalilauge auf 125°. Es ist jedoch schwierig, das primär entstehende Kondensationsprodukt II zu fassen, da dieses außerordentlich leicht unter Kohlendioxid-Abspaltung und Dehydrierung zu einer Molekülverdoppelung am Thiophen-C-Atom[7,8] führt (→III):

III;
Indanthrenblaugrün FFB

[1] DRP. 501082 (1928), I.G. Farb., Erf.: A. Lüttringhaus, H. Neresheimer u. H. J. Emmer; Frdl. **17**, 1310.
[2] H. Neresheimer u. W. Ruppel, I.G. Farb. Ludwigshafen (1933).
[3] DRP. 530292 (1929), I.G. Farb., Erf.: W. Eichholz; Frdl. **18**, 1388.
[4] DRP. 501083 (1928), I.G. Farb., Erf.: A. Lüttringhaus, H. Neresheimer u. H. J. Emmer; Frdl. **17**, 1313.
[5] DRP. 479231 (1926), I.G. Farb., Erf.: G. Kalischer u. H. Scheyer; Frdl. **16**, 1463.
[6] DRP. 209351 (1908), 243751 (1911), CIBA; Frdl. **9**, 836; **10**, 684.
[7] DRP. 502042 (1927), I.G. Farb., Erf.: A. Lüttringhaus, H. Neresheimer u. W. Eichholz; Frdl. **17**, 1311.
[8] BIOS Final Rep. Nr. **987**, 73 (1948), I.G. Farb. Ludwigshafen.

Läßt man auf das Sulfoxid I stärker wirkende Kondensationsmittel, z. B. Kaliumhydroxid in Äthanol, einwirken, so fällt ein Gemisch aus *Violanthron-(5,10)* und *Isoviolanthron* an[1].

2. Benzanthron-Derivate aus Benzanthronen durch Friedel-Crafts-Kondensationen

Im Gegensatz zum 9,10-Anthrachinon läßt sich Benzanthron nach Friedel-Crafts mit Carbonsäurechloriden kondensieren. Stets entstehen dabei zu ~75% die Bz1- und zu ~25% die 6-Acyl-benzanthrone[2].

So erhält man mit Aluminiumchlorid in Nitrobenzol oder in der Natriumchlorid/Aluminiumchlorid-Schmelze bei 120° u. a.

Bz1-Acetyl-benzanthron (F: 175°) neben dem schwerer löslichen *6-Acetyl-benzanthron* (F: 195°)
Bz1-Benzoyl-benzanthron (F: 194°) neben *6-Benzoyl-benzanthron* (F: 205°)

In analoger Weise reagiert auch Phthalsäureanhydrid.
Einheitlich entstehen aus den entsprechenden Halogen-benzanthronen:

6-Chlor-Bz1-acetyl-benzanthron; F: 221°
6-Chlor-Bz1-benzoyl-benzanthron; F: 202°
Bz1-Chlor-6-acetyl-benzanthron; F: 265°
Bz1-Chlor-6-benzoyl-benzanthron; F: 230°

Acetyl-benzanthrone können auch durch Kondensation von Benzanthron-carbonsäurechloriden mit Natriumacetessigsäureester bzw. Magnesiummalonsäure-diester und anschließender Säurespaltung mit sehr guten Ausbeuten erhalten werden[3].

Durch Einleiten von Phosgen in eine Schmelze aus Benzanthron und Natriumchlorid/Aluminiumchlorid bei ~150° wird nach der Aufarbeitung eine *Benzanthron-dicarbonsäure*[4] erhalten.

Es ist bemerkenswert, daß das zur Selbstkondensation neigende Benzylchlorid sich mit Benzanthron in Gegenwart von Kupfer oder Zinkchlorid durch Erhitzen in siedendem Trichlorbenzol mit guter Ausbeute zum *Bz1-Benzyl-benzanthron* (F: 187°) kondensieren läßt[5].

Durch Verschmelzen mit N-Chlormethyl-phthalimid und Zinkchlorid bei 130° entsteht mit sehr guter Ausbeute das *Bz1-Phthalimidomethyl-benzanthron* (F: 286°)[6], das mit Natronlauge zu *Bz1-Aminomethyl-benzanthron* (F: 154–156°) verseift und durch Luftoxidation in wäßrig-alkalischer Lösung zum *Bz1-Formyl-benzanthron*[7] oxidiert werden kann.

Besonders leicht reagiert Benzanthron in konzentrierter Schwefelsäure bei ~65° mit Bis-[chlormethyl]-äther (**Vorsicht! stark cancerogen**), wobei vorzugsweise das *Bz1,6-Bis-[chlormethyl]-benzanthron* (F: 202–206°) entsteht[8]. Unter analogen Bedingungen läßt sich auch *6-Brom-Bz1-chlormethyl-benzanthron* (F: 204–206°) herstellen.

Chloriert man das Bz1-Chlor-6-chlormethyl-benzanthron in 1,2-Dichlor-benzol bei 160° und erhitzt die entstandene 6-Dichlormethyl-Verbindung mit konzentrierter Schwefelsäure auf 75°, so resultiert das *Bz1-Chlor-6-formyl-benzanthron*[9].

---

[1] P. NAWIASKY u. H. NERESHEIMER, I. G. Farb. Ludwigshafen (1928).

[2] F. KAČER, I.G. Farb. Ludwigshafen (1928).

[3] DRP. 627250 (1934), 628558 (1934), I.G. Farb., Erf.: P. NAWIASKY u. W. EICHHOLZ; Frdl. **22**, 1035, 1038.

[4] DRP. 726227 (1938), I.G. Farb., Erf.: W. BRAUN; C. **1940 II**, 827.

[5] DRP. 514652 (1925), I.G. Farb.; Frdl. **18**, 1389.

[6] DRP. 511951 (1928), I.G. Farb., Erf.: G. REDDELIEN u. H. LANGE; Frdl. **17**, 1321.

[7] DRP. 581239 (1932), I.G. Farb., Erf.: O. BAYER; Frdl. **20**, 1404.

[8] US.P. 2531464, 2531465 (1949), General Aniline and Film Corp., Erf.: D. I. RANDALL u. S. R. BUC; C. A. **45**, 3423[b], 2221[b] (1951).

[9] US.P. 2855409 (1955), General Aniline and Film Corp., Erf.: D. I. RANDALL; C. A. **53**, 5223[f] (1959).

21*

3. Oxidation von Benzanthronen in Schwefelsäure

Durch Oxidation von Benzanthron in konzentrierter Schwefelsäure mit Mangandioxid bei ~ 10° erhält man in guter Ausbeute das *Bz1,Bz1'-Bi-benzanthronyl*[1,2].

Dieses wird auch durch Erhitzen eines Gemisches aus Bz1-Brom-benzanthron und Kupferbronze auf 280–300° in guter Ausbeute erhalten[3].

Oxidiert man hingegen Benzanthron als Suspension in einer ~ 70%-igen Schwefelsäure mit Mangandioxid bei 5–10°, dann entstehen daneben nennenswerte Mengen an *Benzanthron-Bz1,Bz2-chinon*[2]:

Dieses wird auch durch Oxidation von Bz1-Methoxy-benzanthron mit Mangandioxid in konzentrierter Schwefelsäure bei 5° hergestellt[4]. Im Laboratorium verwendet man am besten Vanadium(V)-oxid und setzt sechs Äquivalente Ammoniumvanadat ein, wobei das Sulfat des Chinons in vorzüglicher Ausbeute entsteht[5]. Das braunrote Oxidationsprodukt besteht vorwiegend aus dem o-Chinon, das mit Natriumhydrogensulfit zum *Bz1,Bz2-Dihydroxy-benzanthron* (F: 355°, rote Kristalle aus Trichlorbenzol; löslich in konzentrierter Schwefelsäure mit blauer und in verdünnter Natronlauge mit gelbgrüner Farbe) reduziert wird. Durch Methylieren mit Arylsulfonsäureester entsteht daraus das *Bz1,Bz2-Dimethoxy-benzanthron* (F: 156–158°).

Die Oxidation des Bz2,Bz2'-Bi-benzanthronyls (I) in einer 80%-igen Schwefelsäure mit der entsprechenden Menge Mangandioxid führt überraschenderweise in sehr guter Ausbeute zum *5,10-Violanthron-16,17-chinon* (II)[6]:

[1] DRP. 431774 (1922), I. G. Farb., Erf.: H. Neresheimer; Frdl. **15**, 773.
[2] DRP. 515327 (1926), I.G. Farb., Erf.: H. Neresheimer u. W. Eichholz; Frdl. **17**, 1329.
[3] A. Lüttringhaus u. H. Neresheimer, A. **473**, 271 (1929).
[4] DRP. 508322 (1928), I.G. Farb., Erf.: H. Wolff; Frdl. **17**, 1316.
[5] F. Baumann u. H. W. Schwechten, I.G. Farb. Leverkusen (1940).
    FIAT Final Rep. Nr. **1313** III, 85 (1948), I.G. Farb. Leverkusen.
[6] DRP. 411013 (1922), BASF, Erf.: A. Lüttringhaus u. H. Neresheimer; Frdl. **15**, 753.

Durch Reduktion des Chinons II mit Natriumhydrogensulfit und anschließende Methylierung ist das *Indanthrenbrillantgrün B*[1] (III; *Caledon Jade Green*[2]) technisch zugänglich geworden.

Bz1,Bz1'-Bi-benzanthronyl[3]: Ein Produkt optimaler Qualität wird durch eine unvollständige Oxidation von Benzanthron mit Mangandioxid in einer wasserhaltigen Schwefelsäure erhalten[3].

100 g Benzanthron werden in 2 kg konz. Schwefelsäure gelöst und unter starkem Rühren 400 g Eis zugegeben. Zwischen 2–5° trägt man dann innerhalb von 7 Stdn. etwa die für 1 Sauerstoff-Atom ber. Menge feingemahlenen Naturbraunstein ein (praktisch ist diese nicht für eine völlige Verknüpfung ausreichend) und rührt bei dieser Temperatur noch ~ 15 Stdn. nach.

Dann trägt man in ~ 12 l Wasser aus, gibt Natriumsulfit zu, kocht auf und saugt nach erneuter Verdünnung ab. Der ausgewaschene Nutschkuchen wird mit ~ 5 l einer 1–2%-igen Natronlauge ausgekocht, um die mitentstandenen Hydroxy-benzanthrone herauszulösen; man saugt erneut ab, wäscht aus und trocknet. Das unveränderte Benzanthron (~ 20 g) wird mit heißem Benzol extrahiert. Der Rückstand ist praktisch reines Bz1,Bz1'-Bi-benzanthronyl, das aus Nitrobenzol umkristallisiert werden kann; es ist in konz. Schwefelsäure mit roter Farbe und einer intensiv gelbroten Fluoreszenz löslich.

c) Herstellung von speziellen Benzanthronen

1. von Alkyl- und Aryl-benzanthronen

Die allgemeine Herstellung von Alkyl-benzanthronen mit Alkyl-Gruppen im Bz-Kern und/oder im Anthron-Gerüst ist auf S. 308 ff. beschrieben. Dabei ist zu beachten, daß in der älteren Literatur evtl. erfolgte Umlagerungen vielfach nicht bemerkt worden sind.

Die 2-Alkyl-benzanthrone lassen sich durch alkalische Kondensation von Benzanthron mit Ketonen und Spaltung der 2-(2-Oxo-alkyl)-benzanthrone durch Erhitzen mit Natronlauge herstellen. Auf diesem Wege ist auch das *2-Methyl-benzanthron* gut zugänglich (s. S. 321):

Benzanthron reagiert mit metallorganischen Verbindungen wie ein α,β-ungesättigtes Keton. Dabei entstehen primär die 4-Alkyl- bzw. 4-Aryl-dihydro-benzanthrone, die bereits während der Umsetzung dehydriert werden. Der Reaktionsverlauf zwischen Benzanthron und Phenyl-magnesiumchlorid wurde näher untersucht[4].

So erhält man aus Benzanthron und den entsprechenden Grignard-Verbindungen[5] u. a. folgende Verbindungen:

4-Heptyl-benzanthron[6]	~ 60% d. Th.; F: 77–78°
4-Cyclohexyl-benzanthron[6]	15% d. Th.; F: 138°
4-Phenyl-benzanthron[5–7]	60% d. Th.; F: 186°
4-Benzyl-benzanthron[7]	22% d. Th.; F: 136°

[1] FIAT Final Rep. Nr. **1313** II, 81 f. (1948), I.G. Farb. Leverkusen.
[2] DRP. 417068 (1920/21) ≡ Brit.P. 181304, Scottish Dyes Ltd., Erf.: A. H. DAVIES, R. F. THOMSON u. J. THOMAS; Frdl. **15**, 760.
[3] US.P. 1967617 (1932), DuPont, Erf.: E. T. HOWELL; C. **1935 I**, 1940.
[4] C. F. H. ALLEN, Canad. J. Chem. **51**, 382 (1973).
[5] G. CHARRIN u. E. GHIGI, G. **62**, 928 (1932); B. **69**, 2211 (1936).
[6] C. F. H. ALLEN u. S. C. OVERBAUGH, Am. Soc. **57**, 740 (1935).
[7] E. CLAR, B. **65**, 858 (1932).

Aus Bz1-Phenyl-benzanthron[1] wurden u. a. das *4-Butyl-Bz1-phenyl-benzanthron* (F: 88°) und das *Bz1,4-Diphenyl-benzanthron* (~ 45% d. Th.; F: 223–224°) hergestellt.

Ein Überschuß an Grignard-Reagenz tritt bei diesen Umsetzungen nicht in Reaktion.

4-Phenyl-benzanthron kann auch durch Einwirkung von Phenyl-natrium auf Benzanthron in Benzol bei 20°[2] hergestellt werden; allerdings ist die Ausbeute mäßig.

Das *Bz1-Phenyl-benzanthron* wird zweckmäßig durch thermische Cyclisierung von 9-Cinnamyliden-10-anthron (s. S. 310) oder durch Einwirkung von Salpetriger Säure auf eine Suspension von Bz1-Amino-benzanthron in Benzol – völlig analog der Herstellung von Phenyl-anthrachinonen (s. S. 51) – hergestellt (s. a. S. 309).

Bz2-Phenyl-benzanthron entsteht leicht durch Umlagerung des Bz1-Isomeren mit Aluminiumchlorid bei 125° (s. S. 310).

Über die Herstellung von Aryl-benzanthronen aus 9-Methylen-10-anthron durch Diensynthesen s. S. 312ff.

2. Halogen-benzanthrone

α) Reaktivität der Halogen-benzanthrone

Über die Reaktivität der Halogen-Atome im Benzanthron läßt sich folgendes aussagen: Am reaktivsten sind die Halogen-Atome in den 2-, 4-, Bz1- und Bz3-Stellungen; die 5-Halogen-benzanthrone sind weniger reaktiv als die 4-Isomeren. Dann folgen mit geringerer Reaktivität die 6- und 7-Halogen-benzanthrone. Am reaktionsträgsten sind die 8- und Bz2-Halogen-benzanthrone. Infolge der unterschiedlichen Reaktivitäten gelingt es in vielen Fällen, in Polyhalogen-benzanthronen die Halogen-Atome selektiv auszutauschen bzw. Isomere aus Gemischen abzutrennen. Andererseits lassen sich Dihalogen-benzanthrone mit unterschiedlich reaktiven Halogen-Atomen, wie z. B. das Bz1,6-Dibrom-benzanthron, glatt mit zwei Molekülen α-Amino-anthrachinonen in Nitrobenzol unter Zusatz von Natriumacetat und Kupfersalzen kondensieren.

β) Herstellung von Halogen-benzanthronen durch Ringschlußreaktionen

Die zahlreichen aus Halogen-9,10-anthrachinonen bzw. Halogen-anthronen herstellbaren Halogen-benzanthrone sind bei den allgemeinen Herstellungsmethoden (s. S. 307, 311, 315) beschrieben worden.

γ) durch Halogenierung von Benzanthronen

Benzanthron ist nach den verschiedensten Verfahren sehr leicht zu halogenieren. Da die entsprechenden Brom-Derivate einheitlicher anfallen und reaktionsfähiger sind als die entsprechenden Chlor-Derivate[3], wird auch in der Technik ausschließlich mit den Brom-benzanthronen gearbeitet.

Das *Bz1-Chlor-benzanthron* (F: 182,5°) wird durch Einwirkung von einem Mol Sulfurylchlorid auf Benzanthron in Nitrobenzol weitgehend rein erhalten[4]. Ein brauchbares Verfahren ist anscheinend auch die Chlorierung in 92%-iger Phosphorsäure bei 60–65°[5].

---

[1] C. F. H. ALLEN u. S. C. OVERBAUGH, Am. Soc. **57**, 1322 (1935).
[2] W. BRADLEY u. F. K. SUTCLIFFE, Soc. **1954**, 710.
[3] Über die Chlorierung des Benzanthrons s. u. a. R. S. CAHN et al., Soc. **1933**, 445.
[4] DRP. 516535 (1926), Scottish Dyes Ltd.; Frdl. **16**, 3026.
[5] US.P. 2418318 (1944), American Cyanamid Co., Erf.: M. SCALERA; C. A. **41**, 4516^c (1947).

Dichloriert man Benzanthron in wäßriger Suspension oder in organischen Lösungsmitteln, so entsteht hauptsächlich das *Bz1,6-Dichlor-benzanthron*[1], in schwachem Oleum hingegen vorwiegend das *Bz1,8-Dichlor-benzanthron* (F: 225°)[2].

Beim Bromieren von Benzanthron tritt das erste Brom-Atom in die Bz1- und das zweite vorwiegend in die 6-Stellung ein[1]. Entsprechend sind durch Monobromierung von substituierten Benzanthronen u. a. erhältlich:

Bz1-Brom-2-methyl-benzanthron[3, 4]; F: 230°
Bz1-Brom-6-methyl-benzanthron[3, 4]
Bz1-Brom-Bz2-isopropyl-benzanthron[4]; F: 170°
Bz1-Brom-Bz2-phenyl-benzanthron[4]
Bz1-Brom-benzanthron-2-carbonsäure[5]
Bz1,2-Dibrom-benzanthron[2]
5,8-Dichlor-Bz1-brom-benzanthron[5]; F: 225–226°

Das 4,8-Dichlor-benzanthron (F: 176–178°) wird in verdünnter Salzsäure unter Zusatz von Chloressigsäure mit Brom in das *4,8-Dichlor-Bz1-brom-benzanthron* (F: 216–218°) übergeführt[6]. Bromiert man jedoch in Nitrobenzol, so entsteht das *8-Chlor-Bz1,4-dibrom-benzanthron* (F: 225°). In diesem ist das 4-ständige Brom-Atom so reaktiv, daß es leicht selektiv ausgetauscht werden kann, z. B. gegen die Toluolsulfamido- oder die Cyan-Gruppe[6].

Bz1-Brom-benzanthron[7]: 300 g aus Schwefelsäure umgepastetes Benzanthron werden unter Zusatz von 40 g Chloressigsäure mit Wasser verrührt (Gesamt-Vol. ~ 1,3 l). Bei 20° läßt man ein Gemisch aus 105 g 35%-iger Salzsäure und 110 g Brom zufließen, erhitzt innerhalb 1 Stde. auf 70° und hält diese Temp. weitere 2 Stdn. konstant. Dann wird das Brom aus dem entstandenen Bromwasserstoff durch langsame Zugabe der ber. Menge einer Natriumhypochlorit-Lösung regeneriert. Nach 1 Stde. wird überschüssiges Halogen mit Natriumhydrogensulfit reduziert; Ausbeute: 390 g (97% d.Th.); F: 178° (aus Essigsäure).

Nach einem neueren Verfahren[8] werden 121 g Benzanthron, das durch Umpasten aus Schwefelsäure oder Mahlen auf eine Teilchengröße unter 30μ gebracht wurde, in 700 ml Wasser suspendiert und bei 92° innerhalb 3 Stdn. 90 g Brom eingerührt. Man rührt weitere 2 Stdn. bei 85°, saugt ab und wäscht mit Wasser neutral; Ausbeute: 155 g der Zusammensetzung: 93% Bz1-Brom-benzanthron, 3% Dibrom-benzanthron und 4% Benzanthron.

Bz1,6-Dibrom-benzanthron[9]: Dieses wird technisch durch Bromieren von Benzanthron in einem Gemisch aus Schwefelsäure-Monohydrat und Chlorsulfonsäure in Gegenwart von Jod zunächst bei 5°, dann durch 15stdg. Erwärmen auf 20–45° hergestellt. Für 200 g Benzanthron werden 160 g Brom benötigt; Ausbeute: 97% d.Th.; F: 254–255° (aus Trichlorbenzol).

Das so erhaltene Bz1,6-Dibrom-benzanthron ist ~85%-ig. Vom Ausgangsmaterial und vom Monobrombenzanthron wird es durch Aufkochen mit etwa der 8fachen Menge Nitrobenzol befreit (F: 258°).

Zur Herstellung kleinerer Mengen von reinem Bz1,6-Dibrom-benzanthron (F: 256°) arbeitet man zweckmäßig in flüssigem Brom[10].

In das Benzanthron lassen sich leicht bis zu vier Brom-Atome einführen (*Tetrabrombenzanthron*).

[1] DRP. 193959 (1906), BASF; Frdl. **9**, 821.
[2] P. NAWIASKY, I.G. Farb. Ludwigshafen (1925).
[3] DRP. 648595 (1935/37), CIBA; Frdl. **24**, 895.
[4] DAS. 1070314 (1955), Farbw. Hoechst, Erf.: H. GREUNE et al.; C. A. **55**, 11868[b] (1961).
[5] DRP. 520395 (1929), I.G. Farb., Erf.: K. WILKE et al.; Frdl. **17**, 1294.
[6] DAS. 1192349 (1960) ≡ US.P. 3134781 (1961), Farbf. Bayer, Erf.: K. WUNDERLICH, H.-S. BIEN u. F. BAUMANN; C. A. **61**, 9615[f] (1964).
[7] BIOS Final Rep. Nr. **987**, 71 (1948), I.G. Farb. Ludwigshafen.
[8] DOS. 2631833 (1976), BASF, Erf.: A. SCHUHMACHER u. K.-E. KLING; C.A. **88**, 169832[a] (1978).
[9] FIAT Final Rep. Nr. **1313** II, 141 (1948), I.G. Farb. Ludwigshafen.
[10] K. KÖBERLE, I.G. Farb. Ludwigshafen (1938).

δ) Halogen-benzanthrone nach verschiedenen Verfahren

Einige Halogen-benzanthrone sind in reiner Form aus den Amino-benzanthronen zugänglich; z. B.:

Bz1-Fluor-benzanthron[1]; F: 194–195°
2-Chlor-benzanthron; F: 204–205°
4-Chlor-benzanthron; F: 152°
Bz1,6-Dichlor-benzanthron (s. S. 315)

Das *Bz1-Chlor-Bz2-hydroxy-benzanthron* läßt sich durch „Sandmeyern" aus dem Bz1,Bz2-Diazooxid herstellen[2].

In gleicher Weise wie in den 1-Nitro-9,10-anthrachinonen lassen sich auch in den Bz1-Nitro-benzanthronen die Nitro-Gruppen gegen Chlor-Atome austauschen. So reagiert Bz1-Nitro-benzanthron mit Phosphor(V)-chlorid bei 20° zu einem Ketochlorid, das zum *Bz1-Chlor-benzanthron* (F: 183–184°) hydrolysierbar ist[3]. Aus den durch Nitrieren gut zugänglichen 2-Chlor-Bz1-nitro- und 2,6-Dichlor-Bz1-nitro-benzanthronen können durch Einleiten von Chlor in die entsprechende Trichlorbenzol-Lösung bei 170° *Bz1,2-Dichlor-* (F: 218°) bzw. *Bz1,2,6-Trichlor-benzanthron* (F: 261–262°) gewonnen werden[4].

Die sehr reaktionsfähigen Bz1- und 2-ständigen Halogen-Atome können z. B. mit Natriumdithionit bei 90° in verdünntem Ammoniak eliminiert werden. Auf diese Weise läßt sich aus dem einheitlichen 2,6-Dichlor-benzanthron reines *6-Chlor-benzanthron* gewinnen[5]. Das Bz1,6-Dibrom-benzanthron wird durch Hydrazin in Gegenwart von Palladium/Kohle in siedendem Äthanol mit 81% Ausbeute in das *6-Brom-benzanthron* überführt[6].

3. Hydroxy- und Methoxy-benzanthrone

In wenig reiner Form und in schlechten Ausbeuten sind die Hydroxy-benzanthrone aus den entsprechenden Hydroxy-9,10-anthrachinonen erhältlich (s. S. 305); besser zugänglich ist so das *4-Hydroxy-benzanthron* (s. S. 306).

Falls die Amino-benzanthrone gut zugänglich sind, empfiehlt es sich, diese über die Diazoniumsulfate in die Hydroxy-benzanthrone überzuführen.

Das *Bz1-Hydroxy-benzanthron* läßt sich sowohl aus Bz1-Amino-benzanthron als auch durch Hydrolyse des Bz1-Methoxy-benzanthrons durch Erhitzen mit einer 80%-igen Schwefelsäure auf 120° herstellen. Außerdem ist es durch Kondensation von Anthron mit Maleinsäureanhydrid (s. S. 309) zugänglich.

Die alkalische Hydrolyse von Bz1-Brom-benzanthron verläuft uneinheitlich, da hierbei auch Molekülverknüpfungen eintreten.

Das *Bz2-Hydroxy-benzanthron* läßt sich in guter Ausbeute unter Anwendung des Meerwein-Verfahrens aus 9,10-Anthrachinon-1-diazoniumsulfat und Methacrylnitril herstellen[7]:

---

[1] A. LÜTTRINGHAUS u. H. NERESHEIMER, A. **473**, 277 (1929).
[2] DRP. 458090 (1925), I.G. Farb., Erf.: K. WILKE; Frdl. **16**, 1446.
[3] DRP. 492248 (1926), I.G. Farb., Erf.: H. NERESHEIMER u. W. SCHNEIDER; Frdl. **16**, 1451.
[4] DRP. 490989 (1925), I.G. Farb., Erf.: P. NAWIASKY; Frdl. **16**, 1450.
[5] DRP. 450445 (1925), I.G. Farb., Erf.: H. NERESHEIMER u. W. SCHNEIDER; Frdl. **15**, 721.
[6] W. L. MOSBY, Chem. & Ind. **43**, 1348 (1959).
[7] DOS. 2627867 (1975/76), Montedison S.p.A., Erf.: G. RIBALDONE, V. GALLARATE u. G. BORSOTTI; C. A. **86**, 91746ⁿ (1977).

Bz2-Hydroxy-benzanthron[1]: Das in üblicher Weise durch Diazotieren von 50 g 1-Amino-9,10-anthrachinon in Schwefelsäure und Einrühren in Eis hergestellte Diazoniumsulfat wird scharf abgesaugt, mit 30 *ml* Eiswasser nachgewaschen und abgepreßt. Der feuchte Nutschkuchen (120 g) wird in einem Gemisch aus 79 g Methacrylnitril und 300 *ml* Methanol verrührt und bei 40° 1,2 g Kupfer(I)-chlorid in kleinen Portionen so zugegeben, daß stets eine erneute Stickstoff-Entwicklung einsetzt, wobei die Temp. exotherm auf 60° ansteigt. Die Umsetzung ist beendet, wenn auf erneute Kupfer(I)-chlorid-Zugabe keine Stickstoff-Entwicklung mehr erfolgt. Hierauf werden die flüchtigen Anteile mit Wasserdampf übergetrieben, wobei sich aus I bereits weitgehend Cyanwasserstoff abspaltet (II kann auch direkt unter Einsatz von Isopropenylacetat hergestellt werden).

Der Rückstand wird nun in einer Lösung von 25 g Kaliumhydroxid in 500 *ml* Methanol suspendiert und 1,5 Stdn. rückfließend erhitzt. Dabei entsteht eine rote Lösung, aus der nach dem Filtrieren und Verdünnen mit 1,5 *l* Wasser das Bz2-Hydroxy-benzanthron mit Salzsäure ausgefällt wird. Nach dem Absaugen, Auswaschen und Trocknen des gelben Niederschlages resultieren 44,8 g Rohprodukt; Zers.P: ~297° (aus Nitrobenzol).

Auf analoge Weise lassen sich ferner, ausgehend von den entsprechenden 1-Amino-anthrachinonen, herstellen[1]:

Bz2,4-Dihydroxy-benzanthron
Bz2,5-Dihydroxy-benzanthron; Zers.P. ~250°
5-Chlor-Bz2-hydroxy-benzanthron; F: 308–312°
6,7-Dichlor-Bz2-hydroxy-benzanthron
5-Benzoylamino-Bz2-hydroxy-benzanthron; F: 308–310°

Das aus Bz2,5-Dihydroxy-benzanthron durch Methylieren mit Dimethylsulfat in Dimethylformamid bei 80° erhältliche *5-Hydroxy-Bz2-methoxy-benzanthron* (F: 207–208°) färbt Polyester-Fasern in leuchtend gelber Farbe an.

Auch der ältere Weg, ausgehend von dem Bz2-Nitro-benzanthron-Bz1-diazoniumsulfat, ist gangbar. Dieses geht bereits durch Einwirkung von Wasser in das Diazooxid über, das mit Eisen(II)-sulfat in Schwefelsäure zum *Bz2-Hydroxy-benzanthron* (Zers. P: 298°) reduziert wird[2]:

[1] DOS. 2627867 (1975/76), Montedison S.p.A., Erf.: G. RIBALDONE, V. GALLARATE u. G. BORSOTTI; C. A. **86**, 91746[n] (1977).
[2] DRP. 436525, 445729 (1923); 446548 (1925), I.G. Farb., Erf.: K. WILKE; Frdl. **15**, 741–743.

Das *Bz3-Hydroxy-benzanthron* ist durch Hydrolyse von Bz3-Chlor-benzanthron mit äthanolisch/wäßriger Natronlauge bei 180° zugänglich[1].

Die Herstellung von *Bz1,Bz2-Dihydroxy-benzanthron* ist auf S. 324 beschrieben.

Das *2-Hydroxy-benzanthron* entsteht neben einem geringen Anteil von 4-Hydroxy-benzanthron durch eine Alkalimetallhydroxid-Schmelze von Benzanthron unter Zusatz von Kaliumchlorat bei 250° (s. S. 320), besser jedoch durch eine saure oder alkalische Hydrolyse des gut zugänglichen 2-Phenylamino-benzanthrons (s. S. 320).

Die Cyclisierung von 2-Hydroxy-1-benzoyl-naphthalin mit Aluminiumchlorid führt zum *4-Hydroxy-benzanthron*[2] (F: 178–179°) (s. S. 316). Günstiger ist dieses jedoch aus 1-Hydroxy-anthrachinon herstellbar (s. S. 306).

Die Methoxy-benzanthrone können – analog wie die α- und β-Methoxy-anthrachinone – durch Verätherung der entsprechenden Hydroxy-Verbindungen gewonnen werden. Auf diese Weise wird z. B. ein reineres *Bz1-Methoxy-benzanthron* (F: 176°) erhalten[3] als durch Umsetzung von Bz1-Brom-benzanthron mit Natriummethanolat bei 120°, bei der sich die Bildung des 2,2'-Bi-benzanthronyls nicht vermeiden läßt.

6-Brom-Bz1-methoxy-benzanthron (F: 275°) sowie *4-* und *5-Methoxy-benzanthron* sind durch Umsetzung der entsprechenden Brom-Verbindungen mit Natriummethanolat hergestellt worden[3].

Auch die Nitro-Gruppen in Bz1-Stellung lassen sich mit Natriummethanolat umsetzen[4]. So entsteht aus dem Bz1,6-Dinitro-benzanthron das *6-Nitro-Bz1-methoxy-benzanthron*. Die anfallenden Methyläther sind jedoch nicht rein.

4. Amino-benzanthrone

Amino-benzanthrone können nur in wenigen Fällen ringsynthetisch hergestellt werden; eine Ausnahme macht das *Bz1,6-Diamino-benzanthron* (s. S. 315).

Einige Amino-benzanthrone sind durch Reduktion der entsprechenden Nitro-benzanthrone herstellbar. Die Reduktion erfolgt nach den gleichen Verfahren wie die des 1-Nitro-9,10-anthrachinons.

Bz1-Amino-benzanthron[5]: Bz1-Nitro-benzanthron wird als Paste in der üblichen Weise durch Erhitzen mit einer 15%-igen Dinatriumsulfid-Lösung reduziert. Die Reinigung des so anfallenden Bz1-Amino-benzanthrons erfolgt durch Umlösen aus Pyridin/Wasser (80:20); F: 239–240° (rotbraune Nadeln).

Die Kondensation von Bz1-Brom-benzanthron mit aliphatischen Mono- bzw. Diaminen ist leicht durchführbar, z. B. in äthanolischer Lösung in Gegenwart von Kupfer bei 160°[6]. Man erhält so z. B. *Bz1-Methylamino-* (F: 220°) und *Bz1-Dimethylamino-benzanthron* (F: 125°).

Auffallend schlecht reagiert Bz1-Brom-benzanthron mit Ammoniak und aromatischen Aminen. Dagegen gelingt die Kondensation mit Amino-anthrachinonen in Nitrobenzol in Gegenwart von Alkalicarbonat und Kupfer sehr glatt. Auf diese Weise lassen sich im Bz1,6-Dibrom-benzanthron beide Brom-Atome mit Amino-9,10-anthrachinonen umsetzen.

Das *Bz1-Anilino-benzanthron* stellt man am besten aus Bz1-Methoxy-benzanthron durch Erhitzen mit Anilin und Kaliumhydroxid in Pyridin her[7].

[1] DAS. 1025895 (1954), Farbw. Hoechst, Erf.: H. GREUNE, H. SCHLICHENMAIER u. J. STALLMANN; C. A. **54**, 9871ᶜ (1960).
[2] L. F. FIESER, Am. Soc. **53**, 3558 (1931).
[3] DRP. 479286 (1927), I.G. Farb., Erf.: H. WOLFF; Frdl. **16**, 1448.
[4] DRP. 459366 (1926), I.G. Farb., Erf.: H. WOLFF; Frdl. **16**, 1446.
[5] A. LÜTTRINGHAUS u. H. NERESHEIMER, A. **473**, 285 (1929).
[6] DRP. 468896 (1925), I.G. Farb., Erf.: R. K. MÜLLER u. K. WILKE; Frdl. **16**, 1454.
[7] DRP. 716978 (1936), I.G. Farb., Erf.: G. RÖSCH; C. **1938 II**, 4317.

Durch alkalische Kondensation von Benzanthron mit Aminen ist vor allem das *2-Anilino-benzanthron* zugänglich (s. S. 320).

2-[1] und *4-Amino-benzanthron*[2] lassen sich aus den entsprechenden Hydroxy-benzanthronen durch Erhitzen mit 25%-igem Ammoniak auf 220° in vorzüglichen Ausbeuten herstellen.

Das *5-Amino-benzanthron* ist aus dem Gemisch der drei aus 1-Chlor-anthrachinon anfallenden Chlor-benzanthrone zugänglich[3].

Die *Bz1-, Bz3-, 4-, 5-* und *6-Amino-benzanthrone* können aus den entsprechenden Halogen-benzanthronen durch Kondensation mit Toluolsulfamid (s. unten) nach den in der Anthrachinonchemie üblichen Verfahren hergestellt werden[3].

In dem 8-Chlor-Bz1,4-dibrom-benzanthron läßt sich besonders leicht das 4-Brom-Atom austauschen und man erhält so das *8-Chlor-Bz1-brom-4-amino-benzanthron* (F: 272–274°)[4].

Bz1,6-Diamino-benzanthron wird in optimaler Reinheit aus 6-Brom-Bz1-nitro-benzanthron oder durch Cyclosynthese erhalten (s. S. 315).

Bz1-Anilino-benzanthron[5]: 100 g Bz1-Methoxy-benzanthron, 100 g Anilin und 100 g feingepulvertes Kaliumhydroxid werden mit 1 *l* Pyridin 2 Stdn. auf 120° erhitzt. Die Reaktion setzt ein, wenn Grünfärbung auftritt.

Hierauf werden Anilin und Pyridin mit Wasserdampf überdestilliert. Der Rückstand wird von der alkalischen Lösung, in welcher das nebenbei entstandene Bz1-Hydroxy-benzanthron gelöst ist, abgetrennt, mit Wasser und anschließend mit verd. Salzsäure ausgekocht.

Durch Umkristallisieren aus Chlorbenzol erhält man das Bz1-Phenylamino-benzanthron in roten Kristallen (F: 233–234°) (löslich in konz. Schwefelsäure mit gelber Farbe und gelber Fluoreszenz); Ausbeute: ~60% d. Th.

In analoger Weise lassen sich u. a. auch die entsprechenden Derivate aus 2-Naphthylamin, 2-Chlor-anilin und 2-Amino-9,10-anthrachinon herstellen.

4- und 5-Amino-benzanthron[6]: Das durch Benzanthronisieren von 1-Chlor-9,10-anthrachinon unter Zusatz von Kupfer erhaltene 4-, 5- und 8-Chlor-benzanthron-Gemisch wird zunächst sublimiert (Ausbeute: ~70% d. Th.) und anschließend mit der gleichen Gew.-Menge Toluolsulfamid, Kaliumacetat und Kupferoxid ~2 Stdn. in Nitrobenzol zum Sieden erhitzt. Dabei scheidet sich bei ~50° nur die 5-Toluolsulfamido-Verbindung ab, die mit 93%-iger Schwefelsäure bei 30° verseift wird; Ausbeute 25% d. Th. *5-Amino-benzanthron*; F: 216–218°.

Im Nitrobenzol-Filtrat verbleiben die erheblich leichter löslichen 4-Toluolsulfamido-Verbindung und das unveränderte 8-Chlor-benzanthron. Nach der Wasserdampfdestillation wird der Rückstand durch Umkristallisieren aus Essigsäure in das leicht lösliche 8-Chlor-benzanthron und das schwer lösliche 4-Toluolsulfamido-benzanthron zerlegt; 4-Amino-benzanthron; F: 187° (goldgelbe Kristalle, aus Methylcyclohexan).

Bz1,6-Diamino-benzanthron[7]: Aus Bz1-Brom-6-nitro-benzanthron läßt sich durch Kondensation mit Toluolsulfamid in Nitrobenzol unter Zusatz von Kaliumacetat und Kupfer(I)-salzen bei 160° das Bz1-Toluolsulfamido-6-nitro-benzanthron gewinnen. Es wird in verd. Natronlauge gelöst, mit Natriumdithionit reduziert und anschließend durch konz. Schwefelsäure bei 20° hydrolysiert. Man erhält so ein weitgehend reines Bz1,6-Diamino-benzanthron; F: 259–263°.

Alle Amino-benzanthrone lassen sich – in gleicher Weise wie die Amino-anthrachinone – diazotieren und mit guten Ausbeuten „Sandmeyern"[8].

[1] A. G. PERKIN u. G. D. SPENCER, Soc. **121**, 480 (1922).
[2] W. BRADLEY u. G. V. JADHAV, Soc. **1948**, 1622, 1624.
[3] H. WALDMANN, B. **83**, 177 (1950).
[4] DAS. 1 192 349 (1960) ≡ US.P. 3 134 781 (1961), Farbf. Bayer, Erf.: K. WUNDERLICH et al.; C. A. **61**, 9615[f] (1964).
[5] DRP. 716 978 (1936), I.G. Farb., Erf.: G. RÖSCH; C. **1938 II**, 4317.
[6] Verbessertes Verfahren nach: H. WALDMANN, B. **83**, 176 (1950).
[7] US.P. 2 821 533 (1954), American Cyanamid Co., Erf.: S. M. TSANG; C. A. **52**, 8573[g] (1958).
[8] A. LÜTTRINGHAUS u. H. NERESHEIMER, A. **473**, 285 (1929).

5. Nitro-benzanthrone

Die Nitrierung von Benzanthron läßt sich nicht völlig einheitlich durchführen. Mit Salpetersäure in Nitrobenzol entsteht hauptsächlich das *Bz1-Nitro-benzanthron*; Nebenprodukt soll das Bz2-Isomere sein. Die Trennung durch Umkristallisieren ist schwierig. Nitriert man in siedender Essigsäure, so erhöht sich der Anteil an Bz2-Nitro-benzanthron[1], so daß man dieses herauspräparieren kann. *Bz2-Nitro-benzanthron* läßt sich praktisch nur durch Nitrieren von Bz1-Acetamino-benzanthron (F: 225°), anschließende Verseifung, Diazotieren und Reduktion des Diazoniumsulfates herstellen[2].

Durch Nitrieren der entsprechenden Benzanthrone sind u. a. die folgenden Mononitro-benzanthrone erhältlich[3]: *Bz1-Nitro-2-methyl-benzanthron* (F: 243°), *2-Chlor-* und *6-Chlor-Bz1-nitro-benzanthron* und die *Bz1-Nitro-benzanthron-2-carbonsäure*.

Durch Dinitrieren von Benzanthron entsteht ein Gemisch, das vorwiegend aus *Bz1,6-Dinitro-benzanthron* (F: 269°), dem Bz1,8-Isomeren und den durch Weiternitrieren des Bz2-Nitro-benzanthrons entstandenen Isomeren besteht. Ohne Schwierigkeiten läßt sich auch ein *Tetranitro-benzanthron* herstellen.

Bz1-Nitro-benzanthron[4]: In eine Suspension von 100 g feingepulvertem Benzanthron in 850 g Nitrobenzol werden innerhalb 1 Stde. 66 g einer 87%-igen Salpetersäure bei 20° eingerührt, wobei eine rotgelbe Lösung entsteht. Anschließend läßt man noch 2–3 Stdn. bei 40–50° reagieren. Beim Abkühlen erstarrt das Reaktionsgemisch zu einem Kristallbrei. Dieser wird mit 1 l Äthanol verdünnt, dann abgesaugt und mit Äthanol ausgewaschen; Rohausbeute: 83 g (70% d. Th.).

Durch 2maliges Umkristallisieren aus der 10-fachen Menge Essigsäure erhält man reines Bz1-Nitro-benzanthron; F: 248–249° (gelbe Nadeln, ohne Fluoreszenz mit goldgelber Farbe in konz. Schwefelsäure löslich).

Die Nitro-Gruppe in Bz1-Stellung zeichnet sich durch etwa die gleich hohe Reaktivität wie die in der 1-Stellung des Anthrachinons aus.

6. Benzanthron-sulfonsäuren

Benzanthron ist sehr leicht sulfierbar. Durch Einwirkung von Schwefelsäure-Monohydrat bzw. Oleum mit oder ohne Quecksilber-Zusatz fällt stets die 6-Sulfonsäure[5] an, die sich zur *Benzanthron-Bz1,6-disulfonsäure*[6] weitersulfieren läßt. Dieses unerwartete Ergebnis kommt dadurch zustande, daß sich zunächst die Bz1-Sulfonsäure bildet, die dann weitersulfiert wird unter Abspaltung der Bz1-Sulfo-Gruppe[7]. Die *Benzanthron-Bz1-sulfonsäure* kann durch Sulfieren mit Chlorsulfonsäure[7] in Tetrachloräthan erhalten werden. Reine Benzanthron-Bz1-sulfonsäure läßt sich leicht aus dem Mercaptan durch Oxidation mit Natriumhypochlorit gewinnen.

Die Benzanthron-sulfonsäuren sind mit Alkalimetallhydroxiden wegen der Reaktivität der 2-Stellung nicht zu den entsprechenden Hydroxy-Verbindungen verschmelzbar.

Benzanthron-6-sulfonsäure[5, 6]: 50 g Benzanthron werden mit 500 g Schwefelsäure-Monohydrat 2 Stdn. auf ~145° erhitzt. Nach dem Erkalten trägt man in ~3,5 l Wasser aus, filtriert von unverändertem Ausgangsmaterial ab und neutralisiert bei 95° mit ~500 g Natriumcarbonat. Beim Erkalten scheidet sich das Natriumsulfonat ab, das noch ~10% Natriumsulfat enthält. Dieses wird zur völligen Reinigung noch 2–3mal aus Wasser umkristallisiert.

Aus Bz1-Chlor-benzanthron wird in analoger Weise die *Bz1-Chlor-benzanthron-6-sulfonsäure*[6] und aus 5,8-Dichlor-benzanthron die *5,8-Dichlor-benzanthron-Bz1-sulfonsäure*[8] erhalten.

[1] Fr.P. 349531–6435 (1906), BASF.

[2] DRP. 436525 (1923), I.G. Farb., Erf.: K. WILKE; Frdl. **15**, 741.

[3] DRP. 242621 (1911), BASF; Frdl. **10**, 685.

[4] A. LÜTTRINGHAUS u. H. NERESHEIMER, A. **473**, 285 (1929).

[5] K. LAUER u. Y. HIRATA, J. pr. [2] **145**, 287 (1936).

[6] R. R. PRITCHARD u. J. L. SIMONSEN, Soc. **1938**, 2047.

[7] I. S. IOFFE u. Z. I. PAVLOVA, Ž. obšč. Chim. **14**, 144 (1944); C. A. **39**, 2288¹ (1945).

[8] DRP. 564435 (1930), I. G. Farb., Erf.: G. KRÄNZLEIN u. M. CORELL; Frdl. **19**, 1920.

7. Sonstige schwefelhaltige Benzanthrone

Zur Herstellung von Mercaptanen, Thioäthern und Disulfiden des Benzanthrons sind keine speziellen Verfahren erforderlich.

Aus Bz1-Brom-benzanthron entsteht mit Dinatriumsulfid in äthanolisch-wäßriger Suspension sehr leicht das *Bz1-Mercapto-benzanthron*[1], mit Äthylmercaptan das *Bz1-Äthylmercapto-benzanthron*[2] (F: 118°, grünstichigblau löslich in konz. Schwefelsäure) und aus Bz1,6-Dibrom-benzanthron durch Erhitzen mit Thiophenol auf 160–170° in Naphthalin in Gegenwart von Natriumcarbonat und Kupfer(I)-chlorid das *Bz1,6-Bis-[phenylmercapto]-benzanthron* (gelber Farbstoff)[3].

Von technischer Bedeutung ist das *Di-(Bz1-benzanthronyl)-sulfid*, da dieses in der Kaliumhydroxid-Schmelze glatt zum Isoviolanthron kondensiert wird (s. S. 321).

Di-(Bz1-benzanthronyl)-sulfid[4]: In 140 g Diglykolmonomethyläther werden 20 g 60%-iges Natriumsulfid bei 80° gelöst und bei 90° 100 g Bz1-Brom-benzanthron eingerührt. Nach 30 Min. Erhitzen auf 125° wird ein weiteres g Natriumsulfid eingetragen und eine weitere Stde. auf 125° erhitzt. Nach dem Herunterkühlen auf 100° fließen 140 *ml* Wasser zu. Bei 70° wird abgesaugt, ausgewaschen und getrocknet; Ausbeute: 77 g (97% d.Th.). F: 327–329°.

8. Cyan-benzanthrone und Benzanthron-carbonsäuren

Die Cyan-benzanthrone sind entweder durch „Sandmeyern" (z. B. Bz2-Cyan-benzanthron; F: 285–286°)[5] oder aus den Halogen-benzanthronen und Kupfer(I)-cyanid[6] gut zugänglich. Für diese Umsetzungen gilt das gleiche wie für die entsprechenden Anthrachinon-Derivate (s. S. 237).

Die Reaktionsbedingungen für die Umsetzung mit Kupfer(I)-cyanid sind je nach der Reaktivität der Halogen-Atome sehr unterschiedlich. Zweckmäßig verwendet man ein frisch gefälltes und vorsichtig getrocknetes Kupfer(I)-cyanid und führt die Umsetzungen in Phenylacetonitril durch.

Für *Bz1-Cyan-* und *Bz1,6-Dicyan-benzanthron* (F: >310°) hat sich die folgende Arbeitsweise bewährt:

Bz1-Cyan-benzanthron[7]: 31 g Bz1-Brom-benzanthron, 9,8 g Kupfer(I)-cyanid, 8,7 g Pyridin und 150 g Nitrobenzol werden einige Stdn. bei 190° gerührt. Nach dem Erkalten verdünnt man die Schmelze mit Chlorbenzol, saugt ab und wäscht mit Äthanol aus. Nach dem Digerieren des Nutschkuchens mit warmer verd. Salpetersäure wird das getrocknete Reaktionsprodukt aus Nitrobenzol umkristallisiert; Ausbeute: ~80% d.Th.; F: 243°. Es ist intensiv orangefarbig und mit gelbgrüner Fluoreszenz in konz. Schwefelsäure löslich.

8-Chlor-Bz1,4-dibrom-benzanthron setzt sich mit Kupfer(I)-cyanid in Dimethylformamid bereits bei 60° zu *8-Chlor-Bz1-brom-4-cyan-benzanthron* um[8].

Die Benzanthron-carbonsäuren können leicht aus den Nitrilen durch Erwärmen in 94%-iger Schwefelsäure erhalten werden. Die Oxidation von Alkyl-benzanthronen mit den klassischen Oxidationsmitteln, wie Chrom(VI)-oxid, verdünnter Salpetersäure u. ä., führt meist zur Aboxidation des Bz-Ringes (s. S. 258).

---

[1] DRP. 443022 (1924), I.G. Farb., Erf.: E. HOLZAPFEL et al.; Frdl. **15**, 724.
[2] DRP. 479230 (1925), I.G. Farb., Erf.: P. NAWIASKY et al.; Frdl. **16**, 1457.
[3] DOS. 2154753 (1971), BASF, Erf.: O. CHRISTMANN u. N. SPECHT; C. A. **79**, 54327[m] (1973).
[4] DOS. 1911086 (1969), BASF, Erf.: H. SCHMIDT u. A. SCHUHMACHER; C. A. **74**, 4705[j] (1971).
[5] I. M. HEILBRON, R. N. HESLOP u. F. IRVING SOC. **1936**, 784.
[6] DRP. 467118 (1924), Kalle u. Co., Erf.: M. P. SCHMIDT u. W. NEUGEBAUER; Frdl. **16**, 1453.
[7] Fr.P. 828202 (1936/37), I.G. Farb., Erf.: W. BRAUN u. K. KÖBERLE; C. **1938 II**, 3159.
[8] DAS. 1192349 (1960) ≡ US.P. 3134781 (1961), Farbf. Bayer, Erf.: K. WUNDERLICH, H.-S. BIEN u. F. BAUMANN; C. A. **61**, 9615[f] (1964).

Bz1- und 2-Methyl-benzanthron wurden durch Erhitzen mit Calciumoxid in siedendem Nitrobenzol (nur kleine Ansätze!) in Ausbeuten von 50–70% d. Th. in die *Benzanthron-Bz1-* bzw. *2-carbonsäure* übergeführt[1].

Mit schwächerem Alkali, wie z. B. Kaliumcarbonat, fällt ein Gemisch aus Aldehyd und Carbonsäure an; mit Kaliumhydroxid bilden sich neben der Carbonsäure noch beträchtliche Mengen des „Stilbens"[2]. Selendioxid führt vorwiegend zum *2-Formyl-benzanthron*[3].

Die Oxidation der Acetyl-benzanthrone zu den Carbonsäuren mittels einer alkalischen Natriumhypochlorit-Lösung gelingt glatt.

Über die Herstellung einer Benzanthron-dicarbonsäure nach Friedel-Crafts s. S. 323.

d) Umwandlungen von Benzanthronen (unter Verlust des Benzanthron-Charakters)

Von den funktionellen Carbonyl-Derivaten des Benzanthrons ist nur das Oxim beschrieben[4]. Dieses wird jedoch erst durch 70stündiges Erhitzen von Benzanthron mit einem großen Überschuß an Hydroxylamin-Hydrochlorid in Pyridin in ~80%-iger Rohausbeute erhalten (F: 160–165°). Das Oxim ist sehr hydrolyseempfindlich und läßt sich nach Beckmann durch Erhitzen mit einem Gemisch aus Phosphor(V)-chlorid und Phosphorylchlorid teilweise zum 7-Ring-Lactam umlagern[4].

Benzanthron läßt sich in verpasteter Form durch Natriumdithionit in einem kochenden Pyridin/Wasser-Gemisch zwar schwer doch echt verküpen, denn aus der gelborangefarbenen Lösung wird beim Luft-Einleiten das Benzanthron wieder abgeschieden[5]. Durch noch energischere Reduktion, z. B. mit Zinkstaub in siedender 3%-iger Natronlauge, entsteht außerdem das Tetrahydro-benzanthron, das teils durch Überreduktion, teils durch Disproportionierung des Dihydro-benzanthrons entstanden sein kann[5].

Das Dihydro-benzanthron ist auch durch Reduktion von Benzanthron mit Zinkstaub in siedender Essigsäure zugänglich[6]. Durch Erhitzen eines Gemisches von Benzanthron[7] – besser noch von Tetrahydro-benzanthron[8] – und Zinkstaub im Wasserstoff-Strom entsteht das 10H-Benzanthren (I; F: 82°)[7-9]:

I

Auch durch Einwirkung von Aluminium-isopropanolat wird Benzanthron zum *10H-Benzanthren* reduziert[10]. Nur auf diesem Wege kann man z. B. zum *Bz1-Chlor-10H-benzanthren* (F: 110°) gelangen.

[1] DRP. 576176 (1930), I.G. Farb., Erf.: O. BAYER u. F. KAČER; Frdl. **19**, 2126.
[2] vgl. DRP. 479917 (1926), I.G. Farb., Erf.: G. KRÄNZLEIN u. H. VOLLMANN; Frdl. **16**, 1439.
[3] DRP. 557249 (1929), I.G. Farb., Erf.: F. KAČER; Frdl. **19**, 2124.
[4] N. CAMPBELL u. A. A. WOODHAM, Soc. **1952**, 845.
[5] R. SCHOLL, B. **71**, 400 (1938).
[6] E. CLAR, B. **68**, 2066 (1935).
[7] O. BALLY u. R. SCHOLL, B. **44**, 1666 (1911).
[8] E. CLAR u. F. FURNARI, B. **65**, 1420 (1932).
[9] Über die synthetische Herstellung der isomeren Benzanthrene s. H. DANNENBERG u. H.-J. KESSLER, A. **606**, 184 (1957); **620**, 32 (1959).
[10] N. CAMPBELL u. A. A. WOODHAM, Soc. **1952**, 846.

Benzanthron läßt sich durch Lithiumalanat nicht zum Kohlenwasserstoff reduzieren. 4-Hexyl-benzanthron hingegen wird damit durch 7stdg. Kochen in Äther in das *4-Hexyl-10H-benzanthren* (71% d.Th.; F: 86,8–87,6°) überführt[1].

Sehr leicht gelingt die katalytische Druckhydrierung des Benzanthrons in Gegenwart eines Nickel-Katalysators bei ~120°, wobei nach Aufnahme von zwei Mol Wasserstoff das Tetrahydro-benzanthron mit vorzüglicher Ausbeute anfällt[2,3]. Dessen Konstitution steht jedoch noch nicht eindeutig fest (IIa[2] oder IIb[4]) (gelbliche Nadeln, F: 150°, löslich in verdünnter Natronlauge).

II a   II b

Die etwas erschwerte Weiterhydrierung führt zu einem einheitlichen Octahydro-benzanthron[2] (F: 137°, unlöslich in Natronlauge), dessen Konstitution nicht bewiesen ist. Durch weitere Wasserstoff-Einwirkung entstehen hydrierte Benzanthrenkohlenwasserstoffe.

In den Benzanthronen lassen sich die Bz-Kerne aboxidieren. Auf diese Weise entsteht aus Benzanthron die *9,10-Anthrachinon-1-carbonsäure* (s. S. 258). Substituierte Benzanthrone liefern entsprechend substituierte 9,10-Anthrachinon-1-carbonsäuren[5]. Präparativ ist dieses Verfahren für letztere ohne Bedeutung, da die Ausbeuten unter 50% d.Th. liegen und die so anfallenden substituierten 9,10-Anthrachinon-1-carbonsäuren auf andere Weise einfacher zugänglich sind. Zur Konstitutionsaufklärung von substituierten Benzanthronen leistet die Oxidation jedoch gute Dienste.

Bz1-Phenyl-benzanthron wird durch Chrom(VI)-oxid in siedender Essigsäure zum *1-Benzoyl-9,10-anthrachinon* aboxidiert[6].

Einen anomalen Verlauf nimmt die Oxidation des 4-Phenyl-benzanthrons[7].

Durch Ozonisierung des Benzanthrons fällt ein Gemisch aus *1-Carboxy-* und *1-Formyl-9,10-anthrachinon* (Ausbeute: 20% d.Th.) an[8,9].

III. 10-Anthrone mit in 1,9-Stellung anellierten heterocyclischen 5- und 6-Ringen

Vorbemerkungen zur Nomenklatur.

10-Anthrone mit in 1,9-Stellung anellierten heterocyclischen 5- und 6-Ringen werden in der Literatur recht unterschiedlich bezeichnet. Die streng systematische Nomenklatur,

[1] H. E. ZIEGER u. J. A. DIXON, Am. Soc. **82**, 3702 (1960).
[2] J. v. BRAUN u. O. BAYER, B. **58**, 2667, 2683 (1925).
[3] DRP. 453578 (1925), L. CASSELLA u. Co., Erf.: G. KALISCHER u. E. KORTEN; Frdl. **16**, 1462.
[4] E. CLAR u. F. FURNARI, B. **65**, 1420 (1932).
[5] G. CHARRIER, Chimicae Ind. **20**, 658 (1938).
[6] DRP. 487254 (1925), I.G. Farb., Erf.: B. STEIN, W. TRAUTNER u. R. BERLINER; Frdl. **16**, 1303.
[7] G. CHARRIER u. E. GHIGI, B. **69**, 2211 (1936).
[8] H. VOLLMANN et al., A. **531**, 65 (1937).
[9] Über die Ozonolyse polycyclischer Aromaten in Dichlormethan s. a. E. I. MORICONI, B. RACOCZY u. W. F. O'CONNOR, Am. Soc. **83**, 4618 (1961).

wie sie der Ringindex benutzt, ist in der Anthrachinonchemie völlig ungebräuchlich und wird daher im vorliegenden Band nicht berücksichtigt.

In der klassischen Anthrachinon-Literatur werden vor allem die beiden folgenden Bezeichnungsweisen benutzt:

a) Die „Anthra-Nomenklatur": an das Präfix „Anthra" wird der Name des annelierten Heterocyclus angehängt, z. B. Anthrapyridin

b) Die „Anthron-Nomenklatur": dem Suffix „anthron" wird der Name des anellierten Heterocyclus vorangestellt, z. B. Thiophenoanthron

Die Bezeichnungsweise a) wird häufig für Anthrone mit ankondensierten 6-Ringen, die Bezeichnungsweise b) für solche mit ankondensierten 5-Ringen benutzt.

Im vorliegenden Band wird einheitlich die „Anthron-Nomenklatur" verwandt. Bei der Stammsubstanz stehen aber jeweils die sonst noch gebräuchlichen Namen in Klammern dahinter.

Gibt es mehrere Möglichkeiten für die Angliederung eines Heterocyclus an die 1,9-Stellung des Anthrons, so wird hinter die 1 und/oder 9 in Klammern das Symbol des daran gebundenen Elementes des Heteroringes gesetzt, z. B. *1,9(N)-Pyrroloanthron-(10)* für die Verbindung I und *1(N),9-Pyrroloanthron-(10)* für die Verbindung II.

Die Bezifferung der einzelnen Ringglieder geschieht in der Weise, daß die Ringglieder des Anthron-Ringsystems in der gleichen Weise beziffert sind wie im Anthron selbst. Die Ringglieder des Heterocyclus werden mit 1′,2′ usw. beziffert, und zwar entgegen dem Uhrzeigersinn analog der Benzanthron-Nomenklatur.

a) 1,9(N)-Pyrroloanthrone-(10)

Das *1,9(N)-Pyrroloanthron-(10)* (I) ist noch nicht beschrieben.

Bei Versuchen, einige seiner Derivate herzustellen, stellte sich heraus, daß diese als 1,10-Chinonmethide (Ia) vorliegen, unbeständig sind und leicht dazu neigen, sich am Pyrrol-C-Atom oxidativ, z. T. unter Ringöffnung, zu verknüpfen[1].

Die Reduktion des 2-Methyl-1-cyan-9,10-anthrachinons mit Zinkstaub in konzentriertem Ammoniak führt in sehr schlechter Ausbeute zum *2-Methyl-1,9(N)-pyrroloanthron-*

---

[1] H. DE DIESBACH, Helv. **11**, 1098 (1928); **13**, 120, 1275 (1930).

(10)[1]; s. dazu auch die Versuche, mit 1-Phthalimidomethylen-9,10-anthrachinonen die analogen Ringschlüsse durchzuführen[2].

Die Literaturangaben[1,3] über die Herstellung von 1-Aryl-1,9(N)-pyrroloanthronen-(10) müssen überprüft werden. Die dort beschriebenen Verbindungen dürften z.T. bimolekular sein.

b) Herstellung von 1(N),9-Pyrroloanthronen-(10)

Das *1(N),9-Pyrroloanthron-(10)* (II; F: 250–251°; mit starker grüner Fluoreszenz in konz. Schwefelsäure löslich) entsteht in guter Ausbeute durch Kondensation von 1 Tl. 1-Amino-10-anthron (I) mit 10 Tln. Ameisensäure (90%-ig) und 5 Tln. konzentrierter Schwefelsäure bei 90°[4]:

Essigsäure und ihre höheren Homologen gehen diese Cyclisierung nicht ein.

Das *1(N),9-Pyrroloanthron-(10)* entsteht auch aus dem 3'-Diazoniumsalz des 1(N),9-Pyridonoanthrons-(10) durch Einwirkung einer Natriumacetat-Lösung bei 20° oder durch Belichten[5]:

1(N),9-Pyrroloanthron-(10) ist mit Dimethylsulfat und Natronlauge methylierbar.

Aus N-Phenyl-N-anthrachinonyl-(1)-aminoessigsäure entsteht durch Einwirkung von Essigsäureanhydrid das *N-Phenyl-1(N),9-pyrroloanthron-(10)*[6]. Dieses läßt sich auch in einem Arbeitsgang herstellen[7]:

[1] R. SCHOLL et al., B. **67**, 1922 (1934).
[2] H. DE DIESBACH, Helv. **11**, 1098 (1928); **13**, 120, 1275 (1930).
[3] R. SCHOLL et al., B. **60**, 1236, 1685 (1927); **61**, 968 (1928).
[4] DRP. 594168 (1931), I.G. Farb., Erf.: G. KRÄNZLEIN, A. WOLFRAM u. W. BROCKER; Frdl. **19**, 1962.
[5] M. V. KAZANKOV u. N. P. MAKSHANOVA, Ž. vses. Chim. obšč. **19**, 461 (1974); C. A. **81**, 135872[d] (1974).
[6] DRP. 270789/90 (1912), Farbw. Hoechst; Frdl. **11**, 574, 575.
[7] DRP. 272613 (1912), Farbw. Hoechst; Frdl. **11**, 577.

N-Phenyl-1(N),9-pyrroloanthron-(10)[1]: 24,3 g 1-Chlor-9,10-anthrachinon, 20 g wasserfreies anilinoessigsaures Kalium, 15 g Natriumacetat, 1 g Kupfer(I)-chlorid und 150 *ml* Pentanol werden im Rührautoklaven ~ 6 Stdn. auf 160–170° erhitzt. Nach dem Erkalten wird das Lösungsmittel mit Wasserdampf überdestilliert, der Rückstand mit heißer Natriumcarbonat-Lösung digeriert und nach dem Trocknen aus Chloroform umkristallisiert. Gelbe Kristalle (F: 202–204°) mit stark gelbgrüner Fluoreszenz in heißem Chloroform löslich.

Die Pyrroloanthrone lassen sich nicht durch eine Alkali-Schmelze in den 2-Stellungen miteinander verknüpfen.

c) Herstellung von 1(S),9-Thiophenoanthronen-(10)

Die Ringschlüsse der [Anthrachinonyl-(1)-mercapto]-essigsäuren (z. B. I) zu *1(S),9-Thiophenoanthronen-(10)* (z. B. II) vollziehen sich sehr leicht. Der Grundkörper II wird durch Cyclisierung mit Essigsäureanhydrid unter gleichzeitiger Decarboxylierung bei 150° in ~ 75%-iger Ausbeute erhalten[2]:

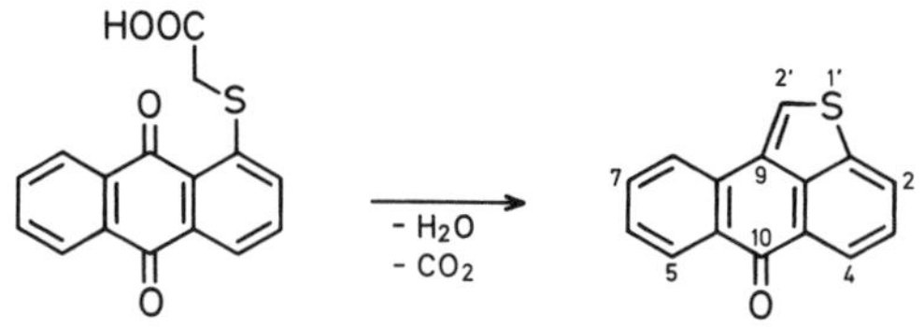

Aus 1-Mercapto-2-methyl-9,10-anthrachinon entsteht bereits bei der Kondensation mit Chloressigsäure in äthanolischer Natronlauge bei 90° ein Gemisch aus *2-Methyl-1(S),9-thiophenoanthron-(10)* und dessen *2'-Carbonsäure*.

Die [2-Carboxy-9,10-anthrachinonyl-(1)-mercapto]-essigsäure[3] (III) führt beim Erhitzen mit Natronlauge ausschließlich zur *1(S),9-Thiophenoanthron-(10)-2,2'-dicarbonsäure* (IV), die sehr leicht zur *1(S),9-Thiophenoanthron-(10)-2-carbonsäure* (V) decarboxylierbar ist.

Durch Erhitzen mit Essigsäureanhydrid in Gegenwart von Natriumacetat entsteht dagegen das *3'-Acetoxy-1(S),2-thiopheno-9,10-anthrachinon* (VI):

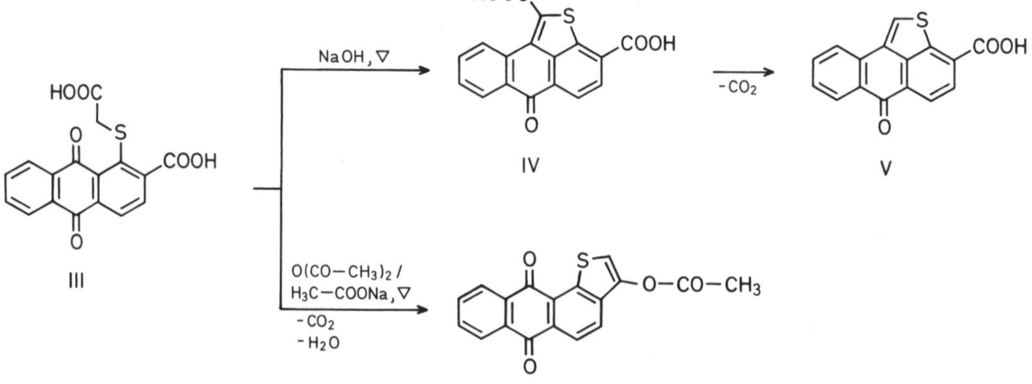

[1] DRP. 272613 (1912), Farbw. Hoechst; Frdl. **11**, 577.
[2] L. GATTERMANN, A. **393**, 190 (1912).
[3] DRP. 533341, 534909, 544895, 546512, 534910, 534911 (1929), I.G. Farb., Erf.: G. KALISCHER u. H. RITTER; Frdl. **18**, 1376–1380.

Sehr leicht entsteht das *2'-(4-Hydroxy-benzoyl)-1(S),9-thiophenoanthron-(10)*[1] (F: 258°) direkt beim Erhitzen von 1-Natriummercapto-9,10-anthrachinon mit ω-Chlor-4-hydroxy-acetophenon in wäßrig-äthanolischer Lösung.

Andere 9,10-Anthrachinonyl-(1)-thioäther mit reaktionsfähiger Methylen-Gruppe, z. B. das entsprechende Kondensationsprodukt aus 1-Mercapto-9,10-anthrachinon und 4-Nitro-benzylchlorid, ließen sich nicht ringschließen.

Eine andere Variante führt zum *2'-Acetyl-1(S),9-thiophenoanthron-(10)*[1] (VIII; F: 175°). Hierbei wird 9,10-Anthrachinon-1-sulfensäurebromid (VII) mit Natriumacetessig-säure-äthylester in Äther kondensiert und der Ringschluß unter gleichzeitiger Decarboxylierung durch Erhitzen mit konzentrierter Salzsäure in Essigsäure durchgeführt.

VII   VIII

d) Herstellung von 1(S),9(N)-Thiazoloanthronen-(10)

Das *1(S),9(N)-Thiazoloanthron-(10)*

ist durch eine sehr große Bildungstendenz ausgezeichnet: Alle 9,10-Anthrachinone mit α-ständigen Substituenten, die sich in eine Mercapto-Gruppe überführen lassen, geben beim Erhitzen mit Ammoniak 1(S),9(N)-Thiazoloanthrone-(10).

L. Gattermann hat als erster das Thiazoloanthron[2] durch Erhitzen von 1-Thiocyanato-9,10-anthrachinon mit Ammoniak unter Druck bei 130° in 90%-iger Ausbeute synthetisiert. In analoger Weise wurden zahlreiche Derivate hergestellt.

1(S),9(N)-Thiazoloanthron-(10)-4-carbonsäure[3]: 10 g 1-Thiocyanato-9,10-anthrachinon-4-carbonsäure werden mit 80 *ml* 25%-igem Ammoniak und 160 *ml* Wasser im Autoklaven 3 Stdn. auf 110–113° erhitzt. Beim Ansäuern der filtrierten Lösung scheidet sich die Carbonsäure in gelben Nadeln ab; Ausbeute: ~ 90% d. Th.

Der Ringschluß des 1-Amino-4-thiocyanato-9,10-anthrachinons zum *4-Amino-1(S),9(N)-thiazoloanthron-(10)* ließ sich auch mit flüssigem Ammoniak im Autoklaven (5 Stdn. bei 140°) glatt durchführen[4].

Auf ähnliche Weise, jedoch mit 25%-igem Ammoniak bei 140–160°, wurden hergestellt[4]:

[1] K. Fries u. G. Schürmann, B. **52**, 2178 (1919).
[2] L. Gattermann, A. **393**, 123, 192 (1912).
[3] L. Gattermann, A. **393**, 194 (1912).
[4] M. K. Shah u. K. H. Shah, Indian J. Chem. **14** B, 626 (1976).

2-Methyl-1(S),9(N)-thiazoloanthron-(10); F: 218°
4-Amino-1(S),9(N)-thiazoloanthron-(10)
5-Amino-1(S),9(N)-thiazoloanthron-(10); F: 250°

Aus dem 1,4- bzw. 1,5-Bis-[thiocyanato]-9,10-anthrachinon wurde durch ~ 6stdgs. Erhitzen mit 25%-igem Ammoniak auf 160–180° *1,9;4,10-* (bzw. *1,9;5,10-)Bis-[thiazolo]-9,10-dihydro-anthracen* (F: 160°; bzw. 287°) erhalten[1]:

gelbe Kristalle

Das *1(S),9(N)-Thiazoloanthron-(10)* stellt man am einfachsten direkt aus 9,10-Anthrachinon-1-sulfonsäure her.

1(S),9(N)-Thiazoloanthron-(10)[2]: 60 g anthrachinon-1-sulfonsaures Kalium werden mit 100 g 20%-igem Ammoniak und einer Lösung von 15 g Schwefel in 250 g krist. Natriumsulfid und 200 ml Wasser 10 Stdn. im Autoklaven auf 100° erhitzt. Nach dem Erkalten wird der gelbe Kristallbrei abgesaugt, ausgewaschen und getrocknet; Ausbeute: ~ 85% d. Th.; aus Pyridin schwach gelbgefärbte Kristalle. In konz. Schwefelsäure mit gelber Farbe, schwach fluoreszierend, löslich.

In analoger Weise lassen sich auch andere Derivate herstellen, z. B. aus der 1-Methylamino-9,10-anthrachinon-5-sulfonsäure bei 150° das *5-Methylamino-1(S),9(N)-thiazoloanthron-(10)* (rotviolette Nadeln, F: 185°) und aus der 9,10-Anthrachinon-1,5-disulfonsäure das *1,9;5,10-Bis-[thiazolo]-9,10-dihydro-anthracen*.

1(S),9(N)-Thiazoloanthron-(10)-2-carbonsäure[3]: 35 g 1-Chlor-9,10-anthrachinon-2-carbonsäure werden mit 150 g krist. Dinatriumsulfid, 20 g Schwefel und 400 g 12%-igem Ammoniak im Autoklaven 8 Stdn. auf 100° erhitzt. Die Reaktionsmasse wird heiß abgesaugt, der Nutschkuchen in heißem Wasser gelöst, filtriert und aus dem Filtrat die Carbonsäure mit Natriumchlorid ausgesalzen; Ausbeute: ~ 85% d. Th.

Das *1(S),9(N)-Thiazoloanthron-(10)* ist die Grundsubstanz einiger echter und farbstarker gelber Farbstoffe. Die Amide aus der Thiazoloanthron-2-carbonsäure und 1-Amino-9,10-anthrachinonen („*Ponsol-brillant-yellows*" von DuPont) sind Küpenfarbstoffe[4]. *5-Acylamino-*[5] und das *5-Hydroxy-1(S),9(N)-thiazoloanthron-(10)*[6] eignen sich zum Färben von Polyesterfasern.

Das 1(S),9(N)-Thiazoloanthron-(10) läßt sich durch Verschmelzen mit Kaliumhydroxid in Isopropanol zum *2,2'-Bi-[1(S),9(N)-thiazoloanthron-(10)-yl-(2)]* kondensieren (gelber Küpenfarbstoff, dessen blaue Küpe schwer löslich ist)[7].

[1] L. GATTERMANN, A. **393**, 197 (1912).
[2] DRP. 216306 (1908), Farbf. Bayer, Erf.: L. GATTERMANN; Frdl. **9**, 743.
[3] US.P. 1706981 (1927), DuPont, Erf.: R. N. LULEK; C. **1929 I**, 2927.
[4] US.P. 1705023 (1927), DuPont, Erf.: R. N. LULEK; C. **1929 II**, 224.
[5] DBP. 950587 (1952/53), CIBA, Erf.: P. GROSSMANN u. W. KERN; C. A. **53**, 10780[h] (1959).
[6] DAS. 1038210 (1955), CIBA, Erf.: P. GROSSMANN u. W. JENNY; C. A. **54**, 17899[a] (1960).
[7] DRP. 343065 (1919), Griesheim-Elektron; Frdl. **13**, 411.

e) Herstellung und Umwandlung von 1,9-Pyrazoloanthronen-(10)

Das *1,9-Pyrazoloanthron-(10)*[1] (I; gelbe Kristalle, F: 285−286°) ist in verdünnter äthanolischer Natronlauge mit gelbroter und in konzentrierter Schwefelsäure mit gelber Farbe und grüner Fluoreszenz löslich (*N-Benzoyl-1,9-pyrazoloanthron-(10)*, F: 235°).

I

Das *1,9-Pyrazoloanthron-(10)-kalium* (II) kann leicht durch Einrühren von Kaliumcarbonat in eine heiße Lösung von 1,9-Pyrazoloanthron-(10) in Nitrobenzol erhalten werden, wobei sich das orangerote Kaliumsalz abscheidet:

I   II

Die 1,9-Pyrazoloanthrone-(10) entstehen leicht durch Ringschlüsse der entsprechenden 1-Hydrazino-9,10-anthrachinone[1]. Diese können entweder aus den 1-Amino-9,10-anthrachinonen über die Diazo-Verbindungen (s. S. 222) oder durch Umsetzung von 1-Chlor-9,10-anthrachinonen bzw. von 1-Sulfonsäuren mit Hydrazin erhalten werden[1,2] (s. S. 223).

Die Wasser-Abspaltung aus den 9,10-Anthrachinonyl-hydrazinen wird meist mit konzentrierter Schwefelsäure bei Temperaturen bis zu 100° oder mit verdünnter Salzsäure bei 140° vorgenommen[1]. Vielfach führt aber auch Erhitzen in Pyridin, Essigsäure oder Anilin unter Zusatz von Anilin-Hydrochlorid zum Ziel[1].

Liegen günstige sterische Verhältnisse vor, so entstehen die 1,9-Pyrazoloanthrone-(10) direkt in einem Arbeitsgang aus den 1-Halogen-9,10-anthrachinonen und Hydrazin.

Hergestellt wurden so u. a.:

4-Hydroxy-1,9-pyrazoloanthron-(10) (löslich sowohl in konz. Schwefelsäure als auch in verd. Natronlauge mit intensiv grüner Fluoreszenz) aus dem Hydrazin durch Erhitzen mit Anilin/Anilinhydrochlorid auf 170°

2(und *8*)-*Chlor-1,9-pyrazoloanthron-(10)* aus 1,2(bzw.1,8)-Dichlor-9,10-anthrachinon und Hydrazin in siedendem Pyridin[2]

5-Hydrazino-1,9-pyrazoloanthron-(10) (IV) (in konz. Schwefelsäure intensiv ultramarinblau fluoreszierend) aus 1,5-Dihydrazino-9,10-anthrachinon (III) durch Kochen mit verdünnter Salzsäure[3]

1,9;5,10-Bis-[pyrazolo]-9,10-dihydro-anthracen (V) aus 1,5-Dihydrazino-9,10-anthrachinon (III) durch 2stdgs. Erhitzen mit verdünnter Salzsäure unter Druck auf 140°[3]:

[1] DRP. 171293 (1904), Farbf. Bayer; Frdl. **8**, 304.
[2] R. Möhlau, B. **45**, 2244 (1912).
[3] W. Bradley u. K. H. Shah, Soc. **1959**, 1902.
   W. Bradley u. K. W. Geddes, Soc. **1952**, 1632.
   W. L. Mosby u. W. L. Berry, Tetrahedron **8**, 107 (1960).

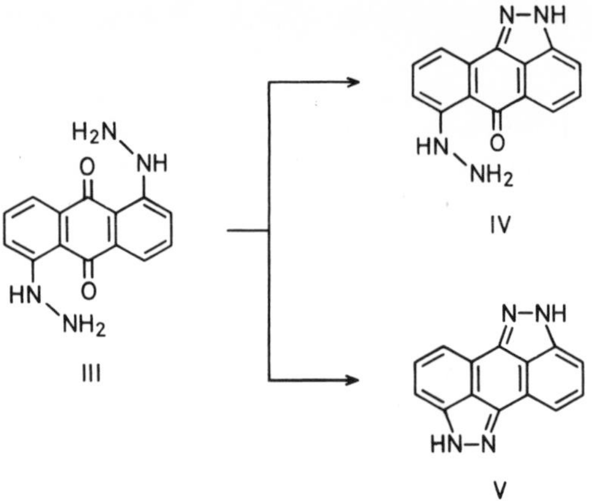

IV

III

V

1-Nitro-9,10-anthrachinon-5-sulfonsäure wird durch Hydrazin in *5-Amino-1,9-pyrazoloanthron-(10)*[1], 1-Chlor-2-nitro-9,10-anthrachinon mit ~1 Mol Hydrazin in Dimethylformamid bei 130° in *2-Nitro-1,9-pyrazoloanthron-(10)* und mit einem Überschuß an Hydrazin in *Azo-2,2'-bis-[1,9-pyrazoloanthron-(10)]* überführt[2].

Zur Herstellung weiterer 1,9-Pyrazoloanthron-(10)-Derivate s. Lit.[3].

1,9-Pyrazoloanthron-(10)[4]: Das in üblicher Weise durch Diazotieren in Schwefelsäure erhaltene 9,1-Anthrachinon-1-diazoniumsulfat wird abgesaugt, mit einer Natriumsulfat-Lösung säurefrei gewaschen und in eine alkalisch gestellte Natriumsulfit-Lösung unter Kühlung eingerührt, wobei die Temp. nicht über 20° ansteigen darf. Das Reaktionsgemisch muß stets alkalisch bleiben.

Nach 15 Stdn. wird auf 75° erhitzt. Wenn völlige Lösung eingetreten ist, wird mit Aktivkohle geklärt, filtriert und die Hydrazinsulfonsäure mit Kaliumchlorid ausgesalzen. Das gut abgepreßte Salz wird dann portionsweise so in konz. Schwefelsäure eingerührt, daß die Temp. 50° nicht übersteigt.

Nach einigen Stdn., wenn Lösung erfolgt ist, wird 1 weitere Stde. auf 90° erhitzt, dann auf 70° abgekühlt und das 1,9-Pyrazoloanthron-(10) durch eine dosierte Wasser-Zugabe fraktioniert kristallin abgeschieden; Ausbeute: ~85% d. Th.; F: 280–282° (rein: 286°).

Wenn sich in 2-Stellung zur Hydrazin-Gruppe eine Carbonyl-Gruppe befindet, wie z. B. im 1-Hydrazino-2-benzoyl-9,10-anthrachinon, dann tritt im allgemeinen mit dieser der Ringschluß ein:

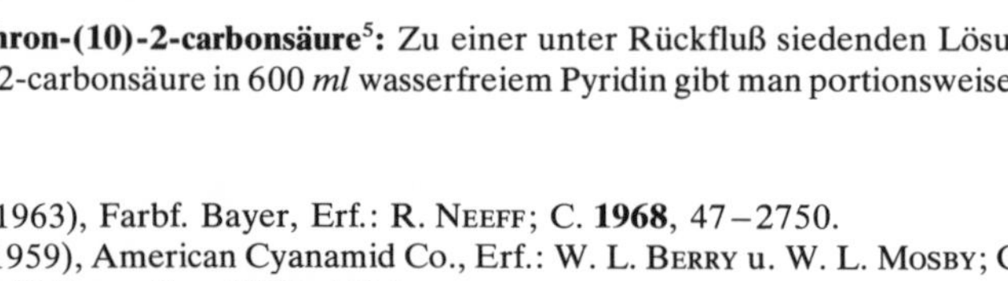

−H₂O

Die 1-Chlor-9,10-anthrachinon-2-carbonsäure setzt sich jedoch mit Hydrazin zur *1,9-Pyrazoloanthron-(10)-2-carbonsäure* um[5].

1,9-Pyrazoloanthron-(10)-2-carbonsäure[5]: Zu einer unter Rückfluß siedenden Lösung von 143 g 1-Chlor-9,10-anthrachinon-2-carbonsäure in 600 *ml* wasserfreiem Pyridin gibt man portionsweise 50 g Hydrazin-Hydrat

[1] DAS. 1257149 (1963), Farbf. Bayer, Erf.: R. NEEFF; C. **1968**, 47–2750.

[2] US.P. 2962494 (1959), American Cyanamid Co., Erf.: W. L. BERRY u. W. L. MOSBY; C. A. **55**, 7854ᵈ (1961).

[3] W. BRADLEY u. K. H. SHAH, Soc. **1959**, 1902.

   W. BRADLEY u. K. W. GEDDES, Soc. **1952**, 1632.

   W. L. MOSBY u. W. L. BERRY, Tetrahedron **8**, 107 (1960).

[4] FIAT Final Rep.Nr. **1313 II**, 160 (1948), I.G. Farb. Mainkur.

[5] DRP. 515680 (1928), I.G. Farb., Erf.: H. SCHEYER; Frdl. **17**, 1273.

so zu, daß die Umsetzung unter schwacher Erwärmung abläuft. Dabei beginnt bereits die Kristallabscheidung der 1,9-Pyrazoloanthron-(10)-2-carbonsäure; Ausbeute: ~70% d. Th.

Als Beispiel für ein über mehrere Stufen hergestelltes Pyrazoloanthron sei die *4-Anilino-1,9-pyrazoloanthron-(10)-2-sulfonsäure* angeführt, die aus der 1-Amino-4-anilino-9,10-anthrachinon-2-sulfonsäure durch gleichzeitige Diazotierung und N-Nitrosierung, Reduktion und anschließenden Ringschluß durch Erhitzen mit Salzsäure erhalten wird[1].

Der Austausch von Substituenten im 1,9-Pyrazoloanthron-(10) vollzieht sich etwa wie der in den entsprechenden Benzanthron-Derivaten. So führt der Umsatz von 4- und 5-ständigen Halogen-Atomen mit Ammoniak oder Toluolsulfamid zu den gelb bis orangebraun gefärbten A m i n o - 1 , 9 - p y r a z o l o a n t h r o n e n - (1 0); 8-ständige Halogen-Atome setzen sich nur äußerst schwer um.

Die 1,9-Pyrazoloanthron-(10)-c a r b o n s ä u r e n lassen sich leicht in ihre C h l o r i d e überführen und z. B. nach Friedel-Crafts zu den Ketonen oder mit 1-Amino-9,10-anthrachinon zu gelben Küpenfarbstoffen kondensieren.

Durch Kondensation von 2-Methyl-1'-acetyl-1,9-pyrazoloanthron-(10) mit Anilin in siedendem Nitrobenzol in Gegenwart von Natriumacetat entsteht mit ~60%-iger Ausbeute das Anil des 1'-Acetyl-2-formyl-1,9-pyrazoloanthron-(10) (F: 275°), das durch Erhitzen mit 90%-iger Schwefelsäure leicht zum *2-Formyl-1,9-pyrazoloanthron-(10)* (gelbbraune Küpe) verseift wird[2].

Es existieren zwei isomere und leicht herstellbare N - M e t h y l - 1 , 9 - pyrazoloanthrone-(10) (A u. B), die sich sehr unterschiedlich verhalten:

A   B

Beim Alkylieren von 1,9-Pyrazoloanthron-(10) im sauren Bereich, z. B. durch Erhitzen mit Methanol in konzentrierter Schwefelsäure auf 170°, entsteht vorwiegend das *2'-Methyl-1,9-pyrazoloanthron-(10)*[3] (B; F: 221–224°), dessen Konstitution auf folgende Weise bewiesen wurde: Das in wäßrig-äthanolischer Alkalihydroxid-Lösung mit tiefblauer Farbe lösliche N²-Benzolsulfonyl-N¹-[9,10-anthrachinonyl-(1)]-hydrazin wurde in das alkaliunlösliche Methyl-Derivat übergeführt und dieses durch Erhitzen mit konzentrierter Schwefelsäure auf 90° hydrolysiert und cyclisiert[4]. Nur dieses (B) läßt sich zu dem roten Küpenfarbstoff verschmelzen[5] (vgl. S. 345). Diese Verknüpfung zweier Moleküle vollzieht sich mit Anilinnatrium bereits bei 0°[4].

Methyliert man dagegen das 1,9-Pyrazoloanthron-(10) mit Dimethylsulfat in konzentrierter Natronlauge bei 40°, so erhält man ein Gemisch der beiden Isomeren A und B, das vorwiegend aus dem *1'-Methyl-1,9-pyrazoloanthron-(10)* (A) besteht[6].

Durch Kondensation von 1-Halogen-9,10-anthrachinonen mit einer 30%-igen Methylhydrazin-Lösung in Pyridin unter Zusatz von Natriumcarbonat fallen direkt die *1'-Me-*

[1] DRP. 499351 (1928), I.G. Farb., Erf.: G. KALISCHER u. E. GOFFERJÉ; Frdl. **17**, 1296.
[2] H. RITTER, I.G. Farb. Mainkur (1929).
[3] DRP. 454760 (1926), I.G. Farb., Erf.: P. NAWIASKY u. A. KRAUSE; Frdl. **16**, 1376.
[4] H. SCHEYER, I.G. Farb. Mainkur (1930).
[5] DRP. 456763 (1925), I.G. Farb., Erf.: P. NAWIASKY u. A. KRAUSE; Frdl. **16**, 1369.
[6] DRP. 479284 (1926), I.G. Farb., Erf.: P. NAWIASKY, A. KRAUSE u. A. HOLL; Frdl. **16**, 1377.

thyl-1,9-pyrazoloanthrone-(10)[1,2] an [identisch mit den aus Natrium-1,9-pyrazoloanthro-
nen-(10) erhältlichen Methylierungsprodukten].

So wurden u. a. erhalten:

4-Amino-1'-methyl-1,9-pyrazoloanthron-(10); F: 236–237°
5-Amino-1'-methyl-1,9-pyrazoloanthron-(10); F: 234°
8-Amino-1'-methyl-1,9-pyrazoloanthron-(10)
3-Brom-1'-methyl-1,9-pyrazoloanthron-(10)

1'-Methyl-1,9-pyrazoloanthron-(10) (A; S. 343)[1]: 24 g 1-Chlor-9,10-anthrachinon, 18 g einer 30%-igen
Methylhydrazin-Lösung und 10 g Natriumcarbonat werden mit 150 *ml* Pyridin 12 Stdn. zum Sieden erhitzt. Nach
dem Erkalten wird die gelbe Kristallmasse abgesaugt und mit Wasser ausgekocht. F: 188–189°.

Das *1'-Phenyl-1,9-pyrazoloanthron-(10)* entsteht durch Kondensation von 1-Meth-
oxy-9,10-anthrachinon-9-phenylhydrazon mit äthanolischem Kaliumhydroxid bei 110°[3]:

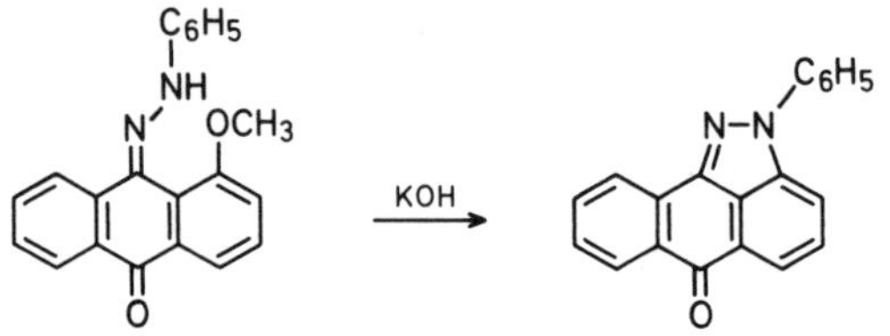

1,9-Pyrazoloanthron-(10) läßt sich mit Aromaten, die ein reaktionsfähiges Halogen-
Atom enthalten, in der üblichen Weise in Nitrobenzol unter Zusatz von säurebindenden
Mitteln und Kupfersalzen kondensieren. So wird in mittlerer Ausbeute mit Brombenzol
das *1'-Phenyl-1,9-pyrazoloanthron-(10)* (F: 212°) erhalten (nicht verschmelzbar). Mit
1-Halogen-9,10-anthrachinonen und Bz1-Brom-benzanthron gelingen diese Anthrimid-
Kondensationen (z. B. zu I) jedoch glatt[4]. Durch nachfolgende Alkalihydroxid-Schmelze
tritt dann leicht der Ringschluß in den 2-Stellungen ein[5] (z. B. zu II = *Indanthrenmarineblau R*):

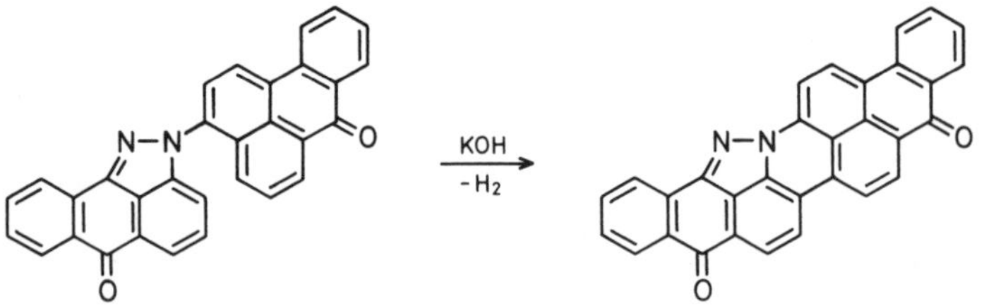

I   II

Die bemerkenswerteste Eigenschaft des 1,9-Pyrazoloanthrons-(10) (III) ist, daß sich –
ähnlich wie beim Benzanthron – durch eine Alkalihydroxid-Schmelze zwei Moleküle in
der 2-Stellung miteinander verknüpfen lassen[6,7] (III zu IV).

Nicht verschmelzbar sind die 1'-Derivate, da hier die 9,10-Chinonimin-Struktur do-
miniert, die sich nur sehr schwer in eine andere Form umlagern läßt. Leicht kondensierbar

[1] DRP. 709690 (1936) ≡ Fr. P. 817422 (1937), CIBA; C. **1938 I**, 739.
[2] W. BRADLEY u. K. W. GEDDES, Soc. **1952**, 1632.
[3] F. BAUMANN, I.G. Farb. Leverkusen (1933).
[4] DRP. 468896 (1925), I.G. Farb., Erf.: R. K. MÜLLER u. K. WILKE; Frdl. **16**, 1454.
[5] DRP. 490723 (1926), I.G. Farb., Erf.: K. WILKE; Frdl. **16**, 1368.
[6] DRP. 255641 (1912); 301554, 302259 (1914); 359139 (1921), Grießheim-Elektron, Erf.: A. HOLL; Frdl. **11**, 583; **13**, 407–410; **14**, 886.
[7] Die Konstitutionsaufklärung erfolgte durch P. NAWIASKY (I.G. Farb. Ludwigshafen). Die früher angenommene
    Azin-Struktur ist unrichtig.

sind hingegen die in 2'-substituierten 1,9-Pyrazoloanthrone-(10) (z. B. V zu VI), da diese eine 1,10-Chinonimin-Struktur besitzen. Exakte Angaben über den Reaktionsverlauf lassen sich nicht machen.

In der Technik wird das 1,9-Pyrazoloanthron-(10) mit äthanolischem Kaliumhydroxid zwischen 100 und 130° zum *2,2'-Bi-[1,9-pyrazoloanthron-(10)-yl]* (IV) kondensiert (es entsteht zunächst die Leukoverbindung) und anschließend mit Toluolsulfonsäure-äthylester in Gegenwart von Kaliumhydroxid zu VI äthyliert[1, 2] (*Indanthrenrubin R*; tiefblaue Küpe) (s. a. Bd. IV/1b, S. 43).

f) Herstellung von 1(O),9(N)- und 1(N),9(O)-Isoxazoloanthronen-(10)

Die Herstellung der 1(N),9(O)-Isoxazoloanthrone-(10) aus den 1-Azido-9,10-anthrachinonen ist auf S. 223 und die des 1(O),9(N)-Isoxazoloanthrons-(10) aus dem 1-Chlor-anthrachinon-9-monoxim auf S. 286 beschrieben.

g) Herstellung von 1,9-Pyridinoanthronen-(10)

1. 1(N),9-Pyridinoanthrone-(10) (1,9-Anthrapyridine, Bz1-Aza-benzanthrone)

Das 1(N),9-Pyridinoanthron-(10) und seine Derivate besitzen nur geringes Interesse.

[1] DRP. 255641 (1912); 301554, 302259 (1914); 359139 (1921), Grießheim-Elektron, Erf.: A. Holl; Frdl. **11**, 583; **13**, 407–410; **14**, 886.
[2] Techn. Herstellungsvorschrift: FIAT Final Rep. Nr. **1313 II**, 162 (1948), I.G. Farb. Mainkur.

Besonders leicht zugänglich sind die *2'-Methyl*-Derivate durch Kondensation von 1-Amino-9,10-anthrachinonen mit Aceton in Anwesenheit von Natronlauge[1]:

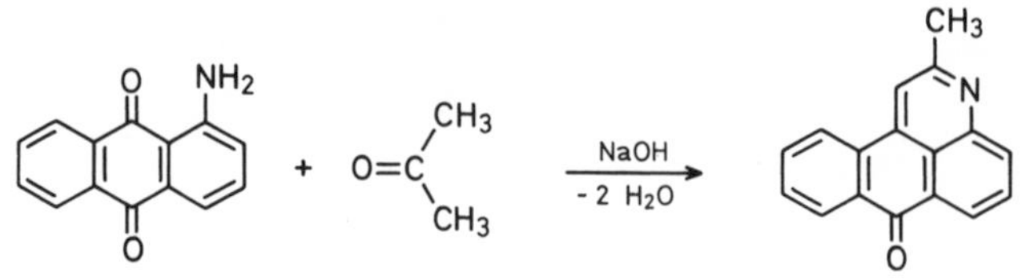

Der Grundkörper, das *1(N),9-Pyridinoanthron-(10)* (F: 195–197°, in konz. Schwefel-säure mit grüner Fluoreszenz löslich), kann aus dem 2'-Methyl-Derivat durch Oxidation mit Chrom(VI)-oxid zur Carbonsäure und anschließender Decarboxylierung erhalten werden[2].

2'-Methyl-1(N),9-pyridinoanthron-(10)[1]: 50 g feinverteiltes 1-Amino-9,10-anthrachinon werden mit 100 g Aceton, 100 g 50%-iger Natronlauge und 1,2 l Wasser im Autoklaven ca. 2 Stdn. auf 110–120° erhitzt. Das kri-stalline Reaktionsprodukt wird abgesaugt, ausgewaschen und getrocknet. Nach dem Umkristallisieren aus Anilin erhält man die reine Verbindung in ~ 70%-iger Ausbeute (F: 243°).

2-Chlor-2'-methyl-1(N),9-pyridinoanthron-(10)[3]: Ein Gemisch aus 90 g 2-Chlor-1-amino-9,10-anthrachi-non, 225 g Aceton, 45 g 50%-iger Natronlauge und 1,09 l Wasser wird bei 74° ~ 20–30 Stdn. rückfließend er-hitzt, bis sich eine Probe in Schwefelsäure und Formaldehyd nicht mehr mit blauvioletter, sondern mit gelber Farbe löst. Dann wird abfiltriert und wie üblich aufgearbeitet; Rohausbeute: 90 g; (92% d. Th.); F: 252° (aus Chlorbenzol: gelbliche Nadeln).

Unter praktisch den gleichen Bedingungen lassen sich die *2'-Methyl-1(N),9-pyridino-anthron-(10)-2-* und *-5-sulfonsäuren*[1,3] und das *2,4-Dibrom-2'-methyl-1(N),9-pyridino-anthron-(10)*[3] herstellen. In diesen sind die 2- und 4-ständigen Substituenten leicht gegen Amino-Gruppen austauschbar[3].

Aus 1,2-Diamino-9,10-anthrachinon ist das *2-Amino-2'-methyl-1(N),9-pyridinoan-thron-(10)* (F: 235°) zugänglich[4].

Die Homologen des Acetons lassen sich nur mit schlechten Ausbeuten kondensieren. Mit Cyclohexanon[5] (im Wasser-Äthanol-Gemisch mit Natronlauge) wurde das *2',3'-Te-tramethylen-1(N),9-pyridinoanthron* (I) und aus 1,5-Diamino-9,10-anthrachinon das *5-Amino*-Derivat erhalten. 1,4-Diamino-9,10-anthrachinon gibt einen doppelten Ring-schluß unter Bildung von II (gelbe Kristalle)[5].

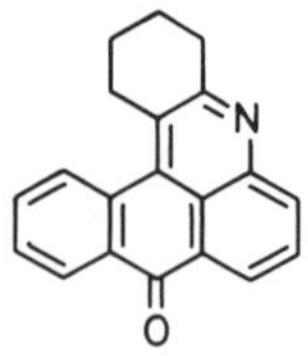

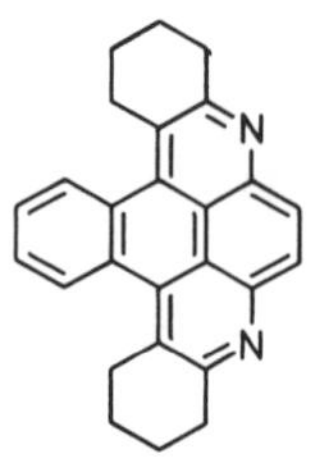

N-Unsubstituierte 1-Amino-9,10-anthrachinone werden durch Erhitzen mit Acetessig-säure-äthylester in Gegenwart von Säuren in 2'-Methyl-3'-alkoxycarbonyl-

[1] DRP. 185548 (1906), Farbf. Bayer; Frdl. **9**, 730.
[2] H. NERESHEIMER u. W. SCHNEIDER, I.G. Farb. Ludwigshafen (1929).
[3] Brit.P. 965235 (1959/60), J. W. ORELUP; C. A. **62**, 11947ᵍ (1965).
[4] DRP. 659651 (1936), I.G. Farb., Erf.: E. HONOLD; Frdl. **24**, 938.
[5] DRP. 566473 (1931), I.G. Farb., Erf.: K. WEINAND; Frdl. **19**, 1979.

1(N),9-pyridinoanthrone-(10) übergeführt[1] [in Gegenwart von Natriumacetat und vor allem mit 1-Alkylamino-9,10-anthrachinonen entstehen 1(N),9-Pyridonoanthrone-(10), s. S. 351]:

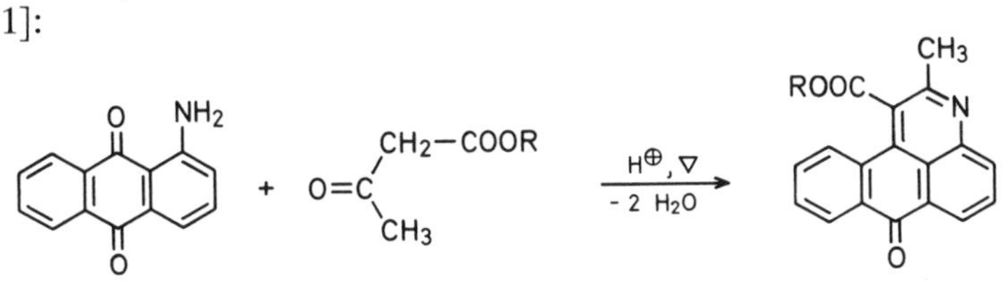

2,4-Dibrom-2'-methyl-3'-äthoxycarbonyl-1(N),9-pyridinoanthron-(10)[1]: 150 g 2,4-Dibrom-1-amino-9,10-anthrachinon werden mit 300 g Acetessigsäure-äthylester, 500 g Chlorbenzol und 40 g Toluolsulfonsäure unter Rühren ~ 4–6 Stdn. auf 130° erhitzt, wobei man die Spaltprodukte mittels eines Luftstromes entfernt. Sobald sich eine Probe nicht mehr blau in Formaldehyd/Schwefelsäure löst, gibt man nach dem Abkühlen auf 70° 400 ml Äthanol zu, saugt die gelben Kristalle ab, wäscht mit Äthanol und dann mit Wasser; F: 207–210°.

Über die Herstellung von *2'-Chlor-1(N),9-pyridinoanthron-(10)* aus 1(N),9-Pyridonoanthron-(10) s. S. 351.

2. Herstellung von 1(C),9(C)-Pyridinoanthronen-(10) (Bz2-Aza-benzanthrone)

Der Grundkörper ist nicht bekannt. Zugänglich sind nur die aus N-9,10-Anthrachinonyl-(1)-aminoessigsäure (I) durch Erhitzen mit Essigsäureanhydrid entstehende *1'-Hydroxy-1(C),9(C)-pyridinoanthron-(10)-3'-carbonsäure* (II) und deren Decarboxylierungsprodukt, das *1'-Hydroxy-1(C),9(C)-pyridinoanthron-(10)* (III)[2]:

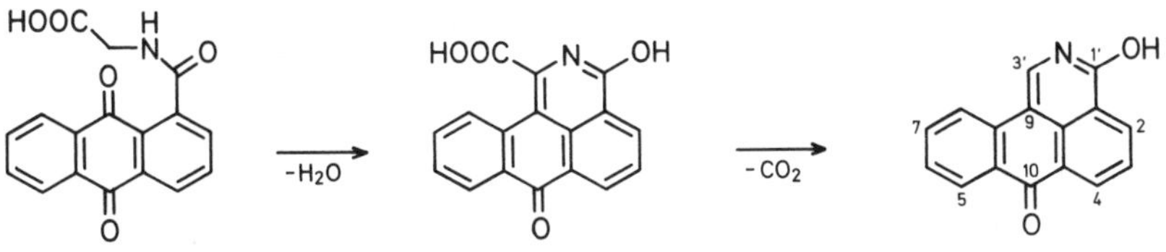

3. Herstellung von 1,9(N)-Pyridinoanthronen-(10) (Bz3-Aza-benzanthrone)

Das *1,9(N)-Pyridinoanthron-(10)* (I) ist auf folgende Weise zugänglich[3]:

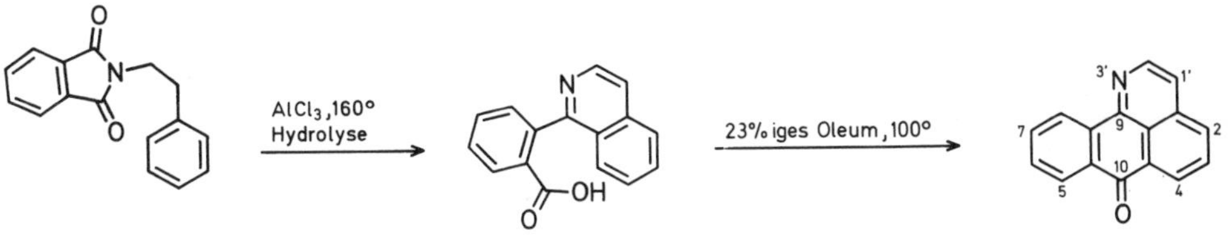

Es bildet gelbliche Nadeln (F: 184–186°), die in konz. Schwefelsäure mit gelber Farbe und orangeroter Fluoreszenz löslich sind. Es ist schwach basisch und mit Kaliumhydroxid zu einem Violanthron-Isologen verschmelzbar[4].

---

[1] DBP. 930042 (1951), Sandoz Ltd., Erf.: A. PETER u. P. BÜCHELER; C. A. **52**, 20208^c (1958).
[2] DRP. 621455 (1934), I.G. Farb., Erf.: F. EBEL u. O. BAYER; Frdl. **22**, 1125.
[3] DRP. 614196 (1933), I.G. Farb., Erf.: F. EBEL; Frdl. **22**, 1126.
[4] DRP. 627258 (1934), I.G. Farb., Erf.: K. KÖBERLE u. F. EBEL; Frdl. **22**, 1135.

Analog wird aus 2-Amino-biphenyl das 1',2'-Benzo-Derivat (F: 221°) erhalten[1]:

Die Kondensation von 1-Formyl-9,10-anthrachinon mit Azlactonen führt zur *1,9(N)-Pyridinoanthron-(10)-2'-carbonsäure*[2].

Durch Bromieren des Grundkörpers erhält man das *1'-Brom-1,9(N)-pyridinoanthron-(10)*[3].

Aus dem Dienaddukt aus 1,4-Naphthochinon und Hexadien-(3,5)-säure-methylester (s. S. 26) entsteht durch Ammoniak-Einwirkung das Carbonamid I, das mit Kaliumhydroxid in Methanol/Wasser zu II cyclisiert und anschließend durch Luft-Einleiten zum *2'-Hydroxy-1,9(N)-pyridinoanthron-(10)* (III) dehydriert wird[4]:

Einfacher ist der 9,10-Anthrachinonyl-(1)-essigsäure-methylester nach dem auf S. 50 beschriebenen Verfahren zugänglich, der sich in methanolischer Natronlauge mit einem großen Überschuß Ammoniak in Gegenwart geringer Mengen Zinkstaub in ∼ 90%-iger Ausbeute bei ∼ 25° direkt in das *2'-Hydroxy-1,9(N)-pyridino-anthron(-10)* überführen läßt[5].

Das Hydroxy-Derivat III läßt sich über die Brom-hydroxy-Verbindung IV in den Äther V überführen. Das *1'-Brom-2'-äthoxy-1,9(N)-pyridinoanthron-(10)*[6] (V; F: 182°) läßt sich durch „Verschmelzen" des daraus hergestellten Thioäthers (vgl. S. 321) mit äthanolischem Kaliumhydroxid in einen türkisblauen Küpenfarbstoff[6] vom Isoviolanthrontyp („*Romanthrenblau*") überführen.

[1] DRP. 614196 (1933), I.G. Farb., Erf.: F. EBEL; Frdl. **22**, 1126.
[2] O. BAYER, I.G. Farb. Mainkur (1931).
[3] J. KING u. G. R. RAMAGE, Soc. **1954**, 936.
[4] DOS. 2010665 (1969/70), Montedison S.p.A., Erf.: G. BOFFA u. G. P. CHIUSOLI; C. A. **74**, 99877[d] (1971).
[5] DOS. 2434466 (1973/74), Montedison S.p.A., Erf.: G. G. RIBALDONE, G. BORSOTTI u. F. S. GONZATI.
[6] DOS. 2038637 (1969/70), Montedison S.p.A., Erf.: G. BOFFA et al.; C. A. **74**, 113239[f] (1971).

h) Herstellung von Coeramidonen

Durch Einwirkung von sauren Kondensationsmitteln, wie 70%-iger Schwefelsäure (um Sulfierungen zu vermeiden bei ~ 150°), Phosphorsäure oder Zinkchlorid in Essigsäure auf 1-Arylamino-9,10-anthrachinone (z. B. I) tritt leicht unter Wasser-Abspaltung Ringschluß zu den sog. *Coeramidonen* (z. B. II) ein[1]. Der Konstitutionsbeweis hierfür wurde von L. Gattermann durch Cyclisierung des 9-(2-Carboxy-phenyl)-acridins (III) erbracht[2]:

Die Coeramidone besitzen mehr den Charakter von Acridinen als den von Anthronen.

Die Coeramidon-Bildung vollzieht sich so leicht, daß sie oft zur unerwünschten Nebenreaktion wird, wie z. B. bei der Sulfierung von 1,4- und 1,5- Bis-[arylamino]-9,10-anthrachinonen, den Kondensationen von α-Halogen-9,10-anthrachinonen mit aromatischen Aminen u. ä. Umsetzungen.

1,1'-Di-anthrimide geben keine Acridin-Ringschlüsse. Bei den diesbezüglichen, in der älteren Literatur als Coeramidone beschriebenen Kondensationsprodukten handelt es sich meist um Carbazole.

Das *Coeramidon* (II) kristallisiert aus Benzol in gelbgrünen Nadeln (F: 206°), ist sublimierbar und löst sich mit tiefroter Farbe in konz. Schwefelsäure. Leicht lassen sich die quartären Salze herstellen. Mit Natronlauge lagern sich diese in die sog. Alkyl-coeramidonole (IV) um.

Aus Alizarin und Anilin entsteht beim Erhitzen mit Zinn(II)-chlorid auf 180° das *2-Anilino-coeramidon* (grünlich-metallisch glänzende Kristalle, F: 203–205°)[3].

[1] DRP. 126444 (1900), Farbf. Bayer, Erf.: R. E. Schmidt; Frdl. **6**, 419.
[2] s. bei H. Decker u. C. Schenk, A. **348**, 242 (1906).
[3] DRP. 330572 (1914), BASF; Frdl. **13**, 414.

2-Amino-1-anilino-9,10-anthrachinon wird bereits bei 30° durch konzentrierte Schwefelsäure zum *2-Amino-coeramidon* cyclisiert[1].

Die in der Literatur als Bis-acridine beschriebenen Cyclisierungsprodukte aus 1,4- bzw.
1,5-Dianilino-9,10-anthrachinonen dürften das 4- bzw. 5-Anilino-coeramidon sein[2].

Coeramidon-Derivate haben bisher wegen ihrer schlechten Lichtechtheit trotz ihrer
Farbstärke keine Verwendung zum Färben von Baumwolle und Wolle gefunden. Auf
Acrylrayon ergeben jedoch einige quartäre Derivate Färbungen mit ausgezeichneten
Echtheitseigenschaften, so z. B. die folgende olivgrüne Verbindung[3,4]:

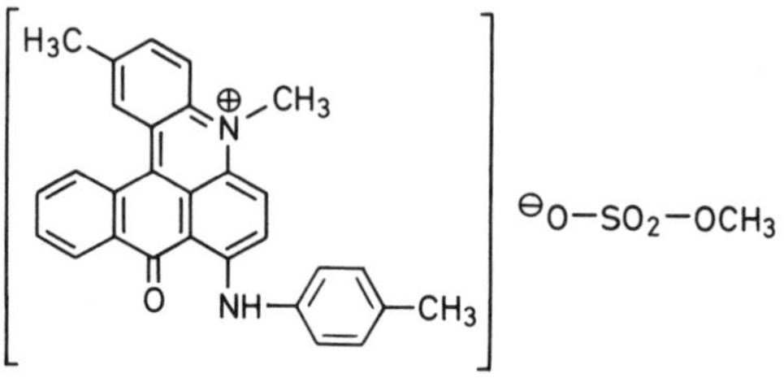

i) Herstellung von 1(N),9-Pyridonoanthronen-(10) (Anthrapyridone)

Das *1(N),9-Pyridonoanthron-(10) (Anthrapyridon)*

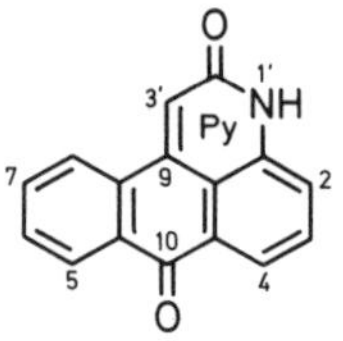

ist aus 1-Acetylamino-9,10-anthrachinon durch Wasser-Abspaltung leicht zugänglich.
Diese wird zweckmäßig durch Erhitzen mit Kaliumacetat in Essigsäureanhydrid bewirkt[5].

Erstaunlich leicht vollzieht sich die Cyclisierung des 1-(N-Acetyl-N-methyl-amino)-
9,10-anthrachinons zum *1'-Methyl-1(N),9-pyridonoanthron-(10)*[6] (F: 273°); sie findet
bereits durch Erhitzen mit einer 2–3%-igen Natronlauge auf 100–120° statt, ohne daß
eine Verseifung eintritt.

1(N),9-Pyridonoanthron-(10)[5]: 100 g 1-Amino-9,10-anthrachinon werden mit 200 g wasserfreiem Kaliumacetat und 1 kg Essigsäureanhydrid zum Sieden erhitzt, bis in einer Probe keine Acetylamino-Verbindung mehr
nachweisbar ist. Hierauf wird die Schmelze mit Wasser ausgekocht und der Niederschlag abgesaugt. Durch Umkristallisieren erhält man reines Anthrapyridon. Löslich in konz. Schwefelsäure mit gelber Fluoreszenz; Ausbeute: ~85% d. Th.

4-Brom-1'-methyl-1(N),9-pyridonoanthron-(10)[7]: 300 g 4-Brom-1-methylamino-9,10-anthrachinon werden mit 200 g Essigsäureanhydrid unter Zugabe einiger Tropfen Schwefelsäure durch Erhitzen auf 110° acety-

[1] DRP. 465434 (1925), I.G. Farb., Erf.: M. A. Kunz; Frdl. **16**, 1274.
[2] R. Neeff, Bayer AG.
[3] DAS 1044320 (1955) ≡ Brit. P. 794807 (1956), Farbf. Bayer, Erf.: J. Singer; C.A. **53**, 4754⁸ (1959).
[4] USSR.P.176021 (1962), Erf.: N. I. Grineva et al., s. „Soviet Inventions Illustrated" Derwent-Ref. 176021,
    Juni 1966, Derwent Publications Ltd.; C. A. **64**, 8957ᵇ (1966).
[5] DRP. 209033 (1907), Farbf. Bayer, Erf.: O. Unger u. P. Tomaschewski; Frdl. **9**, 736.
[6] DRP. 192201 (1906), Farbf. Bayer, Erf.: O. Unger u. P. Tomaschewski; Frdl. **9**, 732.
[7] FIAT Final Rep. Nr. **1313 II**, 217 (1948), I.G. Farb. Leverkusen.

liert. Nach dem Abkühlen wird die Acetyl-Verbindung mit 1 *l* Wasser fein vermahlen, soviel Wasser und Natronlauge zugefügt, daß ein Gesamtvolumen von ~ 1,6 *l* entsteht und der Gehalt an Natriumhydroxid 2,5–3% beträgt. Die Suspension wird ~ 2 Stdn. im Autoklaven auf 120° erhitzt; bei ca. 40° abgesaugt, neutral gewaschen
und getrocknet.

Zur Reinigung löst man das Rohpyridon (~ 240 g) in 2 kg konz. Schwefelsäure und rührt dann 400 *ml* Wasser
ein, wobei die Temp. auf 70–80° ansteigt.

Die abgeschiedenen Kristalle werden bei 20° abgesaugt und mit 250 g einer 78%-igen Schwefelsäure nachgewaschen. Anschließend wird der Nutschkuchen mit ~ 8 *l* Wasser angeschlämmt, erneut abgesaugt, neutral gewaschen und getrocknet; Ausbeute: 170 g.

Praktisch alle 1-Alkylamino- und 1-Arylamino-9,10-anthrachinone lassen sich in
1(N),9-Pyridonoanthrone-(10) überführen. So entsteht aus 1-(N-Acetyl-p-tolylamino)-
anthrachinon durch 3stdgs. Erhitzen mit Natriumhydroxid in Methanol das *1'-p-Tolyl-
1(N),9-pyridonoanthron-(10)*. Auch 1-Hydroxy-4-acetylamino-9,10-anthrachinon sowie
1-Acetylamino-9,10-anthrachinon-sulfonsäuren cyclisieren glatt[1].

Es ist bemerkenswert, daß in der N-9,10-Anthrachinonyl-(1)-N-acetyl-aminoessig-
säure die Acetyl-Gruppe den Ringschluß eingeht und man glatt die *1(N),9-Pyridonoan-
thron-(10)-1'-essigsäure* erhält[2]:

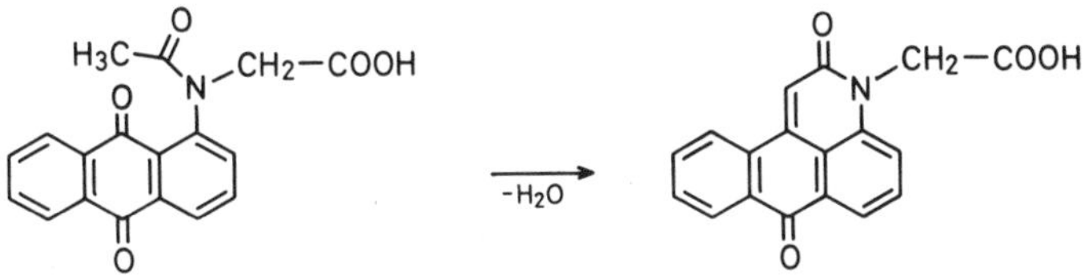

Ersetzt man in den 1-Acetylamino-9,10-anthrachinonen die Acetyl-Gruppe durch homologe Acyl-Gruppen, so sind keine Anthrapyridon-Ringschlüsse mehr möglich. Dagegen verlaufen die Ringschlüsse glatt, wenn die Acetyl-Gruppe durch elektronegative Substituenten aktiviert ist.

In Gegenwart von Natriumacetat kondensiert z. B. Acetessigsäure-äthylester sowohl
mit 1-Amino- als auch mit 1-Alkylamino-9,10-anthrachinonen zu 1-Acetoacetylamino-
9,10-anthrachinonen, die dann unter Wasser-Abspaltung in die *3'-Acetyl-1(N),9-pyrido-
noanthrone-(10)* übergehen[3]:

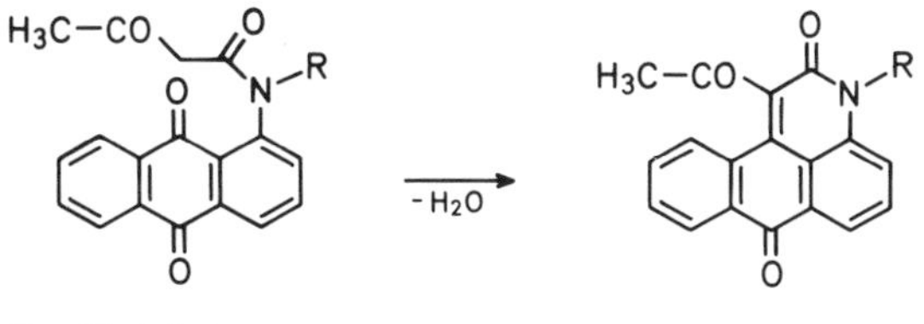

R = H, Alkyl

Analog sind herstellbar aus

Malonsäure-diäthylester	→	*3'-Äthoxycarbonyl-1(N),9-pyridonoanthrone-(10)*[3]
Malonsäurediamid	→	*3'-Aminocarbonyl-1(N),9-pyridonoanthrone-(10)*
Cyanessigsäure-äthylester	→	*3'-Cyan-1(N),9-pyridonoanthrone-(10)*[4]
Benzoylessigsäure-äthylester	→	*3'-Benzoyl-1(N),9-pyridonoanthrone-(10)*[5]
Arylacetylchloride	→	*1'-Methyl-3'-aryl-1(N),9-pyridonoanthrone-(10)*[6]

[1] DRP. 199713 (1907), Farbf. Bayer; Frdl. **9**, 734.
[2] DRP. 497411 (1927), I.G. Farb., Erf.: B. STEIN; Frdl. **17**, 1179.
[3] DRP. 578995 (1930), Sandoz AG; Frdl. **19**, 1966.
[4] DRP. 655651 (1936), I.G. Farb., Erf.: K. KÖBERLE u. C. STEIGERWALD; Frdl. **24**, 828.
[5] s. a. DRP. 655650 (1936), I.G. Farb.; Frdl. **24**, 916.
[6] DRP. 633308 (1935), I.G. Farb., Erf.: R. LESSER; Frdl. **23**, 940; und spätere Zusätze.

Nimmt man jedoch die Kondensation in Gegenwart von starken Säuren (Toluolsulfon-säure) vor, so reagiert der Acetessigsäure-äthylester in der Enol-Form und es entstehen die *2'-Methyl-3'-äthoxycarbonyl-1(N),9-pyridinoanthrone-(10)* (s. S. 346).

3'-Äthoxycarbonyl-1(N),9-pyridonoanthron-(10)[1]: 100 g 1-Amino-9,10-anthrachinon, 200 g Malonsäure-diäthylester und 2 g Kaliumacetat werden unter Rühren und Rückflußsieden erhitzt, wobei man den Kühler so einstellt, daß die entstandenen Spaltprodukte abdestillieren können. Sobald nichts mehr übergeht, wird die Schmelze bei 100° mit 200 *ml* Äthanol verdünnt, heiß abgesaugt und mit Äthanol ausgewaschen; Ausbeute: ~ 80% d. Th.; gelbe Kristalle aus Nitrobenzol, Zers.P. ~ 315°.

In analoger Weise sind u. a. weitere Derivate herstellbar:

4-Methoxy-3'-äthoxycarbonyl-1(N),9-pyridonoanthron-(10)
4-Brom-2-methyl-3'-äthoxycarbonyl-1(N),9-pyridonoanthron-(10)
4-Brom-1'-methyl-3'-äthoxycarbonyl-1(N),9-pyridonoanthron-(10)[2]
5-Benzoylamino-3'-äthoxycarbonyl-1(N),9-pyridonoanthron-(10)[3]

Erhitzt man 1-Chloracetylamino-9,10-anthrachinon in Pyridin, so entsteht daraus zu-nächst die Pyridinium-Verbindung, in der die Methylen-Gruppe derart aktiviert ist, daß sofort Ringschluß zum *3'-Pyridinio-1(N),9-pyridonoanthron-(10)-chlorid* eintritt[4]:

In diesem ist die Pyridinium-Gruppe besonders reaktionsfähig: durch Einwirkung von Natriumdithionit in einer wäßrigen Natriumhydrogencarbonat-Lösung wird diese durch Wasserstoff ersetzt[5]; weiterhin entstehen:

mit Natriumnitrit in Äthylenglykolmonoäthyläther das *3'-Nitro-1(N),9-pyridonoanthron-(10)* (Zers. P.: 335°)[6]
mit Kaliumcyanid das *3'-Cyan-1(N),9-pyridonoanthron-(10)*[7]
mit verdünnter Natronlauge das *3'-Hydroxy-1(N),9-pyridonoanthron-(10)*[7]
mit Natrium-äthanolat das *3'-Äthoxy-1(N),9-pyridonoanthron-(10)*[7]
mit Aminen die *3'-Amino-1(N),9-pyridonoanthrone-(10)*[7]

u. a. mehr[8]

3'-Pyridinio-1(N),9-pyridonoanthron-(10)-chlorid[5]: 15 g 1-Chloracetylamino-9,10-anthrachinon werden in 300 *ml* trockenem Pyridin 5–7 Min. zum Sieden erhitzt, wobei das Ausgangsmaterial in Lösung geht und sich alsbald das Pyridinium-Salz abscheidet. Das Rohprodukt wird aus 50%-igem Äthanol umkristallisiert; Ausbeu-te: ~ 90% d. Th.

Beim kurzen Aufkochen der Pyridinium-Verbindung in Nitrobenzol spaltet sich Pyridin ab und es entsteht glatt das *3'-Chlor-1(N),9-pyridono-anthron-(10)*[5].

[1] DRP. 578995 (1930), Sandoz AG; Frdl. **19**, 1966.
[2] Kondensation mit aromatischen Aminen und Sulfierung: DRP. 580283 (1930), 581161 (1931), Sandoz A.G.; Frdl. **19**, 1969; **20**, 1335.
[3] s. a. DRP. 655650 (1936), I.G. Farb.; Frdl. **24**, 916.
[4] DRP. 290984 (1914), Farbf. Bayer; Frdl. **12**, 505.
[5] C. MARSCHALK, Bl. **1952**, 952, 955.
[6] C. F. H. ALLEN u. C. V. WILSON, J. Org. Chem. **10**, 594 (1945).
[7] Fr.P. 837591 (1939), I.G. Farb.; C. **1939 II**, 531.
[8] M. S. SIMON u. J. B. ROGERS, J. Org. Chem. **26**, 4352 (1961).

Durch Chlorieren des 1'-Methyl-1(N),9-pyridonoanthrons-(10) in Essigsäure bei 80° erhält man das *3'-Chlor-1'-methyl-1(N),9-pyridonoanthron-(10)* (I; F: 256–257°)[1].

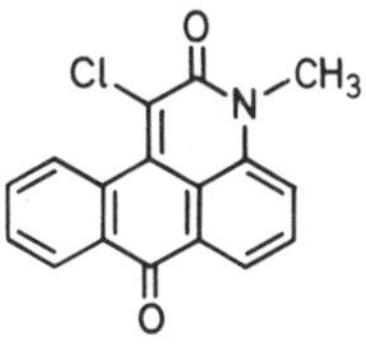

I

Aus 1(N),9-Pyridonoanthron-(10) läßt sich mit Phosphor(V)-chlorid das *2'-Chlor-1(N),9-pyridinoanthron-(10)* (II) gewinnen[2]. Mit noch besserer Ausbeute (85% d.Th.) wird das Chlor-Derivat II durch Einwirkung von Phosphor(V)-chlorid auf das 1'-Methyl-1(N),9-pyridonoanthron-(10) (III)[3] in Trichlorbenzol bei 170° erhalten:

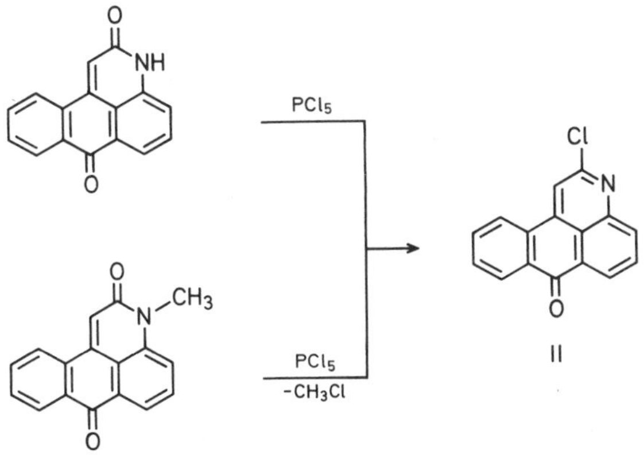

III

II

Analog entsteht aus 4-Brom-1'-methyl-1(N),9-pyridonoanthron-(10) das *2'-Chlor-4-brom-1(N),9-pyridinoanthron-(10)*.

In den Verbindungen I und II sind die Chlor-Atome sehr leicht austauschbar. So wird aus dem Chlor-Derivat I durch Erhitzen mit äthanolischer Kalilauge auf 120° das *3'-Hydroxy-1'-methyl-1(N),9-pyridonoanthron-(10)* (F: 280°) erhalten[4] (in verdünnter Natronlauge mit gelber Farbe und intensiv gelbgrüner Fluoreszenz löslich).

Mit dem 3'-Chlor-4-isopropylamino-1'-isopropyl-1(N),9-pyridonoanthron-(10) wurden alle Umsetzungen durchgeführt, wie mit den auf S. 352 beschriebenen entsprechenden 3'-Pyridiniumchloriden[5].

Von den im Anthron-Ringsystem substituierten 1(N),9-Pyridonoanthronen-(10) besitzt das *4-Brom-1'-methyl-1(N),9-pyridonoanthron-(10)* technisches Interesse, da sich das Brom-Atom leicht gegen Arylamino-Gruppen austauschen läßt[6].

---

[1] DRP. 264010 (1912), Farbf. Bayer; Frdl. **11**, 580.
[2] DRP. 256297 (1911), Farbw. Hoechst; Frdl. **11**, 579.
[3] USSR.P. 180599 (1965), Scientific Research Institute of Organic Intermediates and Dyes, Erf.: S. I. Popov et al.; C. A. **65**, 13668^f (1966).
[4] DRP. 268793 (1912), Farbf. Bayer; Frdl. **11**, 581.
[5] M. S. Simon u. J. B. Rogers, J. Org. Chem. **26**, 4352 (1961).
[6] DRP. 201904 (1907), Farbf. Bayer; Frdl. **9**, 736.

Durch anschließende Sulfierung in der Arylamino-Gruppe werden hochlichtechte Wollfarbstoffe (die klassischen „*Alizarinrubinole*", erhalten[1]. Auch die entsprechenden Produkte mit einer Äthoxycarbonyl-Gruppe in 3'-Stellung sind im Handel (Sandoz) (s. S. 347).

Bei der Nitrierung der 1'-Methyl-1(N),9-pyridonoanthrone-(10) tritt die Nitro-Gruppe anscheinend einheitlich in die 4-Stellung ein[2].

Man kann den Ringschluß und Austausch von Substituenten auch gleichzeitig vornehmen. So entsteht aus 2- oder 4-Brom-1-acetylamino-9,10-anthrachinon durch Erhitzen mit Natriumphenolat das *2-* bzw. *4-Phenoxy-1(N),9-pyridonoanthron-(10)* und aus 1-(N-Acetyl-N-methyl-amino)-4-nitro-9,10-anthrachinon mit Natriummethanolat in Methanol das *4-Methoxy-1'-methyl-1(N),9-pyridonoanthron-(10)*. In den 4-Methoxy-1(N),9-pyridonoanthronen-(10) ist die Methoxy-Gruppe ebenso reaktionsfähig wie ein Brom-Atom.

Aus dem 1'-Methyl-4-(N-acetyl-N-p-tolyl-amino)-1(N),9-pyridonoanthron-(10) entsteht durch Erhitzen mit wenig Kaliumhydroxid in Äthanol[3] das pentacyclische System I.

I

Analog wird aus dem 1,5-Bis-[N-acetyl-N-methyl-amino]-9,10-anthrachinon das entsprechende *1,9;5,10-Bis-[N-methyl-pyridono]-9,10-dihydro-anthracen* erhalten. Beide Verbindungen entstehen in guter Ausbeute.

Erhitzt man 1,8-Diamino-9,10-anthrachinon (II) mit der gleichen Menge Kaliumacetat in überschüssigem Malonsäure-diäthylester mehrere Stunden auf 160°, so tritt ein doppelter Ringschluß zu III ein, das mit Phosphor(V)-chlorid glatt in IV übergeführt werden kann[4]; dieses enthält zwei reaktionsfähige Chlor-Atome. Analoge Umsetzungen lassen sich auch ausgehend vom 1,8-Bis-[methylamino]-9,10-anthrachinon durchführen.

II   III   IV

[1] DRP. 233126 (1909), Farbf. Bayer, Erf.: O. UNGER u. P. TOMASCHEWSKI; Frdl. **10**, 609.
   s. a. FIAT Final Rep. Nr. **1313 II**, 218 (1948), I.G. Farb. Leverkusen.
[2] C. F. H. ALLEN u. C. V. WILSON, J. Org. Chem. **10**, 594 (1945).
[3] DRP. 660759 (1936), I.G. Farb., Erf.: R. LESSER; Frdl. **25**, 732.
[4] W. STOETZER, I.G. Farb. Leverkusen (1927).
   vgl. a. S. V. REZNICHENKO, S. I. POPOV u. N. S. DOKUNIKHIN, Chim. geterocikl. Soed. **1974**, 679; engl.: 587.

j) Herstellung von 1,9(N)-Pyridazino-anthronen-(10)

Von den 1,9(N)-Pyridazinoanthronen-(10) sind die Grundtypen I–III bekannt:

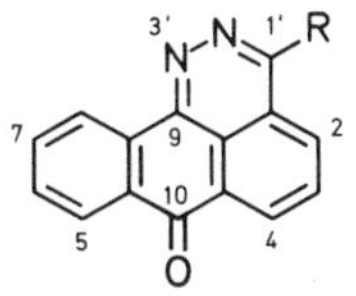

R = H, Alkyl, Aryl

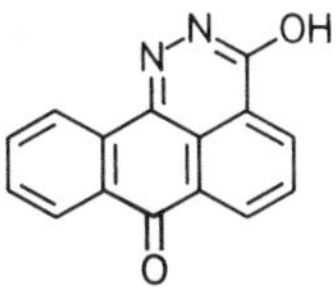

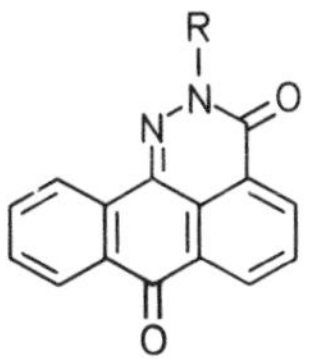

Diese Ringsysteme bilden sich außerordentlich leicht:

I mit R = H entsteht aus 1-Formyl-9,10-anthrachinon und Hydrazin[1]
I mit R = Alkyl, Aryl aus den 1-Acyl-9,10-anthrachinonen[2, 3]
III mit R = H aus 9,10-Anthrachinon-1-carbonsäure und Hydrazin
Unter Verwendung von Alkyl- oder Aryl-hydrazinen entsteht III mit R = Alkyl, Aryl[4].

Die 9,10-Anthrachinon-1,4- und -1,5-dicarbonsäuren lassen sich auch zweimal zu den Bis-[pyridazino]-9,10-dihydroanthracenen cyclisieren[4]. So entsteht aus 9,10-Anthrachinon-1,4-carbonsäure durch Erhitzen mit Butyl-hydrazin (30 Min. bei 200°) das *1,9;4,10-Bis-[2'-butyl-pyridazino]-9,10-dihydroanthracen* (schwach gelbe Kristalle, F: 183°), aus 9,10-Anthrachinon-1,5-dicarbonsäure und Hydrazin in 10%-iger Natronlauge (24 Stdn. bei 80°) die *1,9(N)-Pyridazinoanthron-(10)-5-carbonsäure* und mit Phenyl-hydrazin durch Erhitzen in Xylol unter Abdestillieren des Reaktionswassers das *1,9;5,10-Bis-[2-phenyl-pyridazino]-9,10-dihydro-anthracen* (F: 391°; grünlichgelbe Kristalle, in organischen Lösungsmitteln stark blau fluoreszierend).

Bedeutung kommt der gesamten Gruppe nicht zu.

k) Herstellung von 1,9-Pyrimidinoanthronen-(10) (Anthrapyrimidine)

Das *1,9-Pyrimidinoanthron-(10)* (I; orangegelbe Nadeln, in organischen Lösungsmitteln grün fluoreszierend; F: 242°) ist durch eine sehr große Bildungstendenz ausgezeichnet und in seinem Verhalten dem Benzanthron vergleichbar.

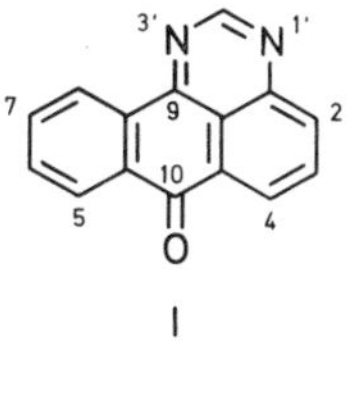

I

[1] O. BAYER, I.G. Farb. Mainkur (1931).
[2] F. ULLMANN u. W. v.d. SCHALK, A. **388**, 199 (1912).
    A. SCHAARSCHMIDT, B. **48**, 836 (1915).
[3] Schweiz. P. 189407 (1936), CIBA; C. **1937 II**, 3238.
[4] DAS. 1060403 (1956/57) ≡ Brit.P. 838994 (1956), I.C.I., Erf.: F. IRVING, C. H. REECE u. R. H. WILSON; C. A. **55**, 12867e (1961).

Substituenten im 1,9-Pyrimidinoanthron-(10) verhalten sich wie die in vergleichbaren 9,10-Anthrachinon-Derivaten. Alle 1,9-Pyrimidinoanthrone-(10) sind verküpbar, mit Ausnahme der *4-Amino-* und *4-Hydroxy-1,9-pyrimidinoanthrone-(10)*. Diese werden zu Dihydro-Verbindungen reduziert (wie die 1,4-Dihydroxy-, 1-Hydroxy-4-amino- und 1,4-Diamino-9,10-anthrachinone; s. S. 90)[1].

1. Herstellung durch Ringschluß-Reaktionen

1,9-Pyrimidinoanthron-(10) entsteht durch Erhitzen von 1-Amino-9,10-anthrachinon mit Formamid in Phenol zweckmäßig in Gegenwart katalytischer Mengen Ammoniumvanadat[2,3]. Auf diese Weise können aus einer großen Zahl von substituierten 1-Amino-9,10-anthrachinonen die 1,9-Pyrimidinoanthrone-(10) meist mit vorzüglichen Ausbeuten hergestellt werden. Nur mit 4-Amino-1-hydroxy-9,10-anthrachinon läßt sich kein Ringschluß durchführen, wohingegen aus dem 1-Amino-2-hydroxy-9,10-anthrachinon glatt das *2-Hydroxy-1,9-pyrimidinoanthron-(10)* (F: 271°) entsteht.

Mit den Homologen des Formamids konnten in analoger Weise keine 2'-Alkyl-1,9-pyrimidinoanthrone-(10) erhalten werden. Erhitzt man dagegen 1-Acetylamino-9,10-anthrachinone in Phenol mit gasförmigem Ammoniak auf ~125°, dann entsteht das *2'-Methyl-1,9-pyrimidinoanthron-(10)*[4]. Sehr leicht ist analog aus 1,4-Bis-[benzoylamino]-9,10-anthrachinon unter Zusatz von Ammoniumvanadat auch das *4-Benzoylamino-2'-phenyl-1,9-pyrimidinoanthron-(10)* erhältlich.

Eine ebenfalls glatt verlaufende Variante der Formamid-Kondensation besteht darin, daß man auf die leicht herstellbaren N,N-Dimethyl-N'-9,10-anthrachinonyl-(1)-formamidiniumchloride (Herstellungsvorschrift s. S. 217) in Lösung Ammoniumsalze schwacher Säuren einwirken läßt[5].

Die Ringschlüsse vollziehen sich meist schon bei 20°. Geeignete Lösungsmittel sind z. B. Methanol und 2-Methoxy-äthanol.

Die entsprechenden quartären Salze aus Dimethylacetamid reagieren etwas schwerer z. B. zum *2'-Methyl-1,9-pyrimidinoanthron-(10)* (F: 201–203°).

1,9-Pyrimidinoanthron-(10)[5]: 15,7 g N,N-Dimethyl-N'-9,10-anthrachinonyl-(1)-formamidiniumchlorid werden mit 300 *ml* Methanol bei 20° verrührt; dann trägt man 14,4 g Ammoniumcarbonat ein. Nach 30 Min. saugt man ab und wäscht mit Methanol und mit Wasser aus; Ausbeute: 10,6 g praktisch reines Produkt; F: 235–237°.

Analog wurden mit gleich guten Ausbeuten hergestellt[5]:

4-Chlor-1,9-pyrimidinoanthron-(10); F: 188–189°
4-Benzoylamino-1,9-pyrimidinoanthron-(10); F: 252–254°
4-Methoxy-1,9-pyrimidinoanthron-(10); F: 225°
5-Benzoylamino-1,9-pyrimidinoanthron-(10); F: 270–272°

[1] DRP. 651431 (1935), I.G. Farb., Erf.: K. KÖBERLE u. C. STEIGERWALD; Frdl. **24**, 849.
[2] DRP. 220314 (1908), Farbf. Bayer, Erf.: P. TOMASCHEWSKI; Frdl. **9**, 742.
[3] DRP. 573556 (1931), 597341 (1932), I.G. Farb., Erf.: M. A. KUNZ u. K. KÖBERLE; Frdl. **19**, 2021; **21**, 1045.
[4] DRP. 595097 (1932), I.G. Farb., Erf.: M. A. KUNZ u. K. KÖBERLE; Frdl. **20**, 1354.
[5] DAS. 1159456 (1960), BASF, Erf.: H. WEIDINGER, H. EILINGSFELD u. G. HAESE; C. A. **60**, 14645[h] (1964). Weitere Derivate s. DAS. 1194867 (1961); DOS. 2124589 (1971), BASF, Erf.: H. EILINGSFELD et al.; C. A. **63**, 9961[g] (1965); **78**, 73658[r] (1973).

Behandelt man das aus 2 Mol Dimethylformamid und 1,5-Diamino-9,10-anthrachinon hergestellte Bis-formamidinium-Salz mit Ammoniumacetat in 2-Methoxy-äthanol 2 Stdn. bei 50°, so erhält man das *1,9;5,10-Bis-[pyrimidino]-9,10-dihydroanthracen*[1].

Zur Herstellung von 2'-substituierten Derivaten kann man auch von Imidchloriden[2] oder Nitrilen[3] ausgehen.

Leitet man in eine Lösung von 1-Amino-9,10-anthrachinon in Benzonitril bei 180° Chlorwasserstoff ein, so findet eine cyclisierende Kondensation zu *2'-Phenyl-1,9-pyrimidinoanthron-(10)* statt[3].

Durch Kondensation von Benzoesäure-methylimid-chlorid mit 1-Amino-9,10-anthrachinonen in Nitrobenzol bei ~100° entstehen ebenfall die *2'-Phenyl-1,9-pyrimidinoanthrone-(10)*[3]:

Gut zugänglich sind so u. a. *4-Chlor-* und *4-Benzoylamino-2'-phenyl-1,9-pyrimidinoanthron-(10)*[3].

Aus den 1,4- und 1,5-Diamino-9,10-anthrachinonen lassen sich nach der Formamid- und Formamidinium-Methode die entsprechenden *4-* bzw. *5-Amino-1,9-pyrimidinoanthrone-(10)* nur mit mittleren Ausbeuten herstellen, da diese leicht einen zweiten Ringschluß eingehen; z. B.:

orangefarbene Kristalle, F: 345°

Um diesen bei der Herstellung des 5-Amino-1,9-pyrimidinoanthrons-(10) zu vermeiden, geht man von der 1,5-Diamino-9,10-anthrachinon-2-sulfonsäure aus. Es ist bewiesen, daß daraus die *5-Amino-1,9-pyrimidinoanthron-(10)-2-sulfonsäure*(!) entsteht.

5-Amino-1,9-pyrimidinoanthron-(10)[4]: 110 g 1,5-Diamino-9,10-anthrachinon-2-sulfonsäure werden mit 500 g Formamid und 20 g Nitrobenzol (um eine Reduktion zu verhindern) ~12 Stdn. auf 142° erhitzt. Nach dem Abkühlen auf 100° rührt man 600 *ml* einer 12%-igen Natriumchlorid-Lösung ein, saugt bei ~30° die abgeschiedene Kristallmasse ab und wäscht mit einer 12%-igen Salz-Lösung aus.

Zur Abspaltung der Sulfo-Gruppe wird der Nutschkuchen mit 1,2 *l* Wasser angeschlämmt, mit 300 g 35%-iger Natronlauge und 78 g Natriumdithionit versetzt und 90 Min. bei 80° gerührt. Um die teilweise mitentstandene Leukoverbindung zu oxidieren, leitet man Luft ein, saugt warm ab, wäscht aus und trocknet; Ausbeute: ~74 g (~90% d.Th.); F: 249–251° (violettrote Kristalle), nach dem Umkristallisieren F: 258°.

[1] DAS. 1 159 456 (1960), BASF, Erf.: H. WEIDINGER, H. EILINGSFELD u. G. HAESE; C. A. **60**, 14 645[h] (1964). Weitere Derivate s. DAS. 1 194 867 (1961); DOS. 2 124 589 (1971), BASF, Erf.: H. EILINGSFELD et al.; C. A. **63**, 9961[g] (1965); **78**, 73 658[r] (1973).
[2] DRP. 566 474 (1931), I.G. Farb., Erf.: H. RAEDER; Frdl. **19**, 2024.
[3] DRP. 595 903 (1932), I.G. Farb., Erf.: M. A. KUNZ u. K. KÖBERLE; Frdl. **20**, 1357.
[4] BIOS Final Rep. Nr. **987**, 94 (1948); I. G. Farb. Ludwigshafen. DRP. 633 599 (1932), I.G. Farb., Erf.: K. KÖBERLE u. O. SCHLICHTING; Frdl. **23**, 981.

Durch Acylierung mit 2,5-Dichlor-benzoylchlorid in Pyridin entsteht ein grünstichig gelber, nicht faserschädigender Küpenfarbstoff[1] (*Indanthrengelb 4GK*).

Zur optimalen Herstellung von *4-Amino-1,9-pyrimidinoanthron-(10)* erhitzt man 1,4-Diamino-9,10-anthrachinon mit wäßrigem Formaldehyd und Ammoniak in Gegenwart eines Oxidationsmittels, wodurch die primär entstehende Dihydro-Verbindung dehydriert wird[2].

4-Amino-1,9-pyrimidinoanthron-(10)[2]: 500 g 1,4-Diamino-9,10-anthrachinon, 1 kg 30%-ig. Ammoniak, 1 kg 30%-ige Formaldehyd-Lösung und 375 g 3-nitro-benzolsulfonsaures Natrium werden im Autoklaven 15 Stdn. auf 90° erhitzt. Nach dem Erkalten wird abgesaugt, ausgewaschen und getrocknet.

Man erhält so 510 g Rohprodukt. Dieses löst man in 5 kg konz. Schwefelsäure und rührt dann vorsichtig 2,5 *l* Wasser ohne Kühlung ein. Nach dem Erkalten wird das auskristallisierte Sulfat abgesaugt, mit 2 kg 58%-iger Schwefelsäure ausgewaschen und in heißem Wasser durch Ammoniak-Zugabe hydrolysiert. Man erhält so reines 4-Amino-1,9-pyrimidinoanthron-(10) (F: 280°) in ~ 80%-iger Ausbeute; es ist mit karminroter Farbe in konz. Schwefelsäure löslich.

Die 4-Chlor-benzoyl-Verbindung ist als *Indanthrengelb 7GK* im Handel[1].

Der Pyrimidin-Ringschluß ist nicht nur mit 1-Amino-9,10-anthrachinonen durchführbar, sondern praktisch auch mit allen 1,9-Cycloanthronen-(10), die in 4- oder 5-Stellung eine Amino-Gruppe enthalten. So wird aus 4-Amino-benzanthron und Formamid durch Erhitzen in Nitrobenzol in Gegenwart von Ammoniumhydrogensulfat das *1,9-Benzo-4,10-pyrimidino-9,10-dihydroanthracen* erhalten (F: 188–189°; in konz. Schwefelsäure stark grün fluoreszierend)[3].

2. Herstellung von 1,9-Pyrimidinoanthron-(10)-Derivaten durch Substitutionsreaktionen[4]

Im 1,9-Pyrimidinoanthron-(10) sind geeignete Substituenten in der 2- bzw. 4-Stellung leicht austauschbar.

So lassen sich aus den 2- bzw. 4-Hydroxy-Derivaten durch Erhitzen mit 25%-igem Ammoniak auf ~ 160° folgende Verbindungen herstellen[5]:

2-Amino-1,9-pyrimidinoanthron-(10)
2-Butylamino-1,9-pyrimidinoanthron-(10)
2-Dimethylamino-1,9-pyrimidinoanthron-(10)
4-Amino-1,9-pyrimidinoanthron-(10)

Höhere Alkylamine setzen sich bei 180–250° um[4,5].

Leichter (bereits bei 70°) gelingt jedoch der Austausch, wenn man die 4-Hydroxy-dihydro-1,9-pyrimidinoanthrone-(10) (analog dem Dihydrochinizarin S. 164) einsetzt[6].

Aus der 5-Amino-1,9-pyrimidinoanthron-(10)-2-sulfonsäure entsteht durch Einwirkung von 25%-igem Ammoniak bei 200° mit 70%-iger Ausbeute das *2,5-Diamino-1,9-pyrimidinoanthron-(10)* (violettrote irisierende Kristalle, F: 295°)[7] und mit einer 20%-igen Methylamin-Lösung bei 150° das *5-Amino-2-methylamino-1,9-pyrimidinoanthron-(10)* (F: 289°).

---

[1] DRP. 633207 (1931), I.G. Farb., Erf.: M. A. KUNZ u. K. KÖBERLE; Frdl. **21**, 1143.

[2] BIOS Final Rep. Nr. **987**, 88 (1948); I. G. Farb. Ludwigshafen.

[3] DRP. 661151 (1936), I.G. Farb., Erf.: K. KÖBERLE; Frdl. **25**, 785.

[4] In einer Publikation über die biologische Wirkung von Amino-1,9-pyrimidinoanthronen-(10) sind 78 Derivate beschrieben: W. R. JONES, J. K. LANDQUIST und N. SENIOR, Brit.J. of Pharmacol. **7**, 486 (1952).

[5] DRP. 642001, 646244 (1935), I.G. Farb., Erf.: K. KÖBERLE u. O. SCHLICHTING; Frdl. **23**, 1063; **24**, 847.

[6] DRP. 651431 (1935), I.G. Farb., Erf.: K. KÖBERLE u. C. STEIGERWALD; Frdl. **24**, 849.

[7] DRP. 639854 (1935), I.G. Farb., Erf.: O. SCHLICHTING; Frdl. **23**, 995.

Vielseitig umwandelbar ist das *2-Brom-4-amino-1,9-pyrimidinoanthron-(10)*, das einheitlich durch Bromieren der 4-Amino-Verbindung in 90%-iger Schwefelsäure bei ~60° anfällt[1].

Bemerkenswert ist, daß sich 1,9-Pyrimidinoanthron-(10) in Gegenwart von Borsäure durch Erhitzen mit konzentrierter Schwefelsäure auf ~180° zum *4-Hydroxy-1,9-pyrimidinoanthron-(10)* (gelbe Nadeln, F: 208°)[2] oxidieren läßt. Praktisch alle 1,9-Pyrimidinoanthrone-(10) können auf diese Weise hydroxyliert werden.

In einem Färbepatent ist die Verwendung zahlreicher 1,9-Pyrimidinoanthrone-(10) vom Typ I beschrieben[3]:

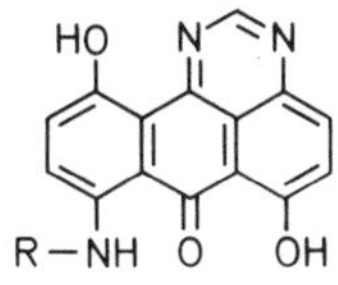

I

Einige 1,9-Pyrimidinoanthrone-(10) zeichnen sich durch eine ungewöhnlich starke Fluoreszenz aus, z. B. das Diamino-Derivat II[4], das in organischen Lösungsmitteln leicht löslich ist und III, das beim Bestrahlen mit UV-Licht hell rotorangefarbig aufleuchtet[4].

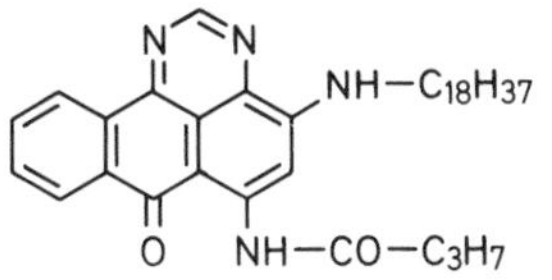

II

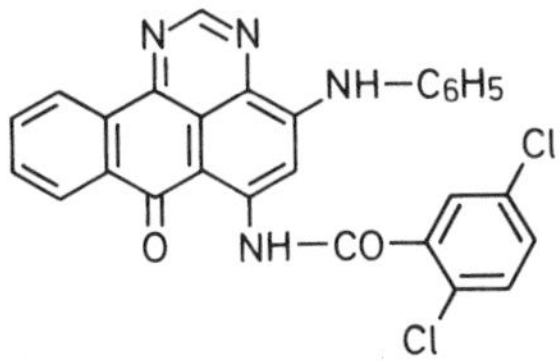

III

Beide Verbindungen sind aus 2-Brom-4-amino-1,9-pyrimidinoanthron-(10) leicht zugänglich[4].

Das *2'-Chlor-1,9-pyrimidinoanthron-(10)* (F: 250°) mit seinem sehr reaktionsfähigen Chlor-Atom ist durch Erhitzen des 1,9-Pyrimidonoanthrons-(10) (s. S. 360) mit Phosphor(V)-chlorid gut zugänglich[4,5].

1,9-Pyrimidinoanthrone-(10) lassen sich auch quarternieren[6].

l) Herstellung von 1,9-Pyrimidonoanthronen-(10) (Anthrapyrimidone)

Durch Kondensation von 1-Amino-9,10-anthrachinon mit Urethan[7] in Gegenwart von Zinkchlorid oder von 1-Chlor-9,10-anthrachinon mit Harnstoff[8] in Phenol entsteht das *1,9-Pyrimidonoanthron-(10)* (I) (in Natronlauge mit gelboranger Farbe löslich):

[1] DRP. 638837 (1934), I.G. Farb., Erf.: O. Schlichting u. K. Köberle; Frdl. **23**, 1065.

[2] DRP. 628231 (1933), I.G. Farb., Erf.: O. Schlichting u. K. Köberle; Frdl. **22**, 1118.

[3] DOS. 2156602 (1971), BASF, Erf.: H. Eilingsfeld, G. Schwantje u. R. Krallmann; C. A. **79**, 43599ᵃ (1973).

[4] BIOS Final Rep.Nr. **987**, 174 (1948), I.G. Farb. Ludwigshafen, O. Schlichting.
   DRP. 683317 (1936), I.G. Farb., Erf.: K. Köberle u. O. Schlichting; C. **1938 I**, 1880.

[5] DRP. 650056 (1931), I.G. Farb., Erf.: M. A. Kunz u. K. Köberle; Frdl. **24**, 932.

[6] DRP. 630219 (1934), I.G. Farb., Erf.: K. Köberle; Frdl. **23**, 984.

[7] DRP. 205035 (1907), Farbw. Hoechst; Frdl. **9**, 740.

[8] DRP. 205914 (1907), Farbw. Hoechst; Frdl. **9**, 741.

Durch Einwirkung von Phosphor(V)-chlorid auf I entsteht das reaktionsfähige *2'-Chlor-1,9-pyrimidinoanthron-(10)* (II).

Mit 1-Methylamino-9,10-anthrachinon treten diese Ringschlüsse nicht ein.

Da die 1,9-Pyrimidonoanthrone-(10) ohne besonderes Interesse sind, wurden sie nicht eingehend untersucht.

E. Bibliographie

P. FRIEDLÄNDER, *Fortschritte der Teerfarbenfabrikation* (Sammlung Deutscher Reichspatente), Bd. 1–25 (1877–1938), Springer-Verlag, Berlin 1888–1942.

J. HOUBEN, *Das Anthracen und die Anthrachinone*, Georg Thieme Verlag, Leipzig 1929.

R. E. SCHMIDT, *Spaziergänge im Anthrachingebiet*, Bd. I (1926), Bd. II (1931) (unveröffentlicht), Farbf. Bayer.

BIOS Final Report Nr. 960, Nr. 987, Nr. 1484 und Nr. 1493 (1948).

FIAT Final Report Nr. 1313 I–III (1948).

F. BAUMANN u. H. VOLLMANN, *Anthrachinonfarbstoffe*, in *Ullmann*, 3. Aufl., Bd. 3, S. 659–732, Urban & Schwarzenberg, München – Berlin 1953.

H.-S. BIEN u. K. WUNDERLICH, *Anthrachinon-Farbstoffe und Zwischenprodukte,* in *Ullmann*, 4. Aufl., Bd. 7, S. 585–646, Verlag Chemie GmbH, Weinheim 1974 (Aufzählung der wichtigsten Anthrachinon-Derivate).

Anthrachinone, in Kirk-Othmer, *Encyclopedia of Chemical Technology*, 2. Aufl., Vol. II, S. 431–533, Interscience Publishers, New York 1963.

Color Index, 3. Aufl., Vol. 1–5, Society of Dyers and Colorists, Bradford 1971.

Autorenregister

Sachregister

Wegen der Kompliziertheit vieler Verbindungen wurde das Sachregister nach Stammverbindungen geordnet. Entstehende Verbindungen wurden grundsätzlich aufgenommen, Anthrachinone und Anthrone als Ausgangssubstanzen wurden ebenfalls aufgenommen (die Seitenzahlen sind dann mit dem Buchstaben U. versehen). Substituenten werden in der Reihenfolge nach Beilstein benannt. Dicarbonsäure-anhydride bzw. -imide sind als Substituenten, selten als zusätzliches Ringsystem registriert. Allen cyclischen und spirocyclischen Verbindungen sind Strukturformeln vorangestellt.

Zur Nomenklatur kondensierter Anthrachinone und Anthrone s. S. 303, 335 ff., 345

Bei der Einordnung der Verbindungen innerhalb der Punkte B und C hat der kleinste Ring Vorrang vor den größeren, der weniger komplizierte vor dem komplizierten.

Fettgedruckte Seitenzahlen weisen auf Vorschriften hin.

Inhalt

A. Benzoesäuren

Benzoesäure
2-[7-Acetylamino-tetralyl-(6)-methyl]-
  aus Phthalsäureanhydrid und 6-Acetylamino-
  tetralin **42**
2-(Äthoxy-benzoyl)- 141
2-(Äthoxy-methyl-benzoyl)- 141
2-[Äthoxy-naphthoyl-(1, bzw. 2)]- 141
2-(4-tert.-Butyl-benzoyl)-
  aus tert.-Butyl-benzol und Phthalsäureanhydrid
  48
2-(Butyloxy-benzoyl)- 141
4-(2-Carboxy-benzoyl)-
  aus 2-(4-Methyl-benzoyl)-benzoesäure und
  Kaliumpermanganat in Natronlauge **253**
2-(Chlor-äthoxy-benzoyl)- 141
2-(4-Chlor-benzyl)-
  aus 2-(4-Chlor-benzoyl)-benzoesäure **42**
2-(3-Chlor-4-hydroxy-benzoyl)-
  aus Phthalsäureanhydrid und 2-Chlor-phenol **95**
2-(3-Chlor-4-methyl-benzoyl)-
  aus 2-(4-Methyl-benzoyl)-benzoesäure, Jod und
  Chlor in Schwefelsäure **254**

2-(Diäthoxy-benzoyl)- 141
2-(Dibutyloxy-benzoyl)- 141
2-(3,4-Dichlor-benzoyl)-
  aus 1,2-Dichlor-benzol und Phthalsäureanhydrid
  56
2-(2,5-Dichlor-4-methyl-benzyl)-
  aus 2-(4-Methyl-benzyl)-benzoesäure, Jod und
  Chlor **254**
2-(3,4-Dihydroxy-benzoyl)-
  aus Phthalsäureanhydrid und Brenzkatechin **96**
2-(Dimethoxy-benzoyl)- 141
2-(4-Hydroxy-benzoyl)-
  aus Phenolphthalein, Natronlauge und
  Hydroxylamin-Hydrochlorid **94**
2-(Methoxy-benzoyl)- 141
2-(Methoxy-methyl-benzoyl)- 141
2-(4-tert.-Pentyl-benzoyl)-
  aus 4-tert.-Pentyl-phenyl-magnesiumbromid
  und Phthalsäureanhydrid **34**
2-Sulfo- 67
2-Tetraloyl-(1)-
  aus Phthalsäureanhydrid und Tetralin **49**

B. Cyclische Verbindungen

1. Mono- und Bicyclische Verbindungen

1,3,4-Oxadiazol

2,5-Bis-[1-amino-9,10-anthrachinonyl-(2)]- 262

1,4-Naphthochinon

5,8-Dihydroxy- 199

2. Tricyclische Verbindungen

⟨Naphtho-[2,3-b]-thiophen⟩-4,9-chinon 34, 39

5-Nitro 34, 38
8-Nitro- 34

Anthracen

10-Äthoxy-9-äthyl- 292
2-Äthyl- 285
9-Äthyl- 300
1-Amino- 283
  aus 1-Amino-9,10-anthrachinon in Ammoniak/
  Pyridin und Zinkstaub/Kupferbronze **284**
2-Amino- 283
9-Amino- 289
2-Amino-9,10-dihydroxy- ; -dischwefelsäurester
  aus 2-Acetylamino-9,10-anthrachinon und Pyri-
  din/Schwefeltrioxid in Gegenwart von Kupferpulver **274**
9-Amino-10-formylamino- 288
9-Amino-10-hydroxy- 301 (U.)
9-Amino-10-nitro- 289
9-Anilino-10-hydroxy- 301
1-[Biphenoyl-(4)-amino]-9,10-dihydroxy- ;-dischwe-
  felsäureester (Anthrasolgelb V) 274
9,10-Bis-[4-amino-phenyl]- 288
9,10-Bis-[anilino]- ; -2-sulfonsäure 287
9,10-Bis-[carbonyl]-9,10-dihydro- 292
9,10-Bis-[diacetyl-amino]- 288
9,10-Bis-[formylamino]- 288
9-Butyl- 300
-1-carbonsäure 282
-2-carbonsäure 282
9-(2-Carboxy-äthyl)- 285
1-Chlor- 282
2-Chlor- 282
2-Chlor-9-äthyl- 300
3-Chlor-2-amino-9,10-dihydroxy- 274
2-Chlor-9-benzyl- 300
1-Chlor- ; -8-carbonsäure 282
2-Chlor- ; -3-carbonsäure 282
  aus 2-Chlor-9,10-anthrachinon-3-carbonsaurem
  Natrium, Ammoniak und Zinkstaub **284**
1-Chlor-9,10-diacetoxy- 273
9-Chlor-10-formyl- 296
-Derivate
  aus 9,10-Anthrachinon, Ammoniak und Zinkstaub; allgemeine Herstellungsvorschrift **284**
1,2-Diacetoxy-
  aus O,O-Diacetyl-alizarin in Essigsäure/Essig-
  säureanhydrid und Zinkstaub **285**
9,10-Diacetoxy-
  aus 9,10-Anthrachinon, Essigsäureanhydrid und
  Zinkstaub in Gegenwart von Pyridin **273**
9,10-Diacetoxy-2-vinyl-273
9,10-Diäthoxy- 272
9,10-Dianilino- 287, 288
9,10-Dibenzoyl- 292
-1,2-dicarbonsäure 283

1,5-Dichlor- 282
  aus 1,5-Dichlor-9,10-anthrachinon in Ammoniak
  und Zink **284**
1,8-Dichlor- 282
1,5-Dichlor-9,10-diacetoxy- 273
1,8-Dichlor-9,10-diacetoxy- 273
1,4-Dichlor- ; -5,8-dicarbonsäure 282
2,6-Dichlor- ; -3,7-dicarbonsäure 282
1,5-Dichlor-9-methyl- 300
Dihydro- 275
1,2-Dihydroxy- 280
2,6-Dihydroxy- 283
2,7-Dihydroxy- 283
9,10-Dihydroxy- 271
1,4-Dihydroxy-10-acetoxy-
  aus O,O-Diacetyl-chinizarin und Natriumdithionit
  in Essigsäure **281**
9,10-Dihydroxy-2-tert.-butyl- 274
9,10-Dihydroxy-9,10-diäthinyl-9,10-dihydro- 291
9,10-Dihydroxy-9,10-dihydro- 271, 277
9,10-Dihydroxy-9,10-diphenyl-9,10-dihydro-
  aus 9,10-Anthrachinon und Äthyl-magnesium-
  bromid **291**
9,10-Dihydroxy-2-[2-methyl-butyl-(2)]-
  aus 2-[2-Methyl-butyl-(2)]-9,10-anthrachinon
  durch Hydrierung in Gegenwart von Raney-
  Nickel oder Palladium **275**
9,10-Dihydroxy-1,4,9,10-tetraphenyl-9,10-dihydro-
  291
1,5-Dimethoxy- 283
2,3-Dimethoxy- 283
9,10-Dimethoxy- 272
1,3-Dimethyl- 282
1,4-Dimethyl- 282
9,10-Dimethyl- 300
1,8-Diphenyl- 282
1,9-(bzw. 1,10-; bzw. 2,10)-Diphenyl- 300
9,10-Diphenyl- 291
9,9-Dipropyl-10-methylen-9,10-dihydro- 300
-1,5-disulfonsäure 283
-1,8-disulfonsäure 283
9-Dodecyl- 300
2-Fluor- 285
1,2,4,9,9,10,10-Heptafluor-9,10-dihydro- 286
1,2,5,6,9,10-Hexaacetoxy- 285
1,4,9,9,10,10-Hexafluor-9,10-dihydro- 286
1-Hydroxy- 285
2-Hydroxy- 283
10-Hydroxy- 275
10-Hydroxy-9-formyl- 291 (U.)
9-Hydroxy-10-methoxy- 272
9-Hydroxy-octahydro- 275 (U.)
9-Hydroxy-tetrahydro- 275 (U.)
2-Isopropyl- 285
9-Isopropyl- 300
1-Methoxy- 283
10-Methoxy- 276
10-Methoxy-9-(dimethoxy-phosphoryloxy)- 274
9-Methoxy-10-formyl- 296
10-Methoxy-9-methyl- 292
1-Methyl- 282
2-Methyl- 282
9-Methyl- 300
9-Nitro-
  aus Anthracen in Essigsäure, Salpetersäure, Salzsäure und Natronlauge **288**
10-Nitro-9-methoxy-9,10-dihydro- 290
Octahydro- 275

10-Anthron

1-Chlor- ; -2-sulfomethyl- 242
Chlor- ; -sulfonsäuren 58
1-Chlor- ; -2-sulfonsäure 59, 66.
1-Chlor- ; -5-sulfonsäure 59 (U.), 70, 230 (U.)
1-Chlor- ; -4-(bzw. -7; bzw. -8)-sulfonsäure 70
2-Chlor- ; -1-sulfonsäure 56
2-Chlor- ; -3-sulfonsäure
   aus 2-(3,4-Dichlor-benzoyl)-benzoesäure, Natriumsulfit und Oleum **66**
2-Chlor- ; -5-sulfonsäure 70
2-Chlor- ; -6-sulfonsäure 57, 78, 174 (U.)
2-Chlor- ; -7-sulfonsäure 174 (U.)
2-Chlor- ; -3-sulfonsäure-diäthylamid 174 (U.)
1-Chlor-2-trichlormethyl- 249
2-Chlor-3-trichlormethyl- 249
8-Chlor-1,4,5-tricyan- 237
1-Chlor-2-trifluormethyl- 172 (U.), 250
1-(bzw. 2)-Chlor-3-trifluormethyl- 250
2-Chlor-6-trifluormethyl- 22
8-Chlor-1,4,5-trihydroxy- 131
   aus 5,8-Dichlor-chinizarin und Tetraäthylammoniumhydroxid in DMF **100**
2-Chlor- ; -3,6,8-trisulfonsäure 69
1-Cyan- 237
2-Cyan- 26, 238
2-Cyan- ; -3-carbonsäure-methylester 238
1-Cyan- ; -2-(bzw. -5)-sulfonsäure 241
1-Cyan- ; -6-sulfonsäure 241, 260 (U.)
1-Cyan- ; -7-(bzw. -8)-sulfonsäure 241
2-Cyan- ; -3-(bzw. -6; bzw. -7)-sulfonsäure 241
2-Cyclohexyl- 48, 76
1-Cyclohexylamino- 188f. (U.)
1-Cyclohexylamino-4-(aryloxy-arylamino)- 176
1-Cyclohexylamino- ; -5-sulfonsäure 210 (U.)
1-Cyclohexylamino- ; -6- (und -7)-sulfonsäure-Ge-
   misch 183
1,2-Diacetoxy- 280 (U.), 285 (U.)
1,4-Diacetoxy- 281(U.)
1,8-Diacetoxy- 280(U.), 285(U.)
1-Diacetoxyborylamino- 140
1-Diacetoxyboryloxy- 139 (U.)
1,5-Diacetyl- 269
1,3-Diäthoxy- 30
1-Diäthylamino-2-nitro- 172
1-Dialkylamino- 151
1,2-Diamino- 79 (U.), 152, 154 (Tab.), 172, 174, 180,
   185, 346 (U.)
   aus 1-Amino-9,10-anthrachinon-2-sulfonsaurem
   Natrium, 3-Nitro-benzolsulfonsaurem Natrium
   und Ammoniak **182**
   aus 2-(4-Amino-3-nitro-benzoyl)-benzoesäure,
   Essigsäure; Eisen/Schwefelsäure **157**
1,4-Diamino- 90, 91 (U.), 92, 103 (U.), 115 (U.),
   120 (U.), 151, 152 (Tab.), 154 (Tab.) 156,
   162, 186 (U.), 188 (U.), 192 (U.), 196 (U.),
   198f. (U.), 208f. (U.), 212f. (U.), 218 (U.),
   229f. (U.), 346(U.), 357 f. (U.)
   aus Dihydro-chinizarin, äthanolischem Ammoniak und Nitrobenzol **166**
   -Boracetat-Komplex 111 (U.)
1,5-Diamino- 75, 151, 152 (Tab.), 154 (Tab.), 173
   189ff. (U.), 192 (U.), 194 (U.), 196ff. (U.),
   216ff. (U.), 223 (U.), 228 (U.), 281 (U.), 329
   (U.), 346 (U.), 357 (U.)
   aus 9,10-Anthrachinon-1,5-disulfonsaurem Natrium, 3-Nitro-benzolsaurem Natrium und
   Ammoniak **182**
   durch chromatographische Trennung 18
1,6-(bzw. 1,7)-Diamino- 64
   durch chromatographische Trennung 18

1,8-Diamino- 64, 151, 154 (Tab.), 191 (U.),
   198f. (U.), 209 (U.), 354 (U.)
   durch chromatographische Trennung 18
2,3-Diamino- 154 (Tab.)
   aus 2-(4-Amino-3-nitro-benzoyl)-benzoesäure,
   Essigsäure in Gegenwart von Eisen/Schwefel-
   säure **157**
   aus 2,3-Dichlor-9,10-anthrachinon und Ammoniak **175**
2,6-Diamino- 154 (Tab.), 186 (U.), 191 (U.), 208
   aus 9,10-Anthrachinon-2,6-disulfonsaurem
   Natrium und Ammoniak und Arsensäure
   182
2,7-Diamino- 191 (U.)
1,4-Diamino-2-aminocarbonyl- 210
1,8-Diamino-2-benzyl- 199
1,4-Diamino-2,3-bis-[benzylmercapto]- 233
1,8-Diamino-2,7-bis-[hydroxymethyl]- 198
1,4-Diamino-2,3-bis-[4-methyl-phenylmercapto]-
   229
1,5-Diamino-4,8-bis-[4-methyl-phenylmercapto]- ;
   -2,6-disulfonsäure 230
1,4-Diamino-2,3-bis-[phenylsulfonyl]- 235
1,4-Diamino-2-butyl- 166
1,2-Diamino- ; -4-carbonsäure 264
1,3-Diamino- ; -2-carbonsäure 263
1,4-Diamino- ; -2-carbonsäure 263
   aus 1,4-Dinitro-9,10-anthrachinon-2-carbon-
   säure **160**
1,4-Diamino- ; -2-carbonsäureamid 240 (U.), 263
1,4-Diamino- ; -2,3-dicarbonsäure 263
1,5-Diamino- ; -2,6-dicarbonsäure 264
1,5-Diamino- ; -3,7-dicarbonsäure 265
1,8-Diamino- ; -2,7-(bzw. -3,6)-dicarbonsäure 265
3,6-Diamino- ; -1,8-dicarbonsäure 265
3,7-Diamino- ; -1,5-dicarbonsäure 265
1,4-Diamino- ; -2,3-dicarbonsäurenhydrid 240
1,4-Diamino- ; -2,3-dicarbonsäureimid
   aus 1,4-Diamino-9,10-anthrachinon-2-carbon-
   säureamid, Natriumcyanid und DMF/Ammo-
   niumvanadat **240**
1,4-Diamino-2,3-dicyan- 239
   aus 1,4-Diamino-9,10-anthrachinon-2-sulfon-
   säure, Natriumcyanid und Natriumacetat/
   Ammoniumvanadat **240**
1,5-Diamino-3,7-dicyan- 238, 265 (U.)
1,8-Diamino-3,6-dicyan- 238
1,4-Diamino-dihydro- 90, 164 (U.)
1,4-Diamino-2,3-dihydro- 164 (U.)
   aus Dihydro-chinizarin und äthanolischem Ammoniak **166**
1,4-Diamino-2,3-dihydroxy- 160
4,5-Diamino-1,8-dihydroxy- 152 (Tab.), 160
4,6-Diamino-1,5-dihydroxy- 14
4,8-Diamino-1,5-dihydroxy- 14, 91 (U.) 92 (U.),
   126 (U.), 128 (U.), 140 (U.), 151,
   152, 160, 161, 169, 188 (U.),
   200, 207 (U.), 219 (U.), 235 (U.)
   aus 4,8-Dinitro-1,5-dihydroxy-9,10-anthrachinon
   und Dinatriumsulfid **148**
5,8-Diamino-1,4-dihydroxy- 151, 178
   aus 1,4-Diamino-9,10-anthrachinon-Boracetat-
   Komplex, Oleum/Kaliumperoxodisulfat **111**
4,8-Diamino-1,5-dihydroxy-2-(bzw. -3)-(4-chlor-
   phenylsulfonyl)- 235
4,8-Diamino-1,5-dihydroxy- ; -2,6-disulfonsäure
   92 (U.), 161, 169 (U.), 179, 202,
   206 (U.), 209 (U.), 239 f. (U.)
   aus 4,8-Dinitro-1,5-dihydroxy- ; -2,6-disulfon-
   säure, Natronlauge und Dinatriumsulfid **129**

25*

9,10-Anthrachinon (Forts.)

4,8-Diamino-1,5-dihydroxy- ; -2,6-disulfonsaures Natrium 206
4,8-Diamino-1,5-dihydroxy-3-(4-hydroxy-phenyl)- 206
4,8-Diamino-1,5-dihydroxy-x-(4-methoxy-phenyl)- 207
4,8-Diamino-1,5-dihydroxy- ; -2-sulfonsäure- (Alizarin-saphirol SE) 92 (U.), 169, 206 (U.)
4,8-Diamino-1,5-dihydroxy-2-tosyloxy- 138
1,5-Diamino-2,6-dimercapto- 228
2,6-Diamino-1,5-dimercapto- 226 (U.)
4,8-Diamino-1,5-dimethoxy- 171 (U.)
1,5-Diamino-2,6-dimethyl- 198
1,4-Diamino-5,8-dinitro- 160 (U.)
1,5-Diamino-4,8-dinitro- 195
  aus N,N'-(9,10-Anthrachinon-1,5-diyl)-bis- [N''-N''-dimethyl-formamidinium- chlorid] 197
  aus 1,5-Diamino-9,10-anthrachinon, Oxalsäure und Schwefel-/Salpetersäure **196**
1,4-Diamino-2,3-diphenoxy- 145, 211 (U.)
1,4-Diamino- ; -2,3-disulfonsäure 193, 239 (U.)
  aus 2,3-Dichlor-1,4-diamino-9,10-anthrachinon, Borsäure und Essigsäureanhydrid und Natriumsulfit **194**
1,5-Diamino- ; -2,6-disulfonsäure 169 (U.), 187 (U.), 189 (U.)
1,5-Diamino- ; -2,6(2,7)-disulfonsäure-Gemisch 192
2,6-Diamino- ; -3,7-disulfonsäure 187 (U.), 193
2,7-Diamino- ; -3,6-disulfonsäure 193
1,4-Diamino-2-dodecylmercapto-3-benzylmercapto- 231
1,4-Dianilino-2,3-dimercapto-
  aus 2,3-Dichlor-1,4-dianilino-9,10-anthrachinon und Natriumhydrogensulfid **226**
1,4-Diamino-2,3-diphenoxy- 151
1,4-Diamino-2-formyl- 245
1,4-Diamino-2-hydroxy- 162
2,4-Diamino-1-hydroxy- 159
5,8-Diamino-1-hydroxy- 91 (U.)
1,4-Diamino-2-hydroxymethyl- 199
1,8-Diamino-2-hydroxymethyl- 198
1,5-Diamino-2-mercapto- 228
1,4-Diamino-3-mercapto-2-benzylmercapto- 233(U.)
1,3-Diamino-2-methoxy- 156
1,4-Diamino-2-methoxy- 147 (U.)
  aus 1-Amino-4-toluolsulfonylamino-9,10-anthrachinon-2-sulfonsäure und Kaliumhydroxid in Methanol **146**
1,3-Diamino-2-methyl- 156
1,4-Diamino-2-methyl- 245 (U.)
3,4-Diamino-1-methyl- 155
4,8-Diamino-5-methylamino-1-methoxy- 171
1,4-Diamino-2-nitro- 195
  aus 1,4-Bis-[benzoylamino]-2-nitro-9,10-anthrachinon und Schwefelsäure **196**
1,4-Diamino-5-nitro-
  aus 1,4-Diamino-9,10-anthrachinon, Oleum und Mischsäure, dann Schwefelsäure **197**
1,4-Diamino-3-phenoxy- 211 (U.)
1,4-Diamino-2-phenoxy- ; -3-sulfonsäure 145
1,4-Diamino-2-phenylsulfonyl- 235
1,4-Diamino- ; -2-sulfonsäure 146 (U.), 169 (U.), 179, 192, 239f. (U.)
  aus Bromaminsäure und fl. Ammoniak in Gegenwart von Kupferoxid und Kaliumacetat **178**
1,4-Diamino- ; -6-sulfonsäure 166

1,5-Diamino- ; -2-sulfonsäure 187 (U.), 190 (U.), 192, 241 (U.), 357 (U.)
  am 1,5-Diamino-9,10-anthrachinon und Oleum **194**
1,5-Diamino-2,4,6,8-tetrahydroxy- ; -3,7-disulfonsäure 200
1,5-Diamino-2,4,6,8-tetranitro- 195
4,8-Diamino-1,2,5-trihydroxy- 138
1,4-Diamino- ; -2,3,6-trisulfonsäure 193
1,4-(bzw. 1,5)-Dianilino- 152 (Tab., 154 (U.), 193 (U.), 350 (U.)
5,8-Dianilino-1,4-dihydroxy- 151
1,4-Dianilino-2-hydroxy- 211
1,4-Dianilino-5-hydroxy- 127 (U.)
5,8-Dianilino-1-hydroxy- ; -2-sulfonsäure 127
-1-diazonium-sulfat 220 (U.), 223 (U.), 328f. (U.), 342 (U.)
-2-diazonium-sulfat 223ff. (U.)
-diazonium-tetraflouroborat 54 (U.)
-1-diazonium-tetrafluoroborat 54 (U.)
-diazonium-thiocyanate 227 (U.)
1,4-Dibenzoyl- 269
1,2-Dibenzoyloxy- 130 (U.)
1,5-Diboryloxy-4-acetoxy- 139
1,2-Dibrom- 60
1,3-Dibrom- 180 (U.), 344 (U.)
  aus 1,3-Dibrom-2-amino-9,10-anthrachinon, Schwefelsäure, Natriumnitrit dann Kupfer(I)-hydroxid **60**
1,4-Dibrom- 60
1,5-Dibrom- 59, 63, 240 (U.)
1,6-(bzw. 1,7; bzw. 1,8)-Dibrom- 59
2,3-Dibrom- 131 (U.)
1,3-Dibrom-2-amino- 60(U.), 180(U.), 190(U.), 191, 238 (U.)
  aus 2-Amino-9,10-anthrachinon-3-sulfonsäure und Bromwasser **59**
2,4-Dibrom-1-amino- 60 (U.), 65 (U.), 175 (U.), 180 (U.), 185, 190 (U.), 191, 203 (U.), 229(U.), 238 (U.), 240 (U.), 241 (U.), 346 (U.), 347 (U.)
  aus 1-Amino-9,10-anthrachinon und Brom in Oleum **191**
  durch chromatographische Trennung 17
2,4-Dibrom-1-amino-5-cyan- 260
6,8-Dibrom-5-amino-1,4-dihydroxy-
  aus 5-Amino-chinizarin, Salzsäure und Brom **205**
2,3-Dibrom-4-amino-1-hydroxy- 204
6,8-Dibrom-5-amino-1-hydroxy- 204
2,4-Dibrom-1-amino-5-nitro- 191
2,6-Dibrom- ; -1,5-bis-[diazoniumsulfat] 221
4,8-Dibrom-1,5-bis-[dimethylamino]- 189
4,8-Dibrom-1,5-bis-[methylamino]- 188
1,4-Dibrom- ; -2-carbonsäure 259
2,4-Dibrom- ; -5-carbonsäure 260
2,4-Dibrom-1-cyan- 240, 241, 263f. (U.)
1,3-Dibrom-2-diacetylamino- 204 (U.)
3,6-Dibrom-1,8-diamino- 238 (U.), 265 (U.)
3,7-Dibrom-1,5-diamino- 238 (U.), 265 (U.)
4,8-Dibrom-1,5-diamino- 189
4,8-Dibrom-1,5-diamino- ; -2,6-disulfonsäure 189
3,7-Dibrom- ; -1,5-dicarbonsäure 265 (U.)
3,7-Dibrom-1,5-dicyan- 265 (U.)
2,4-Dibrom-1,3-dihydroxy- 122
3,7-Dibrom-2,6-dihydroxy- 122
4,5-Dibrom-1,8-dihydroxy- 122
4,8-Dibrom-1,5-dihydroxy- 122
4,8-Dibrom-1,5-dihydroxy- ; -2,6-disulfonsäure 119 206 (U.)
4,8-Dibrom-1,5-dihydroxy-2,3,6,7-tetramethoxy- 122

9,10-Anthrachinon (Forts.)
4-Methoxy-1-mercapto- 227
1-Methoxy-2-methyl- 146
2-Methoxy-1-methyl- 247 (U.)
1-Methoxy-4-phenoxy- 147
1-Methoxy- ; -9-phenylhydrazone 287, 344 (U.)
1-Methoxy- ; -5-sulfonsäure 170 (U.)
1-Methoxy- ; -6-sulfonsäure
    aus 1-Nitro-9,10-anthrachinon-6-sulfonsaurem
    Natrium und Natronlauge in Methanol **146**
1-Methoxy- ; -7-sulfonsäure 146
1-Methyl- 25, 33, 47, 52, 65, 76, 246 f. (U.),256 (U.),
    276 (U.), 282(U.)
    aus 4-Chlor-1-methyl-9,10-anthrachinon, Kalium-
    acetat in Gegenwart von Kupferbronze, Nitro-
    benzol u. Chrom(VI)-oxid **48**
2-Methyl- 13, 25, 47, 61 (U.), 69(U.), 76(U.), 244(U.),
    247 ff. (U.), 250 (U.), 256 (U.), 276 f. (U.),
    282 (U.), 306 (U.)
    aus 2-(4-Methyl-benzoyl)-benzoesäure und
    Oleum **76**
1-(N-Methyl-acetylamino)- 195 (U.),
1-(N-Methyl-acetylamino)-5-nitro- 195, 354 (U.)
1-(4-Methyl-N-acetyl-anilino)- 351 (U.)
1-Methyl-2-äthyl- 268 (U.)
1-Methylamino- 111(U.), 152[Tab.), 154(Tab.), 170,
    183, 188 f. (U.), 195 (U.), 236 (U.), 260 (U.)
    aus 9,10-Anthrachinon-1-sulfonsaurem Kalium,
    3-Nitro-benzolsulfonsaurem Natrium und Me-
    thylamin in Gegenwart von Kupfersulfat **181**
2-Methylamino- 208
1-Methylamino-4-anilino- 193 (U.)
1-Methylamino-5-anilino- 183
1-Methylamino-4-aziridino- 176
1-Methylamino-4-butylamino-
    aus 4-Brom-1-methylamino-9,10-anthrachinon
    und Butylamin in Gegenwart von Kupfer-
    pulver und Natriumacetat **175**
1-Methylamino- ; -2-carbonsäure 262
2-Methylamino- ; -1-carbonsäure 263
1-Methylamino-4-cetylmercapto- 231
1-Methylamino-4-(5-cyan-pentylamino)- 176
1-Methylamino-4-(3-dimethylamino-propylamino)-
    aus 4-Brom-1-methylamino-9,10-anthrachinon,
    Kupferacetat und 3-Amino-1-dimethylamino-
    propan **175**
1-Methylamino-2,4-dinitro- 195
1-Methylamino-4,8-dinitro- 195
4-Methylamino-1-methoxy-
    aus 4-Brom-1-methylamino-9,10-anthrachinon,
    Natrium und Methanol in Gegenwart von
    Kupfer(II)-acetat **144**
1-Methylamino-4-(4-methyl-anilino)- 210
    aus 4-Brom-1-methylamino-9,10-anthrachinon
    und p-Toluidin **176**
1-Methylamino-5-(4-methyl-anilino)- 183, 210
1-Methylamino-4-(4-methyl-phenylmercapto)- 229
1-Methylamino-4-nitro- 195, 210
1-Methylamino-5-nitro- 188 (U.)
1-Methylamino-8-nitro- 184
2-Methylamino-1-nitro- 208
1-Methylamino- ; -4-sulfensäurechlorid 236
4-Methylamino-1-(sulfo-anilino)- (Alizarinastrol)
    193
1-Methylamino- ; -5-sulfonsäure 182, 188 (U.), 340
    (U.)
    Natriumsalz 170
1-Methylamino- ; -6-sulfonsäure 111 (U.), 183, 188
    (U.)
1-Methylamino- ; -7-sulfonsäure 188 (U.)

1-(4-Methyl-anilino)- 222 (U.)
4-(4-Methyl-anilino)-1,2-dihydroxy- 162 (U.)
4-(4-Methyl-anilino)-1-hydroxy- ; -2-sulfonsäure
    184
1-(4-Methyl-anilino)-4-methoxy- 171 (U.)
1-(4-Methyl-anilino)-5-nitro- 184
2-[3-Methyl-butyl-(2)]- 48, 275 (U.)
2-Methyl- ; -1-carbonsäure 267 (U.)
3-Methyl- ; -1-carbonsäure 247, 257 (U.)
    aus 1,3-Dimethyl-9,10-anthrachinon in Schwefel-
    säure und Mangandioxid **248**
4-Methyl- ; -1-carbonsäure 247
2-Methyl-1-cyan- 336 (U.)
2-Methyl-3-formyl- 248
3-(bzw. 4)-Methyl-1-formyl- 247
1-(N-Methyl-N-methoxycarbonylacetyl-amino)-
    351(U.)
2-Methyl-1-[methyl-9,10-anthrachinonyl-(1)-disul-
    fanyl]- 235
3-Methyl-1-[3-methyl-buten-(3)-yl]- 29
-9-(4-methyl-phenylimin) 287
1-(4-Methyl-phenylmercapto)- ; -5-sulfonsäure 230
2-Methyl- ; -1-sulfonsäure 69
2-Methylsulfonyl- 235
2-Methyl-1-thiocyanato- 340 (U.)
1-[Naphthyl-(2)-amino]- 210
1-Nitramino- (Natriumsalz) 221
Nitro- 13
1-Nitro- 28, 29, 61 (U.), 62 (U.), 70 (U.), 80 (U.), 75,
    146 f. (U.), 158 (U.), 162 (U.), 183 f. (U.),
    202 (U.), 219 f. (U.), 231 (U.)
    aus 9,10-Anthrachinon und Salpetersäure **74**
2-Nitro- 74, 78, 79
1-Nitro-2-acetyl-
    aus 1-Nitro-2-äthyl-9,10-anthrachinon und
    Chrom(VI)-oxid in Essigsäure **268**
1-Nitro-2-äthyl- 76, 251 (U.), 268 (U.)
1-(2-Nitro-äthylamino)- 209
4-Nitro-1,2-äthylendioxy- 143
1-(2-Nitro-anilino)- 210 (U.)
2-(4-Nitro-anilino)- 211
4-(4-Nitro-anilino)-1,3-dihydroxy- 211
1-Nitro-2-butyl- 76
1-Nitro-2-tert.-butyl- 76
1-Nitro- ; -2-carbonsäure 262 (U.)
    aus 1-Nitro-2-methyl-9,10-anthrachinon **256**
1-Nitro- ; -4-carbonsäure 256
1-Nitro- ; -2-carbonsäureamid 185 (U.)
8-Nitro-1-cyan- 238
1-Nitro-2-cyclohexyl- 76
1-Nitro-2,3-dihydroxy- 85, 130, 160 (U.)
2-Nitro-1,3-dihydroxy- 130
2-Nitro-1,4-dihydroxy- 129, 159 (U.), 161 (U.)
2-Nitro-1,5-dihydroxy- 131
3-Nitro-1,2-dihydroxy- 125 (U.), 129, 130 (U.)
    aus Alizarin und Salpetersäure **130**
4-Nitro-1,2-dihydroxy- 129
    aus 1,2-Dibenzoyloxy-9,10-anthrachinon und
    Schwefelsäure/Salpetersäure **130**
5-Nitro-1,2-dihydroxy- 130
5-Nitro-1,4-dihydroxy- 161 (U.)
    aus 10-Chlor-9-hydroxy-1,4-anthrachinon, Bor-
    säure und Schwefelsäure/Salpetersäure
    129
8-Nitro-1,2-dihydroxy- 130
4-Nitro-1,8-dihydroxy-5-phenylmercapto- 231
3-Nitro-1,2-dimethoxy- 158 (U.)
1-Nitro-2,3-dimethyl- 76
5-Nitro-1,4-dimethyl- 76
1-Nitro- ; -3,7-disulfonsäure 78

1,4;9,10-Anthra-dichinon 234 (U.)

1,4 ; 9,10-Anthra-dichinon (Forts.)
3-Hydroxy-2-carboxy- 257
-4-imin 91, 93, 205 (U.), 220
2,5,6,8-Tetrahydroxy- 86, 112 ff. (U.)
    Oxidationswert von Mangandioxid **115**
3,5,6,8-Tetrahydroxy- 112 f. (U.)
5,6,8-Trihydroxy- 112 f. (U.)

1,4; 5,8; 9,10-Anthra-trichinon

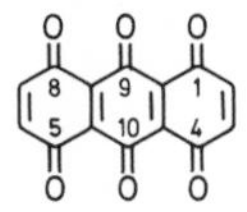

2,6-Dihydroxy- 114, 200
2,6-Dihydroxy-3,7-disulfo- 200, 202

2,6-Dihydroxy-3,7-disulfo- ; -1,5-bis-imin 200,202
3,7-Dinitro-2,6-dihydroxy- 114
Disulfo- 114
2,6-Disulfo- 202
2,6-Disulfo- : -1,5-bis-imin 202
Tetrachlor- 188

1-Aza-anthrachinon-(9,10)
    (⟨Benzo-[g]-chinolin⟩-5,10-chinon) 20

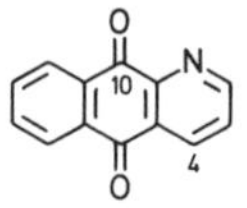

3. Tetracyclische Verbindungen

1,2-Cyclopenteno-9,10-anthrachinon
    (2,3-Dihydro-1H-⟨cyclopenta-[a]-anthracen⟩
    -6,11-chinon) 49

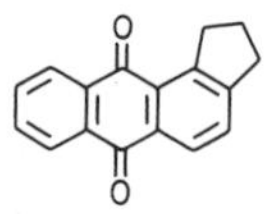

2,3-Cyclopenteno-9,10-anthrachinon
    (2,3-Dihydro-1H-⟨cyclopenta-[b]-anthracen⟩-
    5,10-chinon) 49, 258 (U.)

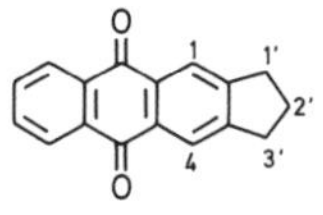

1,4,5-Trihydroxy-1'-methyl- 135

1,9-Aceanthron-(10)
    (6-Oxo-2,6-dihydro-aceanthrylen)

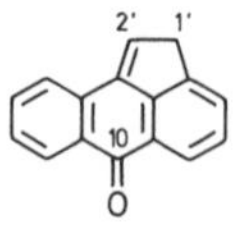

1'-[10-Anthron-9-yliden]- 303
2'-Methoxy-1'-oxo- 302

1(S),2-Thiopheno-9,10-anthrachinon
    (⟨Anthra-[1,2-b]-thiophen⟩-6,11-chinon)

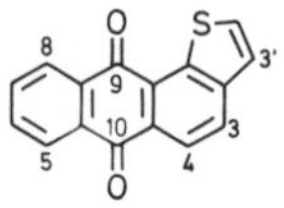

3'-Acetoxy- 338
3'-Acetyl- 236

1(S),9-Thiophenanthron-(10)
    (6-Oxo-6H-⟨anthra-[1,9-b,c]-thiophen⟩) 338

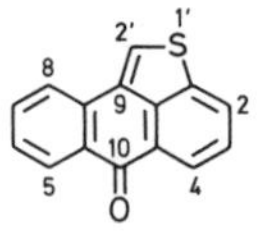

2'-Acetyl- 339
-2-carbonsäure 338
-2'-carbonsäure 338
-2,2'-dicarbonsäure 338
2'-(4-Hydroxy-benzoyl)- 339
2-Methyl- 338

1(N),9-Pyrroloanthron-(10)
    (6-Oxo-2,6-dihydro-⟨naphtho-[1,2,3-c,d]-indol⟩)
    337

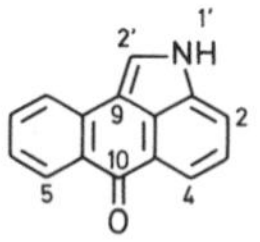

    Nomenklatur 335, 336
2'-Carboxy- 337 (U.)
1'-Phenyl- 337
    aus 1-Chlor-anthrachinon und anilinoessigsaurem
        Kalium in Butanol in Gegenwart von
        Natriumacetat und Kupfer(I)-chlorid **338**

1,9(N)-Pyrroloanthron-(10)
    (6-Oxo-2,6-dihydro-⟨dibenzo-[c,d;g]-indol⟩)

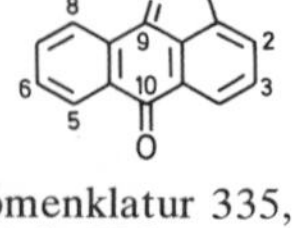

    Nomenklatur 335, 336
2-Methyl- 336

⟨Anthra-[1,2-c]-1,2-oxazol⟩-6,11-chinon 256ff. (U.)

aus 1-Nitro-2-methyl-9,10-anthrachinon
und Oleum **251**
3-Methyl- 251

1,9(N)-1,2-Oxazolo-anthron-(10)
(6-Oxo-6H-⟨anthra-[9,1-c,d]-1,2-oxazol⟩) 287

9,10-Anthrachinon-1,9-anthranil
(6-Oxo-6H-⟨anthra-[1,9-c,d]-1,2-oxazol⟩)

aus 9,10-Anthrachinon-1-diazoniumsulfat und
Hydrazinsulfat in Äthanol **223**

⟨Anthra-[1,2-d]-1,3-oxazol⟩-6,11-chinon

5-Benzoylamino-2-phenyl- 116

⟨Anthra-[2,3-d]-1,3-oxazol⟩-5,10-chinon

2-[1-Amino-9,10-anthrachinonyl-(2)]- 216

1(S),9(N)-Thiazoloanthron-(10)
(6-Oxo-6H-⟨anthra-[9,1-c,d]-1,2-thiazol⟩) 339

5-Acylamino- 340
4-Amino- 339, 340
5-Amino-
aus Anthrachinon-1-sulfonsaurem Kalium,
Ammoniak, Schwefel und Natriumsulfid **340**
-2-carbonsäure
aus 1-Chlor-anthrachinon-2-carbonsäure,
Dinatriumsulfid, Schwefel und Ammoniak **340**
-4-carbonsäure
aus 1-Thiocyanato-anthrachinon-4-carbonsäure
und Ammoniak **339**
-2-carbonsäure-9,10-anthrachinonyl-(1)-amide 340
-S,S-dioxid 28
5-Hydroxy- 340
2-Methyl- 340
5-Methylamino- 340

⟨Anthra-[2,1-d]-1,3-thiazol⟩-6,11-chinon 226

1,9-Pyrazoloanthron-(10)
(6-Oxo-2,6-dihydro-⟨anthra-[1,9-c,d]-pyrazol⟩)
223, 341

aus Anthrachinon-1-diazoniumsulfat und
Natriumsulfit **342**
1'-Acetyl-2-formyl- 343 (U.)
2'-Äthyl-1-dehydro-2'H- 345 (U.)
5-Amino- 342
4-(bzw. 5; bzw. 8)-Amino-1'-methyl- 344
4-Anilino- ; -2-sulfonsäure 343
2,2'-Azo- 342
1-[Benzanthronyl-(Bz1)]- 344 (U.)
1'-Benzoyl- 341
3-Brom-1'-methyl- 344
-2-carbonsäure
aus 1-Chlor-anthrachinon-2-carbonsäure in
Pyridin und Hydrazin **342**
2-Chlor- 341
8-Chlor- 341
2-Formyl- 343
5-Hydrazino- 341, 342
-Kaliumsalz 341
4-Hydroxy- 341
1'-Methyl- 343
aus 1-Chlor-anthrachinon, Methylhydrazin und
Natriumcarbonat in Pyridin **344**
2-Methyl-1'-acetyl- 343 (U.)
2-Nitro- 342
1'-Phenyl- 287, 344

6,11-Naphthacenchinon 29, 45, 258 (U.)

1,2,3,4-Tetrahydro- 258 (U.)
7,8,9,10-Tetrahydro-
aus 2-Tetraloyl-(1)-benzoesäure und Oleum **49**

3,4-Cyclohexeno-anthron-(10)
(12-Oxo-1,2,3,4,7,12-hexahydro-⟨benzo-[a]-
anthracen⟩)

1-Acetylamino-
aus 2-(7-Acetylamino-tetralyl-(6)-methyl]-
benzoesäure und konz. Schwefelsäure **42**

1H-⟨Anthra-[2,1-b]-1,4-thiazin⟩-7,12-chinon

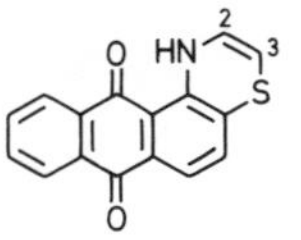

2,3-Dihydro- 233

1,9(N)-Pyridazinoanthron-(10)
(7-Oxo-7H-⟨anthra-[9,1-c,d]-pyridazin⟩) 355

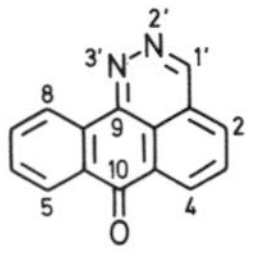

-5-carbonsäure 355

1,9-Pyrimidinoanthron-(10) (Anthrapyrimidin)
(7-Oxo-7H-⟨anthra-[1,9-d,e]-pyrimidin⟩) 355

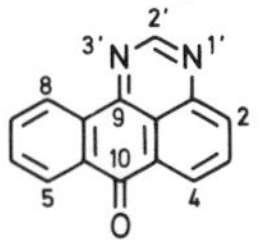

aus N,N-Dimethyl-N'-anthrachinonyl-(1)-
formamidiniumchlorid und Ammoniumcarbonat **356**
2-Amino- 358
4-Amino- 356, 359 (U.)
aus 1,4-Diamino-anthrachinon, Formaldehyd,
Ammoniak und 3-Nitro-benzolsulfonsaurem
Natrium **358**

5-Amino-
aus 1,5-Diamino-anthrachinon-2-sulfonsäure,
Formamid, Nitrobenzol und Natronlauge/
Natriumdithionit **357**
5-Amino-4,8-dihydroxy- 359 (U.)
5-Amino-2-methylamino- 358
5-Amino- ; -2-sulfonsäure 357, 358 (U.)
4-Anilino-6-(2,5-dichlor-benzylamino)- 359 (U.)
4-(bzw. 5)-Benzoylamino- 356
4-Benzolylamino-2'-phenyl- 356, 357
2-Brom-4-amino- 359
2-Butylamino- 358
2'-Chlor- 359, 360
4-Chlor- 356, 357
4-(4-Chlor-benzoylamino)- 358
2,5-Diamino- 358
5-(2,5-Dichlor-benzoylamino)- 358
2-Dimethylamino- 358
2-Hydroxy- 356, 358 (U.)
4-Hydroxy- 356, 358 (U.), 359
4-Hydroxy-dihydro- 358 (U.)
4-Methoxy- 356
2'-Methyl- 356
4-Octadecylamino-6-propanoylamino- 359 (U.)
2'-Phenyl- 357

1,9-Pyrimidonoanthron-(10) (Anthrapyrimidon)
(2,7-Dioxo-2,3-dihydro-7H-⟨anthra-[1,9-d,e]-
pyrimidin⟩) 359, 360

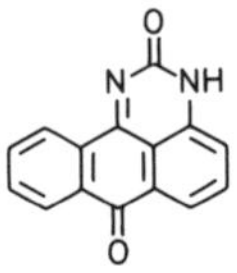

4. Pentacyclische Verbindungen

1,2; 3,4-Bis-cyclopenteno-9,10-anthrachinon
(1,2,3,4,5,6-Hexahydro-⟨bis-cyclopenta-[a;c]-
anthracen⟩-7,12-chinon) 26

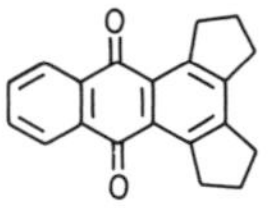

**1,9(N);5,10(N)-Bis-[1,2-oxazolo]-9,10-dihydro-
anthracen**
(Bis-[1,2-oxazolo]-[5,4,3-d,e; 5',4',3'-k,l]-
anthracen) 287

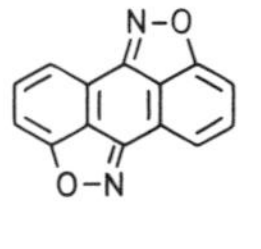

1,9(N);4,10(N)-Bis-[thiazolo]-9,10-dihydro-anthracen
(Bis-[1,2-thiazolo]-[5,4,3-d,e; 3', 4',5'-m,n]-
anthracen) 340

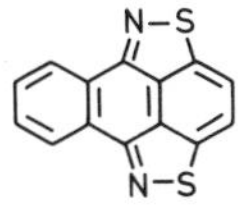

1,9(N);5,10(N)-Bis-[thiazolo]-9,10-dihydro-anthracen
(Bis-[1,2-thiazolo]-[5,4,3-d,e;5',4',3'-k,l]-
anthracen) 340

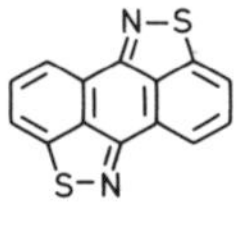

1,9; 5,10-Bis-[pyrazolo]-9,10-dihydro-anthracen
(2,7-Dihydro-⟨bis-pyrazolo-[3,4,5-d,e;3',4',5'-
k,l]-anthracen⟩) 342

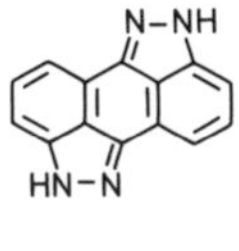

⟨Anthra-[1,2-b]-1-benzofuran⟩-7,12-chinon

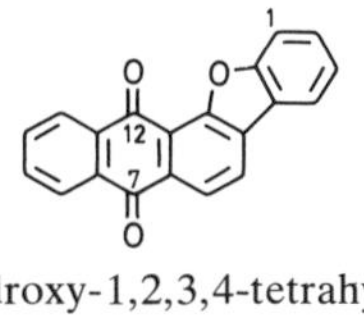

6-Hydroxy-1,2,3,4-tetrahydro- 135

8H-⟨Dibenzo-[a;d,e]-anthracen⟩

8-Oxo- 310
8-Oxo-1,2,3,4-tetrahydro- 311

⟨Naphto-[2,3-c]-acridin⟩-5,14-chinon

10-Chlor-8-oxo-8,13-dihydro- 177

9H-⟨Naphtho-[3,2,1-k,l]-acridin⟩

2-Amino-9-oxo- 350
2-Anilino-9-oxo- 349
13b-Hydroxy-9-oxo-5-methyl-9,13b-dihydro- 349
8-(4-Methyl-anilino)-9-oxo-2,5-dimethyl- ;
  -methylsulfat 350
9-Oxo- 349
1,2,3,4-Tetrahydro 346

1(N),9;5(N),10-Bis-[N-methyl-pyridono]-9,10-dihy-droanthracen
  (2,8-Dioxo-3,9-dimethyl-2,3,8,9-tetrahydro-
  ⟨benzo-[1,2,3-d,e;4,5,6-d′,e′]-dichinolin⟩) 354

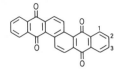

1,9-Benzo-4,10-pyrimidino-9,10-dihydro-anthracen
  (Dibenzo-[e;g,h]-perimidin) 358

1,9(N);4,10(N)-Bis-[pyrazino]-9,10-dihydro-anthracen
  (Anthra-[9,1-c,d; 4,10-c′,d′]-dipyrazin)

2′,2″-Dibutyl-2′,2″-dihydro- 355
2′,2″-Diphenyl-2′,2″-dihydro- 355

1,9; 5,10-Bis-[pyrimidino]-9,10-dihydro-anthracen
  ⟨(Chinazolino-[5,4-e,f]-perimidin)⟩ 357

Bis-[1,2,3-oxathiazino]-[4,5,6-d,e;6′,5′,4′-m,n]anthracen

-2,2;7,7-bis-dioxid 88

5. Hexacyclische Verbindungen

⟨Dibenzo-[b;k]-chrysen⟩-5,16; 8,13-bis-chinon 255

9H-⟨Dibenzo-[a;d,e]-naphthacen⟩-5,15-chinon

9-Oxo- 313

⟨Dibenzo-[a;h]-pyren⟩-7,14-chinon 316

aus 1,5-Dibenzoyl-naphthalin, einer
  Aluminiumchlorid/Natriumchlorid-
  Schmelze und Sauerstoff **317**

8H-⟨Phenanthro-[10,1,2-j,k,l]-thioxanthen⟩

8-Oxo- 317

⟨Benzo[a]-naphtho-[2,3-h]-acridin⟩-8,13-chinon

5-Oxo-5,14-dihydro- 262

1′H-Chinolino-[2′,3′,4′-2,1,Bz1]-benzanthron
(8-Oxo-5,8-dihydro-⟨phenanthro-[10,1,2-j,k,l]-
acridin⟩)

aus Benzanthron in Anilin und Kaliumhydroxid in
Nitrobenzol **320**

6. Heptacyclische Verbindungen

**1,2; 3,4; 5,6; 7,8-Tetrakis-cyclopenteno-9,10-
anthrachinon**
(Dodecahydro-⟨tetrakis-cyclopenta-[a;c;h;j]-
anthracen⟩-7,14-chinon) 25

**16H-⟨Bis-{anthraceno-[1,2-b;2′,1′-d]-pyrrol}⟩-5,17;
10,15-bis-chinon** 153

4,9-Bis-[benzoylamino]- 215
6,9-Bis-[benzoylamino]- 215
4,11-Bis-[benzoylamino]- 215

**1,2;3,4;5,6;7,8-Tetrakis-cyclohexeno-9,10-
anthrachinon**
(Hexadecahydro-⟨tetrabenzo-[a;c;h;j]-
anthracen⟩-9,18-chinon) 25

⟨Dianthra-[1,2-b;1′,2′-e]-1,4-dioxin⟩-5,18;9,14-
bis-chinon 14

⟨Benzo-[1,2-c;4,5-c′]-diacridin⟩-8,17-chinon

5,14-Dioxo-5,9,14,18-tetrahydro- 173

Anthrazin-5,18;9,14-bis-chinon 151

7,16-Dichlor-6,15-dihydro-(Anthrasolblau-JBC) 273
6,15-Dihydro- 151, 153

7. Octacyclische und höhergliedrige Verbindungen

Acedianthron
(⟨Aceanthryleno-[2,1-a]-aceanthrylen⟩-5,13-
chinon) 296, 297

Dichlor- 297

⟨Naphtho-[2,3-c]-anthraceno-[9,1,2-i,j,k]-
acridin⟩-10,15-chinon

5-Oxo-5,16-dihydro- 153

⟨Benzo-[g]-(anthraceno[9,1,2-j,k,l]acridino)-[7,8,9-b,c,d]-indazol⟩-13,18-chinon 161

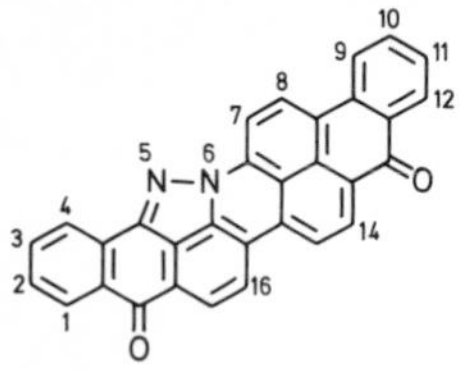

⟨Dinaphtho-[1,2,3-c,d;3′,2′,1′-l,m]-perylen⟩
(Violanthren) 283

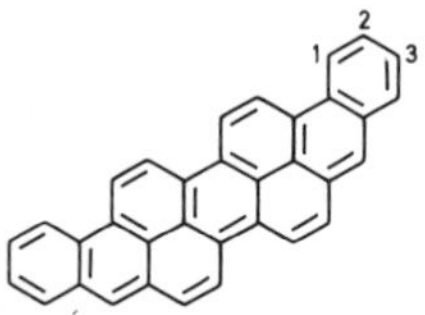

Amino- ; -5,10-chinon 213
-5,10;16,17-bis-chinon 324
-5,10-chinon 283 (U.), 319, 320, 321, 323
16,17-Dimethoxy- ; -5,10-chinon 148

⟨Dinaphtho-[1,2,3-c,d; 1′,2′,3′-l,m]-perylen⟩-5,14-chinon 321, 323

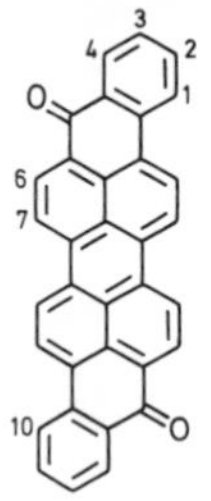

⟨Dinaphtho-[2,3-a;2′,3′-i]-(naphtho[2,3-g]indolo)-[2,3-c]-carbazol⟩-5,24;10,15;17,22-tris-chinon

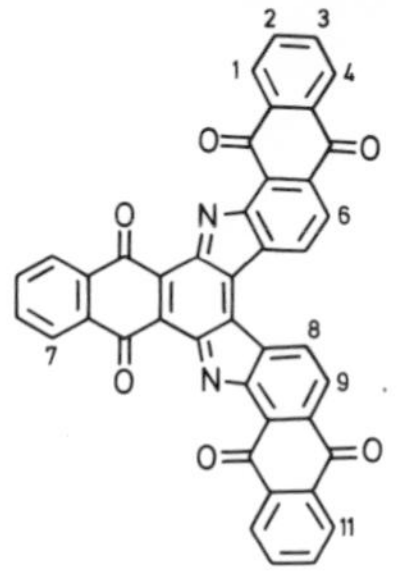

13,23-Dihydro- 214

⟨Tetrakis-[naphtho-[2,3-g]-indolo]-[2,3-a;3′,2′-c; 2″,3″-h;3‴,2‴-j]-anthracen⟩-5,38;10,15;17,36; 19,24;29,34-pentakis-chinon

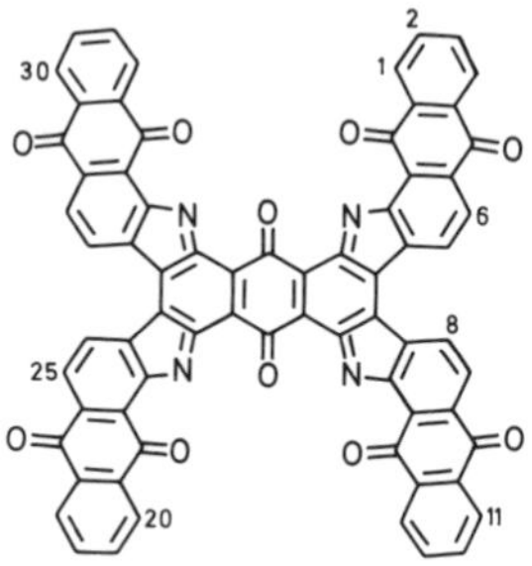

16,18,35,37-Tetrahydro- (Indanthrenkhaki 2 G) 215

C. Symmetrische Biaryl- und Biheteroaryl-Verbindungen

9,9′-Bi-10-anthronyl 79f. (U.), 299, 301, 302

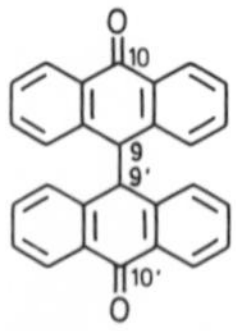

aus Anthracen, Essigsäure und Salpetersäure **19**
9,9′-Dihydroxy- 272
Tetranitro-
    aus 9,9′-Bianthronyl und Salpetersäure **80**

9,9′-Bi-10-anthronyliden 298, 299

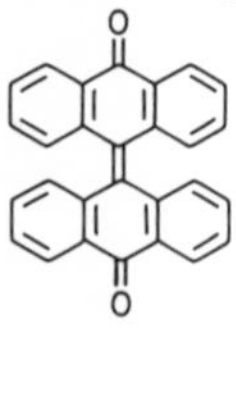

1,1′-Bi-(9,10-anthrachinonyl) 52

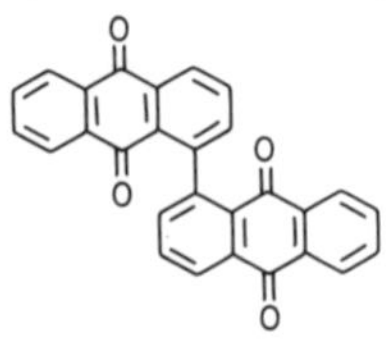

2,2′-Diamino- 217
4,4′-Diamino-
2,2′-Dimethyl-
    aus 1-Chlor-2-methyl-9,10-anthrachinon,
    1,2-Dichlor-benzol und Kupferbronze in
    Gegenwart von Pyridinhomologen **52**
2,2′-Di-phthalimido- 52

2,2′-Bi-(9,10-anthrachinonyl) 51

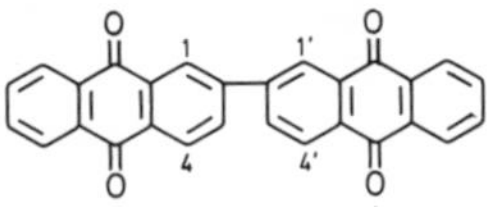

1,1′-Dicarboxy- 258
1,1′-Dihydroxy- 101
    aus 1-Hydroxy-9,10-anthrachinon und
      äthanolischer Kalilauge **102**
1,4;1′,4′-Tetrahydroxy- 87

2,2′-Bi-[1(S),9(N)-thiazolo-10-anthron-yl] 340

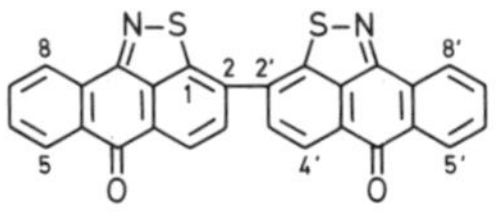

2,2′-Bi-[1,9-pyrazolo-10-anthron-yl] 345

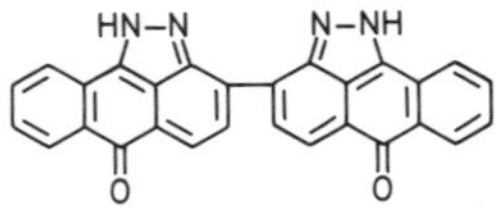

1,1′-Diphenyl- 345

2,2′-Bi-benzanthron-(10)-yl 319, 320

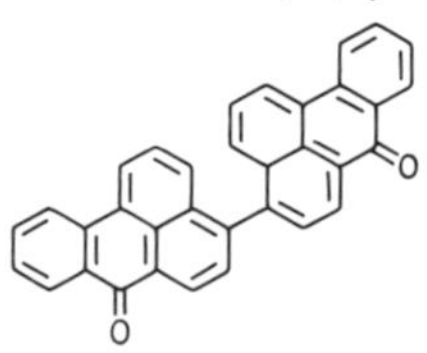

2,Bz1-Bi-benzanthron-(10)-yl 313

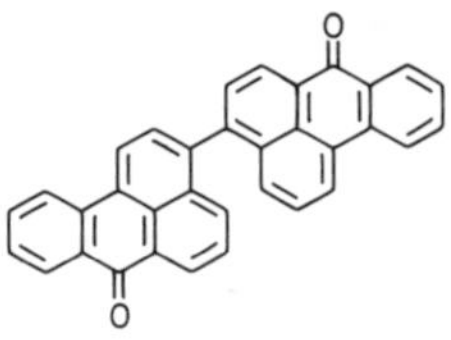

Bz1, Bz1′-Bi-benzanthron-(10)-yl 258 (U.), 324

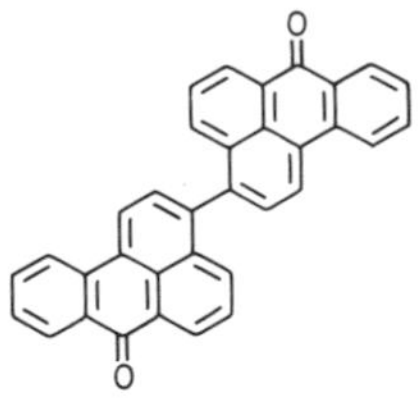

aus Benzanthron in Schwefelsäure und
    Braunstein **325**

2,2′-Bi-(2,5-dihydro-⟨benzo[a]phenaleno-[3,4-b,c]thienyliden⟩)

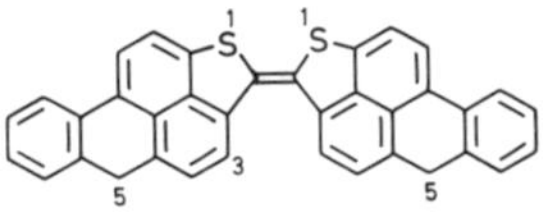

5,5′-Dioxo- 322

D. Trivialnamen und Namensregister

Alizarin
    81 (Tab.), 83, 84, 105, 106 (U.), 109 ff. (U.),
    112 (U.), 114 f. (U.), 117 (U.), 124 f. (U.),
    129f. (U.), 132 (U.), 136 ff. (U.), 142 (U.),
    161f. (U.), 280 (U.), 306 (U.), 349 (U.)

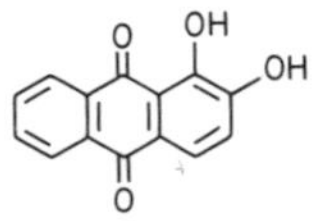

aus 9,10-Anthrachinon-2-sulfonsaurem Kalium,
    Natronlauge und Natriumnitrit **107**
chromatographische Trennung 17
-9-imin 162
-Aluminium-Calcium-Komplex 84

Alizarinastrol 193

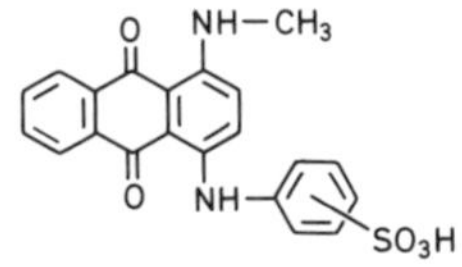

Alizarin blauschwarz B 164

Alizarinbordeaux B
    82 (Tab.), 91 (U.), 105, 109, 110, 112 (U.),
    116 (U.), 124 (U.), 130 (U.), 143 (U.), 161
    (U.), **167**

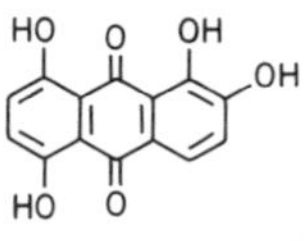

aus Alizarin, Borsäure und Oleum **110**

Alizarinbrillantblau G 176

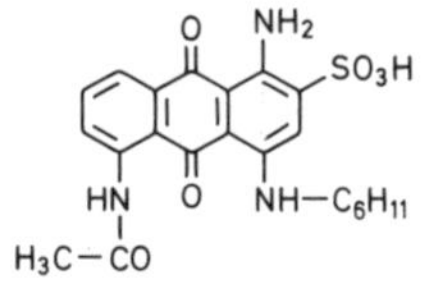

Alizarincyaningrün 193

Alizarincyaningrün 5 G-Base 167

aus 5,8-Dichlor-1,4-dihydroxy-9,10-
anthrachinon, p-Toluidin und
Natriumacetat **173**

Alizarinhexacyanin 82 (Tab.), 109, 119 (U.)

Alizarinpentacyanin 82 (Tab.), 109 (U.), 113, 118

Alizarinreinblau 193

Alizarinrot 84

Alizarinrubinole 354

Alizarinsaphirol B 161, 179, 208, 209 (U.)

aus 4,8-Dinitro-1,5-dihydroxy-9,10-
anthrachinon-2,6-disulfonsäure und
Dinatriumsulfid **129**

Alizarinsaphirol SE 92 (U.), 169, 206 (U.)

Alizarinviridin FF 168

Aloinosid B 150

R^1 = Glucopyranosyl
R^2 = Rhamnosyl

Anthrachinonviolett 193

Anthrachryson

aus 3,5-Dihydroxy-benzoesäure und
Schwefelsäure **98**

Anthraflavinsäure 81 (Tab.), 99, 106 f. (U.), 122 (U.),
124 (U.), 144 (U.)

chromatographische Trennung **17**

Anthrafuchson 295

Anthragallol 81 (U.), 100, 103, 117 (U.),

aus Benzoesäure, Gallussäure und
Schwefelsäure **99**
aus Phthalsäureanhydrid, Pyrogallol und
Natriumchlorid/Aluminiumchlorid-
Schmelze **97**

Anthrahydrochinon (9,10-Dihydroxy-anthracen) 271

Chinizarinchinon

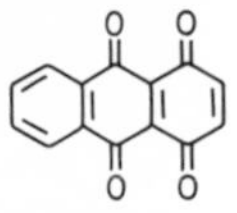

aus Chinizarin, Essigsäure und Blei(IV)-acetat **116**

Chrysazin 81(Tab.), 86, 104, 106(Tab.), 107 (U.), 109 f. (U.), 117 (U.), 121 (U.), 124 (U.), 128 (U.), 139 (U.)

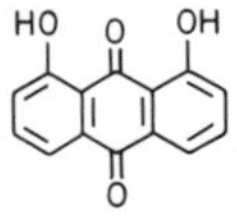

aus 9,10-Anthrachinon-1,8-disulfonsaurem Kalium und Calciumoxid/Magnesiumchlorid **102**
aus 1,8-Dimethoxy-9,10-anthrachinon, Essigsäure und Schwefelsäure **99**

Chrysophansäure 162 (U.)

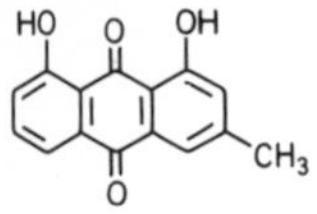

Chrysopin 82 (Tab.), 102, 110 (U.), 112 (U.)

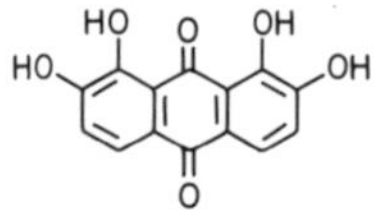

Cibanonblaugrün B 322

Coeramidon 349

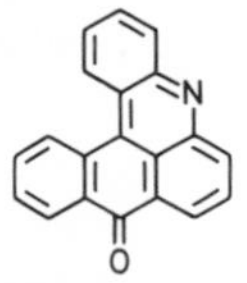

2-Anilino- 349
2-Amino- 350

Cyananthol 193

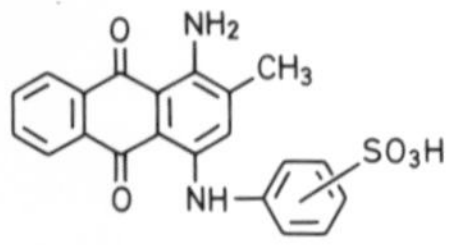

Dehydro-indanthron 151

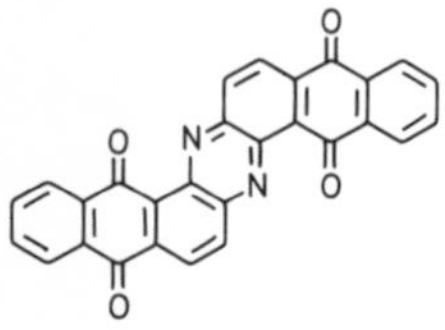

Dializarin 82 (Tab.), 102, 103 (U.), 107 (U.)

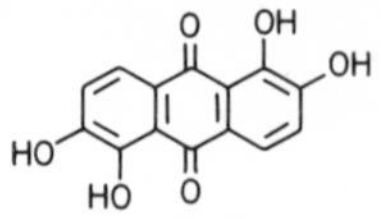

aus 1,5-Dihydroxy-9,10-anthrachinon-2,6-disulfonsäure und Kaliumhydronid **103**

Diamino-anthrarufin 14, 91 (U.), 151f., 160f., 169, 200

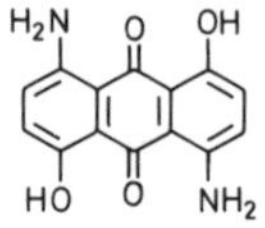

aus 4,8-Dinitro-1,5-dihydroxy-9,10-anthrachinon und Dinatriumsulfid **148**

1,1'-Di-anthrimid 153 (U.), 212 (U.)

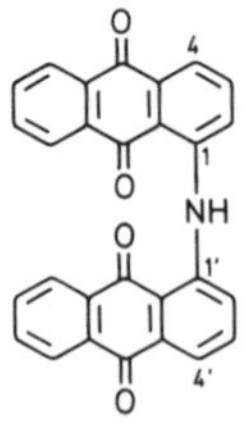

4,4'-Bis-[benzoylamino]- 215
4,5'-Bis-[benzoylamino]- 212, 215
5,5'-Bis-[benzoylamino]- 215

2,2'-Di-anthrimid 212

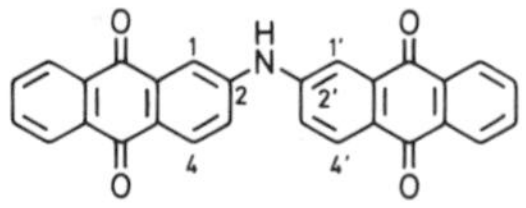

Dichinizarin 82(Tab.), 85, 91 (U.), 101, 126

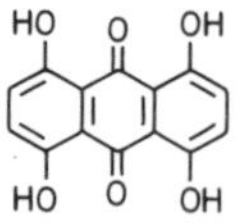

aus 1,4,5,8-Tetrahydroxy-2,3-dihydro-anthrachinon und Nitrobenzol/Pyridin **170**
2,3-Dihydro- 91 (U.), 104 (U.), 167 ff. (U.)
aus 4,8-Diamino-1,5-dihydroxy-9,10-anthrachinon-2,6-disulfonsaurem Natrium und Natriumdithionit **170**

Dioxyanthragallol 82(Tab.)

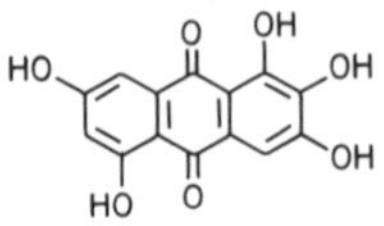

Emodin 149

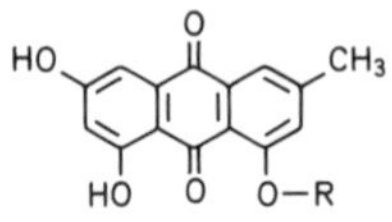

R = 1-O-ß-D-Glucopyranosyl

Erythroxyanthrachinon 26, 45, 81(Tab.), 85, 101, 103, 142 (U.)

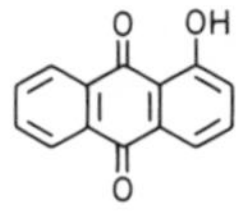

aus 9,10-Anthrachinon-1-sulfonsaurem Kalium und Calciumoxid **102**

Flavopurpurin 81(Tab.), 102, 106, 117 (U.), 136 (U.), 143 (U.)

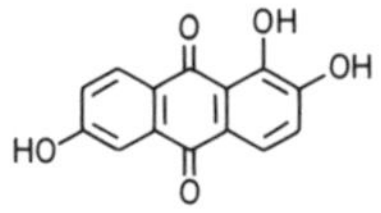

aus 1,6-Dihydroxy-9,10-anthrachinon und Kaliumnitrat/Natronlauge **107**

1-O-ß-D-Glucopyranosyl-chrysophanol 149

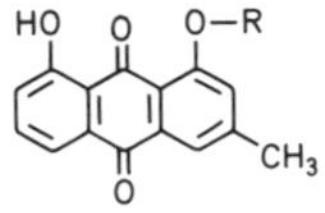

R = 1-O-ß-D-Glucopyran= aryl

Hayaski-Umlagerung 37

Hystazarin 81(Tab.), 97, 100, 130 (U.), 136 (U.)

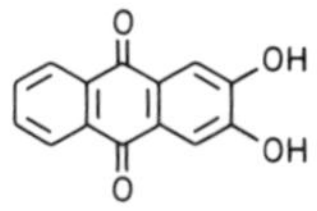

aus 2-(3,4-Dihydroxy-benzoyl)-benzoesäure und Schwefelsäure 96

Indanthrenblaugrün FFB 322

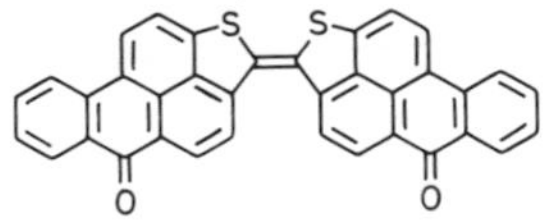

Indanthrenbraun BR 214

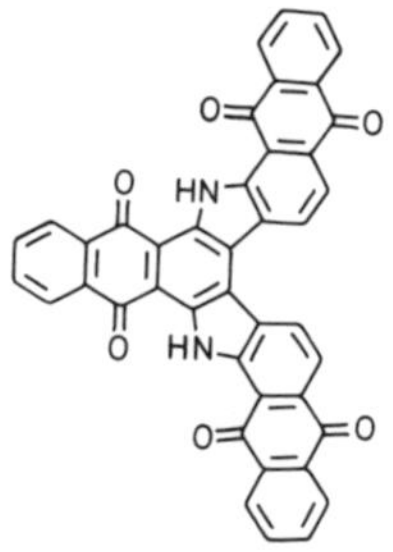

Indanthrenbraun R 215

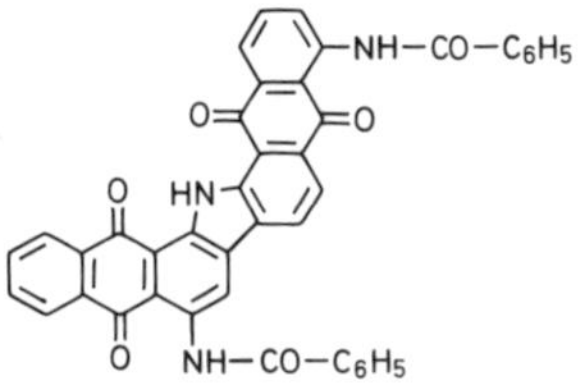

Indanthrenbrillantgrün B (Caldon Jade Green) 324, 325

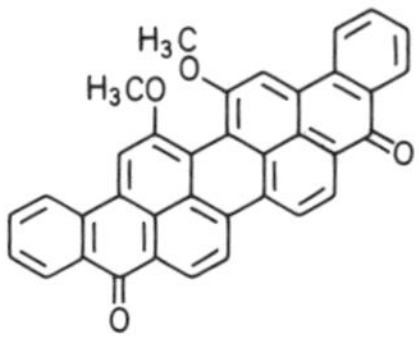

Indanthrenbrillantviolett R 215

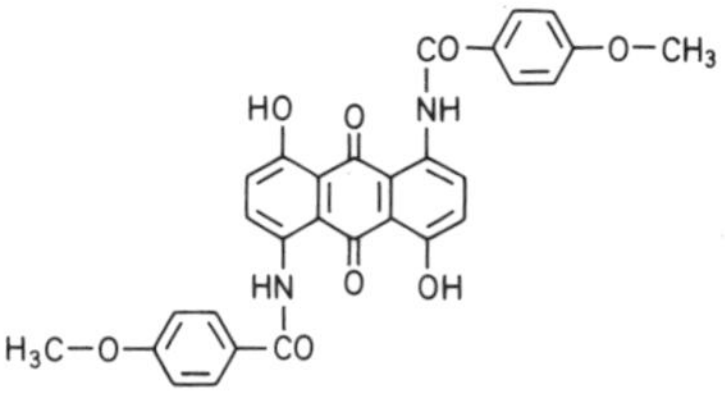

Indanthrendirektschwarz RB 213

Indanthrengelb 3GF 215

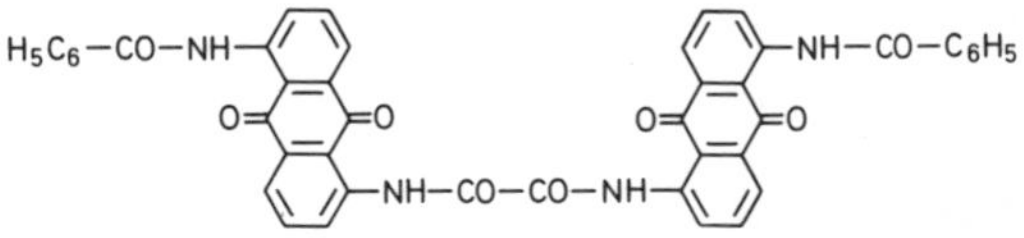

Indanthrengelb 4GK 358

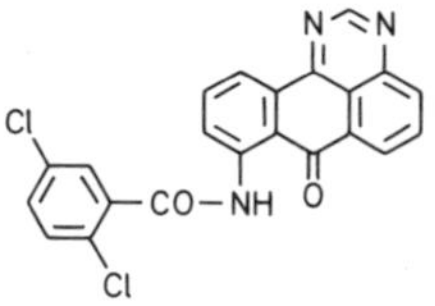

Indanthrengelb 7GK 358

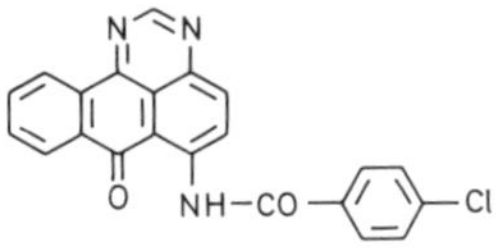

Indanthrengoldgelb GK 316, 317

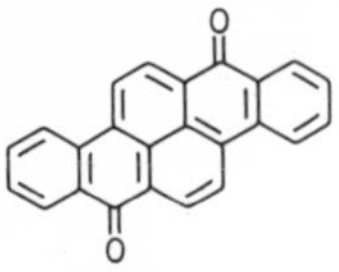

aus 1,5-Dibenzoyl-naphthalin, einer
   Aluminium-/Natriumchlorid-Schmelze und
   Sauerstoff **317**

Indanthrengoldorange 3G 215

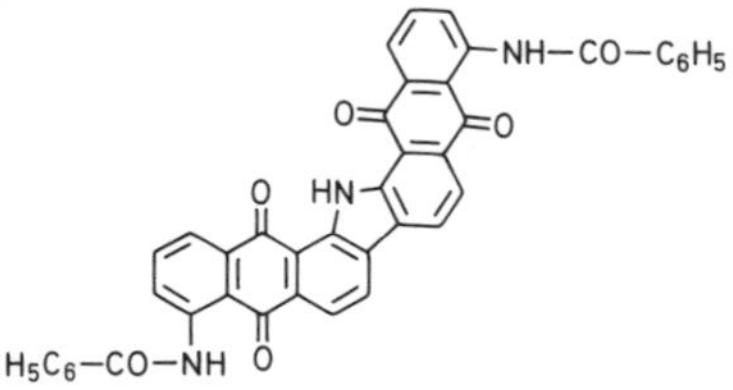

Indanthrengrau BG 213

Indanthrenkhaki 2G 215

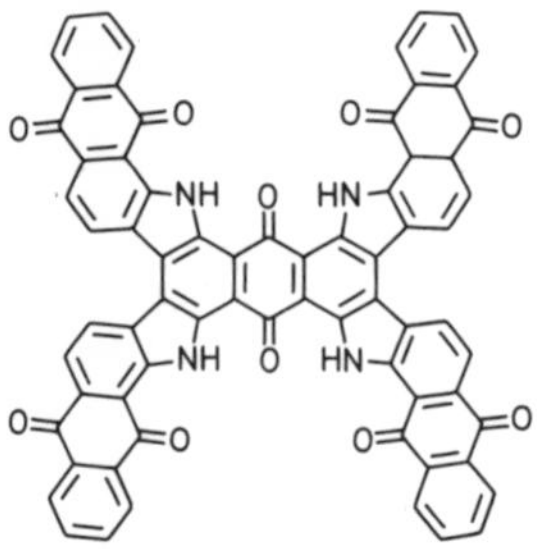

Indanthrenmarineblau R 344

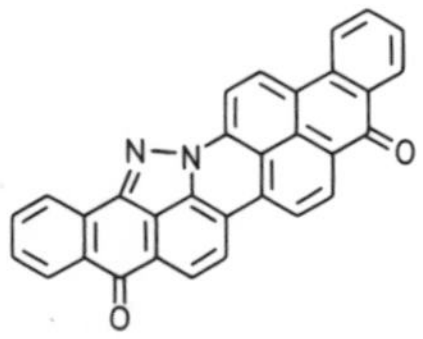

Indanthrenoliv R 215

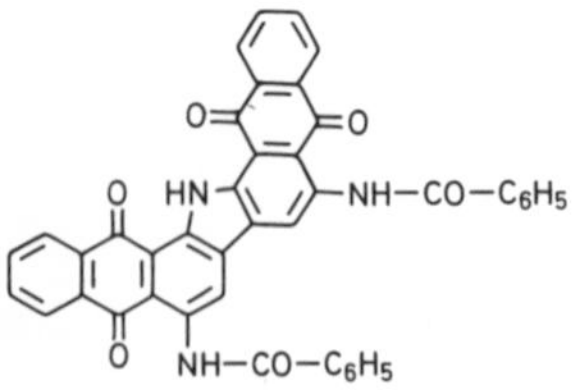

Indanthrenolivgrün B 153

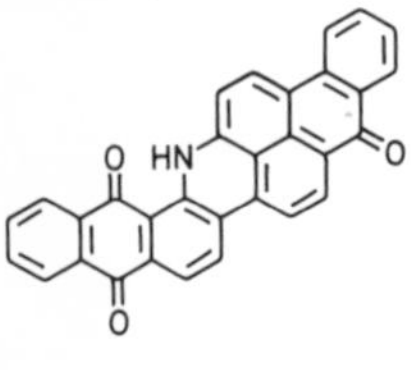

Indanthrenorange 7RK 207, 212

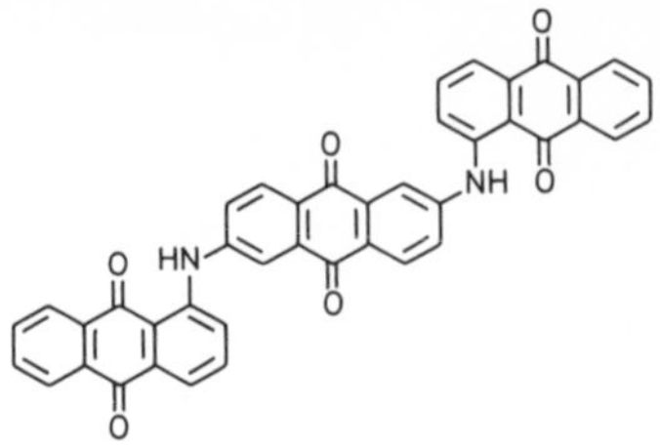

Indanthrenrot F2B 216

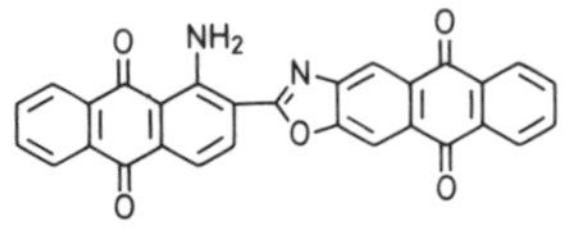

Indanthrenrot F3B 262

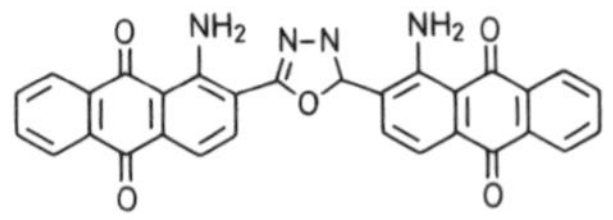

Indanthrenrot RK 262

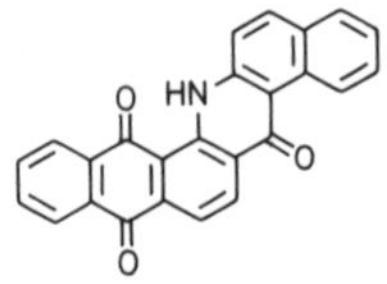

Indanthrenrubin R 345

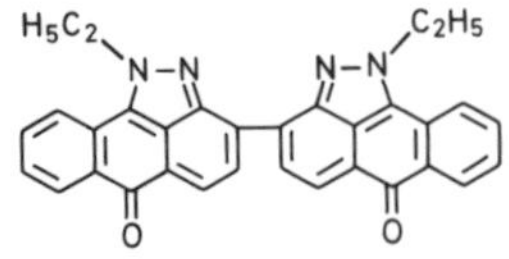

Indanthrenviolett FFBN 173

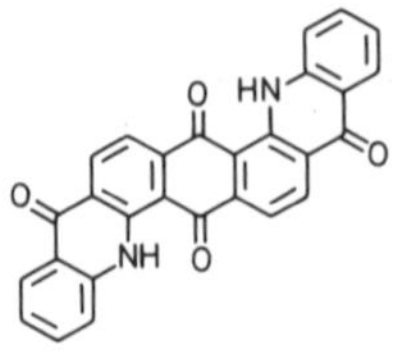

Indanthron 151, 153

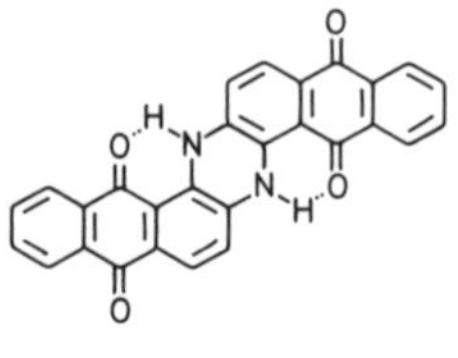

aus 1,5-Dihydroxy-9,10-anthrachinon, Natriumhydroxid, Kaliumhydroxid und Natriumnitrat **107**

aus Alizarin, Schwefelsäure und Mangandioxid **114**
chromatographische Trennung **17**

aus Purpurin und Ammoniak **163**

aus 1,2,4-Trihydroxy-anthrachinon, Natronlauge und Natriumdithionit **118** aus Gallussäure und Schwefelsäure **98**

aus 1,5-Dihydroxy-9,10-anthrachinon-2,6-disulfonsäure und Kaliumhydroxid **103**

aus 1,2,4-Trihydroxy-anthrachinon, Natronlauge und Natriumdithionit **118**

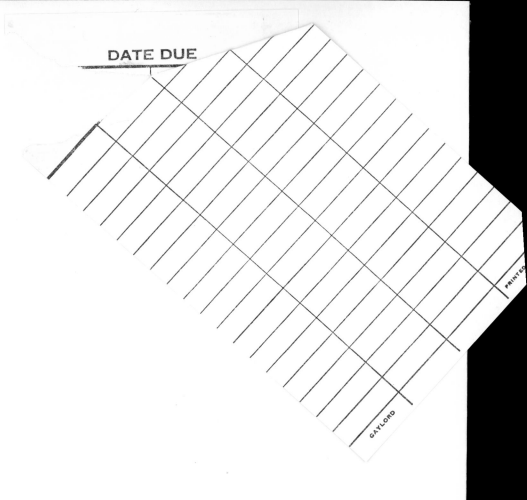

DATE DUE

GAYLORD